JN234334

WIZARD BOOK SERIES Vol.8

# トレーディングシステム徹底比較 第2版

## 代表的39戦略の検証結果

ラーズ・ケストナー　*Lars N.Kestner*

訳　柳谷 雅之

Pan Rolling

この文章のいかなる部分もラーズ・N・ケストナーの書面による承諾なしに、電気的、機械的、光学的、その他のいかなる手段による複製、情報検索システムへの保存、伝達することはできません。

＜出版社＞
コモディティー・トレーダーズ・コンシューマー・レポート
Box 7603 FDR　ステーション，ニューヨーク，NY，10150-7603

＜登録商標＞
　イージー・ランゲージとトレード・ステーションは、オメガ・リサーチ社の登録商標です。
　ＴＤライン、値幅拡大指標（ＲＥＩ）、デマーカーは、トーマス・R・デマークの登録商標です。

　この本の情報は教育的目的のためのみに用いられるべきです。著者は、読者が本書の内容に基づき投資判断することを推奨するものではありません。この本に含まれる情報を正確なものにするために念入りに配慮されました。しかし、情報に対する正確性は一切保証されているわけではなく、ラーズ・ケストナーによる表現と考えるべきではありません。
　商品取引には大きな損失の可能性があります。仮定に基づいた、あるいはシミュレーションによって得られた成績にはある種の限界があります。実際の売買成績記録とは異なり、シミュレーションによる売買は実際の売買を示していません。同様に、取引は実際に行われたわけではないので、結果は、流動性の不足などのある種の市場要因を過大／過小評価している可能性があります。シミュレーションによる売買プログラムは、一般に、後解釈により設計されがちです。本書に示されたのと同様の利益、もしくは損失を達成するということは一切主張されていません。

# A Comparison of Popular Trading System : Second Edition
## by Lars N. Kestner

Copyright©1999 by Lars N. Kestner  Allrights reserved.
This translation published in Japan by arrangement with Commodity Traders' Consumer Report(CTCR)

# 日本の読者へ

　最近では巨大な富が絶えず作られ、そして失われている。日本の経済は、この１０年間景気後退時期にあった。

　何トンものカネを儲ける答えを知っていると宣伝する、いわゆる「グル」が数多く存在している。彼らの多くは機械的なトレーディング・システムを富への手段として提供している。果たして、本当だろうか。

　ラーズ・ケストナーによるこの偉大な本は、見事にその質問に答えを与えてくれている。最も著名なグルたちの有名なシステムに対して利益と損失を示し、それらの成績について真実を明かしてくれているのである。

　読者は、この本が利益を上げるための基本と損失から身を守る手助けを提供してくれていることを必ずや見いだすであろう。

　　　　　コートニー・スミス
　　　　　『コモディティー・トレーダーズ・コンシューマー・レポート』編集長

# 本書に寄せて

　必勝システムの探求は続いている。至るところで、ソフトウエアに少額を投資するだけで1トンものカネ儲けを約束するような広告が鳴り響いている。トレーディング・システムに関する全知識の泉の栓を抜くという理由で、無限のカネ儲けを約束している本がある。もちろん、これらの大部分が純粋な誇大宣伝である。けれども、どのシステムが本物で、どれが偽物なのだろうか。

　2年前に、トム・デマーク、ジョー・クルトシンガー、マーレー・ルジェーロといった著名なシステムの権威による有名なシステムの成績を比較した質素な本をラーズ・ケストナーから受け取った。結果は驚くべものであった。多くのシステムは非常に巧妙なアイデアを持っていたが、古典的なシステムのいくつかをしのぐことさえできなかったのである。これだけで、本の値段に見合う価値がある。加えて、ラーズは鋭い見地からシステムを見ている。彼はシステムを過小評価しようとしたのではなく、純粋にそれらを機能させようとしていたのだ。より良く機能するように、ルールのいくつかをいじくりさえもした。私は非常にその本が好きであったので、『コモディティー・トレーダーズ・コンシューマー・レポート』のエディターズ・チョイス賞を与えた。この賞は、トレーダーのカネ儲けに本当に助けとなる特別な製品だけに与えられる。この本は読者のカネ儲けの手助けとなるだろう。それが結論だ。

　　　　　コートニー・スミス
　　　　　『コモディティー・トレーダーズ・コンシューマー・レポート』編集長

## 親愛なる読者へ

　私は、3年前に第三者の立場でトップ・トレーダーたちの書いたことに有効性があるかどうかを見極めるために、彼らの戦略を取り上げ、それらのアイデアをプログラムし、彼らのシステムを検証することを始めた。多くの建設的な反響に応えて、内容を拡張し、現時点に合わせて更新することを決定した。本書を構成し、そしてそれを更新することは大変面白く、そしてきつい仕事の連続でもあった。これらの戦略を実行、解剖、分析することに何週間もコンピューターを動かし続けた。以下のページには大変多くの情報が詰まっている。その情報が私をとりこにしたように、読者を引きつけることを祈っている。楽しんでほしい。そして、良いトレードを。

敬具

ラーズ・ケストナー

# CONTENS

## 日本の読者へ
コートニー・スミス（『コモディティー・トレーダーズ・コンシューマー・レポート』編集長) ─── 3
## 本書に寄せて　コートニー・スミス ─── 4
## 親愛なる読者へ　ラーズ・N・ケストナー ─── 5

## 序論 ─── 9
- はじめに ─── 11
- 本書で達成したこと…… ─── 12
- 著者たち ─── 12
- 検証のガイドライン ─── 13
- 市場 ─── 16
- 成績統計値 ─── 17
- 何を探すべきか ─── 22

## 第1章　システム ─── 25
- A. 標準対照システム──様々な著者たち ─── 27
  - リチャード・ドンチャン ─── 28
    - ①40／20ドンチャン・チャネル・ブレイクアウト ─── 28
    - ②10／40移動平均交差 ─── 33
    - ③20日モメンタム ─── 38
    - ④14日相対力指数 ─── 43
    - ⑤14日スロー％Kストキャスティック ─── 48
- B. ロバート・バーンズ著『ちゃぶつきやすい相場での売買』 ─── 53
  - ①ボックスのブレイクアウト逆張り法（10日） ─── 53
  - ②ボックスのブレイクアウト逆張り法（40日） ─── 58
  - ③DRV利食い法 ─── 63
  - ④オシレーター法 ─── 68
  - ⑤ADXフィルターを併用したオシレーター法 ─── 73
- C. ジェイク・バーンスタイン著『バーンスタインのデイトレード入門』 ─── 78

- ①ストキャスティックの破裂 ─── 78
- ②ストキャスティックの破裂（ラーズ・ケストナーによる修正版）─── 83
- ③1日（週）の重要な時間（ラーズ・ケストナーによる修正版）─── 88
- ④DEMA：2つの指数移動平均 ─── 93

D. トゥーシャー・シャンデ、スタンレー・クロール著『新テクニカル・トレーダー』 98
- ①5日％Fと3日移動平均との交差 ─── 98
- ②20日％Fと10日移動平均との交差 ─── 103
- ③0．2と0．1のVIDYAの交差：動的平均の可変指標 ─── 108
- ④8日Qスティックと8日移動平均との交差 ─── 113
- ⑤20日Qスティックと20日移動平均との交差 ─── 118
- ⑥移動平均交差を併用したシャンデのモメンタム・オシレーター ─── 123

E. トーマス・デマーク著『テクニカル分析の新しい科学』 ─── 128
- ①強さ1のTDライン™抜き ─── 128
- ②強さ3のTDライン™抜き ─── 134
- ③RSIによる穏やかな買われ過ぎ／売られ過ぎ ─── 139
- ④移動平均フィルターを併用したREI™による穏やかな買われ過ぎ／売られ過ぎ ─── 144
- ⑤移動平均フィルターを併用したデマーカー™による穏やかな買われ過ぎ／売られ過ぎ 149
- ⑥買われ過ぎ／売られ過ぎ移動平均システム ─── 154

F. アルフ・イェンセン著『先物市場で資金を3倍にした方法』 ─── 159
- ①アルファ＝0．03による尖度 ─── 159
- ②アルファ＝0．10による尖度 ─── 164
- ③FSRS ─── 169
- ④1－2－3反転システム ─── 174

G. ジョー・クルトシンガー著『トレーディング・システム・ツールキット』 ─── 179
- ①ワンナイト・スタンド ─── 179
- ②ジョーズ・テキサス2ステップ（3日移動平均）─── 185
- ③ジョーズ・テキサス2ステップ（10日移動平均）─── 190
- ④ジョーズ・クオーター・パウンダー ─── 195
- ⑤ジョーズ・ギャップ ─── 200
- ⑥フィブ・キャッチャー ─── 205
- ⑦ジョーズ・ジェシー・リバモア ─── 210

H．ウエルズ・ワイルダー著『ワイルダーのテクニカル分析入門』————————215
　①ボラティリティ・システム————————————————————215
　②方向性指標————————————————————————220

# 第2章　評価 ————————————————————————————225
複数枚数取引システムの成績一覧(売買コスト0)————————————227
複数枚数取引システムによる純益の順位表(売買コスト0)————————228
純益の度数分布——————————————————————————229
複数枚数取引システムによるKレシオの順位表(売買コスト0)——————230
Kレシオの度数分布————————————————————————231
複数枚数取引システムによるシャープ・レシオの順位表(売買コスト0)——232
シャープ・レシオの度数分布————————————————————233

# 第3章　結論 ————————————————————————————235
検証したシステムの全体的な成績に関するコメント——————————237
これからどうするべきか——————————————————————237

付録①————イージー・ランゲージ™によるコード——————————239

付録②————日本市場における検証結果————————————————261

# 序論

introduction

## はじめに

　商品の購入と販売は何千年もの昔にさかのぼることができる。穀物はローマ人とエジプト人の時代に取引された。日本人は中世に、将来のあらかじめ指定された期日に倉庫で米を受け取る証書を取引することにより、世界最初の先物市場を立ち上げた。ジェシー・リバモアとＷ・Ｄ・ギャンはそれぞれ綿と大豆市場での冒険的な売買の伝説で知られている。最近では、ハント兄弟による８０年代前半の銀の買い占めがマスコミに大きく報じられ、商品市場に対して多大な動揺をもたらした。

　商品先物市場と金融先物市場は恐らく永久になくなることはないだろう。金融、農産物、石油、繊維製品にかかわらず、買いと売りは投機家を魅了し続け、生産者と消費者に価格変動リスクのヘッジ手段を提供することだろう。とりわけ投機家にとって、５００ドルの証拠金で１００万ドルもの売買が可能であることは、どの政党がホワイトハウスにいようが、経済が成長していようが後退していようが、何百万ドルも損したトレーダーが何人いようが、魅力的なのである。チャンスは無限にある。リスクも同様である。

　ここ２０年間における技術の発展とホーム・コンピューターの出現により、システム・トレーダーという新種のトレーダーが誕生した。システム・トレーダーは機械的なアルゴリズムを用いて、いつ買い、いつ売るかを決定する。これらのアルゴリズムは実行するのに何時間もかかる長大なプログラムであることもある。終値の２０日移動平均を更新するような手作業でもできる単純な計算であることも、それ以上によくあることである。こうした売買戦術はほとんどコンピューター化されているので、成功したシステム・トレーダーは彼らの手法を一般大衆に伝授することができる。

　ソフトウエアを利用することにより、比較的主観的なアイデアを取り上げ、それらをコンピューター・プログラム化し、それらの理論を検証することが可能である。以前のトレーダーは、こうしたアイデアが過去において利益になることを推測できたにすぎないのに対して、現在では世界的な１００もの市場に対し何千ものパラメータを組み合わせて、仮説を最適化することが可能である。このすべてはほんの２分で実行可能である。

　先物市場のレバレッジ性に魅力を感じ、現在は仮説を迅速に検証する能力で武装することになった新種のトレーダーは、売買技術を学ぶと同時にそれらの利益性を過去にさかのぼり検証することができる。多くのトレーダーは、専門家が書籍等で発表した機械的システムを模倣することに決めている。しかし、書籍等に記載されたトレーディング・システムは、成績を厳しく検証されたわけではなかった。読者は、どのシステムが最善で、長い目で見てシステムは利益を生み出すのか、という問いに対して答えを持ち合わせてはいなかった。それならば、投資家はどのシステムで売買するべきなのだろうか。コインを投げるべきだろうか。投資家は、自分が一番納得できるシステムを取り上げるべきなのだろうか。

　**さあ、本書の結果をご覧あれ。**

### 本書で達成したこと……

　本書ではトレーディングに関して最も人気が高い人物から最も人気のあるシステムまで、いくつかを取り上げた。ロバート・バーンズ、ジェイク・バーンスタイン、トゥーシャー・シャンデとスタンレー・クロール、トーマス・デマーク、アルフ・イェンセン、ジョー・クルトシンガー、ウエルズ・ワイルダーのアイデアをプログラム化し、世界で最も流動性の高い２９の先物市場から、１５年間の日足データを用いて検証を行った。先の質問に答えるために、結果を考え得るすべての方法で分析した。

　この冒険を始めたとき、私はものすごく興奮していた。何が機能するかという自分なりの考えを持っていた――そして今それを見いだすことができるのである。これらの結果は嘘をつかない。私は滑らかな損益曲線を見せつけるために、結果をカーブ・フィットする（こじつける）動機など持ち合わせていなかった。真実だけに興味を持っていた。この本の目的は、専門家が出版した内容に関して、それが真実かどうかを決定することであった。私を一種の「独立した検査機構」と考えてほしい。私の希望は、読者が私の半分でいいから検証結果に興味を抱いてくれていれば、ということである。もしそうなら、読者が結果に対して驚き、印象づけられ、興味を持つことに疑いはない。

　真実が明らかになった今、われわれはどう進むべきか。本書は基礎を提供するだけである。もし、なんらかの結果が読者の目を開いたなら、それを追求してほしい。シグナルを生成するのに使用したオメガ・リサーチ社のイージー・ランゲージのコードを付録①に添付しておいた。提供されたアイデアを吸収し、それらに何かを付け加えてほしい。恐らく読者は、これらのシステムの１つにでも組み込むことのできる指標やルールの集合を持ち合わせているはずである。多分、仕掛けか仕切りを工夫することにより、結果を改善できることだろう。本書は、売買というパズルの終わりではなく、始まりなのである。

### 著者たち

　登場する著者たちには大きな謝意を表するべきである。彼らのアイデアの多くは決してキャッシュ・マシンではないが、彼らのアイデアはカネでは買えないものである。新しい技術と戦略の公開がなかったら、システム・トレーディングの分野は現在ある姿より大きな遅れを取ったであろう。著者たちの手法が公共の場で綿密に調査されることに対する彼らの勇気を私は称えるとともに、彼らが偉大な成果を上げ続けることを祈っている。この本で彼らの技術の概要を記述したが、読者にはこれらのアイデアの原典をお読みになることをお勧めする。原著には、詳細な記述がなされており、各戦略の素晴らしい例と欠点とを提供してくれている。原著はトレーダーズ・ライブラリーとトレーダーズ・プレスから入手可能である。

ロバート・バーンズ『ちゃぶつきやすい相場での売買(Trading in Choppy Markets)』
　　　アーウィン・プロフェッショナル・パブリッシング　１９９７
ジェイク・バーンスタイン『短期先物取引(Short-Term Futures Trading)』プロバス・
　　　パブリッシング　１９９３
トゥーシャー・シャンデ＆スタンレー・クロール『新テクニカル・トレーダー(The
　　　New Technical Trader)』ジョン・ワイリー・アンド・サンズ　１９９４
トーマス・デマーク『テクニカル分析の新しい科学(The New Science of Technical
　　　Analysis)』ジョン・ワイリー・アンド・サンズ　１９９４
アルフ・イェンセン『先物市場で資金を３倍にした方法(How I Tripled My Money In
　　　the Futures Markets)』プロバス・パブリッシング　１９９４
ジョー・クルトシンガー『トレーディング・システム・ツールキット(The Trading
　　　Systems Toolkit)』プロバス・パブリッシング　１９９４
ウエルズ・Ｊ・ワイルダー『ワイルダーのテクニカル分析入門（New Concepts in
　　　Technical Trading Systems)』（パンローリング刊）トレンド・リサーチ　１９７８

　１つ警告しておく必要がある。この本で取り上げたトレーダーのほとんどはやみくもにシステムに従うことを主張していない。彼らのほとんどは、自分のシステムは「道具」であり、人間の判断とともに用いるべきであると述べている。この主張と自己裁量を加えることにより収益を増加できるという考えにはおおむね賛同する。しかし、基本となるシステムが利益にならないなら、何の意味があるだろう。最初から利益になるアイデアから出発し、改善していく方が良いはずだ。

## 検証のガイドライン

●アンフェア・アドバンテージ・ソフトウエアを用いて、ＣＳＩ社により提供された１５年間の修正つなぎ足に基づき、各システムを検証した。最も取り組みが多い限月が次以降の限月に移ったとき、建玉を乗り換える。２９の市場を１９８４年１月３日から１９９８年１２月３１日まで検証した。

●ボラティリティに対して建玉枚数を調整する可変建玉枚数法に基づきシステムを検証した。
　　可変建玉枚数法では、
　　建玉枚数＝５０００ドル÷価格変化分（終値－前日の終値）３０日間の標準偏差
により与えられる。ここで建玉枚数は、整数に四捨五入した値と１との大きい方となる。
　　『フューチャーズ』誌や『ストック・アンド・コモディティー』誌では、通常、１枚単位で検証が行われるので、複数枚数方式を採用することに対して疑問を持つ読者

がいるかもしれない。システムを１枚単位で検証することは無意味であり、とりわけポートフォリオを組む観点からはそれが当てはまる。１枚の持つ価値はすべての銘柄にわたり等しいわけではない。Ｓ＆Ｐ５００の１枚の売買代金は、トウモロコシ１枚の売買代金よりはるかに大きい。

　　Ｓ＆Ｐ５００の１枚の売買代金＝２５０×１２００ドル＝３０万ドル
　　トウモロコシ１枚の売買代金＝５０００×３ドル＝１万５０００ドル

　１枚のトウモロコシの売買代金は、１枚のＳ＆Ｐ５００の売買代金と等しいとは到底いえない。

　同様に、ある特定の銘柄のボラティリティは一定ではなく、長い期間にわたり変化する。休止状態である冬期のトウモロコシ１枚当たりの金額ベースのボラティリティは夏の干ばつ期におけるボラティリティとは等しくないはずだ。適切な検証を行うためには、特定の銘柄と特定の状況にうまく対処するように枚数を変化させる必要がある。加えて、ある特定の銘柄の価値は長い時間にわたり一定ではない。

　例えば、Ｓ＆Ｐ５００は１９８０年代初期の２５０ポイントから、１９９９年には１２００ポイントを優に超えるレベルにまで上昇した。１９８０年には１枚で、６万２５００ドル分の原資産の価値があったのに対して、今となっては１枚で３０万ドルもの原資産の価値がある。ここでも１枚は同列に比較できないのである。

　変動する金額ベースのボラティリティを利用することにより、上述した問題点を軽減するために建玉枚数を調整することができる。市場の変動が激しいときは、より少ない枚数を売買する。市場がおとなしいときは、より多い枚数を売買することになる。

●これらのシステムは、それぞれの著者のアイデアに対する私の個人的な解釈である。多くの場合で、著者のオリジナルのアイデアがそのまま生かされている。もしアイデアが実行不能のものであった場合、妥当と思われる別の手段に置き換えた。

　アイデアが次元的な整合性や一貫性を欠いているまれなケースでは、脚注でコメントした。

　各システムに対して他のパラメータ集合を調査していないという理由で本書を批判する読者がいるかもしれない。確かに、各システムにつき２０から３０の異なるパラメータ集合に対して検証する方が優れているが、これは本書の範囲を超える。まず著者が推奨するパラメータを採用し、とても良い成績を示した戦略を深く調査することの方が適切である、というのが私の考えである。こうした価値のあるアイデアを選択したら、次の段階は最適化とパラメータ集合の安定性を調査することである。

●指値注文と逆指値注文を許可した。

●すべての売買シグナルは１日の終わりに計算し、次の日に注文執行した。成行注文は翌日の寄り付きで執行した。

●すべての未決済取引は最終取引日（１９９８年１２月３１日）に仕切った。

●**手数料とスリッページについては一切考慮していない**。この方法は間違いなく読者の注意と討論を喚起するだろう。私が本書の第１版を書いたとき、取引コストとして往復１００ドルを差し引いた。しかし、とても頻繁に売買する傾向のあるシステムがあった。結果として、１００ドルの手数料／スリッページ・コストを克服することができなかったのである。これらのシステムの損益曲線は無情にもマイナス側に片寄っていた。私は、これが完全に公平であるとは思わなかった。１枚当たり２０ドルの往復手数料と８０ドルのスリッページ・コストはトウモロコシや大豆といった小さな市場に対してはとても大きかったかもしれない。同時に８０ドルは、Ｓ＆Ｐ５００では予想される数字よりも小さいかもしれない。恐らく、執行の上手なブローカーであれば、８０ドルという数字は実際の取引でほとんどゼロに低減できる。

　これらすべての議論を切り抜けるために、この第２版では、結果に対して手数料とスリッページを考慮**しない**ことに決定した。表示した損益数字は純粋に戦略の取引ルールから来るものである。したがって私は、取引コストを決定することを読者に委ねる。それゆえ、結果を見るときは特に注意してほしい。実取引では、予想利益は取引コストのためにより低く偏る可能性が非常に高い。それと同時に、戦略やアイデアが取引コストを差し引かない段階で利益にならないなら、実取引で機能するシステムに仕上げるには多大な労力が必要になるだろう。そんなアイデアは見送って、他の利益になるアイデアを検証する方がましである。さらに、戦略の成績が哀れなくらい悪いなら、その損益曲線をひっくり返せば、ルールを正反対にしたときのシステムの成績になるはずだ。時折、悪いシステムから素晴らしいシステムを見つけるものである。

●仕切り戦略が明示的に指定されない場合は、利益目標による仕切りを用いた。買い持ちを決定したら、価格変化分の３０日間の標準偏差を計算する。標準偏差の３倍の利益を達成したときには利食いする。同様に、標準偏差の３倍の損失になったら損切りである。

　例としては、１２００ポイントのＳ＆Ｐ５００を買う場合を取り上げよう。

　価格変化の３０日間の標準偏差は５ポイントである。買値の１２００ポイントに、１５ポイント（５×３）を加える一方、１５ポイントを引く。トレードが継続している限り、１２１５ポイント（１２００＋５×３）に指値で売り注文を置き、１１８５ポイント（１２００−５×３）に逆指値で売り注文を置く。本質的には、トレードの仕切りに上限と下限を設けているのである。どちらの注文が先に執行されるかにより、１５ポイントの利益を得るか、１５ポイントを失うことになる。

　売り持ちに対する仕切りも同様に計算できる。同じ例を用いると、１１８５ポイントに指値の買い注文を置き、１２１５ポイントに逆指値の買い注文を置くことになる。

　この仕切り法は明示的な仕切り法が存在しないシステムに対して**だけ**使ったことを覚えておいてほしい。

すべての検証はオメガ・リサーチ社のトレード・ステーション上で行った。

## 市場

各市場部門の代表として、流動性に基づき２９の市場を選択した。市場略号は以下の通りである。

### 外国通貨
BP： 　　　 ６２，５００　ＣＭＥ　英ポンド
CD： 　　　１００，０００　ＣＭＥ　加ドル
DM： 　　　１２５，０００　ＣＭＥ　独マルク
JY：１２，５００，０００　ＣＭＥ　円
SF： 　　　１２５，０００　ＣＭＥ　スイス・フラン

### 金利
US： 　　　１００，０００ドル　ＣＢＯＴ　財務省長期債券（Ｔボンド）
TY： 　　　１００，０００ドル　ＣＢＯＴ　１０年物財務省中期証券（Ｔノート）
ED：１，０００，０００ドル　ＣＭＥ　ユーロ・ドル

### 株価指数
SP：５００倍　ＣＭＥ　Ｓ＆Ｐ５００種株価指数

### 貴金属
GC：　　１００オンス　ＣＯＭＥＸ　金
SL：５，０００オンス　ＣＯＭＥＸ　銀
PL：　　 ５０オンス　ＮＹＭＥＸ　プラチナ

### エネルギー合成物
CL：１，０００バレル　ＮＹＭＥＸ　軽質スイート原油
HO：４２，０００ガロン　ＮＹＭＥＸ　暖房用石油

### 穀物
C： 　５，０００ブッシェル　ＣＢＯＴ　トウモロコシ
W： 　５，０００ブッシェル　ＣＢＯＴ　小麦
S： 　５，０００ブッシェル　ＣＢＯＴ　大豆
BO：６０，０００ポンド　ＣＢＯＴ　大豆油
SM：　　１００トン　　　ＣＢＯＴ　大豆粕

**食肉**

　LC：40,000ポンド　　　CME　生牛
　FC：44,000ポンド　　　CME　飼育牛
　LH：40,000ポンド　　　CME　生去勢豚
　PB：40,000ポンド　　　CME　豚赤身肉

**ソフト商品**

　CC：　　　　10トン　　　　　CSCE　ココア
　CT：50,000ブッシェル　　　NYCE　綿花＃2
　JO：15,000ポンド　　　　　NYCE　冷凍濃縮オレンジジュース
　KC：37,500ポンド　　　　　CSCE　コーヒー
　LB：160,000ボード・フィート　CME　木材
　SB：112,000ポンド　　　　　CSCE　砂糖＃11

## 成績統計値

　成績シートには、検証されたシステム名、簡単な説明、パラメータ集合（もしあれば）、実行日付が記載されている。各市場に対して、以下の統計値を個別に計算した。

　・**純益(Net Profit)**：全検証期間で得られた最終取引日におけるトータル利益。

　・**Kレシオ(K-ratio)**：Kレシオは、私がシステム性能を測定するために開発した統計量である（『フューチャーズ』1996年1月号、『テクニカル・アナリシス・オブ・ストックス・アンド・コモディティーズ』1996年3月号）。Kレシオを計算するには、損益曲線（時間とともに累積した利益）を取り上げ、通常の最小二乗による回帰を実行する。それは、基本的に損益曲線に適合するトレンド・ラインである。Kレシオは最も適合するトレンドラインの傾きの重要度を測定することにより、以下に示すような滑らかで正の傾きを持つ損益曲線を探すためのものである。

　Kレシオ＝（回帰線の傾きの標準誤差）×（観測数の平方根）

**図表　損益曲線**

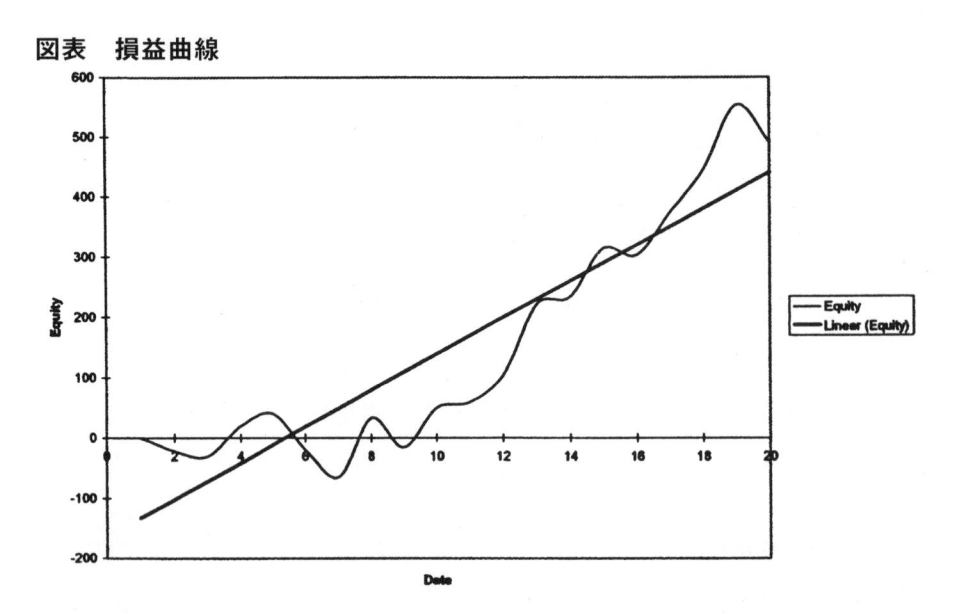

　Ｋレシオは、リスクと報酬を比較するものである。２．０以上の値は安定した滑らかで正の傾きを持つ損益曲線を示す一方、－２．０以下の値は望ましくないマイナスの成績を表す。ゼロに近い値はシステムの損益が損益分岐点の近くにあるか、利益の現れ方がとても不規則であることのどちらか一方、もしくは両方を意味する。

　上の図表の損益曲線のトレンドラインは、大きな正の傾きを持ち、損益曲線は最も適合するトレンドラインに沿った動きをしており、収益の安定性を示している。上の図表と類似した損益曲線を持つシステムは望ましいもので、より高いＫレシオ値を持つことになる。

　下の図表では、トレンドラインの傾きは事実上、水平であり、損益曲線は飛んだり跳ねたりしていて、成績が不安定であることを示している。結果として、この損益曲線を生み出すシステムはより小さいＫレシオ値（０に近いかマイナス）を算出することになる。

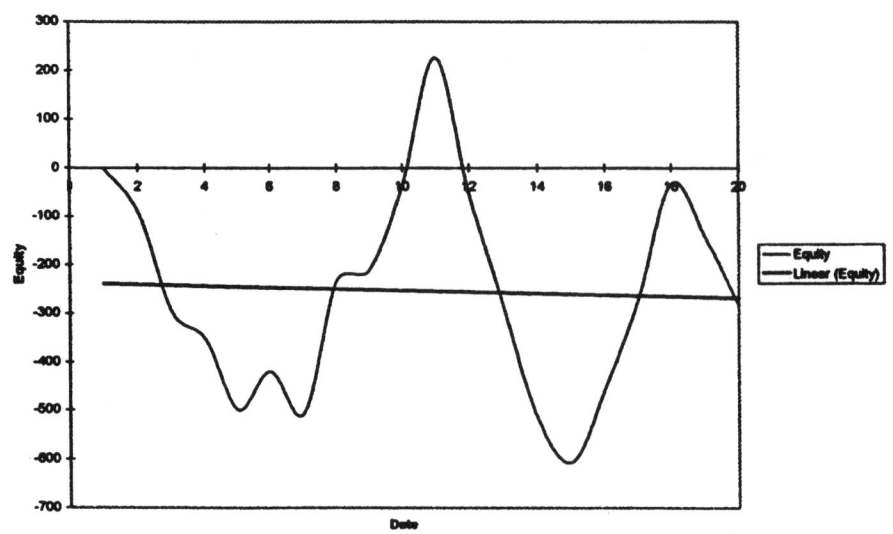

**図表　損益曲線**

・シャープ・レシオ(Sharp ratio)：シャープ・レシオはノーベル経済学賞を受賞したウィリアム・シャープ博士によって開発された。Ｋレシオと同様、シャープ・レシオはリスクと報酬を比較するものである。月次収益の平均を月次収益の標準偏差で割ることにより計算される。結果は、単位を持たない性能尺度である。良いシステムは０．５０以上の値を示すことになる。

本書で報告したすべてのシャープ・レシオは年次換算されていないものである。ここで提供している月次シャープ・レシオから年次シャープ・レシオを算出するには、月次シャープ・レシオに１２の平方根である３．４６を掛ければよい。シャープ・レシオは、Ｋレシオを補完するものとして好ましいものである。

私がどれくらいシャープ・レシオやＫレシオといったリスク／報酬尺度を正しく利用することの重要性を信じているかは、言い表すことができないくらいである。収益率は、物語のほんの一部を示しているにすぎない。先物取引には巨大なレバレッジ性があるので、リスク対報酬比の素晴らしいシステムを探して、望みの収益率が得られるようレバレッジを調整する方がよいのである。

純益／ドローダウンやトレード・ステーションのプロフィット・ファクターといった他の成績尺度は成績の本当の姿を表現しているとはいえない。Ｋレシオとシャープ・レシオは、最悪のシナリオだけではなく、利益の現れ方の一貫性も評価している。したがって、Ｋレシオとシャープ・レシオは真の成績についてずっと信頼のおける物語を告げてくれる。

・最大ドローダウン(Max DD)：最大ドローダウンはよく知られたリスク指標である。最大ドローダウンは損益曲線のピークからの最大の落ち込み幅である。下のグラフにおいて、上の線は時間に対する仮の損益曲線である。下の線は先の損益ピークからのドローダウンを表している。損益が最高値にあるなら、この値は０である。検証の終了時に、ドローダウンの最大値を求め、この値がリスクを代表するものと考える

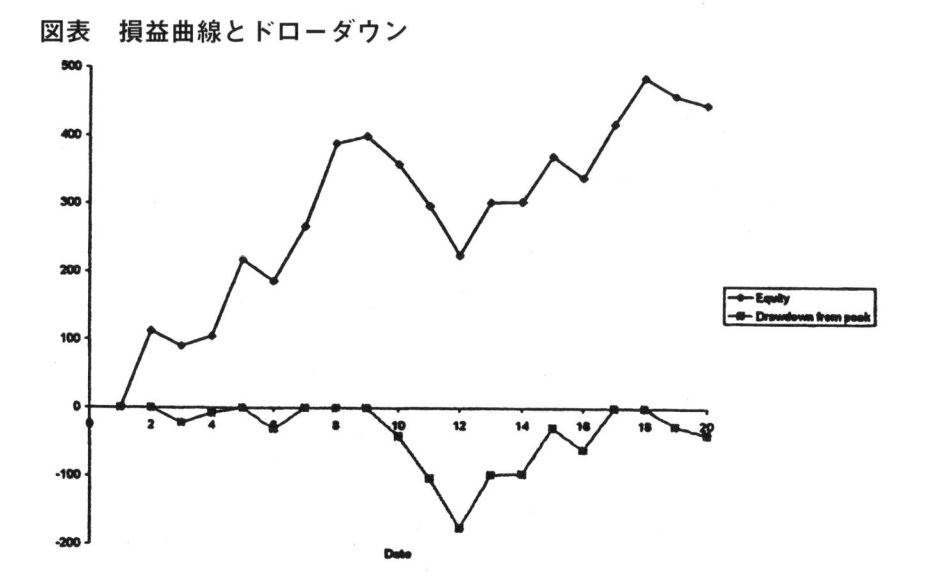

**図表　損益曲線とドローダウン**

のである。大きな最大ドローダウンを持つシステムは、小さい最大ドローダウンを持つシステムと比べてリスクが高く、望ましくないとされている。

・トレード数(# of Trades)：検証期間中に執行された往復で数えた取引数。

・勝率(% Win)：検証期間中に利益になったトレードの割合。

・平均建玉枚数(Avg. Contracts)：１トレード当たりの建玉枚数。市場間におけるこの指標の相対的な値は、市場のボラティリティに依存して決まる。大きな金額ベース・ボラティリティを持つＳ＆Ｐ５００は小さな金額ベース・ボラティリティを持つトウモロコシよりも少ない平均建玉枚数となる。

・平均損益(Avg. Trade)：（純益）÷（トレード数）。平均損益とは、トレードごとの平均的な利益、もしくは損失を計算したものである。

・勝ちトレードの平均利益(Avg. Win)

・敗けトレードの平均損失(Avg. Loss)

・勝ちトレードにおける平均日数(Avg. Bars Win)：勝ちトレードで費やした時間を平均値（日ベース）で表したもの。

・敗けトレードにおける平均日数(Avg. Bars Loss)：敗けトレードで費やした時間を平均値（日ベース）で表したもの。

・損益曲線(Equity Curves)：成績シートの次の２ページにわたり、各市場ごとに損益曲線を示した。

各システムに対し、以下の数字をポートフォリオ統計の部（成績シートの下）で報告した。

・純益(Net Profit)：全２９市場で合計した純益。

・ドローダウン(Dorwdown)：ポートフォリオ損益曲線のピークからの最大の落ち込み幅。

・Ｋレシオ(K-ratio)：ポートフォリオ損益曲線のＫレシオ。

・シャープ・レシオ(Sharp ratio)：ポートフォリオ月次収益から計算したシャープ・レシオ。

注意：ポートフォリオに対するＫレシオとシャープ・レシオは２９市場で個別に計算した値の平均よりも絶対値において一般的に大きくなる。これは、資産のポートフォリオを持つことに由来する分散投資の恩恵による。

・ブレイクアウトとの相関係数(Correlation to breakout)：検証対象システムの月次収益と４０／２０ドンチャン・ブレイクアウト対照標準システムの月次収益との相関係数。この数値は－１．０（完全な負の相関で、一方が上昇するときにもう一方は下落する）から１．０（完全な正の相関で、一方が上昇するともう一方も上昇する）までの値を取り得る。

システムが新しい指標もしくは何らかの新奇な技術に基礎を置くことは頻繁にあることかもしれない。しかし現実には、その戦略は、チャネル・ブレイクアウト・システム以外の何物でもない可能性がある。

相関係数を計算することは、システムの収益をチャネル・ブレイクアウト・システムの収益と比較し、類似性を判定することである。＋０．７を超える相関関係は、検証対象のシステムがチャネル・ブレイクアウト・システムと非常に類似していることを示している。

あるシステムがブレイクアウト・システムよりも小さいＫレシオとシャープ・レシオを持つが、ブレイクアウト・システムとの高い相関係数（＋０．７を超える）を持つことを想定してほしい。この場合、チャネル・ブレイクアウト・システムを使う方が良い結果が得られるので、このようなシステムに興味を持つ必要はないのである。

実際には、そのシステムとは反対にトレードする（そのシステムの逆をやる）ことに興味を覚えるかもしれないが、このアイデアも本書の範囲を超えている。

・１０／４０移動平均システムとの相関係数(Correlation to １０－４０ MA)：検証対象システムの月次収益と、１０／４０移動平均交差システムの月次収益との相関係数である。結果はブレイクアウト・システムとの相関係数と同様に分析することができる。

分類統計の紙面では結果をテーマ別にグループ化した。

・市場部門別分析(Braekdown by Market Sector)：市場部門ごとの成績統計値の平均。これにより市場部門による利益を素早く容易に分析できる。

・年次成績分析(Performance Breakdown by Year)：各年次に対し個別に純益、Ｋレシオ、シャープ・レシオを計算した。これらの結果により長期間にわたるシステムの一貫性を判断することができる。

・**収益性ウインドウ(Profitability Windows)**：成績をより細かい指標に分割する場合、年ごとの収益を見ることがよく行われる。けれどもなぜ「７月から７月」ではなく「１月から１月」の収益を使うのだろう、どうして１２カ月の期間を使うのだろう、といった疑問がわく。収益性ウインドウは成績をもっと細かい指標に分解するものである。例えば、３カ月のウインドウを計算する場合、１番目の月から３番目の月までの収益を計算する。もしこれが正であるなら、それを記録する。そしてウインドウを２番目の月から４番目の月までの収益を計算するために１カ月分を先にずらす。もしこのウインドウの収益が正であるなら、それを記録する。ウインドウをデータの終わりになるまで１カ月ずつずらしていく。利益率指標は利益となるウインドウの割合である。それはシステムの一貫性を決定するためのもう１つの有用な手法である。３カ月間の利益率が６０％であることは、１７８個の３カ月ウインドウのうち１０６個が利益になることを意味する。

ウインドウは１カ月、３カ月、６カ月、１２カ月、１８カ月、２４カ月に対して計算した。

## 何を探すべきか

　本書を使うための「正しい」方法などない。一通り読みこなし、アイデアを得て、また読み直す、といったところだろう。食欲をかき立てるには、本書の終わりにかけての「第２章　評価」を見てほしい。この本は推理小説ではないので、最初にタネ明かしを見ても損することなどないのである。利益性という観点から何を求めるべきかというアイデアを獲得してほしい。システムをいくつかざっと読んで、情報を検討してほしい。良いＫレシオとはどんなものか、シャープ・レシオはどうか、純益はどうかなどを確認してほしい。

　システムが最高の利益性を示すという理由だけでは最高のシステムにはなり得ない。市場ごとの成績を確認するべきである。

　読者は恐らく、あるシステムが穀物や食肉といったある市場部門において傑出した成績を示すことに気づくことだろう。その情報はとても貴重かもしれない。市場はそれぞれ異なる動きをするものと、私は信じている。ポートフォリオと個別市場ごとの損益曲線にも注意を向けてほしい。ここではダイヤモンドの原石を探しながら、結果を評価するために時を費やす必要があるだろう。それはそこにあるかもしれないし、ないかもしれない。読者が賞を獲得するための唯一の方法はそれぞれのシステムの結果を探究することである。１、２時間でこれができると思ってはいけない――それは何日もあるいは何週間も要するかもしれない。

　さらに事を進めると、読者は恐らくあるシステムを気に入るが、読者の手仕舞いルールを使いたいと思うことだろう。いじくり回すことが好きな人たちのために、本書の最後に、オメガ・リサーチ社のスーパー・チャートとトレード・ステーションで使

えるイージー・ランゲージのコードをプレゼントした。好きなだけいじくり回してほしい。

　注意を一言。システム評価で犯しがちな最悪の失敗はカーブ・フィットすること、つまり都合の良いデータを選び出してしまうことである。例えば、もしシステムが去勢豚に対して素晴らしく機能するが、生牛、飼育牛、豚赤身肉に対して機能しないなら、そのシステムの照準はたまたま去勢豚市場の特性に合っていただけで、将来も利益になるなどと思い込んではいけない。信じてほしい。決して将来はそうならないのだ。利益となる結果は恐らく偶然性によるものだろう。１００人が１枚のコインを５回投げたとすると――恐らく少なくとも１人は５回続けて表を出すだろう。その人のコインは偏っているか？　そんなことはない。去勢豚の例のように、偶然にすぎないのである。

　これらすべての考えを念頭おくと、結果から熟考すべきことはいくつもある。各検証結果の後に私の個人的な注釈を加えた。本書後部の結論の部でも、私の意見を要約した。読者のハンティングに幸運あれ。

# 第1章
# システム

# 第1章　システム

## Ａ．対照標準システム──様々な著者たち

　７人の著者たち──バーンズ、バーンスタイン、シャンデとクロール、デマーク、イェンセン、クルトシンガー、ワイルダー──の成績を単に見るだけでもよかった。しかし、私はこの本を１つの実験であると考えた。

　どのような実験でも同様だが、検証の結果は既に知られている、もしくは通常使われることと比較される必要がある。そこでよく知られた５つの手法を対照標準として選択した。このやり方は製薬のテストで用いられる偽薬試験に類似している。後に、新しい検証が偽薬システムをしのぐかどうかを決定していく。

　５つの対照標準システムのうち、３つはトレンドフォロー型（順張り型）で、残り２つはいわゆる逆張り型システムである。古典的なものはリチャード・ドンチャンに由来するチャネル・ブレイクアウトと移動平均交差システムの２つである。過去２０日の価格変化率を見るモメンタム・システムも採用した。２つの逆張り型手法は、よく知られた指標をその基礎となる論理で使っている。相対力指数（ＲＳＩ）とストキャスティックである。どちらも安いときに買い、相場が強いときに売るものである。

　５つの戦略はどれも、トレーダーがシステム開発の芸術を勉強する初期に学ぶ単純ではあるが、典型的な戦略の基礎を提供するものである。巻末でそれらの結果を著者たちのシステムの結果と比較対照した。より複雑で現代的なアイデアが古くからある試みと真実に対して本当に改善となっているか、という疑問に答えを得ることができるだろう。

Chapter 1 SYSTEM

# リチャード・ドンチャン

　リチャード・ドンチャンは１９５０年代と６０年代におけるシステム・トレーディングの素晴らしい開拓者であった。彼が３０年以上も前に作ったシステムは今日でも相場界で広く知られており、そして世界最高のトレーダーが使用する多くの複雑なシステムの基礎となっている。とても広く知れわたっているので、対照標準システムとして用いるのには素晴らしい選択である。

### ①４０／２０ドンチャン・チャネル・ブレイクアウト

　ドンチャンが考案したシステムの１つはチャネル・ブレイクアウトと呼ばれている。オリジナルは、相場が過去４週間の最高値を超えたら買い、過去４週間の安値を割ったら売る。このオリジナル・システムは、買いから売りへ、売りから買へとドテンしながら常に玉を建て続ける。時を経て、システムは幾分修正された。われわれのシステムでは次のルールを用いる。

・明日、過去４０日間の最高値を逆指値で買う。
・明日、過去２０日間の最安値を逆指値で買い玉を仕切る。
・明日、過去４０日間の最安値を逆指値で売る。
・明日、過去２０日間の最高値を逆指値で売り玉を仕切る。

　「修正された」システムは買い持ち、売り持ち、ポジションなし、となる。システムはこの上なくトレンドフォロー型であり、大相場を決して逃さないことを保証してくれる。システムは価格の上昇中を買い、下落中を売る。理想的なシナリオは、価格が４０日間のチャネルから放れるときに、長く顕著なトレンドの始まりを告げることである。

#### 結果
　チャンネル・ブレイクアウトは良い収益性を示している。通貨、金利、石油、ソフト商品において成績優秀である。食肉でややプラスの成績がみられ、穀物と金属ではまちまちの結果である。Ｓ＆Ｐ５００では損になることに注意してほしい。この現象は大抵のトレンドフォロー型アプローチで一貫してみられるものである。
　チャンネル・ブレイクアウトでの主な心配事は、年ごとの純益推移である。１９８０年代前半の優勢期の後、ここ５年間の利益は縮小し始めている。この傾向は、恐らく売買概念が一般化したためであろう。チャンネル・ブレイクアウトの全盛期は既に過ぎ去ったのかもしれない。

　※参考文献：ラッセル・サンズ著『タートルズの秘密』（パンローリング刊）

# 第1章 システム

### トレーディング・システム評価

システム名 ：４０／２０ドンチャン・チャネル・ブレイクアウト
パラメータ ：４０日による仕掛け、２０日による仕切り
建玉枚数 ：可変
システムの概要：４０日高値を買い、４０日安値を売り、反対方向の２０日安値／高値で手仕舞い
検証期間 ：1/1/84-12/31/98   Copyright 1999 Lars Kestner.LINK Financial-All rights reserved

| | 市場 | 純益 | Kレシオ | シャープレシオ | 最大ドローダウン | トレード数 | 勝率 | 平均建玉数 | 平均損益 | 勝トレードの平均利益 | 敗トレードの平均損失 | 勝トレードの平均日数 | 敗トレードの平均日数 |
|---|---|---|---|---|---|---|---|---|---|---|---|---|---|
| 通貨 | 英ポンド | 667,375 | 2.00 | 0.15 | -192,569 | 76 | 39 | 9 | 8,781 | 46,069 | -15,537 | 55 | 24 |
| | 加ドル | 684,520 | 1.14 | 0.11 | -190,590 | 77 | 38 | 28 | 8,890 | 54,588 | -18,720 | 58 | 20 |
| | 独マルク | 759,375 | 4.61 | 0.17 | -105,625 | 76 | 49 | 12 | 9,992 | 37,106 | -15,732 | 56 | 20 |
| | 円 | 1,528,463 | 3.09 | 0.29 | -129,350 | 66 | 55 | 10 | 22,980 | 56,885 | -17,707 | 63 | 19 |
| | スイスフラン | 924,575 | 6.98 | 0.22 | -57,025 | 73 | 53 | 9 | 12,665 | 36,569 | -14,754 | 54 | 23 |
| 金利 | Tボンド | 660,000 | 3.38 | 0.14 | -115,250 | 77 | 43 | 9 | 8,571 | 41,788 | -16,341 | 63 | 18 |
| | Tノート | 668,500 | 2.96 | 0.12 | -227,250 | 82 | 41 | 14 | 8,152 | 45,077 | -18,003 | 62 | 19 |
| | ユーロ・ドル | 852,125 | 2.38 | 0.15 | -228,000 | 76 | 43 | 5 | 11,104 | 56,811 | -23,974 | 65 | 21 |
| 株価指数 | S&P | -151,800 | -1.13 | -0.04 | -441,125 | 92 | 34 | 4 | -2,392 | 28,800 | -18,243 | 49 | 18 |
| 貴金属 | 金 | 111,320 | 0.85 | 0.02 | -236,620 | 82 | 38 | 21 | 1,275 | 35,306 | -19,410 | 60 | 20 |
| | 銀 | -131,820 | -1.02 | -0.03 | -267,080 | 82 | 41 | 16 | -1,608 | 21,566 | -18,022 | 46 | 22 |
| | プラチナ | -371,545 | -2.05 | -0.08 | -486,310 | 86 | 28 | 25 | -4,316 | 27,714 | -16,715 | 49 | 21 |
| エネルギー | 原油 | 909,550 | 2.96 | 0.18 | -99,560 | 71 | 46 | 20 | 12,475 | 46,293 | -16,894 | 60 | 22 |
| | 灯油 | 435,813 | 1.36 | 0.07 | -210,113 | 81 | 35 | 15 | 4,896 | 43,761 | -15,637 | 56 | 22 |
| 穀物 | トウモロコシ | 622,500 | 2.10 | 0.10 | -155,525 | 79 | 44 | 48 | 7,501 | 39,787 | -18,181 | 54 | 20 |
| | 小麦 | 224,475 | 0.79 | 0.05 | -287,725 | 83 | 39 | 29 | 2,524 | 35,045 | -17,880 | 55 | 18 |
| | 大豆 | -397,825 | -1.59 | -0.08 | -516,675 | 93 | 31 | 18 | -4,419 | 27,692 | -18,970 | 51 | 19 |
| | 大豆油 | -42,348 | -0.42 | -0.01 | -378,084 | 85 | 36 | 33 | -776 | 31,646 | -19,388 | 49 | 20 |
| | 大豆粕 | -90,690 | -1.07 | -0.02 | -428,500 | 88 | 32 | 27 | -998 | 37,959 | -19,178 | 58 | 20 |
| 食肉 | 生牛 | 160,464 | 0.66 | 0.04 | -173,796 | 81 | 35 | 25 | 1,678 | 34,865 | -15,854 | 58 | 23 |
| | 飼育牛 | 179,709 | 1.76 | 0.04 | -155,962 | 82 | 40 | 25 | 1,930 | 32,156 | -18,427 | 53 | 18 |
| | 生去勢豚 | 241,304 | 0.24 | 0.05 | -284,376 | 85 | 33 | 18 | 1,930 | 40,641 | -17,085 | 59 | 19 |
| | 豚赤身肉 | -24,140 | 0.74 | -0.01 | -274,812 | 87 | 39 | 11 | -298 | 29,559 | -19,451 | 52 | 18 |
| ソフト | ココア | -455,560 | -1.54 | -0.13 | -507,640 | 91 | 24 | 24 | -5,480 | 25,030 | -15,208 | 56 | 21 |
| | 綿花 | 795,790 | 2.46 | 0.19 | -199,375 | 77 | 43 | 15 | 9,393 | 43,963 | -16,535 | 62 | 20 |
| | オ・ジュース | 1,077,375 | 1.95 | 0.17 | -262,238 | 72 | 40 | 22 | 14,172 | 62,330 | -18,306 | 60 | 22 |
| | コーヒー | 1,156,403 | 2.96 | 0.12 | -113,400 | 73 | 45 | 8 | 15,567 | 56,534 | -18,231 | 54 | 19 |
| | 木材 | 569,280 | 1.39 | 0.08 | -201,008 | 80 | 38 | 13 | 6,867 | 48,422 | -18,067 | 52 | 18 |
| | 砂糖 | 235,502 | 0.52 | 0.06 | -191,946 | 79 | 41 | 28 | 3,318 | 29,284 | -14,360 | 55 | 23 |
| | 平均 | 406,851 | 1.33 | 0.07 | -245,432 | 80 | 39 | 19 | 5,323 | 39,767 | -17,614 | 56 | 20 |

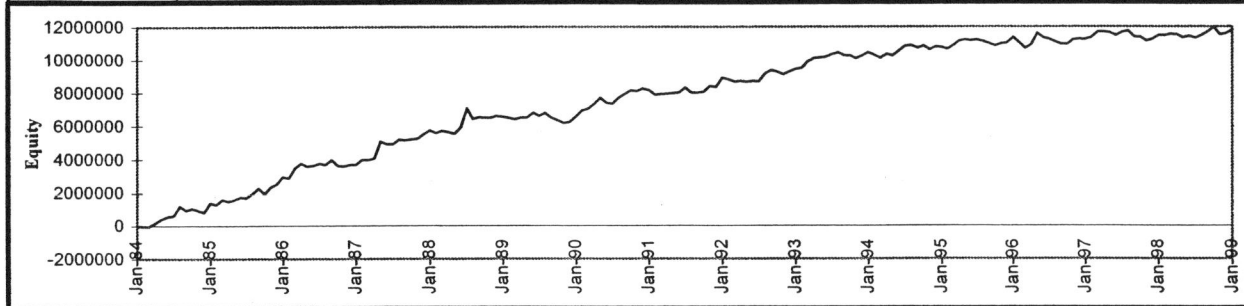

### ポートフォリオ統計

純益 ： 11,798,689  シャープ・レシオ ：0.28
ドローダウン： -872,317  ブレイクアウトとの相関係数 ：1.00
Kレシオ ： 3.83  １０／４０移動平均との相関係数 ：0.92

Chapter 1 **SYSTEM**

損益曲線：英ポンド〜灯油　Copyright 1999 Lars Kestner, LINK Financial-All rights reserved

# 第1章 システム

損益曲線：トウモロコシ〜砂糖　Copyright 1999 Lars Kestner,LINK Financial-All rights reserved

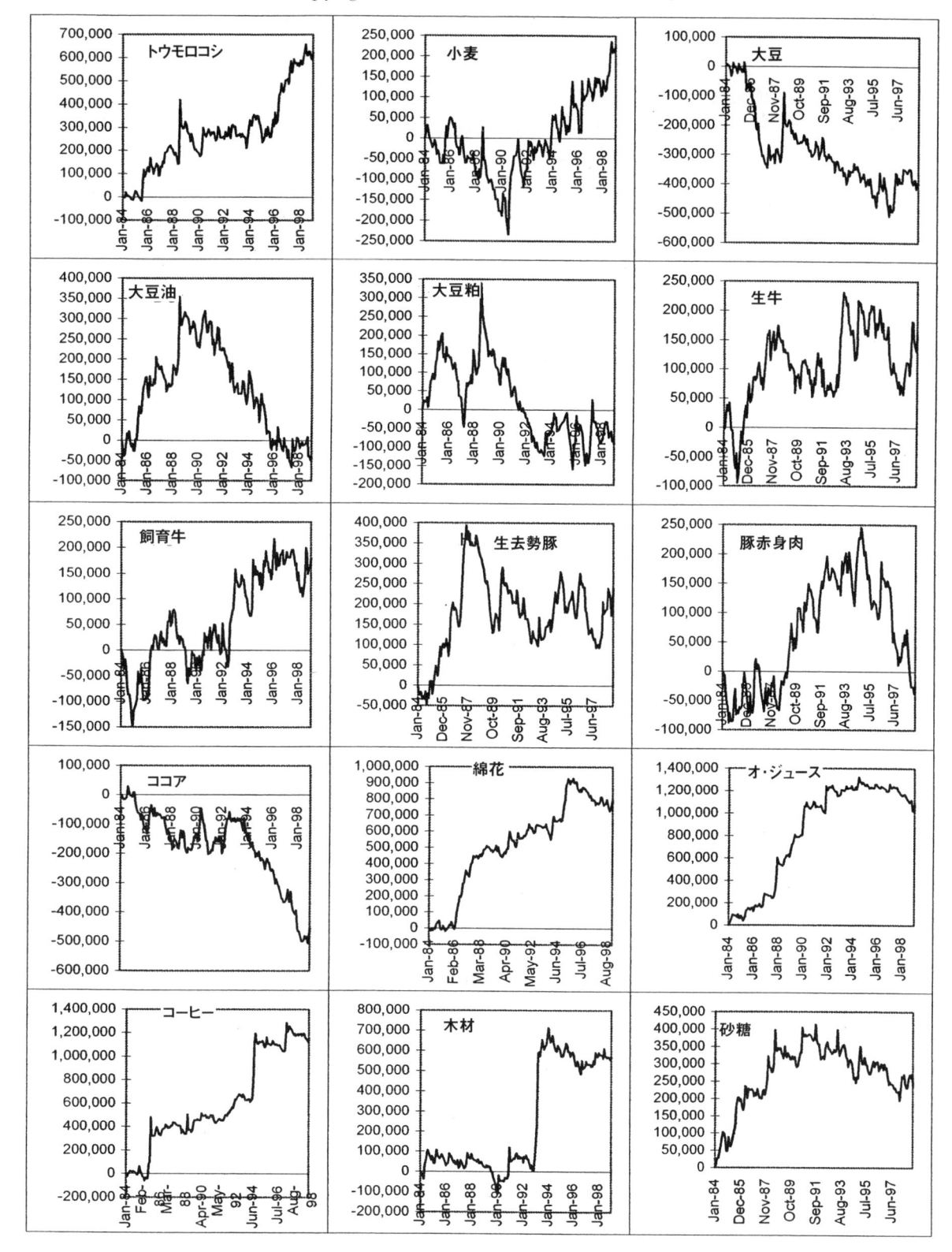

## Chapter 1 SYSTEM

**分類統計**

| | |
|---|---|
| システム名 | ：４０／２０ドンチャン・チャネル・ブレイクアウト |
| パラメータ | ：４０日による仕掛け、２０日による仕切り |
| 建玉枚数 | ：可変 |
| システムの概要 | ：４０日高値を買い、４０日安値を売り、反対方向の２０日安値／高値で手仕舞い |
| 検証期間 | ：1/1/84-12/31/98 |

Copyright 1999 Lars Kestner,LINK Financial-All rights reserved

### 市場部門による分析

| 市場部門 | 平均純益 | 平均Kレシオ | 平均シャープレシオ | 平均最大ドローダウン | 平均トレード数 | 平均勝率 | 平均損益 | 勝トレードの平均利益 | 敗トレードの平均損失 | 勝トレードの平均日数 | 敗トレードの平均日数 |
|---|---|---|---|---|---|---|---|---|---|---|---|
| 通貨 | 912,862 | 3.56 | 0.19 | -135,032 | 74 | 47 | 12,662 | 46,243 | -16,490 | 57 | 21 |
| 金利 | 726,875 | 2.91 | 0.14 | -190,167 | 78 | 43 | 9,276 | 47,892 | -19,439 | 63 | 19 |
| 株価指数 | -151,800 | -1.13 | -0.04 | -441,125 | 92 | 34 | -2,392 | 28,800 | -18,243 | 49 | 18 |
| 貴金属 | -130,682 | -0.74 | -0.03 | -330,003 | 83 | 36 | -1,549 | 28,195 | -18,049 | 52 | 21 |
| エネルギー | 672,681 | 2.16 | 0.12 | -154,837 | 76 | 41 | 8,685 | 45,027 | -16,266 | 58 | 22 |
| 穀物 | 63,222 | -0.04 | 0.01 | -353,302 | 86 | 36 | 766 | 34,426 | -18,720 | 54 | 20 |
| 食肉 | 139,334 | 0.85 | 0.03 | -222,237 | 84 | 37 | 1,310 | 34,305 | -17,704 | 56 | 20 |
| ソフト | 563,132 | 1.29 | 0.08 | -245,934 | 79 | 38 | 7,306 | 44,260 | -16,784 | 57 | 21 |

### 年次成績分析

| 年 | 純益 | Kレシオ | シャープレシオ |
|---|---|---|---|
| 1984 | 1,370,767 | 2.14 | 0.45 |
| 1985 | 1,578,446 | 2.50 | 0.55 |
| 1986 | 752,963 | 0.76 | 0.26 |
| 1987 | 2,051,375 | 2.45 | 0.57 |
| 1988 | 819,929 | 1.14 | 0.17 |
| 1989 | 4,537 | -0.30 | 0.00 |
| 1990 | 1,581,229 | 2.73 | 0.61 |
| 1991 | 731,052 | 0.88 | 0.26 |
| 1992 | 543,668 | 1.21 | 0.25 |
| 1993 | 1,024,996 | 1.12 | 0.53 |
| 1994 | 288,600 | 1.05 | 0.13 |
| 1995 | 600,254 | 0.50 | 0.32 |
| 1996 | -106,880 | 0.08 | -0.03 |
| 1997 | 240,937 | -0.24 | 0.10 |
| 1998 | 316,817 | 0.59 | 0.14 |

### 利益性ウインドウ

| 期間 | ウインドウ数 | 収益ウインドウ数 | 利益ウインドウ率 |
|---|---|---|---|
| 1カ月 | 180 | 106 | 58.89% |
| 3カ月 | 178 | 124 | 69.66% |
| 6カ月 | 175 | 140 | 80.00% |
| 12カ月 | 169 | 150 | 88.76% |
| 18カ月 | 163 | 157 | 96.32% |
| 24カ月 | 157 | 156 | 99.36% |

### 年次純益推移

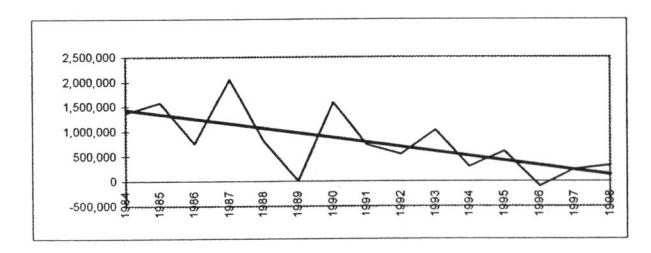

# 第1章 システム

### ②１０／４０移動平均交差

　ドンチャンが作ったもう１つのシステムでは、売買シグナルを発生させるために移動平均線の交差を用いる。彼のアイデアには付属品もあるが、われわれの検証では、以下に示す通り基本的な前提を取り上げる。

・今日、終値の１０日単純移動平均線が終値の４０日単純移動平均線を上抜いたら、翌日寄り付きで買う。
・今日、終値の１０日単純移動平均線が終値の４０日単純移動平均線を下抜いたら、翌日寄り付きで売る。

　このシステムは常にポジションを取っている。ブレイクアウトと同様、１０－４０移動平均交差はトレンドフォロー型である。２本の移動平均線は、急激な価格変動に対して反応するのが遅い。この性質は実際に、主要なトレンドに対して小さな押しや戻りがあったとき、時期尚早の仕切りとならないように有利に働く。

**結果**
　驚くことではないが、移動平均交差はブレイクアウトと同じ市場部門で優位性を示している。ここでも、通貨、金利、石油、ソフト商品が最も良い数字を示している。移動平均交差はチャネル・ブレイクアウトと同じ銘柄で苦戦している。時間の経過とともに、成績が悪化しているようである。

Chapter 1 SYSTEM

## トレーディング・システム評価

システム名　　　：１０／４０日移動平均交差
パラメータ　　　：１０日移動平均と４０日移動平均
建玉枚数　　　　：可変
システムの概要　：１０日平均が４０日平均を上抜いたら買い、下抜いたら売る
検証期間　　　　：1/1/84-12/31/98　Copyright 1999 Lars Kestner,LINK Financial-All rights reserved

| | 市場 | 純益 | Kレシオ | シャープレシオ | 最大ドローダウン | トレード数 | 勝率 | 平均建玉数 | 平均損益 | 勝トレードの平均利益 | 敗トレードの平均損失 | 勝トレードの平均日数 | 敗トレードの平均日数 |
|---|---|---|---|---|---|---|---|---|---|---|---|---|---|
| 通貨 | 英ポンド | 427,350 | 1.18 | 0.08 | -263,306 | 117 | 43 | 9 | 3,829 | 26,323 | -12,957 | 51 | 19 |
| | カドル | 589,250 | 1.69 | 0.09 | -176,550 | 118 | 35 | 26 | 5,129 | 41,337 | -14,151 | 56 | 19 |
| | 独マルク | 473,200 | 3.97 | 0.10 | -114,275 | 105 | 43 | 11 | 4,502 | 32,065 | -16,170 | 58 | 19 |
| | 円 | 1,055,325 | 7.39 | 0.20 | -128,025 | 88 | 45 | 10 | 11,771 | 45,790 | -16,578 | 70 | 20 |
| | スイスフラン | 677,538 | 4.49 | 0.14 | -159,250 | 116 | 40 | 8 | 5,857 | 36,686 | -14,402 | 57 | 17 |
| 金利 | Tボンド | 1,043,500 | 3.81 | 0.20 | -102,750 | 100 | 41 | 9 | 10,425 | 46,003 | -14,299 | 65 | 19 |
| | Tノート | 1,101,250 | 5.32 | 0.22 | -112,625 | 96 | 43 | 13 | 11,438 | 44,448 | -13,170 | 68 | 18 |
| | ユーロ・ドル | 612,275 | 2.38 | 0.11 | -232,500 | 95 | 39 | 4 | 6,338 | 47,502 | -19,922 | 71 | 20 |
| 株価指数 | S&P | -40,775 | -0.52 | -0.01 | -317,650 | 129 | 31 | 4 | -919 | 29,272 | -14,488 | 53 | 18 |
| 貴金属 | 金 | 403,330 | 1.63 | 0.08 | -157,110 | 108 | 44 | 20 | 3,564 | 28,541 | -15,681 | 56 | 18 |
| | 銀 | -41,450 | 0.15 | -0.01 | -290,030 | 123 | 35 | 15 | -284 | 26,290 | -14,568 | 51 | 20 |
| | プラチナ | -73,150 | -0.57 | -0.02 | -425,715 | 121 | 40 | 23 | -644 | 18,105 | -12,972 | 48 | 20 |
| エネルギー | 原油 | 946,820 | 2.91 | 0.18 | -110,290 | 111 | 40 | 18 | 8,109 | 40,790 | -13,353 | 60 | 16 |
| | 灯油 | 485,524 | 1.74 | 0.09 | -217,010 | 111 | 40 | 14 | 4,020 | 30,635 | -13,459 | 52 | 21 |
| 穀物 | トウモロコシ | 431,225 | 0.75 | 0.07 | -284,450 | 108 | 39 | 44 | 3,596 | 36,965 | -17,640 | 61 | 18 |
| | 小麦 | 50,925 | 0.13 | 0.01 | -466,775 | 109 | 37 | 28 | 312 | 33,049 | -18,665 | 59 | 20 |
| | 大豆 | -380,050 | -1.23 | -0.08 | -400,600 | 136 | 35 | 17 | -2,885 | 20,664 | -15,730 | 46 | 18 |
| | 大豆油 | 34,590 | -0.27 | 0.01 | -359,022 | 135 | 29 | 32 | 115 | 34,744 | -13,953 | 55 | 17 |
| | 大豆粕 | -91,920 | -0.58 | -0.02 | -458,880 | 112 | 30 | 25 | -852 | 32,446 | -15,366 | 61 | 22 |
| 食肉 | 生牛 | -22,940 | -0.76 | -0.01 | -280,916 | 117 | 35 | 25 | -603 | 28,026 | -16,047 | 61 | 17 |
| | 飼育牛 | 325,693 | 1.93 | 0.07 | -159,944 | 125 | 36 | 23 | 2,295 | 32,774 | -14,849 | 54 | 16 |
| | 生去勢豚 | 64,856 | -0.60 | 0.01 | -542,716 | 105 | 28 | 17 | -131 | 46,768 | -18,027 | 71 | 22 |
| | 豚赤身肉 | -99,436 | -0.37 | -0.02 | -297,664 | 121 | 35 | 11 | -915 | 28,362 | -16,480 | 56 | 18 |
| ソフト | ココア | -455,870 | -0.93 | -0.11 | -530,430 | 113 | 35 | 23 | -4,521 | 18,287 | -16,542 | 51 | 23 |
| | 綿花 | 791,690 | 2.49 | 0.17 | -207,740 | 98 | 36 | 14 | 7,172 | 47,409 | -15,182 | 70 | 20 |
| | オ・ジュース | 706,448 | 1.29 | 0.09 | -556,553 | 115 | 31 | 21 | 5,419 | 57,798 | -18,450 | 61 | 20 |
| | コーヒー | 834,938 | 1.20 | 0.09 | -352,928 | 121 | 33 | 7 | 6,540 | 52,910 | -16,359 | 60 | 16 |
| | 木材 | 213,488 | 1.04 | 0.03 | -356,832 | 129 | 33 | 11 | 1,510 | 35,423 | -15,447 | 50 | 19 |
| | 砂糖 | 204,366 | 0.21 | 0.05 | -198,890 | 114 | 38 | 27 | 2,000 | 27,659 | -13,540 | 56 | 19 |
| | 平均 | 354,069 | 1.37 | 0.06 | -284,877 | 114 | 37 | 17 | 3,179 | 35,416 | -15,464 | 58 | 19 |

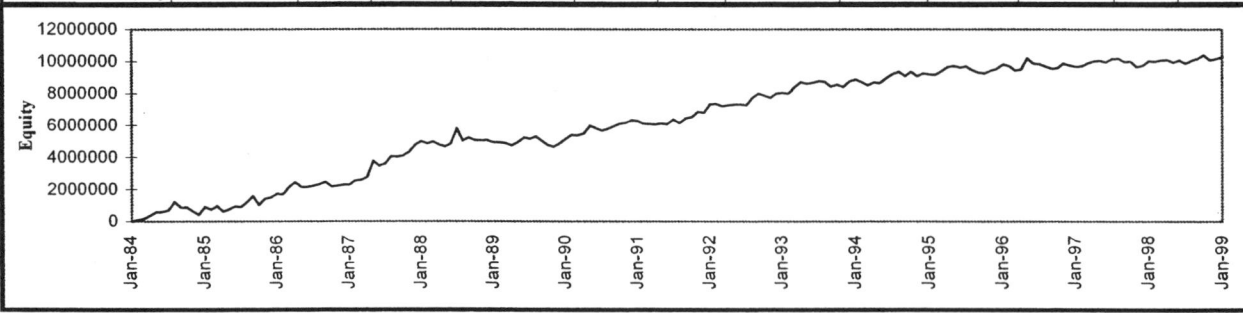

### ポートフォリオ統計

純益　　　　　：　10,267,988　　　シャープ・レシオ　　　　　　　　：0.24
ドローダウン：　-1,120,729　　　ブレイクアウトとの相関係数　　：0.92
Kレシオ　　　：　　　　4.58　　　１０／４０移動平均との相関係数：1.00

# 第1章　システム

**損益曲線：英ポンド〜灯油**　Copyright 1999 Lars Kestner, LINK Financial-All rights reserved

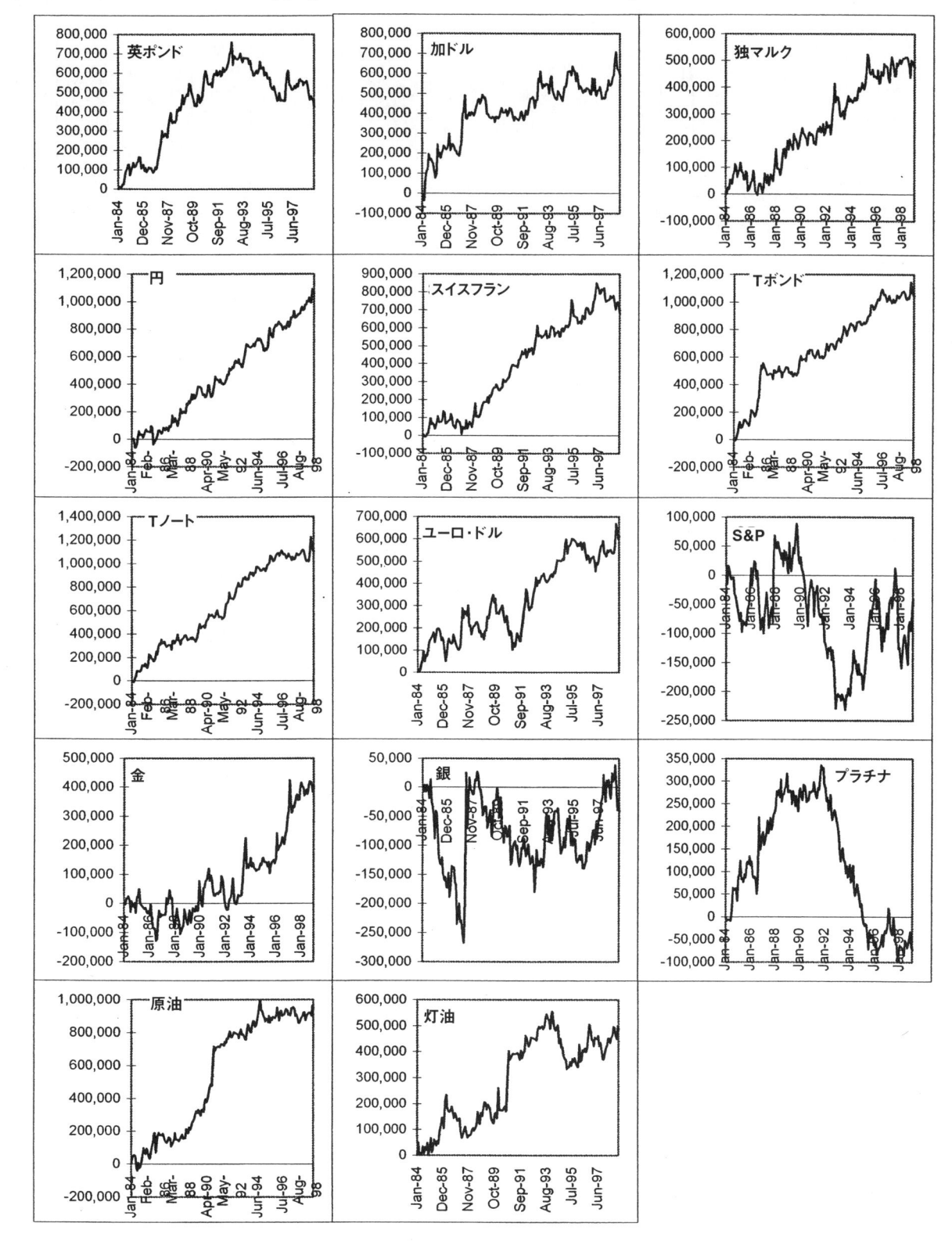

Chapter 1 **SYSTEM**

損益曲線：トウモロコシ〜砂糖　Copyright 1999 Lars Kestner.LINK Financial-All rights reserved

# 第1章 システム

**分類統計**

システム名　　：１０／４０日移動平均交差
パラメータ　　：１０日移動平均と４０日移動平均
建玉枚数　　　：可変
システム概要：１０日平均が４０日平均を上抜いたら買い、下抜いたら売る
検証期間　　　：1/1/84-12/31/98

Copyright 1999 Lars Kestner.LINK Financial-All rights reserved

### 市場部門による分析

| 市場部門 | 平均純益 | 平均Kレシオ | 平均シャープレシオ | 平均最大ドローダウン | 平均トレード数 | 平均勝率 | 平均損益 | 勝トレードの平均利益 | 敗トレードの平均損失 | 勝トレードの平均日数 | 敗トレードの平均日数 |
|---|---|---|---|---|---|---|---|---|---|---|---|
| 通貨 | 644,533 | 3.74 | 0.12 | -168,281 | 109 | 41 | 6,218 | 36,440 | -14,851 | 59 | 19 |
| 金利 | 919,008 | 3.84 | 0.18 | -149,292 | 97 | 41 | 9,400 | 45,984 | -15,797 | 68 | 19 |
| 株価指数 | -40,775 | -0.52 | -0.01 | -317,650 | 129 | 31 | -919 | 29,272 | -14,488 | 53 | 18 |
| 貴金属 | 96,243 | 0.40 | 0.02 | -290,952 | 117 | 39 | 879 | 24,312 | -14,407 | 52 | 19 |
| エネルギー | 716,172 | 2.32 | 0.13 | -163,650 | 111 | 40 | 6,064 | 35,713 | -13,406 | 56 | 19 |
| 穀物 | 8,954 | -0.24 | 0.00 | -393,945 | 120 | 34 | 57 | 31,574 | -16,271 | 57 | 19 |
| 食肉 | 67,043 | 0.05 | 0.01 | -320,310 | 117 | 33 | 162 | 33,982 | -16,351 | 61 | 18 |
| ソフト | 382,510 | 0.88 | 0.05 | -367,229 | 115 | 34 | 3,020 | 39,914 | -15,920 | 58 | 19 |

### 年次成績分析

| 年 | 純益 | Kレシオ | シャープレシオ |
|---|---|---|---|
| 1984 | 901,967 | 0.92 | 0.29 |
| 1985 | 811,376 | 1.37 | 0.24 |
| 1986 | 564,383 | 0.71 | 0.22 |
| 1987 | 2,710,881 | 3.75 | 0.71 |
| 1988 | -71,041 | 0.24 | -0.02 |
| 1989 | 209,837 | 0.05 | 0.09 |
| 1990 | 1,136,920 | 2.52 | 0.54 |
| 1991 | 1,063,777 | 1.39 | 0.40 |
| 1992 | 709,780 | 1.55 | 0.32 |
| 1993 | 843,507 | 0.76 | 0.34 |
| 1994 | 317,524 | 1.09 | 0.12 |
| 1995 | 608,030 | 0.35 | 0.31 |
| 1996 | -131,727 | 0.00 | -0.04 |
| 1997 | 341,313 | 0.14 | 0.16 |
| 1998 | 251,459 | 0.63 | 0.12 |

### 利益性ウインドウ

| 期間 | ウインドウ数 | 収益ウインドウ数 | 利益ウインドウ率 |
|---|---|---|---|
| 1カ月 | 180 | 108 | 60.00% |
| 3カ月 | 178 | 121 | 67.98% |
| 6カ月 | 175 | 140 | 80.00% |
| 12カ月 | 169 | 150 | 88.76% |
| 18カ月 | 163 | 156 | 95.71% |
| 24カ月 | 157 | 155 | 98.73% |

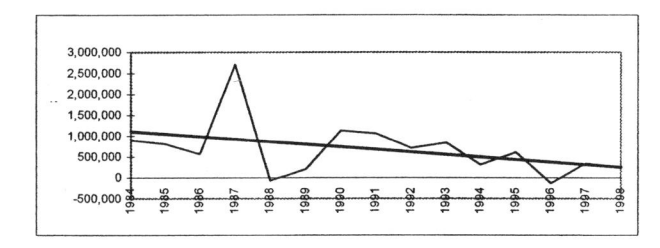

### 年次純益推移

### ③２０日モメンタム

　価格のモメンタムの概念は、トレンドフォローの概念と同じくらい基本的なことである。価格が２０日前よりも高いなら、明日も同様に高くなる可能性が強いというのが戦略の大前提である。同様に、価格が２０日前よりも安いなら、明日も同様に安くなることを期待することになる。

・今日の終値が２０日前の終値よりも高いなら、明日の寄り付きで買う。
・今日の終値が２０日前の終値よりも安いなら、明日の寄り付きで売る。

　上記のモメンタム・システムは常にポジションを取る。最大の心配事は、価格変動がちゃぶつきやすくなり、真のトレンドが発生せず、結果としてシステムは頻繁に買から売りとトレードし、各トレードで少額の損を続けることである。

#### 結果
　２０日モメンタムは、移動平均交差とチャンネル・ブレイクアウトよりも、純益、Ｋレシオ、シャープ・レシオの観点で良い結果を示している。加えて、モメンタム・システムの成績は断固として劣化していない。
　１つ注意することがある。モメンタム・システムは先に登場したどちらのシステムと比較しても３から４倍の頻度でトレードする。結果として、取引コストが最終結果に対してはるかに大きな影響力を持っている。実際、１トレード当たり往復で７５ドルを想定すると、モメンタム・システムの利益はすべて吹っ飛んでしまう。
　もう１つの面白い事実は、この３番目のトレンドフォロー型システムも、市場部門別の成績が一致していることである。この事実により、私は市場部門ごとに異なる傾向があると信じている。ある商品は他の商品よりもトレンドとの親和性が高いのである。

# 第1章　システム

トレーディング・システム評価

システム名　　　：２０日モメンタム
パラメータ　　　：２０日
建玉枚数　　　　：可変
システムの概要　：終値が２０日前の終値よりも高いときに買い、安いときに売る
検証期間　　　　：1/1/84-12/31/98　　Copyright 1999 Lars Kestner, LINK Financial-All rights reserved

| | 市場 | 純益 | Kレシオ | シャープレシオ | 最大ドローダウン | トレード数 | 勝率 | 平均建玉数 | 平均損益 | 勝トレードの平均利益 | 敗トレードの平均損失 | 勝トレードの平均日数 | 敗トレードの平均日数 |
|---|---|---|---|---|---|---|---|---|---|---|---|---|---|
| 通貨 | 英ポンド | 575,875 | 1.91 | 0.11 | -249,381 | 382 | 39 | 8 | 1,506 | 15,090 | -7,180 | 17 | 6 |
| | 加ドル | 670,350 | 1.95 | 0.12 | -138,690 | 298 | 39 | 26 | 2,345 | 18,756 | -7,968 | 22 | 7 |
| | 独マルク | 796,063 | 3.92 | 0.17 | -138,800 | 358 | 41 | 11 | 2,233 | 16,550 | -7,514 | 18 | 6 |
| | 円 | 1,416,725 | 3.57 | 0.28 | -107,813 | 354 | 44 | 10 | 3,930 | 17,297 | -6,723 | 18 | 5 |
| | スイスフラン | 641,088 | 3.10 | 0.14 | -127,200 | 342 | 37 | 8 | 1,897 | 17,880 | -7,544 | 21 | 5 |
| 金利 | Tボンド | 669,250 | 4.51 | 0.14 | -102,500 | 302 | 39 | 9 | 2,233 | 18,482 | -8,334 | 23 | 6 |
| | Tノート | 1,208,625 | 5.22 | 0.23 | -115,875 | 266 | 44 | 13 | 4,562 | 21,092 | -8,617 | 24 | 7 |
| | ユーロ・ドル | 1,435,450 | 2.17 | 0.16 | -321,250 | 267 | 41 | 4 | 5,344 | 26,597 | -9,546 | 25 | 6 |
| 株価指数 | S&P | -74,950 | -0.67 | -0.02 | -377,975 | 393 | 34 | 4 | -377 | 13,721 | -7,589 | 18 | 5 |
| 貴金属 | 金 | 439,680 | 2.22 | 0.09 | -242,890 | 338 | 36 | 20 | 1,235 | 15,712 | -7,047 | 20 | 6 |
| | 銀 | -582,195 | -3.09 | -0.11 | -618,070 | 419 | 30 | 15 | -1,368 | 12,350 | -7,335 | 17 | 6 |
| | プラチナ | -40,820 | -0.71 | -0.01 | -313,260 | 377 | 38 | 22 | -121 | 11,363 | -7,139 | 17 | 6 |
| エネルギー | 原油 | 1,114,900 | 5.46 | 0.22 | -111,050 | 288 | 38 | 17 | 3,838 | 22,238 | -7,533 | 24 | 6 |
| | 灯油 | 605,376 | 1.64 | 0.10 | -357,874 | 350 | 34 | 14 | 1,706 | 19,312 | -7,364 | 20 | 6 |
| 穀物 | トウモロコシ | 788,950 | 1.78 | 0.12 | -190,450 | 322 | 43 | 44 | 2,348 | 17,243 | -8,682 | 19 | 6 |
| | 小麦 | 165,950 | 0.47 | 0.03 | -319,675 | 326 | 38 | 28 | 399 | 14,965 | -8,659 | 20 | 6 |
| | 大豆 | -214,900 | -0.88 | -0.04 | -470,525 | 379 | 35 | 16 | -628 | 12,767 | -7,703 | 18 | 6 |
| | 大豆油 | -212,052 | -0.91 | -0.04 | -503,706 | 375 | 34 | 31 | -642 | 13,720 | -8,085 | 19 | 6 |
| | 大豆粕 | 517,230 | 1.17 | 0.10 | -317,760 | 318 | 38 | 25 | 1,579 | 17,411 | -8,016 | 21 | 7 |
| 食肉 | 生牛 | -17,432 | -0.67 | 0.00 | -329,736 | 403 | 38 | 25 | -161 | 12,862 | -8,300 | 16 | 5 |
| | 飼育牛 | 304,353 | 1.31 | 0.07 | -231,889 | 349 | 36 | 23 | 748 | 15,874 | -7,589 | 20 | 6 |
| | 生去勢豚 | 423,336 | 0.52 | 0.08 | -308,996 | 285 | 35 | 17 | 1,183 | 19,786 | -8,719 | 26 | 7 |
| | 豚赤身肉 | 2,084 | 0.30 | 0.00 | -272,176 | 347 | 33 | 11 | -13 | 16,728 | -8,419 | 20 | 6 |
| ソフト | ココア | -593,430 | -2.31 | -0.14 | -645,510 | 363 | 30 | 24 | -1,765 | 11,754 | -7,567 | 20 | 6 |
| | 綿花 | 317,510 | 0.80 | 0.07 | -268,955 | 358 | 33 | 13 | 678 | 16,761 | -7,130 | 20 | 5 |
| | オ・ジュース | 669,750 | 1.18 | 0.09 | -530,295 | 311 | 31 | 20 | 1,937 | 24,980 | -8,508 | 23 | 7 |
| | コーヒー | 717,773 | 1.30 | 0.09 | -309,806 | 355 | 37 | 8 | 1,995 | 19,050 | -8,223 | 18 | 6 |
| | 木材 | -83,424 | 0.19 | -0.01 | -604,128 | 337 | 31 | 12 | -328 | 20,433 | -9,466 | 21 | 7 |
| | 砂糖 | -121,049 | -1.08 | -0.03 | -359,251 | 400 | 35 | 27 | -301 | 12,508 | -7,198 | 18 | 5 |
| | 平均 | 397,933 | 1.19 | 0.07 | -309,844 | 344 | 37 | 17 | 1,241 | 17,010 | -7,921 | 20 | 6 |

ポートフォリオ統計

純益　　　　　：　11,540,064　　シャープ・レシオ　　　　　　：0.27
ドローダウン：　　-875,404　　ブレイクアウトとの相関係数　：0.87
Kレシオ　　　：　　　　5.69　　１０／４０移動平均との相関係数：0.83

## Chapter 1 SYSTEM

**損益曲線：英ポンド〜灯油** Copyright 1999 Lars Kestner, LINK Financial-All rights reserved

# 第1章 システム

**損益曲線：トウモロコシ～砂糖**　Copyright 1999 Lars Kestner,LINK Financial-All rights reserved

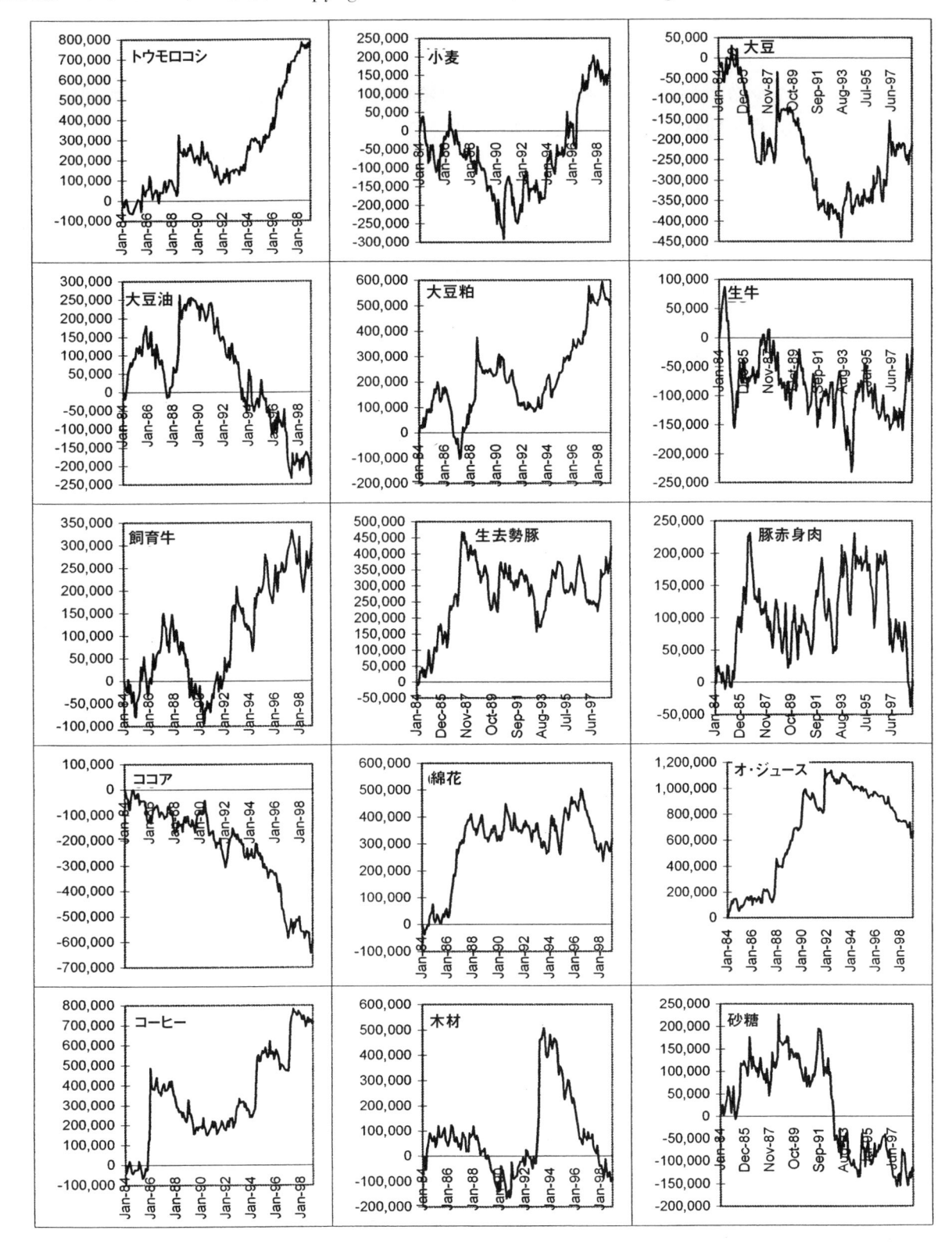

## Chapter 1 SYSTEM

### 分類統計

システム名　　　：２０日モメンタム
パラメータ　　　：２０日
システムの概要：終値が２０日前の終値よりも高いときに買い、安いときに売る
検証期間　　　　：1/1/84-12/31/98

Copyright 1999 Lars Kestner,LINK Financial-All rights reserved

### 市場部門による分析

| 市場部門 | 平均純益 | 平均Kレシオ | 平均シャープレシオ | 平均最大ドローダウン | 平均トレード数 | 平均勝率 | 平均損益 | 勝トレードの平均利益 | 敗トレードの平均損失 | 勝トレードの平均日数 | 敗トレードの平均日数 |
|---|---|---|---|---|---|---|---|---|---|---|---|
| 通貨 | 820,020 | 2.89 | 0.16 | -152,377 | 347 | 40 | 2,382 | 17,115 | -7,386 | 19 | 6 |
| 金利 | 1,104,442 | 3.97 | 0.18 | -179,875 | 278 | 42 | 4,046 | 22,057 | -8,833 | 24 | 6 |
| 株価指数 | -74,950 | -0.67 | -0.02 | -377,975 | 393 | 34 | -377 | 13,721 | -7,589 | 18 | 5 |
| 貴金属 | -61,112 | -0.53 | -0.01 | -391,407 | 378 | 35 | -85 | 13,142 | -7,174 | 18 | 6 |
| エネルギー | 860,138 | 3.55 | 0.16 | -234,462 | 319 | 36 | 2,772 | 20,775 | -7,448 | 22 | 6 |
| 穀物 | 209,036 | 0.33 | 0.03 | -360,423 | 344 | 37 | 611 | 15,221 | -8,229 | 19 | 6 |
| 食肉 | 178,085 | 0.36 | 0.04 | -285,699 | 346 | 36 | 439 | 16,312 | -8,257 | 20 | 6 |
| ソフト | 151,188 | 0.01 | 0.01 | -452,991 | 354 | 33 | 369 | 17,581 | -8,015 | 20 | 6 |

### 年次成績分析

| 年 | 純益 | Kレシオ | シャープレシオ |
|---|---|---|---|
| 1984 | 1,194,686 | 1.64 | 0.45 |
| 1985 | 1,239,789 | 2.21 | 0.39 |
| 1986 | 112,593 | -0.23 | 0.04 |
| 1987 | 1,922,775 | 2.81 | 0.59 |
| 1988 | 938,108 | 1.07 | 0.17 |
| 1989 | 646,028 | 0.97 | 0.30 |
| 1990 | 603,279 | 1.59 | 0.32 |
| 1991 | 375,365 | 0.50 | 0.14 |
| 1992 | 687,146 | 1.26 | 0.31 |
| 1993 | 645,697 | 0.58 | 0.26 |
| 1994 | 149,796 | 0.56 | 0.05 |
| 1995 | 948,671 | 2.01 | 0.54 |
| 1996 | 201,219 | 0.75 | 0.07 |
| 1997 | 918,519 | 0.97 | 0.37 |
| 1998 | 956,392 | 1.65 | 0.30 |

### 利益性ウインドウ

| 期間 | ウインドウ数 | 収益ウインドウ数 | 利益ウインドウ率 |
|---|---|---|---|
| 1カ月 | 180 | 110 | 61.11% |
| 3カ月 | 178 | 127 | 71.35% |
| 6カ月 | 175 | 149 | 85.14% |
| 12カ月 | 169 | 156 | 92.31% |
| 18カ月 | 163 | 160 | 98.16% |
| 24カ月 | 157 | 157 | 100.00% |

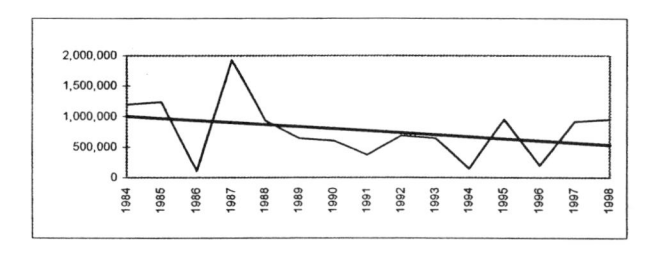

### 年次純益推移

# 第1章　システム

### ④１４日相対力指数

　（一般にＲＳＩと呼ばれる）相対力指数はこの本で取り上げた『ワイルダーのテクニカル分析入門』（パンローリング刊）で、ウエルズ・ワイルダーによって開発された。ＲＳＩを出す公式についてはこの本で丁寧に説明されているが、ＲＳＩを売買するための厳密なルールについては何も書かれていない。主要な点におけるダイバージェンス（価格と指標との乖離）や放れに基づいてトレードする考えが記述されているが、今日見られるようなより典型的な利用法については論じられていない。

　ここでは、市場が買われ過ぎか、売られ過ぎかを決定するためにＲＳＩを用いる。指標が売られ過ぎ領域に落ち込んだときに買う。指標が買われ過ぎ領域に跳ね上がったときには売る。

　・１４日ＲＳＩが３５よりも下で引けたら、明日の寄り付きで買う。
　・１４日ＲＳＩが６５よりも上で引けたら、明日の寄り付きで売る。

　このＲＳＩシステムには他の仕切りルールはない。私はこのシステムを純粋な逆張り型システムとして用いることを望んだ。理想的な世界では、価格は上昇し、買われ過ぎシグナルを発する。トレーダーはこれを認識し、買われ過ぎ状態で売り、売られ過ぎ状態で買い、これを永遠に繰り返す。これが現実なら、ＲＳＩシステムは素晴らしく機能するだろう。残念ながら、絶頂期やパニック期は誰もが予想するよりもずっと長く継続する傾向がある。

**結果**

　ＲＳＩシステムには終始、ほとんど見るべきところがない。金属は全３銘柄が利益になるなど、唯一、明るい。恐らく売買ルールにトレイリング・ストップ（マーケットの動きに合わせて逆指値の仕切り注文を上げ、下げする）を付け加えれば、結果は改善するかもしれないが、基礎をなしている理念は役に立たないように思われる。ＲＳＩシステムのルールに対し、正反対のトレードを実行する方が余程ましにみえる。

## Chapter 1 SYSTEM

トレーディング・システム評価

システム名　　　：１４日ＲＳＩ
パラメータ　　　：１４日ＲＳＩ、３５／６５の閾値
建玉枚数　　　　：可変
システムの概要　：ＲＳＩが３５を下抜いたら買い、６５を上抜いたら売る
検証期間　　　　：1/1/84-12/31/98　Copyright 1999 Lars Kestner,LINK Financial-All rights reserved

| | 市場 | 純益 | Kレシオ | シャープレシオ | 最大ドローダウン | トレード数 | 勝率 | 平均建玉数 | 平均損益 | 勝トレードの平均利益 | 敗トレードの平均損失 | 勝トレードの平均日数 | 敗トレードの平均日数 |
|---|---|---|---|---|---|---|---|---|---|---|---|---|---|
| 通貨 | 英ポンド | -637,100 | -2.34 | -0.13 | -912,444 | 46 | 61 | 9 | -13,536 | 21,984 | -68,789 | 50 | 127 |
| | 加ドル | -314,450 | -0.73 | -0.06 | -445,180 | 52 | 60 | 26 | -3,689 | 26,805 | -48,703 | 36 | 118 |
| | 独マルク | -385,788 | -2.56 | -0.08 | -516,325 | 52 | 58 | 11 | -7,935 | 21,953 | -48,693 | 37 | 121 |
| | 円 | -1,209,950 | -5.54 | -0.23 | -1,243,363 | 40 | 43 | 10 | -27,318 | 30,089 | -69,749 | 34 | 134 |
| | スイスフラン | -651,013 | -4.52 | -0.14 | -861,250 | 49 | 51 | 9 | -13,745 | 24,700 | -53,792 | 31 | 125 |
| 金利 | Tボンド | -940,125 | -3.96 | -0.18 | -1,057,500 | 43 | 53 | 9 | -22,049 | 20,190 | -70,625 | 48 | 133 |
| | Tノート | -905,750 | -3.31 | -0.17 | -1,036,750 | 45 | 53 | 13 | -20,344 | 22,286 | -69,065 | 40 | 134 |
| | ユーロ・ドル | -741,775 | -2.75 | -0.15 | -852,400 | 53 | 55 | 4 | -13,803 | 22,250 | -57,368 | 39 | 109 |
| 株価指数 | S&P | -102,375 | 0.17 | -0.02 | -466,000 | 45 | 67 | 4 | -1,036 | 31,238 | -65,583 | 45 | 158 |
| 貴金属 | 金 | 300,520 | 0.61 | 0.06 | -327,640 | 52 | 69 | 20 | 5,753 | 27,689 | -43,602 | 46 | 131 |
| | 銀 | 378,815 | 2.69 | 0.07 | -411,400 | 48 | 69 | 16 | 8,299 | 28,233 | -35,556 | 54 | 127 |
| | プラチナ | 224,040 | 1.00 | 0.05 | -482,550 | 51 | 71 | 23 | 4,405 | 25,007 | -45,038 | 52 | 126 |
| エネルギー | 原油 | -1,183,480 | -3.66 | -0.21 | -1,280,410 | 43 | 49 | 18 | -26,898 | 25,088 | -76,522 | 37 | 134 |
| | 灯油 | -252,088 | -1.02 | -0.04 | -420,995 | 49 | 61 | 14 | -4,362 | 23,100 | -47,724 | 44 | 125 |
| 穀物 | トウモロコシ | -684,625 | -1.97 | -0.10 | -816,175 | 44 | 57 | 44 | -15,019 | 22,609 | -64,529 | 51 | 130 |
| | 小麦 | -120,200 | -0.42 | -0.02 | -520,750 | 50 | 72 | 28 | -2,105 | 23,376 | -67,627 | 42 | 159 |
| | 大豆 | -4,975 | 0.23 | 0.00 | -526,650 | 46 | 67 | 16 | 30 | 26,156 | -53,962 | 48 | 151 |
| | 大豆油 | -241,692 | -0.42 | -0.05 | -405,894 | 44 | 55 | 32 | -5,003 | 29,540 | -46,454 | 45 | 131 |
| | 大豆粕 | 143,250 | 1.08 | 0.03 | -516,620 | 55 | 73 | 25 | 2,318 | 22,804 | -52,309 | 48 | 121 |
| 食肉 | 生牛 | -265,236 | -0.93 | -0.06 | -420,904 | 43 | 58 | 24 | -5,657 | 26,888 | -50,858 | 43 | 150 |
| | 飼育牛 | -365,240 | -1.73 | -0.07 | -561,053 | 39 | 56 | 25 | -9,012 | 30,892 | -60,652 | 47 | 160 |
| | 生去勢豚 | -171,812 | -0.47 | -0.03 | -432,936 | 55 | 67 | 17 | -2,014 | 24,984 | -57,510 | 43 | 121 |
| | 豚赤身肉 | -149,132 | -1.47 | -0.03 | -491,836 | 47 | 68 | 11 | -3,240 | 22,161 | -57,427 | 52 | 140 |
| ソフト | ココア | 506,340 | 1.24 | 0.11 | -286,710 | 53 | 70 | 22 | 10,647 | 26,515 | -26,048 | 45 | 116 |
| | 綿花 | -663,505 | -3.32 | -0.15 | -795,545 | 40 | 55 | 15 | -14,681 | 26,961 | -65,577 | 55 | 135 |
| | オ・ジュース | -285,563 | -1.36 | -0.04 | -832,185 | 53 | 60 | 19 | -5,150 | 30,967 | -60,186 | 37 | 122 |
| | コーヒー | -881,854 | -1.64 | -0.09 | -1,228,185 | 43 | 47 | 8 | -20,319 | 29,582 | -63,712 | 48 | 120 |
| | 木材 | -171,056 | -0.46 | -0.03 | -640,816 | 55 | 65 | 12 | -2,876 | 29,316 | -63,872 | 35 | 131 |
| | 砂糖 | -253,579 | -0.07 | -0.06 | -419,059 | 42 | 55 | 25 | -6,600 | 23,733 | -43,318 | 54 | 132 |
| | 平均 | -345,841 | -1.30 | -0.06 | -662,397 | 47 | 60 | 18 | -7,412 | 25,762 | -56,374 | 44 | 132 |

ポートフォリオ統計

純益　　　　　：-10,029,396　　シャープ・レシオ　　　　　　　：-0.23
ドローダウン　：-10,692,612　　ブレイクアウトとの相関係数　　：-0.88
Kレシオ　　　 ：　　　-6.37　　１０／４０移動平均との相関係数：-0.85

# 第1章 システム

損益曲線：英ポンド～灯油　Copyright 1999 Lars Kestner, LINK Financial-All rights reserved

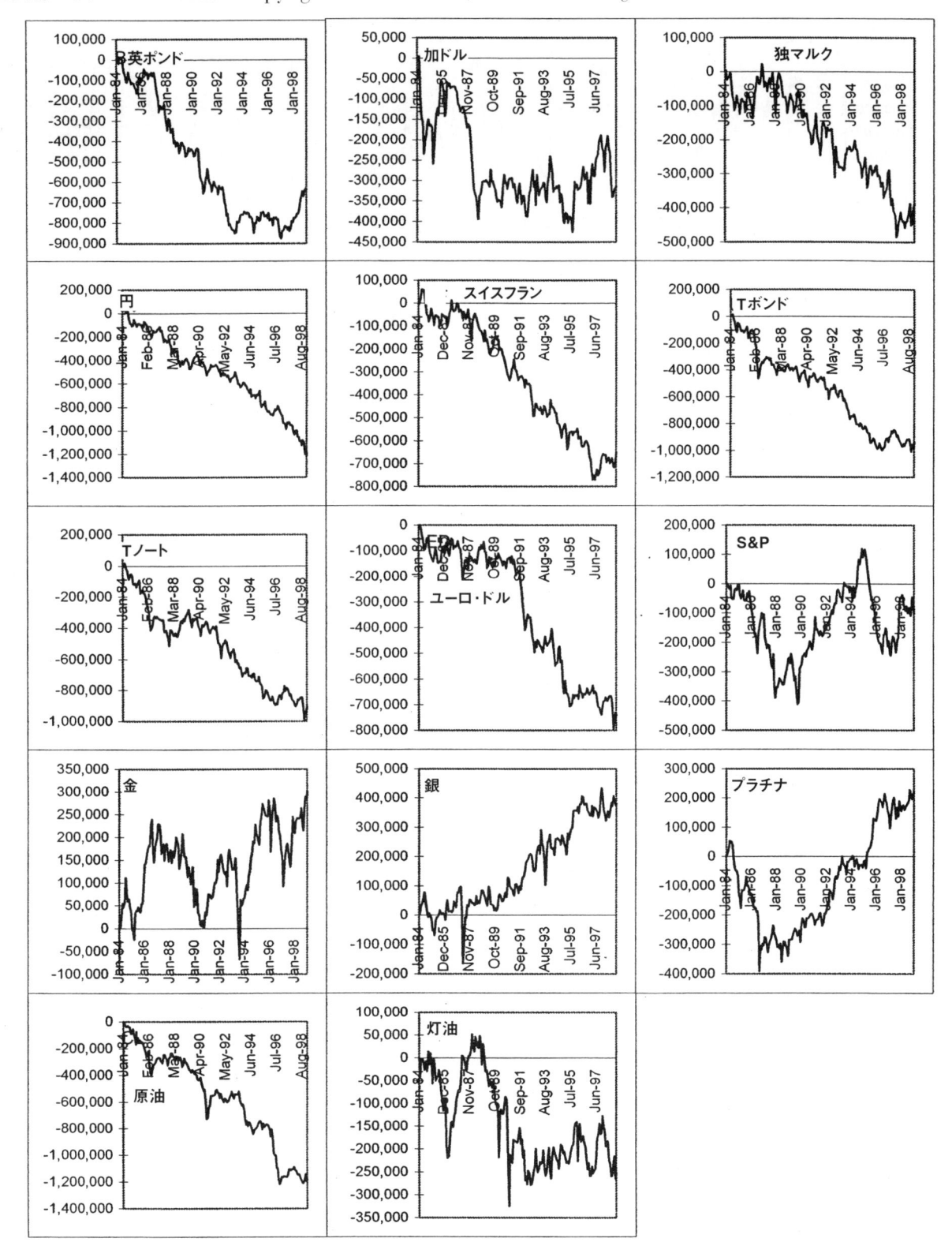

Chapter 1 SYSTEM

損益曲線：トウモロコシ～砂糖　Copyright 1999 Lars Kestner, LINK Financial-All rights reserved

# 第1章 システム

**分類統計**

システム名　　　：１４日ＲＳＩ

パラメータ　　　：１４日ＲＳＩ、３５／６５閾値

システムの概要：ＲＳＩが３５を下抜いたら買い、６５を上抜いたら売る

検証期間　　　　：1/1/84-12/31/98

Copyright 1999 Lars Kestner,LINK Financial-All rights reserved

### 市場部門による分析

| 市場部門 | 平均純益 | 平均Kレシオ | 平均シャープレシオ | 平均最大ドローダウン | 平均トレード数 | 平均勝率 | 平均損益 | 勝トレードの平均利益 | 敗トレードの平均損失 | 勝トレードの平均日数 | 敗トレードの平均日数 |
|---|---|---|---|---|---|---|---|---|---|---|---|
| 通貨 | -639,660 | -3.14 | -0.13 | -795,712 | 48 | 54 | -13,245 | 25,106 | -57,945 | 37 | 125 |
| 金利 | -862,550 | -3.34 | -0.16 | -982,217 | 47 | 54 | -18,732 | 21,576 | -65,686 | 43 | 125 |
| 株価指数 | -102,375 | 0.17 | -0.02 | -466,000 | 45 | 67 | -1,036 | 31,238 | -65,583 | 45 | 158 |
| 貴金属 | 301,125 | 1.43 | 0.06 | -407,197 | 50 | 70 | 6,152 | 26,976 | -41,399 | 51 | 128 |
| エネルギー | -717,784 | -2.34 | -0.13 | -850,703 | 46 | 55 | -15,630 | 24,094 | -62,123 | 40 | 129 |
| 穀物 | -181,648 | -0.30 | -0.03 | -557,218 | 48 | 65 | -3,956 | 24,897 | -56,976 | 47 | 138 |
| 食肉 | -237,855 | -1.15 | -0.05 | -476,682 | 46 | 62 | -4,981 | 26,231 | -56,612 | 46 | 143 |
| ソフト | -291,536 | -0.94 | -0.04 | -700,417 | 48 | 59 | -6,497 | 27,846 | -53,786 | 46 | 126 |

### 年次成績分析

| 年 | 純益 | Kレシオ | シャープレシオ |
|---|---|---|---|
| 1984 | -1,403,179 | -2.46 | -0.57 |
| 1985 | -1,181,598 | -1.58 | -0.34 |
| 1986 | -125,918 | 0.07 | -0.04 |
| 1987 | -1,969,305 | -2.23 | -0.57 |
| 1988 | 2,108 | -0.29 | 0.00 |
| 1989 | 76,717 | 0.02 | 0.03 |
| 1990 | -1,257,989 | -2.67 | -0.47 |
| 1991 | -605,947 | -0.71 | -0.22 |

| 年 | 純益 | Kレシオ | シャープレシオ |
|---|---|---|---|
| 1992 | -90,874 | -0.85 | -0.05 |
| 1993 | -1,063,619 | -0.87 | -0.41 |
| 1994 | -1,039,499 | -2.40 | -0.41 |
| 1995 | -741,995 | -0.98 | -0.34 |
| 1996 | -610,351 | -0.79 | -0.17 |
| 1997 | 192,359 | 0.92 | 0.09 |
| 1998 | -210,305 | -0.37 | -0.08 |

### 利益性ウインドウ

| 期間 | ウインドウ数 | 収益ウインドウ数 | 利益ウインドウ率 |
|---|---|---|---|
| 1カ月 | 180 | 74 | 41.11% |
| 3カ月 | 178 | 66 | 37.08% |
| 6カ月 | 175 | 36 | 20.57% |
| 12カ月 | 169 | 17 | 10.06% |
| 18カ月 | 163 | 7 | 4.29% |
| 24カ月 | 157 | 2 | 1.27% |

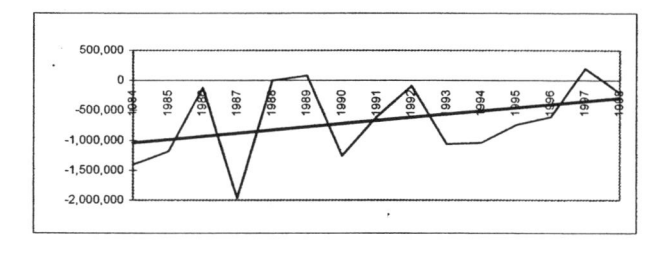

### 年次純益推移

### ⑤１４日スロー％Ｋストキャスティック

　ジョージ・レインはストキャスティックを広めたことで知られている。未加工のファスト％Ｋストキャスティックは過去Ｘ日の値幅における終値の位置を正規化した指標である。この値は非常に不安定なので、３日間の平均を取って反応をより遅くすることがよく行われる。反応を遅くしたものはスロー％Ｋと呼ばれる。スロー％Ｋはさらに３日間の平均を取ることによって平滑化されることもある。二重に平滑化されたものはスロー％Ｄストキャスティックと呼ばれる。

　１４日ファスト％Ｋ＝１００×（今日の終値－１４日間の最安値）÷
　　　　　　　　　　　　　　（１４日間の最高値－１４日間の最安値）

　ここでの、ストキャスティック・システムは売られ過ぎの市場で買い、買われ過ぎの市場で売るＲＳＩシステムと類似している。異なる点は、このストキャスティック・システムで買いシグナルを発生するのには、指標が閾値よりも下に交差した後にまた上に交差することを必要とすることである。売りシグナルはその逆である。

・今日、１４日スロー％Ｋストキャスティックが２５を上抜いたら、明日の寄り付きで買う。
・今日、１４日スロー％Ｋストキャスティックが７５を下抜いたら、明日の寄り付きで売る。

　ＲＳＩシステムと同様、相場が早期に買われ過ぎ状態に達し、そのまま反転して売られ過ぎ状態になることを期待している。トレンドが長引けば、システムの成績には逆効果となる。

#### 結果
　このストキャスティック・システムも的をはずしている。金属でしっかりした成績を示したＲＳＩシステムとは異なり、ストキャスティック・システムは食肉市場だけが利益となっている。
　Ｓ＆Ｐ５００で利益となることに注意してほしい。

# 第1章　システム

**トレーディング・システム評価**

システム名　　　：１４日ストキャスティックの２５／７５の交差
パラメータ　　　：１４日スロー％Ｋ、２５と７５の閾値
建玉枚数　　　　：可変
システムの概要　：スロー％Ｋが２５を上抜いたら買い、７５を下抜いたら売る
検証期間　　　　：1/1/84-12/31/98　　Copyright 1999 Lars Kestner.LINK Financial-All rights reserved

| | 市場 | 純益 | Kレシオ | シャープレシオ | 最大ドローダウン | トレード数 | 勝率 | 平均建玉数 | 平均損益 | 勝トレードの平均利益 | 敗トレードの平均損失 | 勝トレードの平均日数 | 敗トレードの平均日数 |
|---|---|---|---|---|---|---|---|---|---|---|---|---|---|
| 通貨 | 英ポンド | -378,613 | -1.89 | -0.08 | -601,106 | 143 | 55 | 8 | -2,729 | 14,944 | -24,545 | 19 | 36 |
| | 加ドル | -1,066,070 | -1.72 | -0.18 | -1,155,910 | 126 | 53 | 25 | -8,520 | 12,397 | -32,273 | 19 | 42 |
| | 独マルク | -50,775 | 0.03 | -0.01 | -413,488 | 144 | 51 | 11 | -375 | 19,130 | -20,995 | 20 | 32 |
| | 円 | -618,500 | -2.74 | -0.11 | -862,375 | 119 | 48 | 9 | -4,918 | 21,497 | -29,203 | 22 | 41 |
| | スイスフラン | -227,813 | -0.86 | -0.05 | -381,363 | 137 | 50 | 8 | -1,749 | 18,073 | -21,863 | 20 | 35 |
| 金利 | Tボンド | -966,250 | -1.70 | -0.20 | -1,096,125 | 142 | 55 | 9 | -6,798 | 13,444 | -31,467 | 19 | 36 |
| | Tノート | -1,224,625 | -3.04 | -0.22 | -1,399,500 | 150 | 55 | 13 | -8,153 | 11,557 | -32,571 | 17 | 35 |
| | ユーロ・ドル | -599,675 | -1.66 | -0.10 | -788,050 | 134 | 57 | 5 | -4,329 | 18,847 | -34,697 | 21 | 38 |
| 株価指数 | S&P | 237,200 | 0.66 | 0.05 | -321,400 | 146 | 62 | 4 | 1,408 | 16,863 | -23,432 | 18 | 38 |
| 貴金属 | 金 | -353,420 | -1.63 | -0.07 | -767,590 | 140 | 56 | 21 | -2,361 | 15,795 | -25,874 | 19 | 37 |
| | 銀 | -233,450 | -2.04 | -0.05 | -568,750 | 151 | 63 | 14 | -1,548 | 12,071 | -24,652 | 17 | 38 |
| | プラチナ | -2,735 | 0.27 | 0.00 | -260,910 | 150 | 57 | 22 | -107 | 13,472 | -18,355 | 20 | 32 |
| エネルギー | 原油 | -513,880 | -0.98 | -0.10 | -555,990 | 134 | 54 | 17 | -3,551 | 16,932 | -28,063 | 20 | 37 |
| | 灯油 | -292,375 | -0.23 | -0.06 | -464,104 | 162 | 59 | 13 | -1,492 | 13,453 | -22,681 | 16 | 32 |
| 穀物 | トウモロコシ | -431,050 | -1.76 | -0.07 | -602,200 | 136 | 54 | 42 | -3,000 | 16,781 | -26,609 | 22 | 34 |
| | 小麦 | 184,100 | 0.37 | 0.04 | -458,675 | 148 | 60 | 27 | 1,406 | 17,576 | -22,986 | 19 | 35 |
| | 大豆 | 307,600 | 0.60 | 0.06 | -398,700 | 163 | 62 | 16 | 1,784 | 15,340 | -20,300 | 18 | 30 |
| | 大豆油 | -542,964 | -1.39 | -0.12 | -736,566 | 145 | 54 | 32 | -4,029 | 13,238 | -24,130 | 17 | 37 |
| | 大豆粕 | -110,350 | -0.19 | -0.02 | -593,560 | 160 | 58 | 26 | -571 | 15,832 | -23,339 | 18 | 31 |
| 食肉 | 生牛 | -65,420 | 0.01 | -0.02 | -393,628 | 176 | 58 | 24 | -81 | 14,017 | -19,514 | 16 | 29 |
| | 飼育牛 | 584,170 | 2.48 | 0.12 | -262,627 | 172 | 59 | 23 | 3,508 | 17,407 | -16,265 | 19 | 26 |
| | 生去勢豚 | 345,784 | 0.46 | 0.07 | -386,580 | 146 | 60 | 17 | 2,659 | 18,679 | -21,648 | 21 | 34 |
| | 豚赤身肉 | 178,144 | 0.73 | 0.04 | -247,344 | 170 | 60 | 11 | 1,112 | 14,913 | -19,589 | 17 | 30 |
| ソフト | ココア | 454,830 | 1.88 | 0.13 | -201,430 | 164 | 62 | 24 | 3,083 | 13,576 | -14,180 | 20 | 27 |
| | 綿花 | -570,070 | -2.06 | -0.12 | -732,170 | 136 | 54 | 14 | -3,548 | 15,619 | -26,426 | 20 | 36 |
| | オ・ジュース | -888,788 | -1.79 | -0.14 | -1,392,563 | 146 | 58 | 19 | -5,947 | 15,634 | -35,187 | 18 | 36 |
| | コーヒー | -660,495 | -1.77 | -0.10 | -816,405 | 161 | 55 | 8 | -3,970 | 14,328 | -26,028 | 17 | 30 |
| | 木材 | 57,872 | -0.46 | 0.01 | -614,176 | 167 | 57 | 11 | 390 | 16,786 | -21,244 | 18 | 29 |
| | 砂糖 | -296,946 | -1.16 | -0.07 | -471,072 | 142 | 55 | 26 | -2,193 | 12,846 | -20,522 | 18 | 36 |
| | 平均 | -267,054 | -0.74 | -0.05 | -618,771 | 149 | 57 | 17 | -1,883 | 15,553 | -24,436 | 19 | 34 |

**ポートフォリオ統計**

純益　　　　：-7,744,562　　シャープ・レシオ　　　　　　：-0.22
ドローダウン：-8,282,809　　ブレイクアウトとの相関係数　：-0.63
Kレシオ　　 ：    -4.01　　１０－４０移動平均との相関係数：-0.68

Chapter I **SYSTEM**

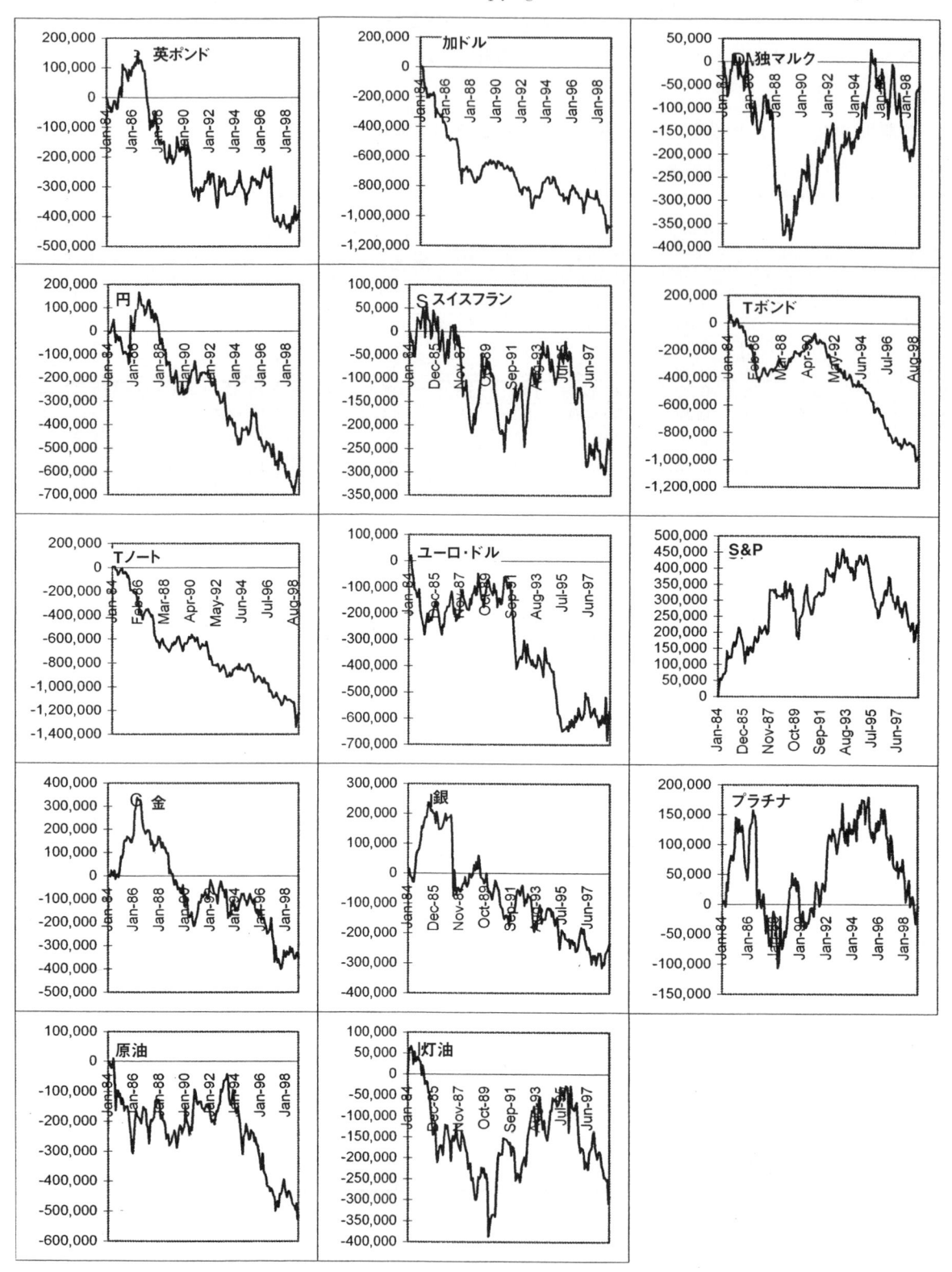

**損益曲線：英ポンド〜灯油**　Copyright 1999 Lars Kestner,LINK Financial-All rights reserved

# 第1章 システム

損益曲線：トウモロコシ～砂糖　Copyright 1999 Lars Kestner,LINK Financial-All rights reserved

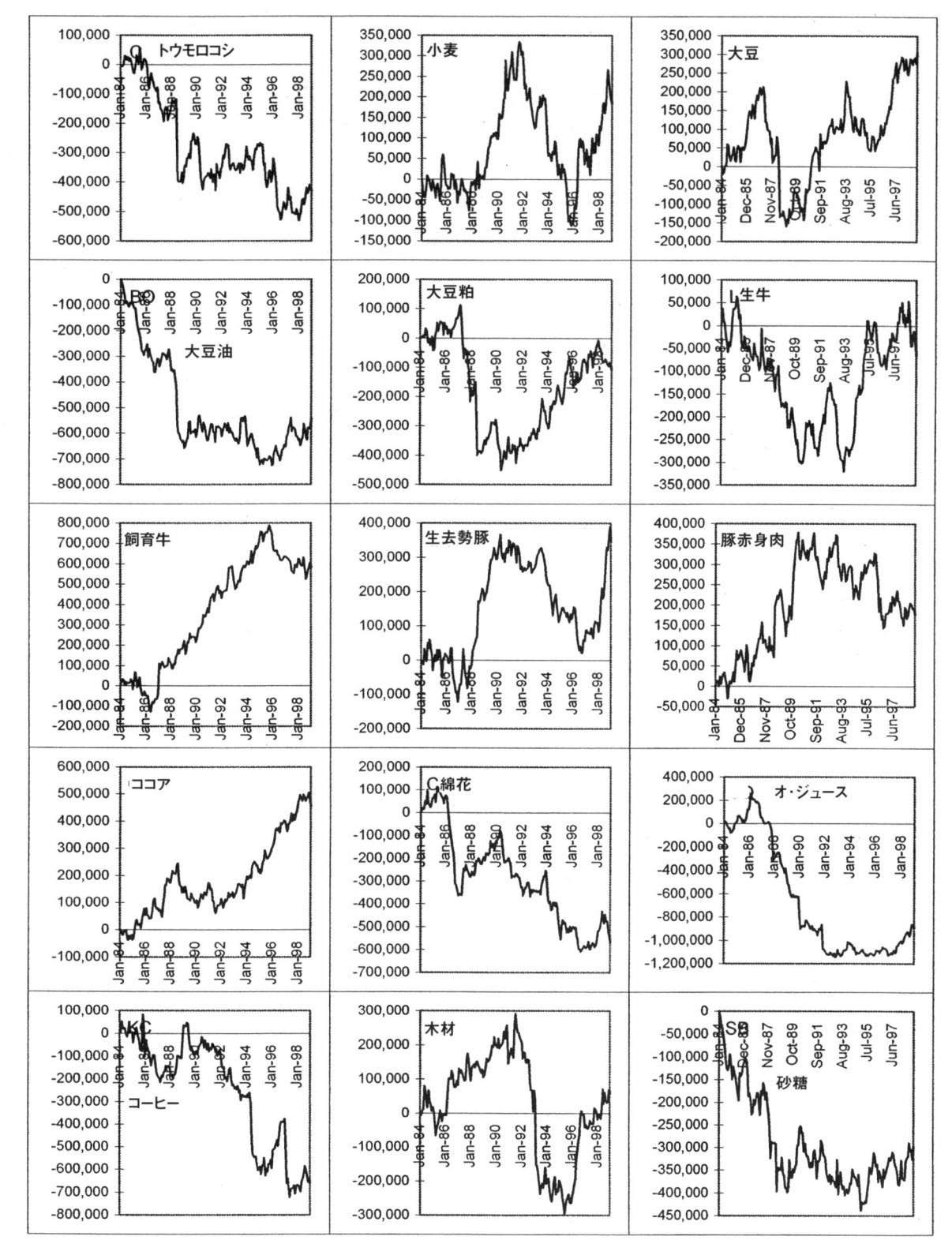

## Chapter I SYSTEM

**分類統計**

システム名　　　：１４日ストキャスティックの２５／７５の交差
パラメータ　　　：１４日スロー％Ｋ、２５と７５の閾値
建玉枚数　　　　：可変
システムの概要　：１４日スロー％Ｋが２５を上抜いたら買い、７５を下抜いたら売る
検証期間　　　　：1/1/84-12/31/98

Copyright 1999 Lars Kestner,LINK Financial-All rights reserved

### 市場部門による分析

| 市場部門 | 平均純益 | 平均Kレシオ | 平均シャープレシオ | 平均最大ドローダウン | 平均トレード数 | 平均勝率 | 平均損益 | 勝トレードの平均利益 | 敗トレードの平均損失 | 勝トレードの平均日数 | 敗トレードの平均日数 |
|---|---|---|---|---|---|---|---|---|---|---|---|
| 通貨 | -468,354 | -1.44 | -0.09 | -682,848 | 134 | 52 | -3,658 | 17,208 | -25,776 | 20 | 37 |
| 金利 | -930,183 | -2.13 | -0.17 | -1,094,558 | 142 | 56 | -6,427 | 14,616 | -32,912 | 19 | 36 |
| 株価指数 | 237,200 | 0.66 | 0.05 | -321,400 | 146 | 62 | 1,408 | 16,863 | -23,432 | 18 | 38 |
| 貴金属 | -196,535 | -1.13 | -0.04 | -532,417 | 147 | 59 | -1,339 | 13,779 | -22,960 | 19 | 35 |
| エネルギー | -403,128 | -0.60 | -0.08 | -510,047 | 148 | 57 | -2,521 | 15,192 | -25,372 | 18 | 35 |
| 穀物 | -118,533 | -0.48 | -0.02 | -557,940 | 150 | 58 | -882 | 15,753 | -23,473 | 19 | 34 |
| 食肉 | 260,670 | 0.92 | 0.05 | -322,545 | 166 | 59 | 1,799 | 16,254 | -19,254 | 18 | 29 |
| ソフト | -317,266 | -0.89 | -0.05 | -704,636 | 153 | 57 | -2,031 | 14,798 | -23,931 | 19 | 32 |

### 年次成績分析

| 年 | 純益 | Kレシオ | シャープレシオ |
|---|---|---|---|
| 1984 | -317,605 | -0.96 | -0.19 |
| 1985 | -731,822 | -1.26 | -0.23 |
| 1986 | -1,114,932 | -2.48 | -0.38 |
| 1987 | -1,362,829 | -2.04 | -0.42 |
| 1988 | -1,100,292 | -1.65 | -0.31 |
| 1989 | 91,446 | 0.57 | 0.04 |
| 1990 | 85,143 | 0.13 | 0.06 |
| 1991 | -590,163 | -0.75 | -0.22 |

| 年 | 純益 | Kレシオ | シャープレシオ |
|---|---|---|---|
| 1992 | -198,512 | -0.88 | -0.13 |
| 1993 | -454,044 | -0.10 | -0.21 |
| 1994 | -533,895 | -0.99 | -0.22 |
| 1995 | -735,367 | -2.42 | -0.56 |
| 1996 | -535,809 | -1.26 | -0.25 |
| 1997 | -426,488 | -0.15 | -0.16 |
| 1998 | 180,607 | 0.65 | 0.11 |

### 利益性ウインドウ

| 期間 | ウインドウ数 | 収益ウインドウ数 | 利益ウインドウ率 |
|---|---|---|---|
| 1カ月 | 180 | 74 | 41.11% |
| 3カ月 | 178 | 63 | 35.39% |
| 6カ月 | 175 | 49 | 28.00% |
| 12カ月 | 169 | 29 | 17.16% |
| 18カ月 | 163 | 21 | 12.88% |
| 24カ月 | 157 | 13 | 8.28% |

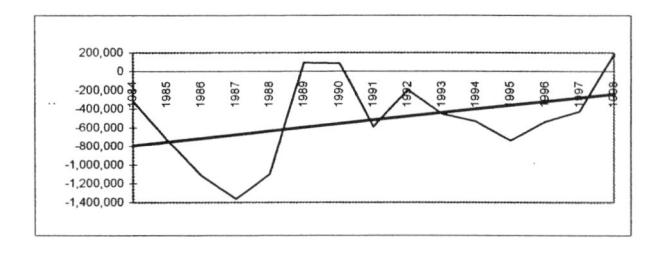

### 年次純益推移

# 第1章　システム

## B．ロバート・バーンズ著『ちゃぶつきやすい相場での売買』

　『ちゃぶつきやすい相場での売買』は、本のリストの中では最も人目につきにくいものであるが、豊富なアイデアを提供してくれているという観点からはとても貴重な本である。２０の完全に独自の売買戦略に関する詳細な解説と過去データによる検証が含まれている。逆張り型システムに興味を持つ読者には、この本を強くお勧めする。

### ①ボックスのブレイクアウト逆張り法（１０日）（Ｐ１０３）

　ボックスのブレイクアウトは、チャネル・ブレイクアウト・システムとは正反対のものである。高値を更新したときに売りポジションを取り、安値を更新したときに買いポジションを取る。価格が最近Ｘ日間の値幅の下から６０％の領域に入り込んだら売りポジションを買い戻す。価格が値幅の上６０％の領域に入り込んだら買いポジションを手仕舞う。

- 今日の安値が過去１０日間の最安値であるなら、明日の寄り付きで買う。
- 今日の終値が過去１０日間の値幅の上から６０％以内に入ったら、買いを手仕舞う。
- 今日の高値が過去１０日間の最高値であるなら、明日の寄り付きで売る。
- 今日の終値が過去１０日間の値幅の下から６０％以内に入ったら、売りを手仕舞う。

　このシステムの基本原理は、市場がボックス圏で推移しているときは、何らかの理由により、そうなっているということである。価格がその境界を超えたら、再度、境界内に戻ってくることは時間の問題に過ぎない。

**結果**
　ルールの類似性のため、ボックス・システムの損益曲線はチャネル・ブレイクアウト・システムの損益曲線を引っくり返したものに似ている。Ｓ＆Ｐ５００、金、銀、プラチナ、ココア、砂糖のみで利益になっている。近年における成績は改善しているものの、１０日ボックス・システムはトレード可能なシステムとは程遠いものである。

## トレーディング・システム評価

システム名　　　：ボックス・ブレイクアウト逆張り法（１０日）
パラメータ　　　：１０日のボックス
建玉枚数　　　　：可変
システムの概要：１０日高値で売り、１０日安値で買う。過去１０日間の値幅の反対側の６０％で手仕舞い
検証期間　　　　：1/1/84-12/31/98　Copyright 1999 Lars Kestner,LINK Financial-All rights reserved

| | 市場 | 純益 | Kレシオ | シャープレシオ | 最大ドローダウン | トレード数 | 勝率 | 平均建玉数 | 平均損益 | 勝トレードの平均利益 | 敗トレードの平均損失 | 勝トレードの平均日数 | 敗トレードの平均日数 |
|---|---|---|---|---|---|---|---|---|---|---|---|---|---|
| 通貨 | 英ポンド | -428,613 | -2.34 | -0.12 | -500,288 | 378 | 64 | 8 | -1,126 | 6,016 | -13,690 | 2 | 10 |
| | 加ドル | -615,310 | -1.87 | -0.15 | -713,560 | 380 | 63 | 26 | -1,619 | 6,250 | -14,956 | 3 | 10 |
| | 独マルク | -450,800 | -1.67 | -0.13 | -492,425 | 371 | 66 | 11 | -1,215 | 5,957 | -15,161 | 3 | 11 |
| | 円 | -598,725 | -2.14 | -0.15 | -753,875 | 362 | 64 | 9 | -1,621 | 5,818 | -14,898 | 3 | 10 |
| | スイスフラン | -467,800 | -1.50 | -0.14 | -498,988 | 389 | 64 | 8 | -1,192 | 5,668 | -13,392 | 3 | 10 |
| 金利 | Tボンド | -157,250 | -0.41 | -0.04 | -228,500 | 431 | 68 | 8 | -365 | 5,851 | -13,703 | 3 | 10 |
| | Tノート | -292,875 | -0.36 | -0.08 | -421,750 | 426 | 67 | 12 | -688 | 6,032 | -14,270 | 3 | 10 |
| | ユーロ・ドル | -882,125 | -3.35 | -0.23 | -1,004,525 | 411 | 62 | 4 | -2,125 | 5,896 | -15,373 | 3 | 10 |
| 株価指数 | S&P | 341,325 | 2.13 | 0.09 | -217,050 | 430 | 68 | 3 | 823 | 6,817 | -12,136 | 3 | 9 |
| 貴金属 | 金 | -52,700 | 0.07 | -0.02 | -187,420 | 413 | 63 | 20 | -111 | 6,023 | -10,534 | 2 | 8 |
| | 銀 | 37,830 | 0.67 | 0.01 | -384,725 | 445 | 68 | 14 | 70 | 5,679 | -12,023 | 2 | 8 |
| | プラチナ | 77,755 | 0.46 | 0.02 | -357,400 | 418 | 67 | 22 | 193 | 5,982 | -11,553 | 2 | 9 |
| エネルギー | 原油 | -687,950 | -2.30 | -0.21 | -727,200 | 370 | 62 | 16 | -1,859 | 5,879 | -14,284 | 2 | 10 |
| | 灯油 | -314,392 | -1.12 | -0.07 | -361,566 | 395 | 64 | 13 | -796 | 6,457 | -13,861 | 2 | 10 |
| 穀物 | トウモロコシ | -493,950 | -2.06 | -0.12 | -600,725 | 409 | 67 | 40 | -1,120 | 5,874 | -15,007 | 3 | 10 |
| | 小麦 | -181,150 | -0.33 | -0.05 | -318,625 | 415 | 65 | 25 | -437 | 6,340 | -13,054 | 2 | 10 |
| | 大豆 | -99,275 | -0.32 | -0.03 | -267,400 | 424 | 64 | 16 | -182 | 6,049 | -11,106 | 3 | 9 |
| | 大豆油 | -438,396 | -2.55 | -0.12 | -501,630 | 388 | 66 | 29 | -1,054 | 5,720 | -14,190 | 3 | 11 |
| | 大豆粕 | -512,790 | -2.52 | -0.15 | -622,210 | 402 | 62 | 24 | -1,283 | 5,587 | -12,463 | 2 | 9 |
| 食肉 | 生牛 | 292,200 | 1.21 | 0.09 | -171,356 | 451 | 69 | 22 | 636 | 6,010 | -11,554 | 3 | 10 |
| | 飼育牛 | -315,393 | -2.83 | -0.09 | -465,366 | 399 | 65 | 22 | -791 | 6,227 | -13,774 | 3 | 10 |
| | 生去勢豚 | -393,256 | -0.59 | -0.12 | -418,640 | 395 | 63 | 16 | -1,009 | 6,296 | -13,606 | 2 | 11 |
| | 豚赤身肉 | -39,884 | -0.85 | -0.01 | -316,972 | 417 | 67 | 11 | -96 | 6,282 | -12,850 | 3 | 10 |
| ソフト | ココア | 359,120 | 3.18 | 0.13 | -103,930 | 418 | 67 | 22 | 859 | 6,184 | -10,182 | 3 | 9 |
| | 綿花 | -49,435 | 0.07 | -0.01 | -279,495 | 401 | 68 | 13 | -107 | 6,314 | -13,803 | 3 | 11 |
| | オ・ジュース | -82,230 | -0.55 | -0.02 | -494,858 | 405 | 69 | 18 | -200 | 5,943 | -13,802 | 3 | 9 |
| | コーヒー | -496,635 | -1.09 | -0.11 | -661,238 | 398 | 64 | 7 | -1,248 | 6,451 | -14,977 | 3 | 10 |
| | 木材 | -898,064 | -2.63 | -0.19 | -1,024,640 | 383 | 63 | 11 | -2,343 | 6,374 | -16,972 | 3 | 11 |
| | 砂糖 | 192,035 | 1.25 | 0.06 | -177,442 | 417 | 66 | 25 | 461 | 6,063 | -10,506 | 3 | 9 |
| | 平均 | -263,749 | -0.84 | -0.07 | -457,717 | 405 | 65 | 16 | -674 | 6,070 | -13,368 | 3 | 10 |

### ポートフォリオ統計

純益　　　　　： -7,648,731　　シャープ・レシオ　　　　　　　　： -0.27
ドローダウン： -7,752,551　　ブレイクアウトとの相関係数　： -0.67
Kレシオ　　　：　　　-2.23　　１０／４０移動平均との相関係数： -0.55

# 第1章　システム

**損益曲線：英ポンド〜灯油**　Copyright 1999 Lars Kestner,LINK Financial-All rights reserved

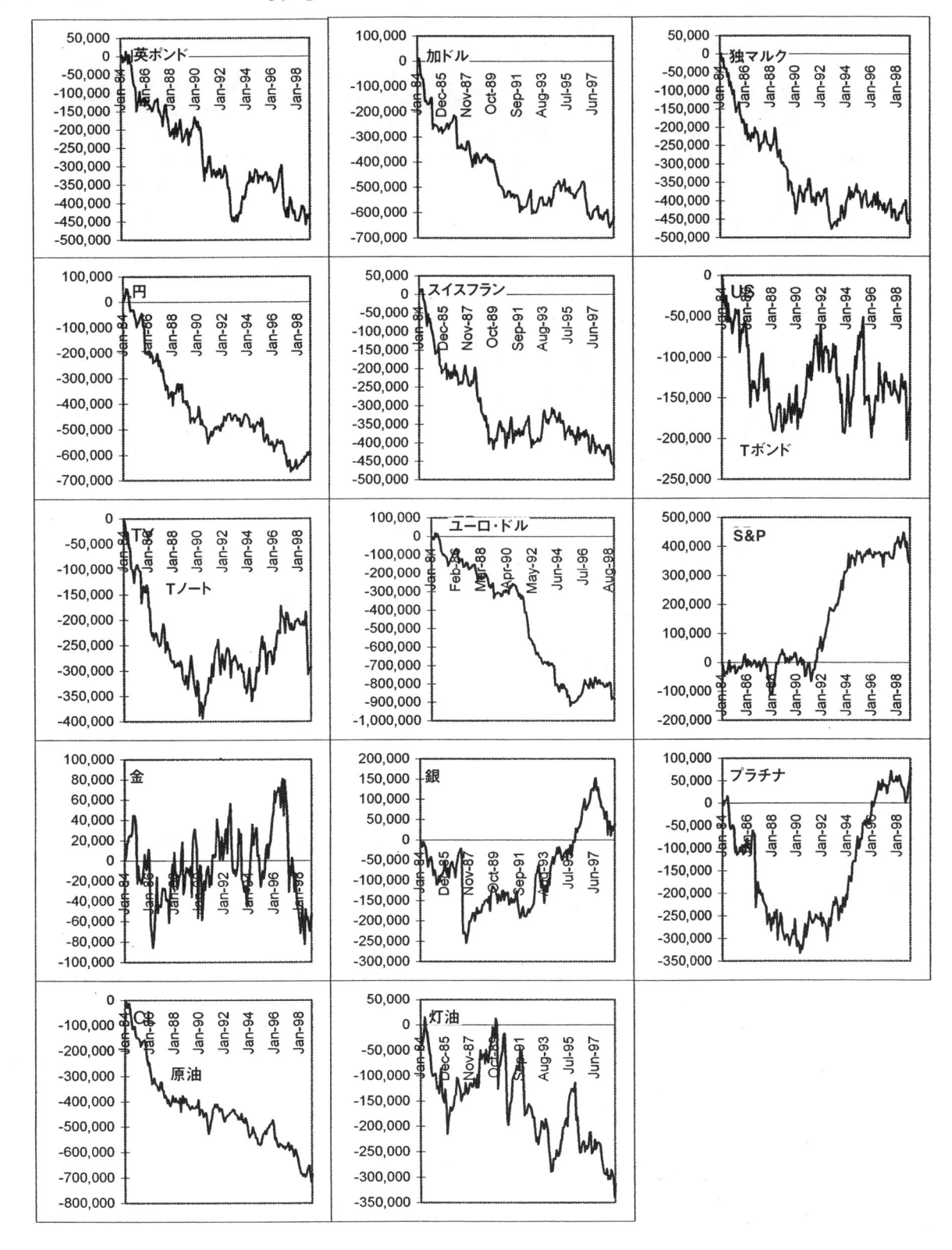

## Chapter 1 SYSTEM

**損益曲線：トウモロコシ〜砂糖**　Copyright 1999 Lars Kestner, LINK Financial-All rights reserved

# 第1章 システム

**分類統計**

システム名　　　：ボックスのブレイクアウト逆張り法（１０日）
パラメータ　　　：１０日ボックス
建玉枚数　　　　：可変
システムの概要　：１０日高値で売り、１０日安値で買う。過去１０日間の値幅の反対
　　　　　　　　　側の６０％で手仕舞い
検証期間　　　　：1/1/84-12/31/98

Copyright 1999 Lars Kestner.LINK Financial-All rights reserved

## 市場部門による分析

| 市場部門 | 平均純益 | 平均Kレシオ | 平均シャープレシオ | 平均最大ドローダウン | 平均トレード数 | 平均勝率 | 平均損益 | 勝トレードの平均利益 | 敗トレードの平均損失 | 勝トレードの平均日数 | 敗トレードの平均日数 |
|---|---|---|---|---|---|---|---|---|---|---|---|
| 通貨 | -512,250 | -1.90 | -0.14 | -591,827 | 376 | 64 | -1,355 | 5,942 | -14,419 | 3 | 10 |
| 金利 | -444,083 | -1.37 | -0.12 | -551,592 | 423 | 66 | -1,059 | 5,926 | -14,449 | 3 | 10 |
| 株価指数 | 341,325 | 2.13 | 0.09 | -217,050 | 430 | 68 | 823 | 6,817 | -12,136 | 3 | 9 |
| 貴金属 | 20,962 | 0.40 | 0.00 | -309,848 | 425 | 66 | 51 | 5,895 | -11,370 | 2 | 8 |
| エネルギー | -501,171 | -1.71 | -0.14 | -544,383 | 383 | 63 | -1,328 | 6,168 | -14,073 | 2 | 10 |
| 穀物 | -345,112 | -1.55 | -0.09 | -462,118 | 408 | 65 | -815 | 5,914 | -13,164 | 3 | 10 |
| 食肉 | -114,083 | -0.76 | -0.03 | -343,084 | 416 | 66 | -315 | 6,204 | -12,946 | 3 | 10 |
| ソフト | -162,535 | 0.04 | -0.02 | -456,934 | 404 | 66 | -430 | 6,222 | -13,374 | 3 | 10 |

## 年次成績分析

| 年 | 純益 | Kレシオ | シャープレシオ |
|---|---|---|---|
| 1984 | -1,297,319 | -3.53 | -0.74 |
| 1985 | -1,345,264 | -4.19 | -0.82 |
| 1986 | -585,831 | -1.52 | -0.37 |
| 1987 | -1,109,996 | -2.70 | -0.60 |
| 1988 | -625,669 | -1.07 | -0.17 |
| 1989 | -524,070 | -0.52 | -0.23 |
| 1990 | -656,963 | -2.21 | -0.55 |
| 1991 | -327,479 | -0.37 | -0.14 |

| 年 | 純益 | Kレシオ | シャープレシオ |
|---|---|---|---|
| 1992 | 299,289 | 0.42 | 0.22 |
| 1993 | -500,690 | -1.93 | -0.42 |
| 1994 | 35,962 | -0.35 | 0.02 |
| 1995 | 147,139 | 0.63 | 0.08 |
| 1996 | -264,254 | -0.72 | -0.13 |
| 1997 | -418,555 | -0.07 | -0.19 |
| 1998 | -475,032 | -2.38 | -0.37 |

## 利益性ウインドウ

| 期間 | ウインドウ数 | 収益ウインドウ数 | 利益ウインドウ率 |
|---|---|---|---|
| 1カ月 | 180 | 77 | 42.78% |
| 3カ月 | 178 | 50 | 28.09% |
| 6カ月 | 175 | 40 | 22.86% |
| 12カ月 | 169 | 28 | 16.57% |
| 18カ月 | 163 | 22 | 13.50% |
| 24カ月 | 157 | 14 | 8.92% |

## 年次純益推移

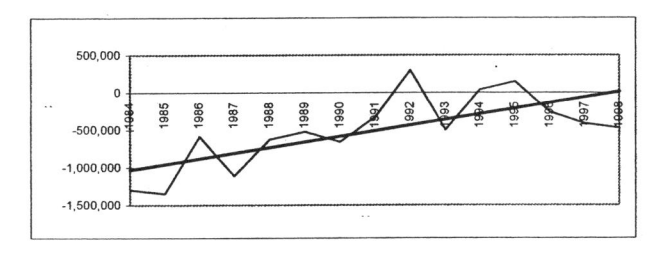

## ②ボックスのブレイクアウト逆張り法（４０日）（Ｐ１０３）

バーンズはボックスのブレイクアウト・システムに対して特定のパラメータを提案していないので、１０日チャネルに加えて４０日チャネルも検証することに決めた。

・今日の安値が過去４０日の最安値であるなら、明日の寄り付きで買う。
・今日の終値が過去４０日の値幅の上から６０％以内に入ったら、買いを手仕舞う。
・今日の高値が過去４０日の最高値であるなら、明日の寄り付きで売る。
・今日の終値が過去４０日の値幅の下から６０％以内に入ったら、売りを手仕舞う。

**結果**

４０日ボックスのブレイクアウト・システムは、１０日ボックスのブレイクアウトととても類似した結果を示している。両者は同様な市場で利益になっている。また、依然として全体の収益性に欠けている。

# 第1章 システム

### トレーディング・システム評価

システム名　　　：ボックスのブレイクアウト逆張り法（４０日）
パラメータ　　　：４０日間のボックス
建玉枚数　　　　：可変
システムの概要　：４０日高値で売り、４０日安値で買い、過去４０日間の値幅の反対
　　　　　　　　　側の６０％で仕切り
検証期間　　　　：1/1/84-12/31/98　　Copyright 1999 Lars Kestner, LINK Financial-All rights reserved

| | 市場 | 純益 | Kレシオ | シャープレシオ | 最大ドローダウン | トレード数 | 勝率 | 平均建玉数 | 平均損益 | 勝トレードの平均利益 | 敗トレードの平均損失 | 勝トレードの平均日数 | 敗トレードの平均日数 |
|---|---|---|---|---|---|---|---|---|---|---|---|---|---|
| 通貨 | 英ポンド | -430,769 | -1.67 | -0.11 | -722,031 | 97 | 70 | 9 | -4,441 | 10,910 | -40,435 | 12 | 45 |
| | 加ドル | -1,077,890 | -2.18 | -0.19 | -1,153,360 | 88 | 56 | 27 | -12,249 | 13,781 | -44,953 | 8 | 43 |
| | 独マルク | -600,625 | -4.54 | -0.16 | -657,075 | 94 | 59 | 11 | -6,390 | 11,035 | -30,963 | 12 | 43 |
| | 円 | -822,363 | -4.30 | -0.20 | -890,938 | 85 | 51 | 10 | -9,568 | 12,888 | -32,558 | 11 | 43 |
| | スイスフラン | -763,475 | -4.97 | -0.20 | -825,725 | 90 | 59 | 8 | -8,483 | 9,452 | -34,174 | 13 | 45 |
| 金利 | Tボンド | -719,375 | -3.96 | -0.18 | -833,375 | 96 | 59 | 9 | -7,493 | 11,390 | -35,093 | 11 | 44 |
| | Tノート | -784,625 | -3.23 | -0.16 | -943,625 | 98 | 60 | 13 | -8,006 | 11,949 | -38,196 | 11 | 45 |
| | ユーロ・ドル | -961,850 | -3.43 | -0.23 | -1,069,200 | 95 | 58 | 5 | -10,024 | 11,817 | -40,056 | 10 | 47 |
| 株価指数 | S&P | 66,625 | 0.87 | 0.02 | -277,450 | 112 | 68 | 4 | 706 | 13,224 | -25,720 | 9 | 37 |
| 貴金属 | 金 | 123,090 | 0.45 | 0.03 | -265,390 | 108 | 69 | 21 | 1,205 | 14,016 | -26,678 | 10 | 39 |
| | 銀 | 216,490 | 0.94 | 0.07 | -328,440 | 104 | 67 | 15 | 2,082 | 11,105 | -16,496 | 10 | 33 |
| | プラチナ | 193,655 | 0.86 | 0.05 | -285,540 | 106 | 67 | 23 | 1,833 | 11,941 | -18,672 | 11 | 30 |
| エネルギー | 原油 | -812,140 | -4.86 | -0.22 | -848,320 | 84 | 60 | 18 | -9,329 | 11,366 | -39,763 | 15 | 44 |
| | 灯油 | -280,417 | -1.20 | -0.06 | -334,123 | 105 | 65 | 14 | -2,297 | 11,752 | -28,115 | 11 | 35 |
| 穀物 | トウモロコシ | -574,025 | -1.54 | -0.12 | -596,000 | 109 | 66 | 44 | -5,027 | 10,568 | -35,373 | 8 | 43 |
| | 小麦 | -234,625 | -0.58 | -0.06 | -507,600 | 107 | 71 | 27 | -2,053 | 11,214 | -34,579 | 10 | 41 |
| | 大豆 | 186,975 | 1.35 | 0.05 | -368,825 | 116 | 72 | 17 | 1,703 | 12,126 | -24,511 | 10 | 35 |
| | 大豆油 | -62,538 | 0.25 | -0.02 | -376,008 | 103 | 67 | 30 | -401 | 12,183 | -25,940 | 9 | 38 |
| | 大豆粕 | -38,340 | 0.27 | -0.01 | -580,720 | 109 | 77 | 26 | -378 | 13,182 | -45,939 | 11 | 49 |
| 食肉 | 生牛 | 49,864 | 0.40 | 0.02 | -291,400 | 111 | 69 | 24 | 449 | 11,310 | -24,148 | 10 | 35 |
| | 飼育牛 | -220,114 | -2.41 | -0.06 | -405,227 | 107 | 67 | 24 | -2,057 | 11,219 | -29,367 | 9 | 37 |
| | 生去勢豚 | -333,440 | -0.91 | -0.08 | -434,508 | 101 | 67 | 17 | -3,301 | 11,569 | -33,943 | 12 | 43 |
| | 豚赤身肉 | -137,916 | -1.92 | -0.04 | -402,748 | 101 | 66 | 11 | -1,366 | 12,367 | -28,428 | 10 | 43 |
| ソフト | ココア | 542,820 | 1.92 | 0.19 | -156,610 | 114 | 80 | 23 | 5,164 | 11,557 | -20,134 | 13 | 41 |
| | 綿花 | -636,750 | -2.12 | -0.18 | -858,480 | 99 | 64 | 14 | -5,702 | 11,125 | -35,150 | 10 | 47 |
| | オ・ジュース | -550,658 | -1.03 | -0.11 | -1,044,203 | 93 | 65 | 19 | -5,786 | 14,642 | -42,926 | 12 | 44 |
| | コーヒー | -559,193 | -3.58 | -0.10 | -774,750 | 93 | 62 | 8 | -6,013 | 11,860 | -35,631 | 12 | 38 |
| | 木材 | -355,056 | -1.42 | -0.07 | -608,752 | 100 | 66 | 13 | -3,364 | 12,424 | -34,009 | 10 | 36 |
| | 砂糖 | -87,035 | 0.16 | -0.02 | -384,070 | 101 | 67 | 26 | -862 | 11,785 | -26,921 | 12 | 44 |
| | 平均 | -333,231 | -1.46 | -0.08 | -593,948 | 101 | 65 | 18 | -3,498 | 11,923 | -32,030 | 11 | 41 |

### ポートフォリオ統計

純益　　　　　：-9,663,699　　シャープ・レシオ　　　　　　　：-0.28
ドローダウン：-9,839,252　　ブレイクアウトとの相関係数　：-0.93
Kレシオ　　　：　　　-2.83　　１０／４０移動平均との相関係数：-0.87

## Chapter 1 SYSTEM

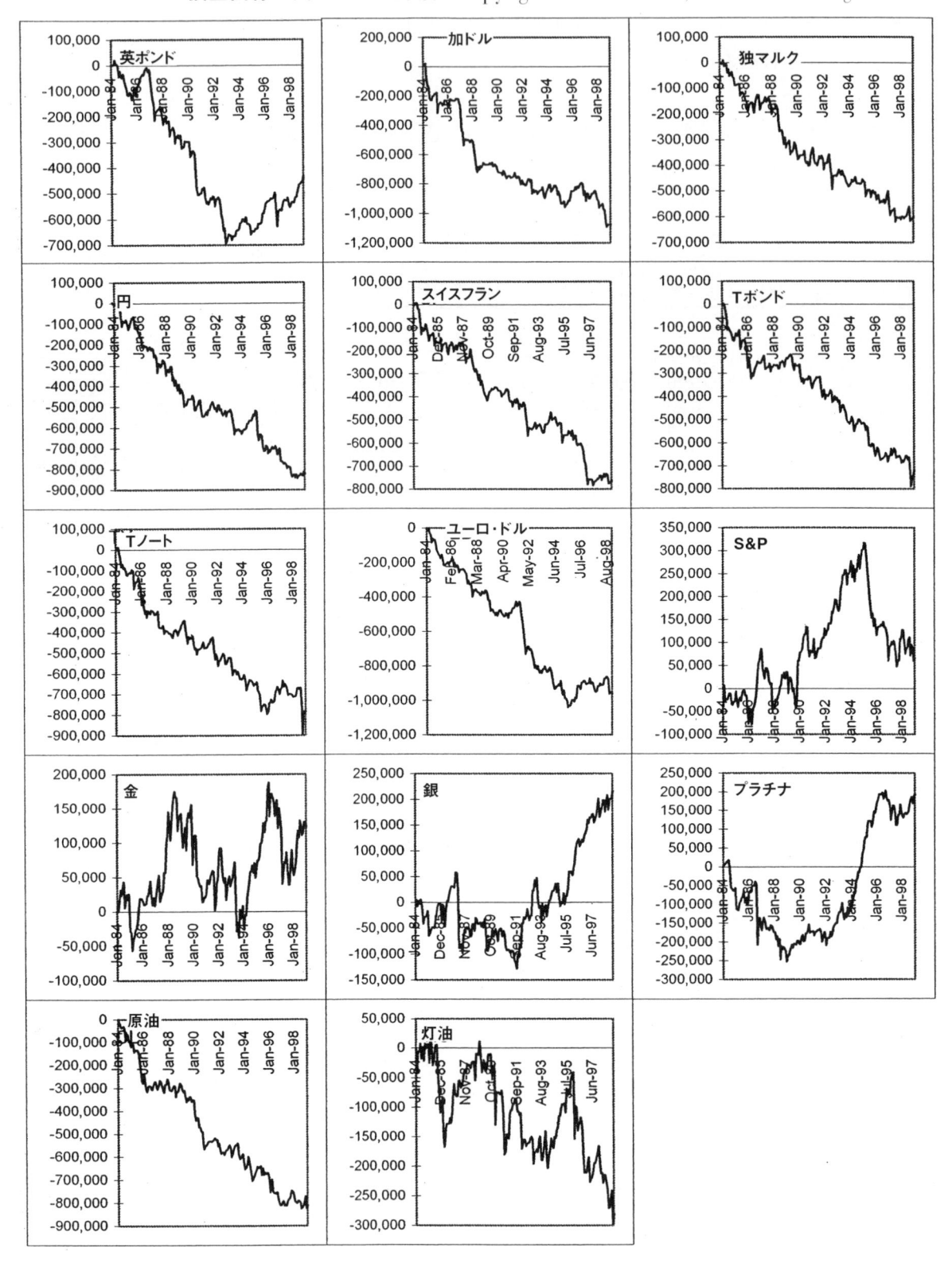

損益曲線：英ポンド～灯油　Copyright 1999 Lars Kestner,LINK Financial-All rights reserved

# 第1章 システム

損益曲線：トウモロコシ〜砂糖　Copyright 1999 Lars Kestner,LINK Financial-All rights reserved

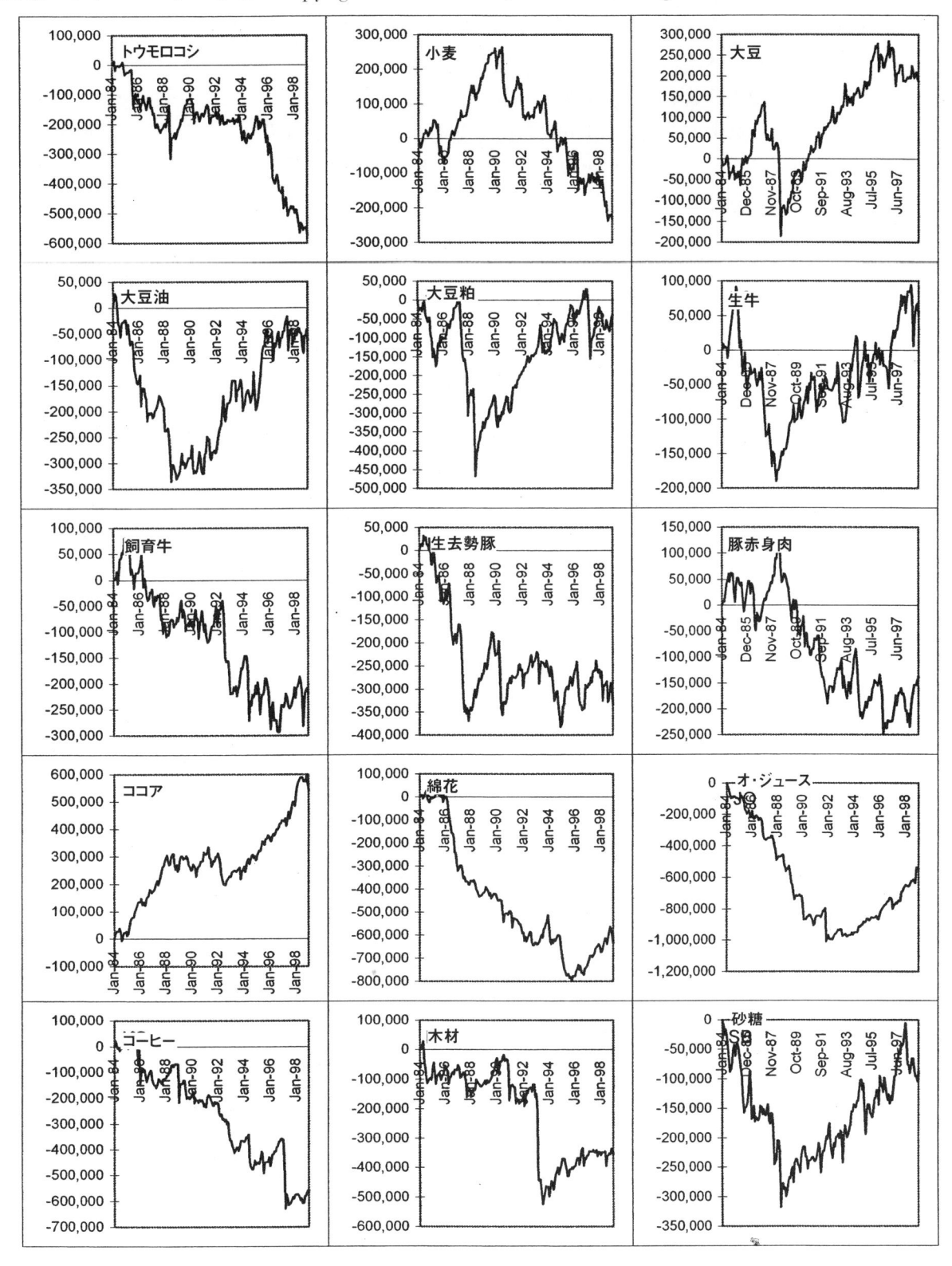

## 分類統計

システム名　　　：ボックス・ブレイクアウト逆張り法（４０日）
パラメータ　　　：４０日ボックス
建玉枚数　　　　：可変
システムの概要　：４０日高値で売り、４０日安値で買い、過去４０日間の値幅の反対
　　　　　　　　　側の６０％で仕切り
検証期間　　　　：1/1/84-12/31/98

Copyright 1999 Lars Kestner,LINK Financial-All rights reserved

### 市場部門による分析

| 市場部門 | 平均純益 | 平均Kレシオ | 平均シャープレシオ | 平均最大ドローダウン | 平均トレード数 | 平均勝率 | 平均損益 | 勝トレードの平均利益 | 敗トレードの平均損失 | 勝トレードの平均日数 | 敗トレードの平均日数 |
|---|---|---|---|---|---|---|---|---|---|---|---|
| 通貨 | -739,024 | -3.53 | -0.17 | -849,826 | 91 | 59 | -8,226 | 11,613 | -36,617 | 11 | 44 |
| 金利 | -821,950 | -3.54 | -0.19 | -948,733 | 96 | 59 | -8,508 | 11,719 | -37,782 | 11 | 45 |
| 株価指数 | 66,625 | 0.87 | 0.02 | -277,450 | 112 | 68 | 706 | 13,224 | -25,720 | 9 | 37 |
| 貴金属 | 177,745 | 0.75 | 0.05 | -293,123 | 106 | 68 | 1,706 | 12,354 | -20,615 | 10 | 34 |
| エネルギー | -546,279 | -3.03 | -0.14 | -591,221 | 95 | 62 | -5,813 | 11,559 | -33,939 | 13 | 39 |
| 穀物 | -144,511 | -0.05 | -0.03 | -485,831 | 109 | 71 | -1,231 | 11,855 | -33,268 | 9 | 41 |
| 食肉 | -160,402 | -1.21 | -0.04 | -383,471 | 105 | 68 | -1,569 | 11,616 | -28,971 | 10 | 40 |
| ソフト | -274,312 | -1.01 | -0.05 | -637,811 | 100 | 67 | -2,760 | 12,232 | -32,462 | 11 | 41 |

### 年次成績分析

| 年 | 純益 | Kレシオ | シャープレシオ |
|---|---|---|---|
| 1984 | -1,543,918 | -2.60 | -0.57 |
| 1985 | -1,388,837 | -3.53 | -0.56 |
| 1986 | -422,267 | -0.76 | -0.16 |
| 1987 | -1,818,832 | -2.92 | -0.74 |
| 1988 | -902,794 | -1.49 | -0.25 |
| 1989 | -278,139 | -0.39 | -0.16 |
| 1990 | -1,083,774 | -3.22 | -0.61 |
| 1991 | -686,416 | -0.98 | -0.34 |
| 1992 | -320,507 | -1.00 | -0.18 |
| 1993 | -566,771 | -1.10 | -0.42 |
| 1994 | 107,916 | 0.08 | 0.07 |
| 1995 | -221,963 | -0.06 | -0.12 |
| 1996 | 21,054 | -0.43 | 0.01 |
| 1997 | -302,314 | 0.21 | -0.13 |
| 1998 | -256,135 | -0.81 | -0.12 |

### 利益性ウインドウ

| 期間 | ウインドウ数 | 収益ウインドウ数 | 利益ウインドウ率 |
|---|---|---|---|
| 1カ月 | 180 | 74 | 41.11% |
| 3カ月 | 178 | 59 | 33.15% |
| 6カ月 | 175 | 36 | 20.57% |
| 12カ月 | 169 | 23 | 13.61% |
| 18カ月 | 163 | 12 | 7.36% |
| 24カ月 | 157 | 5 | 3.18% |

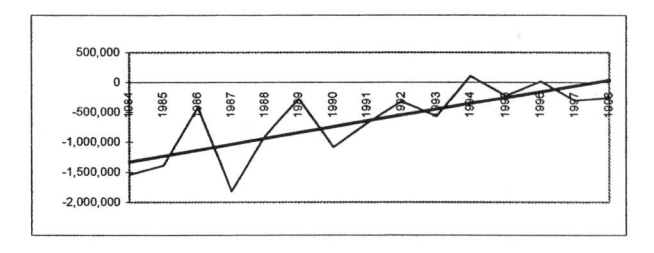

### 年次純益推移

# 第1章　システム

### ③DRV利食い法（P239）

　方向性相対ボラティリティ指標（Directional Relative Volatility：DRV）は、現在のトレンドの強さを測定するために設計された。ゼロ付近の値はトレンドのない市場を意味する。１に近い値は強い上昇トレンドを意味し、－１に近い値は強い下降トレンドを意味する。DRVは日次収益の１０日指数平均を日次収益の絶対値の１０日指数平均で割ることにより計算される。

　　DRV＝｛（今日の終値－昨日の終値）の１０日指数平均｝÷
　　　　　　（｜今日の終値－昨日の終値｜の１０日指数平均）

　指標が１もしくは－１に向かって大きく振れたときは、市場は急速に大きく動いた可能性が強く、トレンドに変化が発生することが順当かもしれないのである。指標が閾値の下に落ちて、その後、上昇するときに買いポジションを取る。指標が閾値よりも上に上昇し、その後、下落するときに売りポジションを取る。

・今日のDRVが－０.４０を上抜いたら買う。
・今日のDRVが＋０.４０を下抜いたら売る。

**結果**
　DRV利食い法にみるべき個所はほとんどない。近年の成績は良くなっているものの、せいぜいトントンがいいところである。

## トレーディング・システム評価

システム名　　：ＤＲＶ利食い法
パラメータ　　：１０日ＤＲＶ
建玉枚数　　　：可変
システムの概要：ＤＲＶが－0.4を上抜いたら買い、0.4を下抜いたら売る
検証期間　　　：1/1/84-12/31/98　　Copyright 1999 Lars Kestner.LINK Financial-All rights reserved

| | 市場 | 純益 | Kレシオ | シャープレシオ | 最大ドローダウン | トレード数 | 勝率 | 平均建玉数 | 平均損益 | 勝トレードの平均利益 | 敗トレードの平均損失 | 勝トレードの平均日数 | 敗トレードの平均日数 |
|---|---|---|---|---|---|---|---|---|---|---|---|---|---|
| 通貨 | 英ポンド | -541,381 | -1.34 | -0.11 | -889,206 | 139 | 59 | 8 | -3,979 | 12,968 | -28,358 | 18 | 40 |
| | 加ドル | -898,650 | -3.60 | -0.16 | -1,063,590 | 138 | 60 | 25 | -6,758 | 11,598 | -34,460 | 16 | 45 |
| | 独マルク | -230,063 | -0.82 | -0.05 | -590,663 | 144 | 54 | 11 | -1,681 | 17,086 | -23,860 | 15 | 39 |
| | 円 | -1,280,550 | -5.90 | -0.22 | -1,300,163 | 120 | 52 | 9 | -10,382 | 16,270 | -38,872 | 18 | 46 |
| | スイスフラン | -709,075 | -1.65 | -0.15 | -866,438 | 134 | 57 | 8 | -5,285 | 13,247 | -30,320 | 17 | 43 |
| 金利 | Tボンド | -630,375 | -1.97 | -0.14 | -781,625 | 156 | 65 | 9 | -4,073 | 12,739 | -34,945 | 13 | 44 |
| | Tノート | -910,875 | -4.09 | -0.19 | -1,036,625 | 150 | 62 | 13 | -6,127 | 12,121 | -35,899 | 15 | 42 |
| | ユーロ・ドル | -655,375 | -2.10 | -0.12 | -812,250 | 141 | 62 | 5 | -4,650 | 16,652 | -40,019 | 15 | 46 |
| 株価指数 | S&P | 263,075 | 1.10 | 0.07 | -206,675 | 162 | 67 | 4 | 1,621 | 14,563 | -24,265 | 17 | 37 |
| 貴金属 | 金 | -580,310 | -3.54 | -0.13 | -650,500 | 142 | 61 | 22 | -3,970 | 12,888 | -29,859 | 15 | 44 |
| | 銀 | 47,315 | 0.00 | 0.01 | -441,450 | 159 | 63 | 15 | 296 | 12,531 | -20,442 | 16 | 37 |
| | プラチナ | 84,220 | 1.68 | 0.02 | -215,920 | 165 | 65 | 23 | 607 | 12,040 | -20,484 | 15 | 36 |
| エネルギー | 原油 | -1,041,710 | -4.51 | -0.21 | -1,125,470 | 130 | 57 | 18 | -7,899 | 13,156 | -35,722 | 16 | 46 |
| | 灯油 | -491,178 | -1.29 | -0.09 | -493,144 | 152 | 58 | 14 | -3,160 | 13,241 | -25,711 | 16 | 36 |
| 穀物 | トウモロコシ | -692,400 | -1.55 | -0.11 | -822,525 | 148 | 63 | 45 | -4,530 | 13,618 | -35,215 | 16 | 42 |
| | 小麦 | -264,725 | -0.32 | -0.06 | -640,075 | 150 | 65 | 28 | -1,623 | 13,986 | -30,191 | 15 | 44 |
| | 大豆 | -3,050 | -0.32 | 0.00 | -463,175 | 152 | 63 | 16 | 18 | 14,089 | -23,433 | 16 | 40 |
| | 大豆油 | 103,368 | 0.76 | 0.02 | -299,964 | 156 | 67 | 31 | 802 | 14,500 | -26,596 | 16 | 41 |
| | 大豆粕 | -336,090 | -0.67 | -0.06 | -588,570 | 152 | 61 | 27 | -2,082 | 13,129 | -26,058 | 15 | 39 |
| 食肉 | 生牛 | 143,676 | 1.35 | 0.03 | -225,256 | 162 | 67 | 24 | 831 | 14,260 | -26,027 | 15 | 41 |
| | 飼育牛 | -26,963 | -0.14 | -0.01 | -411,598 | 161 | 63 | 23 | -177 | 15,096 | -26,580 | 15 | 39 |
| | 生去勢豚 | -118,968 | 0.21 | -0.02 | -431,768 | 152 | 66 | 17 | -837 | 14,381 | -30,103 | 17 | 39 |
| | 豚赤身肉 | 306,904 | 1.52 | 0.07 | -290,816 | 170 | 66 | 11 | 1,747 | 15,080 | -24,000 | 15 | 36 |
| ソフト | ココア | 225,620 | 1.16 | 0.06 | -256,870 | 156 | 67 | 24 | 1,816 | 12,372 | -19,297 | 17 | 38 |
| | 綿花 | -734,110 | -2.11 | -0.17 | -799,165 | 136 | 62 | 14 | -4,806 | 12,949 | -33,486 | 16 | 45 |
| | オ・ジュース | -642,420 | -1.37 | -0.09 | -1,100,280 | 146 | 70 | 19 | -4,279 | 13,647 | -45,835 | 17 | 46 |
| | コーヒー | 263,711 | 0.94 | 0.04 | -332,850 | 155 | 65 | 8 | 1,776 | 18,021 | -27,759 | 15 | 41 |
| | 木材 | -484,960 | -1.54 | -0.09 | -765,040 | 150 | 64 | 11 | -3,068 | 14,131 | -33,644 | 17 | 39 |
| | 砂糖 | -199,517 | -0.27 | -0.05 | -435,053 | 142 | 60 | 26 | -1,557 | 11,744 | -21,392 | 16 | 42 |
| | 平均 | -346,029 | -1.05 | -0.07 | -632,301 | 149 | 62 | 17 | -2,462 | 13,866 | -29,408 | 16 | 41 |

### ポートフォリオ統計

| | | | |
|---|---|---|---|
| 純益 | : -10,034,855 | シャープ・レシオ | : -0.26 |
| ドローダウン | : -10,301,106 | ブレイクアウトとの相関係数 | : -0.80 |
| Kレシオ | : -4.53 | １０／４０移動平均との相関係数 | : -0.83 |

# 第1章　システム

損益曲線：英ポンド～灯油 Copyright 1999 Lars Kestner.LINK Financial-All rights reserved

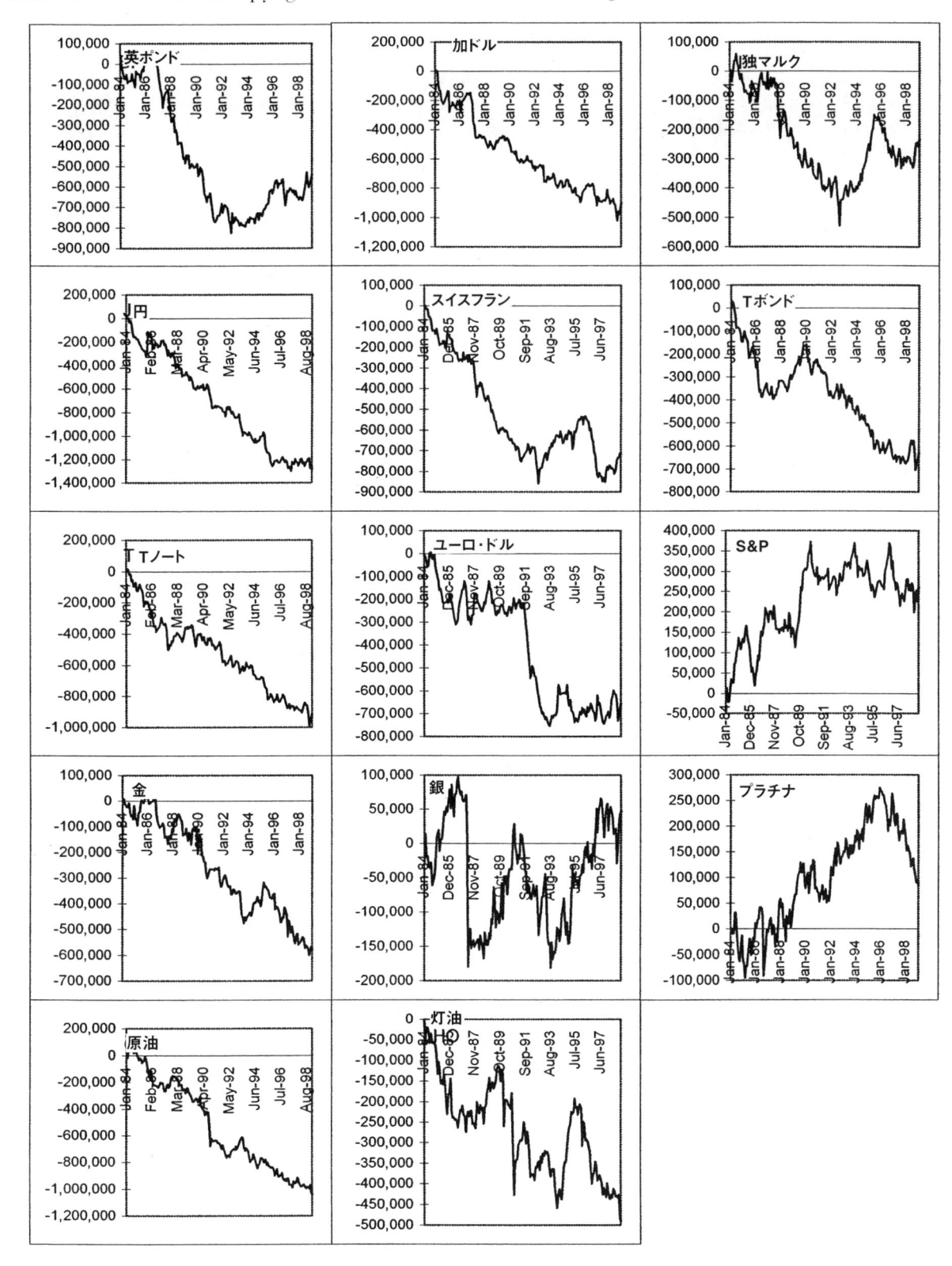

Chapter 1 **SYSTEM**

**損益曲線：トウモロコシ〜砂糖** Copyright 1999 Lars Kestner,LINK Financial-All rights reserved

# 第1章 システム

**分類統計**

システム名　　：ＤＲＶ利食い法
パラメータ　　：１０日ＤＲＶ
建玉枚数　　　：可変
システムの概要：ＤＲＶが－０.４を上抜いたら買い、０.４を下抜いたら売る

Copyright 1999 Lars Kestner, LINK Financial-All rights reserved

## 市場部門による分析

| 市場部門 | 平均純益 | 平均Kレシオ | 平均シャープレシオ | 平均最大ドローダウン | 平均トレード数 | 平均勝率 | 平均損益 | 勝トレードの平均利益 | 敗トレードの平均損失 | 勝トレードの平均日数 | 敗トレードの平均日数 |
|---|---|---|---|---|---|---|---|---|---|---|---|
| 通貨 | -731,944 | -2.66 | -0.14 | -942,012 | 135 | 56 | -5,617 | 14,234 | -31,174 | 17 | 43 |
| 金利 | -732,208 | -2.72 | -0.15 | -876,833 | 149 | 63 | -4,950 | 13,837 | -36,954 | 14 | 44 |
| 株価指数 | 263,075 | 1.10 | 0.07 | -206,675 | 162 | 67 | 1,621 | 14,563 | -24,265 | 17 | 37 |
| 貴金属 | -149,592 | -0.62 | -0.03 | -435,957 | 155 | 63 | -1,023 | 12,486 | -23,595 | 15 | 39 |
| エネルギー | -766,444 | -2.90 | -0.15 | -809,307 | 141 | 57 | -5,530 | 13,198 | -30,717 | 16 | 41 |
| 穀物 | -238,579 | -0.42 | -0.04 | -562,862 | 152 | 64 | -1,483 | 13,864 | -28,299 | 15 | 41 |
| 食肉 | 76,162 | 0.73 | 0.02 | -339,859 | 161 | 65 | 391 | 14,704 | -26,677 | 15 | 39 |
| ソフト | -261,946 | -0.53 | -0.05 | -614,876 | 148 | 64 | -1,686 | 13,811 | -30,236 | 16 | 42 |

## 年次成績分析

| 年 | 純益 | Kレシオ | シャープレシオ |
|---|---|---|---|
| 1984 | -1,215,092 | -1.73 | -0.43 |
| 1985 | -824,913 | -1.06 | -0.25 |
| 1986 | -703,914 | -0.56 | -0.29 |
| 1987 | -2,311,280 | -2.73 | -0.72 |
| 1988 | 11,767 | -0.37 | 0.00 |
| 1989 | -151,009 | 0.07 | -0.09 |
| 1990 | -1,274,032 | -3.16 | -0.52 |
| 1991 | -985,149 | -1.40 | -0.46 |

| 年 | 純益 | Kレシオ | シャープレシオ |
|---|---|---|---|
| 1992 | -529,965 | -1.16 | -0.21 |
| 1993 | -519,012 | -0.89 | -0.23 |
| 1994 | 158,003 | 0.24 | 0.08 |
| 1995 | -174,520 | 0.01 | -0.12 |
| 1996 | -769,548 | -1.49 | -0.27 |
| 1997 | -878,407 | -0.59 | -0.37 |
| 1998 | 132,216 | -0.11 | 0.07 |

## 利益性ウインドウ

| 期間 | ウインドウ数 | 収益ウインドウ数 | 利益ウインドウ率 |
|---|---|---|---|
| 1カ月 | 180 | 81 | 45.00% |
| 3カ月 | 178 | 63 | 35.39% |
| 6カ月 | 175 | 41 | 23.43% |
| 12カ月 | 169 | 19 | 11.24% |
| 18カ月 | 163 | 8 | 4.91% |
| 24カ月 | 157 | 6 | 3.82% |

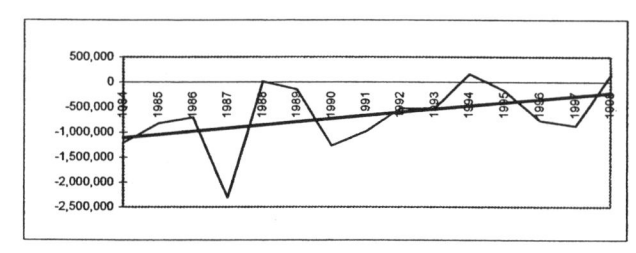

## 年次純益推移

### ④オシレーター法（P297）

　オシレーター法は、対照標準システムを異なる方法で利用するバーンズのもう1つのアイデアである。10日と40日の単純移動平均の差分を基本オシレーターとして利用する。オシレーターが方向を変えたら、つまり今日の値が昨日の値より小さければ売りシグナルとなる。今日の値が昨日の値より大きければ買いシグナルとなる。

　オシレーター＝終値の10日単純移動平均－終値の40日単純移動平均

　・今日のオシレーター値が昨日のオシレーター値よりも大きければ買う。
　・今日のオシレーター値が昨日のオシレーター値よりも小さければ売る。

**結果**
　オシレーター法は他にはみられない成績を示している。通貨部門は大きく利益になるが、金利部門は損失である。通常、これら2部門の収益性での相関はとても高いので、これは面白い現象である。他の市場部門での収益性はまちまちである。

# 第1章 システム

トレーディング・システム評価

- システム名　　　：オシレーター法
- パラメータ　　　：１０日短期移動平均、４０日長期移動平均
- 建玉枚数　　　　：可変
- システムの概要：１０－４０オシレーターが上昇に転じたら買い、下降に転じたら売る
- 検証期間　　　　：1/1/84-12/31/98　Copyright 1999 Lars Kestner, LINK Financial-All rights reserved

| 市場 | | 純益 | Kレシオ | シャープレシオ | 最大ドローダウン | トレード数 | 勝率 | 平均建玉数 | 平均損益 | 勝トレードの平均利益 | 敗トレードの平均損失 | 勝トレードの平均日数 | 敗トレードの平均日数 |
|---|---|---|---|---|---|---|---|---|---|---|---|---|---|
| 通貨 | 英ポンド | 478,638 | 1.07 | 0.10 | -282,419 | 576 | 43 | 9 | 807 | 11,825 | -7,348 | 9 | 5 |
| | 加ドル | 313,090 | 0.48 | 0.06 | -322,460 | 551 | 43 | 29 | 568 | 12,509 | -8,379 | 10 | 5 |
| | 独マルク | 568,913 | 1.73 | 0.14 | -182,800 | 529 | 44 | 12 | 1,069 | 12,227 | -7,580 | 10 | 5 |
| | 円 | 640,525 | 2.00 | 0.15 | -189,425 | 552 | 42 | 10 | 1,139 | 12,831 | -7,464 | 10 | 5 |
| | スイスフラン | 787,800 | 2.85 | 0.19 | -129,913 | 528 | 44 | 9 | 1,487 | 13,021 | -7,484 | 10 | 5 |
| 金利 | Tボンド | -707,000 | -4.01 | -0.16 | -1,029,500 | 570 | 37 | 9 | -1,262 | 11,784 | -9,046 | 10 | 4 |
| | Tノート | -811,625 | -3.81 | -0.16 | -1,117,750 | 584 | 38 | 13 | -1,390 | 12,091 | -9,478 | 9 | 5 |
| | ユーロ・ドル | -7,475 | -1.17 | 0.00 | -605,750 | 503 | 43 | 4 | -2 | 13,838 | -10,335 | 10 | 5 |
| 株価指数 | S&P | -480,975 | -2.18 | -0.10 | -580,675 | 555 | 38 | 4 | -866 | 11,687 | -8,448 | 10 | 5 |
| 貴金属 | 金 | 451,590 | 1.18 | 0.10 | -347,320 | 492 | 44 | 21 | 904 | 12,151 | -7,826 | 11 | 5 |
| | 銀 | 104,320 | -0.39 | 0.02 | -560,755 | 558 | 42 | 15 | 179 | 10,473 | -7,201 | 10 | 5 |
| | プラチナ | -266,010 | -0.76 | -0.06 | -735,675 | 533 | 38 | 24 | -508 | 11,627 | -7,913 | 11 | 5 |
| エネルギー | 原油 | 138,910 | 0.32 | 0.03 | -371,430 | 522 | 40 | 18 | 242 | 13,463 | -8,516 | 11 | 5 |
| | 灯油 | -250,219 | -1.13 | -0.05 | -490,555 | 579 | 40 | 15 | -428 | 12,032 | -8,640 | 10 | 4 |
| 穀物 | トウモロコシ | 344,325 | 0.33 | 0.06 | -417,900 | 502 | 43 | 44 | 658 | 13,562 | -8,931 | 11 | 5 |
| | 小麦 | 108,500 | -0.27 | 0.02 | -266,625 | 534 | 40 | 28 | 206 | 12,259 | -7,854 | 11 | 5 |
| | 大豆 | 602,575 | 1.26 | 0.15 | -243,650 | 576 | 46 | 17 | 1,008 | 10,054 | -6,700 | 10 | 4 |
| | 大豆油 | -43,836 | 0.35 | -0.01 | -373,110 | 547 | 38 | 31 | -134 | 12,037 | -7,544 | 11 | 4 |
| | 大豆粕 | 283,910 | 0.72 | 0.06 | -409,230 | 536 | 41 | 26 | 535 | 12,844 | -7,903 | 10 | 5 |
| 食肉 | 生牛 | -608,752 | -1.51 | -0.15 | -695,776 | 532 | 38 | 24 | -1,154 | 10,262 | -8,031 | 10 | 5 |
| | 飼育牛 | -184,892 | -0.29 | -0.04 | -348,779 | 556 | 40 | 24 | -350 | 10,999 | -7,780 | 10 | 5 |
| | 生去勢豚 | 624,728 | 2.05 | 0.15 | -192,600 | 526 | 44 | 17 | 1,182 | 12,089 | -7,558 | 11 | 4 |
| | 豚赤身肉 | 375,396 | 1.67 | 0.08 | -196,368 | 506 | 42 | 12 | 739 | 13,436 | -8,343 | 11 | 5 |
| ソフト | ココア | -288,220 | -0.75 | -0.07 | -522,160 | 559 | 40 | 24 | -516 | 9,903 | -7,483 | 10 | 5 |
| | 綿花 | -200,255 | -1.53 | -0.05 | -427,630 | 594 | 37 | 14 | -350 | 11,419 | -7,374 | 10 | 4 |
| | オ・ジュース | 29,430 | 0.23 | 0.01 | -480,210 | 525 | 38 | 21 | 54 | 13,486 | -8,347 | 11 | 5 |
| | コーヒー | 610,699 | 1.30 | 0.10 | -224,513 | 522 | 39 | 8 | 1,214 | 15,317 | -7,689 | 11 | 5 |
| | 木材 | 525,200 | 2.15 | 0.10 | -178,032 | 474 | 40 | 12 | 1,087 | 15,368 | -8,468 | 13 | 5 |
| | 砂糖 | -350,705 | -3.11 | -0.08 | -524,619 | 584 | 39 | 28 | -599 | 10,234 | -7,389 | 10 | 4 |
| | 平均 | 96,158 | -0.04 | 0.02 | -429,229 | 542 | 41 | 18 | 190 | 12,235 | -8,036 | 10 | 5 |

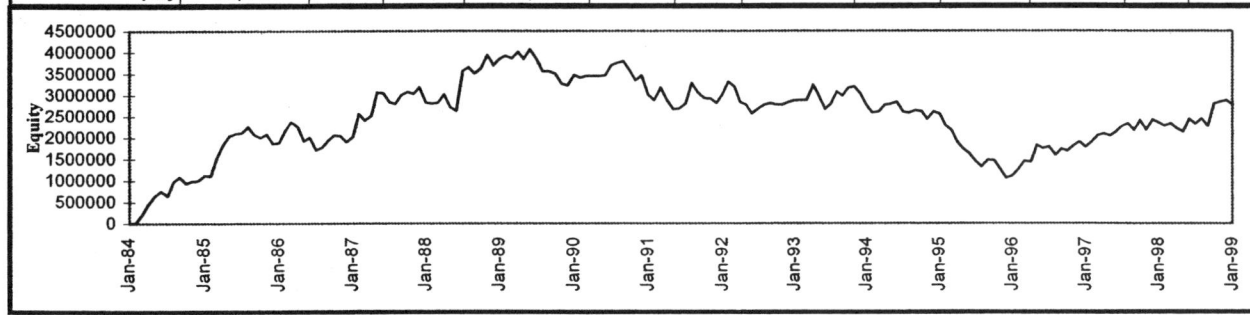

**ポートフォリオ統計**

- 純益　　　　：　2,788,584　　シャープ・レシオ　　　　　　　　：0.08
- ドローダウン：-3,011,797　　ブレイクアウトとの相関係数　　：0.34
- Kレシオ　　：　　　　0.09　　１０／４０移動平均との相関係数：0.29

Chapter 1 **SYSTEM**

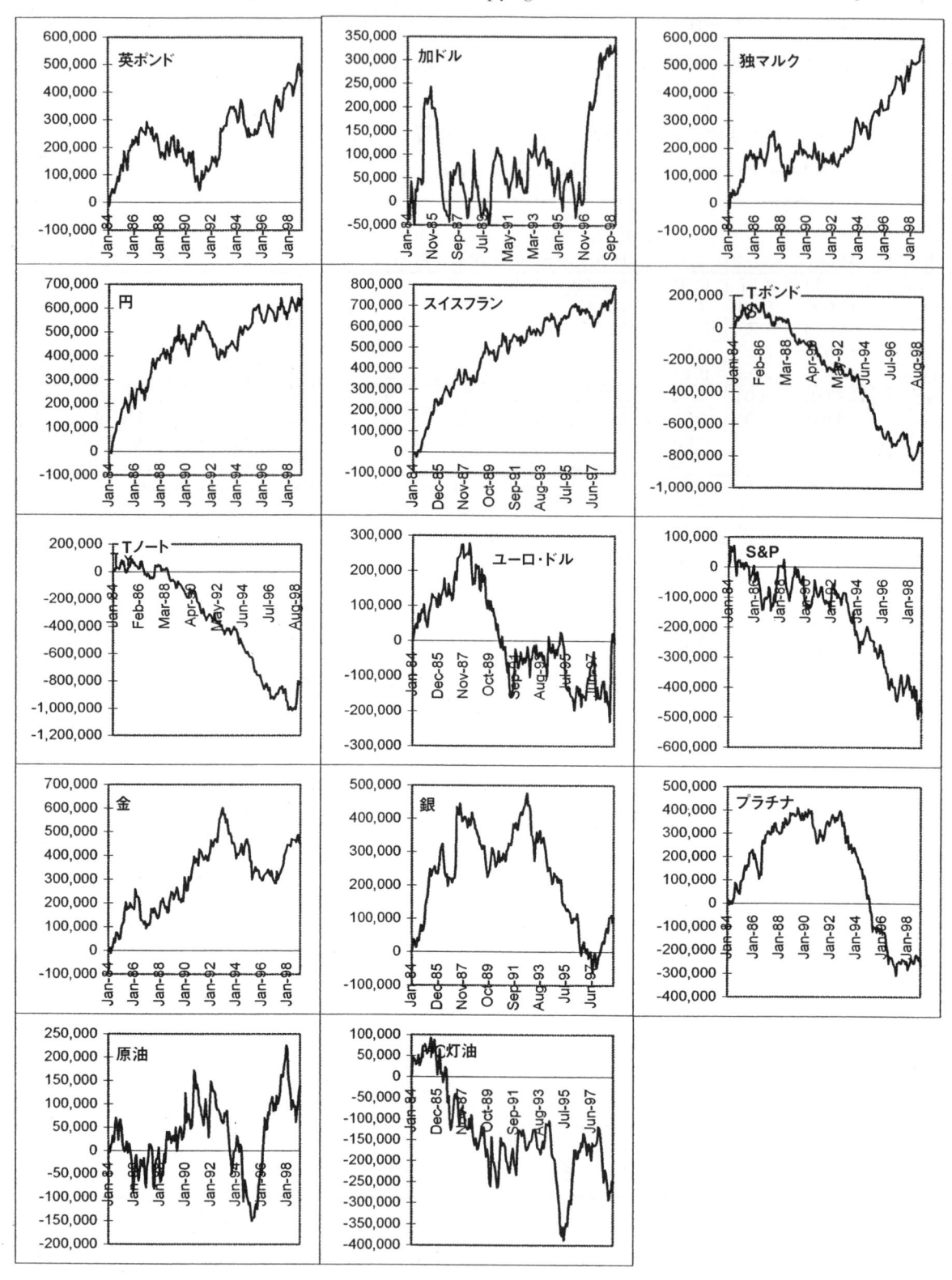

損益曲線：英ポンド～灯油　Copyright 1999 Lars Kestner,LINK Financial-All rights reserved

# 第1章 システム

損益曲線：トウモロコシ〜砂糖　Copyright 1999 Lars Kestner,LINK Financial-All rights reserved

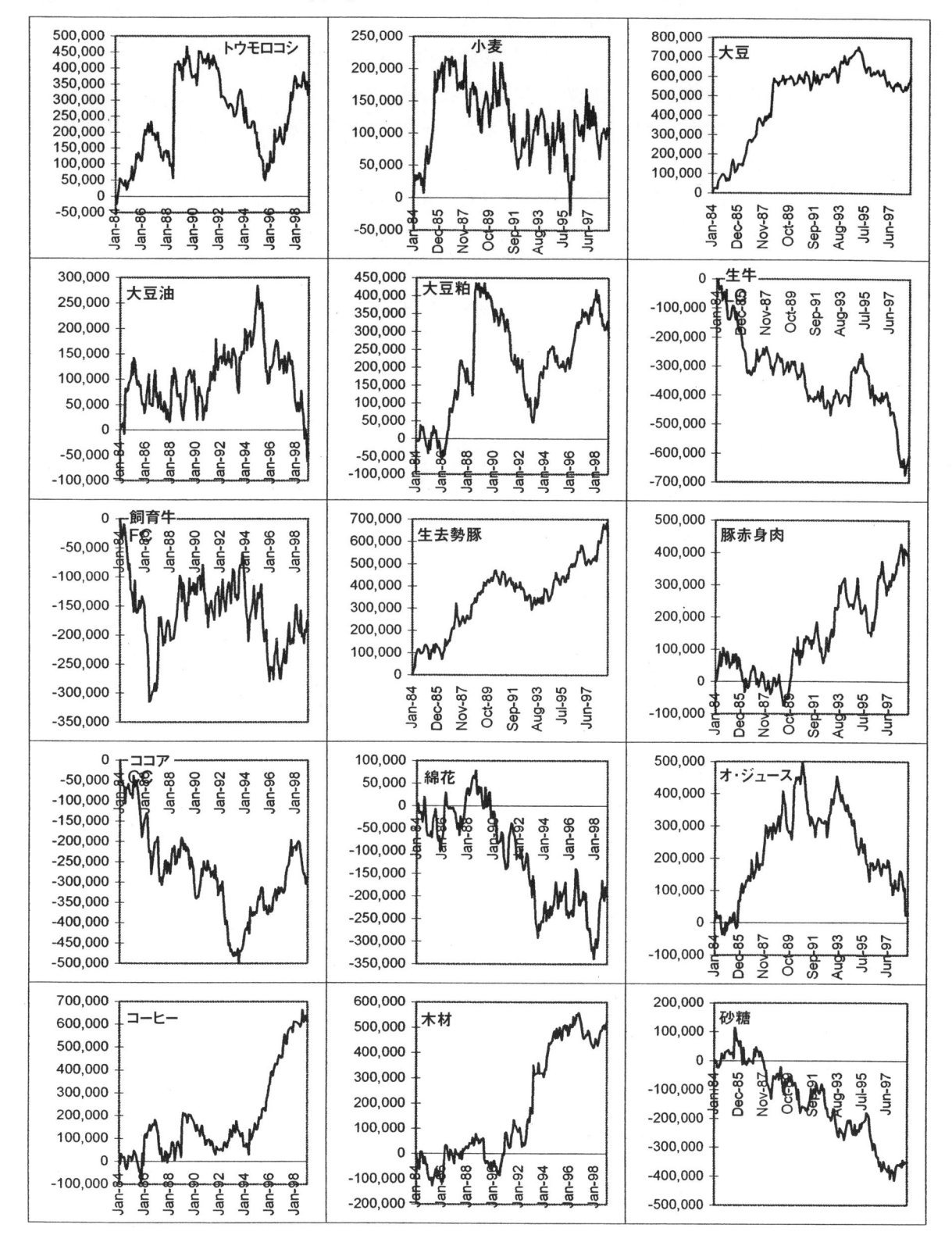

## Chapter 1 SYSTEM

**分類統計**

システム名　　：オシレーター法
パラメータ　　：１０日短期移動平均、４０日長期移動平均
建玉枚数　　　：可変
システムの概要：１０－４０オシレーターが上昇に転じたら買い、下降に転じたら売る
検証期間　　　：1/1/84-12/31/98

Copyright 1999 Lars Kestner,LINK Financial-All rights reserved

### 市場部門による分析

| 市場部門 | 平均純益 | 平均Kレシオ | 平均シャープレシオ | 平均最大ドローダウン | 平均トレード数 | 平均勝率 | 平均損益 | 勝トレードの平均利益 | 敗トレードの平均損失 | 勝トレードの平均日数 | 敗トレードの平均日数 |
|---|---|---|---|---|---|---|---|---|---|---|---|
| 通貨 | 557,793 | 1.63 | 0.13 | -221,403 | 547 | 43 | 1,014 | 12,482 | -7,651 | 10 | 5 |
| 金利 | -508,700 | -3.00 | -0.11 | -917,667 | 552 | 39 | -885 | 12,571 | -9,620 | 10 | 5 |
| 株価指数 | -480,975 | -2.18 | -0.10 | -580,675 | 555 | 38 | -866 | 11,687 | -8,448 | 10 | 5 |
| 貴金属 | 96,633 | 0.01 | 0.02 | -547,917 | 528 | 41 | 191 | 11,417 | -7,647 | 11 | 5 |
| エネルギー | -55,654 | -0.40 | -0.01 | -430,993 | 551 | 40 | -93 | 12,748 | -8,578 | 10 | 4 |
| 穀物 | 259,095 | 0.48 | 0.06 | -342,103 | 539 | 41 | 454 | 12,151 | -7,787 | 11 | 5 |
| 食肉 | 51,620 | 0.48 | 0.01 | -358,381 | 530 | 41 | 104 | 11,697 | -7,928 | 10 | 5 |
| ソフト | 54,358 | -0.29 | 0.00 | -392,861 | 543 | 39 | 148 | 12,621 | -7,792 | 11 | 5 |

### 年次成績分析

| 年 | 純益 | Kレシオ | シャープレシオ |
|---|---|---|---|
| 1984 | 1,122,188 | 2.40 | 0.68 |
| 1985 | 763,356 | 0.79 | 0.34 |
| 1986 | 135,063 | -0.29 | 0.06 |
| 1987 | 811,551 | 1.04 | 0.25 |
| 1988 | 1,012,146 | 1.60 | 0.26 |
| 1989 | -374,748 | -1.35 | -0.17 |
| 1990 | -459,618 | -0.16 | -0.21 |
| 1991 | 9,414 | 0.02 | 0.00 |
| 1992 | -144,446 | -0.55 | -0.07 |
| 1993 | -112,048 | 0.18 | -0.04 |
| 1994 | -204,930 | -0.60 | -0.14 |
| 1995 | -1,450,586 | -2.80 | -0.93 |
| 1996 | 669,468 | 1.24 | 0.35 |
| 1997 | 578,675 | 1.71 | 0.33 |
| 1998 | 433,098 | 1.20 | 0.18 |

### 利益性ウインドウ

| 期間 | ウインドウ数 | 収益ウインドウ数 | 利益ウインドウ率 |
|---|---|---|---|
| 1カ月 | 180 | 95 | 52.78% |
| 3カ月 | 178 | 98 | 55.06% |
| 6カ月 | 175 | 96 | 54.86% |
| 12カ月 | 169 | 101 | 59.76% |
| 18カ月 | 163 | 89 | 54.60% |
| 24カ月 | 157 | 87 | 55.41% |

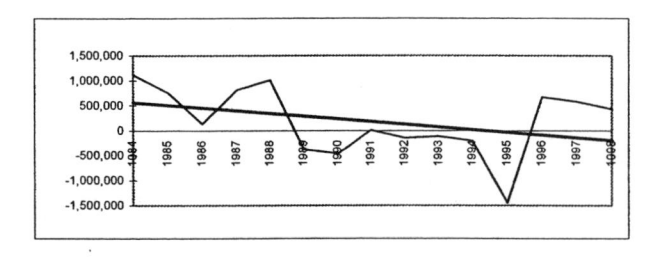

### 年次純益推移

# 第1章　システム

### ⑤ADXフィルターを併用したオシレーター法（P297）

　逆張り型システムは、市場がちゃぶつきやすく、トレンドがない状態のときに利用されるべきであると、バーンズは強調している。彼のこのシステムにおいて、１４日ＡＤＸ指標が３０よりも小さいことを必要条件としてみよう。ＡＤＸはウエルズ・ワイルダーが発明した方向性を持った動きを利用して、市場のトレンド性を測定する指標である。大きな値は上昇にしろ下降にしろ、市場がトレンドを呈していることを示し、小さい値はちゃぶつきやすくトレンドがないことを意味する。

　オシレーター＝終値の１０日単純移動平均－終値の４０日単純移動平均

・今日のオシレーター値が昨日のオシレーター値よりも大きく、今日の１４日ＡＤＸ値が３０よりも小さいなら買う。
・今日のオシレーター値が昨日の値よりも下落したら買い玉を手仕舞う。
・今日のオシレーター値が昨日のオシレーター値よりも小さく、今日の１４日ＡＤＸ値が３０よりも小さければ売る。
・今日のオシレーター値が昨日の値よりも上昇したら売り玉を手仕舞う。

**結果**
　市場がトレンドを示していないときだけにサインを採用するというフィルターを加えると、成績は大幅に改善する。基本システムは、いくつかのきついドローダウンを伴う変動の激しい損益曲線を示している。フィルターを加えることはドローダウンを減少し、収益を増加させている。結果における最大の関心事は、損益曲線が８年間も最高収益を更新していないことである。カネ儲けを待ち続けるのに８年間はあまりにも長過ぎる。市場部門ごとの成績は基本システムと同様であり、得意な市場ではより良く、苦手な市場でも結果は改善されている。もう１つの印象的な事実は、チャネル・ブレイクアウトと移動平均システムとの相関係数がとても小さく、分散投資の目的で古典的なトレンドフォロー型システムに追加して売買可能であることを示唆していることである。売買コストに関する注意について再び触れておきたい。このシステムにおける１枚当たりの平均利益は２９ドルにすぎない。売買コストはシステムの成績に大きく影響するのである。

Chapter 1 **SYSTEM**

**トレーディング・システム評価**

| | |
|---|---|
| システム名 | ：ＡＤＸフィルターを併用したオシレーター法 |
| パラメータ | ：１０日短期移動平均、４０日長期移動平均、１４日ＡＤＸ |
| 建玉枚数 | ：可変 |
| システムの概要 | ：ＡＤＸが３０未満のときに限り、１０－４０オシレーターが上昇に転じたら買い、下降に転じたら売る |
| 検証期間 | ：1/1/84-12/31/98　Copyright 1999 Lars Kestner.LINK Financial-All rights reserved |

| | 市場 | 純益 | Kレシオ | シャープレシオ | 最大ドローダウン | トレード数 | 勝率 | 平均建玉数 | 平均損益 | 勝トレードの平均利益 | 敗トレードの平均損失 | 勝トレードの平均日数 | 敗トレードの平均日数 |
|---|---|---:|---:|---:|---:|---:|---:|---:|---:|---:|---:|---:|---:|
| 通貨 | 英ポンド | 653,788 | 2.51 | 0.17 | -137,538 | 446 | 44 | 9 | 1,435 | 12,160 | -6,897 | 9 | 5 |
| | 加ドル | 462,020 | 1.04 | 0.10 | -272,850 | 453 | 45 | 28 | 1,019 | 11,863 | -8,024 | 10 | 5 |
| | 独マルク | 591,338 | 2.82 | 0.16 | -101,863 | 432 | 44 | 12 | 1,361 | 12,523 | -7,239 | 10 | 5 |
| | 円 | 803,913 | 2.18 | 0.20 | -181,700 | 470 | 42 | 9 | 1,685 | 13,607 | -6,918 | 10 | 4 |
| | スイスフラン | 676,100 | 3.92 | 0.17 | -105,950 | 420 | 43 | 9 | 1,603 | 13,918 | -7,633 | 10 | 5 |
| 金利 | Tボンド | -19,500 | -1.31 | -0.01 | -426,750 | 393 | 40 | 9 | -81 | 13,028 | -8,894 | 11 | 4 |
| | Tノート | -35,500 | -1.37 | -0.01 | -457,500 | 439 | 39 | 13 | -81 | 13,022 | -8,603 | 10 | 4 |
| | ユーロ・ドル | 355,475 | 0.29 | 0.07 | -386,250 | 343 | 42 | 5 | 1,055 | 15,682 | -9,530 | 11 | 5 |
| 株価指数 | S&P | -115,275 | -0.55 | -0.03 | -405,850 | 444 | 40 | 4 | -259 | 12,181 | -8,506 | 11 | 5 |
| 貴金属 | 金 | 192,510 | 0.47 | 0.04 | -322,650 | 417 | 42 | 22 | 445 | 12,105 | -7,987 | 11 | 5 |
| | 銀 | 76,505 | -0.25 | 0.02 | -436,485 | 488 | 42 | 16 | 147 | 10,218 | -7,086 | 9 | 5 |
| | プラチナ | -296,515 | -0.73 | -0.07 | -738,935 | 464 | 36 | 24 | -649 | 11,955 | -7,870 | 11 | 5 |
| エネルギー | 原油 | 480,720 | 2.42 | 0.12 | -151,440 | 378 | 42 | 18 | 1,267 | 14,003 | -7,880 | 12 | 5 |
| | 灯油 | -258,208 | -1.34 | -0.06 | -415,930 | 468 | 39 | 15 | -547 | 11,483 | -8,271 | 10 | 4 |
| 穀物 | トウモロコシ | 414,650 | 0.66 | 0.08 | -327,675 | 411 | 43 | 43 | 974 | 13,816 | -8,548 | 11 | 5 |
| | 小麦 | 279,025 | 0.82 | 0.06 | -184,575 | 439 | 40 | 27 | 649 | 13,111 | -7,612 | 11 | 5 |
| | 大豆 | 560,775 | 1.26 | 0.16 | -210,850 | 488 | 47 | 17 | 1,104 | 10,075 | -6,828 | 10 | 4 |
| | 大豆油 | -70,248 | -0.07 | -0.02 | -244,020 | 446 | 38 | 31 | -224 | 11,462 | -7,286 | 11 | 4 |
| | 大豆粕 | 560,850 | 1.43 | 0.11 | -330,130 | 464 | 42 | 26 | 1,215 | 12,816 | -7,345 | 10 | 5 |
| 食肉 | 生牛 | -368,192 | -1.00 | -0.10 | -432,976 | 430 | 38 | 24 | -837 | 10,596 | -7,886 | 10 | 5 |
| | 飼育牛 | -188,883 | -0.22 | -0.05 | -293,677 | 469 | 39 | 24 | -403 | 11,610 | -8,089 | 10 | 5 |
| | 生去勢豚 | 560,464 | 1.28 | 0.16 | -208,012 | 391 | 45 | 17 | 1,433 | 11,978 | -7,288 | 11 | 5 |
| | 豚赤身肉 | 421,244 | 2.10 | 0.10 | -207,956 | 404 | 43 | 12 | 1,039 | 13,133 | -8,203 | 11 | 5 |
| ソフト | ココア | -135,950 | -0.24 | -0.04 | -364,550 | 472 | 42 | 24 | -288 | 9,574 | -7,353 | 10 | 5 |
| | 綿花 | -24,570 | -0.79 | -0.01 | -307,565 | 450 | 40 | 14 | -55 | 11,104 | -7,493 | 9 | 5 |
| | オ・ジュース | 238,778 | 0.48 | 0.05 | -374,355 | 411 | 39 | 21 | 578 | 14,060 | -7,929 | 11 | 5 |
| | コーヒー | 529,193 | 1.43 | 0.10 | -175,305 | 428 | 40 | 8 | 1,290 | 14,491 | -7,580 | 11 | 5 |
| | 木材 | 417,888 | 1.75 | 0.10 | -184,016 | 390 | 39 | 12 | 1,060 | 14,868 | -7,758 | 12 | 5 |
| | 砂糖 | -291,637 | -2.15 | -0.08 | -453,914 | 475 | 39 | 28 | -612 | 10,316 | -7,461 | 10 | 4 |
| | 平均 | 223,130 | 0.58 | 0.05 | -304,871 | 435 | 41 | 18 | 528 | 12,440 | -7,793 | 11 | 5 |

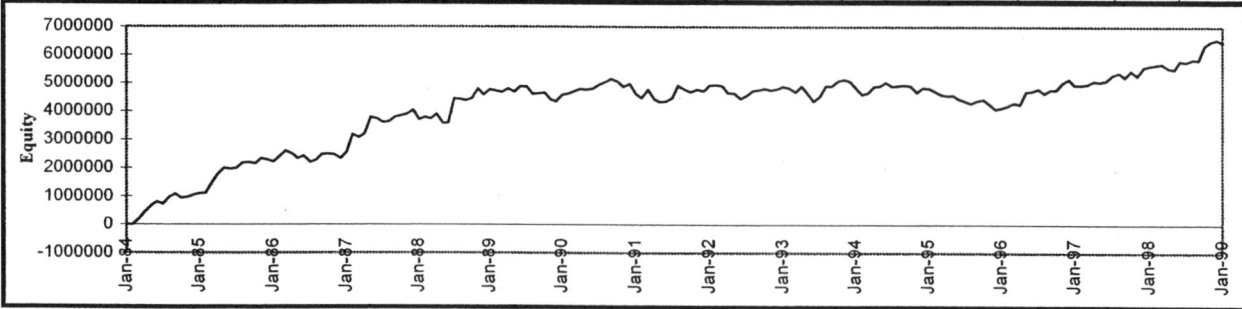

**ポートフォリオ統計**

| | | | |
|---|---:|---|---:|
| 純益 | ：6,470,756 | シャープ・レシオ | ：0.20 |
| ドローダウン | ：-1,049,244 | ブレイクアウトとの相関係数 | ：0.40 |
| Kレシオ | ：1.49 | １０／４０移動平均との相関係数 | ：0.34 |

# 第1章 システム

**損益曲線：英ポンド〜灯油**　Copyright 1999 Lars Kestner,LINK Financial-All rights reserved

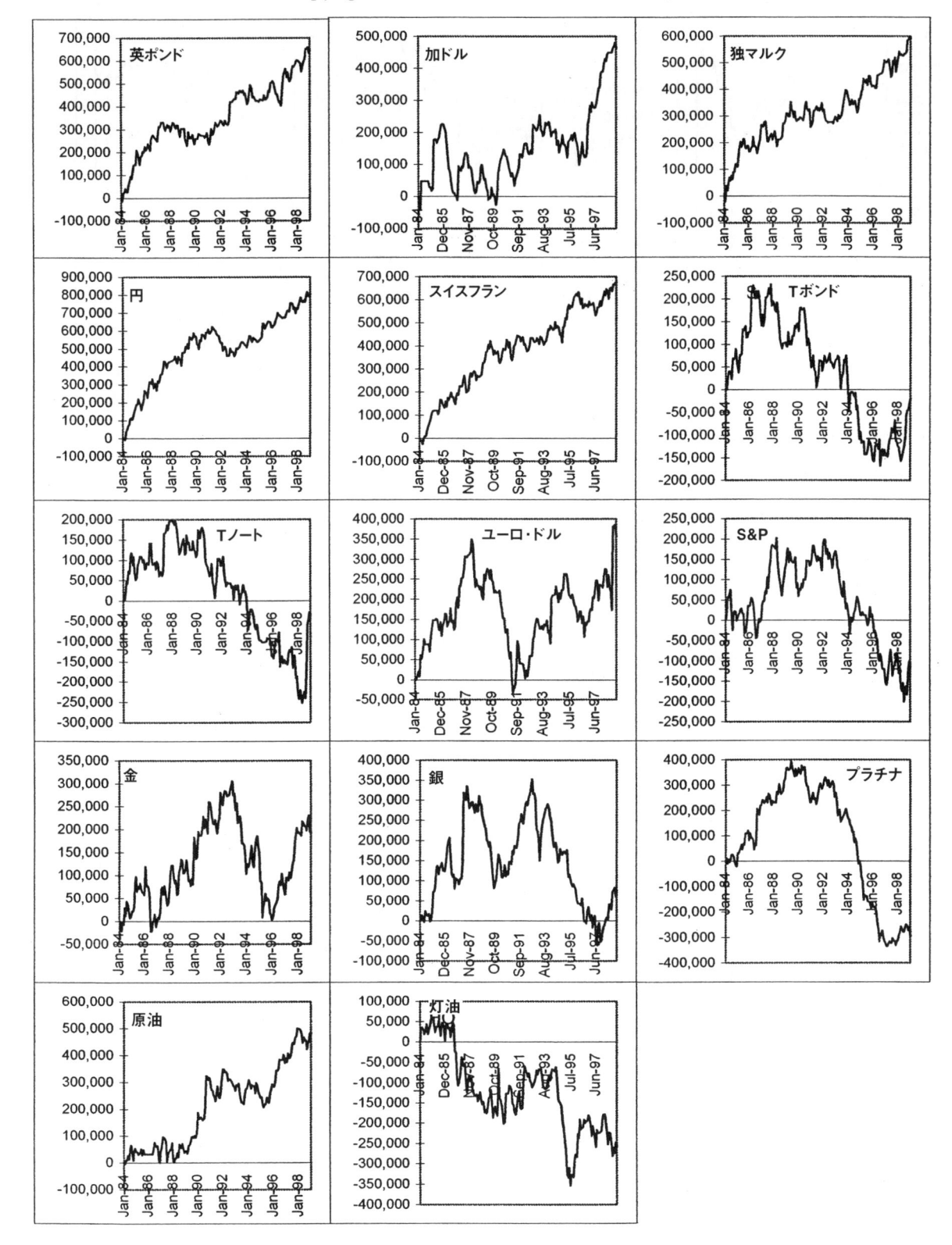

Chapter 1 **SYSTEM**

損益曲線：トウモロコシ～砂糖　Copyright 1999 Lars Kestner.LINK Financial-All rights reserved

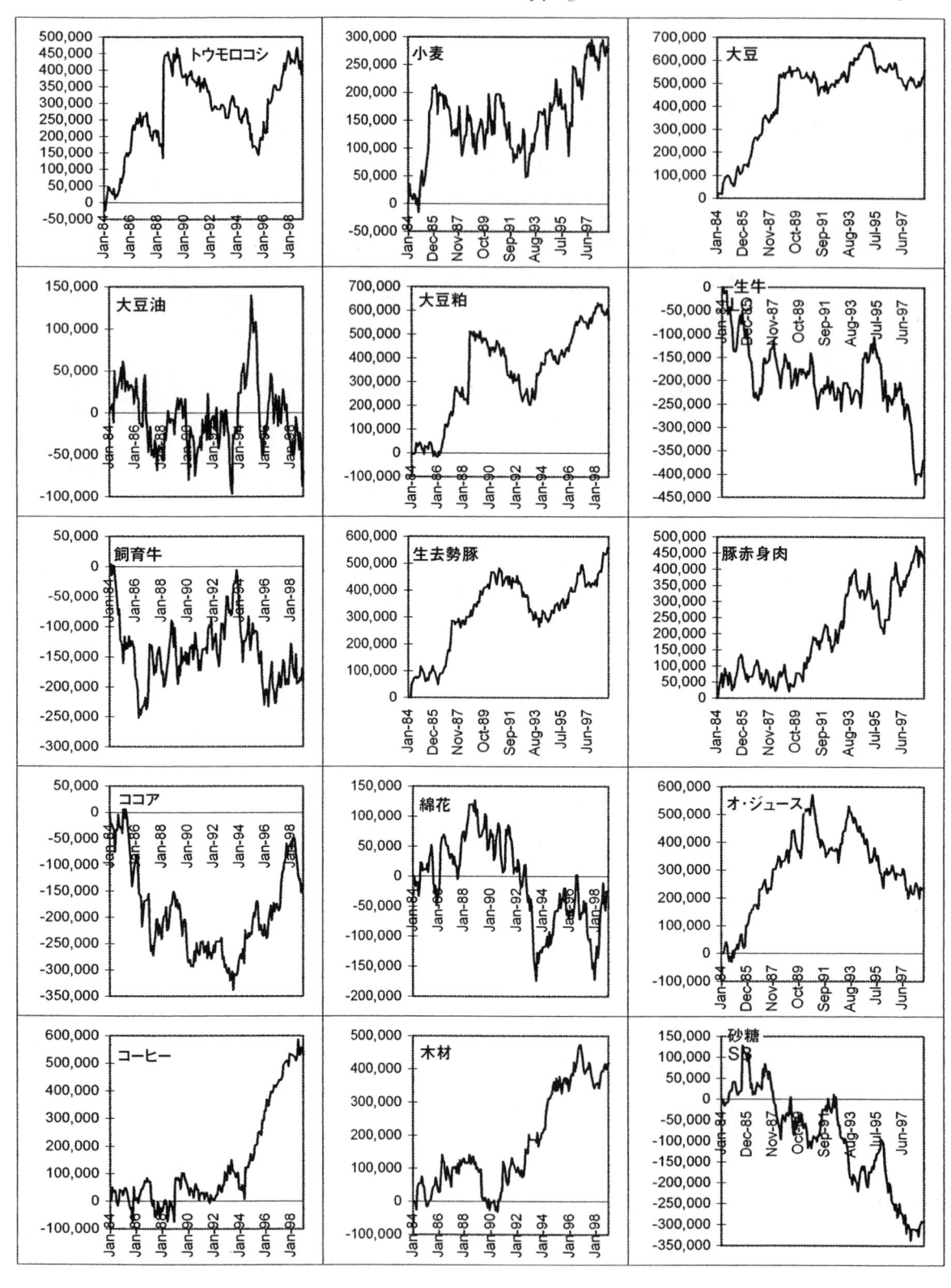

# 第1章 システム

**分類統計**

システム名　　　：ＡＤＸフィルターを併用したオシレーター手法
パラメータ　　　：１０日短期移動平均、４０日長期移動平均、１４日ＡＤＸ
建玉枚数　　　　：可変
システムの概要　：ＡＤＸが３０未満のときに限り、１０－４０オシレーターが上昇に
　　　　　　　　　転じたら買い、下降に転じたら売る
検証期間　　　　：1/1/84-12/31/98

Copyright 1999 Lars Kestner,LINK Financial-All rights reserved

## 市場部門による分析

| 市場部門 | 平均純益 | 平均Kレシオ | 平均シャープレシオ | 平均最大ドローダウン | 平均トレード数 | 平均勝率 | 平均損益 | 勝トレードの平均利益 | 敗トレードの平均損失 | 勝トレードの平均日数 | 敗トレードの平均日数 |
|---|---|---|---|---|---|---|---|---|---|---|---|
| 通貨 | 637,432 | 2.49 | 0.16 | -159,980 | 444 | 43 | 1,421 | 12,814 | -7,342 | 10 | 5 |
| 金利 | 100,158 | -0.79 | 0.02 | -423,500 | 392 | 41 | 298 | 13,911 | -9,009 | 11 | 5 |
| 株価指数 | -115,275 | -0.55 | -0.03 | -405,850 | 444 | 40 | -259 | 12,181 | -8,506 | 11 | 5 |
| 貴金属 | -9,167 | -0.17 | 0.00 | -499,357 | 456 | 40 | -19 | 11,426 | -7,648 | 11 | 5 |
| エネルギー | 111,256 | 0.54 | 0.03 | -283,685 | 423 | 40 | 360 | 12,743 | -8,076 | 11 | 5 |
| 穀物 | 349,010 | 0.82 | 0.08 | -259,450 | 450 | 42 | 744 | 12,256 | -7,524 | 11 | 5 |
| 食肉 | 106,158 | 0.54 | 0.03 | -285,655 | 424 | 41 | 308 | 11,829 | -7,866 | 11 | 5 |
| ソフト | 122,283 | 0.08 | 0.02 | -309,951 | 438 | 40 | 329 | 12,402 | -7,596 | 11 | 5 |

## 年次成績分析

| 年 | 純益 | Kレシオ | シャープレシオ |
|---|---|---|---|
| 1984 | 1,111,055 | 2.22 | 0.73 |
| 1985 | 1,116,786 | 1.90 | 0.63 |
| 1986 | 324,297 | 0.20 | 0.18 |
| 1987 | 1,152,363 | 1.39 | 0.35 |
| 1988 | 1,064,106 | 1.70 | 0.30 |
| 1989 | -178,592 | -0.80 | -0.10 |
| 1990 | 23,960 | 0.56 | 0.01 |
| 1991 | 319,840 | 0.64 | 0.13 |

| 年 | 純益 | Kレシオ | シャープレシオ |
|---|---|---|---|
| 1992 | -46,098 | -0.07 | -0.03 |
| 1993 | -60,109 | 0.41 | -0.02 |
| 1994 | -3,879 | 0.21 | 0.00 |
| 1995 | -689,211 | -2.75 | -0.66 |
| 1996 | 802,563 | 2.21 | 0.39 |
| 1997 | 692,882 | 2.43 | 0.41 |
| 1998 | 840,792 | 1.69 | 0.39 |

## 利益性ウインドウ

| 期間 | ウインドウ数 | 収益ウインドウ数 | 利益ウインドウ率 |
|---|---|---|---|
| 1カ月 | 180 | 105 | 58.33% |
| 3カ月 | 178 | 114 | 64.04% |
| 6カ月 | 175 | 119 | 68.00% |
| 12カ月 | 169 | 120 | 71.01% |
| 18カ月 | 163 | 121 | 74.23% |
| 24カ月 | 157 | 114 | 72.61% |

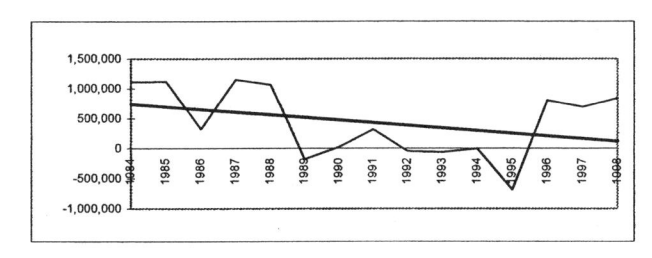

## 年次純益推移

## C．ジェイク・バーンスタイン著『バーンスタインのデイトレード入門』

ジェイク・バーンスタインはかなり長い間、業界に君臨している権威である。彼の広範囲な書籍リストは、投資家の心理学、デイ・トレード、市場の季節性にまで及んでいる。短期の定量化可能な売買戦略に焦点を合わせているという理由から、『先物短期売買』を選択した。

### ①ストキャスティックの破裂（P４３）

一般に、ストキャスティックは、市場が買われ過ぎであるか、売られ過ぎであるかを決定するために使われ、トレーダーは現在のトレンドに向かうポジションを取ることになる。多くの研究が、この戦略は損失になる売買法であることを示してきた。ジェイク・バーンスタインはこのテクニックを引っくり返して、「ストキャスティクの破裂」と呼ぶ手法としてしまった。ストキャスティックがある閾値を上抜いたときに買いシグナルが発生する。指標が閾値を下抜いたときに売りシグナルが発生する。ルールは以下の通りである。

・今日の１４日ファスト％Ｋストキャスティックが７５を上抜き、かつ今日の１４日ファスト％Ｋストキャスティックが今日の１４日スロー％Ｋストキャスティックよりも大きいなら、明日の寄り付きで買う。ファスト％Ｋストキャスティックは最後の仕掛け以来、７５よりも小さくなければならない。
・今日の１４日ファスト％Ｋストキャスティックが１４日スロー％Ｋストキャスティックを下抜いたら、明日の寄り付きで買いを手仕舞う。
・今日の１４日ファスト％Ｋストキャスティックが２５を下抜き、かつ今日の１４日ファスト％Ｋストキャスティックが今日の１４日スロー％Ｋストキャスティックよりも小さければ、明日の寄り付きで売る。ファスト％Ｋストキャスティックは最後の仕掛け以来、２５よりも大きくなければならない。
・今日の１４日ファスト％Ｋストキャスティックが１４日スロー％Ｋストキャスティックを上抜いたら売りを手仕舞う。

１４日ファスト％Ｋ＝（今日の終値－過去１４日間の最安値）÷
　　　　　　　　　（過去１４日間の最高値－過去１４日間の最安値）
１４日スロー％Ｋ＝１４日ファスト％Ｋの３日単純移動平均
１４日スロー％Ｄ＝１４日スロー％Ｋの３日単純移動平均

**結果**

１９８４年から１９８６年の３年間の力強い成績は、「ストキャスティックの破裂」の良い面が連続して現れたものである。通貨とユーロ・ドルが良い成績である。

※参考文献：ジェイク・バーンスタイン著『バーンスタインのデイトレード入門』『バーンスタインのデイトレード実践』『バーンスタインのトレーダー入門』（すべてパンローリング刊）

# 第1章 システム

**トレーディング・システム評価**

| | |
|---|---|
| システム名 | ：ストキャスティックの破裂 |
| パラメータ | ：１４日ファスト％Ｋ、スロー％Ｋ、２５／７５の閾値 |
| 建玉枚数 | ：可変 |
| システムの概要 | ：ファスト％Ｋが７５を上抜いたら買い、２５を下抜いたら売る |
| 検証期間 | ：1/1/84-12/31/98　Copyright 1999 Lars Kestner,LINK Financial-All rights reserved |

| | 市場 | 純益 | Kレシオ | シャープレシオ | 最大ドローダウン | トレード数 | 勝率 | 平均建玉数 | 平均損益 | 勝トレードの平均利益 | 敗トレードの平均損失 | 勝トレードの平均日数 | 敗トレードの平均日数 |
|---|---|---|---|---|---|---|---|---|---|---|---|---|---|
| 通貨 | 英ポンド | 247,000 | 1.17 | 0.11 | -130,488 | 475 | 43 | 9 | 514 | 7,784 | -5,006 | 3 | 2 |
| | 加ドル | 371,650 | 1.78 | 0.14 | -122,800 | 465 | 47 | 27 | 799 | 7,713 | -5,356 | 4 | 2 |
| | 独マルク | 202,150 | 0.26 | 0.08 | -142,363 | 460 | 44 | 11 | 439 | 7,658 | -5,162 | 3 | 2 |
| | 円 | 434,088 | 1.92 | 0.14 | -64,725 | 463 | 46 | 9 | 938 | 8,163 | -5,112 | 3 | 2 |
| | スイスフラン | -24,400 | -0.97 | -0.01 | -271,188 | 467 | 37 | 9 | -52 | 7,708 | -4,618 | 4 | 2 |
| 金利 | Tボンド | -52,750 | -1.67 | -0.02 | -238,125 | 458 | 44 | 9 | -115 | 6,930 | -5,724 | 4 | 2 |
| | Tノート | -20,500 | -1.66 | -0.01 | -263,375 | 453 | 45 | 13 | -45 | 6,954 | -5,780 | 4 | 2 |
| | ユーロ・ドル | 320,575 | 2.24 | 0.12 | -192,550 | 405 | 47 | 4 | 792 | 8,352 | -6,024 | 4 | 2 |
| 株価指数 | S&P | -410,475 | -3.57 | -0.16 | -477,275 | 495 | 38 | 4 | -829 | 7,303 | -5,852 | 3 | 2 |
| 貴金属 | 金 | -27,080 | -0.65 | -0.01 | -215,510 | 486 | 40 | 21 | -56 | 7,259 | -4,874 | 3 | 2 |
| | 銀 | -180,505 | -1.79 | -0.06 | -278,620 | 499 | 36 | 15 | -344 | 8,217 | -5,259 | 3 | 2 |
| | プラチナ | -420,685 | -1.94 | -0.15 | -620,155 | 501 | 36 | 23 | -849 | 7,170 | -5,346 | 3 | 2 |
| エネルギー | 原油 | 224,550 | 0.02 | 0.09 | -225,490 | 452 | 40 | 18 | 497 | 8,783 | -5,089 | 4 | 2 |
| | 灯油 | -90,645 | -0.19 | -0.03 | -313,925 | 485 | 39 | 14 | -187 | 7,900 | -5,261 | 3 | 2 |
| 穀物 | トウモロコシ | -422,075 | -2.89 | -0.18 | -520,100 | 479 | 40 | 44 | -911 | 6,048 | -5,526 | 3 | 2 |
| | 小麦 | -242,350 | -2.38 | -0.10 | -317,575 | 467 | 42 | 27 | -519 | 6,382 | -5,510 | 3 | 2 |
| | 大豆 | -344,325 | -3.78 | -0.16 | -434,925 | 510 | 36 | 17 | -675 | 7,103 | -5,103 | 3 | 2 |
| | 大豆油 | -242,784 | -2.30 | -0.09 | -317,340 | 486 | 38 | 31 | -500 | 7,092 | -5,125 | 4 | 2 |
| | 大豆粕 | 4,760 | -0.45 | 0.00 | -340,840 | 457 | 41 | 26 | 5 | 7,807 | -5,398 | 4 | 2 |
| 食肉 | 生牛 | -315,776 | -1.47 | -0.14 | -385,916 | 511 | 39 | 24 | -601 | 6,600 | -5,232 | 4 | 2 |
| | 飼育牛 | -162,752 | -1.02 | -0.07 | -236,087 | 477 | 40 | 23 | -336 | 7,153 | -5,424 | 3 | 2 |
| | 生去勢豚 | -74,392 | -0.60 | -0.03 | -244,996 | 456 | 42 | 17 | -151 | 6,905 | -5,191 | 4 | 2 |
| | 豚赤身肉 | -114,648 | -0.25 | -0.05 | -219,532 | 493 | 41 | 12 | -233 | 7,339 | -5,401 | 4 | 2 |
| ソフト | ココア | -466,090 | -2.39 | -0.20 | -481,930 | 529 | 36 | 24 | -882 | 6,970 | -5,246 | 3 | 2 |
| | 綿花 | -550,415 | -4.67 | -0.23 | -679,665 | 485 | 35 | 14 | -1,135 | 6,675 | -5,350 | 3 | 2 |
| | オ・ジュース | 347,865 | 1.86 | 0.11 | -113,160 | 467 | 42 | 20 | 742 | 8,977 | -5,162 | 3 | 2 |
| | コーヒー | 42,844 | -0.28 | 0.02 | -163,916 | 449 | 41 | 7 | 95 | 7,754 | -5,321 | 4 | 2 |
| | 木材 | 7,104 | 0.36 | 0.00 | -216,704 | 464 | 41 | 12 | 15 | 7,898 | -5,402 | 4 | 2 |
| | 砂糖 | -464,565 | -5.68 | -0.19 | -537,925 | 533 | 35 | 27 | -872 | 6,986 | -5,049 | 4 | 2 |
| | 平均 | -83,608 | -1.07 | -0.04 | -302,317 | 477 | 40 | 18 | -154 | 7,434 | -5,307 | 4 | 2 |

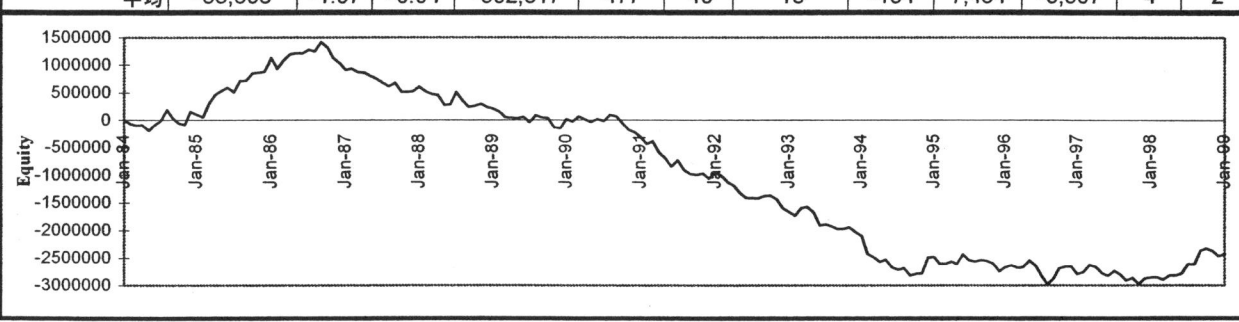

**ポートフォリオ統計**

| | | | |
|---|---|---|---|
| 純益 | ：-2,424,626 | シャープ・レシオ | ：-0.13 |
| ドローダウン | ：-4,404,411 | ブレイクアウトとの相関係数 | ：0.40 |
| Kレシオ | ：-2.43 | １０／４０移動平均との相関係数 | ：0.29 |

Chapter I **SYSTEM**

損益曲線：英ポンド～灯油 Copyright 1999 Lars Kestner, LINK Financial-All rights reserved

# 第1章 システム

損益曲線：トウモロコシ～砂糖 Copyright 1999 Lars Kestner,LINK Financial-All rights reserved

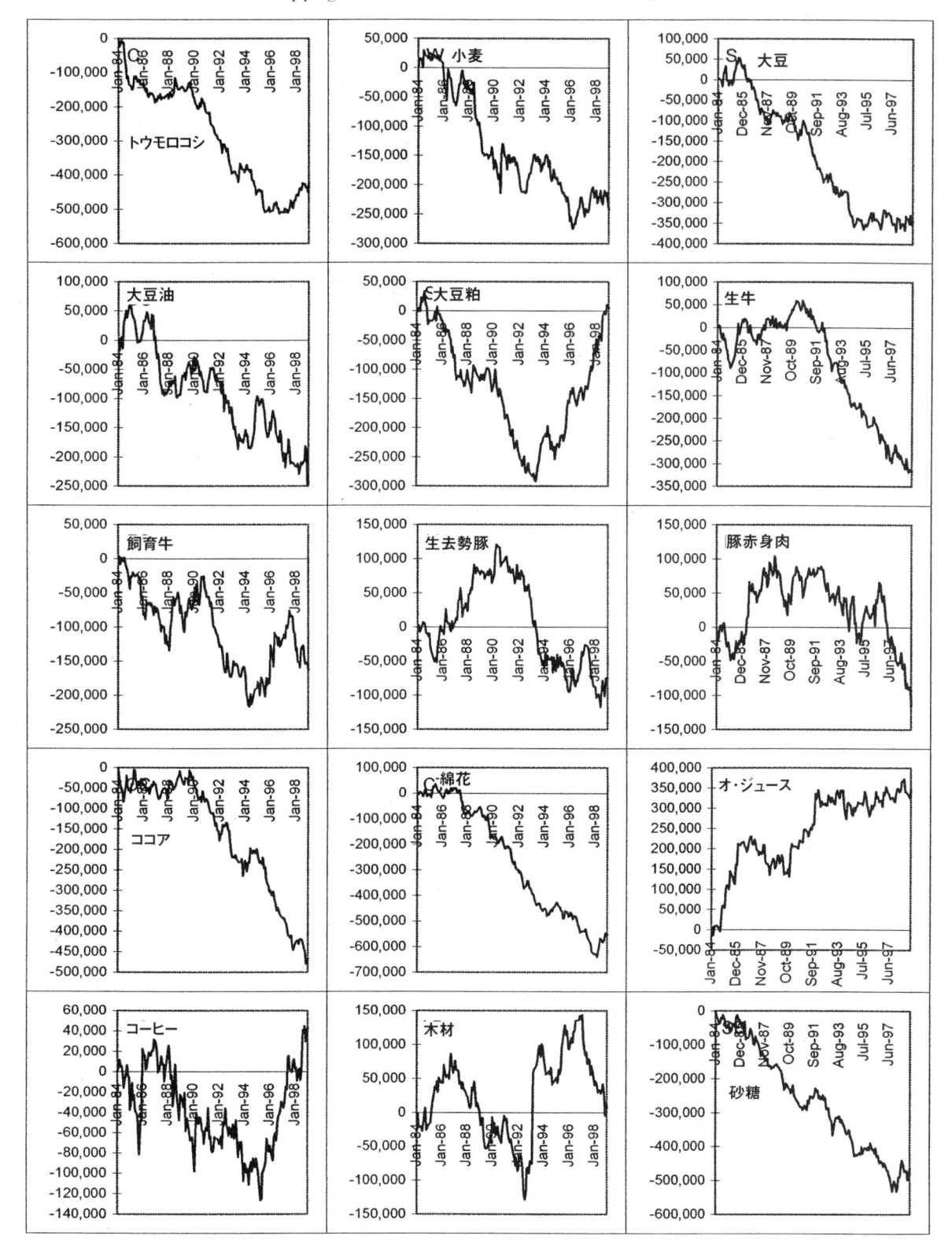

## 分類統計

システム名　　　：ストキャスティックの破裂
パラメータ　　　：１４日ファスト％Ｋ、スロー％Ｋ、２５／７５の閾値
建玉枚数　　　　：可変
システムの概要：ファスト％Ｋが７５を上抜いたら買い、２５を下抜いたら売る
検証期間　　　　：1/1/84-12/31/98

Copyright 1999 Lars Kestner,LINK Financial-All rights reserved

### 市場部門による分析

| 市場部門 | 平均純益 | 平均Kレシオ | 平均シャープレシオ | 平均最大ドローダウン | 平均トレード数 | 平均勝率 | 平均損益 | 勝トレードの平均利益 | 敗トレードの平均損失 | 勝トレードの平均日数 | 敗トレードの平均日数 |
|---|---|---|---|---|---|---|---|---|---|---|---|
| 通貨 | 246,098 | 0.83 | 0.09 | -146,313 | 466 | 43 | 527 | 7,805 | -5,051 | 3 | 2 |
| 金利 | 82,442 | -0.36 | 0.03 | -231,350 | 439 | 46 | 210 | 7,412 | -5,842 | 4 | 2 |
| 株価指数 | -410,475 | -3.57 | -0.16 | -477,275 | 495 | 38 | -829 | 7,303 | -5,852 | 3 | 2 |
| 貴金属 | -209,423 | -1.46 | -0.08 | -371,428 | 495 | 37 | -416 | 7,549 | -5,160 | 3 | 2 |
| エネルギー | 66,953 | -0.08 | 0.03 | -269,707 | 469 | 39 | 155 | 8,341 | -5,175 | 4 | 2 |
| 穀物 | -249,355 | -2.36 | -0.10 | -386,156 | 480 | 39 | -520 | 6,886 | -5,332 | 3 | 2 |
| 食肉 | -166,892 | -0.84 | -0.07 | -271,633 | 484 | 40 | -330 | 6,999 | -5,312 | 4 | 2 |
| ソフト | -180,543 | -1.80 | -0.08 | -365,550 | 488 | 38 | -339 | 7,544 | -5,255 | 4 | 2 |

### 年次成績分析

| 年 | 純益 | Kレシオ | シャープレシオ |
|---|---|---|---|
| 1984 | 101,370 | 0.55 | 0.07 |
| 1985 | 1,025,386 | 3.49 | 0.75 |
| 1986 | -211,809 | 0.02 | -0.14 |
| 1987 | -311,407 | -2.55 | -0.39 |
| 1988 | -398,022 | -1.38 | -0.32 |
| 1989 | -187,247 | -0.97 | -0.17 |
| 1990 | -324,170 | -0.83 | -0.35 |
| 1991 | -640,433 | -2.39 | -0.49 |

| 年 | 純益 | Kレシオ | シャープレシオ |
|---|---|---|---|
| 1992 | -717,260 | -2.35 | -0.98 |
| 1993 | -435,764 | -1.84 | -0.39 |
| 1994 | -381,290 | -0.61 | -0.22 |
| 1995 | -187,678 | -0.51 | -0.17 |
| 1996 | -129,810 | -0.34 | -0.09 |
| 1997 | -61,007 | -0.93 | -0.06 |
| 1998 | 434,515 | 1.95 | 0.38 |

### 利益性ウインドウ

| 期間 | ウインドウ数 | 収益ウインドウ数 | 利益ウインドウ率 |
|---|---|---|---|
| 1カ月 | 180 | 74 | 41.11% |
| 3カ月 | 178 | 71 | 39.89% |
| 6カ月 | 175 | 63 | 36.00% |
| 12カ月 | 169 | 50 | 29.59% |
| 18カ月 | 163 | 37 | 22.70% |
| 24カ月 | 157 | 29 | 18.47% |

### 年次純益推移

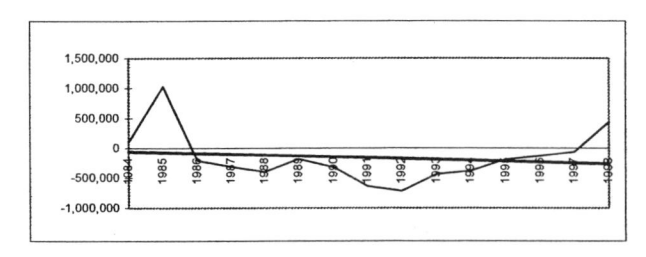

# 第1章　システム

## ②ストキャスティックの破裂（ラーズ・ケストナーによる修正版）

　バーンスタインが提供するルールには、１つの問題点がある——本のチャートと一致しないのである。バーンスタインは売買シグナルを生成するのに未加工のファスト％Ｋを使用することを推奨しているが、本のチャートは平滑化されたストキャスティックを表示している。バーンスタインの本の結果により忠実に従う以下のルールを用いてストキャスティックの破裂の修正版を検証する。

- 今日の１４日スロー％Ｋストキャスティックが７５を上抜き、かつ今日の１４日スロー％Ｋストキャスティックが今日の１４日スロー％Ｄストキャスティックよりも大きければ、明日の寄り付きで買う。スロー％Ｋストキャスティックは最後の仕掛け以来、７５よりも小さくなければならない。
- 今日の１４日スロー％Ｋストキャスティックが今日の１４日スロー％Ｄストキャスティックを下抜いたら、明日の寄り付きで買い玉を手仕舞う。
- 今日の１４日スロー％Ｋストキャスティックが２５を下抜き、かつ今日の１４日スロー％Ｋストキャスティックが今日の１４日スロー％Ｄストキャスティックよりも小さければ、明日の寄り付きで売る。スロー％Ｋストキャスティックは最後の仕掛け以来、２５よりも大きくなければならない。
- 今日の１４日スロー％Ｋストキャスティックが今日の１４日スロー％Ｄストキャスティックを上抜いたら、明日の寄り付きで売り玉を手仕舞う。

**結果**
ストキャスティックの破裂の修正版は、全体の成績を改善していないようである。

## トレーディング・システム評価

システム名　　　：ストキャスティックの破裂修正版
パラメータ　　　：１４日スロー％Ｋ、スロー％Ｄ、２５／７５の閾値
建玉枚数　　　　：可変
システムの概要　：スロー％Ｋが７５を上抜いたら買い、２５を下抜いたら売る
検証期間　　　　：1/1/84-12/31/98　Copyright 1999 Lars Kestner.LINK Financial-All rights reserved

| | 市場 | 純益 | Kレシオ | シャープレシオ | 最大ドローダウン | トレード数 | 勝率 | 平均建玉数 | 平均損益 | 勝トレードの平均利益 | 敗トレードの平均損失 | 勝トレードの平均日数 | 敗トレードの平均日数 |
|---|---|---|---|---|---|---|---|---|---|---|---|---|---|
| 通貨 | 英ポンド | 406,038 | 2.77 | 0.16 | -97,825 | 267 | 43 | 8 | 1,521 | 12,350 | -6,548 | 7 | 4 |
| | 加ドル | 577,080 | 3.92 | 0.18 | -102,520 | 264 | 50 | 27 | 2,186 | 11,195 | -6,823 | 7 | 4 |
| | 独マルク | 357,200 | 1.29 | 0.13 | -130,625 | 258 | 47 | 11 | 1,384 | 10,626 | -6,778 | 7 | 4 |
| | 円 | 551,900 | 2.17 | 0.19 | -88,950 | 256 | 48 | 9 | 2,110 | 11,176 | -6,275 | 7 | 3 |
| | スイスフラン | 254,763 | 0.62 | 0.11 | -130,963 | 261 | 42 | 8 | 965 | 10,927 | -6,292 | 7 | 4 |
| 金利 | Tボンド | -236,000 | -1.94 | -0.10 | -329,000 | 282 | 40 | 9 | -837 | 9,300 | -7,615 | 7 | 3 |
| | Tノート | -356,750 | -2.89 | -0.13 | -429,500 | 309 | 40 | 13 | -1,155 | 9,264 | -8,232 | 6 | 4 |
| | ユーロ・ドル | -13,025 | 0.14 | 0.00 | -302,825 | 274 | 41 | 4 | -48 | 11,204 | -7,826 | 7 | 4 |
| 株価指数 | S&P | -198,850 | -1.60 | -0.07 | -342,250 | 281 | 37 | 4 | -752 | 10,950 | -7,523 | 7 | 3 |
| 貴金属 | 金 | 212,080 | 2.56 | 0.08 | -124,150 | 281 | 42 | 21 | 755 | 11,015 | -6,565 | 6 | 3 |
| | 銀 | -90,465 | -0.98 | -0.03 | -334,515 | 272 | 39 | 15 | -309 | 11,009 | -7,425 | 7 | 3 |
| | プラチナ | -270,820 | -1.46 | -0.10 | -384,070 | 282 | 34 | 23 | -971 | 10,531 | -6,907 | 7 | 3 |
| エネルギー | 原油 | 246,580 | 0.21 | 0.10 | -147,330 | 258 | 41 | 17 | 956 | 11,923 | -6,816 | 7 | 3 |
| | 灯油 | -199,118 | -2.23 | -0.07 | -409,248 | 283 | 39 | 14 | -704 | 10,796 | -8,125 | 7 | 3 |
| 穀物 | トウモロコシ | -106,150 | -1.54 | -0.04 | -308,600 | 277 | 38 | 44 | -383 | 10,104 | -6,785 | 7 | 4 |
| | 小麦 | -258,625 | -2.85 | -0.10 | -366,875 | 293 | 38 | 27 | -883 | 9,781 | -7,293 | 7 | 3 |
| | 大豆 | -213,675 | -1.42 | -0.10 | -290,825 | 291 | 38 | 17 | -734 | 8,782 | -6,688 | 7 | 4 |
| | 大豆油 | -14,340 | -0.70 | -0.01 | -227,610 | 283 | 38 | 30 | -51 | 10,754 | -6,620 | 7 | 4 |
| | 大豆粕 | -92,130 | -1.19 | -0.04 | -213,530 | 272 | 39 | 26 | -339 | 10,227 | -7,085 | 7 | 4 |
| 食肉 | 生牛 | -332,368 | -1.50 | -0.14 | -400,656 | 294 | 36 | 24 | -1,103 | 9,872 | -7,383 | 7 | 4 |
| | 飼育牛 | -156,843 | -1.38 | -0.06 | -254,545 | 280 | 41 | 23 | -555 | 10,098 | -7,871 | 7 | 4 |
| | 生去勢豚 | 103,560 | 0.18 | 0.04 | -225,876 | 272 | 41 | 16 | 416 | 10,859 | -6,784 | 8 | 4 |
| | 豚赤身肉 | -365,784 | -2.92 | -0.14 | -477,844 | 294 | 37 | 11 | -1,244 | 10,186 | -7,979 | 7 | 4 |
| ソフト | ココア | -392,720 | -2.91 | -0.17 | -414,690 | 291 | 40 | 23 | -1,351 | 7,545 | -7,332 | 6 | 4 |
| | 綿花 | -478,320 | -3.57 | -0.21 | -611,015 | 279 | 34 | 14 | -1,714 | 9,174 | -7,247 | 7 | 4 |
| | オ・ジュース | -70,703 | -0.33 | -0.02 | -378,045 | 280 | 37 | 20 | -257 | 12,554 | -7,712 | 7 | 4 |
| | コーヒー | -66,795 | -0.11 | -0.02 | -313,976 | 278 | 38 | 8 | -240 | 11,497 | -7,474 | 7 | 4 |
| | 木材 | 124,592 | 1.20 | 0.03 | -148,480 | 291 | 40 | 12 | 428 | 12,103 | -7,422 | 7 | 4 |
| | 砂糖 | -142,430 | -1.44 | -0.06 | -227,774 | 287 | 37 | 26 | -496 | 9,490 | -6,258 | 7 | 4 |
| | 平均 | -42,142 | -0.62 | -0.02 | -283,245 | 279 | 40 | 17 | -117 | 10,527 | -7,161 | 7 | 4 |

### ポートフォリオ統計

純益　　　　：-1,222,118　　シャープ・レシオ　　　　　　　：-0.06
ドローダウン：-3,128,147　　ブレイクアウトとの相関係数　　：0.44
Kレシオ　　　：-1.32　　　　１０／４０移動平均との相関係数：0.33

# 第1章 システム

損益曲線：英ポンド〜灯油 Copyright 1999 Lars Kestner,LINK Financial-All rights reserved

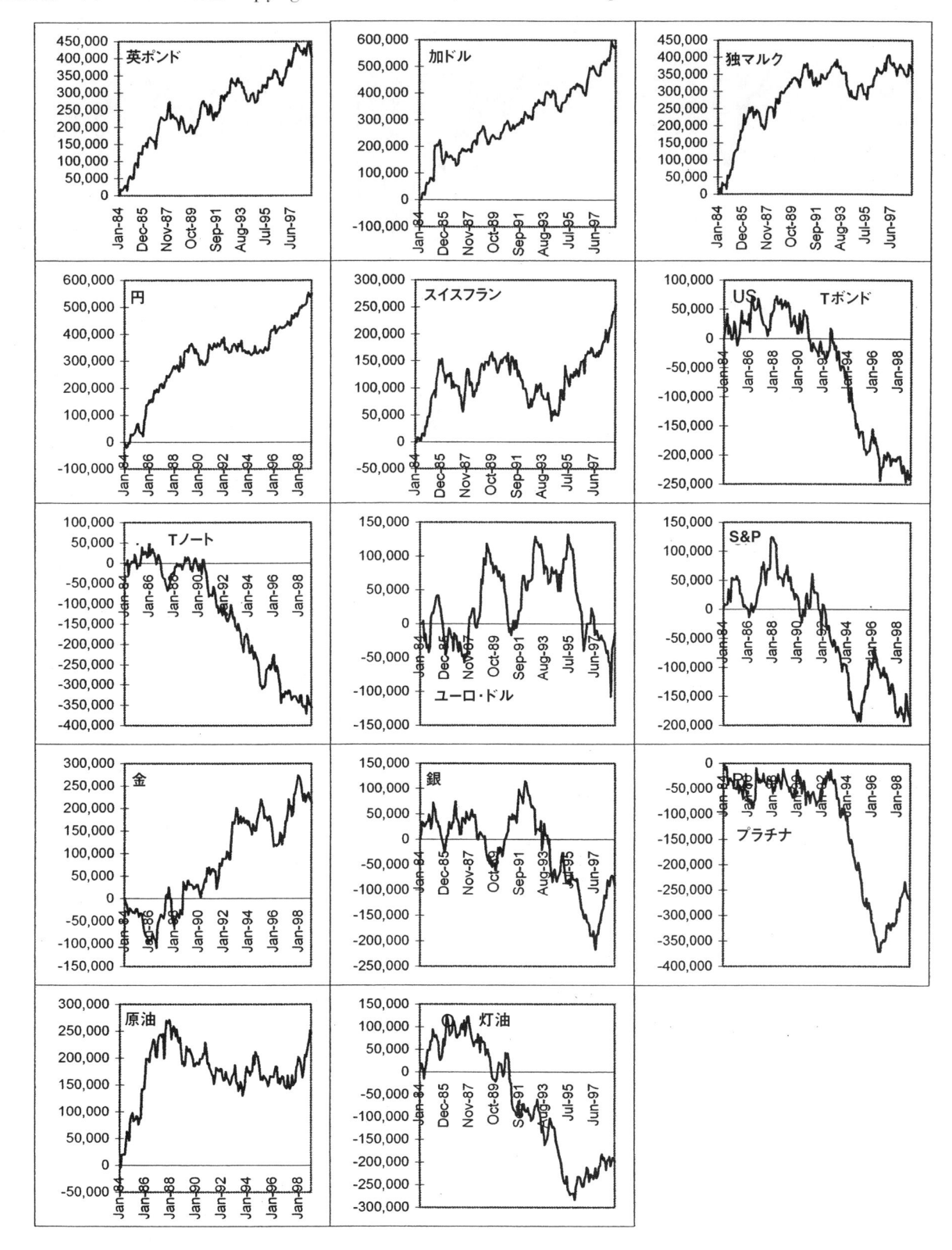

## Chapter 1 SYSTEM

**損益曲線：トウモロコシ〜砂糖** Copyright 1999 Lars Kestner,LINK Financial-All rights reserved

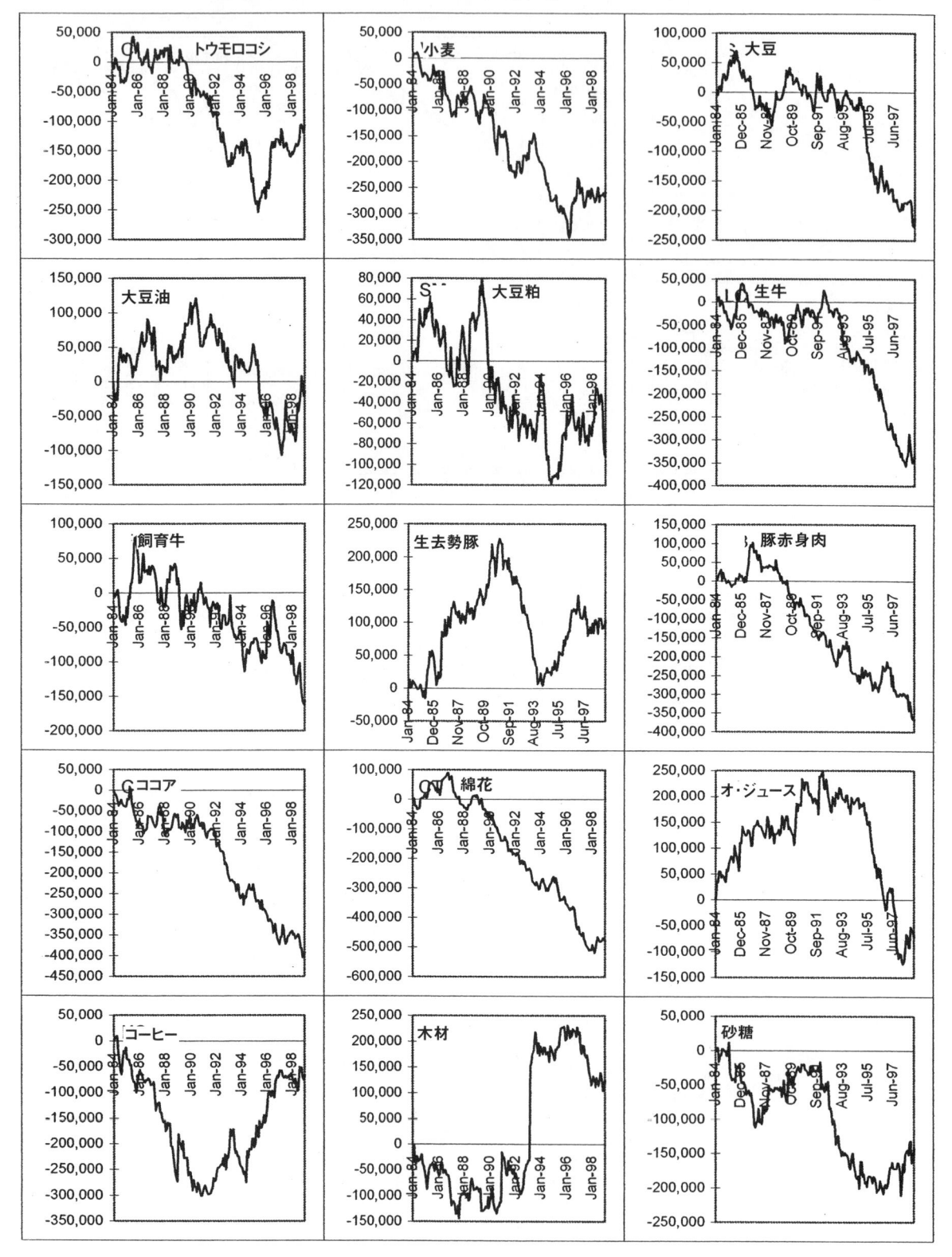

# 第1章　システム

**分類統計**

| | |
|---|---|
| システム名 | ：ストキャスティックの破裂修正版 |
| パラメータ | ：１４日スロー％K、スロー％D、２５／７５の閾値 |
| 建玉枚数 | ：可変 |
| システムの概要 | ：スロー％Kが７５を上抜いたら買い、２５を下抜いたら売る |
| 検証期間 | ：1/1/84-12/31/98 |

Copyright 1999 Lars Kestner,LINK Financial-All rights reserved

## 市場部門による分析

| 市場部門 | 平均純益 | 平均Kレシオ | 平均シャープレシオ | 平均最大ドローダウン | 平均トレード数 | 平均勝率 | 平均損益 | 勝トレードの平均利益 | 敗トレードの平均損失 | 勝トレードの平均日数 | 敗トレードの平均日数 |
|---|---|---|---|---|---|---|---|---|---|---|---|
| 通貨 | 429,396 | 2.15 | 0.15 | -110,177 | 261 | 46 | 1,633 | 11,255 | -6,543 | 7 | 4 |
| 金利 | -201,925 | -1.56 | -0.08 | -353,775 | 288 | 40 | -680 | 9,923 | -7,891 | 7 | 4 |
| 株価指数 | -198,850 | -1.60 | -0.07 | -342,250 | 281 | 37 | -752 | 10,950 | -7,523 | 7 | 3 |
| 貴金属 | -49,735 | 0.04 | -0.02 | -280,912 | 278 | 38 | -175 | 10,852 | -6,966 | 7 | 3 |
| エネルギー | 23,731 | -1.01 | 0.01 | -278,289 | 271 | 40 | 126 | 11,360 | -7,470 | 7 | 3 |
| 穀物 | -136,984 | -1.54 | -0.06 | -281,488 | 283 | 38 | -478 | 9,930 | -6,894 | 7 | 4 |
| 食肉 | -187,859 | -1.41 | -0.07 | -339,730 | 285 | 39 | -622 | 10,254 | -7,504 | 7 | 4 |
| ソフト | -171,063 | -1.19 | -0.08 | -348,997 | 284 | 38 | -605 | 10,394 | -7,241 | 7 | 4 |

## 年次成績分析

| 年 | 純益 | Kレシオ | シャープレシオ |
|---|---|---|---|
| 1984 | 490,711 | 1.81 | 0.54 |
| 1985 | 599,205 | 1.68 | 0.40 |
| 1986 | 37,972 | 0.46 | 0.03 |
| 1987 | 122,207 | 0.64 | 0.11 |
| 1988 | 327,871 | 0.83 | 0.15 |
| 1989 | -484,878 | -2.36 | -0.49 |
| 1990 | -148,122 | -0.03 | -0.16 |
| 1991 | 8,079 | -0.32 | 0.00 |

| 年 | 純益 | Kレシオ | シャープレシオ |
|---|---|---|---|
| 1992 | -474,799 | -1.18 | -0.66 |
| 1993 | -487,026 | -2.37 | -0.52 |
| 1994 | -696,042 | -1.30 | -0.43 |
| 1995 | -343,419 | -0.65 | -0.27 |
| 1996 | -276,629 | -0.76 | -0.18 |
| 1997 | -14,499 | -0.76 | -0.01 |
| 1998 | 117,250 | 0.74 | 0.08 |

## 利益性ウインドウ

| 期間 | ウインドウ数 | 収益ウインドウ数 | 利益ウインドウ率 |
|---|---|---|---|
| 1カ月 | 180 | 89 | 49.44% |
| 3カ月 | 178 | 84 | 47.19% |
| 6カ月 | 175 | 83 | 47.43% |
| 12カ月 | 169 | 64 | 37.87% |
| 18カ月 | 163 | 51 | 31.29% |
| 24カ月 | 157 | 49 | 31.21% |

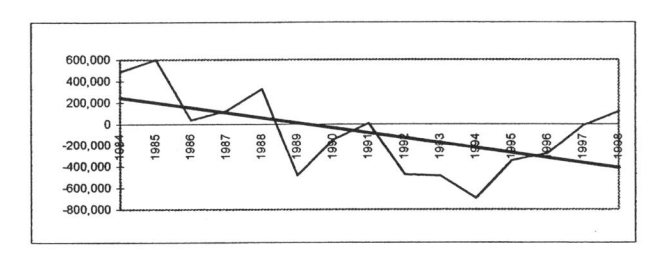

## 年次純益推移

## ③1日（週）の重要な時間（ラーズ・ケストナーによる修正版）『バーンスタインのデイトレード入門』（P271）

　この戦略はデイ・トレードの戦略として提案されているが、その概念は非常に興味をそそるものである。バーンスタインは1日の最初の2時間で値幅が形成された後に、通常は上か下への放れが続くことに気付いた。私は月曜と金曜が一週間で最も重要な取引日であるという格言を頻繁に耳にしてきた。この戦略から、金曜と月曜の値幅からの放れに基づく短期システムを作り上げることに決めたのである。

・火曜、水曜、木曜、金曜に、月曜の高値かその前の金曜の高値の高い方の値段を、逆指値で買う。
・火曜、水曜、木曜、金曜に、月曜の安値かその前の金曜の安値の安い方の値段を、逆指値で売る。
・金曜日の大引けで全ポジションを手仕舞う。
・金曜か月曜のどちらかが休日なら、その週に売買サインは発生しない。

**結果**
　表面上は、「1日の重要な時間」は十分売買可能にみえる結果を示している。システムは滑らかな損益曲線を示し、大部分の市場で利益になっている。通貨、食肉、とりわけ石油製品で良好な成績を示している。しかし頻繁な売買（平均で1市場当たり900回）のため、取引コストがこのシステムを実行不能にするだろう。1枚当たり11.64ドルの平均利益では、手数料とこの戦略が用いる逆指値注文から生じるスリッページを賄うのには少なすぎる。

# 第1章 システム

**トレーディング・システム評価**

システム名　　：1日の重要な時間
パラメータ　　：なし
建玉枚数　　　：可変
システムの概要：金曜－月曜の値幅の上への放れで買い、下への放れで売り、金曜に手仕舞い
検証期間　　　：1/1/84-12/31/98　Copyright 1999 Lars Kestner.LINK Financial-All rights reserved

| | 市場 | 純益 | Kレシオ | シャープレシオ | 最大ドローダウン | トレード数 | 勝率 | 平均建玉数 | 平均損益 | 勝トレードの平均利益 | 敗トレードの平均損失 | 勝トレードの平均日数 | 敗トレードの平均日数 |
|---|---|---|---|---|---|---|---|---|---|---|---|---|---|
| 通貨 | 英ポンド | 409,931 | 3.59 | 0.13 | -111,881 | 914 | 48 | 9 | 434 | 7,172 | -5,821 | 2 | 2 |
| | 加ドル | 53,650 | 0.08 | 0.01 | -301,930 | 952 | 48 | 27 | 90 | 7,056 | -6,396 | 2 | 2 |
| | 独マルク | 242,913 | 1.13 | 0.08 | -210,950 | 928 | 48 | 11 | 273 | 6,969 | -6,004 | 2 | 2 |
| | 円 | 655,363 | 3.77 | 0.19 | -109,313 | 898 | 51 | 10 | 757 | 6,993 | -5,705 | 2 | 2 |
| | スイスフラン | 574,550 | 2.06 | 0.19 | -162,188 | 914 | 51 | 9 | 625 | 7,023 | -6,118 | 2 | 2 |
| 金利 | Tボンド | -49,125 | -0.49 | -0.01 | -267,000 | 1001 | 48 | 9 | -49 | 7,267 | -6,898 | 2 | 2 |
| | Tノート | -509,875 | -2.78 | -0.14 | -620,000 | 1069 | 47 | 12 | -478 | 7,072 | -7,088 | 2 | 2 |
| | ユーロ・ドル | 488,875 | 4.34 | 0.12 | -139,000 | 991 | 48 | 4 | 487 | 8,692 | -7,067 | 2 | 2 |
| 株価指数 | S&P | -194,825 | -1.80 | -0.05 | -387,875 | 949 | 47 | 4 | -214 | 7,170 | -6,844 | 2 | 2 |
| 貴金属 | 金 | 87,510 | 0.44 | 0.02 | -248,930 | 880 | 45 | 21 | 96 | 7,533 | -6,074 | 2 | 2 |
| | 銀 | 114,470 | 0.63 | 0.03 | -213,070 | 914 | 44 | 14 | 129 | 7,785 | -5,802 | 2 | 2 |
| | プラチナ | 31,095 | -0.33 | 0.01 | -342,125 | 913 | 45 | 23 | 63 | 7,179 | -5,842 | 2 | 2 |
| エネルギー | 原油 | 529,660 | 4.06 | 0.16 | -109,690 | 870 | 48 | 18 | 597 | 7,754 | -6,114 | 2 | 2 |
| | 灯油 | 433,125 | 4.42 | 0.14 | -106,920 | 880 | 49 | 14 | 492 | 7,466 | -6,172 | 2 | 2 |
| 穀物 | トウモロコシ | -661,800 | -3.16 | -0.18 | -816,575 | 963 | 47 | 42 | -666 | 6,491 | -6,971 | 2 | 2 |
| | 小麦 | -135,700 | -0.17 | -0.04 | -322,825 | 919 | 49 | 26 | -146 | 6,725 | -6,739 | 2 | 2 |
| | 大豆 | -508,825 | -3.16 | -0.16 | -619,600 | 936 | 46 | 16 | -545 | 6,445 | -6,435 | 2 | 2 |
| | 大豆油 | 450,102 | 1.44 | 0.12 | -163,056 | 908 | 52 | 30 | 496 | 6,938 | -6,387 | 2 | 2 |
| | 大豆粕 | 318,530 | 1.48 | 0.10 | -191,250 | 896 | 47 | 26 | 356 | 7,730 | -6,238 | 2 | 2 |
| 食肉 | 生牛 | 498,572 | 3.44 | 0.16 | -170,472 | 933 | 54 | 23 | 533 | 6,714 | -6,635 | 2 | 2 |
| | 飼育牛 | 485,338 | 2.24 | 0.15 | -140,624 | 911 | 51 | 22 | 527 | 7,427 | -6,731 | 2 | 2 |
| | 生去勢豚 | 240,116 | 0.87 | 0.08 | -200,692 | 926 | 49 | 16 | 254 | 6,905 | -6,061 | 2 | 2 |
| | 豚赤身肉 | 370,000 | 4.15 | 0.11 | -156,016 | 929 | 49 | 11 | 400 | 7,791 | -6,603 | 2 | 2 |
| ソフト | ココア | -227,630 | -0.92 | -0.07 | -353,190 | 909 | 46 | 23 | -236 | 6,538 | -6,002 | 2 | 2 |
| | 綿花 | -459,155 | -2.96 | -0.15 | -579,270 | 928 | 45 | 14 | -507 | 6,523 | -6,144 | 2 | 2 |
| | オ・ジュース | 564,750 | 2.84 | 0.17 | -152,273 | 858 | 48 | 19 | 658 | 7,580 | -5,706 | 2 | 2 |
| | コーヒー | 502,553 | 2.39 | 0.14 | -179,846 | 895 | 48 | 7 | 562 | 7,446 | -5,776 | 2 | 2 |
| | 木材 | 623,840 | 1.64 | 0.17 | -256,944 | 958 | 50 | 11 | 644 | 7,722 | -6,405 | 2 | 2 |
| | 砂糖 | 70,036 | 0.89 | 0.02 | -152,295 | 902 | 45 | 25 | 107 | 7,126 | -5,716 | 2 | 2 |
| | 平均 | 172,346 | 1.04 | 0.05 | -268,476 | 926 | 48 | 17 | 198 | 7,215 | -6,293 | 2 | 2 |

**ポートフォリオ統計**

純益　　　　：　4,998,044　　シャープ・レシオ　　　　　　　：0.21
ドローダウン：　-671,482　　ブレイクアウトとの相関係数　　：0.32
Kレシオ　　：　　　3.50　　10／40移動平均との相関係数　：0.28

Chapter 1 **SYSTEM**

損益曲線：英ポンド～灯油　Copyright 1999 Lars Kestner, LINK Financial-All rights reserved

# 第1章 システム

損益曲線：トウモロコシ～砂糖　Copyright 1999 Lars Kestner, LINK Financial-All rights reserved

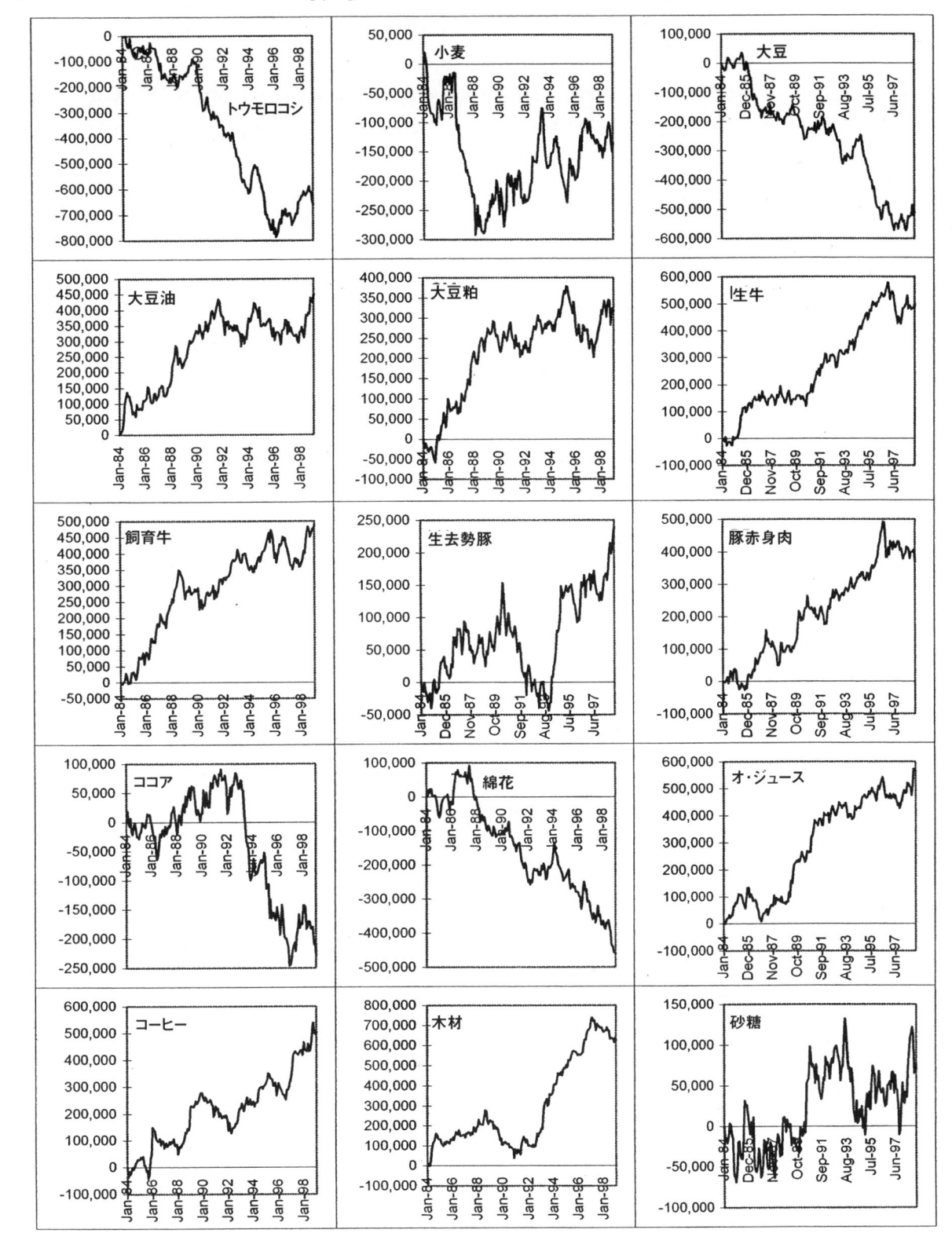

## Chapter 1 SYSTEM

**分類統計**

システム名　　：１日の重要な時間
パラメータ　　：なし
システムの概要：金曜－月曜の値幅の上への放れで買い、下への放れで売り、金曜に手仕舞い
検証期間　　　：1/1/84-12/31/98

Copyright 1999 Lars Kestner, LINK Financial-All rights reserved

### 市場部門による分析

| 市場部門 | 平均純益 | 平均Kレシオ | 平均シャープレシオ | 平均最大ドローダウン | 平均トレード数 | 平均勝率 | 平均損益 | 勝トレードの平均利益 | 敗トレードの平均損失 | 勝トレードの平均日数 | 敗トレードの平均日数 |
|---|---|---|---|---|---|---|---|---|---|---|---|
| 通貨 | 387,281 | 2.13 | 0.12 | -179,252 | 921 | 49 | 436 | 7,043 | -6,009 | 2 | 2 |
| 金利 | -23,375 | 0.36 | -0.01 | -342,000 | 1,020 | 48 | -14 | 7,677 | -7,018 | 2 | 2 |
| 株価指数 | -194,825 | -1.80 | -0.05 | -387,875 | 949 | 47 | -214 | 7,170 | -6,844 | 2 | 2 |
| 貴金属 | 77,692 | 0.25 | 0.02 | -268,042 | 902 | 45 | 96 | 7,499 | -5,906 | 2 | 2 |
| エネルギー | 481,393 | 4.24 | 0.15 | -108,305 | 875 | 49 | 545 | 7,610 | -6,143 | 2 | 2 |
| 穀物 | -107,539 | -0.71 | -0.03 | -422,661 | 924 | 48 | -101 | 6,866 | -6,554 | 2 | 2 |
| 食肉 | 398,507 | 2.67 | 0.13 | -166,951 | 925 | 51 | 428 | 7,209 | -6,508 | 2 | 2 |
| ソフト | 179,066 | 0.65 | 0.05 | -278,970 | 908 | 47 | 205 | 7,156 | -5,958 | 2 | 2 |

### 年次成績分析

| 年 | 純益 | Kレシオ | シャープレシオ |
|---|---|---|---|
| 1984 | 76,145 | 0.46 | 0.05 |
| 1985 | 889,574 | 2.71 | 0.70 |
| 1986 | 273,639 | 1.26 | 0.30 |
| 1987 | 611,380 | 1.11 | 0.27 |
| 1988 | 514,764 | 1.32 | 0.25 |
| 1989 | 622,421 | 1.71 | 0.37 |
| 1990 | 135,716 | 0.70 | 0.09 |
| 1991 | -154,385 | -0.76 | -0.06 |
| 1992 | 30,900 | 0.81 | 0.02 |
| 1993 | 180,276 | 0.93 | 0.17 |
| 1994 | 428,218 | 1.64 | 0.33 |
| 1995 | 105,065 | 0.28 | 0.06 |
| 1996 | 306,144 | 1.68 | 0.24 |
| 1997 | 26,222 | -0.42 | 0.01 |
| 1998 | 951,965 | 3.01 | 0.73 |

### 利益性ウインドウ

| 期間 | ウインドウ数 | 収益ウインドウ数 | 利益ウインドウ率 |
|---|---|---|---|
| 1カ月 | 180 | 105 | 58.33% |
| 3カ月 | 178 | 120 | 67.42% |
| 6カ月 | 175 | 137 | 78.29% |
| 12カ月 | 169 | 137 | 81.07% |
| 18カ月 | 163 | 141 | 86.50% |
| 24カ月 | 157 | 138 | 87.90% |

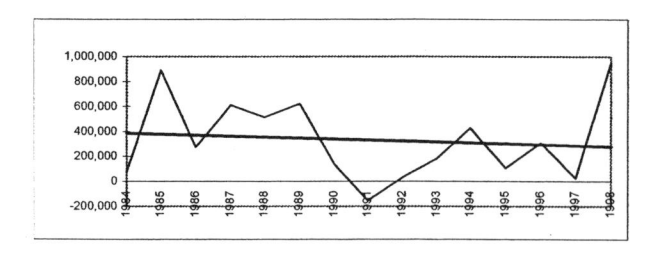

### 年次純益推移

# 第1章 システム

### ④DEMA：2つの指数移動平均（P103）

　このシステムは、ジェラルド・アペルのMACDと類似しており、パラメータが異なるだけである。最初に、終値の8日と18日の指数移動平均（EMA）を計算する。次に、差分を計算する（8日EMAから18日EMAを引く）。差分の9日指数移動平均も同様に計算する。差分が9日指数移動平均を上抜くとき、買いシグナルとなる。差分がその9日指数移動平均を下抜くとき、売りシグナルとなる。このシステムは常にポジションを持つ。

　差分＝終値の8日指数移動平均－終値の18日指数移動平均

・今日の差分値がその9日指数移動平均を上抜いたら、明日の寄り付きで買う。
・今日の差分値がその9日指数移動平均を下抜いたら、明日の寄り付きで売る。

**結果**
　DEMAの成績は一貫していない。この事実はDEMAとMACDの人気を考えると、少々驚きである。初期の成績は良かったが、最近10年の成績にきれいなトレンドはみられない。通貨、食肉、穀物が大きな利益を示している。

※参考文献：ジェラルド・アペル著『アペル流テクニカル売買のコツ』（パンローリング刊）

## Chapter 1 SYSTEM

**トレーディング・システム評価**

システム名 ： ２つの指数移動平均
パラメータ ： ８日短期ＥＭＡ、１８日長期ＥＭＡ、シグナル用９日ＥＭＡ
建玉枚数 ： 可変
システムの概要： ８－１８ＥＭＡがシグナル線を上抜いたら買い、下抜いたら売る
検証期間 ： 1/1/84-12/31/98   Copyright 1999 Lars Kestner, LINK Financial-All rights reserved

| | 市場 | 純益 | Kレシオ | シャープレシオ | 最大ドローダウン | トレード数 | 勝率 | 平均建玉数 | 平均損益 | 勝トレードの平均利益 | 敗トレードの平均損失 | 勝トレードの平均日数 | 敗トレードの平均日数 |
|---|---|---|---|---|---|---|---|---|---|---|---|---|---|
| 通貨 | 英ポンド | 382,906 | 1.82 | 0.09 | -166,400 | 382 | 38 | 9 | 975 | 17,242 | -8,868 | 15 | 7 |
| | 加ドル | 478,100 | 2.24 | 0.10 | -306,340 | 383 | 43 | 29 | 1,248 | 16,940 | -10,629 | 15 | 6 |
| | 独マルク | 128,300 | 0.73 | 0.03 | -225,950 | 394 | 37 | 12 | 350 | 17,197 | -9,461 | 15 | 6 |
| | 円 | 568,563 | 1.90 | 0.10 | -192,425 | 344 | 39 | 10 | 1,626 | 20,677 | -10,382 | 17 | 7 |
| | スイスフラン | 21,788 | -0.50 | 0.00 | -367,625 | 376 | 36 | 9 | 38 | 17,755 | -10,002 | 16 | 7 |
| 金利 | Tボンド | -384,000 | -1.27 | -0.09 | -643,500 | 391 | 34 | 9 | -1,013 | 17,642 | -10,521 | 16 | 6 |
| | Tノート | -405,000 | -2.37 | -0.08 | -712,875 | 405 | 35 | 13 | -1,004 | 17,042 | -10,538 | 15 | 6 |
| | ユーロ・ドル | 183,175 | 1.08 | 0.03 | -236,850 | 347 | 39 | 4 | 503 | 21,122 | -12,468 | 17 | 7 |
| 株価指数 | S&P | -486,525 | -2.36 | -0.11 | -671,475 | 418 | 31 | 4 | -1,194 | 16,445 | -9,245 | 16 | 6 |
| 貴金属 | 金 | 71,020 | 0.26 | 0.02 | -450,500 | 376 | 38 | 21 | 154 | 16,135 | -9,544 | 16 | 7 |
| | 銀 | 55,835 | -0.81 | 0.01 | -522,215 | 371 | 38 | 15 | 139 | 14,919 | -8,922 | 15 | 7 |
| | プラチナ | 199,930 | -0.01 | 0.04 | -469,005 | 378 | 40 | 24 | 516 | 15,022 | -9,347 | 16 | 6 |
| エネルギー | 原油 | 110,280 | -0.24 | 0.03 | -266,410 | 371 | 38 | 18 | 267 | 17,319 | -10,068 | 16 | 7 |
| | 灯油 | -145,106 | -1.39 | -0.03 | -400,546 | 371 | 37 | 15 | -419 | 16,367 | -10,475 | 16 | 6 |
| 穀物 | トウモロコシ | 65,700 | 0.07 | 0.01 | -447,350 | 383 | 37 | 44 | 180 | 17,554 | -10,172 | 15 | 7 |
| | 小麦 | 210,625 | 0.00 | 0.05 | -339,500 | 372 | 38 | 28 | 549 | 17,247 | -9,528 | 17 | 6 |
| | 大豆 | 120,975 | -0.04 | 0.03 | -269,250 | 362 | 40 | 17 | 237 | 14,901 | -9,450 | 17 | 6 |
| | 大豆油 | 366,786 | 2.27 | 0.08 | -226,668 | 351 | 38 | 31 | 961 | 18,575 | -9,785 | 17 | 7 |
| | 大豆粕 | 250,960 | 1.02 | 0.06 | -241,460 | 356 | 42 | 26 | 698 | 15,334 | -9,837 | 16 | 7 |
| 食肉 | 生牛 | -545,400 | -2.11 | -0.13 | -586,168 | 404 | 32 | 24 | -1,363 | 14,784 | -9,112 | 16 | 6 |
| | 飼育牛 | -228,981 | -0.36 | -0.05 | -385,805 | 388 | 34 | 23 | -610 | 16,867 | -9,518 | 16 | 6 |
| | 生去勢豚 | 441,608 | 0.79 | 0.10 | -298,484 | 368 | 40 | 17 | 1,192 | 18,435 | -10,147 | 17 | 6 |
| | 豚赤身肉 | 241,984 | 1.09 | 0.05 | -283,204 | 372 | 38 | 12 | 666 | 17,772 | -10,016 | 16 | 6 |
| ソフト | ココア | -315,640 | -1.14 | -0.08 | -321,490 | 411 | 35 | 24 | -772 | 14,065 | -8,688 | 15 | 6 |
| | 綿花 | -434,120 | -3.93 | -0.10 | -612,405 | 398 | 32 | 14 | -1,075 | 17,257 | -9,567 | 16 | 7 |
| | オ・ジュース | 847,868 | 3.05 | 0.15 | -222,968 | 350 | 39 | 21 | 2,460 | 21,986 | -9,801 | 17 | 7 |
| | コーヒー | 756,435 | 1.97 | 0.13 | -170,216 | 355 | 38 | 8 | 2,180 | 20,808 | -9,388 | 17 | 7 |
| | 木材 | 873,440 | 3.50 | 0.17 | -178,208 | 355 | 41 | 12 | 2,444 | 20,636 | -10,117 | 17 | 6 |
| | 砂糖 | -275,855 | -1.59 | -0.07 | -452,625 | 398 | 32 | 27 | -722 | 15,701 | -8,508 | 16 | 6 |
| | 平均 | 108,816 | 0.13 | 0.02 | -367,859 | 377 | 37 | 18 | 318 | 17,371 | -9,797 | 16 | 6 |

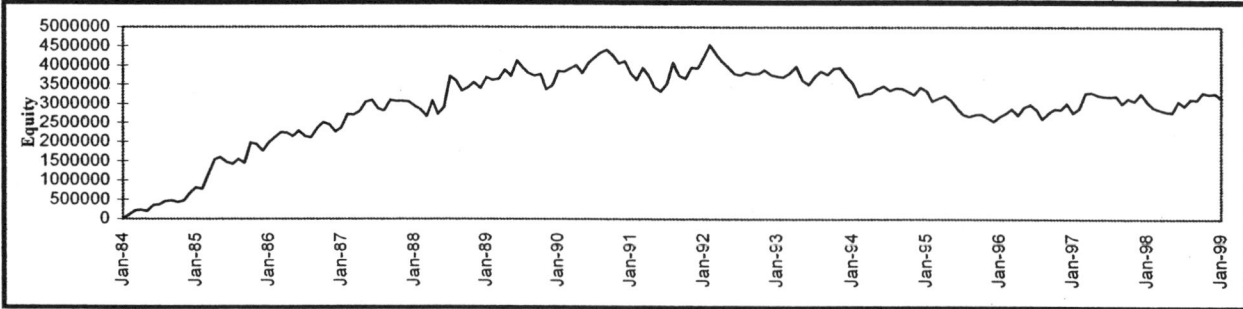

**ポートフォリオ統計**

| | | | | |
|---|---|---|---|---|
| 純益 | ： 3,155,650 | | シャープ・レシオ | ： 0.09 |
| ドローダウン： | -1,989,901 | | ブレイクアウトとの相関係数 | ： 0.29 |
| Kレシオ | ： 0.59 | | １０／４０移動平均との相関係数 | ： 0.17 |

# 第1章 システム

損益曲線：英ポンド〜灯油　Copyright 1999 Lars Kestner, LINK Financial-All rights reserved

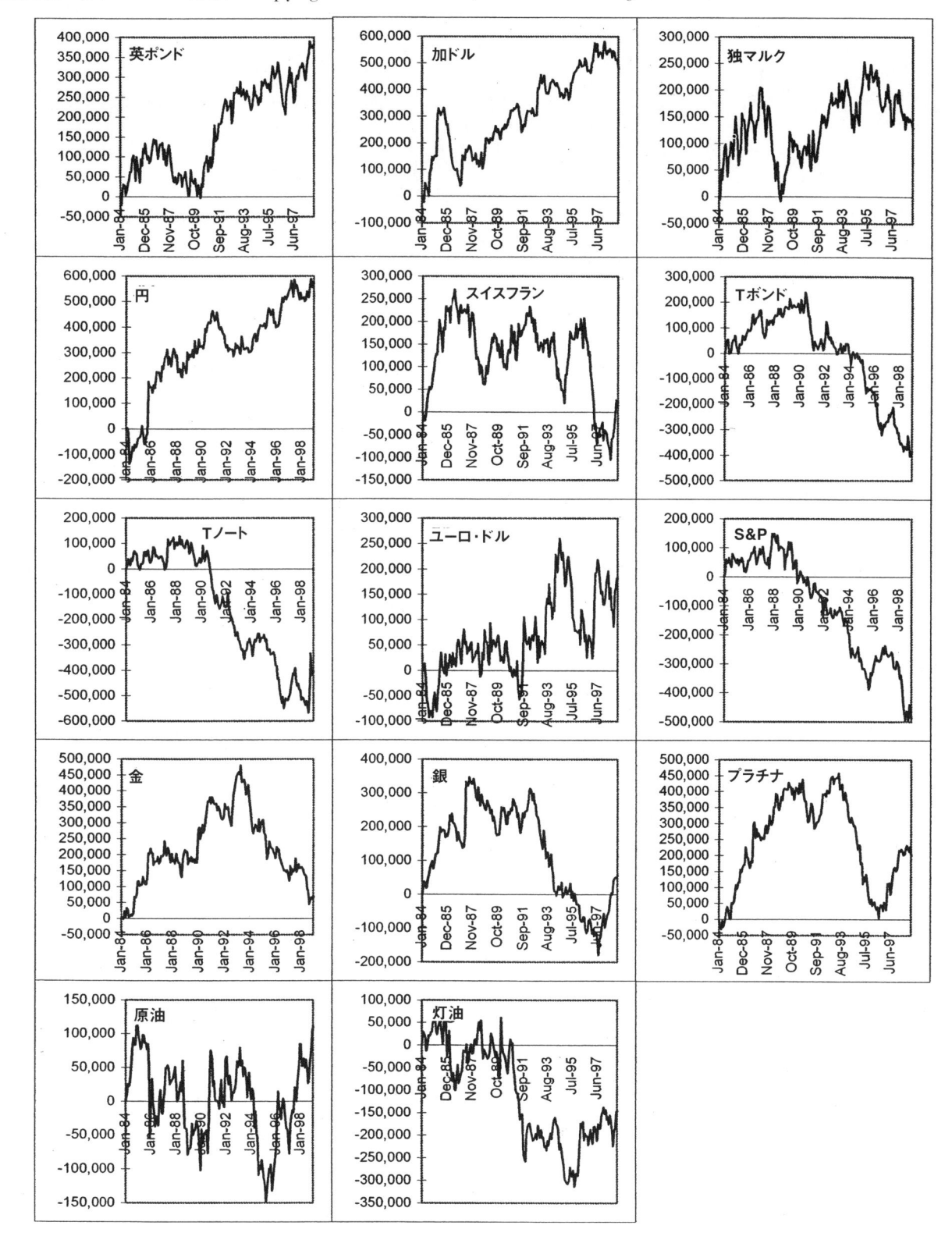

## Chapter 1 SYSTEM

損益曲線：トウモロコシ〜砂糖　Copyright 1999 Lars Kestner.LINK Financial-All rights reserved

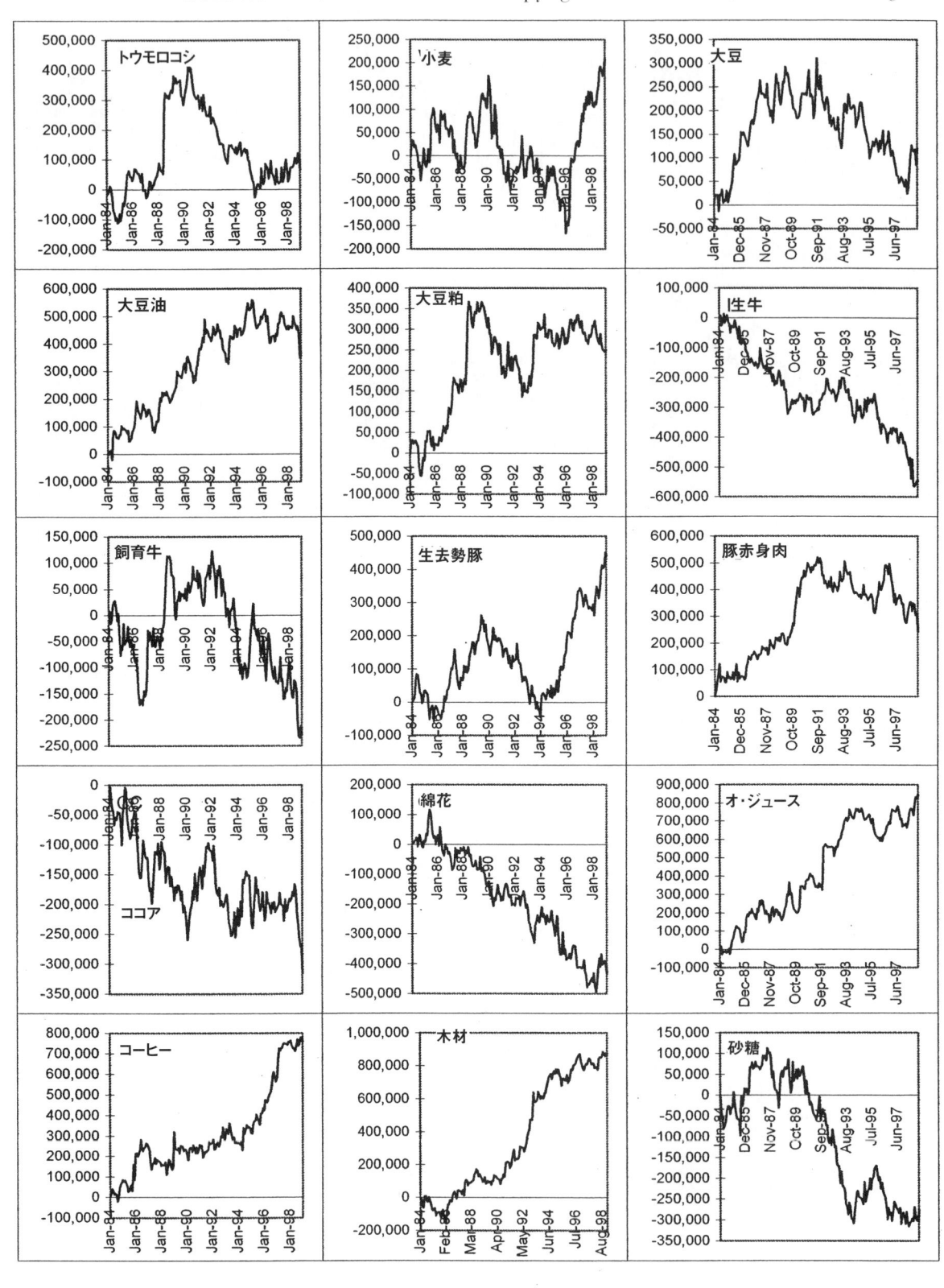

# 第1章　システム

**分類統計**

システム名　　　：２つの指数移動平均
パラメータ　　　：８日短期ＥＭＡ、１８日長期ＥＭＡ、シグナル用９日ＥＭＡ
建玉枚数　　　　：可変
システムの概要　：８－１８日ＥＭＡがシグナル線を上抜いたら買い、下抜いたら売る
検証期間　　　　：1/1/84-12/31/98

Copyright 1999 Lars Kestner,LINK Financial-All rights reserved

## 市場部門による分析

| 市場部門 | 平均純益 | 平均Kレシオ | 平均シャープレシオ | 平均最大ドローダウン | 平均トレード数 | 平均勝率 | 平均損益 | 勝トレードの平均利益 | 敗トレードの平均損失 | 勝トレードの平均日数 | 敗トレードの平均日数 |
|---|---|---|---|---|---|---|---|---|---|---|---|
| 通貨 | 315,931 | 1.24 | 0.06 | -251,748 | 376 | 38 | 847 | 17,962 | -9,868 | 16 | 7 |
| 金利 | -201,942 | -0.86 | -0.05 | -531,075 | 381 | 36 | -505 | 18,602 | -11,176 | 16 | 7 |
| 株価指数 | -486,525 | -2.36 | -0.11 | -671,475 | 418 | 31 | -1,194 | 16,445 | -9,245 | 16 | 6 |
| 貴金属 | 108,928 | -0.19 | 0.02 | -480,573 | 375 | 39 | 270 | 15,358 | -9,271 | 16 | 7 |
| エネルギー | -17,413 | -0.81 | 0.00 | -333,478 | 371 | 38 | -76 | 16,843 | -10,272 | 16 | 6 |
| 穀物 | 203,009 | 0.67 | 0.05 | -304,846 | 365 | 39 | 525 | 16,722 | -9,754 | 16 | 6 |
| 食肉 | -22,697 | -0.15 | -0.01 | -388,415 | 383 | 36 | -29 | 16,965 | -9,698 | 16 | 6 |
| ソフト | 242,021 | 0.31 | 0.03 | -326,319 | 378 | 36 | 753 | 18,409 | -9,345 | 16 | 6 |

## 年次成績分析

| 年 | 純益 | Kレシオ | シャープレシオ |
|---|---|---|---|
| 1984 | 822,820 | 3.00 | 0.88 |
| 1985 | 1,152,753 | 1.68 | 0.42 |
| 1986 | 394,389 | 0.95 | 0.24 |
| 1987 | 565,764 | 0.93 | 0.28 |
| 1988 | 754,536 | 1.17 | 0.19 |
| 1989 | 158,695 | -0.15 | 0.06 |
| 1990 | -50,219 | 0.40 | -0.02 |
| 1991 | 433,605 | 0.46 | 0.13 |

| 年 | 純益 | Kレシオ | シャープレシオ |
|---|---|---|---|
| 1992 | -507,048 | -1.31 | -0.28 |
| 1993 | -180,640 | 0.00 | -0.08 |
| 1994 | -196,044 | 0.00 | -0.12 |
| 1995 | -664,198 | -2.09 | -0.44 |
| 1996 | 91,409 | 0.28 | 0.05 |
| 1997 | 281,428 | 0.24 | 0.14 |
| 1998 | 98,401 | 1.04 | 0.06 |

## 利益性ウインドウ

| 期間 | ウインドウ数 | 収益ウインドウ数 | 利益ウインドウ率 |
|---|---|---|---|
| 1カ月 | 180 | 88 | 48.89% |
| 3カ月 | 178 | 102 | 57.30% |
| 6カ月 | 175 | 104 | 59.43% |
| 12カ月 | 169 | 105 | 62.13% |
| 18カ月 | 163 | 100 | 61.35% |
| 24カ月 | 157 | 99 | 63.06% |

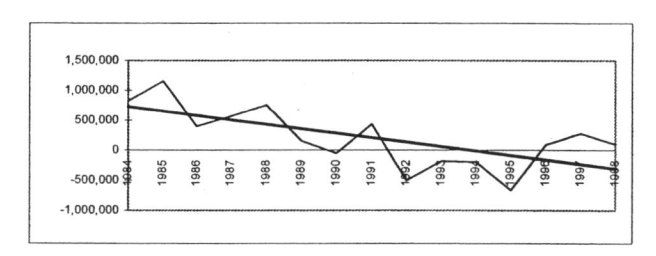

## 年次純益推移

## D. トゥーシャー・シャンデと
## スタンレー・クロール著『新テクニカル・トレーダー』

　『新テクニカル・トレーダー』は恐らく、１９９０年代にトレーディング・システムを次のレベルに導いた最初の本であった。この本の主眼は、古くからある制約を克服することによって標準的な売買指標を改善する試みである。素晴らしい例は、ボラティリティに基づき適応する移動平均であるＶＩＤＹＡと、明日の価格を予測するために線型回帰を用いる％Ｆオシレーターである。

### ① ５日％Ｆと３日移動平均との交差（Ｐ４０）

　著者が強調する最初の戦略の１つは、将来取引される価格レベルを予測するために５日間の線型回帰を用いることである。終値と予測値との差を正規化することによって％Ｆオシレーターを計算することができる。

％Ｆ＝１００×（終値－終値の予測値）／終値

　３日単純移動平均をシグナル用として追加し、オシレーターがその移動平均を上抜いたら買いポジションを取り、下抜いたら売りポジションを取る。このシステムは常にポジションを持つ。

・今日の％Ｆがその３日単純移動平均を上抜いたら、明日の寄り付きで買う。
・今日の％Ｆがその３日単純移動平均の下抜いたら、明日の寄り付きで売る。

#### 結果
　私の概観では、１５年間で１市場当たり１７００回も売買するシステムは利益にならない。往復手数料を２０ドルとすると、この％Ｆ売買戦略は手数料だけで１８００万ドル以上にもなる。加えて、手数料を差し引く前に、ほとんどの銘柄で損失になっている。

※参考文献：トゥーシャー・シャンデ著『売買システム入門』（パンローリング刊）

# 第1章　システム

### トレーディング・システム評価

システム名　　　：5日%Fと3日移動平均との交差
パラメータ　　　：予測に5日を用い、シグナル用に3日平均を用いる
建玉枚数　　　　：可変
システムの概要：%Fが3日移動平均よりも大きければ買い、小さければ売る
検証期間　　　　：1/1/84-12/31/98　　Copyright 1999 Lars Kestner,LINK Financial-All rights reserved

| | 市場 | 純益 | Kレシオ | シャープレシオ | 最大ドローダウン | トレード数 | 勝率 | 平均建玉数 | 平均損益 | 勝トレードの平均利益 | 敗トレードの平均損失 | 勝トレードの平均日数 | 敗トレードの平均日数 |
|---|---|---|---|---|---|---|---|---|---|---|---|---|---|
| 通貨 | 英ポンド | -446,110 | -1.46 | -0.10 | -867,298 | 1755 | 46 | 9 | -254 | 6,185 | -5,636 | 2 | 2 |
| | 加ドル | -162,790 | -1.40 | -0.03 | -689,960 | 1725 | 47 | 28 | -113 | 6,745 | -6,283 | 2 | 2 |
| | 独マルク | -671,788 | -1.76 | -0.17 | -948,888 | 1801 | 46 | 12 | -375 | 5,966 | -5,795 | 2 | 2 |
| | 円 | -45,838 | -1.66 | -0.01 | -557,763 | 1747 | 46 | 10 | -33 | 6,318 | -5,398 | 2 | 2 |
| | スイスフラン | -677,075 | -1.59 | -0.16 | -979,238 | 1797 | 46 | 9 | -378 | 5,935 | -5,724 | 2 | 2 |
| 金利 | Tボンド | 246,375 | 0.64 | 0.05 | -293,000 | 1710 | 49 | 9 | 142 | 6,550 | -6,133 | 3 | 2 |
| | Tノート | 485,000 | 1.99 | 0.10 | -292,250 | 1706 | 54 | 13 | 282 | 6,263 | -6,636 | 2 | 2 |
| | ユーロ・ドル | 54,775 | -0.03 | 0.01 | -393,500 | 1701 | 50 | 4 | 32 | 6,825 | -6,626 | 2 | 2 |
| 株価指数 | S&P | -152,925 | -0.33 | -0.03 | -340,650 | 1753 | 48 | 4 | -88 | 6,195 | -5,934 | 2 | 2 |
| 貴金属 | 金 | -630,720 | -1.85 | -0.12 | -908,270 | 1739 | 45 | 21 | -362 | 6,087 | -5,731 | 3 | 2 |
| | 銀 | -502,590 | -2.70 | -0.11 | -746,680 | 1800 | 44 | 15 | -283 | 6,186 | -5,423 | 2 | 2 |
| | プラチナ | -168,150 | -0.12 | -0.04 | -446,705 | 1752 | 47 | 23 | -94 | 6,348 | -5,697 | 2 | 2 |
| エネルギー | 原油 | 398,550 | 0.95 | 0.08 | -436,510 | 1770 | 50 | 18 | 230 | 6,578 | -6,090 | 2 | 2 |
| | 灯油 | -591,837 | -0.82 | -0.12 | -679,851 | 1764 | 43 | 14 | -337 | 6,822 | -5,845 | 2 | 2 |
| 穀物 | トウモロコシ | -319,375 | -1.42 | -0.07 | -537,800 | 1755 | 50 | 43 | -182 | 5,884 | -6,269 | 2 | 2 |
| | 小麦 | -271,775 | -0.86 | -0.05 | -537,675 | 1727 | 47 | 27 | -160 | 6,717 | -6,264 | 2 | 2 |
| | 大豆 | -747,475 | -1.77 | -0.15 | -1,066,975 | 1811 | 46 | 17 | -414 | 5,951 | -5,751 | 2 | 2 |
| | 大豆油 | 225,534 | 0.50 | 0.05 | -419,724 | 1739 | 49 | 30 | 129 | 6,254 | -5,648 | 2 | 2 |
| | 大豆粕 | -460,240 | -1.77 | -0.09 | -788,260 | 1756 | 46 | 26 | -263 | 6,581 | -6,070 | 2 | 2 |
| 食肉 | 生牛 | -884,932 | -3.53 | -0.22 | -919,060 | 1806 | 45 | 24 | -485 | 6,257 | -5,908 | 2 | 2 |
| | 飼育牛 | -787,608 | -4.01 | -0.17 | -818,280 | 1787 | 45 | 23 | -439 | 6,494 | -6,084 | 2 | 2 |
| | 生去勢豚 | -177,840 | -1.51 | -0.04 | -559,400 | 1784 | 47 | 17 | -104 | 6,432 | -5,791 | 2 | 2 |
| | 豚赤身肉 | -69,148 | -0.27 | -0.02 | -317,152 | 1728 | 46 | 12 | -38 | 6,890 | -5,969 | 3 | 2 |
| ソフト | ココア | -758,880 | -2.05 | -0.20 | -782,900 | 1753 | 44 | 24 | -434 | 6,013 | -5,519 | 2 | 2 |
| | 綿花 | -678,575 | -2.41 | -0.14 | -832,590 | 1740 | 46 | 14 | -394 | 6,065 | -5,815 | 2 | 2 |
| | オ・ジュース | 33,548 | -0.43 | 0.01 | -581,978 | 1714 | 48 | 20 | 12 | 6,473 | -5,845 | 3 | 2 |
| | コーヒー | -515,076 | -1.85 | -0.10 | -643,154 | 1771 | 46 | 7 | -282 | 6,404 | -6,021 | 2 | 2 |
| | 木材 | -528,368 | -1.90 | -0.10 | -805,376 | 1714 | 45 | 11 | -306 | 7,255 | -6,517 | 3 | 2 |
| | 砂糖 | -901,945 | -2.29 | -0.21 | -963,837 | 1792 | 45 | 27 | -497 | 5,600 | -5,447 | 2 | 2 |
| | 平均 | -334,734 | -1.23 | -0.07 | -660,508 | 1755 | 47 | 18 | -189 | 6,354 | -5,927 | 2 | 2 |

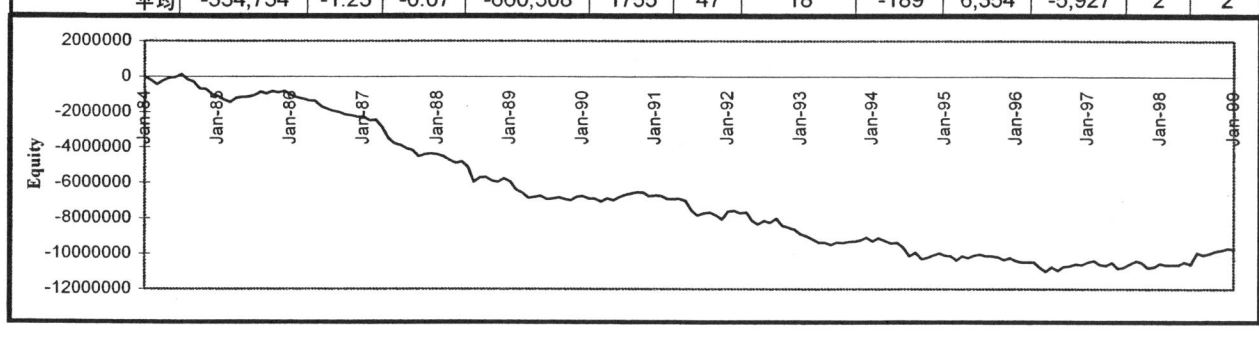

### ポートフォリオ統計

純益　　　　　：-9,707,277　　　シャープ・レシオ　　　　　　　：-0.28
ドローダウン：-11,113,197　　　ブレイクアウトとの相関係数　：-0.24
Kレシオ　　　：-3.24　　　　　　10／40移動平均との相関係数：-0.18

Chapter 1 **SYSTEM**

損益曲線：英ポンド〜灯油  Copyright 1999 Lars Kestner, LINK Financial-All rights reserved

# 第1章　システム

**損益曲線：トウモロコシ～砂糖**　Copyright 1999 Lars Kestner,LINK Financial-All rights reserved

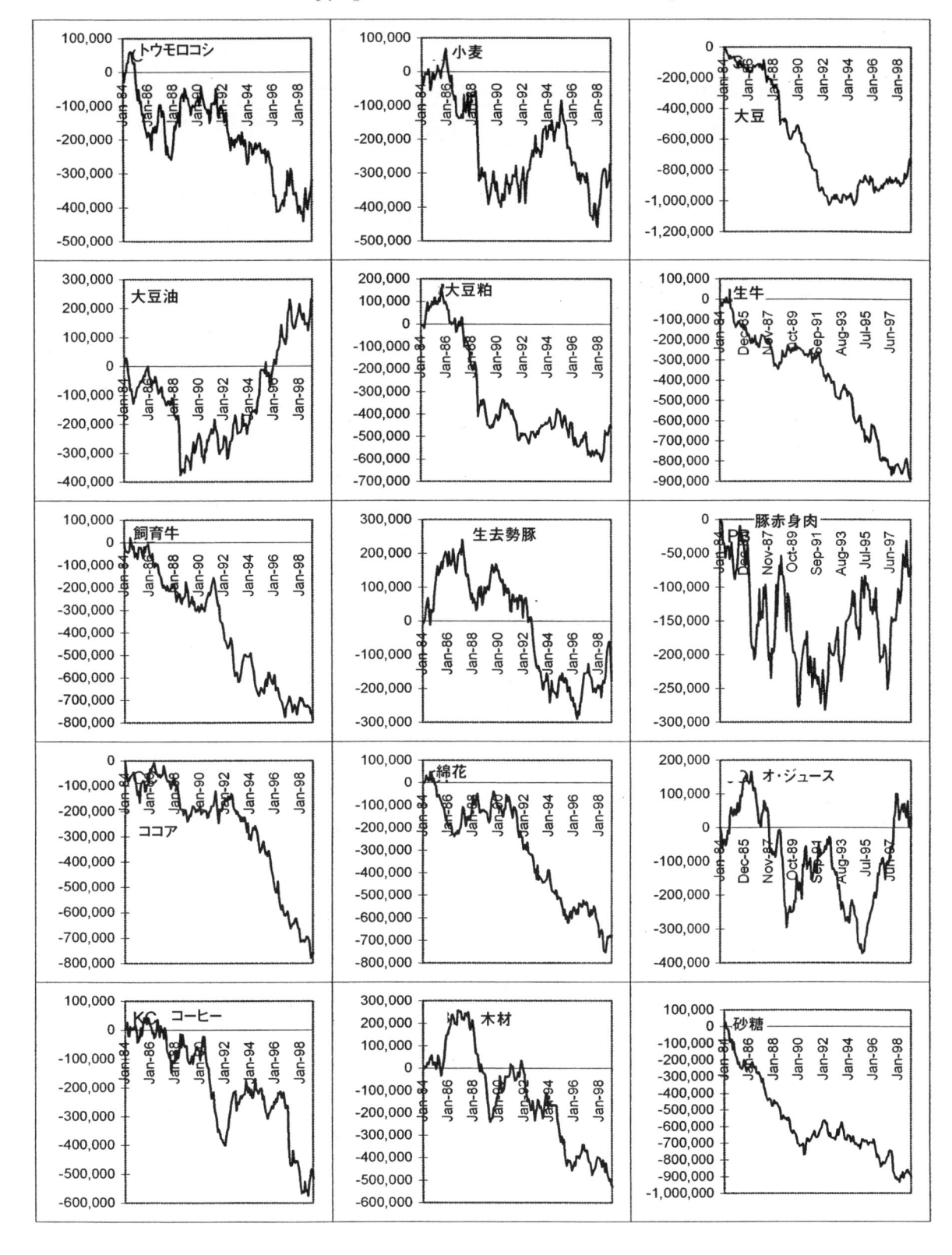

## Chapter 1 SYSTEM

**分類統計**

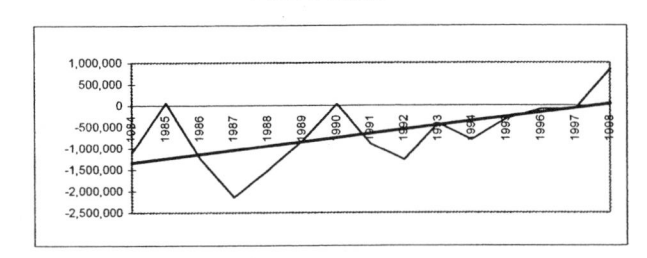

| | |
|---|---|
| システム名 | ：5日％Fと3日移動平均との交差 |
| パラメータ | ：予測に5日を用い、シグナル用に3日平均を用いる |
| 建玉枚数 | ：可変 |
| システムの概要 | ：％Fが3日移動平均よりも大きければ買い、小さければ売る |
| 検証期間 | ：1/1/84-12/31/98 |

Copyright 1999 Lars Kestner.LINK Financial-All rights reserved

### 市場部門による分析

| 市場部門 | 平均純益 | 平均Kレシオ | 平均シャープレシオ | 平均最大ドローダウン | 平均トレード数 | 平均勝率 | 平均損益 | 勝トレードの平均利益 | 敗トレードの平均損失 | 勝トレードの平均日数 | 敗トレードの平均日数 |
|---|---|---|---|---|---|---|---|---|---|---|---|
| 通貨 | -400,720 | -1.57 | -0.09 | -808,629 | 1,765 | 46 | -231 | 6,230 | -5,767 | 2 | 2 |
| 金利 | 262,050 | 0.86 | 0.05 | -326,250 | 1,706 | 51 | 152 | 6,546 | -6,465 | 3 | 2 |
| 株価指数 | -152,925 | -0.33 | -0.03 | -340,650 | 1,753 | 48 | -88 | 6,195 | -5,934 | 2 | 2 |
| 貴金属 | -433,820 | -1.55 | -0.09 | -700,552 | 1,764 | 45 | -246 | 6,207 | -5,617 | 2 | 2 |
| エネルギー | -96,643 | 0.06 | -0.02 | -558,180 | 1,767 | 47 | -54 | 6,700 | -5,967 | 2 | 2 |
| 穀物 | -314,666 | -1.07 | -0.06 | -670,087 | 1,758 | 47 | -178 | 6,278 | -6,000 | 2 | 2 |
| 食肉 | -479,882 | -2.33 | -0.11 | -653,473 | 1,776 | 46 | -267 | 6,518 | -5,938 | 2 | 2 |
| ソフト | -558,216 | -1.82 | -0.12 | -768,306 | 1,747 | 46 | -317 | 6,302 | -5,861 | 2 | 2 |

### 年次成績分析

| 年 | 純益 | Kレシオ | シャープレシオ |
|---|---|---|---|
| 1984 | -1,103,230 | -1.04 | -0.47 |
| 1985 | 67,917 | 1.09 | 0.04 |
| 1986 | -1,234,291 | -5.36 | -1.27 |
| 1987 | -2,143,604 | -2.62 | -0.80 |
| 1988 | -1,514,848 | -2.09 | -0.45 |
| 1989 | -830,563 | -0.85 | -0.38 |
| 1990 | 35,524 | 0.72 | 0.02 |
| 1991 | -885,436 | -1.93 | -0.30 |
| 1992 | -1,271,471 | -2.18 | -0.49 |
| 1993 | -416,780 | -0.32 | -0.26 |
| 1994 | -793,337 | -1.62 | -0.30 |
| 1995 | -303,960 | -0.44 | -0.18 |
| 1996 | -77,563 | -0.23 | -0.04 |
| 1997 | -72,087 | -0.28 | -0.03 |
| 1998 | 836,454 | 2.32 | 0.34 |

### 利益性ウインドウ

| 期間 | ウインドウ数 | 収益ウインドウ数 | 利益ウインドウ率 |
|---|---|---|---|
| 1カ月 | 180 | 75 | 41.67% |
| 3カ月 | 178 | 58 | 32.58% |
| 6カ月 | 175 | 51 | 29.14% |
| 12カ月 | 169 | 33 | 19.53% |
| 18カ月 | 163 | 20 | 12.27% |
| 24カ月 | 157 | 9 | 5.73% |

### 年次純益推移

# 第1章　システム

### ②２０日％Ｆと１０日移動平均との交差（Ｐ４０）

　５日の回帰予測と３日移動平均交差の使用はあまりに多くの売買を引き起こした。％Ｆオシレーターを作成する上での明日の終値の予測に２０日間のデータを用い、売買サインを出すのに１０日移動平均を用いることにより、この問題を軽減することを試みた。

・今日の２０日％Ｆがその１０日単純移動平均を上抜いたら、明日の寄り付きで買う。
・今日の２０日％Ｆがその１０日単純移動平均を下抜いたら、明日の寄り付きで売る。

**結果**
売買数量を半分にしようとした私の試みは収益性を改善しなかった。

## Chapter 1 SYSTEM

**トレーディング・システム評価**

システム名　　　：２０日％Ｆと１０日移動平均との交差
パラメータ　　　：予測に２０日を用い、シグナル用に１０日平均を用いる
建玉枚数　　　　：可変
システムの概要：％Ｆが１０日平均よりも大きければ買い、小さければ売る
検証期間　　　　：1/1/84-12/31/98　　Copyright 1999 Lars Kestner.LINK Financial-All rights reserved

| | 市場 | 純益 | Kレシオ | シャープレシオ | 最大ドローダウン | トレード数 | 勝率 | 平均建玉数 | 平均損益 | 勝トレードの平均利益 | 敗トレードの平均損失 | 勝トレードの平均日数 | 敗トレードの平均日数 |
|---|---|---|---|---|---|---|---|---|---|---|---|---|---|
| 通貨 | 英ポンド | -125,788 | -0.59 | -0.03 | -546,281 | 762 | 43 | 9 | -169 | 10,116 | -7,900 | 6 | 4 |
| | 加ドル | -535,870 | -1.31 | -0.12 | -830,050 | 755 | 42 | 29 | -754 | 10,391 | -8,777 | 7 | 4 |
| | 独マルク | -342,688 | -2.02 | -0.07 | -548,200 | 771 | 41 | 12 | -460 | 10,185 | -7,893 | 6 | 4 |
| | 円 | 34,513 | -0.43 | 0.01 | -469,175 | 791 | 41 | 10 | 29 | 10,292 | -7,055 | 6 | 4 |
| | スイスフラン | -673,363 | -3.78 | -0.15 | -809,988 | 781 | 38 | 9 | -861 | 9,963 | -7,576 | 6 | 4 |
| 金利 | Tボンド | -427,625 | -2.37 | -0.10 | -570,125 | 745 | 42 | 9 | -581 | 9,630 | -7,979 | 6 | 4 |
| | Tノート | -866,500 | -1.82 | -0.18 | -915,375 | 773 | 40 | 14 | -1,131 | 9,520 | -8,263 | 7 | 4 |
| | ユーロ・ドル | -351,525 | -1.72 | -0.06 | -574,325 | 670 | 41 | 4 | -525 | 12,621 | -9,677 | 8 | 4 |
| 株価指数 | S&P | -653,725 | -1.74 | -0.12 | -985,800 | 815 | 35 | 4 | -803 | 11,044 | -7,242 | 7 | 3 |
| 貴金属 | 金 | 1,410 | -0.02 | 0.00 | -420,480 | 716 | 43 | 21 | 3 | 10,246 | -7,773 | 7 | 4 |
| | 銀 | 108,240 | 0.80 | 0.02 | -239,310 | 705 | 41 | 15 | 153 | 10,621 | -7,162 | 7 | 4 |
| | プラチナ | -593,925 | -2.16 | -0.13 | -762,160 | 729 | 39 | 23 | -836 | 10,445 | -7,994 | 7 | 4 |
| エネルギー | 原油 | 95,550 | 0.07 | 0.02 | -391,500 | 754 | 45 | 19 | 114 | 10,430 | -8,313 | 6 | 4 |
| | 灯油 | -402,889 | -0.69 | -0.09 | -602,704 | 745 | 41 | 15 | -544 | 10,237 | -7,934 | 7 | 4 |
| 穀物 | トウモロコシ | -541,275 | -1.86 | -0.13 | -678,075 | 778 | 39 | 43 | -711 | 10,325 | -7,751 | 7 | 4 |
| | 小麦 | -532,875 | -2.21 | -0.11 | -564,400 | 758 | 39 | 27 | -707 | 10,855 | -7,952 | 7 | 4 |
| | 大豆 | -312,050 | -1.92 | -0.07 | -509,800 | 757 | 41 | 17 | -397 | 9,964 | -7,543 | 7 | 4 |
| | 大豆油 | 129,168 | 0.84 | 0.03 | -291,324 | 765 | 41 | 31 | 171 | 10,951 | -7,333 | 7 | 4 |
| | 大豆粕 | -218,350 | -0.80 | -0.05 | -647,340 | 758 | 39 | 27 | -284 | 11,082 | -7,486 | 7 | 4 |
| 食肉 | 生牛 | 65,056 | 0.59 | 0.02 | -332,980 | 746 | 42 | 24 | 76 | 10,933 | -7,643 | 7 | 4 |
| | 飼育牛 | 106,004 | -0.17 | 0.02 | -339,571 | 730 | 41 | 24 | 141 | 11,600 | -7,674 | 7 | 4 |
| | 生去勢豚 | -479,824 | -2.41 | -0.10 | -753,124 | 779 | 43 | 17 | -627 | 9,853 | -8,410 | 6 | 4 |
| | 豚赤身肉 | -395,132 | -0.85 | -0.09 | -604,424 | 744 | 37 | 12 | -536 | 11,670 | -7,735 | 7 | 4 |
| ソフト | ココア | -147,950 | -0.40 | -0.04 | -456,480 | 747 | 39 | 24 | -200 | 10,346 | -6,930 | 7 | 4 |
| | 綿花 | -787,945 | -3.60 | -0.18 | -989,600 | 799 | 37 | 14 | -977 | 9,631 | -7,287 | 6 | 4 |
| | オ・ジュース | -421,493 | -1.05 | -0.09 | -843,030 | 737 | 38 | 21 | -574 | 11,614 | -8,127 | 7 | 4 |
| | コーヒー | -37,976 | -0.46 | -0.01 | -486,656 | 759 | 43 | 7 | -68 | 10,501 | -8,069 | 6 | 4 |
| | 木材 | -81,344 | -0.28 | -0.02 | -563,216 | 764 | 38 | 12 | -116 | 12,757 | -8,124 | 7 | 3 |
| | 砂糖 | -533,344 | -1.74 | -0.12 | -603,713 | 786 | 38 | 27 | -706 | 9,540 | -6,895 | 7 | 4 |
| | 平均 | -307,707 | -1.18 | -0.07 | -597,559 | 756 | 40 | 18 | -410 | 10,599 | -7,810 | 7 | 4 |

**ポートフォリオ統計**

| | | | |
|---|---|---|---|
| 純益 | : -8,923,513 | シャープ・レシオ | : -0.27 |
| ドローダウン | : -9,509,139 | ブレイクアウトとの相関係数 | : -0.11 |
| Kレシオ | : -5.66 | １０／４０移動平均との相関係数 | : -0.17 |

## 第1章 システム

損益曲線：英ポンド〜灯油　Copyright 1999 Lars Kestner,LINK Financial-All rights reserved

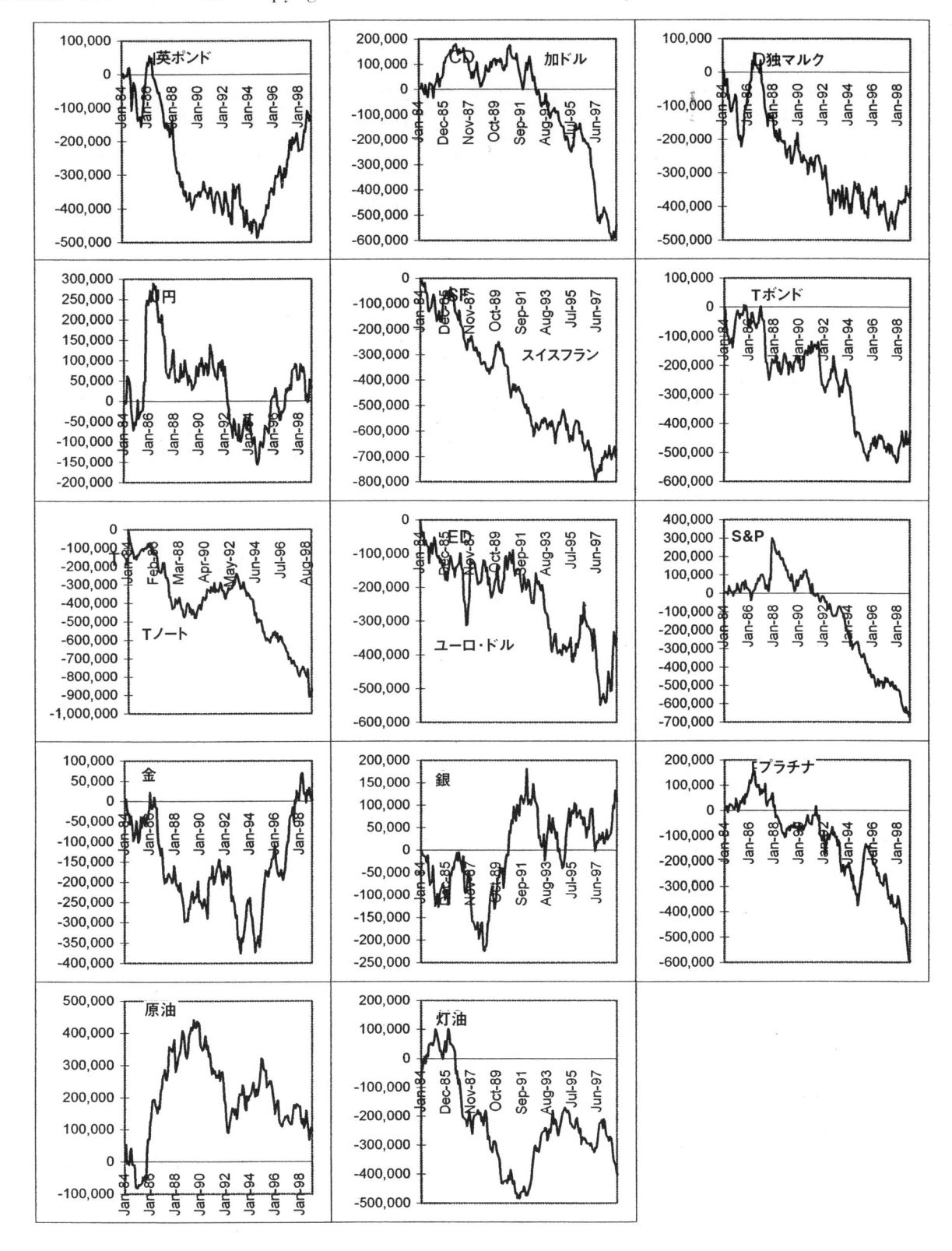

Chapter 1 **SYSTEM**

損益曲線：トウモロコシ～砂糖　Copyright 1999 Lars Kestner,LINK Financial-All rights reserved

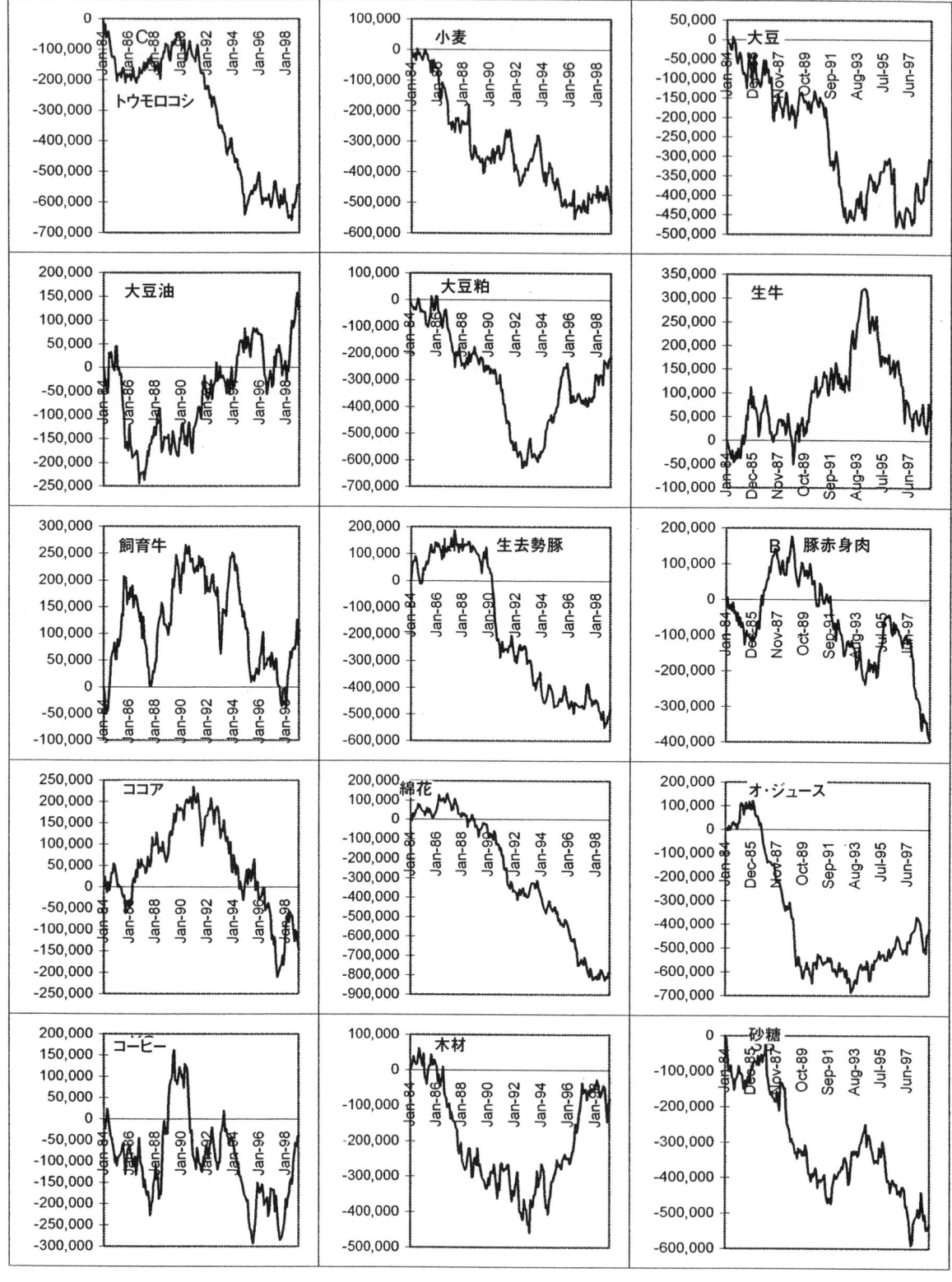

# 第1章　システム

**分類統計**

システム名　　　：２０日％Ｆと１０日移動平均との交差
パラメータ　　　：予測に２０日を用い、シグナル用に１０日平均を用いる
建玉枚数　　　　：可変
システムの概要　：％Ｆが１０日平均よりも大きければ買い、小さければ売る
検証期間　　　　：1/1/84-12/31/98

Copyright 1999 Lars Kestner,LINK Financial-All rights reserved

### 市場部門による分析

| 市場部門 | 平均純益 | 平均Kレシオ | 平均シャープレシオ | 平均最大ドローダウン | 平均トレード数 | 平均勝率 | 平均損益 | 勝トレードの平均利益 | 敗トレードの平均損失 | 勝トレードの平均日数 | 敗トレードの平均日数 |
|---|---|---|---|---|---|---|---|---|---|---|---|
| 通貨 | -328,639 | -1.63 | -0.07 | -640,739 | 772 | 41 | -443 | 10,189 | -7,840 | 6 | 4 |
| 金利 | -548,550 | -1.97 | -0.11 | -686,608 | 729 | 41 | -746 | 10,590 | -8,640 | 7 | 4 |
| 株価指数 | -653,725 | -1.74 | -0.12 | -985,800 | 815 | 35 | -803 | 11,044 | -7,242 | 7 | 3 |
| 貴金属 | -161,425 | -0.46 | -0.04 | -473,983 | 717 | 41 | -227 | 10,437 | -7,643 | 7 | 4 |
| エネルギー | -153,669 | -0.31 | -0.04 | -497,102 | 750 | 43 | -215 | 10,333 | -8,123 | 6 | 4 |
| 穀物 | -295,076 | -1.19 | -0.06 | -538,188 | 763 | 40 | -386 | 10,635 | -7,613 | 7 | 4 |
| 食肉 | -175,974 | -0.71 | -0.04 | -507,525 | 750 | 40 | -236 | 11,014 | -7,866 | 7 | 4 |
| ソフト | -335,009 | -1.26 | -0.08 | -657,116 | 765 | 39 | -440 | 10,731 | -7,572 | 7 | 4 |

### 年次成績分析

| 年 | 純益 | Kレシオ | シャープレシオ |
|---|---|---|---|
| 1984 | -826,871 | -1.51 | -0.38 |
| 1985 | 880,490 | 1.00 | 0.31 |
| 1986 | -819,111 | -2.08 | -0.65 |
| 1987 | -1,727,419 | -0.99 | -0.48 |
| 1988 | -986,580 | -3.86 | -0.72 |
| 1989 | 137,476 | 0.80 | 0.07 |
| 1990 | -403,385 | -1.14 | -0.20 |
| 1991 | -1,686,498 | -3.25 | -0.69 |

| 年 | 純益 | Kレシオ | シャープレシオ |
|---|---|---|---|
| 1992 | -1,094,117 | -2.40 | -0.61 |
| 1993 | -96,340 | -0.37 | -0.04 |
| 1994 | -1,015,990 | -1.79 | -0.53 |
| 1995 | 178,462 | 0.96 | 0.09 |
| 1996 | -1,050,391 | -2.12 | -0.50 |
| 1997 | -473,334 | -0.89 | -0.22 |
| 1998 | 60,094 | -0.28 | 0.03 |

### 利益性ウインドウ

| 期間 | ウインドウ数 | 収益ウインドウ数 | 利益ウインドウ率 |
|---|---|---|---|
| 1カ月 | 180 | 68 | 37.78% |
| 3カ月 | 178 | 55 | 30.90% |
| 6カ月 | 175 | 40 | 22.86% |
| 12カ月 | 169 | 34 | 20.12% |
| 18カ月 | 163 | 24 | 14.72% |
| 24カ月 | 157 | 12 | 7.64% |

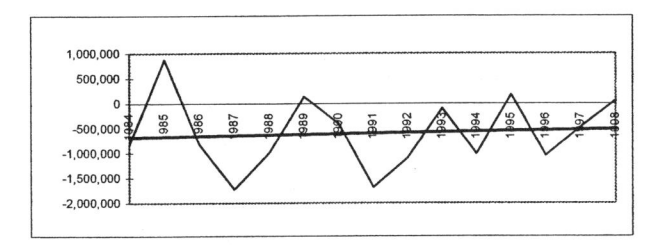

### 年次純益推移

### ③０．２と０．１のＶＩＤＹＡとの交差：動的平均の可変指標（Ｐ４９）

　シャンデとクロールが提案した非常に興味深い概念の１つに、適応型トレーディング・システム、つまり、市場の状態に応じて動作が決定するシステムがある。その一例として、市場のボラティリティに基づき感度を調節するＶＩＤＹＡ移動平均がある。市場が急速に動いているときは、平均の実効的な期間は短くなり、平均値の感度は上昇する。市場がおとなしいときは、平均の感度はより小さくなる。

　ボラティリティ指標として、価格の２０日標準偏差を２０日標準偏差の２０日単純移動平均で割ったものを選択した。この値が１より大きいときは、現在の価格は過去よりも変動が大きくなっている。この指標が１よりも小さいときは、価格の変動はより小さくなっている。また、ＶＩＤＹＡで用いる移動平均の基本長である２つの$\alpha$に、９日と１９日指数移動平均と等価である０．２０と０．１０をそれぞれ選択した。２つの可変長の指数移動平均は２つの$\alpha$値を用いてＶＩＤＹＡ計算法により計算される。移動平均の交差により売買シグナルを発生させる。

$$VIDYA_t = \alpha \times VolIndex \times 終値_t + (1 - \alpha \times VolIndex) \times VIDYA_{t-1}$$

・今日の$\alpha=０．２$におけるＶＩＤＹＡが$\alpha=０．１$におけるＶＩＤＹＡを上抜いたら、明日の寄り付きで買う。
・今日の$\alpha=０．２$におけるＶＩＤＹＡが$\alpha=０．１$におけるＶＩＤＹＡを下抜いたら、明日の寄り付きで売る。

**結果**

　ＶＩＤＹＡはドンチャンの移動平均交差を複雑化したものなので、とても興味深いアイデアである。ＶＩＤＹＡのように現在の市場の状態に適応しようとするシステムの考え方は定着しているといえよう。成績の観点からは、最初の数年はとても良いスタートを切ったが、先細りである。損益曲線は、移動平均交差と非常によく似ている。ＶＩＤＹＡの純益、Ｋレシオ、シャープ・レシオは、移動平均システムよりも少し小さい程度にすぎない。ＶＩＤＹＡも近年の成績が悪化している。

# 第1章 システム

トレーディング・システム評価

システム名　　　：ＶＩＤＹＡ交差（０．１と０．２のα値）
パラメータ　　　：０．２を用いたＶＩＤＹＡ短期平滑化、０．１を用いた長期平滑化
建玉枚数　　　　：可変
システムの概要：０．２ＶＩＤＹＡが０．１ＶＩＤＹＡを上抜いたら買い、下抜いたら売る
検証期間　　　　：1/1/84-12/31/98　　Copyright 1999 Lars Kestner,LINK Financial-All rights reserved

| | 市場 | 純益 | Kレシオ | シャープレシオ | 最大ドローダウン | トレード数 | 勝率 | 平均建玉数 | 平均損益 | 勝トレードの平均利益 | 敗トレードの平均損失 | 勝トレードの平均日数 | 敗トレードの平均日数 |
|---|---|---|---|---|---|---|---|---|---|---|---|---|---|
| 通貨 | 英ポンド | 345,219 | 1.11 | 0.07 | -311,344 | 174 | 29 | 9 | 1,967 | 33,831 | -10,881 | 48 | 11 |
| | 加ドル | 689,020 | 2.56 | 0.13 | -160,850 | 144 | 38 | 26 | 4,970 | 33,707 | -12,273 | 48 | 13 |
| | 独マルク | 676,613 | 3.19 | 0.14 | -126,088 | 160 | 36 | 11 | 4,328 | 32,429 | -11,650 | 47 | 11 |
| | 円 | 1,155,950 | 3.59 | 0.21 | -166,550 | 141 | 37 | 9 | 8,086 | 43,424 | -12,561 | 51 | 12 |
| | スイスフラン | 656,400 | 2.64 | 0.14 | -190,325 | 170 | 36 | 8 | 3,858 | 29,775 | -11,021 | 45 | 9 |
| 金利 | Tボンド | 544,750 | 2.87 | 0.11 | -108,750 | 149 | 29 | 9 | 3,663 | 42,029 | -11,901 | 56 | 13 |
| | Tノート | 996,125 | 5.18 | 0.20 | -124,375 | 137 | 42 | 13 | 7,307 | 34,092 | -11,778 | 50 | 11 |
| | ユーロ・ドル | 1,243,475 | 3.06 | 0.25 | -231,000 | 133 | 36 | 5 | 9,215 | 47,404 | -12,350 | 57 | 12 |
| 株価指数 | S&P | -519,650 | -2.45 | -0.11 | -679,600 | 196 | 25 | 4 | -3,081 | 26,241 | -12,855 | 44 | 11 |
| 貴金属 | 金 | 473,250 | 2.54 | 0.10 | -219,900 | 158 | 34 | 21 | 2,859 | 30,085 | -11,278 | 44 | 13 |
| | 銀 | -20,230 | 0.42 | 0.00 | -244,925 | 175 | 33 | 15 | -83 | 21,556 | -10,809 | 41 | 12 |
| | プラチナ | -437,030 | -1.37 | -0.10 | -678,815 | 184 | 28 | 22 | -2,391 | 19,819 | -11,140 | 40 | 13 |
| エネルギー | 原油 | 896,600 | 4.87 | 0.19 | -110,870 | 148 | 36 | 18 | 5,775 | 34,332 | -10,630 | 49 | 11 |
| | 灯油 | 407,156 | 1.34 | 0.07 | -205,876 | 162 | 33 | 13 | 2,267 | 30,219 | -11,325 | 46 | 12 |
| 穀物 | トウモロコシ | 712,075 | 1.97 | 0.12 | -216,250 | 145 | 37 | 42 | 4,720 | 35,173 | -12,823 | 49 | 13 |
| | 小麦 | 400,725 | 2.03 | 0.08 | -242,500 | 157 | 33 | 28 | 2,401 | 31,767 | -12,142 | 47 | 13 |
| | 大豆 | -409,825 | -1.16 | -0.09 | -570,825 | 208 | 29 | 17 | -2,054 | 20,649 | -11,258 | 36 | 11 |
| | 大豆油 | 76,074 | 0.37 | 0.02 | -228,864 | 165 | 27 | 31 | 287 | 35,718 | -12,598 | 51 | 13 |
| | 大豆粕 | 107,150 | -0.23 | 0.02 | -384,080 | 174 | 30 | 26 | 595 | 28,352 | -11,564 | 46 | 11 |
| 食肉 | 生牛 | -163,784 | -0.85 | -0.04 | -363,084 | 180 | 29 | 24 | -880 | 26,018 | -11,807 | 44 | 12 |
| | 飼育牛 | -154,515 | -0.90 | -0.03 | -264,709 | 187 | 27 | 23 | -1,059 | 28,522 | -12,151 | 44 | 11 |
| | 生去勢豚 | 533,096 | 0.59 | 0.11 | -298,560 | 141 | 38 | 16 | 3,169 | 29,587 | -12,741 | 46 | 15 |
| | 豚赤身肉 | 28,592 | 0.58 | 0.01 | -192,640 | 159 | 30 | 11 | 128 | 32,040 | -13,263 | 49 | 13 |
| ソフト | ココア | -555,570 | -2.41 | -0.14 | -611,480 | 174 | 28 | 24 | -3,465 | 18,601 | -12,115 | 42 | 13 |
| | 綿花 | 648,195 | 1.81 | 0.14 | -218,865 | 159 | 31 | 13 | 3,607 | 35,389 | -10,972 | 52 | 10 |
| | オ・ジュース | 605,408 | 0.92 | 0.09 | -592,035 | 153 | 31 | 20 | 3,842 | 43,258 | -13,636 | 49 | 13 |
| | コーヒー | 539,078 | 1.38 | 0.09 | -260,396 | 162 | 35 | 7 | 3,301 | 32,709 | -12,235 | 43 | 13 |
| | 木材 | 386,272 | 1.39 | 0.06 | -300,912 | 174 | 29 | 12 | 2,071 | 37,096 | -12,452 | 44 | 12 |
| | 砂糖 | 127,131 | 0.00 | 0.03 | -252,638 | 165 | 33 | 27 | 756 | 24,587 | -11,159 | 45 | 12 |
| | 平均 | 344,405 | 1.21 | 0.06 | -295,073 | 163 | 32 | 17 | 2,281 | 31,669 | -11,909 | 47 | 12 |

ポートフォリオ統計

純益　　　　：　9,987,749　　シャープ・レシオ　　　　　　　：0.23
ドローダウン：　-949,854　　ブレイクアウトとの相関係数　：0.86
Kレシオ　　　：　　　　2.59　　１０／４０移動平均との相関係数：0.83

Chapter 1 **SYSTEM**

損益曲線：英ポンド〜灯油　Copyright 1999 Lars Kestner.LINK Financial-All rights reserved

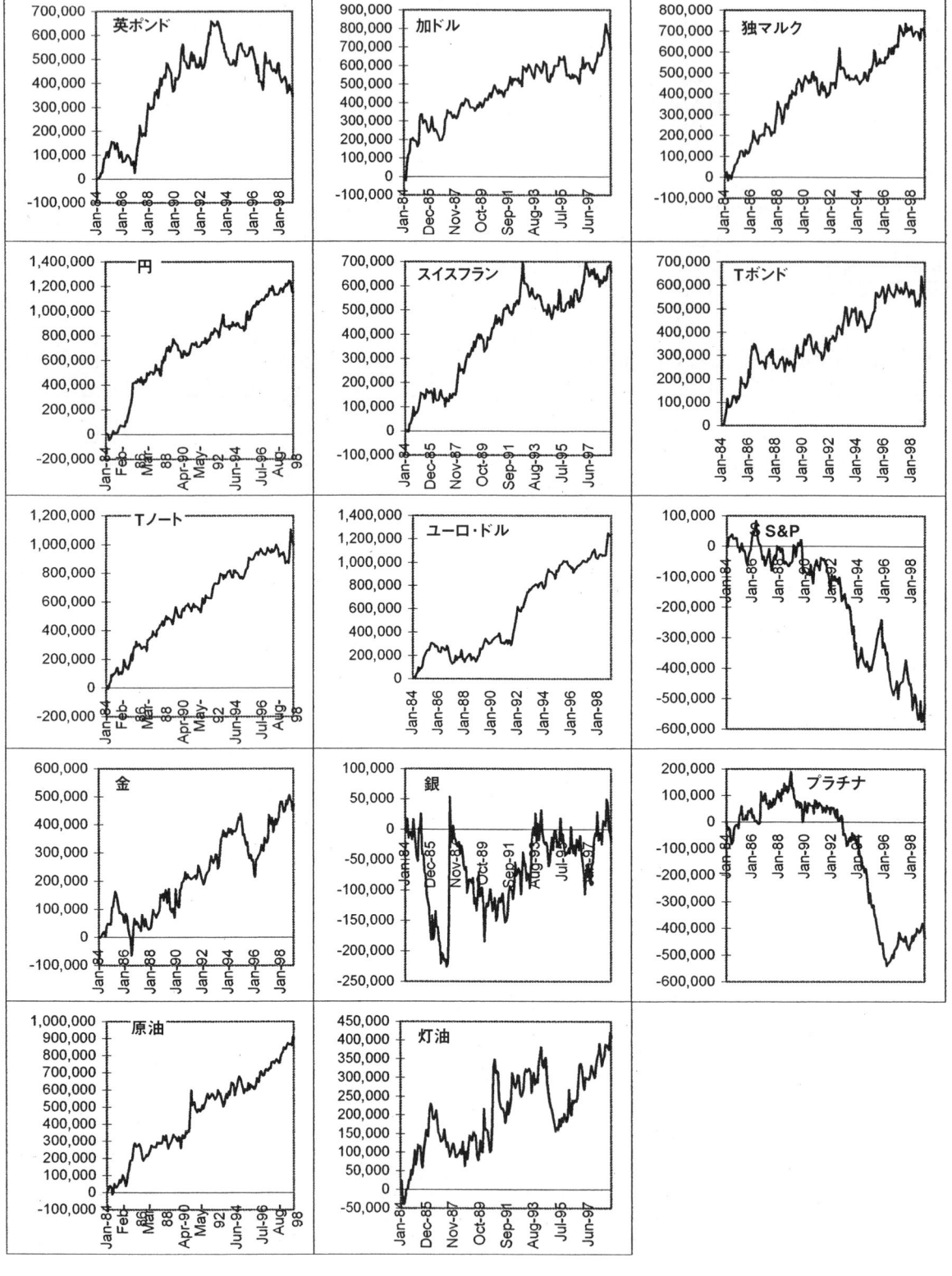

# 第1章 システム

損益曲線：トウモロコシ～砂糖　Copyright 1999 Lars Kestner.LINK Financial-All rights reserved

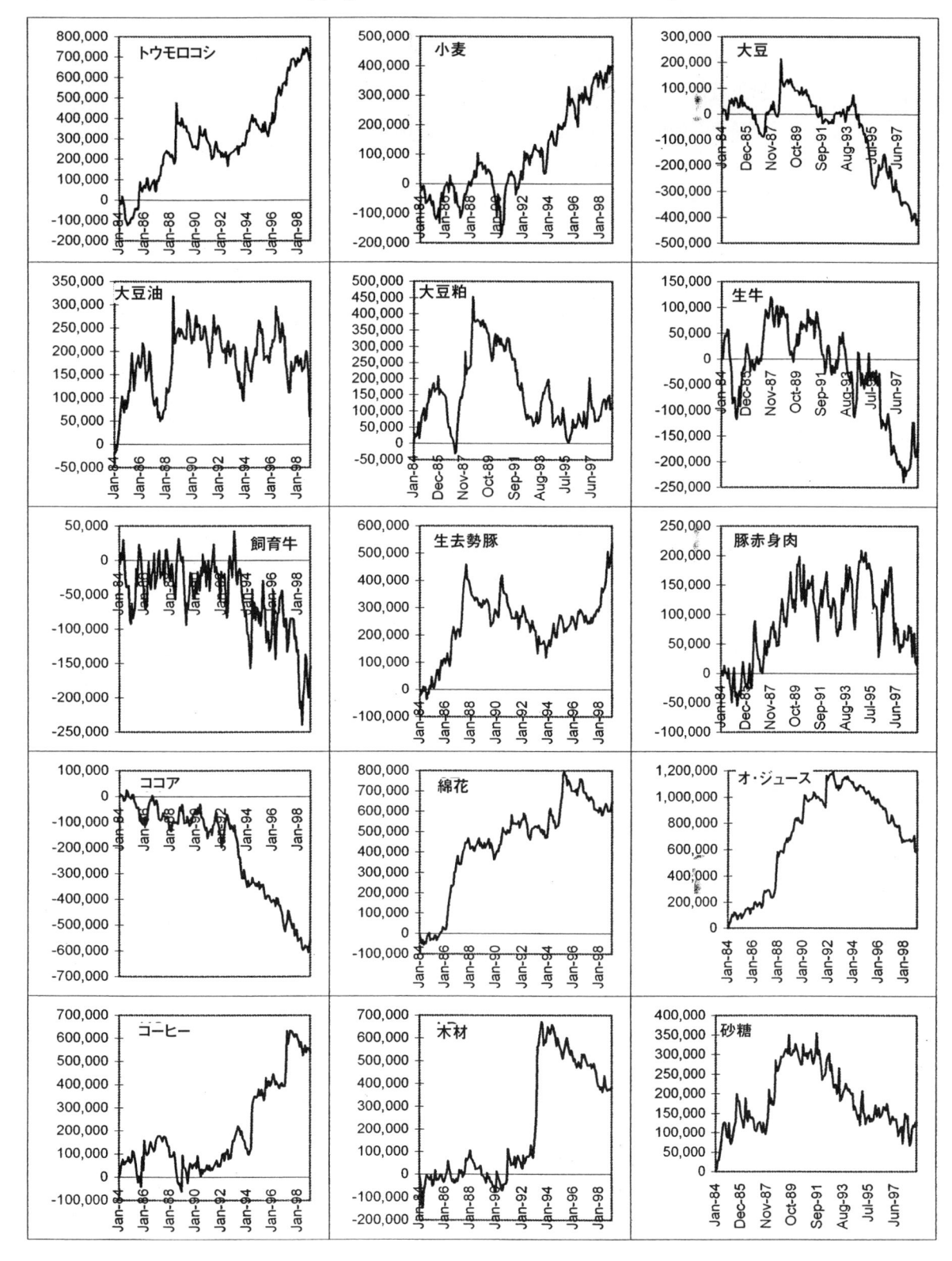

Chapter 1 **SYSTEM**

### 分類統計

| | |
|---|---|
| システム名 | ：ＶＩＤＹＡ交差（０．１と０．２のα値） |
| パラメータ | ：０．２を用いたＶＩＤＹＡ短期平滑化、０．１を用いた長期平滑化 |
| 建玉枚数 | ：可変 |
| システムの概要 | ：０．２ＶＩＤＹＡが０．１ＶＩＤＹＡを上抜いたら買い、下抜いたら売る |
| 検証期間 | ：1/1/84-12/31/98 |

Copyright 1999 Lars Kestner,LINK Financial-All rights reserved

### 市場部門による分析

| 市場部門 | 平均純益 | 平均Kレシオ | 平均シャープレシオ | 平均最大ドローダウン | 平均トレード数 | 平均勝率 | 平均損益 | 勝トレードの平均利益 | 敗トレードの平均損失 | 勝トレードの平均日数 | 敗トレードの平均日数 |
|---|---|---|---|---|---|---|---|---|---|---|---|
| 通貨 | 704,640 | 2.62 | 0.14 | -191,031 | 158 | 35 | 4,642 | 34,633 | -11,677 | 48 | 11 |
| 金利 | 928,117 | 3.70 | 0.19 | -154,708 | 140 | 36 | 6,728 | 41,175 | -12,010 | 55 | 12 |
| 株価指数 | -519,650 | -2.45 | -0.11 | -679,600 | 196 | 25 | -3,081 | 26,241 | -12,855 | 44 | 11 |
| 貴金属 | 5,330 | 0.53 | 0.00 | -381,213 | 172 | 32 | 128 | 23,820 | -11,076 | 42 | 13 |
| エネルギー | 651,878 | 3.11 | 0.13 | -158,373 | 155 | 35 | 4,021 | 32,276 | -10,977 | 48 | 11 |
| 穀物 | 177,240 | 0.60 | 0.03 | -328,504 | 170 | 31 | 1,190 | 30,332 | -12,077 | 46 | 12 |
| 食肉 | 60,847 | -0.15 | 0.01 | -279,748 | 167 | 31 | 340 | 29,042 | -12,491 | 46 | 13 |
| ソフト | 291,752 | 0.52 | 0.04 | -372,721 | 165 | 31 | 1,685 | 31,940 | -12,095 | 46 | 12 |

### 年次成績分析

| 年 | 純益 | Kレシオ | シャープレシオ |
|---|---|---|---|
| 1984 | 1,487,454 | 2.77 | 0.59 |
| 1985 | 1,218,661 | 2.29 | 0.42 |
| 1986 | 308,486 | 0.07 | 0.12 |
| 1987 | 2,338,951 | 4.36 | 0.76 |
| 1988 | 1,403,155 | 1.70 | 0.28 |
| 1989 | -4,521 | -0.39 | 0.00 |
| 1990 | 1,169,456 | 3.02 | 0.63 |
| 1991 | 382,813 | 0.42 | 0.13 |
| 1992 | 774,443 | 1.48 | 0.40 |
| 1993 | 218,555 | -0.10 | 0.11 |
| 1994 | -128,449 | -0.12 | -0.05 |
| 1995 | 112,244 | -0.30 | 0.07 |
| 1996 | 150,342 | 0.67 | 0.04 |
| 1997 | 313,871 | -0.16 | 0.12 |
| 1998 | 242,288 | 0.78 | 0.07 |

### 利益性ウインドウ

| 期間 | ウインドウ数 | 収益ウインドウ数 | 利益ウインドウ率 |
|---|---|---|---|
| 1カ月 | 180 | 109 | 60.56% |
| 3カ月 | 178 | 123 | 69.10% |
| 6カ月 | 175 | 123 | 70.29% |
| 12カ月 | 169 | 137 | 81.07% |
| 18カ月 | 163 | 146 | 89.57% |
| 24カ月 | 157 | 148 | 94.27% |

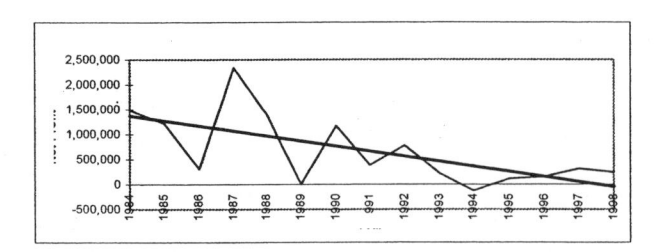

### 年次純益推移

# 第1章 システム

## ④ 8日Qスティックと8日移動平均との交差（P73）

　シャンデとクロールは、ローソク足法則をQスティックと呼ばれる指標にして定量化を試みた。ローソク足法則の多くは取引する日の寄り付きと大引けとの価格差に関係する。Qスティックはこの差を測定し、時間軸方向に平滑化する。Qスティックは終値から始値の8日単純移動平均を引いた値である。値が上昇するときは相場の基調が強いことを示し、値が下降するときは、基調が弱いことを示す。交差シグナルを得るためにQスティックを平滑化した8日単純移動平均を用いる。

・今日のQスティック値がその8日単純移動平均を上抜いたら、明日の寄り付きで買う。
・今日のQスティック値がその8日単純移動平均を下抜いたら、明日の寄り付きで売る。

**結果**

　Qスティックはこの本の中で最も良いシステムの1つかもしれない。問題点は、利益になる結果を得るのに、上記のルールと正反対のルールを使用しなければならないことである。検証では、実質的にすべての市場で損失となった。損益曲線は最初から最後までスムーズな下降トレンドを示している。残念ながら、システムは反対をトレードするには、あまりにも頻繁にトレードし過ぎている。1枚当たりの平均損益は、30ドルの損失である。

Chapter 1 **SYSTEM**

**トレーディング・システム評価**

システム名　　　：8日Qスティックと8日移動平均との交差
パラメータ　　　：8日Qスティックとその8日平均
建玉枚数　　　　：可変
システムの概要　：8日Qスティックがその8日移動平均よりも大きければ買い、小さ
　　　　　　　　　ければ売る
検証期間　　　　：1/1/84-12/31/98　Copyright 1999 Lars Kestner,LINK Financial-All rights reserved

| | 市場 | 純益 | Kレシオ | シャープレシオ | 最大ドローダウン | トレード数 | 勝率 | 平均建玉数 | 平均損益 | 勝トレードの平均利益 | 敗トレードの平均損失 | 勝トレードの平均日数 | 敗トレードの平均日数 |
|---|---|---|---|---|---|---|---|---|---|---|---|---|---|
| 通貨 | 英ポンド | -412,750 | -2.19 | -0.09 | -645,200 | 751 | 42 | 9 | -565 | 9,365 | -7,819 | 6 | 4 |
| | 加ドル | -39,930 | 0.03 | -0.01 | -499,640 | 748 | 42 | 28 | -96 | 11,146 | -8,230 | 7 | 4 |
| | 独マルク | -524,300 | -2.36 | -0.11 | -834,875 | 756 | 39 | 12 | -698 | 10,525 | -8,000 | 7 | 4 |
| | 円 | -551,125 | -1.14 | -0.10 | -712,563 | 782 | 40 | 10 | -720 | 10,163 | -8,021 | 6 | 4 |
| | スイスフラン | -702,638 | -2.52 | -0.14 | -1,103,650 | 762 | 37 | 9 | -925 | 10,851 | -7,804 | 7 | 4 |
| 金利 | Tボンド | -350,750 | -0.81 | -0.08 | -517,500 | 737 | 43 | 9 | -475 | 9,642 | -8,195 | 7 | 4 |
| | Tノート | -334,750 | -1.10 | -0.07 | -602,750 | 742 | 45 | 14 | -456 | 9,670 | -8,835 | 6 | 4 |
| | ユーロ・ドル | -197,200 | -0.81 | -0.04 | -544,950 | 696 | 45 | 4 | -283 | 11,306 | -9,865 | 7 | 4 |
| 株価指数 | S&P | -779,625 | -1.52 | -0.16 | -978,700 | 729 | 37 | 4 | -1,073 | 10,598 | -7,980 | 7 | 4 |
| 貴金属 | 金 | -357,040 | -1.73 | -0.08 | -455,430 | 752 | 38 | 21 | -474 | 10,661 | -7,231 | 7 | 4 |
| | 銀 | -161,585 | -0.60 | -0.04 | -590,585 | 724 | 40 | 15 | -222 | 9,666 | -6,791 | 7 | 4 |
| | プラチナ | -699,855 | -3.14 | -0.16 | -733,535 | 825 | 38 | 23 | -874 | 9,271 | -7,108 | 7 | 3 |
| エネルギー | 原油 | -224,420 | -1.29 | -0.05 | -529,020 | 760 | 39 | 18 | -306 | 10,959 | -7,572 | 7 | 4 |
| | 灯油 | -835,589 | -1.44 | -0.20 | -902,235 | 828 | 37 | 14 | -1,020 | 10,093 | -7,637 | 6 | 4 |
| 穀物 | トウモロコシ | -832,125 | -1.97 | -0.18 | -851,725 | 774 | 41 | 44 | -1,088 | 9,659 | -8,423 | 7 | 4 |
| | 小麦 | -491,075 | -3.61 | -0.10 | -620,975 | 788 | 39 | 27 | -617 | 10,241 | -7,696 | 7 | 3 |
| | 大豆 | -325,025 | -1.61 | -0.07 | -448,525 | 762 | 41 | 17 | -418 | 9,663 | -7,408 | 7 | 4 |
| | 大豆油 | -230,208 | -0.81 | -0.05 | -507,300 | 748 | 39 | 31 | -316 | 11,170 | -7,548 | 7 | 4 |
| | 大豆粕 | -520,250 | -0.98 | -0.10 | -776,890 | 780 | 40 | 27 | -663 | 10,181 | -7,971 | 7 | 3 |
| 食肉 | 生牛 | -109,796 | 0.50 | -0.03 | -379,740 | 769 | 41 | 24 | -150 | 10,079 | -7,324 | 7 | 3 |
| | 飼育牛 | -306,398 | -0.35 | -0.07 | -568,964 | 769 | 38 | 23 | -400 | 11,046 | -7,562 | 7 | 3 |
| | 生去勢豚 | -247,156 | -1.74 | -0.06 | -557,612 | 779 | 36 | 17 | -328 | 11,689 | -7,146 | 7 | 3 |
| | 豚赤身肉 | -651,560 | -1.80 | -0.15 | -696,328 | 794 | 38 | 12 | -826 | 10,281 | -7,679 | 7 | 3 |
| ソフト | ココア | -433,210 | -0.25 | -0.10 | -539,730 | 762 | 37 | 24 | -553 | 10,477 | -7,070 | 7 | 4 |
| | 綿花 | -1,215,905 | -5.36 | -0.29 | -1,325,540 | 804 | 36 | 14 | -1,526 | 9,175 | -7,499 | 7 | 4 |
| | オ・ジュース | -31,493 | -0.58 | -0.01 | -308,715 | 750 | 40 | 20 | -56 | 11,213 | -7,568 | 7 | 4 |
| | コーヒー | 136,054 | 0.21 | 0.03 | -350,764 | 786 | 41 | 8 | 202 | 11,126 | -7,339 | 7 | 3 |
| | 木材 | 260,304 | 0.60 | 0.05 | -419,040 | 848 | 41 | 12 | 300 | 11,814 | -7,597 | 6 | 3 |
| | 砂糖 | -810,555 | -4.02 | -0.20 | -936,521 | 763 | 36 | 27 | -1,081 | 9,500 | -6,977 | 7 | 4 |
| | 平均 | -413,102 | -1.46 | -0.09 | -653,069 | 768 | 40 | 18 | -542 | 10,387 | -7,720 | 7 | 4 |

**ポートフォリオ統計**

純益　　　　：-11,979,954　　シャープ・レシオ　　　　　　　：-0.39
ドローダウン：-12,074,782　　ブレイクアウトとの相関係数　　　：-0.03
Kレシオ　　　：　　-7.44　　10／40移動平均との相関係数：-0.12

# 第1章　システム

**損益曲線：英ポンド～灯油**　Copyright 1999 Lars Kestner,LINK Financial-All rights reserved

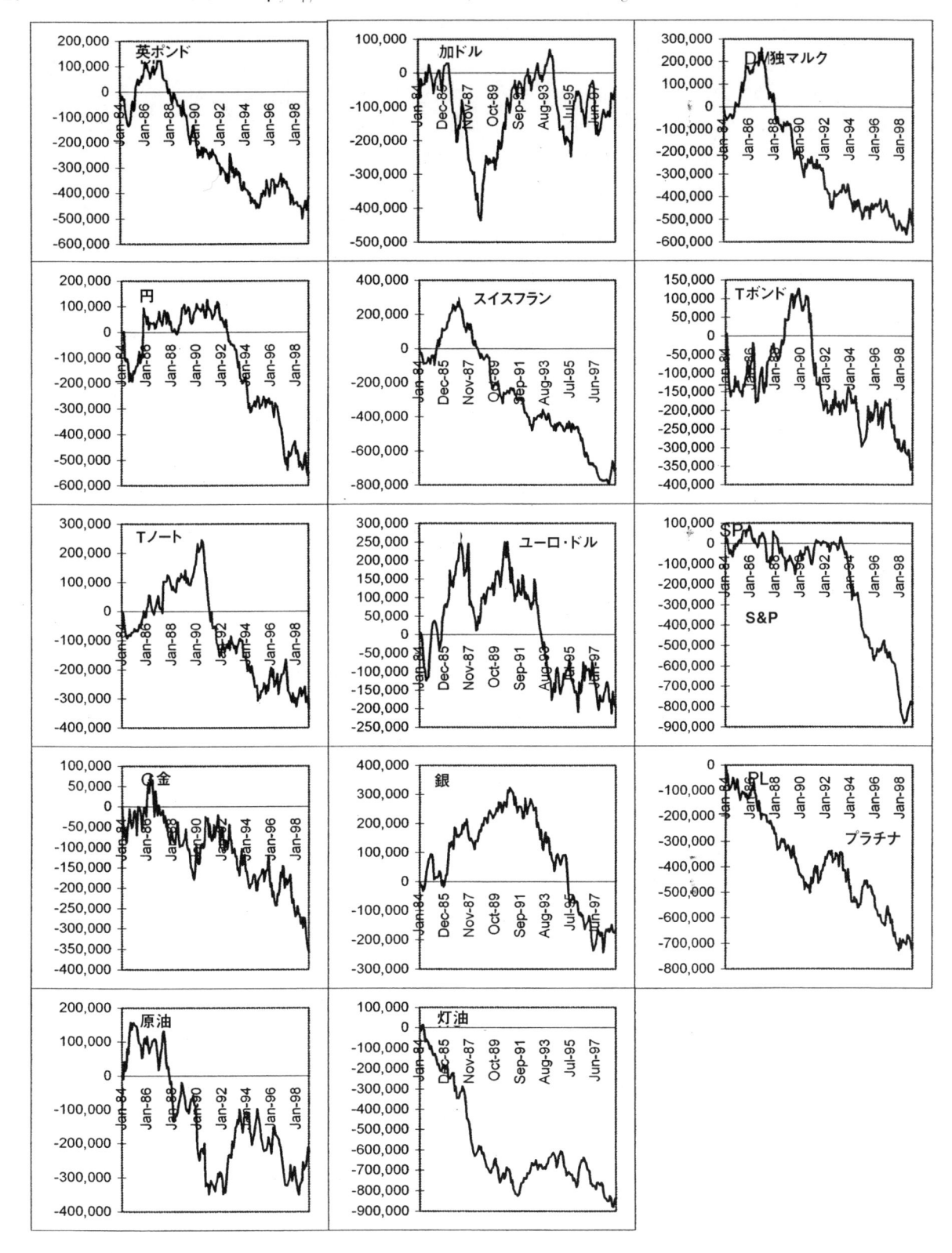

Chapter 1 **SYSTEM**

損益曲線：トウモロコシ～砂糖　Copyright 1999 Lars Kestner,LINK Financial-All rights reserved

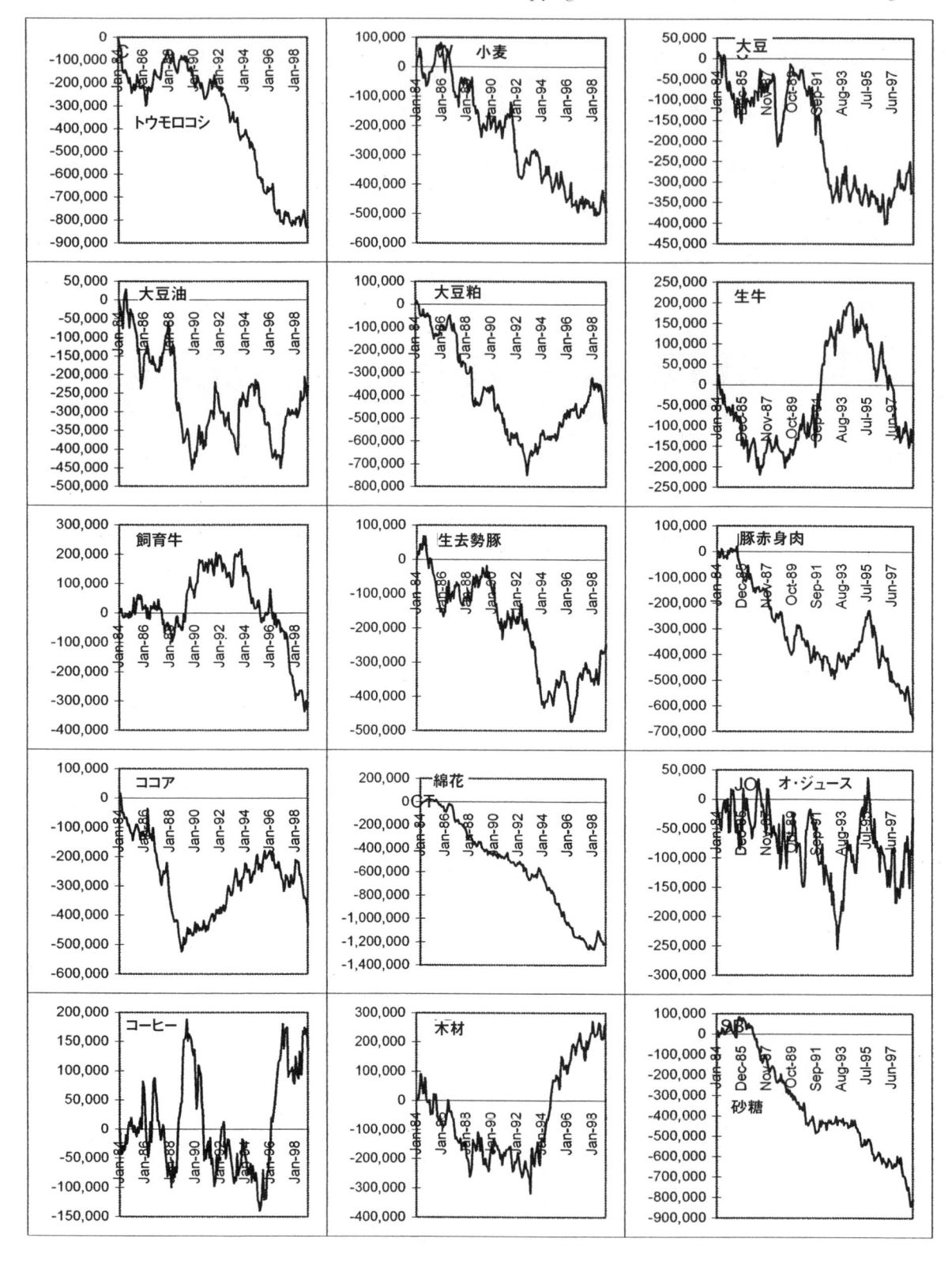

# 第1章 システム

**分類統計**

システム名　　　：8日Qスティックと8日移動平均との交差
パラメータ　　　：8日Qスティックとその8日平均
建玉枚数　　　　：可変
システムの概要　：8日Qスティックがその8日移動平均よりも大きければ買い、小さ
　　　　　　　　　ければ売る
検証期間　　　　：1/1/84-12/31/98

Copyright 1999 Lars Kestner,LINK Financial-All rights reserved

## 市場部門による分析

| 市場部門 | 平均純益 | 平均Kレシオ | 平均シャープレシオ | 平均最大ドローダウン | 平均トレード数 | 平均勝率 | 平均損益 | 勝トレードの平均利益 | 敗トレードの平均損失 | 勝トレードの平均日数 | 敗トレードの平均日数 |
|---|---|---|---|---|---|---|---|---|---|---|---|
| 通貨 | -446,149 | -1.63 | -0.09 | -759,186 | 760 | 40 | -601 | 10,410 | -7,975 | 7 | 4 |
| 金利 | -294,233 | -0.90 | -0.06 | -555,067 | 725 | 45 | -404 | 10,206 | -8,965 | 7 | 4 |
| 株価指数 | -779,625 | -1.52 | -0.16 | -978,700 | 729 | 37 | -1,073 | 10,598 | -7,980 | 7 | 4 |
| 貴金属 | -406,160 | -1.82 | -0.09 | -593,183 | 767 | 39 | -523 | 9,866 | -7,043 | 7 | 4 |
| エネルギー | -530,004 | -1.37 | -0.12 | -715,627 | 794 | 38 | -663 | 10,526 | -7,605 | 7 | 4 |
| 穀物 | -479,737 | -1.80 | -0.10 | -641,083 | 770 | 40 | -620 | 10,183 | -7,809 | 7 | 4 |
| 食肉 | -328,727 | -0.85 | -0.08 | -550,661 | 778 | 39 | -426 | 10,774 | -7,428 | 7 | 3 |
| ソフト | -349,134 | -1.57 | -0.09 | -646,718 | 786 | 38 | -452 | 10,551 | -7,342 | 7 | 4 |

## 年次成績分析

| 年 | 純益 | Kレシオ | シャープレシオ |
|---|---|---|---|
| 1984 | -951,742 | -0.95 | -0.40 |
| 1985 | 347,934 | 0.73 | 0.15 |
| 1986 | -561,087 | -1.04 | -0.30 |
| 1987 | -1,978,501 | -3.61 | -0.82 |
| 1988 | -984,106 | -1.12 | -0.35 |
| 1989 | -389,291 | -1.09 | -0.23 |
| 1990 | -947,391 | -1.48 | -0.47 |
| 1991 | -619,787 | -1.70 | -0.30 |

| 年 | 純益 | Kレシオ | シャープレシオ |
|---|---|---|---|
| 1992 | -986,747 | -2.10 | -0.44 |
| 1993 | -203,268 | -0.70 | -0.11 |
| 1994 | -1,397,914 | -2.72 | -0.80 |
| 1995 | -493,519 | -1.09 | -0.27 |
| 1996 | -975,621 | -2.53 | -0.58 |
| 1997 | -1,547,662 | -3.95 | -0.92 |
| 1998 | -291,253 | -0.31 | -0.14 |

## 利益性ウインドウ

| 期間 | ウインドウ数 | 収益ウインドウ数 | 利益ウインドウ率 |
|---|---|---|---|
| 1カ月 | 180 | 64 | 35.56% |
| 3カ月 | 178 | 44 | 24.72% |
| 6カ月 | 175 | 30 | 17.14% |
| 12カ月 | 169 | 15 | 8.88% |
| 18カ月 | 163 | 13 | 7.98% |
| 24カ月 | 157 | 8 | 5.10% |

## 年次純益推移

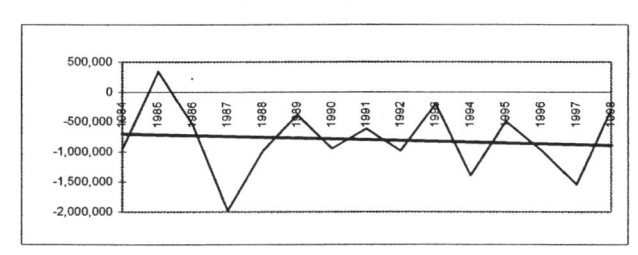

### ⑤２０日Ｑスティックと２０日移動平均との交差（Ｐ７３）

　著者のシステムを改善しようとする私の試みの多くはトレードの時間枠を長くすることである。この本で紹介するシステムの多くは仕掛けてから３日以内に手仕舞うものだ。まともに取引コストを考えると、利益になるとはとても言い難いものになってしまう。売買頻度を下げることは、こうしたコストの重荷の低減につながる。Ｑスティックに対して、２０日間の始値と終値を用い、その２０日移動平均との交差により売買サインを出す修正版を検証してみた。

- 今日の２０日Ｑスティック値がその２０日移動平均線を上抜いたら、明日の寄り付きで買う。
- 今日の２０日Ｑスティック値がその２０日移動平均線を下抜いたら、明日の寄り付きで売る。

**結果**

　異なるパラメータを使う私の試みは成績を改善していない。トレード数は半減するものの、成績の浮き沈みは激しい。市場部門別に考えても、明確な収益性はみられない。各市場部門において、およそ半数の銘柄で利益になり、残りは損失となっている。その事実により、これらの結果からは得るべきものはないと信じる。

# 第1章 システム

**トレーディング・システム評価**

システム名 ：20日Qスティックと20日移動平均との交差
パラメータ ：20日Qスティックとその20日移動平均
建玉枚数 ：可変
システムの概要：20日Qスティックがその20日平均よりも大きければ買い、小さ
ければ売る
検証期間 ：1/1/84-12/31/98  Copyright 1999 Lars Kestner,LINK Financial-All rights reserved

|   | 市場 | 純益 | Kレシオ | シャープレシオ | 最大ドローダウン | トレード数 | 勝率 | 平均建玉数 | 平均損益 | 勝トレードの平均利益 | 敗トレードの平均損失 | 勝トレードの平均日数 | 敗トレードの平均日数 |
|---|---|---|---|---|---|---|---|---|---|---|---|---|---|
| 通貨 | 英ポンド | 26,331 | 0.53 | 0.01 | -255,819 | 459 | 39 | 9 | 57 | 13,353 | -8,522 | 12 | 6 |
|  | 加ドル | -248,530 | -2.08 | -0.05 | -684,190 | 470 | 41 | 28 | -505 | 13,890 | -10,447 | 12 | 5 |
|  | 独マルク | 595,175 | 2.57 | 0.15 | -182,288 | 412 | 45 | 12 | 1,412 | 13,587 | -8,511 | 13 | 6 |
|  | 円 | -114,463 | -0.40 | -0.02 | -635,350 | 470 | 37 | 10 | -298 | 14,353 | -9,068 | 11 | 6 |
|  | スイスフラン | 56,150 | 0.84 | 0.01 | -257,025 | 405 | 37 | 9 | 158 | 15,702 | -8,890 | 14 | 7 |
| 金利 | Tボンド | -71,250 | -1.16 | -0.01 | -338,000 | 448 | 41 | 9 | -159 | 13,132 | -9,423 | 12 | 6 |
|  | Tノート | 3,000 | -0.01 | 0.00 | -327,750 | 466 | 42 | 13 | -1 | 13,537 | -9,741 | 12 | 6 |
|  | ユーロ・ドル | 355,600 | 0.60 | 0.06 | -591,500 | 391 | 39 | 5 | 888 | 19,894 | -11,070 | 14 | 7 |
| 株価指数 | S&P | -517,875 | -2.13 | -0.12 | -657,275 | 457 | 34 | 4 | -1,122 | 13,241 | -8,566 | 14 | 5 |
| 貴金属 | 金 | -262,200 | -0.74 | -0.06 | -704,400 | 488 | 39 | 21 | -571 | 12,241 | -8,670 | 12 | 5 |
|  | 銀 | -152,550 | -0.77 | -0.03 | -459,520 | 455 | 38 | 16 | -323 | 12,808 | -8,303 | 12 | 6 |
|  | プラチナ | -41,345 | -0.33 | -0.01 | -215,805 | 457 | 39 | 23 | -97 | 12,612 | -8,057 | 12 | 6 |
| エネルギー | 原油 | -120,960 | -0.08 | -0.02 | -357,450 | 442 | 38 | 19 | -268 | 16,010 | -10,058 | 13 | 6 |
|  | 灯油 | -119,444 | 0.73 | -0.02 | -460,194 | 502 | 37 | 14 | -225 | 14,514 | -8,901 | 12 | 5 |
| 穀物 | トウモロコシ | 479,675 | 0.90 | 0.06 | -352,725 | 406 | 38 | 43 | 1,093 | 18,258 | -9,618 | 14 | 6 |
|  | 小麦 | -189,900 | -1.89 | -0.04 | -447,650 | 443 | 37 | 28 | -414 | 14,007 | -8,809 | 14 | 6 |
|  | 大豆 | 276,275 | 1.41 | 0.07 | -167,000 | 415 | 42 | 16 | 598 | 12,027 | -7,736 | 14 | 6 |
|  | 大豆油 | -318,180 | -1.37 | -0.07 | -486,534 | 457 | 37 | 31 | -759 | 12,618 | -8,609 | 13 | 5 |
|  | 大豆粕 | 533,450 | 1.64 | 0.10 | -199,140 | 380 | 41 | 27 | 1,352 | 15,858 | -8,861 | 15 | 6 |
| 食肉 | 生牛 | 117,928 | 0.87 | 0.03 | -251,224 | 388 | 39 | 25 | 327 | 14,436 | -8,566 | 14 | 7 |
|  | 飼育牛 | 608,815 | 2.55 | 0.13 | -208,670 | 466 | 40 | 24 | 1,284 | 14,193 | -7,214 | 12 | 5 |
|  | 生去勢豚 | 26,812 | 0.35 | 0.01 | -240,932 | 416 | 40 | 17 | 53 | 14,047 | -9,238 | 14 | 6 |
|  | 豚赤身肉 | -385,020 | -1.14 | -0.08 | -593,352 | 468 | 35 | 11 | -817 | 13,961 | -8,790 | 13 | 5 |
| ソフト | ココア | -839,030 | -5.01 | -0.21 | -874,870 | 512 | 34 | 24 | -1,631 | 10,392 | -7,820 | 11 | 6 |
|  | 綿花 | -667,900 | -3.27 | -0.15 | -864,810 | 477 | 33 | 14 | -1,367 | 13,192 | -8,646 | 13 | 5 |
|  | オ・ジュース | -250,403 | -0.23 | -0.04 | -401,318 | 504 | 37 | 21 | -508 | 13,402 | -8,506 | 11 | 5 |
|  | コーヒー | 181,133 | 0.32 | 0.03 | -308,269 | 439 | 40 | 8 | 390 | 14,280 | -8,729 | 13 | 6 |
|  | 木材 | -323,600 | -0.69 | -0.06 | -597,136 | 516 | 37 | 13 | -631 | 14,265 | -9,459 | 11 | 5 |
|  | 砂糖 | -37,196 | 0.18 | -0.01 | -371,000 | 454 | 39 | 27 | -84 | 11,280 | -7,346 | 13 | 5 |
|  | 平均 | -48,259 | -0.27 | -0.01 | -430,731 | 450 | 38 | 18 | -75 | 13,969 | -8,834 | 13 | 6 |

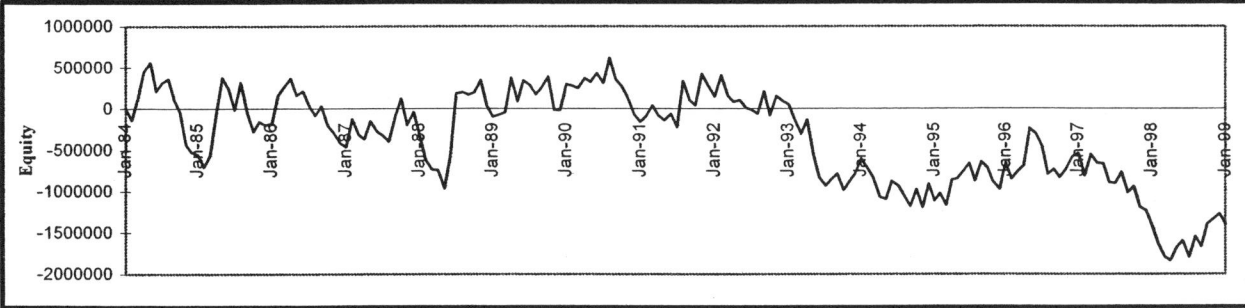

**ポートフォリオ統計**

純益 ： -1,399,501　　シャープ・レシオ ： -0.04
ドローダウン： -2,454,151　　ブレイクアウトとの相関係数 ： 0.34
Kレシオ ： -0.97　　10/40移動平均との相関係数 ： 0.29

Chapter 1 **SYSTEM**

損益曲線：英ポンド〜灯油   Copyright 1999 Lars Kestner,LINK Financial-All rights reserved

# 第1章 システム

損益曲線：トウモロコシ～砂糖　Copyright 1999 Lars Kestner, LINK Financial-All rights reserved

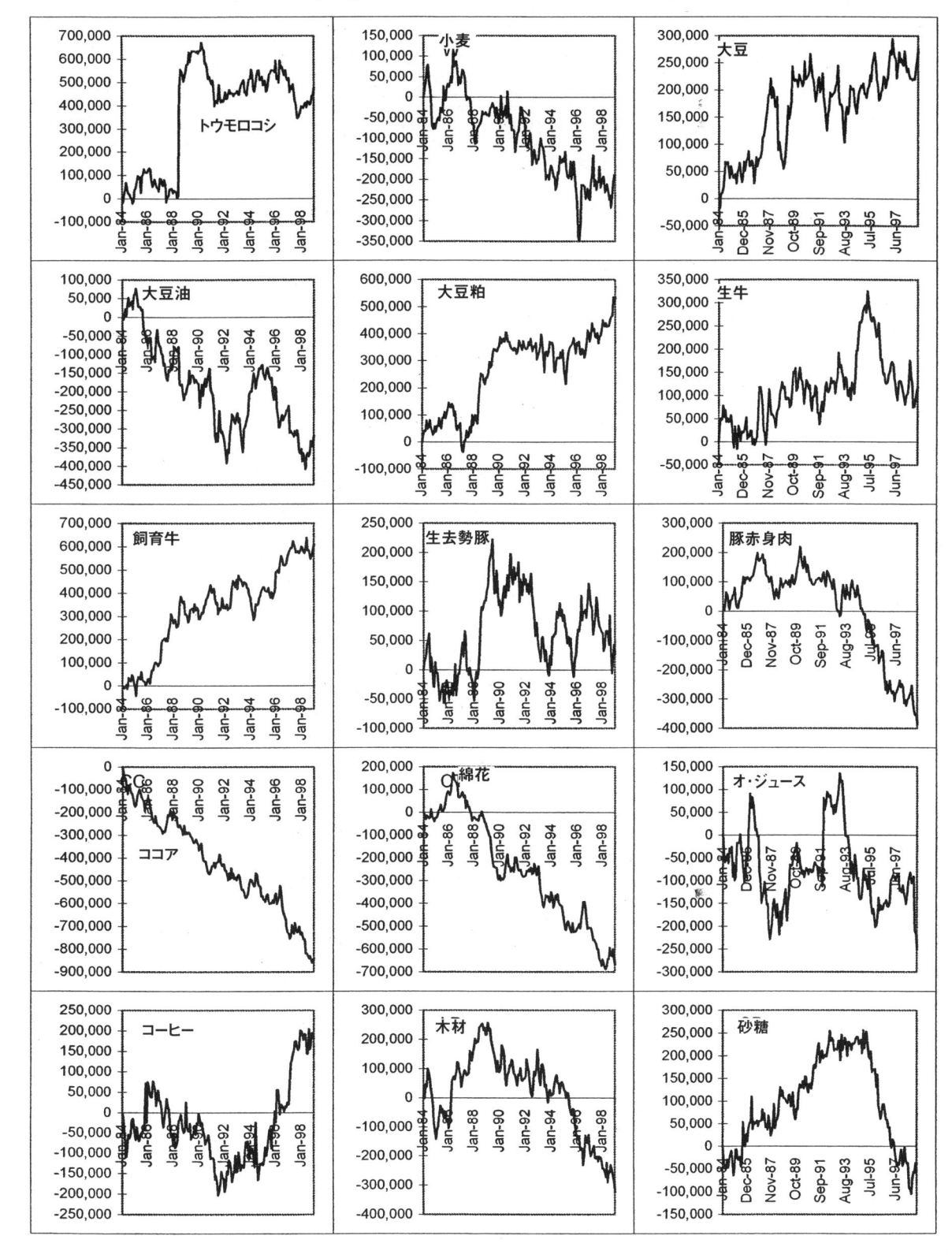

## Chapter 1 SYSTEM

**分類統計**

| | |
|---|---|
| システム名 | ：２０日Ｑスティックと２０日移動平均との交差 |
| パラメータ | ：２０日Ｑスティックとその２０日移動平均 |
| 建玉枚数 | ：可変 |
| システムの概要 | ：２０日Ｑスティックがその２０日平均よりも大きければ買い、小さければ売る |
| 検証期間 | ：1/1/84-12/31/98 |

Copyright 1999 Lars Kestner,LINK Financial-All rights reserved

### 市場部門による分析

| 市場部門 | 平均純益 | 平均Kレシオ | 平均シャープレシオ | 平均最大ドローダウン | 平均トレード数 | 平均勝率 | 平均損益 | 勝トレードの平均利益 | 敗トレードの平均損失 | 勝トレードの平均日数 | 敗トレードの平均日数 |
|---|---|---|---|---|---|---|---|---|---|---|---|
| 通貨 | 62,933 | 0.29 | 0.02 | -402,934 | 443 | 40 | 165 | 14,177 | -9,088 | 12 | 6 |
| 金利 | 95,783 | -0.19 | 0.01 | -419,083 | 435 | 41 | 243 | 15,521 | -10,078 | 13 | 6 |
| 株価指数 | -517,875 | -2.13 | -0.12 | -657,275 | 457 | 34 | -1,122 | 13,241 | -8,566 | 14 | 5 |
| 貴金属 | -152,032 | -0.61 | -0.03 | -459,908 | 467 | 38 | -330 | 12,554 | -8,343 | 12 | 5 |
| エネルギー | -120,202 | 0.33 | -0.02 | -408,822 | 472 | 37 | -247 | 15,262 | -9,480 | 12 | 5 |
| 穀物 | 156,264 | 0.14 | 0.03 | -330,610 | 420 | 39 | 374 | 14,554 | -8,726 | 14 | 6 |
| 食肉 | 92,134 | 0.66 | 0.02 | -323,544 | 435 | 38 | 212 | 14,159 | -8,452 | 13 | 6 |
| ソフト | -322,833 | -1.45 | -0.07 | -569,567 | 484 | 37 | -639 | 12,802 | -8,418 | 12 | 5 |

### 年次成績分析

| 年 | 純益 | Kレシオ | シャープレシオ |
|---|---|---|---|
| 1984 | -549,302 | -0.64 | -0.20 |
| 1985 | 372,379 | 0.31 | 0.11 |
| 1986 | -283,933 | -0.99 | -0.14 |
| 1987 | 148,002 | 0.43 | 0.06 |
| 1988 | 217,228 | 0.90 | 0.06 |
| 1989 | 393,526 | 0.34 | 0.14 |
| 1990 | -452,879 | -0.58 | -0.25 |
| 1991 | 303,186 | 0.86 | 0.11 |

| 年 | 純益 | Kレシオ | シャープレシオ |
|---|---|---|---|
| 1992 | -97,548 | -0.42 | -0.05 |
| 1993 | -654,961 | -1.09 | -0.28 |
| 1994 | -505,754 | -0.83 | -0.24 |
| 1995 | 454,355 | 0.69 | 0.21 |
| 1996 | 117,928 | 0.03 | 0.05 |
| 1997 | -876,846 | -1.96 | -0.43 |
| 1998 | 15,117 | 0.66 | 0.01 |

### 利益性ウインドウ

| 期間 | ウインドウ数 | 収益ウインドウ数 | 利益ウインドウ率 |
|---|---|---|---|
| 1カ月 | 180 | 77 | 42.78% |
| 3カ月 | 178 | 78 | 43.82% |
| 6カ月 | 175 | 83 | 47.43% |
| 12カ月 | 169 | 73 | 43.20% |
| 18カ月 | 163 | 71 | 43.56% |
| 24カ月 | 157 | 65 | 41.40% |

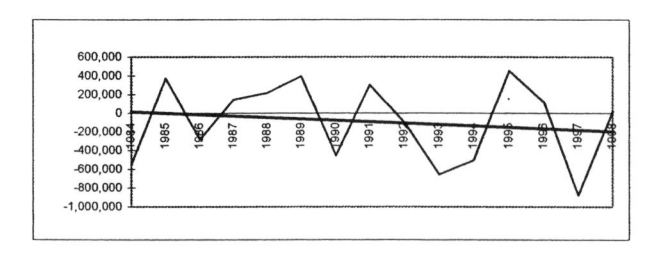

### 年次純益推移

# 第1章　システム

### ⑥移動平均交差を併用したシャンデのモメンタム・オシレーター（Ｐ９４）

ＲＳＩに代わる手段として、シャンデは「シャンデのモメンタム・オシレーター」（ＣＭＯ）と呼ばれるモメンタム指標の改良版を提案した。

ＣＭＯ＝１００×（上昇日のモメンタムの合計－下降日のモメンタムの合計の絶対値）÷（上昇日のモメンタムの合計＋下降日のモメンタムの合計の絶対値）

で与えられる。ここでモメンタムとは前日の終値から当日の終値までの価格変化分である。

ＣＭＯは、＋１００から－１００までの値を取り得る。１０日ＣＭＯの１０日単純移動平均を計算することにより、モメンタムの反転を判断するための平滑化された指標を得ることができる。

・今日の１０日ＣＭＯがその１０日単純移動平均を上抜いたら、明日の寄り付きで買う。
・今日の１０日ＣＭＯがその１０日単純移動平均を下抜いたら、明日の寄り付きで売る。

**結果**
ＣＭＯも浮き沈みの激しい成績を示している。戦略を全体的に見ると損失であるが、ここ３年で見ると各年で利益を上げている。

Chapter 1 SYSTEM

## トレーディング・システム評価

システム名　　：シャンデのモメンタム・オシレーター
パラメータ　　：１０日ＣＭＯとその１０日単純移動平均（シグナル用）
建玉枚数　　　：可変
システムの概要：ＣＭＯがその１０日平均よりも大きければ買い、小さければ売る
検証期間　　　：1/1/84-12/31/98　Copyright 1999 Lars Kestner.LINK Financial-All rights reserved

| | 市場 | 純益 | Kレシオ | シャープレシオ | 最大ドローダウン | トレード数 | 勝率 | 平均建玉数 | 平均損益 | 勝トレードの平均利益 | 敗トレードの平均損失 | 勝トレードの平均日数 | 敗トレードの平均日数 |
|---|---|---|---|---|---|---|---|---|---|---|---|---|---|
| 通貨 | 英ポンド | 182,338 | 0.30 | 0.04 | -347,763 | 634 | 42 | 9 | 270 | 11,254 | -7,772 | 8 | 4 |
| | 加ドル | 52,240 | -0.61 | 0.01 | -459,660 | 609 | 43 | 28 | 33 | 12,338 | -9,258 | 8 | 5 |
| | 独マルク | -111,213 | -0.88 | -0.03 | -534,263 | 669 | 41 | 12 | -171 | 10,992 | -7,867 | 8 | 4 |
| | 円 | 223,788 | 0.09 | 0.04 | -290,938 | 700 | 44 | 10 | 303 | 10,728 | -7,841 | 7 | 4 |
| | スイスフラン | -184,188 | -0.96 | -0.04 | -691,763 | 660 | 40 | 9 | -298 | 11,253 | -8,048 | 8 | 4 |
| 金利 | Tボンド | -674,250 | -3.82 | -0.16 | -824,375 | 653 | 41 | 9 | -1,039 | 9,861 | -8,722 | 8 | 5 |
| | Tノート | -669,250 | -2.97 | -0.15 | -758,875 | 637 | 44 | 13 | -1,056 | 9,806 | -9,575 | 8 | 5 |
| | ユーロ・ドル | -198,875 | -1.70 | -0.04 | -514,750 | 589 | 42 | 4 | -343 | 13,224 | -10,073 | 9 | 5 |
| 株価指数 | S&P | -560,950 | -2.69 | -0.12 | -668,200 | 672 | 37 | 4 | -871 | 11,269 | -7,881 | 8 | 4 |
| 貴金属 | 金 | 232,070 | 0.64 | 0.05 | -382,300 | 645 | 44 | 21 | 349 | 10,305 | -7,633 | 8 | 4 |
| | 銀 | 113,410 | -0.36 | 0.03 | -605,060 | 610 | 42 | 15 | 171 | 10,627 | -7,390 | 9 | 4 |
| | プラチナ | -434,355 | -1.63 | -0.10 | -618,295 | 659 | 40 | 23 | -666 | 10,098 | -7,725 | 8 | 4 |
| エネルギー | 原油 | -241,190 | -1.53 | -0.05 | -539,710 | 627 | 40 | 18 | -369 | 12,152 | -8,617 | 8 | 5 |
| | 灯油 | -372,464 | -1.27 | -0.08 | -724,879 | 641 | 41 | 15 | -567 | 10,970 | -8,646 | 8 | 4 |
| 穀物 | トウモロコシ | -1,375 | -0.44 | 0.00 | -362,950 | 646 | 45 | 44 | -24 | 10,588 | -8,669 | 8 | 4 |
| | 小麦 | -208,400 | -0.88 | -0.04 | -498,550 | 656 | 41 | 27 | -310 | 11,053 | -8,208 | 8 | 4 |
| | 大豆 | 144,950 | 0.42 | 0.03 | -278,900 | 668 | 43 | 17 | 226 | 10,327 | -7,524 | 8 | 4 |
| | 大豆油 | -3,882 | 0.34 | 0.00 | -302,688 | 650 | 40 | 30 | -8 | 12,106 | -7,931 | 9 | 4 |
| | 大豆粕 | 142,560 | 0.45 | 0.03 | -354,850 | 619 | 43 | 26 | 242 | 11,533 | -8,267 | 8 | 4 |
| 食肉 | 生牛 | -269,296 | -0.36 | -0.07 | -307,080 | 626 | 44 | 24 | -440 | 9,847 | -8,448 | 8 | 4 |
| | 飼育牛 | -334,466 | -0.96 | -0.09 | -394,473 | 608 | 41 | 24 | -574 | 10,617 | -8,496 | 8 | 5 |
| | 生去勢豚 | 206,484 | -0.12 | 0.05 | -480,700 | 618 | 41 | 17 | 324 | 12,660 | -8,285 | 9 | 4 |
| | 豚赤身肉 | 85,796 | 0.72 | 0.02 | -346,368 | 602 | 42 | 12 | 136 | 11,642 | -8,319 | 9 | 4 |
| ソフト | ココア | -452,420 | -1.68 | -0.11 | -503,750 | 703 | 38 | 24 | -641 | 9,660 | -7,026 | 8 | 4 |
| | 綿花 | -676,280 | -2.58 | -0.15 | -967,410 | 742 | 39 | 14 | -922 | 9,304 | -7,409 | 7 | 4 |
| | オ・ジュース | -115,995 | -1.01 | -0.02 | -404,153 | 631 | 39 | 20 | -186 | 12,557 | -8,274 | 9 | 4 |
| | コーヒー | 225,724 | 0.76 | 0.04 | -374,603 | 646 | 39 | 7 | 382 | 13,166 | -7,741 | 9 | 4 |
| | 木材 | 470,272 | 1.74 | 0.09 | -324,736 | 616 | 42 | 12 | 754 | 13,500 | -8,371 | 9 | 4 |
| | 砂糖 | -750,781 | -4.50 | -0.18 | -825,093 | 701 | 39 | 27 | -1,092 | 9,095 | -7,628 | 7 | 4 |
| | 平均 | -144,138 | -0.88 | -0.03 | -506,453 | 646 | 41 | 18 | -220 | 11,122 | -8,195 | 8 | 4 |

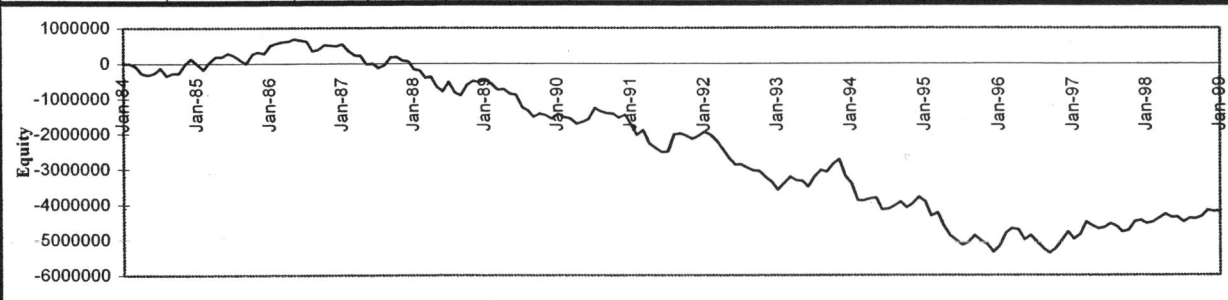

### ポートフォリオ統計

純益　　　　：-4,179,998　　シャープ・レシオ　　　　　　　：-0.14
ドローダウン：-6,058,408　　ブレイクアウトとの相関係数　　：-0.03
Kレシオ　　 ：　　　-3.20　　１０／４０移動平均との相関係数：-0.12

# 第1章　システム

損益曲線：英ポンド～灯油　　Copyright 1999 Lars Kestner,LINK Financial-All rights reserved

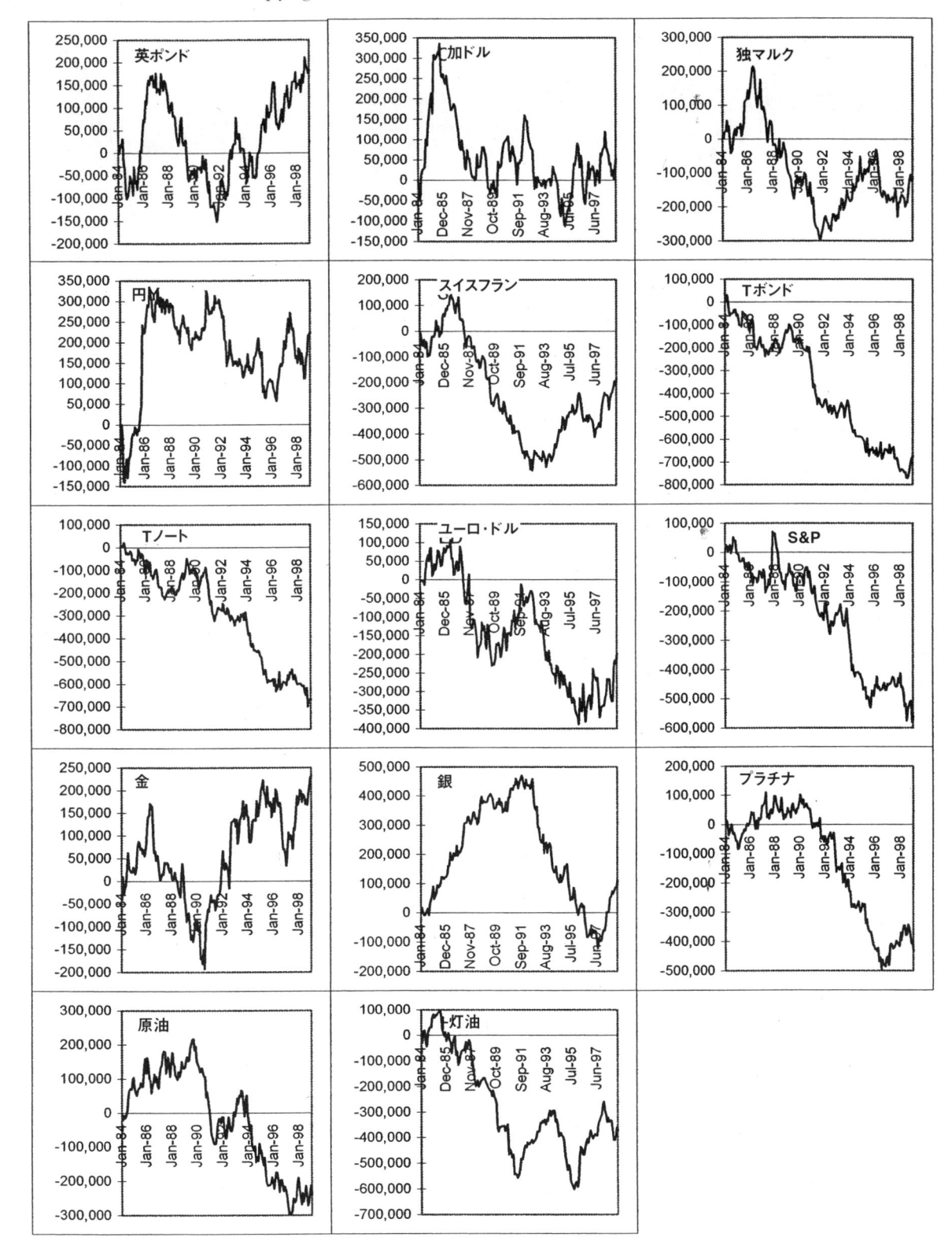

## Chapter 1 SYSTEM

損益曲線：トウモロコシ～砂糖　Copyright 1999 Lars Kestner,LINK Financial-All rights reserved

# 第1章 システム

**分類統計**

| | |
|---|---|
| システム名 | ：シャンデのモメンタム・オシレーター |
| パラメータ | ：１０日ＣＭＯとその１０日単純移動平均（シグナル用） |
| 建玉枚数 | ：可変 |
| システムの概要 | ：ＣＭＯがその１０日平均よりも大きければ買い、小さければ売る |
| 検証期間 | ：1/1/84-12/31/98 |

Copyright 1999 Lars Kestner,LINK Financial-All rights reserved

### 市場部門による分析

| 市場部門 | 平均純益 | 平均Kレシオ | 平均シャープレシオ | 平均最大ドローダウン | 平均トレード数 | 平均勝率 | 平均損益 | 勝トレードの平均利益 | 敗トレードの平均損失 | 勝トレードの平均日数 | 敗トレードの平均日数 |
|---|---|---|---|---|---|---|---|---|---|---|---|
| 通貨 | 32,593 | -0.41 | 0.01 | -464,877 | 654 | 42 | 27 | 11,313 | -8,157 | 8 | 4 |
| 金利 | -514,125 | -2.83 | -0.12 | -699,333 | 626 | 42 | -812 | 10,964 | -9,457 | 8 | 5 |
| 株価指数 | -560,950 | -2.69 | -0.12 | -668,200 | 672 | 37 | -871 | 11,269 | -7,881 | 8 | 4 |
| 貴金属 | -29,625 | -0.45 | -0.01 | -535,218 | 638 | 42 | -49 | 10,343 | -7,582 | 8 | 4 |
| エネルギー | -306,827 | -1.40 | -0.07 | -632,294 | 634 | 40 | -468 | 11,561 | -8,632 | 8 | 4 |
| 穀物 | 14,771 | -0.03 | 0.00 | -359,588 | 648 | 42 | 25 | 11,121 | -8,120 | 8 | 4 |
| 食肉 | -77,870 | -0.18 | -0.02 | -382,155 | 614 | 42 | -139 | 11,191 | -8,387 | 9 | 4 |
| ソフト | -216,580 | -1.21 | -0.06 | -566,624 | 673 | 39 | -284 | 11,214 | -7,742 | 8 | 4 |

### 年次成績分析

| 年 | 純益 | Kレシオ | シャープレシオ |
|---|---|---|---|
| 1984 | -27,456 | 0.11 | -0.02 |
| 1985 | 544,522 | 1.04 | 0.31 |
| 1986 | 26,660 | -0.41 | 0.02 |
| 1987 | -710,327 | -0.79 | -0.44 |
| 1988 | -291,460 | -0.49 | -0.12 |
| 1989 | -974,723 | -2.83 | -0.61 |
| 1990 | -318,150 | 0.02 | -0.17 |
| 1991 | -198,686 | -0.03 | -0.07 |
| 1992 | -1,631,287 | -4.47 | -1.63 |
| 1993 | 176,911 | 0.61 | 0.07 |
| 1994 | -508,954 | -0.43 | -0.21 |
| 1995 | -1,254,501 | -1.68 | -0.52 |
| 1996 | 194,503 | -0.25 | 0.08 |
| 1997 | 441,444 | 0.64 | 0.24 |
| 1998 | 351,507 | 1.02 | 0.33 |

### 利益性ウインドウ

| 期間 | ウインドウ数 | 収益ウインドウ数 | 利益ウインドウ率 |
|---|---|---|---|
| 1カ月 | 180 | 79 | 43.89% |
| 3カ月 | 178 | 75 | 42.13% |
| 6カ月 | 175 | 74 | 42.29% |
| 12カ月 | 169 | 58 | 34.32% |
| 18カ月 | 163 | 45 | 27.61% |
| 24カ月 | 157 | 39 | 24.84% |

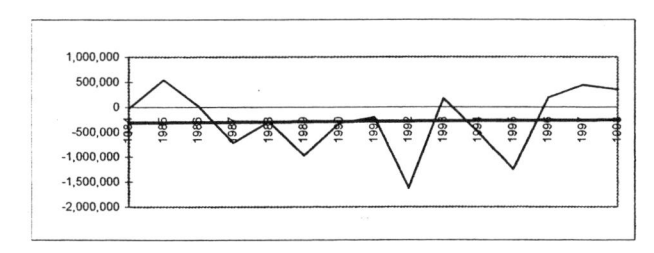

### 年次純益推移

# E．トーマス・デマーク著『テクニカル分析の新しい科学』

トム・デマークは疑いなくシステム売買業界における権威である。彼はコンサルタントとマネー・マネジメント業を長期にわたり務めた後、1994年に発行された『テクニカル分析の新しい科学』で彼のテクニックの公開を始めた。続いて1997年に発行された『デマークのチャート分析テクニック（New Market Timing Techniques）』（パンローリング刊）では、概念をより高度なものにした。これら2冊の本に対する私の率直な意見は、この本の中のとても豊富なアイデアの検証には長時間を必要とし、検証、考察、売買をいまだに完成できていないということである。

### ①強さ1のTDライン™抜き（P5）

トム・デマークの本はテクニカル分析から主観性を取り除くことに焦点を当てている。彼が提案する最初のアイデアはトレンドラインを引く定量的な手法に関してである。最近の主要な高値と安値（両側により安い高値を持つ高値か、より高い安値を持つ安値）を結ぶことによりトレンドラインを引くのである。トレンドライン抜きが3つの判断基準に基づき売買サインを発生させる。価格目標値がトレンドラインを引く過程における最安値（高値）に基づき決定される。今回の検証では、彼の本から認定条件＃1と＃3を採用した。価格目標と仕掛け値との差額と等しい損切りを手仕舞いルールとして追加した。

＜訳者注釈＞
- 買いの目標価格
　トレンドラインよりも下にある最安値とその真上にあるトレンドラインとの差額を仕掛けた日のトレンドラインの価格に加えた価格。損切りはその差額をトレンドラインから引いた価格。
- 買いの認定条件＃1
　今日の終値が昨日の終値よりも安い。
- 買いの認定条件＃3
　今日の終値から（今日の終値－今日の安値）と（今日の終値－昨日の終値）との大きい方を加えた価格より、トレンドラインが上にある。
- 売りの目標価格
　トレンドラインよりも上にある最高値とその真下にあるトレンドラインとの差額を仕掛けた日のトレンドラインの価格から引いた価格。損切りはその差額をトレンドラインに加えた価格。
- 売りの認定条件＃1
　今日の終値が昨日の終値よりも高い。
- 売りの認定条件＃3

# 第1章　システム

今日の終値から（今日の高値－今日の終値）と（昨日の終値－今日の終値）との大きい方を引いた価格より、トレンドラインが下にある。

- 条件＃1もしくは＃3を満たし、今日の高値が下降しているＴＤラインよりも下であるなら、明日、ＴＤラインを上抜いたところを逆指値で買う。
- 明日、目標価格に指値を置いて買い玉を手仕舞う。
- 明日、損切り価格に逆指値を置いて手仕舞う。
- 条件＃1もしくは＃3を満たし、今日の安値が上昇しているＴＤラインよりも上にあるなら、明日、ＴＤラインを下抜いたところを逆指値で売る。
- 明日、目標価格に指値を置いて売り玉を手仕舞う。
- 明日、損切り価格に逆指値を置いて手仕舞う。

**結果**

トレンドラインは定量化でき、主観的になることなく売買できるというアイデアはとても素晴らしいものである。その考えは長年にわたり存在したが、果たしてそれは儲かるのだろうか。以下の結果は、儲かることを証明している。通貨以外のすべての市場部門で利益になっている。1枚当たりの平均利益は50ドル程度で、望ましいレベルよりは小さい。ＴＤラインの概念と、チャネル・ブレイクアウト、移動平均システムとの相関係数はそれほど高くなく、ＴＤラインの概念はどちらの手法とも併用可能であることが分かる。しかもＴＤラインの成績は時とともに悪化していない。成績は今でも一貫しているようである。

## Chapter 1 SYSTEM

**トレーディング・システム評価**

| | |
|---|---|
| システム名 | ：強さ１のＴＤライン抜き |
| パラメータ | ：強さ１のＴＤライン |
| 建玉枚数 | ：可変 |
| システムの概要 | ：下降しているＴＤラインを上抜いたら買い、上昇しているＴＤラインを下抜いたら売る |
| 検証期間 | ：1/1/84-12/31/98　Copyright 1999 Lars Kestner,LINK Financial-All rights reserved |

| | 市場 | 純益 | Kレシオ | シャープレシオ | 最大ドローダウン | トレード数 | 勝率 | 平均建玉数 | 平均損益 | 勝トレードの平均利益 | 敗トレードの平均損失 | 勝トレードの平均日数 | 敗トレードの平均日数 |
|---|---|---|---|---|---|---|---|---|---|---|---|---|---|
| 通貨 | 英ポンド | -155,500 | -1.37 | -0.08 | -296,781 | 169 | 51 | 7 | -920 | 8,418 | -10,596 | 4 | 6 |
| | 加ドル | 390 | -0.86 | 0.00 | -289,840 | 171 | 62 | 20 | 2 | 7,079 | -11,538 | 3 | 5 |
| | 独マルク | -72,025 | -1.61 | -0.04 | -195,813 | 172 | 69 | 6 | -419 | 4,751 | -12,026 | 3 | 7 |
| | 円 | -14,313 | 0.17 | -0.01 | -180,750 | 157 | 64 | 7 | -91 | 7,381 | -13,201 | 4 | 8 |
| | スイスフラン | -36,275 | -0.57 | -0.02 | -120,500 | 148 | 68 | 6 | -245 | 5,560 | -12,339 | 3 | 8 |
| 金利 | Tボンド | 494,219 | 1.10 | 0.14 | -232,344 | 198 | 52 | 8 | 2,496 | 15,433 | -11,250 | 10 | 8 |
| | Tノート | 496,750 | 1.78 | 0.14 | -124,219 | 201 | 50 | 12 | 2,471 | 16,123 | -11,045 | 11 | 9 |
| | ユーロ・ドル | 71,175 | 0.37 | 0.02 | -251,300 | 194 | 44 | 4 | 367 | 17,564 | -13,044 | 13 | 8 |
| 株価指数 | S&P | 171,000 | 1.63 | 0.05 | -149,025 | 201 | 50 | 3 | 767 | 12,937 | -11,282 | 13 | 8 |
| 貴金属 | 金 | -304,860 | -1.61 | -0.10 | -477,170 | 255 | 45 | 19 | -1,184 | 11,370 | -11,334 | 8 | 9 |
| | 銀 | 33,525 | -0.73 | 0.01 | -300,840 | 279 | 42 | 14 | 120 | 13,028 | -9,202 | 6 | 8 |
| | プラチナ | 66,270 | 0.41 | 0.02 | -224,145 | 264 | 46 | 22 | 173 | 12,984 | -10,667 | 8 | 8 |
| エネルギー | 原油 | 194,850 | 0.41 | 0.07 | -145,550 | 189 | 54 | 15 | 1,031 | 10,952 | -10,851 | 5 | 7 |
| | 灯油 | 60,144 | 0.97 | 0.04 | -86,113 | 138 | 70 | 8 | 436 | 5,299 | -10,679 | 3 | 10 |
| 穀物 | トウモロコシ | 292,638 | 1.50 | 0.09 | -184,900 | 169 | 49 | 42 | 1,892 | 16,766 | -12,464 | 10 | 10 |
| | 小麦 | 214,588 | 1.79 | 0.07 | -169,263 | 178 | 51 | 28 | 1,206 | 14,791 | -12,689 | 11 | 9 |
| | 大豆 | 515,975 | 3.07 | 0.15 | -246,150 | 219 | 52 | 16 | 2,356 | 14,384 | -10,703 | 9 | 9 |
| | 大豆油 | 644,292 | 5.87 | 0.21 | -103,248 | 158 | 56 | 30 | 4,254 | 16,087 | -11,008 | 9 | 10 |
| | 大豆粕 | 230,200 | 1.83 | 0.07 | -179,260 | 209 | 49 | 24 | 1,101 | 14,885 | -12,038 | 7 | 9 |
| 食肉 | 生牛 | 368,304 | 1.52 | 0.13 | -175,700 | 171 | 53 | 24 | 2,154 | 14,696 | -12,113 | 13 | 11 |
| | 飼育牛 | 17,710 | 0.79 | 0.01 | -263,327 | 193 | 49 | 23 | 111 | 13,929 | -13,285 | 11 | 10 |
| | 生去勢豚 | 609,208 | 5.14 | 0.23 | -99,500 | 191 | 60 | 15 | 3,190 | 12,352 | -10,674 | 7 | 10 |
| | 豚赤身肉 | 51,360 | 0.20 | 0.02 | -230,984 | 172 | 45 | 12 | 299 | 15,334 | -12,178 | 8 | 10 |
| ソフト | ココア | -18,770 | -0.28 | -0.01 | -164,730 | 231 | 48 | 23 | -81 | 11,752 | -11,027 | 6 | 8 |
| | 綿花 | -68,195 | -0.58 | -0.03 | -341,915 | 194 | 50 | 12 | -352 | 10,718 | -11,421 | 7 | 8 |
| | オ・ジュース | 353,033 | 2.00 | 0.11 | -109,838 | 211 | 52 | 18 | 1,673 | 12,923 | -10,579 | 8 | 10 |
| | コーヒー | 13,860 | -0.49 | 0.01 | -235,316 | 176 | 55 | 6 | -19 | 9,953 | -12,262 | 7 | 12 |
| | 木材 | 168,048 | 0.85 | 0.05 | -262,144 | 156 | 51 | 13 | 1,057 | 15,381 | -13,640 | 12 | 10 |
| | 砂糖 | -4,849 | 0.09 | 0.00 | -160,552 | 187 | 46 | 24 | -26 | 10,938 | -9,361 | 6 | 6 |
| | 平均 | 151,474 | 0.81 | 0.05 | -206,938 | 191 | 53 | 16 | 821 | 12,199 | -11,534 | 8 | 9 |

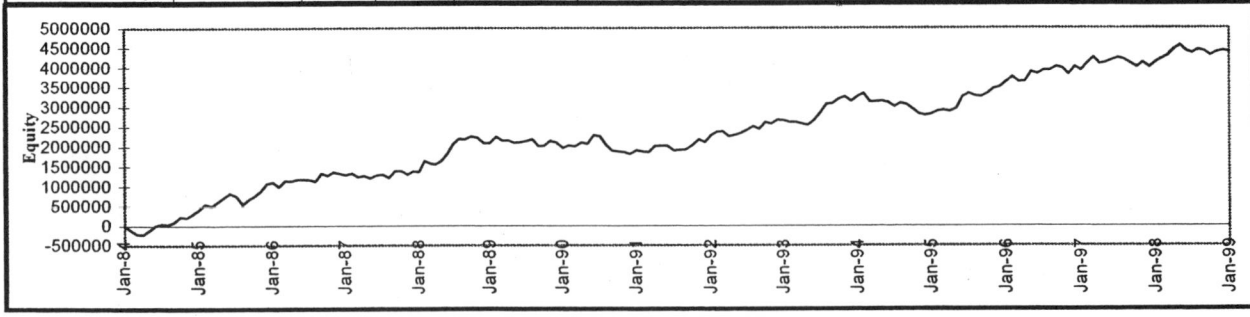

**ポートフォリオ統計**

| | | | | |
|---|---|---|---|---|
| 純益 | ：4,392,750 | | シャープ・レシオ | ：0.24 |
| ドローダウン | ：-549,130 | | ブレイクアウトとの相関係数 | ：0.07 |
| Kレシオ | ：4.50 | | １０／４０移動平均との相関係数 | ：0.01 |

# 第1章 システム

損益曲線：英ポンド～灯油　Copyright 1999 Lars Kestner, LINK Financial-All rights reserved

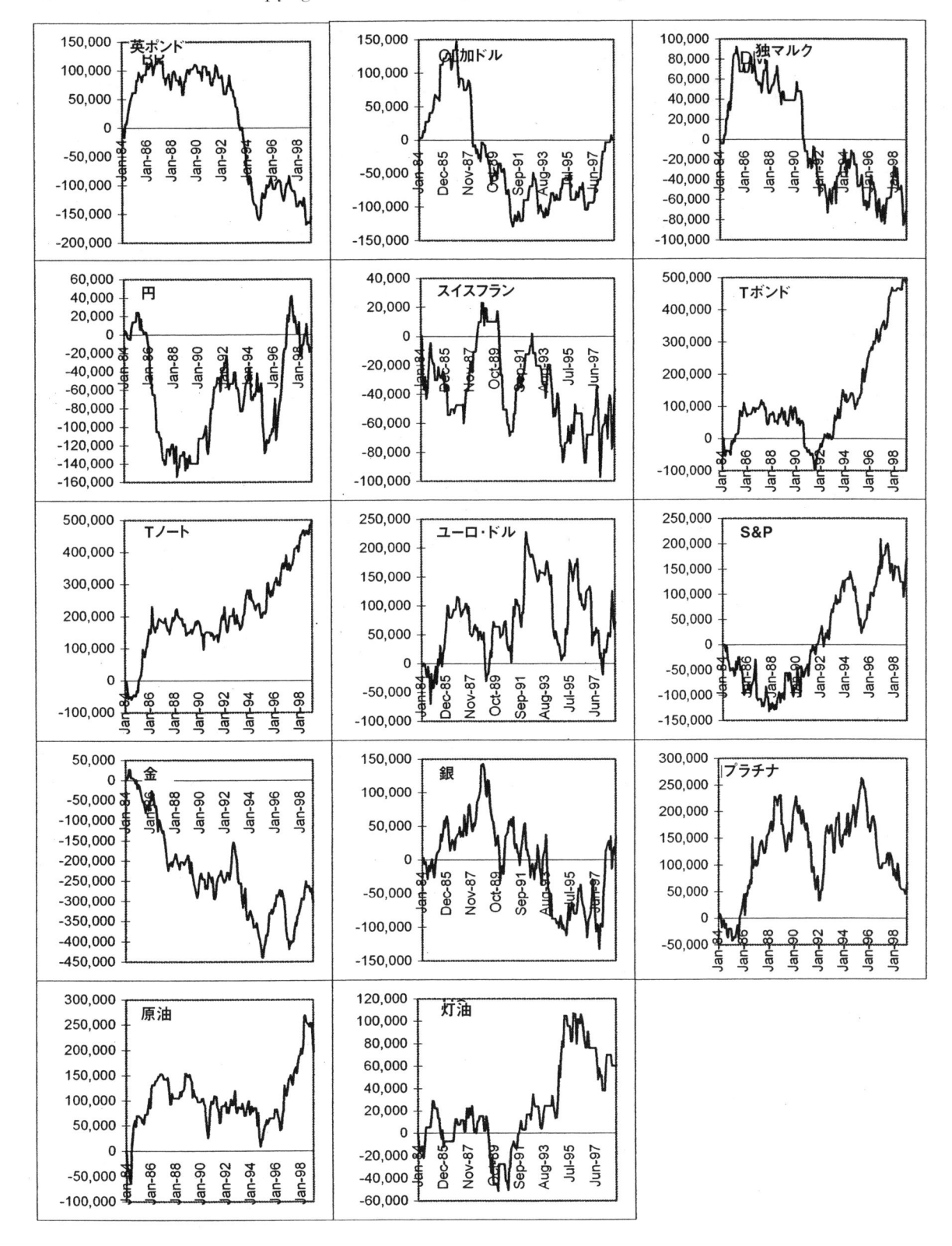

Chapter 1 **SYSTEM**

損益曲線：コーン～砂糖　Copyright 1999 Lars Kestner, LINK Financial-All rights reserved

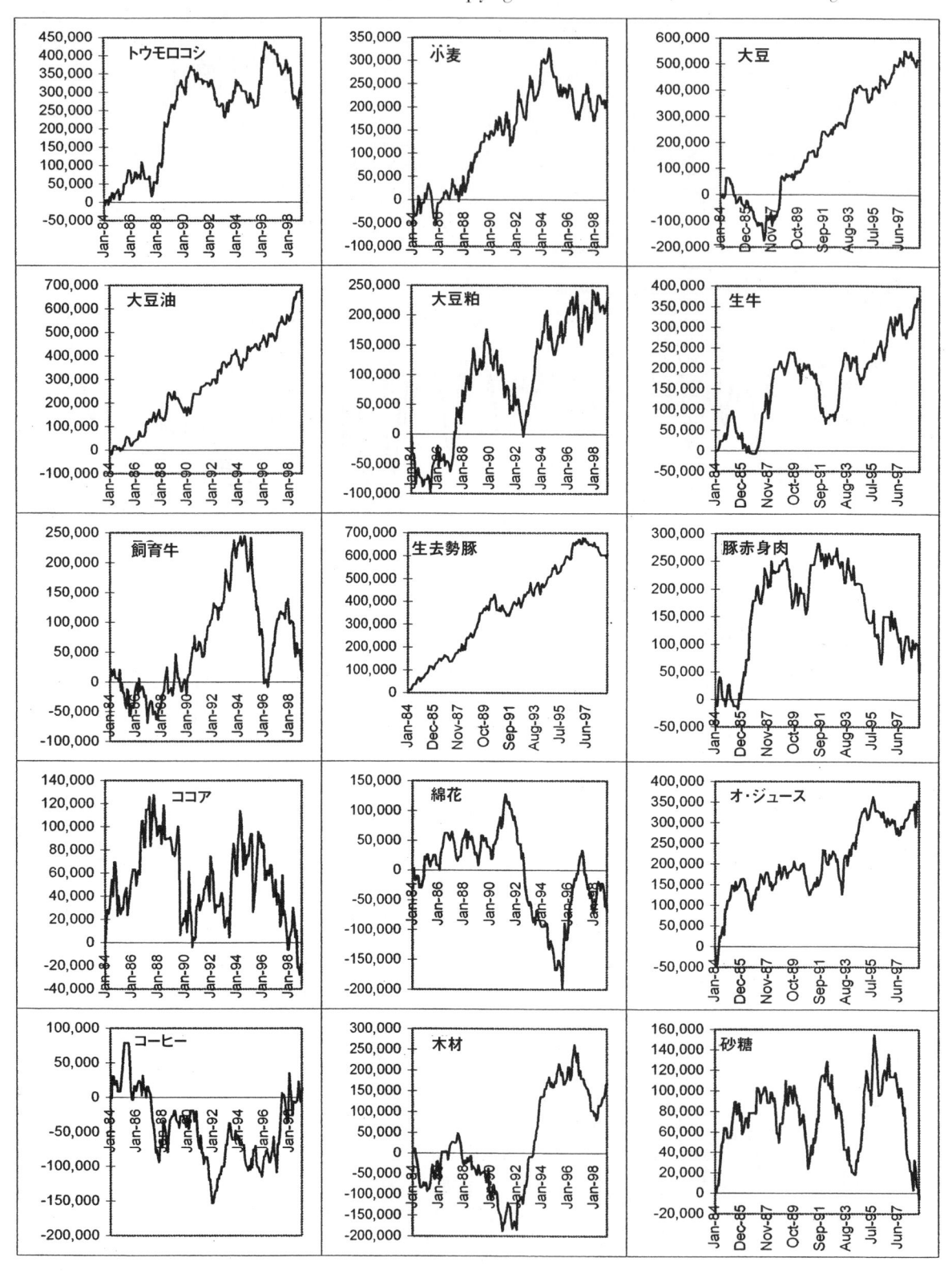

# 第1章　システム

**分類統計**

システム名　　　：強さ１のＴＤライン抜き
パラメータ　　　：強さ１のＴＤライン
建玉枚数　　　　：可変
システムの概要　：下降しているＴＤラインを上抜いたら買い、上昇しているＴＤライ
　　　　　　　　　ンを下抜いたら売る
検証期間　　　　：1/1/84-12/31/98

Copyright 1999 Lars Kestner,LINK Financial-All rights reserved

## 市場部門による分析

| 市場部門 | 平均純益 | 平均Kレシオ | 平均シャープレシオ | 平均最大ドローダウン | 平均トレード数 | 平均勝率 | 平均損益 | 勝トレードの平均利益 | 敗トレードの平均損失 | 勝トレードの平均日数 | 敗トレードの平均日数 |
|---|---|---|---|---|---|---|---|---|---|---|---|
| 通貨 | -55,545 | -0.85 | -0.03 | -216,737 | 163 | 63 | -335 | 6,638 | -11,940 | 3 | 7 |
| 金利 | 354,048 | 1.08 | 0.10 | -202,621 | 198 | 48 | 1,778 | 16,373 | -11,779 | 11 | 9 |
| 株価指数 | 171,000 | 1.63 | 0.05 | -149,025 | 201 | 50 | 767 | 12,937 | -11,282 | 13 | 8 |
| 貴金属 | -68,355 | -0.64 | -0.02 | -334,052 | 266 | 44 | -297 | 12,460 | -10,401 | 7 | 8 |
| エネルギー | 127,497 | 0.69 | 0.05 | -115,831 | 164 | 62 | 733 | 8,125 | -10,765 | 4 | 9 |
| 穀物 | 379,538 | 2.81 | 0.12 | -176,564 | 187 | 51 | 2,162 | 15,383 | -11,780 | 9 | 10 |
| 食肉 | 261,646 | 1.91 | 0.09 | -192,378 | 182 | 52 | 1,438 | 14,078 | -12,062 | 10 | 10 |
| ソフト | 73,854 | 0.26 | 0.02 | -212,416 | 193 | 50 | 375 | 11,944 | -11,382 | 8 | 9 |

## 年次成績分析

| 年 | 純益 | Kレシオ | シャープレシオ |
|---|---|---|---|
| 1984 | 420,671 | 1.75 | 0.41 |
| 1985 | 687,523 | 1.48 | 0.51 |
| 1986 | 179,567 | 1.50 | 0.16 |
| 1987 | 79,317 | 0.60 | 0.08 |
| 1988 | 718,913 | 1.70 | 0.47 |
| 1989 | -122,726 | -0.63 | -0.10 |
| 1990 | -53,110 | -0.50 | -0.04 |
| 1991 | 364,901 | 1.09 | 0.34 |
| 1992 | 390,370 | 1.87 | 0.39 |
| 1993 | 599,733 | 2.06 | 0.49 |
| 1994 | -447,814 | -2.55 | -0.43 |
| 1995 | 814,068 | 3.07 | 0.72 |
| 1996 | 293,848 | 1.16 | 0.19 |
| 1997 | 205,421 | 0.00 | 0.15 |
| 1998 | 262,067 | 0.44 | 0.24 |

## 利益性ウインドウ

| 期間 | ウインドウ数 | 収益ウインドウ数 | 利益ウインドウ率 |
|---|---|---|---|
| 1カ月 | 180 | 104 | 57.78% |
| 3カ月 | 178 | 118 | 66.29% |
| 6カ月 | 175 | 127 | 72.57% |
| 12カ月 | 169 | 136 | 80.47% |
| 18カ月 | 163 | 136 | 83.44% |
| 24カ月 | 157 | 143 | 91.08% |

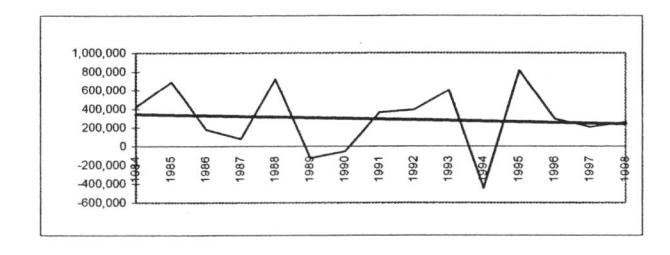

## 年次純益推移

Chapter 1 SYSTEM

## ②強さ３のＴＤライン™抜き（Ｐ５）

より大きな強さを持つＴＤライン™抜きについても検証してみた。以下では、強さ３のＴＤライン抜きを検証する。

### 結果

純益、Ｋレシオ、シャープ・レシオは若干悪くなるが、１枚当たりの平均利益は、８９ドルに向上した。もう１つの勝てるシステムである。

# 第1章　システム

**トレーディング・システム評価**

システム名　　　：強さ3のTDライン抜き
パラメータ　　　：強さ3のTDライン
建玉枚数　　　　：可変
システムの概要　：下降するTDラインを上抜いたら買い、上昇するTDラインを下抜
　　　　　　　　　いたら売る
検証期間　　　　：1/1/84-12/31/98　　Copyright 1999 Lars Kestner,LINK Financial-All rights reserved

| | 市場 | 純益 | Kレシオ | シャープレシオ | 最大ドローダウン | トレード数 | 勝率 | 平均建玉数 | 平均損益 | 勝トレードの平均利益 | 敗トレードの平均損失 | 勝トレードの平均日数 | 敗トレードの平均日数 |
|---|---|---|---|---|---|---|---|---|---|---|---|---|---|
| 通貨 | 英ポンド | -115,469 | -0.06 | -0.05 | -170,713 | 96 | 51 | 8 | -1,203 | 14,284 | -17,348 | 8 | 12 |
| | 加ドル | 269,550 | 1.05 | 0.12 | -131,910 | 87 | 69 | 23 | 3,084 | 12,329 | -17,459 | 8 | 9 |
| | 独マルク | 77,075 | 0.01 | 0.04 | -130,138 | 84 | 71 | 7 | 918 | 8,824 | -18,848 | 5 | 23 |
| | 円 | -91,438 | -1.23 | -0.04 | -239,725 | 90 | 67 | 6 | -1,016 | 8,215 | -19,478 | 10 | 16 |
| | スイスフラン | -3,600 | -0.90 | 0.00 | -240,063 | 88 | 63 | 6 | -41 | 10,013 | -16,797 | 5 | 15 |
| 金利 | Tボンド | -139,156 | -2.05 | -0.05 | -347,844 | 78 | 47 | 9 | -1,784 | 19,294 | -20,806 | 17 | 22 |
| | Tノート | 302,813 | 0.52 | 0.10 | -222,625 | 90 | 59 | 13 | 3,365 | 20,667 | -21,421 | 16 | 20 |
| | ユーロ・ドル | 259,600 | 0.35 | 0.06 | -319,625 | 103 | 46 | 5 | 2,520 | 26,652 | -17,733 | 16 | 16 |
| 株価指数 | S&P | 238,900 | 1.81 | 0.08 | -165,050 | 102 | 53 | 3 | 2,178 | 17,753 | -15,344 | 18 | 13 |
| 貴金属 | 金 | 26,270 | -0.30 | 0.01 | -329,100 | 133 | 47 | 22 | 355 | 18,601 | -16,067 | 12 | 15 |
| | 銀 | 118,720 | 0.63 | 0.04 | -198,340 | 132 | 42 | 15 | 915 | 18,811 | -11,868 | 13 | 15 |
| | プラチナ | 145,750 | 0.77 | 0.04 | -157,890 | 125 | 49 | 23 | 1,285 | 18,746 | -15,357 | 16 | 12 |
| エネルギー | 原油 | 321,100 | 1.34 | 0.13 | -122,110 | 89 | 62 | 17 | 3,608 | 16,261 | -16,861 | 7 | 15 |
| | 灯油 | 3,314 | -0.52 | 0.00 | -114,353 | 61 | 74 | 7 | 54 | 6,830 | -19,003 | 8 | 21 |
| 穀物 | トウモロコシ | 315,363 | 1.74 | 0.11 | -177,800 | 91 | 54 | 46 | 3,816 | 22,947 | -18,503 | 18 | 14 |
| | 小麦 | 409,663 | 1.50 | 0.16 | -128,400 | 84 | 61 | 27 | 4,944 | 19,785 | -17,992 | 17 | 13 |
| | 大豆 | 281,100 | 2.93 | 0.10 | -113,088 | 107 | 52 | 16 | 2,627 | 19,405 | -15,796 | 15 | 15 |
| | 大豆油 | 89,430 | 1.87 | 0.03 | -150,270 | 91 | 53 | 32 | 974 | 17,118 | -17,047 | 13 | 16 |
| | 大豆粕 | 25,320 | 0.60 | 0.01 | -202,100 | 103 | 44 | 28 | 221 | 20,241 | -15,312 | 16 | 19 |
| 食肉 | 生牛 | 408,480 | 1.88 | 0.14 | -145,212 | 88 | 61 | 25 | 4,632 | 18,436 | -17,292 | 19 | 19 |
| | 飼育牛 | -327,800 | -1.58 | -0.12 | -366,634 | 86 | 41 | 23 | -3,812 | 19,357 | -19,712 | 14 | 23 |
| | 生去勢豚 | 363,644 | 3.93 | 0.13 | -92,620 | 90 | 62 | 14 | 4,040 | 15,892 | -15,480 | 9 | 10 |
| | 豚赤身肉 | 408,188 | 1.11 | 0.18 | -127,916 | 74 | 62 | 12 | 5,595 | 20,285 | -18,537 | 13 | 19 |
| ソフト | ココア | 21,040 | 0.04 | 0.01 | -159,490 | 95 | 52 | 22 | 221 | 15,164 | -15,695 | 16 | 12 |
| | 綿花 | 14,965 | -0.02 | 0.01 | -207,935 | 87 | 52 | 13 | 172 | 14,744 | -15,440 | 12 | 14 |
| | オ・ジュース | -155,543 | -2.10 | -0.05 | -382,118 | 100 | 45 | 19 | -975 | 17,471 | -16,068 | 15 | 16 |
| | コーヒー | 11,160 | 0.26 | 0.00 | -187,991 | 84 | 58 | 6 | 421 | 14,814 | -19,731 | 15 | 17 |
| | 木材 | 318,864 | 2.99 | 0.11 | -117,792 | 79 | 53 | 12 | 3,753 | 20,765 | -15,558 | 17 | 20 |
| | 砂糖 | 259,526 | 3.03 | 0.14 | -80,674 | 82 | 59 | 23 | 3,165 | 13,485 | -11,405 | 11 | 15 |
| | 平均 | 132,994 | 0.68 | 0.05 | -190,673 | 93 | 55 | 17 | 1,518 | 16,800 | -17,033 | 13 | 16 |

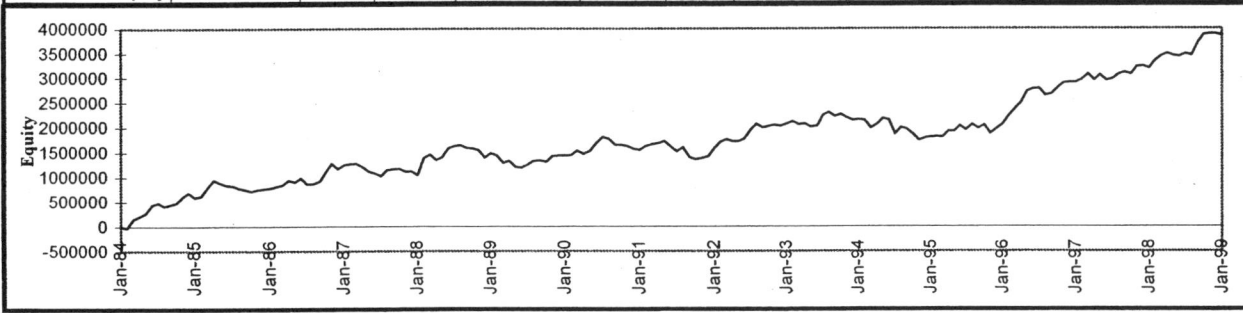

**ポートフォリオ統計**

純益　　　　　：　3,856,829　　シャープ・レシオ　　　　　　　：　0.23
ドローダウン：　-563,681　　ブレイクアウトとの相関係数　：-0.04
Kレシオ　　　：　　　　2.81　　10／40移動平均との相関係数：-0.07

Chapter 1 **SYSTEM**

損益曲線：英ポンド〜灯油　Copyright 1999 Lars Kestner.LINK Financial-All rights reserved

# 第1章 システム

損益曲線：コーン～砂糖　Copyright 1999 Lars Kestner,LINK Financial-All rights reserved

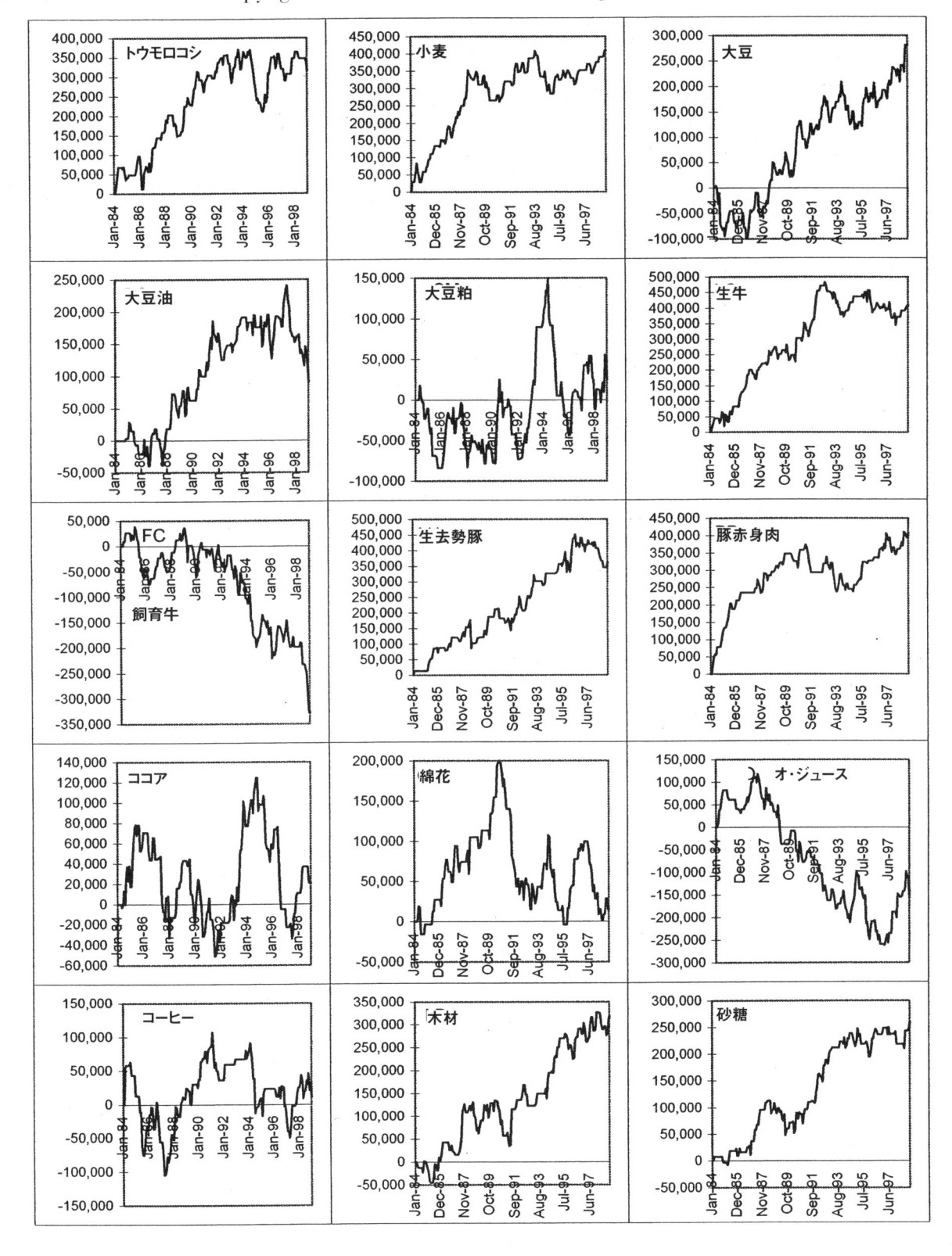

## Chapter 1 SYSTEM

### 分類統計

| | |
|---|---|
| システム名 | ：強さ3のTDライン抜き |
| パラメータ | ：強さ3のTDライン |
| 建玉枚数 | ：可変 |
| システムの概要 | ：下降するTDラインを上抜いたら買い、上昇するTDラインを下抜いたら売る |
| 検証期間 | ：1/1/84-12/31/98 |

Copyright 1999 Lars Kestner,LINK Financial-All rights reserved

### 市場部門による分析

| 市場部門 | 平均純益 | 平均Kレシオ | 平均シャープレシオ | 平均最大ドローダウン | 平均トレード数 | 平均勝率 | 平均損益 | 勝トレードの平均利益 | 敗トレードの平均損失 | 勝トレードの平均日数 | 敗トレードの平均日数 |
|---|---|---|---|---|---|---|---|---|---|---|---|
| 通貨 | 27,224 | -0.23 | 0.01 | -182,510 | 89 | 64 | 348 | 10,733 | -17,986 | 7 | 15 |
| 金利 | 141,085 | -0.39 | 0.04 | -296,698 | 90 | 51 | 1,367 | 22,204 | -19,986 | 16 | 20 |
| 株価指数 | 238,900 | 1.81 | 0.08 | -165,050 | 102 | 53 | 2,178 | 17,753 | -15,344 | 18 | 13 |
| 貴金属 | 96,913 | 0.36 | 0.03 | -228,443 | 130 | 46 | 851 | 18,719 | -14,431 | 13 | 14 |
| エネルギー | 162,207 | 0.41 | 0.07 | -118,232 | 75 | 68 | 1,831 | 11,546 | -17,932 | 7 | 18 |
| 穀物 | 224,175 | 1.73 | 0.08 | -154,332 | 95 | 53 | 2,516 | 19,899 | -16,930 | 16 | 15 |
| 食肉 | 213,128 | 1.33 | 0.08 | -183,096 | 85 | 57 | 2,614 | 18,493 | -17,755 | 16 | 18 |
| ソフト | 78,335 | 0.70 | 0.04 | -189,333 | 88 | 53 | 1,126 | 16,074 | -15,650 | 14 | 16 |

### 年次成績分析

| 年 | 純益 | Kレシオ | シャープレシオ |
|---|---|---|---|
| 1984 | 597,269 | 2.82 | 0.60 |
| 1985 | 182,233 | 0.12 | 0.20 |
| 1986 | 467,228 | 1.59 | 0.42 |
| 1987 | -204,768 | -0.86 | -0.29 |
| 1988 | 437,193 | 0.61 | 0.28 |
| 1989 | -42,996 | 0.12 | -0.05 |
| 1990 | 110,141 | 0.48 | 0.11 |
| 1991 | 50,019 | -0.70 | 0.04 |
| 1992 | 484,665 | 2.22 | 0.56 |
| 1993 | 78,196 | 0.59 | 0.08 |
| 1994 | -352,180 | -1.42 | -0.24 |
| 1995 | 255,015 | 0.93 | 0.23 |
| 1996 | 841,757 | 1.79 | 0.73 |
| 1997 | 293,796 | 1.41 | 0.28 |
| 1998 | 659,262 | 2.25 | 0.59 |

### 利益性ウインドウ

| 期間 | ウインドウ数 | 収益ウインドウ数 | 利益ウインドウ率 |
|---|---|---|---|
| 1カ月 | 180 | 111 | 61.67% |
| 3カ月 | 178 | 114 | 64.04% |
| 6カ月 | 175 | 127 | 72.57% |
| 12カ月 | 169 | 133 | 78.70% |
| 18カ月 | 163 | 129 | 79.14% |
| 24カ月 | 157 | 136 | 86.62% |

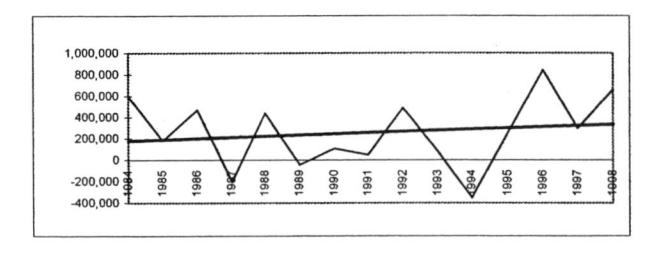

### 年次純益推移

# 第1章　システム

### ③RSIによる穏やかな買われ過ぎ／売られ過ぎ（P87）

　デマークは、買われ過ぎ／売られ過ぎ指標についても多大なる努力をした人である。彼の1つの大きな発見は、相場が買われ過ぎもしくは売られ過ぎの状態を続けた日数は、相場が反転するか否かと直接関連しているということである。指標が穏やかな状態である5日以内ならば、買われ過ぎ／売られ過ぎで売買することは可能であるが、6日以上の厳しい状態にあるならば、信頼性が低いことを発見した。この検証では、14日RSIで、60以上を買われ過ぎ、40以下を売られ過ぎとして用いる。

- 今日の14日RSIが40を上抜き、かつ40よりも下にいた期間が5日以内であれば、明日の寄り付きで買う。
- 「検証のガイドライン」（15P）の節で述べた仕切り法を用いて買い玉を仕切る。
- 今日の14日RSIが60を下抜き、かつ60よりも上にいた期間が5日以内であれば、明日の寄り付きで売る。
- 「検証のガイドライン」（15P）の節で述べた仕切り法を用いて売り玉を仕切る。

**結果**
　全体的な成績に一貫性はない。ポートフォリオの損益曲線は検証の全期間にわたり、0よりも下側でじたばたしている。S&P500の成績だけが目立って良好である。

## トレーディング・システム評価

システム名　　　：ＲＳＩによる穏やかな買われ過ぎ／売られ過ぎ
パラメータ　　　：１４日ＲＳＩ、５日の穏やかな行き過ぎ
建玉枚数　　　　：可変
システムの概要：穏やかな売られ過ぎで買い、穏やかな買われ過ぎで売る
検証期間　　　　：1/1/84-12/31/98　　Copyright 1999 Lars Kestner, LINK Financial-All rights reserved

| | 市場 | 純益 | Kレシオ | シャープレシオ | 最大ドローダウン | トレード数 | 勝率 | 平均建玉数 | 平均損益 | 勝トレードの平均利益 | 敗トレードの平均損失 | 勝トレードの平均日数 | 敗トレードの平均日数 |
|---|---|---|---|---|---|---|---|---|---|---|---|---|---|
| 通貨 | 英ポンド | -78,681 | -0.75 | -0.03 | -253,919 | 126 | 48 | 9 | -717 | 16,340 | -16,725 | 13 | 14 |
| | 加ドル | 98,820 | 1.06 | 0.04 | -136,280 | 133 | 55 | 26 | 743 | 15,838 | -17,623 | 13 | 11 |
| | 独マルク | -153,938 | -1.04 | -0.06 | -265,913 | 130 | 47 | 11 | -1,150 | 16,175 | -16,465 | 11 | 13 |
| | 円 | -453,788 | -2.28 | -0.15 | -453,788 | 121 | 40 | 10 | -3,750 | 18,392 | -18,820 | 14 | 12 |
| | スイスフラン | -232,425 | -1.57 | -0.09 | -341,488 | 120 | 46 | 8 | -1,929 | 15,492 | -16,670 | 12 | 14 |
| 金利 | Tボンド | -144,125 | -1.03 | -0.05 | -239,000 | 148 | 49 | 9 | -1,008 | 16,690 | -18,233 | 11 | 11 |
| | Tノート | -501,125 | -3.30 | -0.18 | -562,250 | 138 | 41 | 13 | -3,690 | 16,645 | -17,578 | 14 | 11 |
| | ユーロ・ドル | -265,375 | -1.49 | -0.10 | -416,000 | 107 | 47 | 4 | -2,480 | 16,977 | -19,547 | 13 | 10 |
| 株価指数 | S&P | 549,525 | 4.15 | 0.17 | -116,475 | 163 | 61 | 4 | 3,371 | 17,347 | -18,248 | 13 | 11 |
| 貴金属 | 金 | -57,720 | -0.44 | -0.02 | -296,320 | 156 | 53 | 20 | -370 | 16,466 | -19,512 | 13 | 11 |
| | 銀 | -199,085 | -1.07 | -0.07 | -381,050 | 140 | 51 | 15 | -1,424 | 15,517 | -18,857 | 12 | 17 |
| | プラチナ | 58,505 | 1.31 | 0.02 | -188,610 | 138 | 53 | 24 | 488 | 16,882 | -17,923 | 13 | 15 |
| エネルギー | 原油 | -349,190 | -1.80 | -0.13 | -392,180 | 131 | 45 | 18 | -2,666 | 15,661 | -17,683 | 13 | 11 |
| | 灯油 | 109,586 | 1.94 | 0.04 | -140,809 | 130 | 50 | 14 | 772 | 17,581 | -16,038 | 14 | 12 |
| 穀物 | トウモロコシ | -153,075 | -1.77 | -0.05 | -301,650 | 145 | 50 | 43 | -1,056 | 15,558 | -17,900 | 11 | 13 |
| | 小麦 | 65,825 | 0.88 | 0.02 | -191,650 | 155 | 50 | 27 | 425 | 17,573 | -16,946 | 12 | 12 |
| | 大豆 | 138,050 | 0.96 | 0.05 | -151,400 | 137 | 53 | 17 | 1,008 | 17,338 | -17,081 | 14 | 13 |
| | 大豆油 | 172,758 | 1.81 | 0.06 | -132,816 | 138 | 52 | 30 | 1,252 | 18,400 | -17,455 | 11 | 12 |
| | 大豆粕 | 225,510 | 1.71 | 0.08 | -122,620 | 132 | 55 | 26 | 1,726 | 17,190 | -17,407 | 13 | 13 |
| 食肉 | 生牛 | 164,668 | 1.32 | 0.06 | -141,720 | 143 | 55 | 24 | 1,152 | 16,881 | -17,724 | 11 | 12 |
| | 飼育牛 | 36,938 | 0.30 | 0.01 | -166,703 | 154 | 51 | 23 | 240 | 17,792 | -17,774 | 11 | 11 |
| | 生去勢豚 | 253,716 | 0.87 | 0.09 | -356,516 | 135 | 52 | 17 | 1,879 | 20,111 | -17,754 | 10 | 12 |
| | 豚赤身肉 | 116,368 | 0.63 | 0.04 | -210,288 | 148 | 53 | 11 | 791 | 17,710 | -18,580 | 11 | 12 |
| ソフト | ココア | -49,800 | -0.11 | -0.02 | -203,860 | 162 | 48 | 24 | -235 | 18,041 | -17,205 | 12 | 13 |
| | 綿花 | -149,235 | -1.72 | -0.05 | -334,585 | 148 | 47 | 14 | -1,008 | 17,209 | -16,920 | 12 | 13 |
| | オ・ジュース | 218,558 | 0.88 | 0.07 | -108,225 | 123 | 56 | 20 | 1,777 | 18,471 | -19,554 | 13 | 12 |
| | コーヒー | -195,000 | -1.20 | -0.08 | -246,986 | 122 | 49 | 8 | -1,517 | 15,901 | -18,372 | 14 | 13 |
| | 木材 | 201,232 | 1.46 | 0.07 | -123,360 | 138 | 55 | 11 | 1,458 | 17,395 | -18,078 | 13 | 10 |
| | 砂糖 | -281,904 | -0.94 | -0.11 | -359,061 | 124 | 45 | 27 | -2,273 | 16,068 | -17,378 | 17 | 15 |
| | 平均 | -29,462 | -0.04 | -0.01 | -252,949 | 137 | 50 | 18 | -282 | 17,022 | -17,795 | 13 | 12 |

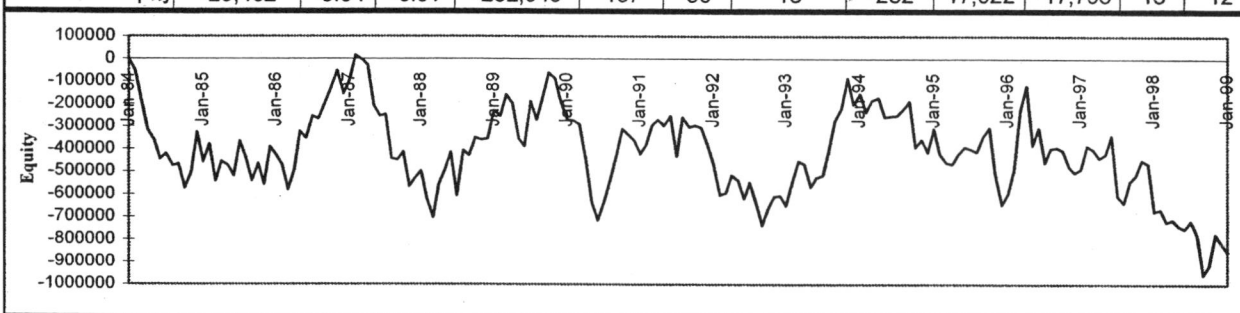

### ポートフォリオ統計

| | | | | |
|---|---|---|---|---|
| 純益 | : | -854,407 | シャープ・レシオ | : -0.05 |
| ドローダウン | : | -971,113 | ブレイクアウトとの相関係数 | : -0.48 |
| Kレシオ | : | -0.37 | １０／４０移動平均との相関係数 | : -0.57 |

# 第1章 システム

損益曲線：英ポンド〜灯油　Copyright 1999 Lars Kestner,LINK Financial-All rights reserved

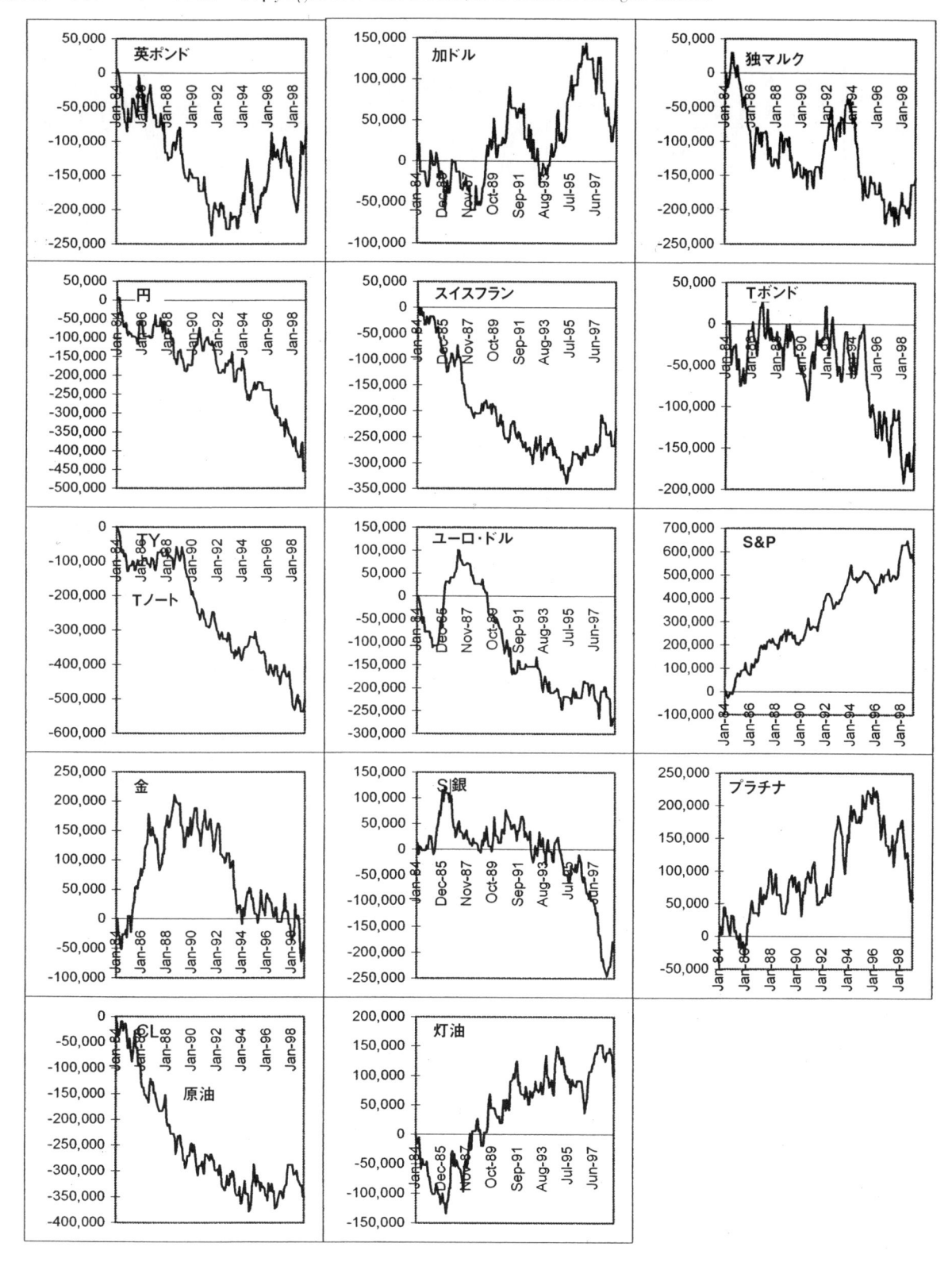

## Chapter 1 SYSTEM

損益曲線：コーン～砂糖    Copyright 1999 Lars Kestner,LINK Financial-All rights reserved

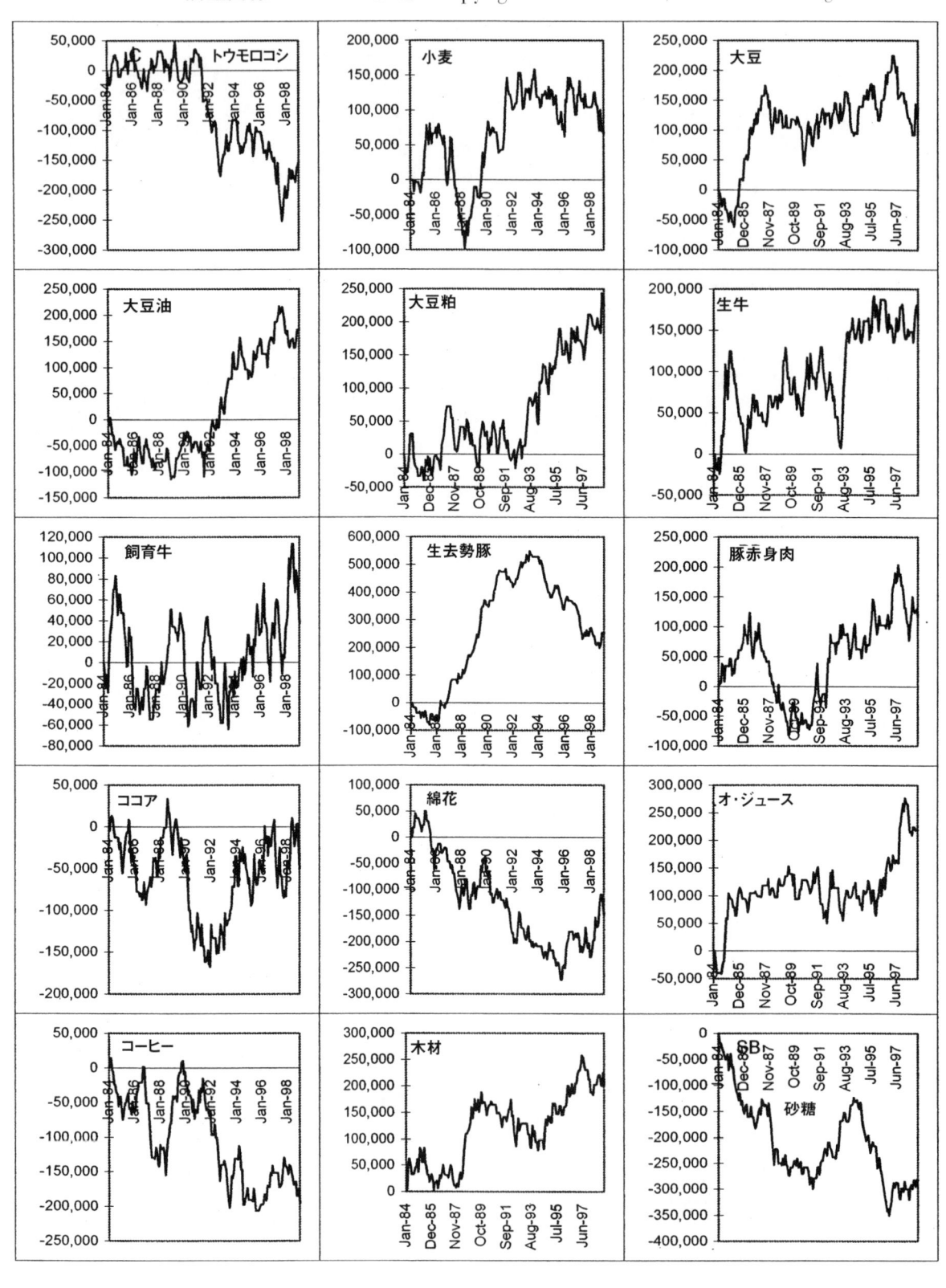

# 第1章 システム

**分類統計**

システム名　　：ＲＳＩによる穏やかな買われ過ぎ／売られ過ぎ
パラメータ　　：１４日ＲＳＩ、5日の穏やかな行き過ぎ
建玉枚数　　　：可変
システムの概要：穏やかな売られ過ぎで買い、穏やかな買われ過ぎで売る
検証期間　　　：1/1/84-12/31/98

Copyright 1999 Lars Kestner,LINK Financial-All rights reserved

### 市場部門による分析

| 市場部門 | 平均純益 | 平均Kレシオ | 平均シャープレシオ | 平均最大ドローダウン | 平均トレード数 | 平均勝率 | 平均損益 | 勝トレードの平均利益 | 敗トレードの平均損失 | 勝トレードの平均日数 | 敗トレードの平均日数 |
|---|---|---|---|---|---|---|---|---|---|---|---|
| 通貨 | -164,002 | -0.91 | -0.06 | -290,277 | 126 | 47 | -1,361 | 16,447 | -17,261 | 13 | 13 |
| 金利 | -303,542 | -1.94 | -0.11 | -405,750 | 131 | 46 | -2,393 | 16,771 | -18,453 | 12 | 11 |
| 株価指数 | 549,525 | 4.15 | 0.17 | -116,475 | 163 | 61 | 3,371 | 17,347 | -18,248 | 13 | 11 |
| 貴金属 | -66,100 | -0.07 | -0.02 | -288,660 | 145 | 52 | -435 | 16,288 | -18,764 | 13 | 14 |
| エネルギー | -119,802 | 0.07 | -0.05 | -266,495 | 131 | 48 | -947 | 16,621 | -16,860 | 14 | 12 |
| 穀物 | 89,814 | 0.72 | 0.03 | -180,027 | 141 | 52 | 671 | 17,212 | -17,358 | 12 | 13 |
| 食肉 | 142,922 | 0.78 | 0.05 | -218,807 | 145 | 53 | 1,015 | 18,124 | -17,958 | 11 | 12 |
| ソフト | -42,692 | -0.27 | -0.02 | -229,346 | 136 | 50 | -300 | 17,181 | -17,918 | 14 | 13 |

### 年次成績分析

| 年 | 純益 | Kレシオ | シャープレシオ |
|---|---|---|---|
| 1984 | -457,172 | -1.15 | -0.40 |
| 1985 | 26,452 | -0.02 | 0.02 |
| 1986 | 334,364 | 2.12 | 0.33 |
| 1987 | -402,375 | -2.45 | -0.35 |
| 1988 | 271,098 | 1.33 | 0.20 |
| 1989 | -41,171 | 0.27 | -0.03 |
| 1990 | -153,128 | -0.07 | -0.13 |
| 1991 | -46,839 | -0.11 | -0.04 |

| 年 | 純益 | Kレシオ | シャープレシオ |
|---|---|---|---|
| 1992 | -181,499 | -0.73 | -0.20 |
| 1993 | 496,005 | 1.90 | 0.49 |
| 1994 | -156,397 | -1.10 | -0.16 |
| 1995 | -286,974 | -0.55 | -0.28 |
| 1996 | 108,643 | -0.22 | 0.07 |
| 1997 | -186,244 | -0.55 | -0.13 |
| 1998 | -179,171 | -1.05 | -0.20 |

### 利益性ウインドウ

| 期間 | ウインドウ数 | 収益ウインドウ数 | 利益ウインドウ率 |
|---|---|---|---|
| 1カ月 | 180 | 88 | 48.89% |
| 3カ月 | 178 | 85 | 47.75% |
| 6カ月 | 175 | 75 | 42.86% |
| 12カ月 | 169 | 75 | 44.38% |
| 18カ月 | 163 | 68 | 41.72% |
| 24カ月 | 157 | 65 | 41.40% |

### 年次純益推移

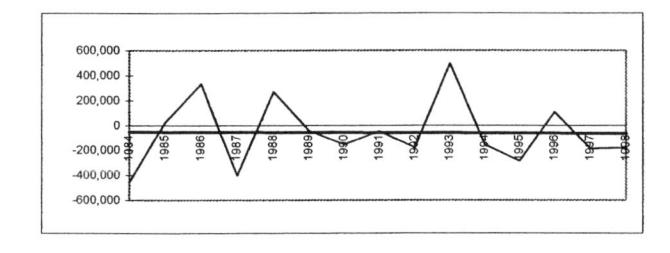

## ④移動平均フィルターを併用したＲＥＩ™による
## 穏やかな買われ過ぎ／売られ過ぎ（Ｐ９３）

　デマークは、従来からあるＲＳＩやストキャスティックのような買われ過ぎ／売られ過ぎ指標に満足できず、値幅拡大指標（ＲＥＩ™）とデマーカー™指標といった新しい改良版を作成した。ここでは、ＲＥＩ™を以前に登場した穏やかな数値と厳しい数値のアイデアと一緒にテストした。デマークは、買いサインは上昇トレンドの場合のみ採用し、売りサインは下降トレンドのときのみ採用することも提案している。トレンドを測定するために、２０日単純移動平均を用いた。

- 今日の８日ＲＥＩ™が－６０を上抜き、－６０よりも下にいた期間が５日以内で、今日の終値が２０日単純移動平均よりも上ならば、明日の寄り付きで買う。
- 「検証のガイドライン」（１５Ｐ）の節で述べた仕切り法を用いて買い玉を手仕舞う。
- 今日の８日ＲＥＩ™が６０を下抜き、６０よりも上にいた期間が５日以内で、今日の終値が２０日単純移動平均よりも下ならば、明日の寄り付きで売る。
- 「検証のガイドライン」（１５Ｐ）の節で述べた仕切り法を用いて売り玉を手仕舞う。

**結果**

　デマークからの直前のＲＳＩシステムと同様に成績は一貫していない。彼のＲＥＩ指標を使っても成績を改善することはできないようである。

※参考文献：トーマス・Ｒ・デマーク著『デマークのチャート分析テクニック』（パンローリング刊）

# 第1章 システム

**トレーディング・システム評価**

システム名　　：移動平均を併用したREIの穏やかな数値
パラメータ　　：8日REI、5日間の穏やかな行き過ぎ
建玉枚数　　　：可変
システムの概要：穏やかに売られ過ぎで、移動平均で支持されたら買い、その反対で
　　　　　　　　売る
検証期間　　　：1/1/84-12/31/98　Copyright 1999 Lars Kestner,LINK Financial-All rights reserved

| | 市場 | 純益 | Kレシオ | シャープレシオ | 最大ドローダウン | トレード数 | 勝率 | 平均建玉数 | 平均損益 | 勝トレードの平均利益 | 敗トレードの平均損失 | 勝トレードの平均日数 | 敗トレードの平均日数 |
|---|---|---|---|---|---|---|---|---|---|---|---|---|---|
| 通貨 | 英ポンド | 50,700 | 1.02 | 0.04 | -58,525 | 39 | 46 | 9 | 1,300 | 19,070 | -13,932 | 15 | 11 |
| | 加ドル | -93,250 | -0.50 | -0.07 | -114,130 | 31 | 39 | 26 | -3,008 | 17,463 | -15,937 | 14 | 14 |
| | 独マルク | 83,675 | 2.07 | 0.06 | -52,138 | 35 | 54 | 11 | 2,391 | 17,684 | -15,770 | 13 | 12 |
| | 円 | -145,350 | -1.91 | -0.11 | -153,600 | 41 | 39 | 10 | -3,545 | 14,479 | -15,081 | 10 | 15 |
| | スイスフラン | -95,950 | -1.17 | -0.08 | -122,738 | 31 | 39 | 8 | -3,095 | 15,144 | -14,614 | 9 | 11 |
| 金利 | Tボンド | -44,750 | -0.81 | -0.03 | -140,625 | 53 | 45 | 9 | -844 | 17,365 | -15,914 | 9 | 10 |
| | Tノート | 206,875 | 2.43 | 0.15 | -77,875 | 38 | 63 | 14 | 5,444 | 16,708 | -13,866 | 10 | 12 |
| | ユーロ・ドル | 130,000 | 1.92 | 0.12 | -53,000 | 23 | 61 | 4 | 5,652 | 17,518 | -12,806 | 10 | 10 |
| 株価指数 | S&P | -62,675 | -1.41 | -0.04 | -160,650 | 41 | 41 | 3 | -1,529 | 17,718 | -15,161 | 17 | 14 |
| 貴金属 | 金 | 41,260 | 0.36 | 0.03 | -115,210 | 32 | 50 | 25 | 1,289 | 18,489 | -15,911 | 13 | 13 |
| | 銀 | 117,705 | 1.16 | 0.07 | -86,220 | 39 | 59 | 14 | 3,018 | 16,229 | -15,973 | 17 | 16 |
| | プラチナ | -99,065 | -1.18 | -0.07 | -205,950 | 37 | 43 | 22 | -2,677 | 16,277 | -17,119 | 14 | 15 |
| エネルギー | 原油 | 58,510 | 0.60 | 0.05 | -61,140 | 31 | 52 | 16 | 1,887 | 16,584 | -13,789 | 16 | 14 |
| | 灯油 | -157,223 | -1.18 | -0.10 | -176,921 | 35 | 34 | 13 | -4,492 | 18,033 | -16,244 | 15 | 14 |
| 穀物 | トウモロコシ | 10,325 | 1.28 | 0.01 | -122,475 | 30 | 53 | 41 | 344 | 14,441 | -15,766 | 9 | 9 |
| | 小麦 | -95,775 | -0.75 | -0.07 | -113,675 | 28 | 39 | 31 | -3,421 | 17,930 | -17,235 | 10 | 9 |
| | 大豆 | -89,725 | -1.10 | -0.06 | -117,525 | 37 | 43 | 15 | -2,425 | 16,058 | -16,507 | 12 | 10 |
| | 大豆油 | -188,970 | -2.38 | -0.15 | -213,978 | 31 | 29 | 29 | -6,096 | 15,003 | -14,727 | 13 | 13 |
| | 大豆粕 | 75,290 | 0.18 | 0.06 | -105,020 | 31 | 52 | 26 | 2,429 | 18,823 | -15,059 | 11 | 8 |
| 食肉 | 生牛 | 54,200 | 0.18 | 0.04 | -78,284 | 45 | 49 | 24 | 1,204 | 17,768 | -14,639 | 13 | 10 |
| | 飼育牛 | 173,712 | 1.52 | 0.12 | -68,838 | 40 | 58 | 23 | 4,343 | 19,668 | -16,391 | 11 | 9 |
| | 生去勢豚 | -8,780 | 0.31 | -0.01 | -66,172 | 30 | 50 | 17 | -293 | 15,371 | -15,957 | 12 | 10 |
| | 豚赤身肉 | 14,296 | 0.70 | 0.01 | -132,968 | 40 | 50 | 11 | 357 | 17,613 | -16,898 | 11 | 12 |
| ソフト | ココア | -108,470 | -0.85 | -0.08 | -174,120 | 28 | 39 | 23 | -3,874 | 16,555 | -17,093 | 11 | 18 |
| | 綿花 | -240,805 | -1.57 | -0.14 | -265,860 | 36 | 33 | 13 | -6,689 | 17,885 | -18,976 | 13 | 13 |
| | オ・ジュース | -67,245 | -0.35 | -0.05 | -111,780 | 25 | 44 | 19 | -2,690 | 16,872 | -18,059 | 17 | 16 |
| | コーヒー | -168,915 | -1.46 | -0.12 | -184,005 | 38 | 32 | 9 | -4,445 | 15,994 | -13,879 | 8 | 9 |
| | 木材 | -51,648 | -0.14 | -0.03 | -162,912 | 37 | 43 | 13 | -1,396 | 19,256 | -17,131 | 13 | 12 |
| | 砂糖 | 49,851 | 1.25 | 0.04 | -81,346 | 31 | 58 | 24 | 1,608 | 14,199 | -15,826 | 17 | 12 |
| | 平均 | -22,490 | -0.06 | -0.01 | -123,368 | 35 | 46 | 17 | -664 | 16,972 | -15,733 | 13 | 12 |

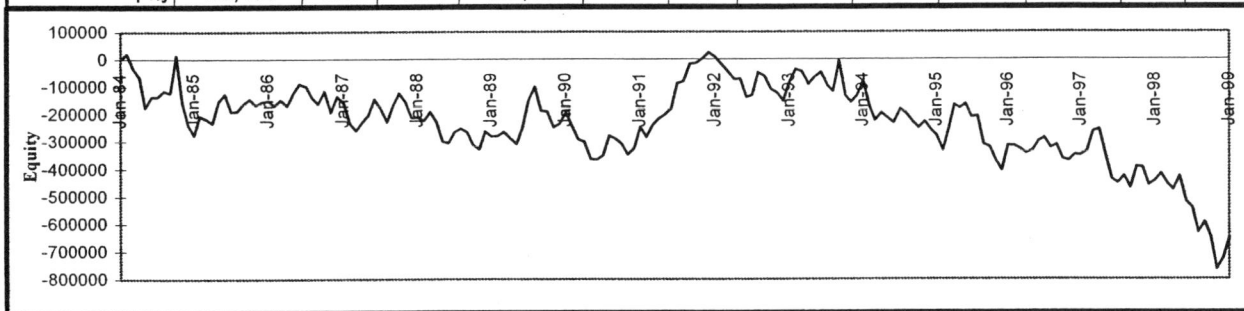

**ポートフォリオ統計**

純益　　　　：　-652,197　　シャープ・レシオ　　　　　　　：-0.07
ドローダウン：　-790,065　　ブレイクアウトとの相関係数　　：0.17
Kレシオ　　　：　　　-0.68　　10／40移動平均との相関係数　：0.09

Chapter 1 **SYSTEM**

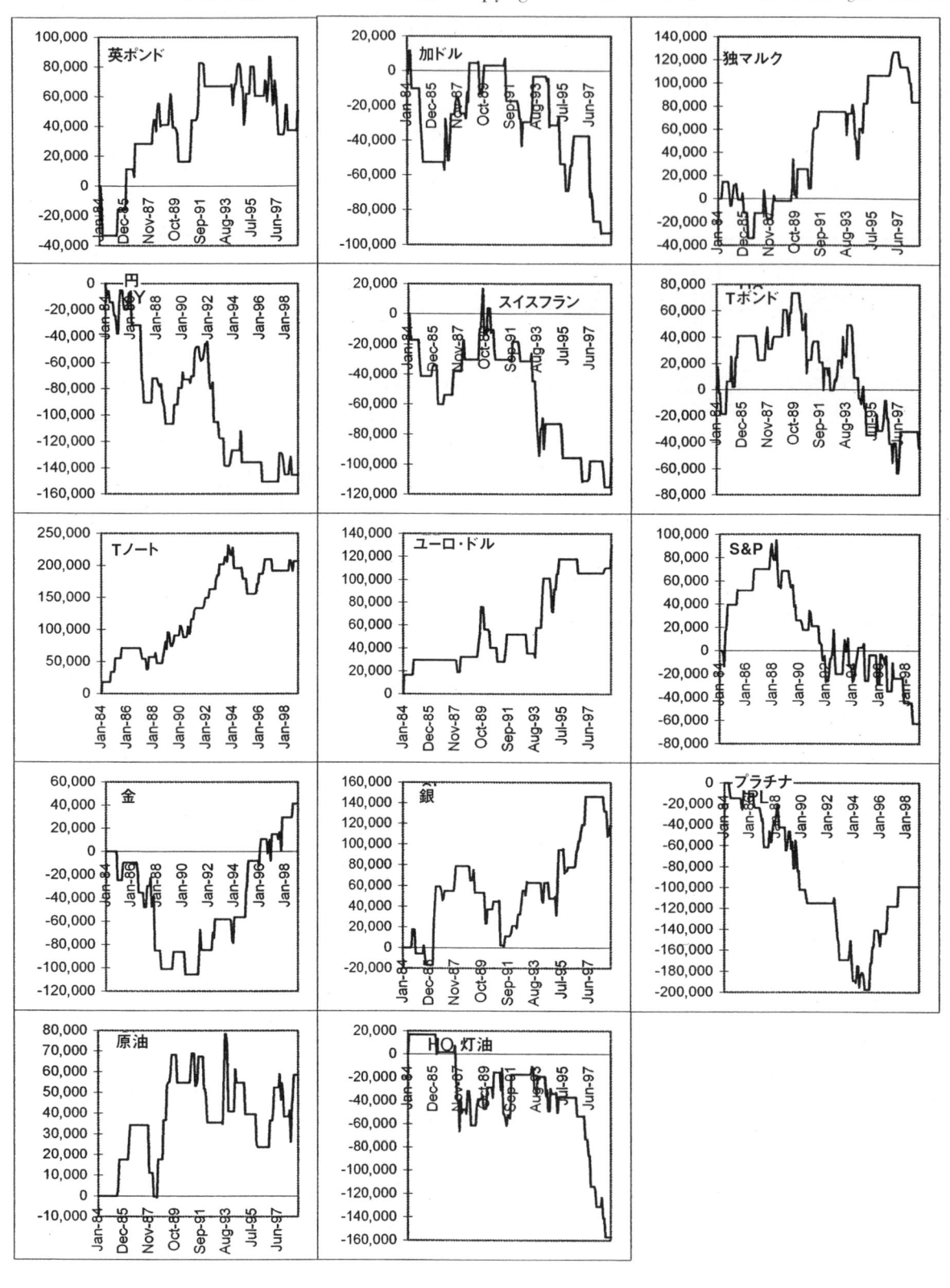

損益曲線：英ポンド〜灯油　Copyright 1999 Lars Kestner,LINK Financial-All rights reserved

# 第1章 システム

**損益曲線：コーン～砂糖**　Copyright 1999 Lars Kestner,LINK Financial-All rights reserved

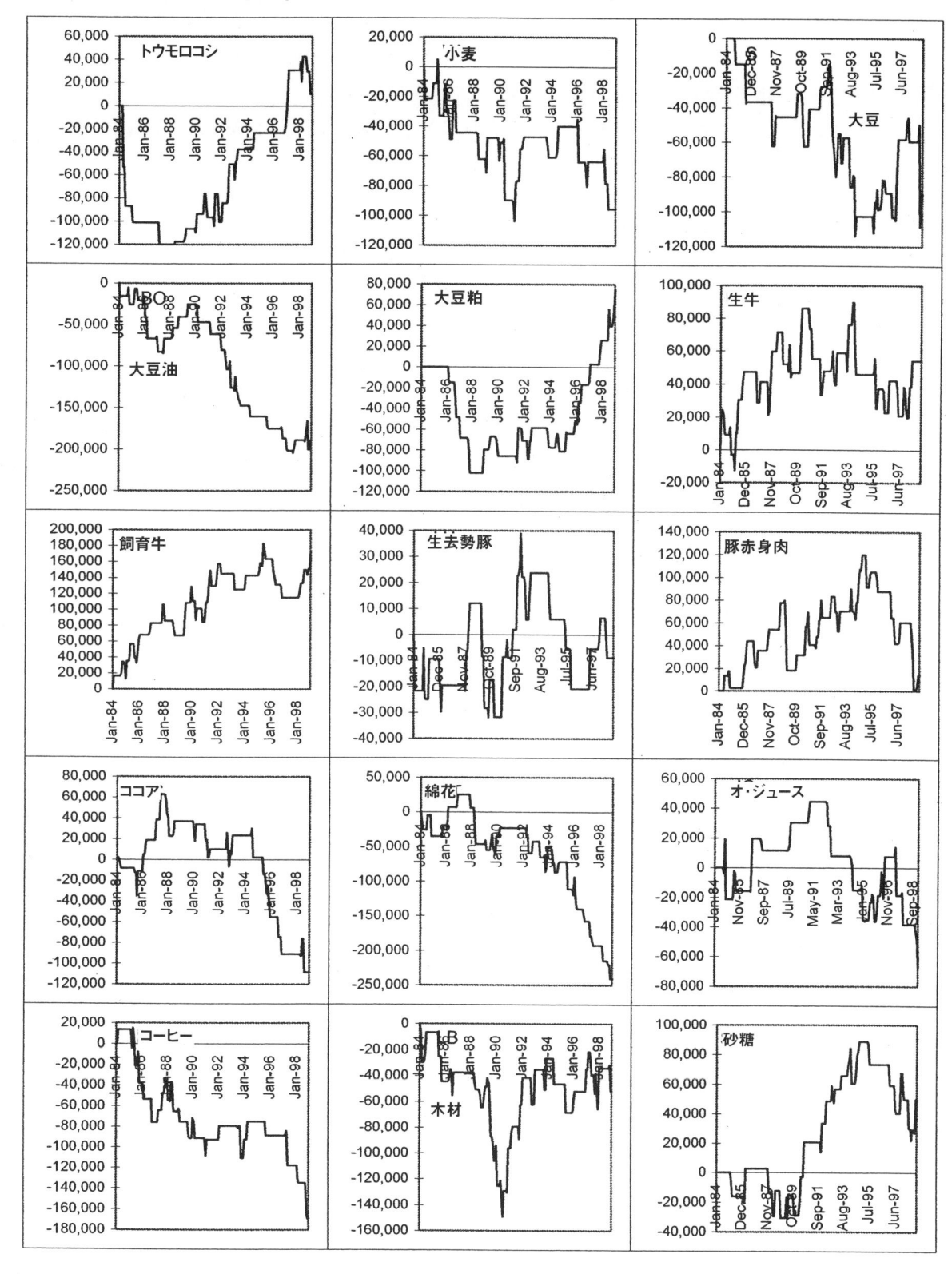

## Chapter 1 SYSTEM

**分類統計**

| | |
|---|---|
| システム名 | ：移動平均を併用したＲＥＩの穏やかな数値 |
| パラメータ | ：8日ＲＥＩ、5日間の穏やかな行き過ぎ |
| 建玉枚数 | ：可変 |
| システムの概要 | ：穏やかに売られ過ぎで、移動平均で支持されたら買い、その反対で売る |
| 検証期間 | ：1/1/84-12/31/98 |

Copyright 1999 Lars Kestner,LINK Financial-All rights reserved

### 市場部門による分析

| 市場部門 | 平均純益 | 平均Kレシオ | 平均シャープレシオ | 平均最大ドローダウン | 平均トレード数 | 平均勝率 | 平均損益 | 勝トレードの平均利益 | 敗トレードの平均損失 | 勝トレードの平均日数 | 敗トレードの平均日数 |
|---|---|---|---|---|---|---|---|---|---|---|---|
| 通貨 | -40,035 | -0.10 | -0.03 | -100,226 | 35 | 43 | -1,192 | 16,768 | -15,067 | 12 | 13 |
| 金利 | 97,375 | 1.18 | 0.08 | -90,500 | 38 | 56 | 3,417 | 17,197 | -14,195 | 10 | 11 |
| 株価指数 | -62,675 | -1.41 | -0.04 | -160,650 | 41 | 41 | -1,529 | 17,718 | -15,161 | 17 | 14 |
| 貴金属 | 19,967 | 0.11 | 0.01 | -135,793 | 36 | 51 | 543 | 16,998 | -16,334 | 15 | 15 |
| エネルギー | -49,356 | -0.29 | -0.02 | -119,030 | 33 | 43 | -1,302 | 17,309 | -15,017 | 15 | 14 |
| 穀物 | -57,771 | -0.55 | -0.04 | -134,535 | 31 | 43 | -1,834 | 16,451 | -15,859 | 11 | 10 |
| 食肉 | 58,357 | 0.68 | 0.04 | -86,566 | 39 | 52 | 1,403 | 17,605 | -15,971 | 11 | 10 |
| ソフト | -97,872 | -0.52 | -0.06 | -163,337 | 33 | 42 | -2,914 | 16,794 | -16,827 | 13 | 13 |

### 年次成績分析

| 年 | 純益 | Kレシオ | シャープレシオ |
|---|---|---|---|
| 1984 | -275,997 | -0.92 | -0.29 |
| 1985 | 125,749 | 0.95 | 0.27 |
| 1986 | -9,085 | -0.03 | -0.02 |
| 1987 | -53,526 | 0.25 | -0.09 |
| 1988 | -68,304 | -0.81 | -0.15 |
| 1989 | 86,916 | 0.57 | 0.14 |
| 1990 | -53,074 | -0.30 | -0.10 |
| 1991 | 255,617 | 3.54 | 0.63 |

| 年 | 純益 | Kレシオ | シャープレシオ |
|---|---|---|---|
| 1992 | -93,642 | -0.85 | -0.18 |
| 1993 | 4,393 | -0.49 | 0.01 |
| 1994 | -197,374 | -1.14 | -0.45 |
| 1995 | -37,240 | -0.50 | -0.05 |
| 1996 | -33,830 | -0.54 | -0.12 |
| 1997 | -94,096 | -0.90 | -0.14 |
| 1998 | -208,706 | -2.09 | -0.28 |

### 利益性ウインドウ

| 期間 | ウインドウ数 | 収益ウインドウ数 | 利益ウインドウ率 |
|---|---|---|---|
| 1カ月 | 180 | 83 | 46.11% |
| 3カ月 | 178 | 77 | 43.26% |
| 6カ月 | 175 | 71 | 40.57% |
| 12カ月 | 169 | 57 | 33.73% |
| 18カ月 | 163 | 49 | 30.06% |
| 24カ月 | 157 | 43 | 27.39% |

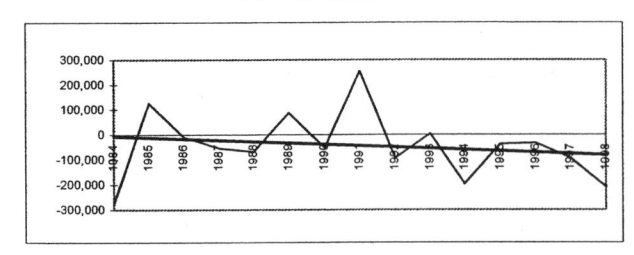

### 年次純益推移

# 第1章 システム

### ⑤移動平均フィルターを併用したデマーカー™による
### 　穏やかな買われ過ぎ／売られ過ぎ（Ｐ９５）

デマーカー™指標は、市場の買われ過ぎ／売られ過ぎ状態を測定するという点でＲＥＩ™と類似している。同様にＲＥＩ™との類似したルールがここでも使われる。

・今日の１３日デマーカー™が３０を上抜き、３０よりも下にいた期間が５日以内であり、今日の終値が２０日単純移動平均よりも上ならば、明日の寄り付きで買う。
・「検証のガイドライン」（１５Ｐ）の節で記述した仕切り法を用いて買い玉を手仕舞う。
・今日の１３日デマーカー™が７０を下抜き、７０よりも上にいた期間が５日以内であり、今日の終値が２０日単純移動平均よりも下ならば、明日の寄り付きで売る。
・「検証のガイドライン」（１５Ｐ）の節で記述した仕切り法を用いて売り玉を手仕舞う。

**結果**
　デマーカー・システムはプラスの結果を示している。１５年間にわたる検証で銘柄当たり平均１３回しかトレード数がないことに注意してほしい。建玉期間は約１３日である。食肉とＳ＆Ｐ５００で最も良く機能している。

Chapter 1 **SYSTEM**

### トレーディング・システム評価

システム名 ：移動平均フィルターを併用したデマーカーの穏やかな数値
パラメータ ：１３日デマーカー、５日の穏やかな期間
建玉枚数 ：可変
システムの概要：穏やかに売られ過ぎで移動平均に支持されたら買い、正反対で売る
検証期間 ：1/1/84-12/31/98  Copyright 1999 Lars Kestner.LINK Financial-All rights reserved

| | 市場 | 純益 | Kレシオ | シャープレシオ | 最大ドローダウン | トレード数 | 勝率 | 平均建玉数 | 平均損益 | 勝トレードの平均利益 | 敗トレードの平均損失 | 勝トレードの平均日数 | 敗トレードの平均日数 |
|---|---|---|---|---|---|---|---|---|---|---|---|---|---|
| 通貨 | 英ポンド | 18,794 | -0.73 | 0.02 | -85,769 | 16 | 50 | 9 | 1,175 | 16,691 | -14,341 | 14 | 18 |
| | 加ドル | 3,720 | -0.23 | 0.01 | -74,220 | 7 | 57 | 21 | 531 | 15,525 | -19,460 | 22 | 6 |
| | 独マルク | -93,663 | -2.11 | -0.10 | -101,588 | 9 | 33 | 10 | -10,407 | 13,500 | -22,360 | 9 | 16 |
| | 円 | -51,875 | -1.60 | -0.05 | -103,588 | 18 | 44 | 8 | -2,882 | 14,506 | -16,793 | 15 | 23 |
| | スイスフラン | 67,100 | 1.34 | 0.06 | -48,913 | 16 | 63 | 9 | 4,194 | 18,163 | -19,088 | 11 | 10 |
| 金利 | Tボンド | 3,375 | -0.38 | 0.01 | -78,000 | 9 | 56 | 7 | 375 | 14,275 | -17,000 | 21 | 17 |
| | Tノート | 49,625 | 0.84 | 0.09 | -36,500 | 6 | 67 | 9 | 8,271 | 20,281 | -15,750 | 12 | 5 |
| | ユーロ・ドル | 177,100 | 3.36 | 0.15 | -42,000 | 17 | 76 | 4 | 10,418 | 18,977 | -17,400 | 18 | 10 |
| 株価指数 | S&P | 105,700 | 1.35 | 0.11 | -60,150 | 18 | 72 | 2 | 5,872 | 14,594 | -16,805 | 13 | 10 |
| 貴金属 | 金 | -22,710 | -0.55 | -0.03 | -113,770 | 16 | 50 | 18 | -1,419 | 13,966 | -16,805 | 21 | 6 |
| | 銀 | -87,770 | -1.37 | -0.08 | -132,035 | 13 | 31 | 14 | -6,752 | 21,874 | -19,474 | 15 | 12 |
| | プラチナ | -33,940 | -0.39 | -0.04 | -50,940 | 12 | 42 | 25 | -2,828 | 20,593 | -19,558 | 11 | 8 |
| エネルギー | 原油 | 67,500 | 1.37 | 0.13 | -21,600 | 8 | 75 | 17 | 8,438 | 16,450 | -15,600 | 11 | 14 |
| | 灯油 | -13,041 | -0.06 | -0.02 | -80,879 | 10 | 50 | 14 | -1,304 | 16,050 | -18,658 | 12 | 7 |
| 穀物 | トウモロコシ | 87,125 | 1.51 | 0.15 | -20,350 | 8 | 88 | 36 | 10,891 | 15,118 | -18,700 | 7 | 7 |
| | 小麦 | 6,900 | -0.44 | 0.01 | -79,900 | 18 | 50 | 28 | 383 | 18,950 | -18,183 | 8 | 17 |
| | 大豆 | -4,050 | -0.12 | 0.00 | -53,200 | 16 | 56 | 15 | -253 | 13,775 | -18,289 | 13 | 10 |
| | 大豆油 | -73,512 | -0.62 | -0.08 | -149,250 | 15 | 40 | 35 | -4,901 | 17,721 | -19,982 | 19 | 12 |
| | 大豆粕 | 105,870 | 1.81 | 0.12 | -37,570 | 15 | 73 | 23 | 7,058 | 15,938 | -17,363 | 15 | 13 |
| 食肉 | 生牛 | 1,916 | 0.61 | 0.00 | -61,728 | 12 | 50 | 28 | 624 | 20,383 | -19,135 | 10 | 10 |
| | 飼育牛 | 53,403 | 0.94 | 0.06 | -42,491 | 10 | 70 | 20 | 5,340 | 16,346 | -20,340 | 16 | 17 |
| | 生去勢豚 | 31,644 | 2.15 | 0.06 | -23,772 | 7 | 71 | 13 | 4,521 | 14,045 | -19,290 | 11 | 11 |
| | 豚赤身肉 | 3,380 | 0.22 | 0.00 | -101,780 | 12 | 42 | 13 | 282 | 23,939 | -16,617 | 6 | 24 |
| ソフト | ココア | 36,330 | 0.39 | 0.05 | -41,840 | 10 | 60 | 22 | 3,633 | 17,758 | -17,555 | 13 | 9 |
| | 綿花 | -54,000 | -1.06 | -0.05 | -116,765 | 20 | 45 | 13 | -2,700 | 15,917 | -17,932 | 12 | 9 |
| | オ・ジュース | -24,375 | -0.29 | -0.02 | -152,333 | 21 | 48 | 17 | -1,161 | 18,479 | -19,015 | 9 | 14 |
| | コーヒー | -6,611 | -0.88 | -0.01 | -100,673 | 11 | 45 | 8 | -601 | 19,157 | -17,066 | 20 | 10 |
| | 木材 | -46,592 | -0.28 | -0.04 | -75,200 | 10 | 40 | 9 | -4,659 | 20,040 | -21,125 | 17 | 15 |
| | 砂糖 | 7,403 | 0.25 | 0.01 | -60,906 | 19 | 47 | 31 | 390 | 17,871 | -15,344 | 17 | 12 |
| | 平均 | 10,853 | 0.17 | 0.02 | -74,059 | 13 | 55 | 16 | 1,122 | 17,272 | -18,104 | 14 | 12 |

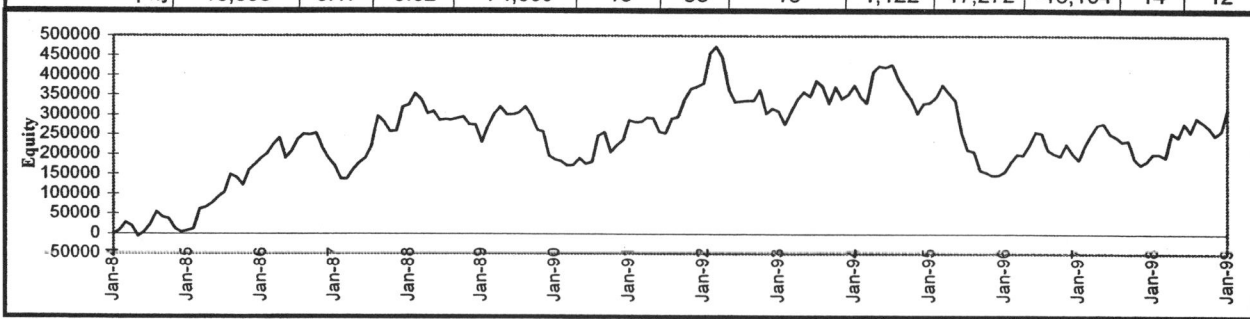

### ポートフォリオ統計

| | | | | |
|---|---|---|---|---|
| 純益 | : | 314,746 | シャープ・レシオ | : 0.06 |
| ドローダウン | : | -326,121 | ブレイクアウトとの相関係数 | : 0.25 |
| Kレシオ | : | 0.51 | １０／４０移動平均との相関係数 | : 0.30 |

# 第1章 システム

損益曲線：英ポンド〜灯油　Copyright 1999 Lars Kestner,LINK Financial-All rights reserved

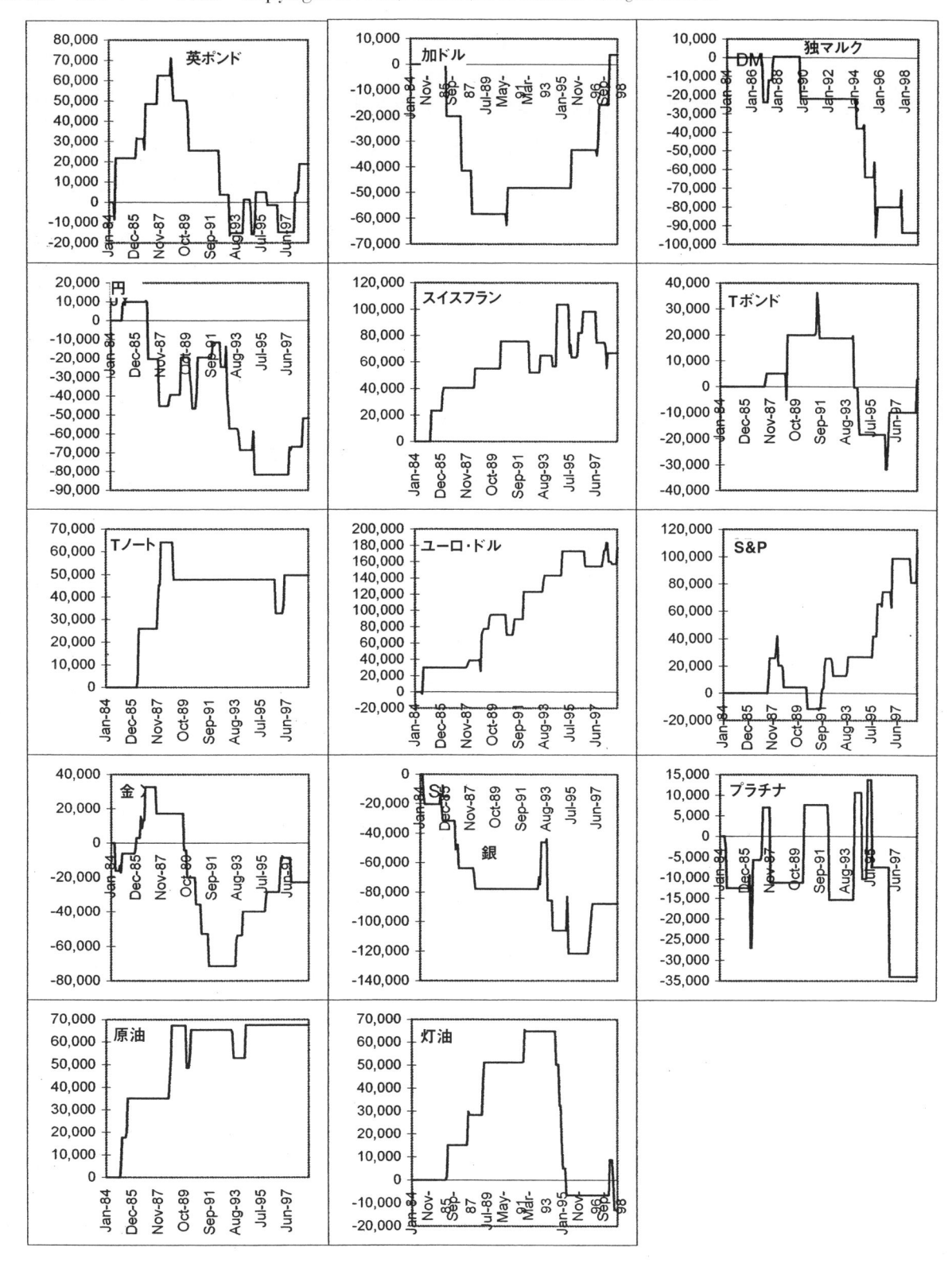

Chapter 1 **SYSTEM**

**損益曲線：コーン〜砂糖**　Copyright 1999 Lars Kestner,LINK Financial-All rights reserved

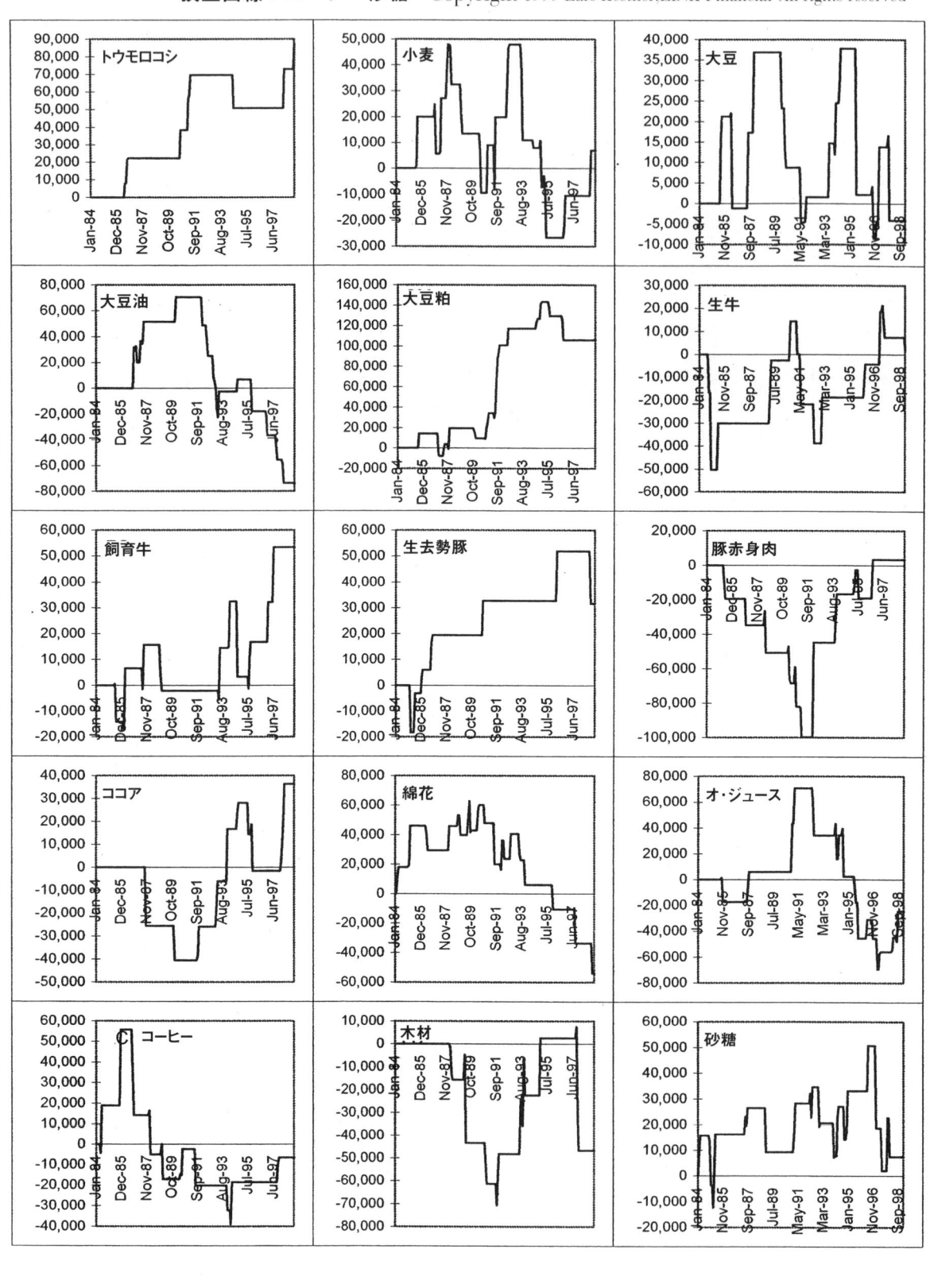

# 第1章　システム

**分類統計**

| | |
|---|---|
| システム名 | ：移動平均フィルターを併用したデマーカーの穏やかな数値 |
| パラメータ | ：１３日デマーカー、５日の穏やかな期間 |
| 建玉枚数 | ：可変 |
| システムの概要 | ：穏やかに売られ過ぎで移動平均に支持されたら買い、正反対で売る |
| 検証期間 | ：1/1/84-12/31/98 |

Copyright 1999 Lars Kestner.LINK Financial-All rights reserved

### 市場部門による分析

| 市場部門 | 平均純益 | 平均Kレシオ | 平均シャープレシオ | 平均最大ドローダウン | 平均トレード数 | 平均勝率 | 平均損益 | 勝トレードの平均利益 | 敗トレードの平均損失 | 勝トレードの平均日数 | 敗トレードの平均日数 |
|---|---|---|---|---|---|---|---|---|---|---|---|
| 通貨 | -11,185 | -0.67 | -0.01 | -82,815 | 13 | 49 | -1,478 | 15,677 | -18,408 | 14 | 15 |
| 金利 | 76,700 | 1.27 | 0.08 | -52,167 | 11 | 66 | 6,354 | 17,844 | -16,717 | 17 | 11 |
| 株価指数 | 105,700 | 1.35 | 0.11 | -60,150 | 18 | 72 | 5,872 | 14,594 | -16,805 | 13 | 10 |
| 貴金属 | -48,140 | -0.77 | -0.05 | -98,915 | 14 | 41 | -3,666 | 18,811 | -18,612 | 16 | 8 |
| エネルギー | 27,230 | 0.65 | 0.05 | -51,240 | 9 | 63 | 3,567 | 16,250 | -17,129 | 12 | 11 |
| 穀物 | 24,467 | 0.43 | 0.04 | -68,054 | 14 | 61 | 2,636 | 16,300 | -18,503 | 12 | 12 |
| 食肉 | 22,586 | 0.98 | 0.03 | -57,443 | 10 | 58 | 2,692 | 18,678 | -18,845 | 11 | 15 |
| ソフト | -14,641 | -0.31 | -0.01 | -91,286 | 15 | 48 | -850 | 18,204 | -18,006 | 15 | 12 |

### 年次成績分析

| 年 | 純益 | Kレシオ | シャープレシオ |
|---|---|---|---|
| 1984 | 6,928 | 0.18 | 0.03 |
| 1985 | 183,375 | 3.68 | 0.75 |
| 1986 | -19,018 | -0.01 | -0.06 |
| 1987 | 153,731 | 2.17 | 0.40 |
| 1988 | -94,657 | -1.66 | -0.39 |
| 1989 | -42,616 | -0.48 | -0.12 |
| 1990 | 99,263 | 1.17 | 0.28 |
| 1991 | 93,819 | 1.08 | 0.37 |

| 年 | 純益 | Kレシオ | シャープレシオ |
|---|---|---|---|
| 1992 | -70,400 | -1.15 | -0.14 |
| 1993 | 65,525 | 0.79 | 0.18 |
| 1994 | -43,811 | -0.42 | -0.11 |
| 1995 | -175,157 | -2.27 | -0.48 |
| 1996 | 29,695 | 0.21 | 0.10 |
| 1997 | 16,011 | -0.49 | 0.06 |
| 1998 | 112,058 | 1.11 | 0.32 |

### 利益性ウインドウ

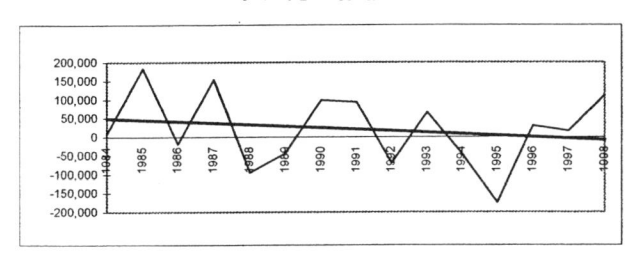

| 期間 | ウインドウ数 | 収益ウインドウ数 | 利益ウインドウ率 |
|---|---|---|---|
| 1カ月 | 180 | 99 | 55.00% |
| 3カ月 | 178 | 98 | 55.06% |
| 6カ月 | 175 | 105 | 60.00% |
| 12カ月 | 169 | 106 | 62.72% |
| 18カ月 | 163 | 95 | 58.28% |
| 24カ月 | 157 | 100 | 63.69% |

### 年次純益推移

### ⑥買われ過ぎ／売られ過ぎ移動平均システム（P132）

　この戦略は本の中に埋もれており、特別に宣伝されているわけではないが、私の目を引きつけた。標準的な移動平均テクニックを改善しようとする試みで、デマークは主要な値動きが確認された後にのみ移動平均を引くことを提案している。ある日の安値が過去１３日間の最も高い安値であるなら、安値の３日単純移動平均を計算し、それを４日間継続する。この安値の平均は売りポイントである。逆に、ある日の高値が過去１３日間の最も安い高値であるなら、高値の３日単純移動平均を計算し、それを４日間継続する。この高値の平均は買いポイントである。この検証では、１３日間の高値／安値が記録されたときに４日のカウントは１から数え直す。

- 今日の終値が高値の３日単純移動平均を上抜き、１３日間の最も安い高値が過去４日以内に記録されていたら、明日の寄り付きで買う。
- 今日の高値が過去１３日間の最も安い高値であるなら、買い玉を手仕舞う。
- 今日の終値が安値の３日単純移動平均を下抜き、１３日間の最も高い安値が過去４日以内に記録されていたら、明日の寄り付きで売る。
- 今日の安値が過去１３日間の最も高い安値であるなら、売り玉を手仕舞う。

**結果**

　買われ過ぎ／売られ過ぎ移動平均システムの結果には本当に驚いた。私の心中では、システムの背後にある原理とロジックはしっかりとしたものであった。振り返ってみると、新高値が更新された後の売りサインと新安値が更新された後の買いサインを採用することは報われないことであった。この検証で利益になる市場は逆張り戦略で利益になる市場と同一で、Ｓ＆Ｐ５００、貴金属、食肉、ココアである。

# 第1章 システム

トレーディング・システム評価

| システム名 | ：買われ過ぎ／売られ過ぎ移動平均システム |
|---|---|
| パラメータ | ：前提条件に１３日高値（安値）、シグナル用に３日移動平均 |
| 建玉枚数 | ：可変 |
| システムの概要 | ：１３日高値（安値）が更新されたあと、シグナル用に３日移動平均が引かれる |
| 検証期間 | ：1/1/84-12/31/98　Copyright 1999 Lars Kestner.LINK Financial-All rights reserved |

| | 市場 | 純益 | Kレシオ | シャープレシオ | 最大ドローダウン | トレード数 | 勝率 | 平均建玉数 | 平均損益 | 勝トレードの平均利益 | 敗トレードの平均損失 | 勝トレードの平均日数 | 敗トレードの平均日数 |
|---|---|---|---|---|---|---|---|---|---|---|---|---|---|
| 通貨 | 英ポンド | -270,550 | -1.41 | -0.07 | -626,794 | 199 | 70 | 7 | -1,360 | 7,366 | -21,573 | 7 | 25 |
| | 加ドル | -966,010 | -2.16 | -0.19 | -1,041,840 | 193 | 69 | 20 | -5,005 | 6,114 | -30,258 | 6 | 30 |
| | 独マルク | -692,600 | -2.27 | -0.18 | -779,088 | 176 | 63 | 9 | -3,935 | 6,458 | -21,684 | 6 | 29 |
| | 円 | -1,177,613 | -8.68 | -0.27 | -1,297,638 | 174 | 61 | 8 | -6,577 | 6,674 | -27,738 | 7 | 31 |
| | スイスフラン | -713,488 | -1.44 | -0.18 | -773,138 | 185 | 68 | 7 | -3,857 | 6,834 | -26,129 | 6 | 31 |
| 金利 | Tボンド | -400,625 | -1.10 | -0.09 | -493,375 | 242 | 74 | 7 | -1,651 | 6,144 | -24,284 | 5 | 26 |
| | Tノート | -528,625 | -1.32 | -0.12 | -658,125 | 248 | 73 | 10 | -2,125 | 5,945 | -24,379 | 4 | 25 |
| | ユーロ・ドル | -211,800 | -0.51 | -0.05 | -485,750 | 219 | 76 | 3 | -968 | 6,810 | -25,330 | 4 | 27 |
| 株価指数 | S&P | 270,300 | 1.28 | 0.08 | -296,300 | 211 | 73 | 3 | 1,281 | 7,614 | -16,247 | 7 | 26 |
| 貴金属 | 金 | -320,800 | -1.97 | -0.08 | -511,730 | 224 | 71 | 18 | -1,330 | 6,584 | -20,689 | 5 | 24 |
| | 銀 | 183,040 | 0.70 | 0.06 | -212,330 | 238 | 74 | 12 | 769 | 5,520 | -12,428 | 5 | 21 |
| | プラチナ | 347,220 | 2.48 | 0.09 | -186,115 | 219 | 74 | 20 | 1,585 | 7,545 | -15,352 | 6 | 25 |
| エネルギー | 原油 | -793,990 | -3.25 | -0.17 | -882,640 | 199 | 67 | 15 | -3,990 | 6,280 | -24,686 | 6 | 30 |
| | 灯油 | -350,356 | -1.26 | -0.08 | -368,483 | 213 | 72 | 11 | -1,594 | 5,525 | -20,176 | 7 | 27 |
| 穀物 | トウモロコシ | -632,775 | -2.39 | -0.15 | -747,075 | 213 | 71 | 34 | -2,862 | 5,819 | -24,495 | 6 | 29 |
| | 小麦 | -183,650 | -0.25 | -0.05 | -626,200 | 217 | 71 | 24 | -846 | 7,742 | -22,317 | 6 | 26 |
| | 大豆 | 11,550 | -0.04 | 0.00 | -237,600 | 239 | 73 | 13 | 48 | 5,642 | -15,246 | 5 | 22 |
| | 大豆油 | -380,694 | -1.16 | -0.08 | -625,164 | 201 | 70 | 27 | -1,894 | 7,051 | -22,916 | 6 | 27 |
| | 大豆粕 | 222,520 | 1.69 | 0.06 | -172,990 | 219 | 70 | 22 | 1,043 | 8,051 | -15,558 | 5 | 23 |
| 食肉 | 生牛 | 332,284 | 1.60 | 0.09 | -170,804 | 224 | 75 | 21 | 1,483 | 7,772 | -17,381 | 6 | 25 |
| | 飼育牛 | 249,660 | 1.48 | 0.07 | -203,760 | 217 | 79 | 20 | 1,151 | 7,316 | -22,416 | 6 | 28 |
| | 生去勢豚 | -267,104 | -1.37 | -0.07 | -430,124 | 207 | 68 | 14 | -1,290 | 7,691 | -20,057 | 5 | 25 |
| | 豚赤身肉 | 65,788 | 0.29 | 0.02 | -288,832 | 229 | 76 | 9 | 270 | 7,067 | -20,728 | 6 | 26 |
| ソフト | ココア | 482,180 | 2.52 | 0.15 | -125,570 | 228 | 78 | 20 | 2,337 | 7,495 | -15,562 | 7 | 27 |
| | 綿花 | -698,470 | -2.23 | -0.19 | -748,525 | 212 | 67 | 11 | -3,163 | 6,190 | -21,735 | 5 | 27 |
| | オ・ジュース | -695,100 | -1.61 | -0.12 | -1,012,163 | 218 | 69 | 15 | -3,095 | 7,351 | -26,137 | 6 | 24 |
| | コーヒー | -802,789 | -1.58 | -0.11 | -964,710 | 210 | 71 | 6 | -3,757 | 6,268 | -28,243 | 6 | 23 |
| | 木材 | -508,240 | -2.06 | -0.10 | -727,344 | 195 | 66 | 10 | -2,595 | 8,565 | -23,916 | 7 | 25 |
| | 砂糖 | -138,768 | -0.12 | -0.04 | -353,506 | 200 | 67 | 23 | -766 | 6,576 | -15,342 | 6 | 26 |
| | 平均 | -295,500 | -0.90 | -0.06 | -553,369 | 213 | 71 | 15 | -1,472 | 6,828 | -21,483 | 6 | 26 |

ポートフォリオ統計

| 純益 | ：-8,569,503 | シャープ・レシオ | ：-0.27 |
|---|---|---|---|
| ドローダウン | ：-8,908,315 | ブレイクアウトとの相関係数 | ：-0.78 |
| Kレシオ | ：-4.56 | １０／４０移動平均との相関係数 | ：-0.79 |

## Chapter 1 SYSTEM

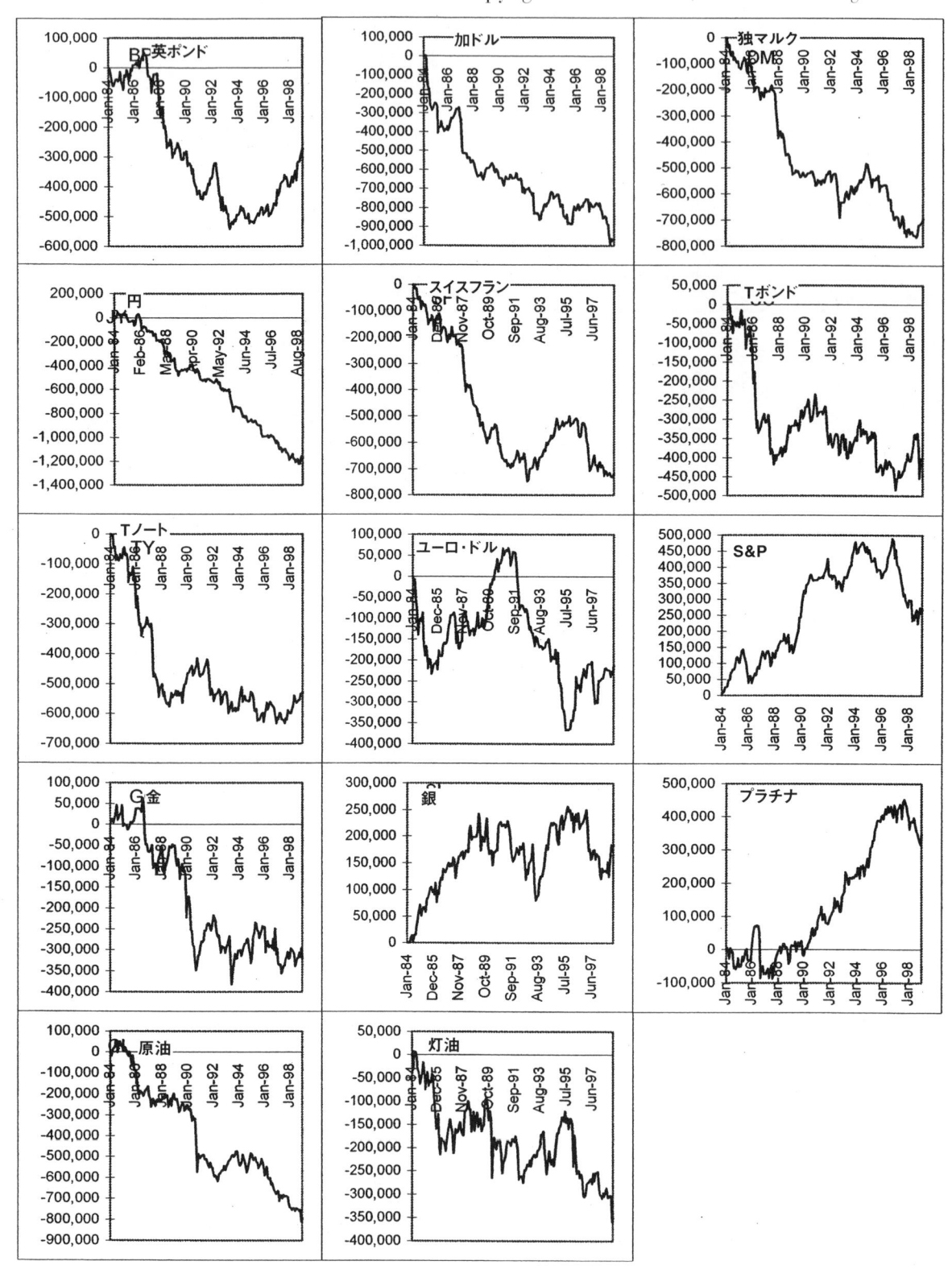

**損益曲線：英ポンド～灯油** Copyright 1999 Lars Kestner, LINK Financial-All rights reserved

# 第1章 システム

損益曲線：コーン～砂糖　Copyright 1999 Lars Kestner,LINK Financial-All rights reserved

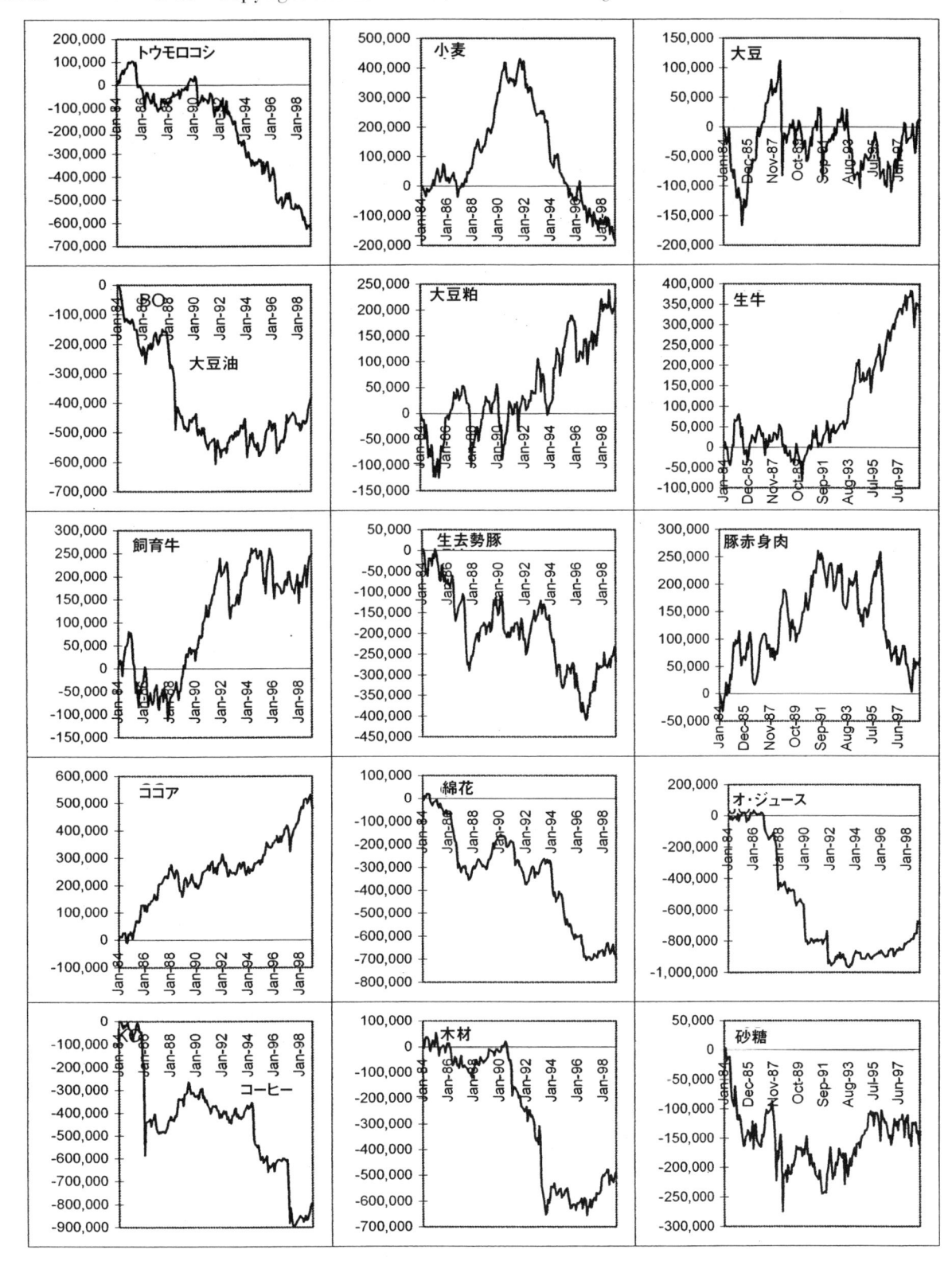

Chapter 1 **SYSTEM**

**分類統計**

システム名　　　：買われ過ぎ／売られ過ぎ移動平均システム
パラメータ　　　：前提条件に１３日高値（安値）、シグナル用に３日移動平均
建玉枚数　　　　：可変
システムの概要：１３日高値（安値）が更新されたあと、シグナル用に３日移動平均
　　　　　　　　　が引かれる
検証期間　　　　：1/1/84-12/31/98

Copyright 1999 Lars Kestner, LINK Financial-All rights reserved

### 市場部門による分析

| 市場部門 | 平均純益 | 平均Kレシオ | 平均シャープレシオ | 平均最大ドローダウン | 平均トレード数 | 平均勝率 | 平均損益 | 勝トレードの平均利益 | 敗トレードの平均損失 | 勝トレードの平均日数 | 敗トレードの平均日数 |
|---|---|---|---|---|---|---|---|---|---|---|---|
| 通貨 | -764,052 | -3.19 | -0.18 | -903,699 | 185 | 66 | -4,147 | 6,689 | -25,476 | 7 | 29 |
| 金利 | -380,350 | -0.98 | -0.09 | -545,750 | 236 | 75 | -1,582 | 6,300 | -24,664 | 4 | 26 |
| 株価指数 | 270,300 | 1.28 | 0.08 | -296,300 | 211 | 73 | 1,281 | 7,614 | -16,247 | 7 | 26 |
| 貴金属 | 69,820 | 0.40 | 0.02 | -303,392 | 227 | 73 | 342 | 6,550 | -16,156 | 5 | 23 |
| エネルギー | -572,173 | -2.26 | -0.12 | -625,561 | 206 | 70 | -2,792 | 5,903 | -22,431 | 6 | 28 |
| 穀物 | -192,610 | -0.43 | -0.04 | -481,806 | 218 | 71 | -902 | 6,861 | -20,106 | 6 | 26 |
| 食肉 | 95,157 | 0.50 | 0.03 | -273,380 | 219 | 74 | 403 | 7,461 | -20,146 | 6 | 26 |
| ソフト | -393,531 | -0.85 | -0.07 | -655,303 | 211 | 69 | -1,840 | 7,074 | -21,823 | 6 | 25 |

### 年次成績分析

| 年 | 純益 | Kレシオ | シャープレシオ |
|---|---|---|---|
| 1984 | -889,642 | -1.26 | -0.37 |
| 1985 | -1,364,110 | -2.30 | -0.48 |
| 1986 | -722,103 | -1.52 | -0.31 |
| 1987 | -1,635,085 | -3.06 | -0.76 |
| 1988 | -326,304 | -0.97 | -0.11 |
| 1989 | 147,883 | 0.89 | 0.09 |
| 1990 | -653,316 | -2.63 | -0.46 |
| 1991 | -744,578 | -1.17 | -0.34 |

| 年 | 純益 | Kレシオ | シャープレシオ |
|---|---|---|---|
| 1992 | -365,305 | -1.20 | -0.18 |
| 1993 | -387,694 | -0.24 | -0.19 |
| 1994 | -500,615 | -1.52 | -0.25 |
| 1995 | -459,684 | -0.75 | -0.37 |
| 1996 | -412,411 | -1.26 | -0.15 |
| 1997 | -530,462 | -0.29 | -0.30 |
| 1998 | 273,922 | 0.34 | 0.16 |

### 利益性ウインドウ

| 期間 | ウインドウ数 | 収益ウインドウ数 | 利益ウインドウ率 |
|---|---|---|---|
| 1カ月 | 180 | 77 | 42.78% |
| 3カ月 | 178 | 55 | 30.90% |
| 6カ月 | 175 | 36 | 20.57% |
| 12カ月 | 169 | 19 | 11.24% |
| 18カ月 | 163 | 10 | 6.13% |
| 24カ月 | 157 | 2 | 1.27% |

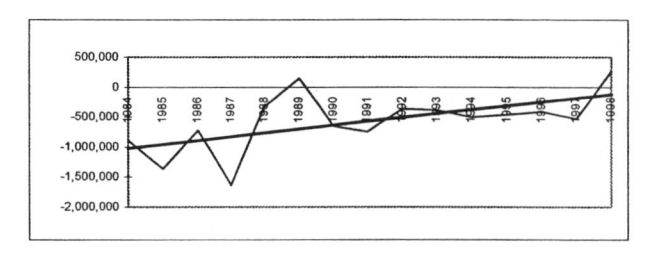

### 年次純益推移

# 第1章　システム

## F．アルフ・イェンセン著『先物市場で資金を3倍にした方法』

アルフ・イェンセンは1992年にロビンズ・システム・トレーディング・チャンピオンシップで優勝したあと、『先物で資金を3倍にした方法』で彼の手法の詳細を明らかにした。その著書では主に、6カ月のコンテスト中に200％の収益を上げる手助けとなった短期売買とデイ・トレードについてのテクニックに焦点を当てている。

### ①アルファ＝0.03による尖度（P71）

イェンセンの最初のアイデアは、彼が市場の尖度（Kurtosis）と定義している性質の測定である。本質的に、尖度は市場の加速度（Acceleration、価格を二階微分したもの）を平滑化したものである。ここでは、市場の尖度がゼロの上と下に交差するときに売買シグナルが発生する。

$$\text{Acceleration}_t = \text{終値}_t - \text{終値}_{t-1} - \text{終値}_{t-3} + \text{終値}_{t-4}$$
$$\text{Kurtosis}_t = 0.03 \times \text{Acceleration}_t + 0.97 \times \text{Kurtosis}_{t-1}$$

・今日の尖度が0を上抜いたら、明日の寄り付きで買う。
・今日の尖度が0を下抜いたら、明日の寄り付きで売る。

#### 結果

成績は時の経過とともに改善しているが、多くの負けトレードを引き起こしている。20ドルの平均損失では、結果は正反対のサインを採用するのに足りるほど悪いとはいえない。

尖度の統計上の意味は、分布の裾野を正規分布と比較することである。イェンセンの尖度に関する記述は加速度の概念と密接に関係し、典型的な統計学上の定義とは完全に無関係である

※参考文献：チャック・フランク／パトリシア・ワリサフリ著『ロビンスカップの魔術師たち』（パンローリング刊）

## トレーディング・システム評価

システム名　　：アルファ０．０３による尖度
パラメータ　　：０．０３の平滑係数
建玉枚数　　　：可変
システムの概要：尖度が正であるときに買い、負のときに売る
検証期間　　　：1/1/84-12/31/98　Copyright 1999 Lars Kestner,LINK Financial-All rights reserved

| | 市場 | 純益 | Kレシオ | シャープレシオ | 最大ドローダウン | トレード数 | 勝率 | 平均建玉数 | 平均損益 | 勝トレードの平均利益 | 敗トレードの平均損失 | 勝トレードの平均日数 | 敗トレードの平均日数 |
|---|---|---|---|---|---|---|---|---|---|---|---|---|---|
| 通貨 | 英ポンド | 25,763 | -0.01 | 0.01 | -339,488 | 1052 | 43 | 9 | 22 | 8,236 | -6,071 | 5 | 3 |
| | 加ドル | -270,400 | -1.10 | -0.06 | -549,960 | 991 | 41 | 28 | -307 | 8,921 | -6,712 | 5 | 3 |
| | 独マルク | 53,938 | -0.38 | 0.01 | -401,200 | 1065 | 42 | 12 | 41 | 8,198 | -5,950 | 5 | 3 |
| | 円 | -105,438 | -1.06 | -0.02 | -379,388 | 1087 | 41 | 10 | -108 | 8,373 | -5,986 | 5 | 3 |
| | スイスフラン | -354,375 | -1.67 | -0.09 | -685,425 | 1074 | 39 | 9 | -342 | 8,367 | -5,891 | 5 | 3 |
| 金利 | Tボンド | -716,000 | -3.36 | -0.19 | -785,125 | 1052 | 39 | 9 | -680 | 8,201 | -6,396 | 5 | 3 |
| | Tノート | -648,875 | -1.83 | -0.15 | -730,250 | 1050 | 41 | 13 | -616 | 8,020 | -6,701 | 5 | 3 |
| | ユーロ・ドル | -321,525 | -1.11 | -0.07 | -719,750 | 954 | 39 | 4 | -337 | 10,567 | -7,185 | 6 | 3 |
| 株価指数 | S&P | -552,075 | -3.05 | -0.14 | -677,275 | 1048 | 37 | 4 | -524 | 8,824 | -6,087 | 6 | 2 |
| 貴金属 | 金 | -114,260 | -0.42 | -0.03 | -328,890 | 1047 | 41 | 21 | -108 | 8,124 | -5,936 | 5 | 3 |
| | 銀 | -399,420 | -1.98 | -0.09 | -535,285 | 1109 | 38 | 15 | -361 | 8,111 | -5,545 | 5 | 3 |
| | プラチナ | -686,910 | -2.94 | -0.14 | -730,260 | 1063 | 38 | 23 | -666 | 8,027 | -6,103 | 5 | 3 |
| エネルギー | 原油 | -132,270 | -1.34 | -0.03 | -445,780 | 1028 | 37 | 18 | -142 | 9,937 | -5,979 | 5 | 3 |
| | 灯油 | -495,918 | -1.37 | -0.12 | -563,299 | 1062 | 37 | 14 | -475 | 8,627 | -5,779 | 5 | 2 |
| 穀物 | トウモロコシ | -700,450 | -1.98 | -0.14 | -901,775 | 1026 | 40 | 44 | -680 | 8,039 | -6,506 | 5 | 3 |
| | 小麦 | -764,325 | -2.09 | -0.17 | -782,075 | 1032 | 38 | 27 | -736 | 8,896 | -6,539 | 6 | 3 |
| | 大豆 | -208,800 | -2.35 | -0.05 | -450,550 | 1078 | 41 | 17 | -191 | 7,769 | -5,808 | 5 | 2 |
| | 大豆油 | -320,160 | -1.81 | -0.07 | -544,878 | 1074 | 40 | 31 | -293 | 8,552 | -6,084 | 5 | 2 |
| | 大豆粕 | 533,910 | 2.21 | 0.12 | -196,460 | 1004 | 43 | 26 | 529 | 8,867 | -5,845 | 5 | 3 |
| 食肉 | 生牛 | -306,624 | -1.51 | -0.08 | -553,044 | 1015 | 39 | 24 | -310 | 9,196 | -6,316 | 6 | 2 |
| | 飼育牛 | -270,509 | -1.75 | -0.06 | -481,624 | 1009 | 39 | 24 | -271 | 9,099 | -6,299 | 6 | 2 |
| | 生去勢豚 | -749,368 | -5.29 | -0.17 | -860,676 | 1034 | 38 | 17 | -732 | 8,887 | -6,727 | 6 | 2 |
| | 豚赤身肉 | -422,188 | -1.10 | -0.09 | -468,188 | 1033 | 38 | 12 | -412 | 9,649 | -6,565 | 6 | 3 |
| ソフト | ココア | -1,022,740 | -3.72 | -0.24 | -1,074,230 | 1102 | 35 | 24 | -928 | 7,952 | -5,812 | 5 | 2 |
| | 綿花 | -1,299,645 | -8.63 | -0.33 | -1,384,570 | 1133 | 34 | 14 | -1,137 | 8,095 | -5,815 | 5 | 3 |
| | オ・ジュース | -82,305 | -0.14 | -0.02 | -247,343 | 1034 | 38 | 20 | -81 | 9,785 | -6,031 | 5 | 3 |
| | コーヒー | -26,400 | -0.01 | -0.01 | -441,011 | 1002 | 39 | 7 | -40 | 9,823 | -6,432 | 6 | 3 |
| | 木材 | -37,616 | 0.32 | -0.01 | -599,392 | 970 | 39 | 12 | -46 | 10,684 | -6,868 | 6 | 3 |
| | 砂糖 | -688,689 | -3.28 | -0.16 | -811,251 | 1141 | 38 | 27 | -622 | 7,400 | -5,640 | 5 | 2 |
| | 平均 | -382,196 | -1.82 | -0.09 | -609,257 | 1047 | 39 | 18 | -364 | 8,732 | -6,193 | 5 | 3 |

### ポートフォリオ統計

純益　　　　：-11,083,674　　シャープ・レシオ　　　　　　　：-0.36
ドローダウン：-11,367,128　　ブレイクアウトとの相関係数　　：0.17
Kレシオ　　：　　-5.38　　　１０／４０移動平均との相関係数：0.07

# 第1章 システム

損益曲線：英ポンド～灯油　Copyright 1999 Lars Kestner,LINK Financial-All rights reserved

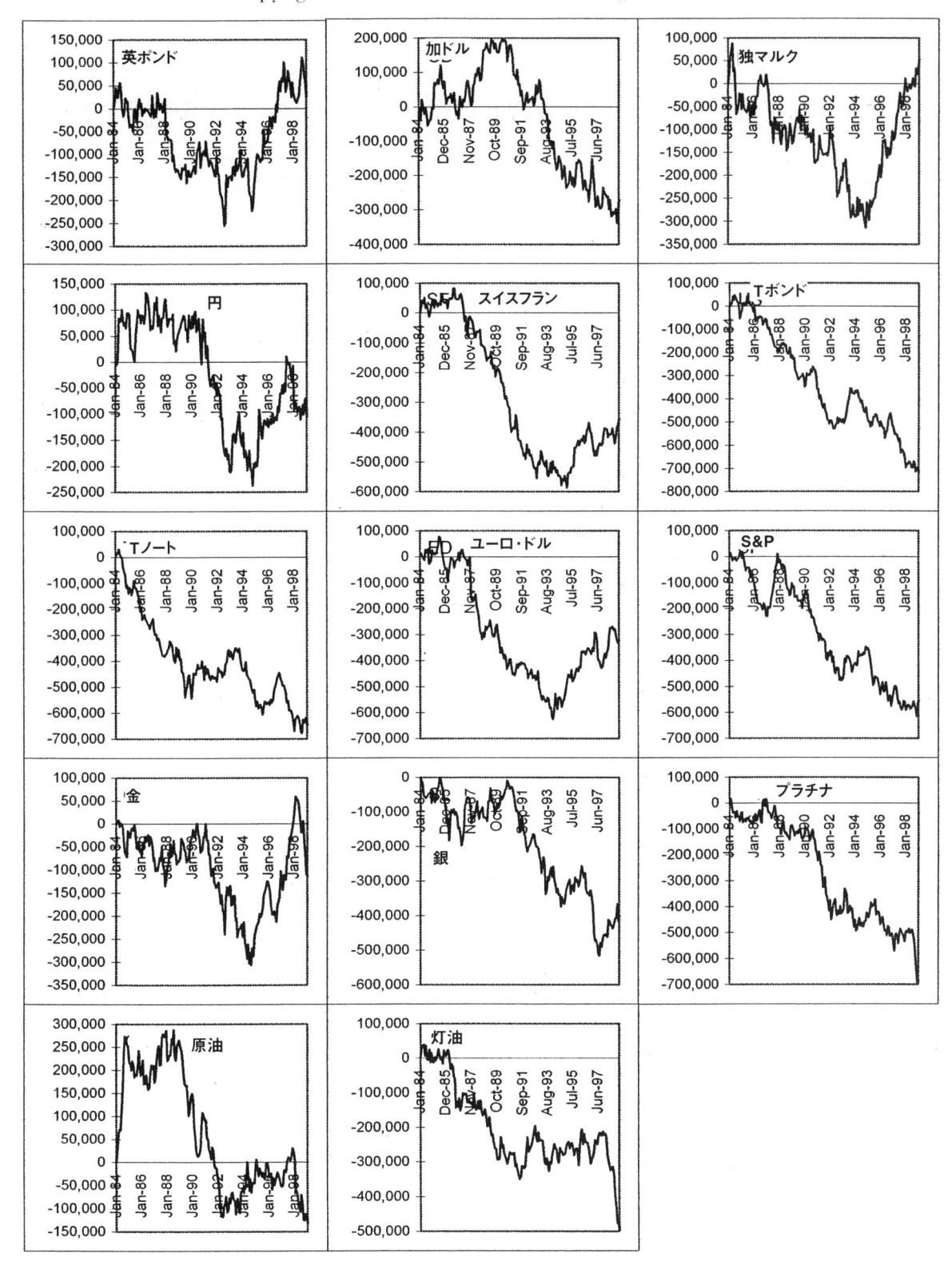

Chapter 1 **SYSTEM**

損益曲線：コーン～砂糖　Copyright 1999 Lars Kestner.LINK Financial-All rights reserved

# 第1章　システム

**分類統計**

システム名　　　：アルファ０．０３による尖度
パラメータ　　　：０．０３の平滑係数
建玉枚数　　　　：可変
システムの概要：尖度が正であるときに買い、負のときに売る
検証期間　　　　：1/1/84-12/31/98

Copyright 1999 Lars Kestner,LINK Financial-All rights reserved

## 市場部門による分析

| 市場部門 | 平均純益 | 平均Kレシオ | 平均シャープレシオ | 平均最大ドローダウン | 平均トレード数 | 平均勝率 | 平均損益 | 勝トレードの平均利益 | 敗トレードの平均損失 | 勝トレードの平均日数 | 敗トレードの平均日数 |
|---|---|---|---|---|---|---|---|---|---|---|---|
| 通貨 | -130,103 | -0.84 | -0.03 | -471,092 | 1,054 | 41 | -139 | 8,419 | -6,122 | 5 | 3 |
| 金利 | -562,133 | -2.10 | -0.14 | -745,042 | 1,019 | 40 | -544 | 8,929 | -6,761 | 5 | 3 |
| 株価指数 | -552,075 | -3.05 | -0.14 | -677,275 | 1,048 | 37 | -524 | 8,824 | -6,087 | 6 | 2 |
| 貴金属 | -400,197 | -1.78 | -0.09 | -531,478 | 1,073 | 39 | -379 | 8,087 | -5,862 | 5 | 3 |
| エネルギー | -314,094 | -1.36 | -0.08 | -504,539 | 1,045 | 37 | -309 | 9,282 | -5,879 | 5 | 3 |
| 穀物 | -291,965 | -1.20 | -0.06 | -575,148 | 1,043 | 40 | -274 | 8,425 | -6,156 | 5 | 3 |
| 食肉 | -437,172 | -2.41 | -0.10 | -590,883 | 1,023 | 39 | -431 | 9,208 | -6,477 | 6 | 2 |
| ソフト | -526,233 | -2.58 | -0.13 | -759,633 | 1,064 | 37 | -476 | 8,956 | -6,099 | 5 | 3 |

## 年次成績分析

| 年 | 純益 | Kレシオ | シャープレシオ |
|---|---|---|---|
| 1984 | -342,899 | -1.11 | -0.16 |
| 1985 | -651,151 | -1.81 | -0.43 |
| 1986 | -1,296,109 | -2.15 | -0.74 |
| 1987 | -822,691 | -3.13 | -0.53 |
| 1988 | -609,309 | -1.39 | -0.24 |
| 1989 | -512,708 | -1.73 | -0.25 |
| 1990 | -1,017,116 | -3.28 | -0.66 |
| 1991 | -1,762,280 | -2.98 | -0.70 |
| 1992 | -1,634,734 | -2.59 | -0.68 |
| 1993 | -229,122 | -0.58 | -0.09 |
| 1994 | -742,008 | -1.33 | -0.32 |
| 1995 | -264,146 | -0.05 | -0.11 |
| 1996 | 14,678 | 0.01 | 0.01 |
| 1997 | -582,158 | -1.32 | -0.28 |
| 1998 | -631,921 | -2.16 | -0.62 |

## 利益性ウインドウ

| 期間 | ウインドウ数 | 収益ウインドウ数 | 利益ウインドウ率 |
|---|---|---|---|
| 1カ月 | 180 | 68 | 37.78% |
| 3カ月 | 178 | 43 | 24.16% |
| 6カ月 | 175 | 27 | 15.43% |
| 12カ月 | 169 | 9 | 5.33% |
| 18カ月 | 163 | 3 | 1.84% |
| 24カ月 | 157 | 1 | 0.64% |

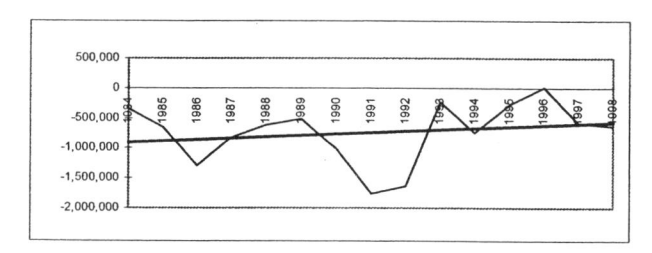

## 年次純益推移

## ②アルファ＝０．１０による尖度（Ｐ７１）

　尖度システムは、トレードし過ぎる傾向があり、１５年の検証で１市場当たり平均１１００回強である。したがって、遅延の大きい移動平均を使ったら、成績がどう変化するかに興味があった。ゆえに、移動平均のアルファを０．１０として、尖度システムを再実行した。

Acceleration $_t$ ＝終値$_t$ －終値$_{t-1}$ －終値$_{t-3}$ ＋終値$_{t-4}$
Kurtosis $_t$ ＝０.１０×Acceleration $_t$ ＋０.９０×Kurtosis $_{t-1}$

・今日の尖度が０を上抜いたら、明日の寄り付きで買う。
・今日の尖度が０を下抜いたら、明日の寄り付きで売る。

### 結果

　パラメータ長を調節してトレード数を少なくする私の試みは、実際には総トレード数を増加することになった（訳者注：アルファを大きくすることは移動平均の感度を高めているので当然の結果である）。システムが使用する尖度指標は変動が激し過ぎて、平滑化係数を０．０３から０．１０に増加しても、売買パターンに影響を与えるには十分ではなかった。ここでも、成績は決して望ましいものではない。

# 第1章 システム

**トレーディング・システム評価**

システム名　　　：アルファ＝０．１０による尖度
パラメータ　　　：０．１０の平滑係数
建玉枚数　　　　：可変
システムの概要：尖度が正であるときに買い、負のときに売る
検証期間　　　　：1/1/84-12/31/98　Copyright 1999 Lars Kestner,LINK Financial-All rights reserved

| | 市場 | 純益 | Kレシオ | シャープレシオ | 最大ドローダウン | トレード数 | 勝率 | 平均建玉数 | 平均損益 | 勝トレードの平均利益 | 敗トレードの平均損失 | 勝トレードの平均日数 | 敗トレードの平均日数 |
|---|---|---|---|---|---|---|---|---|---|---|---|---|---|
| 通貨 | 英ポンド | -302,881 | -1.01 | -0.07 | -661,800 | 1088 | 42 | 9 | -281 | 8,035 | -6,281 | 5 | 3 |
| | 加ドル | -277,600 | -1.33 | -0.06 | -582,050 | 1099 | 42 | 28 | -284 | 8,797 | -6,747 | 5 | 3 |
| | 独マルク | -138,450 | -0.67 | -0.03 | -639,425 | 1103 | 42 | 12 | -134 | 8,180 | -6,194 | 5 | 3 |
| | 円 | -240,950 | -1.89 | -0.05 | -496,263 | 1153 | 42 | 10 | -219 | 7,813 | -6,051 | 4 | 3 |
| | スイスフラン | -487,463 | -1.60 | -0.12 | -816,975 | 1116 | 40 | 9 | -435 | 8,266 | -6,184 | 5 | 3 |
| 金利 | Tボンド | -435,875 | -2.15 | -0.11 | -590,500 | 1102 | 42 | 9 | -400 | 8,100 | -6,491 | 5 | 2 |
| | Tノート | -517,250 | -1.17 | -0.13 | -564,125 | 1070 | 44 | 13 | -482 | 7,803 | -7,022 | 5 | 3 |
| | ユーロ・ドル | -249,375 | -0.54 | -0.05 | -837,250 | 970 | 41 | 4 | -257 | 10,331 | -7,469 | 5 | 3 |
| 株価指数 | S&P | -225,025 | -1.77 | -0.05 | -486,250 | 1089 | 39 | 4 | -211 | 9,040 | -6,042 | 5 | 2 |
| 貴金属 | 金 | -419,010 | -1.33 | -0.10 | -548,470 | 1067 | 40 | 21 | -392 | 8,232 | -6,214 | 5 | 3 |
| | 銀 | -203,560 | -1.21 | -0.05 | -422,540 | 1099 | 41 | 15 | -186 | 7,994 | -5,794 | 5 | 3 |
| | プラチナ | -336,510 | -1.15 | -0.07 | -497,615 | 1063 | 40 | 23 | -337 | 8,470 | -6,112 | 5 | 3 |
| エネルギー | 原油 | 129,750 | -0.10 | 0.03 | -376,950 | 1068 | 40 | 18 | 109 | 9,332 | -6,083 | 5 | 3 |
| | 灯油 | -345,327 | -1.76 | -0.09 | -553,517 | 1110 | 39 | 14 | -319 | 8,363 | -5,978 | 5 | 3 |
| 穀物 | トウモロコシ | -608,375 | -2.09 | -0.14 | -776,725 | 1078 | 42 | 43 | -561 | 7,769 | -6,508 | 5 | 3 |
| | 小麦 | -702,650 | -1.24 | -0.16 | -709,800 | 1054 | 41 | 27 | -662 | 8,328 | -6,857 | 5 | 3 |
| | 大豆 | -454,375 | -1.55 | -0.11 | -580,675 | 1111 | 40 | 17 | -411 | 7,812 | -5,988 | 5 | 2 |
| | 大豆油 | -146,112 | -0.79 | -0.03 | -433,878 | 1099 | 41 | 31 | -134 | 8,592 | -6,140 | 5 | 2 |
| | 大豆粕 | 540,620 | 3.54 | 0.12 | -178,650 | 1052 | 44 | 26 | 512 | 8,702 | -6,052 | 5 | 3 |
| 食肉 | 生牛 | -83,864 | -0.80 | -0.02 | -382,388 | 1057 | 40 | 24 | -84 | 9,214 | -6,337 | 5 | 2 |
| | 飼育牛 | -410,045 | -2.64 | -0.09 | -542,097 | 1075 | 38 | 24 | -382 | 9,306 | -6,403 | 5 | 2 |
| | 生去勢豚 | -722,768 | -4.67 | -0.16 | -836,208 | 1076 | 40 | 17 | -679 | 8,466 | -6,789 | 5 | 3 |
| | 豚赤身肉 | -457,184 | -1.57 | -0.10 | -515,196 | 1071 | 39 | 12 | -431 | 9,130 | -6,574 | 5 | 3 |
| ソフト | ココア | -1,146,900 | -5.26 | -0.26 | -1,237,620 | 1120 | 36 | 24 | -1,024 | 8,186 | -6,161 | 5 | 2 |
| | 綿花 | -1,427,665 | -6.88 | -0.34 | -1,476,050 | 1161 | 36 | 14 | -1,220 | 7,435 | -6,107 | 4 | 3 |
| | オ・ジュース | -332,678 | -1.56 | -0.07 | -467,588 | 1078 | 38 | 20 | -310 | 9,157 | -6,236 | 5 | 3 |
| | コーヒー | 175,616 | 0.98 | 0.04 | -345,420 | 1052 | 41 | 7 | 154 | 9,364 | -6,314 | 5 | 3 |
| | 木材 | -344,896 | -0.43 | -0.07 | -545,824 | 1039 | 38 | 12 | -330 | 10,442 | -6,937 | 6 | 2 |
| | 砂糖 | -987,391 | -4.15 | -0.24 | -1,086,836 | 1137 | 38 | 27 | -889 | 7,257 | -5,881 | 5 | 2 |
| | 平均 | -384,765 | -1.61 | -0.09 | -627,196 | 1085 | 40 | 18 | -355 | 8,549 | -6,343 | 5 | 3 |

**ポートフォリオ統計**

純益　　　　　：-11,158,192　　シャープ・レシオ　　　　　　：-0.38
ドローダウン：-11,329,856　　ブレイクアウトとの相関係数　：-0.01
Kレシオ　　　：　　　-4.50　　１０／４０移動平均との相関係数：-0.09

Chapter 1 **SYSTEM**

損益曲線：英ポンド～灯油  Copyright 1999 Lars Kestner, LINK Financial-All rights reserved

# 第1章 システム

損益曲線：コーン〜砂糖　Copyright 1999 Lars Kestner,LINK Financial-All rights reserved

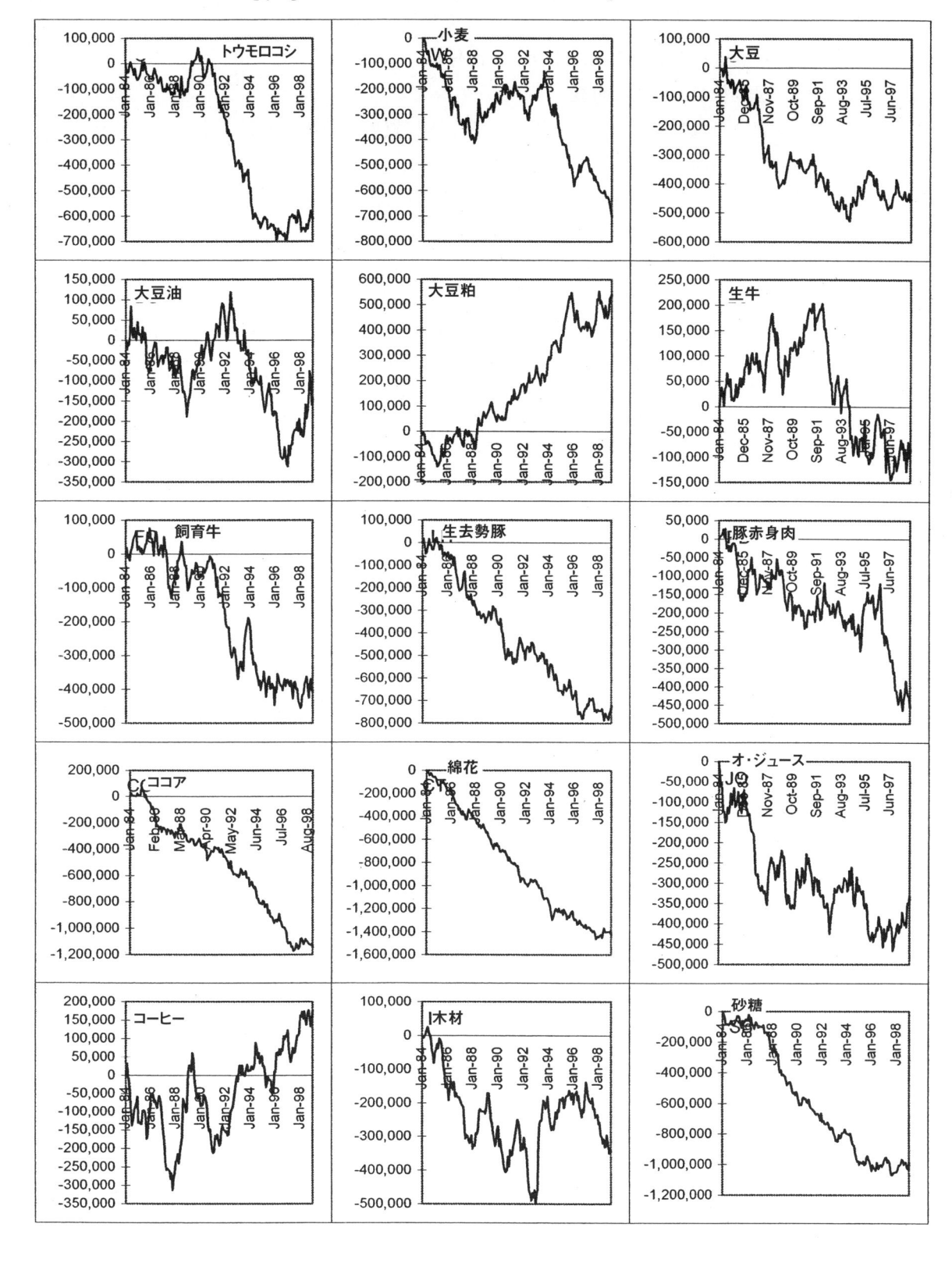

Chapter 1 **SYSTEM**

**分類統計**

システム名 ：アルファ＝0.10による尖度
パラメータ ：0.10の平滑係数
建玉枚数 ：可変
システムの概要：尖度が正であるときに買い、負のときに売る
検証期間 ：1/1/84-12/31/98

Copyright 1999 Lars Kestner,LINK Financial-All rights reserved

### 市場部門による分析

| 市場部門 | 平均純益 | 平均Kレシオ | 平均シャープレシオ | 平均最大ドローダウン | 平均トレード数 | 平均勝率 | 平均損益 | 勝トレードの平均利益 | 敗トレードの平均損失 | 勝トレードの平均日数 | 敗トレードの平均日数 |
|---|---|---|---|---|---|---|---|---|---|---|---|
| 通貨 | -289,469 | -1.30 | -0.07 | -639,303 | 1,112 | 42 | -271 | 8,218 | -6,291 | 5 | 3 |
| 金利 | -400,833 | -1.28 | -0.10 | -663,958 | 1,047 | 42 | -380 | 8,745 | -6,994 | 5 | 3 |
| 株価指数 | -225,025 | -1.77 | -0.05 | -486,250 | 1,089 | 39 | -211 | 9,040 | -6,042 | 5 | 2 |
| 貴金属 | -319,693 | -1.23 | -0.07 | -489,542 | 1,076 | 40 | -305 | 8,232 | -6,040 | 5 | 3 |
| エネルギー | -107,789 | -0.93 | -0.03 | -465,234 | 1,089 | 40 | -105 | 8,847 | -6,031 | 5 | 3 |
| 穀物 | -274,178 | -0.43 | -0.06 | -535,946 | 1,079 | 42 | -251 | 8,241 | -6,309 | 5 | 3 |
| 食肉 | -418,465 | -2.42 | -0.09 | -568,972 | 1,070 | 39 | -394 | 9,029 | -6,526 | 5 | 2 |
| ソフト | -677,319 | -2.88 | -0.16 | -859,890 | 1,098 | 38 | -603 | 8,640 | -6,273 | 5 | 3 |

### 年次成績分析

| 年 | 純益 | Kレシオ | シャープレシオ |
|---|---|---|---|
| 1984 | -284,427 | -0.91 | -0.14 |
| 1985 | -595,456 | -1.61 | -0.35 |
| 1986 | -1,454,294 | -1.96 | -0.75 |
| 1987 | -1,073,402 | -1.84 | -0.56 |
| 1988 | -969,775 | -2.16 | -0.50 |
| 1989 | -552,516 | -1.92 | -0.32 |
| 1990 | -1,079,308 | -4.06 | -0.99 |
| 1991 | -1,631,608 | -3.40 | -0.61 |
| 1992 | -1,527,125 | -2.77 | -0.64 |
| 1993 | -187,204 | -0.39 | -0.08 |
| 1994 | -802,767 | -1.46 | -0.36 |
| 1995 | 80,460 | 0.60 | 0.04 |
| 1996 | -79,286 | -0.49 | -0.04 |
| 1997 | -521,813 | -1.55 | -0.38 |
| 1998 | -479,670 | -0.89 | -0.34 |

### 利益性ウインドウ

| 期間 | ウインドウ数 | 収益ウインドウ数 | 利益ウインドウ率 |
|---|---|---|---|
| 1カ月 | 180 | 70 | 38.89% |
| 3カ月 | 178 | 43 | 24.16% |
| 6カ月 | 175 | 20 | 11.43% |
| 12カ月 | 169 | 10 | 5.92% |
| 18カ月 | 163 | 12 | 7.36% |
| 24カ月 | 157 | 6 | 3.82% |

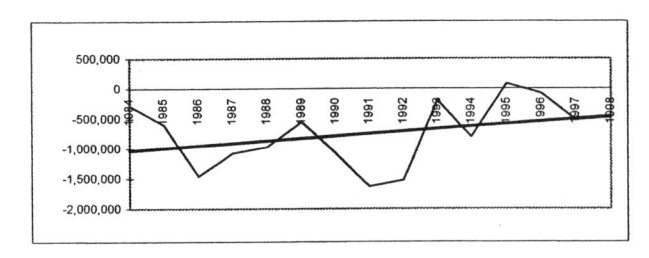

### 年次純益推移

# 第1章 システム

## ③FSRS（P103）

　アルフ・イェンセンは、彼が開発した尖度指標をもう1つの人気の高い指標であるRSIと組み合わせることとした。尖度の加重移動平均に10,000を掛け、それを9日RSIに加えることにより、FSRS（注1）を計算する。

　尖度の加重平均＝尖度の6日加重移動平均
　FSRS＝10,000×尖度の加重平均＋9日RSI

・今日のFSRSがその6日加重移動平均を上抜いたら、明日の寄り付きで買う。
・今日のFSRSがその6日加重移動平均を下抜いたら、明日の寄り付きで売る。

### 結果

　この著者による改良システムでは、トレードの総数は市場当たり800回に減少するが、成績は依然として一貫していない。

（注1）FSRSは、相場の強さを測る単位のないRSIと、相場の強さを測る次元が（ポイント÷日÷日）であるイェンセンの尖度を足し合わせたものである。両者を加えることは次元的に一貫性がなく、リンゴにオレンジを加える問題を引き起こしている。

## トレーディング・システム評価

システム名　　：ＦＳＲＳ
パラメータ　　：６日加重平均
建玉枚数　　　：可変
システムの概要：ＦＳＲＳがその６日移動平均を上抜いたら買い、下抜いたら売る
検証期間　　　：1/1/84-12/31/98　<sub>Copyright 1999 Lars Kestner,LINK Financial-All rights reserved</sub>

| | 市場 | 純益 | Kレシオ | シャープレシオ | 最大ドローダウン | トレード数 | 勝率 | 平均建玉数 | 平均損益 | 勝トレードの平均利益 | 敗トレードの平均損失 | 勝トレードの平均日数 | 敗トレードの平均日数 |
|---|---|---|---|---|---|---|---|---|---|---|---|---|---|
| 通貨 | 英ポンド | 308,044 | 0.54 | 0.07 | -246,706 | 965 | 41 | 9 | 316 | 9,370 | -5,958 | 6 | 3 |
| | 加ドル | -218,880 | -1.23 | -0.04 | -576,800 | 1078 | 40 | 28 | -235 | 8,994 | -6,359 | 5 | 3 |
| | 独マルク | -224,488 | -1.16 | -0.05 | -525,688 | 1094 | 38 | 12 | -208 | 8,909 | -5,781 | 5 | 3 |
| | 円 | 504,025 | 1.28 | 0.10 | -169,913 | 1050 | 40 | 10 | 463 | 9,409 | -5,454 | 5 | 3 |
| | スイスフラン | -298,975 | -1.60 | -0.07 | -605,463 | 1092 | 38 | 9 | -276 | 8,888 | -5,893 | 5 | 3 |
| 金利 | Tボンド | -377,375 | -1.84 | -0.08 | -419,750 | 756 | 44 | 9 | -498 | 9,980 | -8,880 | 6 | 4 |
| | Tノート | -525,750 | -0.97 | -0.10 | -617,875 | 756 | 43 | 13 | -693 | 10,118 | -8,979 | 6 | 4 |
| | ユーロ・ドル | -372,775 | -0.83 | -0.07 | -767,000 | 780 | 42 | 4 | -478 | 11,506 | -9,084 | 6 | 4 |
| 株価指数 | S&P | -162,975 | -0.96 | -0.04 | -432,050 | 755 | 44 | 4 | -213 | 10,091 | -8,387 | 6 | 4 |
| 貴金属 | 金 | -432,710 | -1.83 | -0.10 | -571,640 | 753 | 42 | 21 | -574 | 9,874 | -8,048 | 6 | 4 |
| | 銀 | -44,155 | -0.01 | -0.01 | -497,700 | 747 | 44 | 15 | -47 | 9,774 | -7,820 | 6 | 4 |
| | プラチナ | -515,500 | -0.81 | -0.11 | -719,415 | 767 | 42 | 23 | -700 | 9,482 | -8,187 | 6 | 4 |
| エネルギー | 原油 | -15,170 | -1.09 | 0.00 | -467,300 | 738 | 42 | 18 | -39 | 11,467 | -8,327 | 7 | 4 |
| | 灯油 | -388,576 | -1.33 | -0.10 | -444,125 | 998 | 36 | 15 | -399 | 9,569 | -6,096 | 6 | 3 |
| 穀物 | トウモロコシ | -528,550 | -1.58 | -0.12 | -564,075 | 768 | 41 | 44 | -684 | 9,921 | -8,178 | 6 | 4 |
| | 小麦 | -307,675 | -0.93 | -0.06 | -448,600 | 772 | 44 | 28 | -392 | 10,231 | -8,578 | 6 | 4 |
| | 大豆 | 348,100 | 2.73 | 0.09 | -169,650 | 740 | 47 | 16 | 474 | 9,832 | -7,788 | 6 | 4 |
| | 大豆油 | 286,896 | 1.19 | 0.06 | -221,448 | 761 | 44 | 30 | 380 | 10,530 | -7,730 | 6 | 4 |
| | 大豆粕 | 308,980 | 1.36 | 0.07 | -231,370 | 754 | 45 | 27 | 401 | 10,854 | -8,047 | 6 | 4 |
| 食肉 | 生牛 | 721,524 | 3.50 | 0.17 | -185,104 | 735 | 46 | 24 | 971 | 11,345 | -7,718 | 7 | 4 |
| | 飼育牛 | 814,779 | 1.78 | 0.16 | -217,985 | 737 | 47 | 24 | 1,104 | 11,446 | -8,047 | 6 | 4 |
| | 生去勢豚 | -405,192 | -2.50 | -0.09 | -587,364 | 743 | 43 | 17 | -556 | 10,455 | -8,796 | 7 | 4 |
| | 豚赤身肉 | -155,328 | -0.33 | -0.03 | -518,140 | 761 | 42 | 12 | -209 | 10,873 | -8,338 | 6 | 4 |
| ソフト | ココア | 104,920 | 0.34 | 0.02 | -336,070 | 752 | 44 | 24 | 141 | 9,891 | -7,565 | 6 | 4 |
| | 綿花 | -960,080 | -3.17 | -0.22 | -1,084,700 | 797 | 38 | 14 | -1,191 | 9,432 | -7,672 | 6 | 4 |
| | オ・ジュース | 41,550 | 0.52 | 0.01 | -231,165 | 758 | 42 | 20 | 53 | 11,219 | -8,104 | 6 | 4 |
| | コーヒー | 142,568 | 0.26 | 0.03 | -478,894 | 718 | 48 | 8 | 180 | 10,385 | -9,102 | 7 | 4 |
| | 木材 | -189,040 | -0.61 | -0.04 | -384,640 | 759 | 44 | 12 | -246 | 11,839 | -9,642 | 6 | 4 |
| | 砂糖 | -256,949 | -1.50 | -0.06 | -391,966 | 792 | 42 | 27 | -354 | 9,071 | -7,262 | 6 | 4 |
| | 平均 | -96,509 | -0.37 | -0.02 | -452,158 | 816 | 43 | 18 | -121 | 10,164 | -7,787 | 6 | 4 |

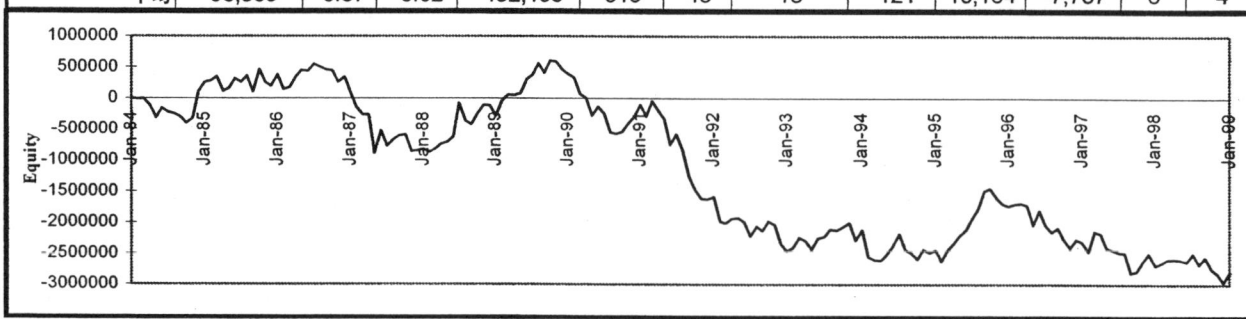

### ポートフォリオ統計

| | | | |
|---|---|---|---|
| 純益 | : -2,798,757 | シャープ・レシオ | : -0.09 |
| ドローダウン | : -3,570,905 | ブレイクアウトとの相関係数 | : 0.02 |
| Kレシオ | : -1.81 | １０／４０移動平均との相関係数 | : -0.10 |

# 第1章 システム

損益曲線：英ポンド～灯油　Copyright 1999 Lars Kestner,LINK Financial-All rights reserved

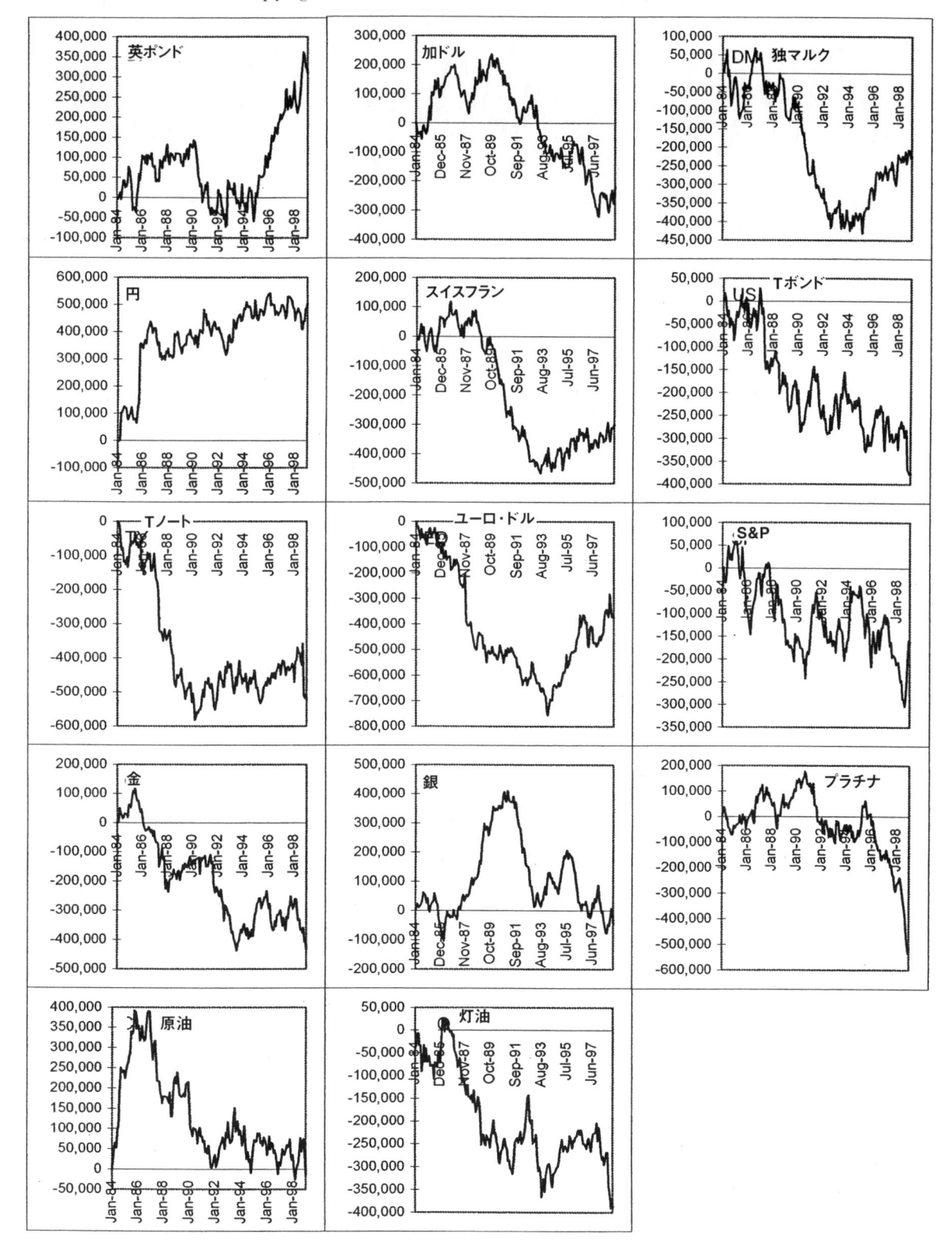

## Chapter 1 SYSTEM

### 損益曲線：コーン～砂糖  Copyright 1999 Lars Kestner,LINK Financial-All rights reserved

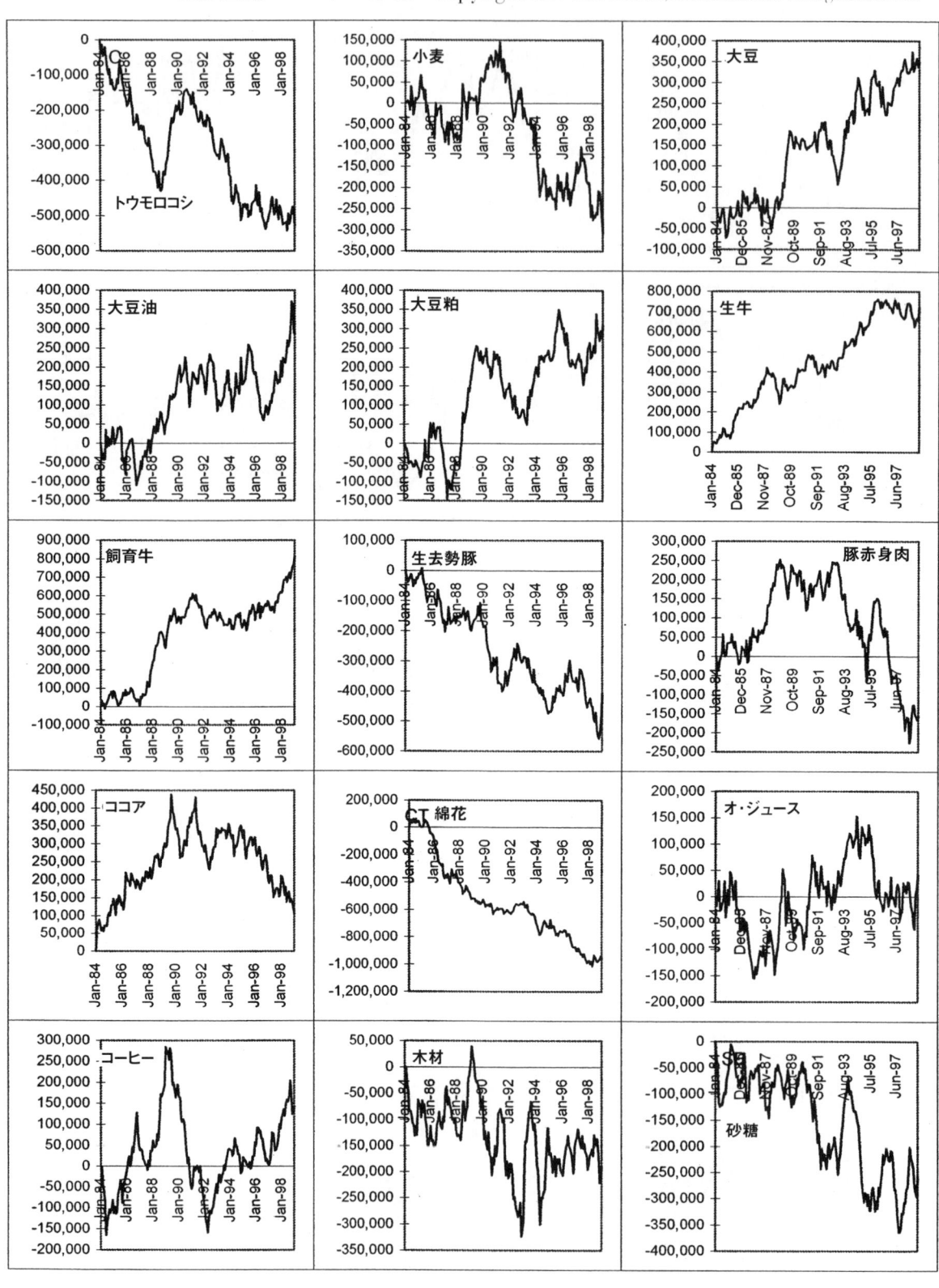

# 第1章 システム

**分類統計**

システム名　　　：ＦＳＲＳ
パラメータ　　　：６日加重平均
建玉枚数　　　　：可変
システムの概要：ＦＳＲＳがその6日移動平均を上抜いたら買い、下抜いたら売る
検証期間　　　　：1/1/84-12/31/98

Copyright 1999 Lars Kestner, LINK Financial-All rights reserved

### 市場部門による分析

| 市場部門 | 平均純益 | 平均Kレシオ | 平均シャープレシオ | 平均最大ドローダウン | 平均トレード数 | 平均勝率 | 平均損益 | 勝トレードの平均利益 | 敗トレードの平均損失 | 勝トレードの平均日数 | 敗トレードの平均日数 |
|---|---|---|---|---|---|---|---|---|---|---|---|
| 通貨 | 13,945 | -0.43 | 0.00 | -424,914 | 1,056 | 39 | 12 | 9,114 | -5,889 | 5 | 3 |
| 金利 | -425,300 | -1.21 | -0.09 | -601,542 | 764 | 43 | -556 | 10,535 | -8,981 | 6 | 4 |
| 株価指数 | -162,975 | -0.96 | -0.04 | -432,050 | 755 | 44 | -213 | 10,091 | -8,387 | 6 | 4 |
| 貴金属 | -330,788 | -0.88 | -0.07 | -596,252 | 756 | 43 | -440 | 9,710 | -8,018 | 6 | 4 |
| エネルギー | -201,873 | -1.21 | -0.05 | -455,713 | 868 | 39 | -219 | 10,518 | -7,212 | 6 | 3 |
| 穀物 | 21,550 | 0.55 | 0.01 | -327,029 | 759 | 44 | 36 | 10,273 | -8,064 | 6 | 4 |
| 食肉 | 243,946 | 0.61 | 0.05 | -377,148 | 744 | 44 | 327 | 11,030 | -8,225 | 7 | 4 |
| ソフト | -186,172 | -0.69 | -0.04 | -484,572 | 763 | 43 | -236 | 10,306 | -8,225 | 6 | 4 |

### 年次成績分析

| 年 | 純益 | Kレシオ | シャープレシオ |
|---|---|---|---|
| 1984 | 263,502 | 0.00 | 0.13 |
| 1985 | 117,005 | 0.17 | 0.05 |
| 1986 | -291,802 | -0.01 | -0.18 |
| 1987 | -911,427 | -1.28 | -0.31 |
| 1988 | 536,937 | 1.64 | 0.22 |
| 1989 | 679,037 | 1.65 | 0.42 |
| 1990 | -496,051 | -0.95 | -0.24 |
| 1991 | -1,487,111 | -3.07 | -0.60 |

| 年 | 純益 | Kレシオ | シャープレシオ |
|---|---|---|---|
| 1992 | -865,676 | -1.14 | -0.43 |
| 1993 | 338,769 | 1.02 | 0.21 |
| 1994 | -326,388 | -0.12 | -0.15 |
| 1995 | 708,958 | 1.91 | 0.40 |
| 1996 | -580,126 | -2.32 | -0.31 |
| 1997 | -380,720 | -0.99 | -0.18 |
| 1998 | -103,664 | -0.69 | -0.07 |

### 利益性ウインドウ

| 期間 | ウインドウ数 | 収益ウインドウ数 | 利益ウインドウ率 |
|---|---|---|---|
| 1カ月 | 180 | 85 | 47.22% |
| 3カ月 | 178 | 78 | 43.82% |
| 6カ月 | 175 | 74 | 42.29% |
| 12カ月 | 169 | 66 | 39.05% |
| 18カ月 | 163 | 57 | 34.97% |
| 24カ月 | 157 | 56 | 35.67% |

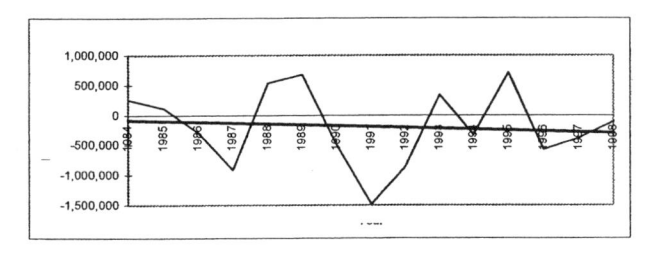

### 年次純益推移

### ④１－２－３反転システム（Ｐ１８３）

　１－２－３反転システムはアルフ・イェンセンが公開した最後のシステムで、恐らく最も単純なものである。システムは相場の反転をとらえ、それに付いていくことを試みる。買いには、２日連続した下げの後に上げの日が続くこと、スロー％Ｋが上昇していること、スロー％Ｄが５０未満であることが必要である。売りには、２日連続した上げの後に下げの日が続くこと、スロー％Ｋが下降していること、スロー％Ｄが５０よりも大きいことが必要である。

- 今日の終値が昨日の終値よりも高く、昨日の終値が２日前の終値よりも安く、２日前の終値が３日前の終値よりも安く、今日の９日スロー％Ｋストキャスティックが昨日の値よりも大きく、今日の９日スロー％Ｄが５０未満であるなら、明日の寄り付きで買う。
- 「検証のガイドライン」（１５Ｐ）の節で記述した仕切り法を用いて買い玉を仕切る。
- 今日の終値が昨日の終値よりも安く、昨日の終値が２日前の終値よりも高く、２日前の終値が３日前の終値よりも高く、今日の９日スロー％Ｋストキャスティックが昨日の値よりも小さく、今日の９日スロー％Ｄが５０を超えていたら、明日の寄り付きで売る。
- 「検証のガイドライン」（１５Ｐ）の節で記述した仕切り法を用いて売り玉を仕切る。

**結果**

　一見したところでは、１－２－３反転システムのマイナスの成績に対して読者はすぐにページをめくってしまうかもしれない。ちょっと待って欲しい。本来の意図とは正反対のサインを採用すれば、結果は損益曲線をひっくり返した形となり、成績指標のマイナスもプラスに変わることを思い出して欲しい。そうしたとすると、３．６５のＫレシオと０．３０のシャープ・レシオを持つ１－２－３反転システムの逆システムはこれまでに調査したシステムの上位に位置することになる。この逆戦略には、２つの心配点がある。第１に、６０ドルの１枚当たりの平均利益は決して望ましいレベルではない。第２は、年次成績がゼロに近づいていることである。

# 第1章 システム

トレーディング・システム評価

システム名 ： １－２－３反転システム
パラメータ ：なし
建玉枚数 ：可変
システムの概要：過去の始値、終値、ストキャスティックを用いてポジションを決定する
検証期間 ：1/1/84-12/31/98　Copyright 1999 Lars Kestner.LINK Financial-All rights reserved

| | 市場 | 純益 | Kレシオ | シャープレシオ | 最大ドローダウン | トレード数 | 勝率 | 平均建玉数 | 平均損益 | 勝トレードの平均利益 | 敗トレードの平均損失 | 勝トレードの平均日数 | 敗トレードの平均日数 |
|---|---|---|---|---|---|---|---|---|---|---|---|---|---|
| 通貨 | 英ポンド | -512,738 | -1.71 | -0.12 | -825,781 | 266 | 50 | 8 | -1,876 | 13,606 | -17,127 | 11 | 10 |
| | 加ドル | -987,800 | -5.04 | -0.24 | -1,117,110 | 293 | 42 | 28 | -3,371 | 14,358 | -16,380 | 10 | 9 |
| | 独マルク | -637,950 | -2.81 | -0.17 | -723,250 | 271 | 46 | 12 | -2,398 | 13,579 | -15,876 | 11 | 10 |
| | 円 | -916,950 | -3.74 | -0.22 | -1,047,863 | 278 | 43 | 10 | -3,232 | 14,851 | -16,967 | 10 | 10 |
| | スイスフラン | -638,900 | -1.93 | -0.15 | -713,575 | 292 | 50 | 9 | -2,185 | 12,038 | -16,214 | 11 | 9 |
| 金利 | Tボンド | -203,375 | -1.28 | -0.06 | -299,000 | 243 | 49 | 9 | -858 | 14,846 | -16,178 | 10 | 10 |
| | Tノート | -114,750 | -0.03 | -0.03 | -388,625 | 231 | 53 | 13 | -532 | 14,465 | -17,318 | 10 | 10 |
| | ユーロ・ドル | -746,025 | -2.27 | -0.19 | -955,000 | 211 | 40 | 4 | -3,564 | 16,767 | -17,279 | 9 | 10 |
| 株価指数 | S&P | 403,200 | 1.65 | 0.11 | -215,525 | 285 | 56 | 4 | 1,415 | 14,758 | -15,665 | 10 | 10 |
| 貴金属 | 金 | -252,080 | -1.55 | -0.06 | -418,810 | 275 | 51 | 22 | -916 | 14,043 | -16,655 | 10 | 10 |
| | 銀 | 300,500 | 1.53 | 0.08 | -191,120 | 268 | 58 | 14 | 1,121 | 13,812 | -16,287 | 11 | 11 |
| | プラチナ | -39,015 | 0.85 | -0.01 | -398,815 | 296 | 54 | 23 | -169 | 13,253 | -15,960 | 10 | 10 |
| エネルギー | 原油 | -661,370 | -2.80 | -0.16 | -732,890 | 298 | 47 | 18 | -2,219 | 13,198 | -16,066 | 10 | 10 |
| | 灯油 | -299,314 | -0.73 | -0.07 | -363,053 | 313 | 50 | 14 | -956 | 13,477 | -15,482 | 9 | 9 |
| 穀物 | トウモロコシ | -413,675 | -1.23 | -0.10 | -451,925 | 260 | 51 | 42 | -1,591 | 13,269 | -16,915 | 11 | 9 |
| | 小麦 | 49,675 | 0.40 | 0.01 | -286,250 | 285 | 52 | 27 | 157 | 14,795 | -15,436 | 9 | 10 |
| | 大豆 | 173,575 | 1.40 | 0.04 | -210,000 | 291 | 57 | 17 | 627 | 13,262 | -16,390 | 10 | 9 |
| | 大豆油 | -124,200 | -0.11 | -0.03 | -426,684 | 315 | 52 | 31 | -388 | 13,841 | -15,647 | 10 | 9 |
| | 大豆粕 | -482,390 | -0.43 | -0.11 | -669,330 | 304 | 51 | 27 | -1,575 | 13,324 | -17,074 | 9 | 9 |
| 食肉 | 生牛 | 569,256 | 2.53 | 0.15 | -196,952 | 296 | 59 | 24 | 1,892 | 14,347 | -16,120 | 9 | 9 |
| | 飼育牛 | 266,218 | 0.40 | 0.07 | -464,416 | 290 | 57 | 24 | 913 | 14,269 | -16,471 | 10 | 9 |
| | 生去勢豚 | -521,112 | -2.08 | -0.13 | -659,212 | 318 | 52 | 17 | -1,654 | 12,683 | -17,310 | 9 | 9 |
| | 豚赤身肉 | 123,352 | 0.87 | 0.03 | -191,808 | 292 | 54 | 12 | 400 | 14,609 | -16,124 | 10 | 10 |
| ソフト | ココア | 40,580 | -0.18 | 0.01 | -191,010 | 278 | 54 | 24 | 200 | 13,423 | -15,072 | 9 | 11 |
| | 綿花 | -801,615 | -3.31 | -0.21 | -875,695 | 296 | 46 | 14 | -2,651 | 12,777 | -15,764 | 9 | 9 |
| | オ・ジュース | -1,065,113 | -1.78 | -0.22 | -1,193,468 | 291 | 44 | 20 | -3,588 | 14,459 | -17,760 | 9 | 10 |
| | コーヒー | -403,504 | -1.90 | -0.09 | -525,641 | 312 | 53 | 7 | -1,266 | 13,151 | -17,659 | 10 | 9 |
| | 木材 | -662,064 | -2.69 | -0.15 | -811,408 | 323 | 50 | 11 | -2,077 | 14,235 | -18,289 | 9 | 9 |
| | 砂糖 | -234,495 | -1.54 | -0.06 | -383,377 | 261 | 51 | 27 | -980 | 13,338 | -16,087 | 11 | 11 |
| | 平均 | -303,175 | -1.02 | -0.07 | -549,227 | 284 | 51 | 18 | -1,080 | 13,891 | -16,468 | 10 | 10 |

**ポートフォリオ統計**

純益　　　　：　-8,792,078　　シャープ・レシオ　　　　　　　：-0.30
ドローダウン：　-9,093,436　　ブレイクアウトとの相関係数　　：-0.62
Kレシオ　　：　　　　-3.05　　１０／４０移動平均との相関係数：-0.63

## Chapter 1 SYSTEM

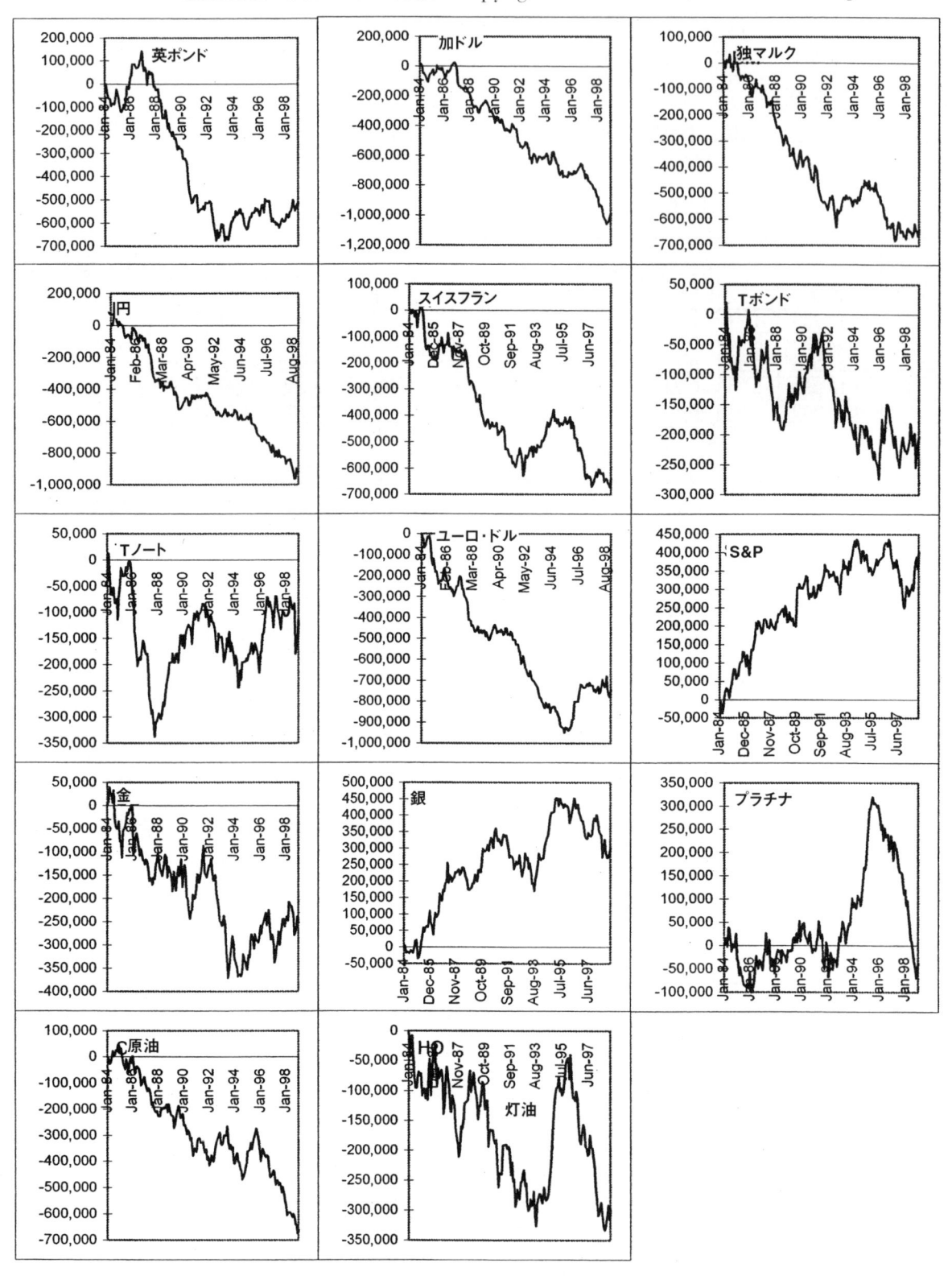

損益曲線：英ポンド〜灯油　Copyright 1999 Lars Kestner,LINK Financial-All rights reserved

# 第1章 システム

損益曲線：コーン～砂糖　Copyright 1999 Lars Kestner,LINK Financial-All rights reserved

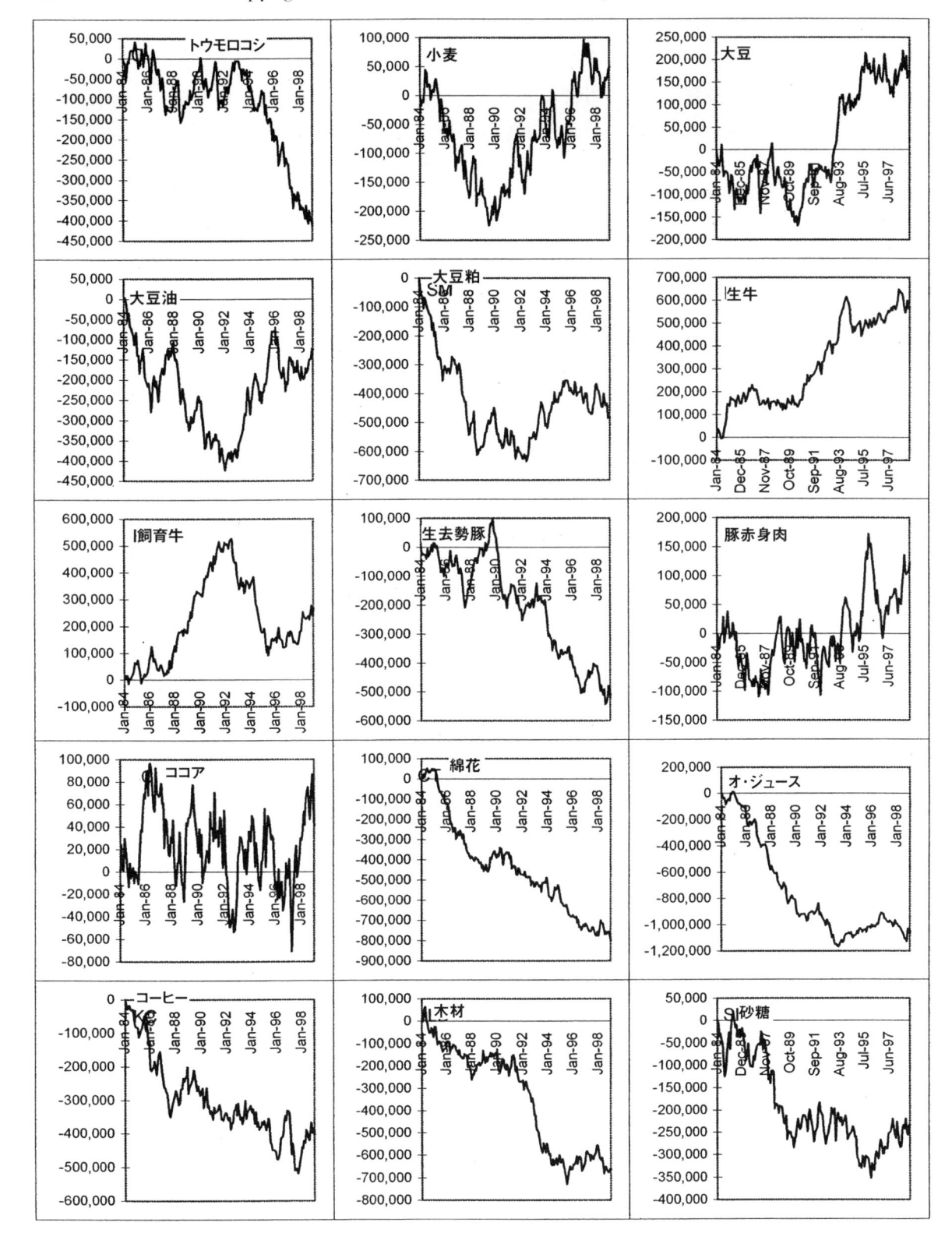

177

### 分類統計

| | |
|---|---|
| システム名 | ：１－２－３反転システム |
| パラメータ | ：なし |
| 建玉枚数 | ：可変 |
| システムの概要 | ：過去の始値、終値、ストキャスティックを用いてポジションを決定する |
| 検証期間 | ：1/1/84-12/31/98 |

Copyright 1999 Lars Kestner,LINK Financial-All rights reserved

### 市場部門による分析

| 市場部門 | 平均純益 | 平均Kレシオ | 平均シャープレシオ | 平均最大ドローダウン | 平均トレード数 | 平均勝率 | 平均損益 | 勝トレードの平均利益 | 敗トレードの平均損失 | 勝トレードの平均日数 | 敗トレードの平均日数 |
|---|---|---|---|---|---|---|---|---|---|---|---|
| 通貨 | -738,868 | -3.05 | -0.18 | -885,516 | 280 | 46 | -2,613 | 13,687 | -16,513 | 10 | 10 |
| 金利 | -354,717 | -1.19 | -0.09 | -547,542 | 228 | 47 | -1,651 | 15,359 | -16,925 | 10 | 10 |
| 株価指数 | 403,200 | 1.65 | 0.11 | -215,525 | 285 | 56 | 1,415 | 14,758 | -15,665 | 10 | 10 |
| 貴金属 | 3,135 | 0.28 | 0.00 | -336,248 | 280 | 54 | 12 | 13,703 | -16,301 | 10 | 10 |
| エネルギー | -480,342 | -1.77 | -0.12 | -547,971 | 306 | 49 | -1,588 | 13,338 | -15,774 | 9 | 9 |
| 穀物 | -159,403 | 0.00 | -0.04 | -408,838 | 291 | 52 | -554 | 13,698 | -16,292 | 10 | 9 |
| 食肉 | 109,428 | 0.43 | 0.03 | -378,097 | 299 | 55 | 388 | 13,977 | -16,506 | 9 | 9 |
| ソフト | -521,035 | -1.90 | -0.12 | -663,433 | 294 | 50 | -1,727 | 13,564 | -16,772 | 10 | 10 |

### 年次成績分析

| 年 | 純益 | Kレシオ | シャープレシオ |
|---|---|---|---|
| 1984 | -692,612 | -0.97 | -0.32 |
| 1985 | -973,642 | -1.12 | -0.46 |
| 1986 | -680,401 | -0.43 | -0.28 |
| 1987 | -2,112,455 | -4.48 | -0.98 |
| 1988 | -522,057 | -1.20 | -0.25 |
| 1989 | -157,015 | 0.51 | -0.09 |
| 1990 | -711,924 | -1.99 | -0.52 |
| 1991 | -885,089 | -1.56 | -0.38 |

| 年 | 純益 | Kレシオ | シャープレシオ |
|---|---|---|---|
| 1992 | -693,332 | -1.95 | -0.38 |
| 1993 | 460,338 | 1.06 | 0.24 |
| 1994 | -218,173 | -0.54 | -0.13 |
| 1995 | 40,551 | 0.32 | 0.03 |
| 1996 | -419,202 | -0.90 | -0.19 |
| 1997 | -799,355 | -1.48 | -0.65 |
| 1998 | -427,711 | -1.62 | -0.26 |

### 利益性ウインドウ

| 期間 | ウインドウ数 | 収益ウインドウ数 | 利益ウインドウ率 |
|---|---|---|---|
| 1カ月 | 180 | 66 | 36.67% |
| 3カ月 | 178 | 58 | 32.58% |
| 6カ月 | 175 | 45 | 25.71% |
| 12カ月 | 169 | 29 | 17.16% |
| 18カ月 | 163 | 23 | 14.11% |
| 24カ月 | 157 | 21 | 13.38% |

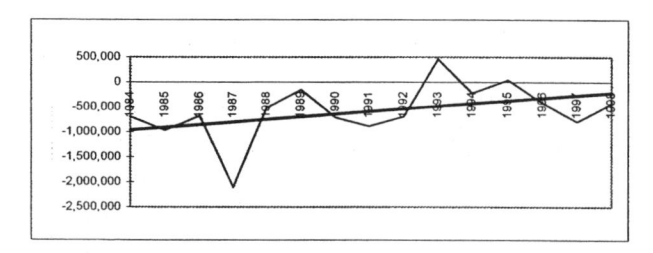

### 年次純益推移

# 第1章 システム

## G. ジョー・クルトシンガー著
## 『トレーディング・システム・ツールキット』

『トレーディング・システム・ツールキット』は、もう1つの素晴らしいアイデアの宝庫である。ジョー・クルトシンガーはその著書で、システムの背後にある思考過程、システムを検証するためのソースコード、トレード・ステーションによる過去データを用いた検証結果を詳述している。ポジション・トレードからデイ・トレードまでの20を超えるアイデアを有するこの本は、とても価値の高いものである。

### ①ワンナイト・スタンド（P62）

ワンナイト・スタンドは、ジョー・クルトシンガーが通貨市場におけるある特定の挙動を利用するために開発したシステムである。システムは、金曜日の放れがトレンドに支持されるときにポジションを取る。すべてのポジションは月曜日の寄り付きで仕切られる。つまり、週末のボラティリティを嫌気する通貨トレーダーが金曜日の午後にのみポジションを閉じ、月曜日の朝に再びポジションを取るということである。ワンナイト・スタンドのポジションは、週末のボラティリティを利用することにより利益を得る（注1）。

- 今日が木曜日で、今日の終値の10日単純移動平均が今日の終値の40日単純移動平均よりも大きければ、明日、過去4日の高値を逆指値で買う。
- 今日が木曜日で、今日の終値の10日単純移動平均が今日の終値の40日単純移動平均よりも小さければ、明日、過去8日の安値を逆指値で売る。
- 月曜日の寄り付きで全ポジションを手仕舞う。

**結果**

ワンナイト・スタンドは非常に理にかなった論理を持つシステムの一例である。上昇トレンドのときは、大抵のトレーダーが買い持ちしたがる。しかし、週末のボラティリティは、とりわけ国際通貨市場においてはトレーダーにとって持ちこたえられるものではない。上昇トレンドでは、トレーダーは週末を目前に買いポジションを軽くし始めるだろう。月曜日に世界中がまだ幸福なら、金曜日に売ったトレーダーが再び買いポジションを取ろうとし、長期トレンドの方向に上昇バイアスを引き起こすのである。ワンナイト・スタンドはそのアイデアを売買ルールの集合にルール化したものである。結果はアイデアの正当性を示している。とりわけ通貨における成績は信じ難く、シャープ・レシオが0．30を超えるものもある。ワンナイト・スタンドに関する大きな心配事は年次収益が一貫して減少していることである。実際、1998年はこの戦略にとって収支トントンの年であった。市場の非効率性は永遠には続かないようである。コンピューターを利用するトレーダーがワンナイト・スタンドや、それよ

りも一般的なトレンドフォロー的なパターンでさえも認識する能力を持つようになると、彼らの行動が非効率性を終結させてしまうだろう。トレーダーは、その非効率性の終結ゲームに勝ち続けるために、新しく開拓されていない戦略を探し続けなければならない。

（注1）ワンナイト・スタンドは、売りには8日安値を必要とし、買いには4日高値を必要とするという観点から、偏った戦略であることに注意してほしい。この偏りに対する道理にかなった理由を見いだすことはできない。とにかく、ドル／円相場における4日安値は円／ドル相場の4日高値である。

# 第1章 システム

トレーディング・システム評価

システム名　　：ワンナイト・スタンド
パラメータ　　：なし
建玉枚数　　　：可変
システムの概要：金曜日の放れで仕掛け、月曜の寄り付きで手仕舞い
検証期間　　　：1/1/84-12/31/98　Copyright 1999 Lars Kestner,LINK Financial-All rights reserved

| | 市場 | 純益 | Kレシオ | シャープレシオ | 最大ドローダウン | トレード数 | 勝率 | 平均建玉数 | 平均損益 | 勝トレードの平均利益 | 敗トレードの平均損失 | 勝トレードの平均日数 | 敗トレードの平均日数 |
|---|---|---|---|---|---|---|---|---|---|---|---|---|---|
| 通貨 | 英ポンド | 434,663 | 3.83 | 0.36 | -30,444 | 206 | 69 | 9 | 2,110 | 4,905 | -4,090 | 1 | 1 |
| | 加ドル | 60,850 | -0.46 | 0.05 | -134,050 | 214 | 54 | 30 | 284 | 4,621 | -4,753 | 1 | 1 |
| | 独マルク | 361,225 | 4.99 | 0.27 | -37,825 | 228 | 62 | 12 | 1,570 | 5,209 | -4,328 | 1 | 1 |
| | 円 | 508,000 | 6.90 | 0.43 | -28,025 | 208 | 64 | 10 | 2,427 | 5,508 | -3,153 | 1 | 1 |
| | スイスフラン | 421,838 | 4.12 | 0.29 | -50,525 | 242 | 66 | 9 | 1,743 | 5,148 | -4,780 | 1 | 1 |
| 金利 | Tボンド | 11,625 | 1.18 | 0.01 | -75,500 | 297 | 55 | 9 | 39 | 4,487 | -5,445 | 1 | 1 |
| | Tノート | -26,125 | 0.31 | -0.02 | -86,625 | 299 | 55 | 13 | -87 | 4,459 | -5,537 | 1 | 1 |
| | ユーロ・ドル | 97,875 | 2.13 | 0.05 | -107,500 | 291 | 53 | 5 | 336 | 5,718 | -5,630 | 1 | 1 |
| 株価指数 | S&P | 23,250 | 0.67 | 0.02 | -67,425 | 227 | 50 | 4 | 137 | 4,258 | -4,020 | 1 | 1 |
| 貴金属 | 金 | 414,500 | 3.55 | 0.30 | -31,980 | 191 | 58 | 22 | 2,170 | 6,542 | -3,895 | 1 | 1 |
| | 銀 | 58,010 | -0.01 | 0.04 | -144,745 | 165 | 48 | 15 | 352 | 6,157 | -4,981 | 1 | 1 |
| | プラチナ | 239,230 | 1.33 | 0.20 | -35,750 | 178 | 56 | 24 | 1,344 | 5,540 | -4,035 | 1 | 1 |
| エネルギー | 原油 | 347,070 | 4.08 | 0.29 | -28,180 | 212 | 62 | 20 | 1,637 | 4,965 | -3,745 | 1 | 1 |
| | 灯油 | 323,501 | 3.51 | 0.23 | -55,692 | 201 | 58 | 15 | 1,609 | 5,560 | -3,893 | 1 | 1 |
| 穀物 | トウモロコシ | -36,450 | -1.16 | -0.03 | -155,725 | 244 | 58 | 43 | -149 | 3,630 | -5,324 | 1 | 1 |
| | 小麦 | 49,250 | 1.65 | 0.04 | -68,375 | 199 | 57 | 27 | 247 | 4,014 | -4,805 | 1 | 1 |
| | 大豆 | -67,925 | -0.64 | -0.05 | -89,125 | 202 | 52 | 17 | -336 | 4,449 | -5,516 | 1 | 1 |
| | 大豆油 | 130,860 | 2.42 | 0.11 | -49,032 | 216 | 53 | 31 | 606 | 4,965 | -4,266 | 1 | 1 |
| | 大豆粕 | 100,470 | 1.90 | 0.09 | -47,240 | 206 | 53 | 27 | 488 | 4,964 | -4,542 | 1 | 1 |
| 食肉 | 生牛 | 281,312 | 4.39 | 0.29 | -45,252 | 222 | 64 | 24 | 1,267 | 3,994 | -3,668 | 1 | 1 |
| | 飼育牛 | 203,892 | 3.35 | 0.17 | -41,492 | 204 | 61 | 24 | 999 | 4,322 | -4,258 | 1 | 1 |
| | 生去勢豚 | 62,988 | -0.04 | 0.05 | -105,748 | 198 | 52 | 17 | 318 | 4,558 | -4,279 | 1 | 1 |
| | 豚赤身肉 | 96,236 | 0.47 | 0.09 | -64,760 | 193 | 55 | 12 | 499 | 4,130 | -4,019 | 1 | 1 |
| ソフト | ココア | 7,280 | -0.43 | 0.01 | -86,020 | 170 | 51 | 24 | 51 | 4,120 | -4,214 | 1 | 1 |
| | 綿花 | -61,695 | -1.16 | -0.05 | -166,370 | 216 | 50 | 14 | -299 | 4,271 | -4,786 | 1 | 1 |
| | オ・ジュース | 278,340 | 2.45 | 0.22 | -72,105 | 174 | 61 | 20 | 1,592 | 5,402 | -4,346 | 1 | 1 |
| | コーヒー | 109,703 | 1.57 | 0.09 | -58,875 | 187 | 52 | 8 | 528 | 4,707 | -3,976 | 1 | 1 |
| | 木材 | 108,272 | 1.43 | 0.08 | -70,000 | 193 | 53 | 12 | 561 | 5,241 | -4,795 | 1 | 1 |
| | 砂糖 | 127,579 | 2.96 | 0.13 | -40,006 | 174 | 54 | 27 | 733 | 4,169 | -3,304 | 1 | 1 |
| | 平均 | 160,884 | 1.91 | 0.13 | -71,531 | 212 | 56 | 18 | 785 | 4,828 | -4,427 | 1 | 1 |

**ポートフォリオ統計**

純益　　　　：　4,665,622　　シャープ・レシオ　　　　　　　：0.46
ドローダウン：　-219,287　　ブレイクアウトとの相関係数　　：0.40
Kレシオ　　　：　　　4.99　　１０／４０移動平均との相関係数：0.38

Chapter 1 **SYSTEM**

損益曲線：英ポンド〜灯油　Copyright 1999 Lars Kestner,LINK Financial-All rights reserved

# 第1章 システム

損益曲線：コーン〜砂糖　　Copyright 1999 Lars Kestner, LINK Financial-All rights reserved

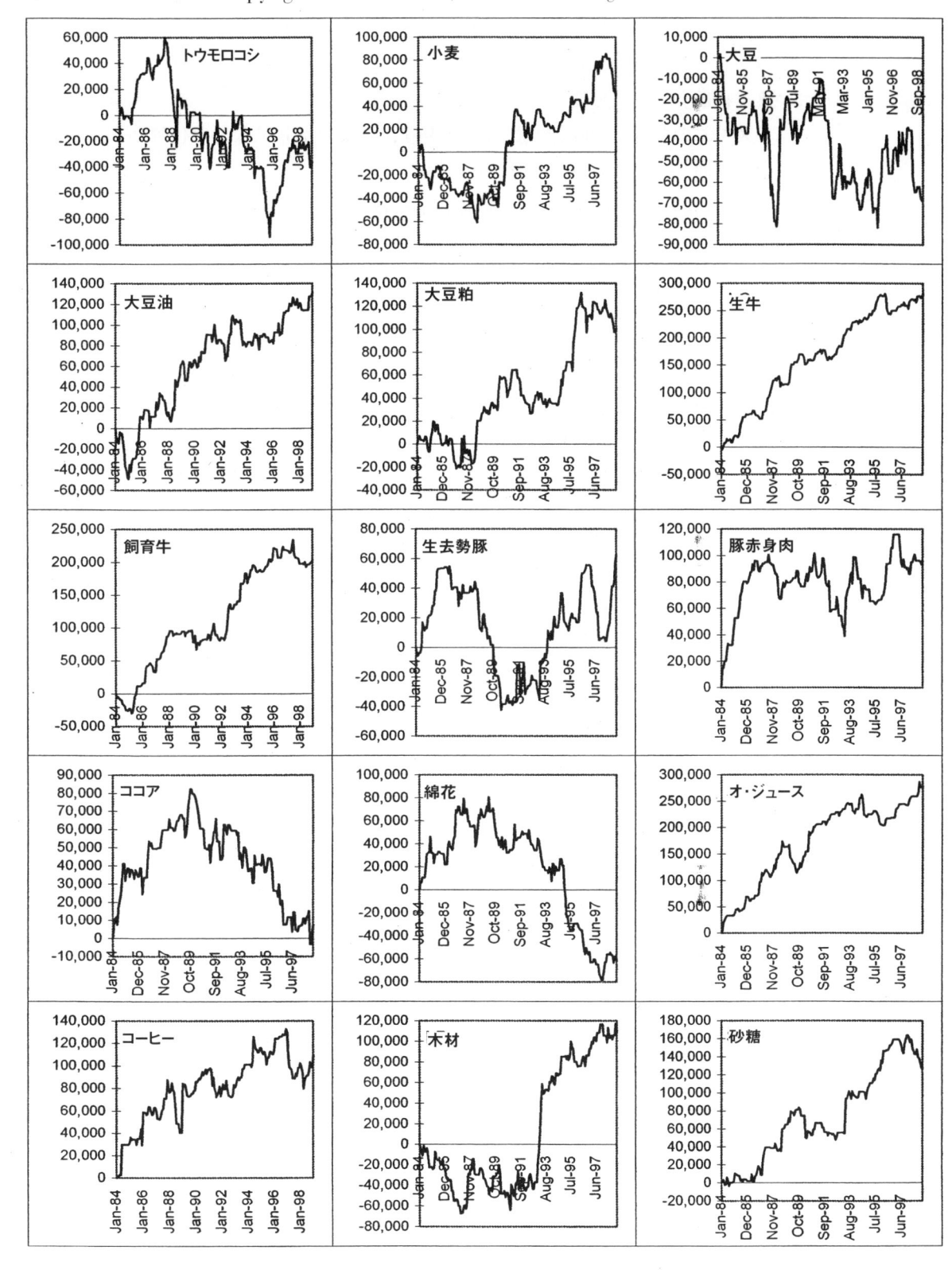

## 分類統計

システム名　　：ワンナイト・スタンド
パラメータ　　：なし
建玉枚数　　　：可変
システムの概要：金曜日の放れで仕掛け、月曜の寄り付きで手仕舞い
検証期間　　　：1/1/84-12/31/98

Copyright 1999 Lars Kestner,LINK Financial-All rights reserved

### 市場部門による分析

| 市場部門 | 平均純益 | 平均Kレシオ | 平均シャープレシオ | 平均最大ドローダウン | 平均トレード数 | 平均勝率 | 平均損益 | 勝トレードの平均利益 | 敗トレードの平均損失 | 勝トレードの平均日数 | 敗トレードの平均日数 |
|---|---|---|---|---|---|---|---|---|---|---|---|
| 通貨 | 357,315 | 3.88 | 0.28 | -56,174 | 220 | 63 | 1,627 | 5,078 | -4,221 | 1 | 1 |
| 金利 | 27,792 | 1.20 | 0.01 | -89,875 | 296 | 54 | 96 | 4,888 | -5,538 | 1 | 1 |
| 株価指数 | 23,250 | 0.67 | 0.02 | -67,425 | 227 | 50 | 137 | 4,258 | -4,020 | 1 | 1 |
| 貴金属 | 237,247 | 1.62 | 0.18 | -70,825 | 178 | 54 | 1,289 | 6,079 | -4,304 | 1 | 1 |
| エネルギー | 335,285 | 3.80 | 0.26 | -41,936 | 207 | 60 | 1,623 | 5,262 | -3,819 | 1 | 1 |
| 穀物 | 35,241 | 0.83 | 0.03 | -81,899 | 213 | 55 | 171 | 4,404 | -4,890 | 1 | 1 |
| 食肉 | 161,107 | 2.04 | 0.15 | -64,313 | 204 | 58 | 771 | 4,251 | -4,056 | 1 | 1 |
| ソフト | 94,913 | 1.14 | 0.08 | -82,229 | 186 | 53 | 528 | 4,652 | -4,237 | 1 | 1 |

### 年次成績分析

| 年 | 純益 | Kレシオ | シャープレシオ |
|---|---|---|---|
| 1984 | 277,152 | 0.62 | 0.34 |
| 1985 | 681,036 | 4.38 | 1.11 |
| 1986 | 309,133 | 2.58 | 0.63 |
| 1987 | 607,802 | 2.60 | 0.80 |
| 1988 | 423,181 | 1.84 | 0.48 |
| 1989 | 282,006 | 0.95 | 0.30 |
| 1990 | 525,661 | 3.50 | 1.04 |
| 1991 | 412,531 | 2.26 | 0.64 |
| 1992 | 287,375 | 1.35 | 0.48 |
| 1993 | 169,897 | 1.63 | 0.29 |
| 1994 | 192,291 | 1.49 | 0.39 |
| 1995 | 196,345 | 2.12 | 0.36 |
| 1996 | 217,265 | 1.76 | 0.33 |
| 1997 | 94,145 | 0.24 | 0.12 |
| 1998 | -10,199 | -0.35 | -0.02 |

### 利益性ウインドウ

| 期間 | ウインドウ数 | 収益ウインドウ数 | 利益ウインドウ率 |
|---|---|---|---|
| 1カ月 | 180 | 127 | 70.56% |
| 3カ月 | 178 | 142 | 79.78% |
| 6カ月 | 175 | 151 | 86.29% |
| 12カ月 | 169 | 166 | 98.22% |
| 18カ月 | 163 | 161 | 98.77% |
| 24カ月 | 157 | 157 | 100.00% |

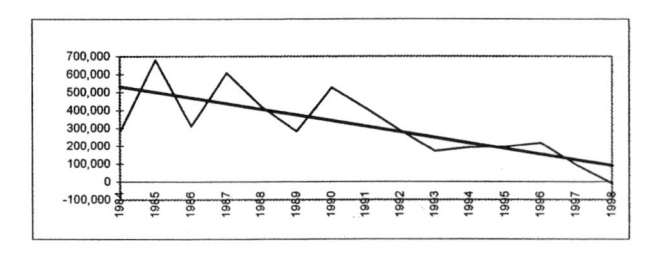

### 年次純益推移

# 第1章 システム

### ②ジョーズ・テキサス2ステップ（3日移動平均）（P100）

　ジョー・クルトシンガーは、システムを単純かつ的を射たものにしておくことに関する強い提唱者である。ジョーズ・テキサス2ステップは14日RSIとその3日単純移動平均との交差に基づき売買サインを出す。

- 今日の14日RSIがその3日単純移動平均を上抜いたら、明日の寄り付きで買う。
- 今日の14日RSIがその3日単純移動平均を下抜いたら、明日の寄り付きで売る。

**結果**

　テキサス2ステップのマイナスの成績はほとんどすべての市場で一貫している。この事実により、14日RSIがその3日移動平均を上抜いたときに売ることは価値あるアイデアだと信じたくなる。残念ながら、以前に生じたのと同じ問題がここでも発生している。トレード当たりの平均利益はたったの20ドルで、時の経過とともに0に近づいているのだ。実際、システムの本来のルールでは、1998年には利益になっている。

トレーディング・システム評価

システム名　　：ジョーズ・テキサス２ステップ（３日移動平均）
パラメータ　　：１４日ＲＳＩ、シグナル用ＲＳＩ３日平均
建玉枚数　　　：可変
システムの概要：ＲＳＩが移動平均よりも大きいときに買い、小さいときに売る
検証期間　　　：1/1/84-12/31/98　Copyright 1999 Lars Kestner,LINK Financial-All rights reserved

| 市場 | | 純益 | Kレシオ | シャープレシオ | 最大ドローダウン | トレード数 | 勝率 | 平均建玉数 | 平均損益 | 勝トレードの平均利益 | 敗トレードの平均損失 | 勝トレードの平均日数 | 敗トレードの平均日数 |
|---|---|---|---|---|---|---|---|---|---|---|---|---|---|
| 通貨 | 英ポンド | -6,258 | -0.67 | 0.00 | -650,538 | 1463 | 42 | 9 | -6 | 7,156 | -5,114 | 4 | 2 |
| | 加ドル | -339,770 | -2.29 | -0.08 | -670,700 | 1406 | 42 | 28 | -264 | 7,415 | -5,899 | 4 | 2 |
| | 独マルク | -597,638 | -3.71 | -0.15 | -717,025 | 1462 | 39 | 11 | -411 | 7,300 | -5,338 | 4 | 2 |
| | 円 | 555,188 | 0.97 | 0.11 | -280,113 | 1410 | 41 | 10 | 381 | 7,875 | -4,780 | 4 | 2 |
| | スイスフラン | -592,163 | -2.91 | -0.13 | -707,175 | 1498 | 39 | 9 | -397 | 7,272 | -5,201 | 4 | 2 |
| 金利 | Tボンド | -400,750 | -0.91 | -0.10 | -751,875 | 1381 | 41 | 9 | -293 | 7,360 | -5,624 | 4 | 2 |
| | Tノート | -204,250 | -0.96 | -0.05 | -452,875 | 1334 | 44 | 13 | -159 | 7,099 | -5,759 | 4 | 2 |
| | ユーロ・ドル | -338,350 | -0.98 | -0.06 | -815,750 | 1234 | 39 | 4 | -279 | 9,351 | -6,368 | 5 | 2 |
| 株価指数 | S&P | -215,025 | -1.42 | -0.05 | -617,475 | 1407 | 41 | 4 | -153 | 7,468 | -5,405 | 4 | 2 |
| 貴金属 | 金 | -689,840 | -2.15 | -0.14 | -796,690 | 1446 | 40 | 21 | -476 | 6,862 | -5,419 | 4 | 2 |
| | 銀 | -823,115 | -2.22 | -0.18 | -943,280 | 1509 | 37 | 15 | -548 | 7,131 | -4,965 | 4 | 2 |
| | プラチナ | -635,615 | -2.43 | -0.14 | -808,050 | 1438 | 39 | 23 | -457 | 7,088 | -5,185 | 4 | 2 |
| エネルギー | 原油 | -760,260 | -3.30 | -0.16 | -965,380 | 1364 | 36 | 18 | -567 | 8,152 | -5,565 | 4 | 2 |
| | 灯油 | -494,285 | -0.55 | -0.10 | -653,885 | 1414 | 38 | 14 | -356 | 7,880 | -5,339 | 4 | 2 |
| 穀物 | トウモロコシ | -1,066,675 | -3.93 | -0.24 | -1,330,250 | 1389 | 42 | 44 | -778 | 6,601 | -6,022 | 4 | 2 |
| | 小麦 | -573,025 | -3.39 | -0.12 | -708,650 | 1359 | 40 | 27 | -424 | 7,631 | -5,702 | 4 | 2 |
| | 大豆 | -1,334,475 | -2.93 | -0.29 | -1,473,700 | 1509 | 37 | 17 | -882 | 6,789 | -5,422 | 4 | 2 |
| | 大豆油 | -28,938 | -0.99 | -0.01 | -510,654 | 1416 | 40 | 31 | -22 | 7,732 | -5,230 | 4 | 2 |
| | 大豆粕 | -832,620 | -1.63 | -0.16 | -1,165,610 | 1433 | 37 | 26 | -583 | 7,892 | -5,601 | 4 | 2 |
| 食肉 | 生牛 | -739,496 | -2.27 | -0.17 | -766,724 | 1456 | 38 | 24 | -502 | 7,764 | -5,639 | 4 | 2 |
| | 飼育牛 | -649,662 | -2.77 | -0.15 | -716,317 | 1430 | 37 | 23 | -452 | 8,277 | -5,547 | 4 | 2 |
| | 生去勢豚 | -1,335,992 | -4.02 | -0.32 | -1,532,880 | 1479 | 34 | 17 | -909 | 8,055 | -5,571 | 4 | 2 |
| | 豚赤身肉 | -885,132 | -3.53 | -0.21 | -975,048 | 1425 | 36 | 12 | -622 | 8,100 | -5,574 | 4 | 2 |
| ソフト | ココア | -1,415,450 | -6.62 | -0.33 | -1,458,480 | 1483 | 35 | 24 | -955 | 7,043 | -5,260 | 4 | 2 |
| | 綿花 | -1,750,290 | -8.00 | -0.40 | -1,820,100 | 1495 | 34 | 14 | -1,176 | 6,842 | -5,352 | 4 | 2 |
| | オ・ジュース | -597,653 | -2.39 | -0.14 | -840,803 | 1385 | 38 | 20 | -437 | 7,493 | -5,307 | 4 | 2 |
| | コーヒー | -792,680 | -3.36 | -0.17 | -995,134 | 1430 | 34 | 7 | -564 | 8,655 | -5,414 | 4 | 2 |
| | 木材 | -630,544 | -1.00 | -0.12 | -652,448 | 1388 | 37 | 12 | -453 | 8,708 | -5,840 | 4 | 2 |
| | 砂糖 | -1,929,400 | -5.03 | -0.42 | -2,032,822 | 1532 | 34 | 27 | -1,273 | 6,440 | -5,202 | 4 | 2 |
| | 平均 | -693,247 | -2.60 | -0.15 | -924,498 | 1427 | 38 | 18 | -483 | 7,567 | -5,471 | 4 | 2 |

### ポートフォリオ統計

| | | | |
|---|---|---|---|
| 純益 | ：-20,104,162 | シャープ・レシオ | ：-0.60 |
| ドローダウン | ：-20,732,920 | ブレイクアウトとの相関係数 | ：0.10 |
| Kレシオ | ：-5.30 | １０／４０移動平均との相関係数 | ：0.04 |

# 第1章 システム

**損益曲線：英ポンド～灯油**　Copyright 1999 Lars Kestner, LINK Financial-All rights reserved

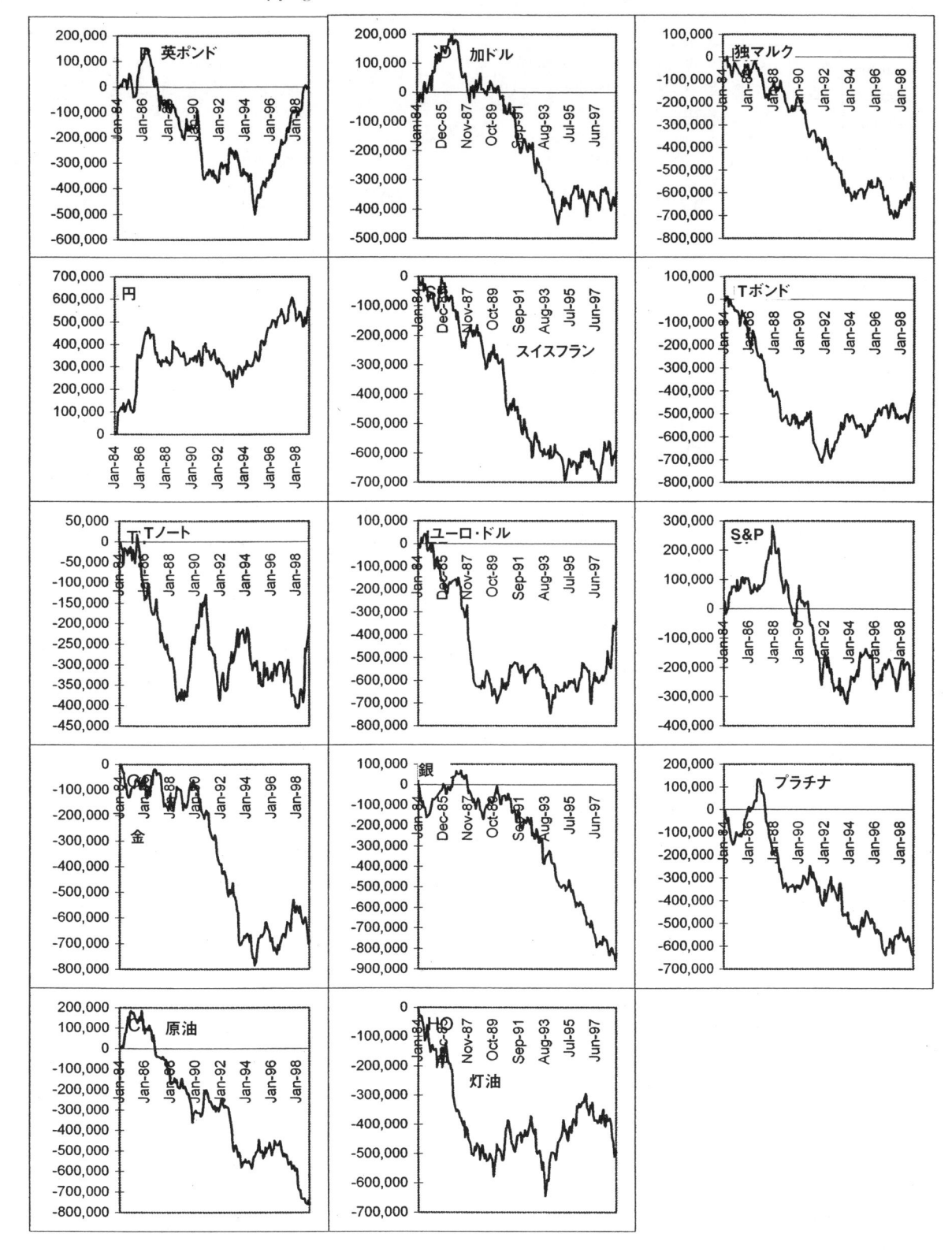

Chapter 1 **SYSTEM**

損益曲線：コーン～砂糖　Copyright 1999 Lars Kestner.LINK Financial-All rights reserved

# 第1章 システム

**分類統計**

システム名　　　：ジョーズ・テキサス2ステップ（3日移動平均）
パラメータ　　　：14日RSI、シグナル用RSI3日平均
建玉枚数　　　　：可変
システムの概要　：RSIが移動平均よりも大きいときに買い、小さいときに売る
検証期間　　　　：1/1/84-12/31/98

Copyright 1999 Lars Kestner,LINK Financial-All rights reserved

### 市場部門による分析

| 市場部門 | 平均純益 | 平均Kレシオ | 平均シャープレシオ | 平均最大ドローダウン | 平均トレード数 | 平均勝率 | 平均損益 | 勝トレードの平均利益 | 敗トレードの平均損失 | 勝トレードの平均日数 | 敗トレードの平均日数 |
|---|---|---|---|---|---|---|---|---|---|---|---|
| 通貨 | -196,128 | -1.72 | -0.05 | -605,110 | 1,448 | 40 | -139 | 7,404 | -5,266 | 4 | 2 |
| 金利 | -314,450 | -0.95 | -0.07 | -673,500 | 1,316 | 41 | -244 | 7,937 | -5,917 | 4 | 2 |
| 株価指数 | -215,025 | -1.42 | -0.05 | -617,475 | 1,407 | 41 | -153 | 7,468 | -5,405 | 4 | 2 |
| 貴金属 | -716,190 | -2.26 | -0.15 | -849,340 | 1,464 | 38 | -494 | 7,027 | -5,190 | 4 | 2 |
| エネルギー | -627,272 | -1.93 | -0.13 | -809,633 | 1,389 | 37 | -462 | 8,016 | -5,452 | 4 | 2 |
| 穀物 | -767,147 | -2.57 | -0.16 | -1,037,773 | 1,421 | 39 | -538 | 7,329 | -5,595 | 4 | 2 |
| 食肉 | -902,570 | -3.15 | -0.21 | -997,742 | 1,448 | 36 | -621 | 8,049 | -5,583 | 4 | 2 |
| ソフト | -1,186,003 | -4.40 | -0.26 | -1,299,964 | 1,452 | 35 | -810 | 7,530 | -5,396 | 4 | 2 |

### 年次成績分析

| 年 | 純益 | Kレシオ | シャープレシオ |
|---|---|---|---|
| 1984 | -1,664,266 | -3.55 | -1.08 |
| 1985 | -427,758 | -0.23 | -0.18 |
| 1986 | -2,028,749 | -3.38 | -0.88 |
| 1987 | -2,680,623 | -3.69 | -1.15 |
| 1988 | -2,619,520 | -7.02 | -1.34 |
| 1989 | -409,073 | -0.76 | -0.23 |
| 1990 | -1,837,472 | -5.08 | -1.24 |
| 1991 | -2,745,016 | -3.66 | -1.01 |
| 1992 | -2,077,472 | -4.14 | -1.10 |
| 1993 | -856,141 | -1.32 | -0.30 |
| 1994 | -1,319,881 | -2.40 | -0.66 |
| 1995 | -951,674 | -0.64 | -0.44 |
| 1996 | -372,615 | -0.65 | -0.22 |
| 1997 | -466,696 | -1.21 | -0.28 |
| 1998 | 352,794 | 0.83 | 0.18 |

### 利益性ウインドウ

| 期間 | ウインドウ数 | 収益ウインドウ数 | 利益ウインドウ率 |
|---|---|---|---|
| 1カ月 | 180 | 51 | 28.33% |
| 3カ月 | 178 | 28 | 15.73% |
| 6カ月 | 175 | 17 | 9.71% |
| 12カ月 | 169 | 5 | 2.96% |
| 18カ月 | 163 | 2 | 1.23% |
| 24カ月 | 157 | 0 | 0.00% |

### 年次純益推移

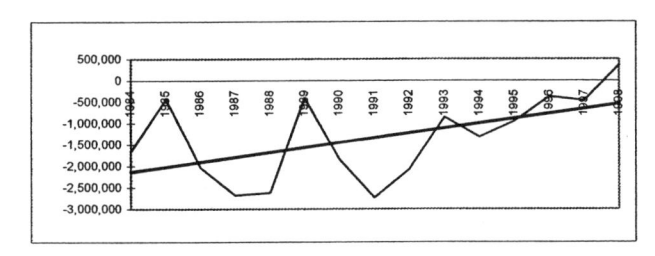

### ③ジョーズ・テキサス２ステップ（１０日移動平均）（Ｐ１００）

２ステップの１０日移動平均版も検証してみた。

・今日の１４日ＲＳＩがその１０日単純移動平均を上抜いたら、明日の寄り付きで買う。
・今日の１４日ＲＳＩがその１０日単純移動平均を下抜いたら、明日の寄り付きで売る。

**結果**

３日移動平均による売買サインは損失に終わったが、１０日移動平均による売買サインはどのようなものだろうか。トレード数は市場当たり１４００から７００へと半減した。全体的な成績は良くないが、３日のときほど悪くはない。通貨とソフト商品のいくつかが若干の利益を示した。成績は、本来のルールと正反対のサインの採用を考えるほど悪くはない。

# 第1章 システム

**トレーディング・システム評価**

システム名 ：ジョーズ・テキサス2ステップ（10日移動平均）
パラメータ ：14日RSI、シグナル用RSI10日平均
建玉枚数 ：可変
システムの概要：RSIがその移動平均よりも大きいときに買い、小さいときに売る
検証期間 ：1/1/84-12/31/98　Copyright 1999 Lars Kestner,LINK Financial-All rights reserved

| | 市場 | 純益 | Kレシオ | シャープレシオ | 最大ドローダウン | トレード数 | 勝率 | 平均建玉数 | 平均損益 | 勝トレードの平均利益 | 敗トレードの平均損失 | 勝トレードの平均日数 | 敗トレードの平均日数 |
|---|---|---|---|---|---|---|---|---|---|---|---|---|---|
| 通貨 | 英ポンド | 364,325 | 0.39 | 0.08 | -302,463 | 707 | 37 | 9 | 511 | 12,511 | -6,426 | 8 | 4 |
| | 加ドル | 388,850 | 1.10 | 0.08 | -311,850 | 716 | 40 | 28 | 498 | 11,824 | -7,078 | 8 | 3 |
| | 独マルク | 9,025 | -0.81 | 0.00 | -324,638 | 744 | 35 | 12 | 8 | 11,890 | -6,263 | 8 | 3 |
| | 円 | 559,525 | 0.92 | 0.11 | -227,200 | 700 | 38 | 10 | 774 | 12,311 | -6,427 | 8 | 4 |
| | スイスフラン | -238,563 | -1.72 | -0.05 | -596,688 | 727 | 34 | 9 | -345 | 12,056 | -6,766 | 8 | 4 |
| 金利 | Tボンド | -727,250 | -3.11 | -0.18 | -862,625 | 716 | 33 | 9 | -1,010 | 11,392 | -7,185 | 9 | 3 |
| | Tノート | -795,625 | -2.79 | -0.19 | -902,000 | 720 | 35 | 13 | -1,101 | 10,952 | -7,630 | 8 | 4 |
| | ユーロ・ドル | -52,575 | -0.44 | -0.01 | -352,350 | 612 | 37 | 4 | -85 | 14,744 | -8,647 | 10 | 4 |
| 株価指数 | S&P | -374,225 | -1.93 | -0.08 | -607,775 | 716 | 31 | 4 | -556 | 13,068 | -6,639 | 10 | 3 |
| 貴金属 | 金 | -277,690 | -1.53 | -0.06 | -407,400 | 730 | 36 | 21 | -376 | 10,789 | -6,626 | 8 | 3 |
| | 銀 | -184,890 | -1.90 | -0.05 | -463,940 | 752 | 35 | 15 | -234 | 10,328 | -5,881 | 8 | 3 |
| | プラチナ | -540,840 | -1.89 | -0.12 | -574,510 | 732 | 35 | 23 | -760 | 10,933 | -6,937 | 9 | 3 |
| エネルギー | 原油 | -144,960 | -2.16 | -0.03 | -464,340 | 710 | 34 | 18 | -234 | 12,793 | -6,886 | 9 | 3 |
| | 灯油 | -110,900 | -0.66 | -0.03 | -542,699 | 730 | 33 | 14 | -163 | 12,420 | -6,441 | 9 | 3 |
| 穀物 | トウモロコシ | -4,775 | -0.56 | 0.00 | -502,800 | 715 | 36 | 44 | -23 | 12,033 | -6,707 | 9 | 3 |
| | 小麦 | -281,525 | -1.88 | -0.06 | -667,250 | 727 | 35 | 27 | -380 | 11,963 | -6,969 | 9 | 3 |
| | 大豆 | -129,600 | -0.40 | -0.03 | -380,150 | 761 | 35 | 17 | -170 | 11,273 | -6,355 | 9 | 3 |
| | 大豆油 | 162,378 | 0.52 | 0.03 | -247,962 | 721 | 37 | 30 | 173 | 11,696 | -6,523 | 9 | 3 |
| | 大豆粕 | -75,480 | -0.13 | -0.02 | -370,640 | 701 | 36 | 26 | -111 | 11,913 | -6,818 | 9 | 3 |
| 食肉 | 生牛 | -486,064 | -1.97 | -0.12 | -561,960 | 724 | 35 | 24 | -680 | 10,649 | -6,692 | 9 | 3 |
| | 飼育牛 | -120,031 | -0.98 | -0.03 | -278,093 | 708 | 35 | 23 | -186 | 11,672 | -6,699 | 9 | 3 |
| | 生去勢豚 | -280,344 | -1.63 | -0.06 | -651,588 | 722 | 31 | 17 | -399 | 14,011 | -6,797 | 10 | 3 |
| | 豚赤身肉 | -322,468 | -0.45 | -0.07 | -352,404 | 746 | 33 | 12 | -434 | 12,858 | -6,856 | 9 | 3 |
| ソフト | ココア | -771,600 | -2.09 | -0.19 | -773,340 | 769 | 34 | 24 | -1,004 | 9,938 | -6,560 | 8 | 3 |
| | 綿花 | -1,035,345 | -8.13 | -0.26 | -1,212,140 | 787 | 30 | 14 | -1,324 | 10,182 | -6,252 | 8 | 3 |
| | オ・ジュース | 71,250 | -0.67 | 0.02 | -409,845 | 699 | 34 | 20 | 100 | 12,920 | -6,603 | 9 | 4 |
| | コーヒー | 26,265 | 0.21 | 0.01 | -267,454 | 738 | 34 | 8 | 15 | 13,295 | -6,955 | 9 | 3 |
| | 木材 | 436,320 | 1.66 | 0.08 | -248,992 | 689 | 35 | 12 | 623 | 14,989 | -7,204 | 10 | 3 |
| | 砂糖 | -735,873 | -5.50 | -0.18 | -867,954 | 784 | 32 | 27 | -957 | 10,305 | -6,199 | 9 | 3 |
| | 平均 | -195,610 | -1.33 | -0.05 | -508,036 | 724 | 35 | 18 | -270 | 11,990 | -6,759 | 9 | 3 |

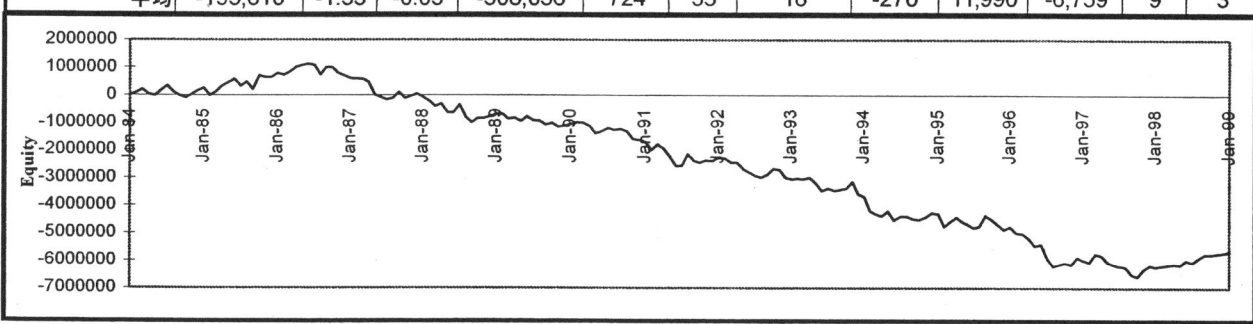

**ポートフォリオ統計**

| | | | |
|---|---|---|---|
| 純益 | ：-5,672,685 | シャープ・レシオ | ：-0.18 |
| ドローダウン | ：-7,712,840 | ブレイクアウトとの相関係数 | ：0.08 |
| Kレシオ | ：-4.25 | 10／40移動平均との相関係数 | ：-0.04 |

Chapter 1 **SYSTEM**

損益曲線：英ポンド～灯油　Copyright 1999 Lars Kestner,LINK Financial-All rights reserved

# 第1章 システム

**損益曲線：英ポンド〜灯油**　Copyright 1999 Lars Kestner,LINK Financial-All rights reserved

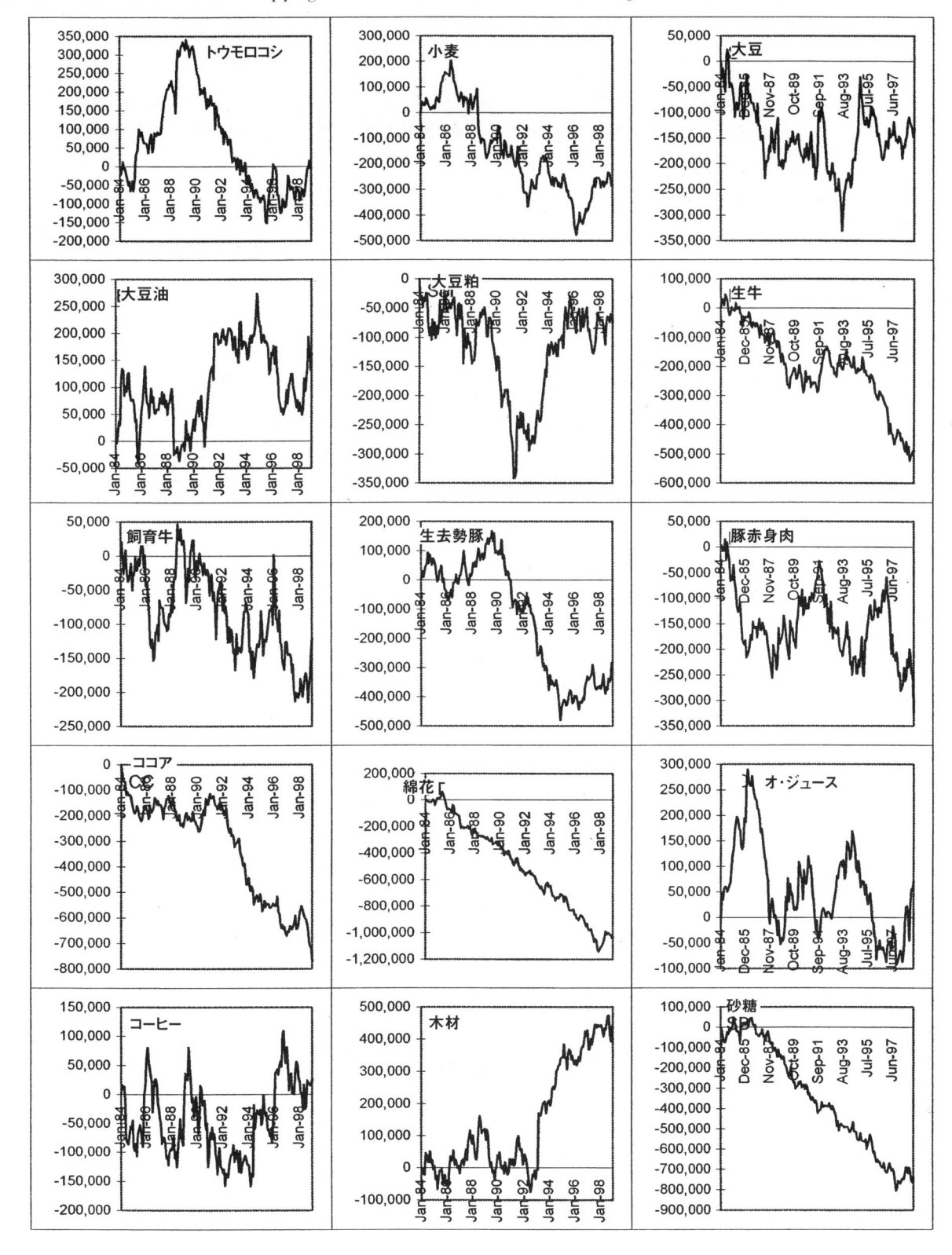

## Chapter 1 SYSTEM

**分類統計**

システム名　　：ジョーズ・テキサス２ステップ（１０日移動平均）
パラメータ　　：１４日ＲＳＩ、シグナル用ＲＳＩ１０日平均
建玉枚数　　　：可変
システムの概要：ＲＳＩがその移動平均よりも大きいときに買い、小さいときに売る
検証期間　　　：1/1/84-12/31/98

Copyright 1999 Lars Kestner, LINK Financial-All rights reserved

### 市場部門による分析

| 市場部門 | 平均純益 | 平均Kレシオ | 平均シャープレシオ | 平均最大ドローダウン | 平均トレード数 | 平均勝率 | 平均損益 | 勝トレードの平均利益 | 敗トレードの平均損失 | 勝トレードの平均日数 | 敗トレードの平均日数 |
|---|---|---|---|---|---|---|---|---|---|---|---|
| 通貨 | 216,633 | -0.03 | 0.04 | -352,568 | 719 | 37 | 289 | 12,119 | -6,592 | 8 | 3 |
| 金利 | -525,150 | -2.11 | -0.13 | -705,658 | 683 | 35 | -732 | 12,363 | -7,821 | 9 | 4 |
| 株価指数 | -374,225 | -1.93 | -0.08 | -607,775 | 716 | 31 | -556 | 13,068 | -6,639 | 10 | 3 |
| 貴金属 | -334,473 | -1.77 | -0.08 | -481,950 | 738 | 35 | -457 | 10,684 | -6,481 | 9 | 3 |
| エネルギー | -127,930 | -1.41 | -0.03 | -503,520 | 720 | 34 | -198 | 12,606 | -6,664 | 9 | 3 |
| 穀物 | -65,800 | -0.49 | -0.01 | -433,760 | 725 | 36 | -102 | 11,776 | -6,674 | 9 | 3 |
| 食肉 | -302,227 | -1.26 | -0.07 | -461,011 | 725 | 33 | -425 | 12,298 | -6,761 | 9 | 3 |
| ソフト | -334,830 | -2.42 | -0.09 | -629,954 | 744 | 33 | -424 | 11,938 | -6,629 | 9 | 3 |

### 年次成績分析

| 年 | 純益 | Kレシオ | シャープレシオ |
|---|---|---|---|
| 1984 | 249,121 | 0.11 | 0.14 |
| 1985 | 539,072 | 1.22 | 0.19 |
| 1986 | -183,337 | -0.24 | -0.09 |
| 1987 | -673,785 | -1.10 | -0.33 |
| 1988 | -632,602 | -1.29 | -0.25 |
| 1989 | -343,397 | -1.86 | -0.26 |
| 1990 | -662,043 | -1.78 | -0.45 |
| 1991 | -576,697 | -0.88 | -0.21 |

| 年 | 純益 | Kレシオ | シャープレシオ |
|---|---|---|---|
| 1992 | -759,138 | -1.40 | -0.47 |
| 1993 | -641,639 | -1.21 | -0.29 |
| 1994 | -627,267 | -0.59 | -0.26 |
| 1995 | -469,145 | -0.45 | -0.17 |
| 1996 | -1,202,578 | -1.73 | -0.49 |
| 1997 | -242,004 | -0.87 | -0.12 |
| 1998 | 552,755 | 3.50 | 0.64 |

### 利益性ウインドウ

| 期間 | ウインドウ数 | 収益ウインドウ数 | 利益ウインドウ率 |
|---|---|---|---|
| 1カ月 | 180 | 81 | 45.00% |
| 3カ月 | 178 | 72 | 40.45% |
| 6カ月 | 175 | 53 | 30.29% |
| 12カ月 | 169 | 30 | 17.75% |
| 18カ月 | 163 | 27 | 16.56% |
| 24カ月 | 157 | 22 | 14.01% |

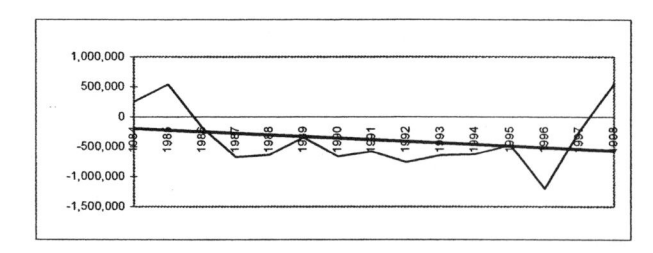

### 年次純益推移

# 第1章　システム

## ④ジョーズ・クオーター・パウンダー（P169）

　ジョーズ・クオーター・パウンダーは、放れによる仕掛けを計算するために過去3日間の始値と終値との差を用いる。

＜注釈＞
　以下で記述する戦略は、クルトシンガーの本の169ページに記載されているルールをまねたものである。似ているが、異なるルールが170ページに記載されている。

- 3日前の終値が始値よりも高く、2日前の終値が始値よりも高く、2日前の終値が3日前の終値よりも高いなら、明日、2日前の高値を逆指値で買う。
- 「検証のガイドライン」（15P）節で解説した仕切り法を用いて買い玉を仕切る。
- 3日前の終値が始値よりも安く、2日前の終値が始値よりも安く、2日前の終値が3日前の終値よりも安いなら、明日、2日前の安値を逆指値で売る。
- 「検証のガイドライン」（15P）の節で解説した仕切り法を用いて売り玉を仕切る。

**結果**
　クオーター・パウンダー・システムは、基本的にマーケットの短期トレンドを算定して、そのトレンドと同じ方向に、放れを売買する。相関係数は、このシステムがトレンドフォロー型システムにとても近いことを裏付けている。成績は通貨、石油関連商品、穀物、食肉、ほとんどのソフト商品で非常に良い。しかし、1枚当たりの平均利益はたったの40ドルである。

Chapter 1 **SYSTEM**

**トレーディング・システム評価**

| システム名 | ：ジョーズ・クオーター・パウンダー |
|---|---|
| パラメータ | ：なし |
| 建玉枚数 | ：可変 |
| システムの概要 | ：ポジションを決定するために過去の始値と終値を使用する |
| 検証期間 | ：1/1/84-12/31/98　Copyright 1999 Lars Kestner,LINK Financial-All rights reserved |

| | 市場 | 純益 | Kレシオ | シャープレシオ | 最大ドローダウン | トレード数 | 勝率 | 平均建玉数 | 平均損益 | 勝トレードの平均利益 | 敗トレードの平均損失 | 勝トレードの平均日数 | 敗トレードの平均日数 |
|---|---|---|---|---|---|---|---|---|---|---|---|---|---|
| 通貨 | 英ポンド | 810,688 | 3.14 | 0.19 | -148,775 | 358 | 54 | 8 | 2,264 | 14,441 | -11,820 | 8 | 9 |
| | 加ドル | 306,350 | 1.35 | 0.07 | -215,290 | 373 | 52 | 25 | 821 | 13,939 | -13,396 | 8 | 8 |
| | 独マルク | 632,425 | 3.11 | 0.15 | -224,125 | 357 | 55 | 10 | 1,762 | 13,430 | -12,282 | 8 | 9 |
| | 円 | 676,913 | 2.79 | 0.17 | -158,575 | 341 | 53 | 9 | 1,933 | 14,591 | -12,387 | 9 | 8 |
| | スイスフラン | 562,375 | 1.73 | 0.13 | -239,513 | 343 | 55 | 8 | 1,618 | 13,564 | -13,218 | 8 | 10 |
| 金利 | Tボンド | 16,250 | -0.67 | 0.00 | -393,125 | 380 | 48 | 8 | 53 | 14,065 | -13,101 | 8 | 7 |
| | Tノート | 28,000 | -0.70 | 0.01 | -340,375 | 336 | 49 | 12 | 93 | 14,484 | -13,960 | 8 | 8 |
| | ユーロ・ドル | 718,150 | 2.82 | 0.17 | -233,250 | 349 | 53 | 4 | 2,066 | 15,284 | -13,018 | 8 | 8 |
| 株価指数 | S&P | -320,325 | -2.31 | -0.07 | -511,600 | 431 | 47 | 3 | -766 | 12,013 | -12,250 | 7 | 7 |
| 貴金属 | 金 | 12,950 | 0.22 | 0.00 | -261,030 | 348 | 44 | 20 | 40 | 15,474 | -11,930 | 8 | 8 |
| | 銀 | -314,070 | -2.03 | -0.08 | -461,095 | 336 | 42 | 13 | -908 | 13,749 | -11,377 | 9 | 9 |
| | プラチナ | -261,285 | -1.05 | -0.06 | -568,925 | 366 | 47 | 22 | -714 | 13,161 | -12,882 | 8 | 9 |
| エネルギー | 原油 | 608,610 | 2.18 | 0.15 | -186,880 | 395 | 55 | 16 | 1,536 | 13,124 | -12,591 | 7 | 8 |
| | 灯油 | 284,584 | 1.74 | 0.07 | -222,252 | 415 | 49 | 13 | 662 | 13,028 | -11,180 | 7 | 8 |
| 穀物 | トウモロコシ | 31,725 | -0.28 | 0.01 | -399,325 | 357 | 49 | 40 | 89 | 14,063 | -13,198 | 8 | 8 |
| | 小麦 | -148,150 | -0.93 | -0.04 | -529,325 | 422 | 46 | 25 | -339 | 13,211 | -11,979 | 7 | 7 |
| | 大豆 | 72,950 | 1.29 | 0.02 | -216,900 | 369 | 48 | 15 | 191 | 12,712 | -11,228 | 8 | 8 |
| | 大豆油 | 517,968 | 2.89 | 0.13 | -131,166 | 438 | 51 | 27 | 1,175 | 13,023 | -11,113 | 7 | 7 |
| | 大豆粕 | 465,000 | 1.72 | 0.11 | -207,170 | 405 | 52 | 24 | 1,130 | 12,782 | -11,669 | 7 | 8 |
| 食肉 | 生牛 | 60,960 | 0.55 | 0.02 | -332,144 | 445 | 49 | 21 | 157 | 11,673 | -11,104 | 6 | 8 |
| | 飼育牛 | 803,365 | 3.03 | 0.19 | -141,698 | 446 | 55 | 20 | 1,807 | 12,366 | -11,298 | 6 | 8 |
| | 生去勢豚 | 218,296 | 1.32 | 0.05 | -194,840 | 409 | 50 | 15 | 547 | 13,760 | -12,731 | 7 | 8 |
| | 豚赤身肉 | -341,528 | -2.19 | -0.09 | -501,292 | 413 | 45 | 11 | -805 | 13,668 | -12,664 | 7 | 8 |
| ソフト | ココア | 33,570 | 0.54 | 0.01 | -204,740 | 363 | 49 | 22 | 92 | 12,397 | -11,878 | 8 | 8 |
| | 綿花 | 4,385 | 0.97 | 0.00 | -332,000 | 382 | 48 | 13 | -28 | 13,484 | -12,323 | 8 | 8 |
| | オ・ジュース | 692,685 | 1.62 | 0.15 | -171,495 | 380 | 50 | 18 | 1,796 | 14,917 | -11,464 | 7 | 8 |
| | コーヒー | -2,175 | -0.02 | 0.00 | -374,490 | 415 | 47 | 7 | -35 | 13,498 | -11,914 | 7 | 7 |
| | 木材 | 711,424 | 4.44 | 0.16 | -139,328 | 431 | 51 | 11 | 1,637 | 14,459 | -11,857 | 7 | 7 |
| | 砂糖 | 156,228 | 0.12 | 0.04 | -205,644 | 372 | 49 | 24 | 420 | 12,231 | -10,894 | 8 | 8 |
| | 平均 | 242,701 | 0.94 | 0.06 | -284,357 | 385 | 50 | 16 | 631 | 13,538 | -12,162 | 8 | 8 |

**ポートフォリオ統計**

| 純益 | ： | 7,038,317 | シャープ・レシオ | ：0.25 |
|---|---|---|---|---|
| ドローダウン | ： | -864,829 | ブレイクアウトとの相関係数 | ：0.57 |
| Kレシオ | ： | 4.41 | 10／40移動平均との相関係数 | ：0.53 |

# 第1章 システム

**損益曲線：英ポンド～灯油**　Copyright 1999 Lars Kestner, LINK Financial-All rights reserved

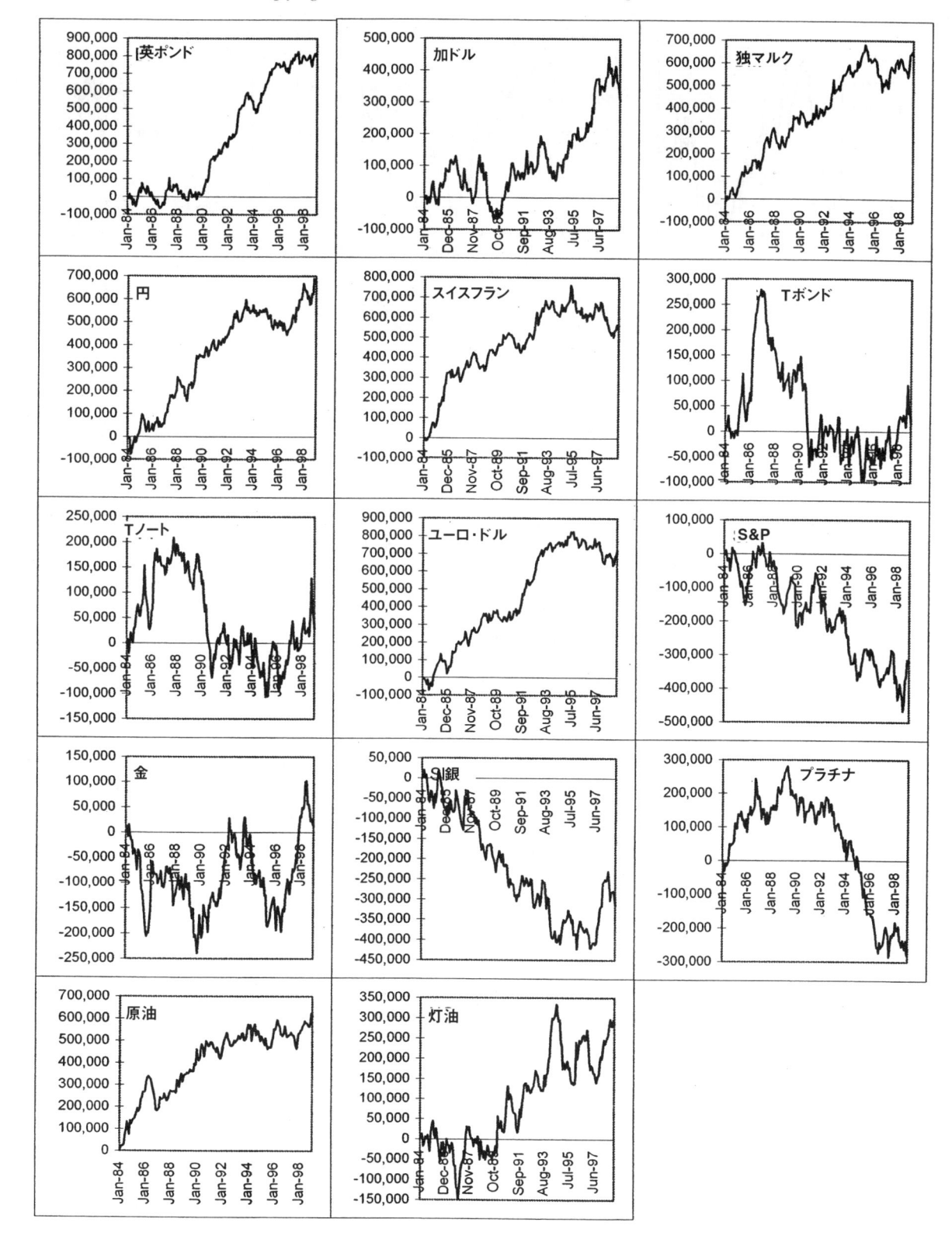

Chapter 1 **SYSTEM**

損益曲線：コーン～砂糖　Copyright 1999 Lars Kestner,LINK Financial-All rights reserved

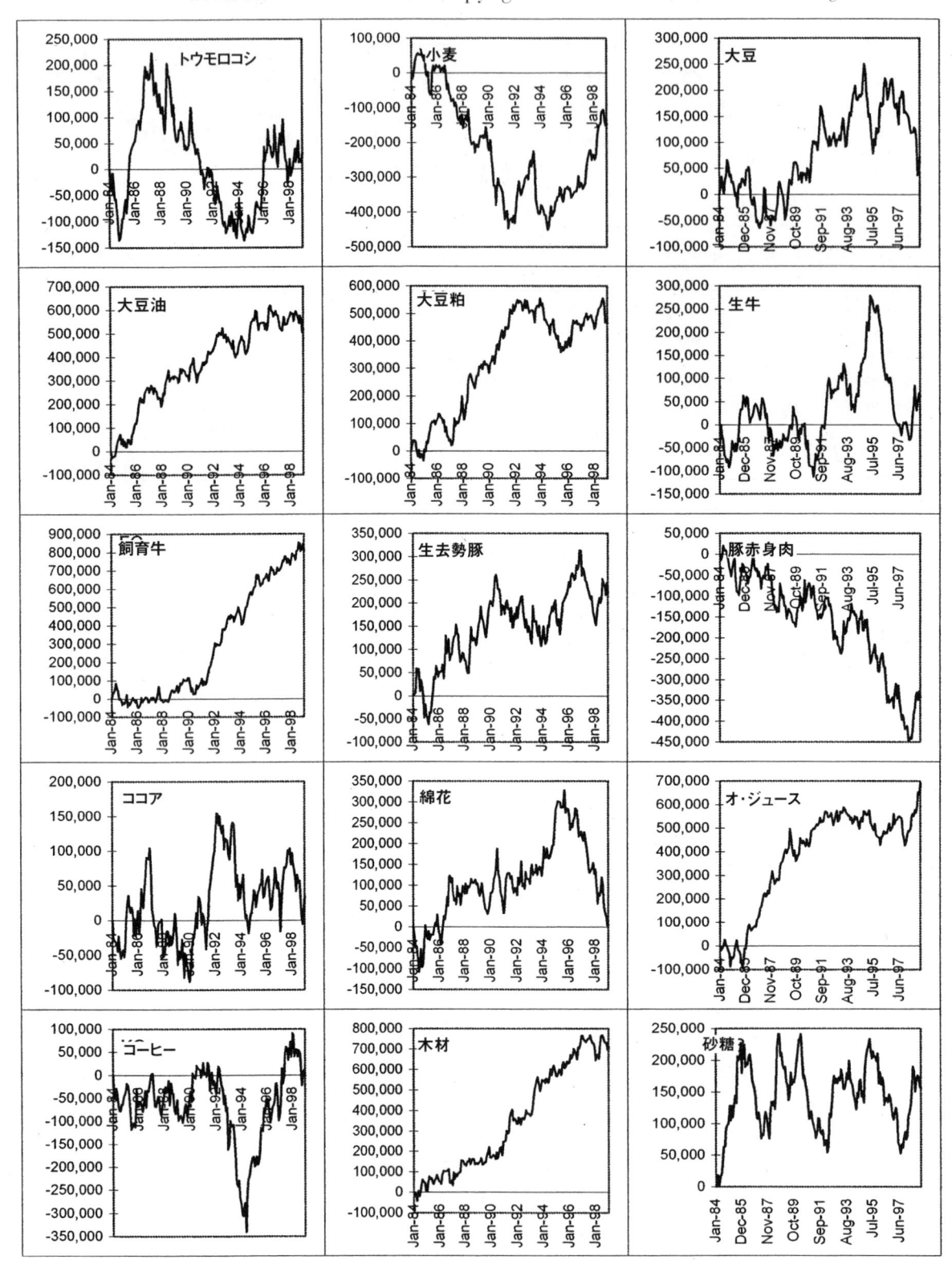

# 第1章 システム

**分類統計**

システム名　　　：ジョーズ・クオーター・パウンダー
パラメータ　　　：なし
建玉枚数　　　　：可変
システムの概要　：ポジションを決定するために過去の始値と終値を使用する
検証期間　　　　：1/1/84-12/31/98

Copyright 1999 Lars Kestner,LINK Financial-All rights reserved

## 市場部門による分析

| 市場部門 | 平均純益 | 平均Kレシオ | 平均シャープレシオ | 平均最大ドローダウン | 平均トレード数 | 平均勝率 | 平均損益 | 勝トレードの平均利益 | 敗トレードの平均損失 | 勝トレードの平均日数 | 敗トレードの平均日数 |
|---|---|---|---|---|---|---|---|---|---|---|---|
| 通貨 | 597,750 | 2.43 | 0.14 | -197,256 | 354 | 54 | 1,680 | 13,993 | -12,621 | 8 | 9 |
| 金利 | 254,133 | 0.48 | 0.06 | -322,250 | 355 | 50 | 737 | 14,611 | -13,359 | 8 | 8 |
| 株価指数 | -320,325 | -2.31 | -0.07 | -511,600 | 431 | 47 | -766 | 12,013 | -12,250 | 7 | 7 |
| 貴金属 | -187,468 | -0.96 | -0.05 | -430,350 | 350 | 44 | -528 | 14,128 | -12,063 | 9 | 9 |
| エネルギー | 446,597 | 1.96 | 0.11 | -204,566 | 405 | 52 | 1,099 | 13,076 | -11,886 | 7 | 8 |
| 穀物 | 187,899 | 0.94 | 0.05 | -296,777 | 398 | 49 | 449 | 13,158 | -11,837 | 7 | 8 |
| 食肉 | 185,273 | 0.68 | 0.04 | -292,493 | 428 | 50 | 427 | 12,867 | -11,949 | 7 | 8 |
| ソフト | 266,020 | 1.28 | 0.06 | -237,949 | 391 | 49 | 647 | 13,498 | -11,722 | 8 | 8 |

## 年次成績分析

| 年 | 純益 | Kレシオ | シャープレシオ |
|---|---|---|---|
| 1984 | 354,034 | 0.59 | 0.20 |
| 1985 | 1,073,178 | 2.61 | 0.56 |
| 1986 | 700,403 | 0.72 | 0.35 |
| 1987 | 388,011 | 0.70 | 0.22 |
| 1988 | 282,555 | 0.56 | 0.09 |
| 1989 | 535,056 | 1.20 | 0.31 |
| 1990 | 292,307 | 0.32 | 0.18 |
| 1991 | 1,266,035 | 2.52 | 0.52 |

| 年 | 純益 | Kレシオ | シャープレシオ |
|---|---|---|---|
| 1992 | 579,812 | 1.83 | 0.42 |
| 1993 | 46,416 | -0.27 | 0.02 |
| 1994 | 672,718 | 1.60 | 0.40 |
| 1995 | 51,544 | -0.01 | 0.04 |
| 1996 | -118,840 | -0.12 | -0.07 |
| 1997 | 585,748 | 0.49 | 0.30 |
| 1998 | 329,341 | 1.41 | 0.22 |

## 利益性ウインドウ

| 期間 | ウインドウ数 | 収益ウインドウ数 | 利益ウインドウ率 |
|---|---|---|---|
| 1カ月 | 180 | 105 | 58.33% |
| 3カ月 | 178 | 117 | 65.73% |
| 6カ月 | 175 | 132 | 75.43% |
| 12カ月 | 169 | 149 | 88.17% |
| 18カ月 | 163 | 148 | 90.80% |
| 24カ月 | 157 | 156 | 99.36% |

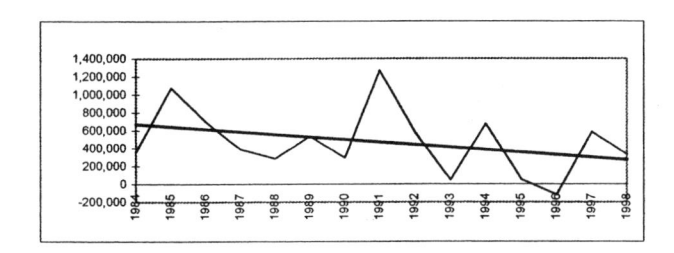

## 年次純益推移

### ⑤ジョーズ・ギャップ（P９０）

　ジョーズ・ギャップは、相場が窓を空けたときにポジションを取るよう設計されている単純なシステムである。
　上への窓空けは買いポジションと関係し、下への窓空けは売りポジションと関係する。クルトシンガーはこれを大引けで手仕舞うデイ・トレード・システムとして設計した。
　この本の検証では、仕掛け後、３日目で仕切ることにした。

・今日の安値が昨日の高値よりも高ければ明日の寄り付きで買う。
・買い玉を３営業日前に仕掛けたなら、今日の大引けで手仕舞う。
・今日の高値が昨日の安値よりも安ければ明日の寄り付きで売る。
・売り玉を３営業日前に仕掛けたなら、今日の大引けで手仕舞う。

**結果**
　ジョーズ・ギャップの成績には全く一貫性がない。この戦略は一枚当たり２０ドルの損失である。

# 第1章 システム

トレーディング・システム評価

システム名　　　：ジョーズ・ギャップ
パラメータ　　　：なし
建玉枚数　　　　：可変
システムの概要：上への窓空けで買い、下への窓空けで売る
検証期間　　　　：1/1/84-12/31/98　Copyright 1999 Lars Kestner.LINK Financial-All rights reserved

| | 市場 | 純益 | Kレシオ | シャープレシオ | 最大ドローダウン | トレード数 | 勝率 | 平均建玉数 | 平均損益 | 勝トレードの平均利益 | 敗トレードの平均損失 | 勝トレードの平均日数 | 敗トレードの平均日数 |
|---|---|---|---|---|---|---|---|---|---|---|---|---|---|
| 通貨 | 英ポンド | 203,769 | 0.89 | 0.07 | -130,306 | 522 | 50 | 8 | 385 | 8,007 | -7,237 | 3 | 3 |
| | 加ドル | -298,190 | -1.69 | -0.08 | -454,160 | 530 | 49 | 25 | -563 | 7,268 | -7,990 | 3 | 3 |
| | 独マルク | 113,725 | 1.19 | 0.04 | -169,688 | 573 | 50 | 11 | 181 | 7,727 | -7,391 | 3 | 3 |
| | 円 | 457,400 | 3.65 | 0.14 | -110,338 | 696 | 50 | 8 | 644 | 7,453 | -6,048 | 3 | 3 |
| | スイスフラン | 167,275 | 1.51 | 0.06 | -138,475 | 532 | 49 | 8 | 314 | 8,051 | -7,080 | 3 | 3 |
| 金利 | Tボンド | -109,500 | -1.75 | -0.05 | -305,125 | 249 | 54 | 8 | -440 | 7,467 | -9,653 | 3 | 3 |
| | Tノート | -172,000 | -2.99 | -0.08 | -297,750 | 269 | 51 | 12 | -639 | 7,699 | -9,166 | 3 | 3 |
| | ユーロ・ドル | 72,000 | 0.50 | 0.03 | -132,500 | 249 | 45 | 3 | 290 | 10,795 | -8,438 | 3 | 3 |
| 株価指数 | S&P | -289,725 | -1.48 | -0.12 | -446,125 | 228 | 46 | 3 | -1,271 | 7,839 | -9,048 | 3 | 3 |
| 貴金属 | 金 | 97,780 | 0.17 | 0.04 | -187,600 | 389 | 47 | 20 | 251 | 8,365 | -6,882 | 3 | 3 |
| | 銀 | -428,370 | -2.96 | -0.19 | -473,730 | 248 | 40 | 13 | -1,727 | 7,821 | -8,179 | 3 | 3 |
| | プラチナ | -433,915 | -1.41 | -0.16 | -487,705 | 415 | 43 | 21 | -1,057 | 7,769 | -7,752 | 3 | 3 |
| エネルギー | 原油 | 288,710 | 1.50 | 0.10 | -143,970 | 448 | 49 | 17 | 644 | 9,386 | -7,715 | 3 | 3 |
| | 灯油 | -133,060 | -0.61 | -0.05 | -306,340 | 390 | 49 | 13 | -341 | 8,190 | -8,700 | 3 | 3 |
| 穀物 | トウモロコシ | -186,150 | -1.10 | -0.07 | -274,225 | 353 | 50 | 34 | -527 | 7,416 | -8,516 | 3 | 3 |
| | 小麦 | -145,850 | -1.37 | -0.07 | -207,925 | 256 | 49 | 25 | -550 | 7,493 | -8,225 | 3 | 3 |
| | 大豆 | -100,025 | -0.49 | -0.04 | -174,750 | 365 | 49 | 13 | -274 | 7,662 | -7,911 | 3 | 3 |
| | 大豆油 | -52,290 | -0.44 | -0.02 | -218,010 | 322 | 48 | 27 | -162 | 8,189 | -8,010 | 3 | 3 |
| | 大豆粕 | 149,880 | 0.59 | 0.05 | -190,820 | 361 | 48 | 22 | 415 | 8,978 | -7,552 | 3 | 3 |
| 食肉 | 生牛 | -382,848 | -2.72 | -0.19 | -424,564 | 255 | 45 | 22 | -1,501 | 7,578 | -9,078 | 3 | 3 |
| | 飼育牛 | -187,960 | -1.84 | -0.09 | -242,392 | 233 | 45 | 21 | -807 | 8,260 | -8,116 | 3 | 3 |
| | 生去勢豚 | -256,348 | -2.25 | -0.11 | -359,684 | 281 | 46 | 15 | -912 | 6,868 | -7,422 | 3 | 3 |
| | 豚赤身肉 | 36,424 | 0.70 | 0.01 | -224,620 | 319 | 49 | 10 | 114 | 8,118 | -7,642 | 3 | 3 |
| ソフト | ココア | -226,370 | -2.88 | -0.09 | -372,580 | 398 | 45 | 22 | -569 | 7,379 | -7,198 | 3 | 3 |
| | 綿花 | -344,615 | -3.11 | -0.14 | -422,670 | 396 | 42 | 12 | -870 | 7,727 | -7,140 | 3 | 3 |
| | オ・ジュース | 100,470 | 0.21 | 0.04 | -145,260 | 348 | 52 | 17 | 289 | 7,755 | -7,711 | 3 | 3 |
| | コーヒー | -79,106 | 0.04 | -0.03 | -274,155 | 324 | 47 | 6 | -244 | 8,487 | -7,960 | 3 | 3 |
| | 木材 | -207,040 | -0.77 | -0.07 | -317,600 | 401 | 47 | 9 | -516 | 9,015 | -9,014 | 3 | 3 |
| | 砂糖 | -87,024 | -0.34 | -0.04 | -196,504 | 261 | 47 | 24 | -333 | 7,599 | -7,296 | 3 | 3 |
| | 平均 | -83,895 | -0.66 | -0.04 | -269,985 | 366 | 48 | 16 | -337 | 8,012 | -7,933 | 3 | 3 |

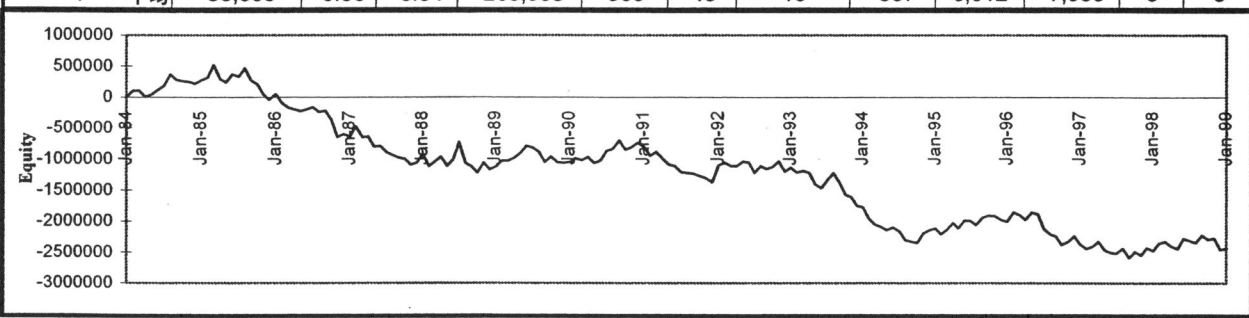

**ポートフォリオ統計**

純益　　　　：-2,423,953　　シャープ・レシオ　　　　　　　：-0.13
ドローダウン：-3,105,569　　ブレイクアウトとの相関係数　　：0.33
Kレシオ　　 ：　　　-3.09　　10／40移動平均との相関係数：0.27

## Chapter 1 SYSTEM

損益曲線：英ポンド〜灯油　Copyright 1999 Lars Kestner.LINK Financial-All rights reserved

# 第1章　システム

**損益曲線：コーン〜砂糖**　Copyright 1999 Lars Kestner.LINK Financial-All rights reserved

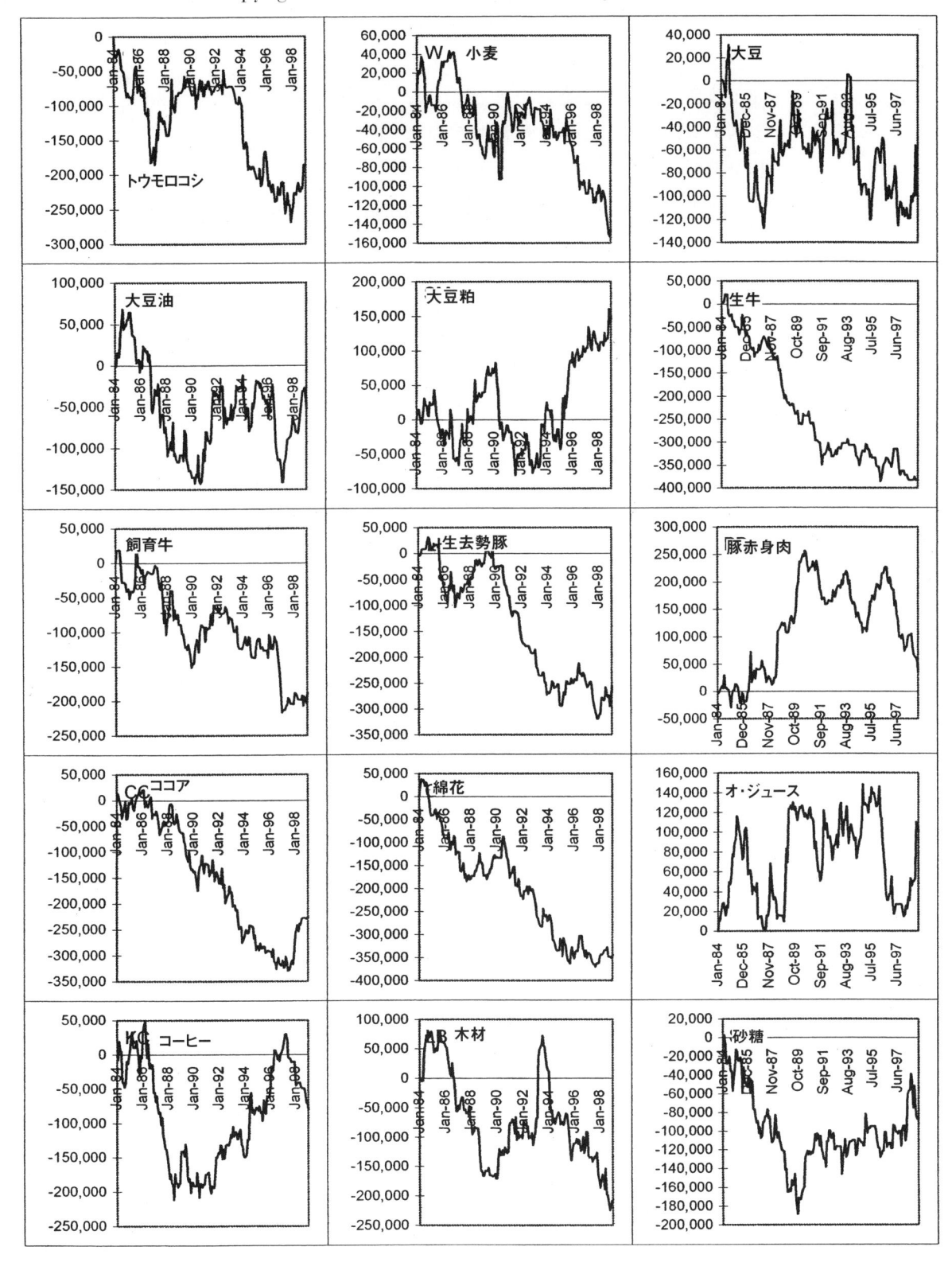

## Chapter 1 SYSTEM

**分類統計**

システム名　　　：ジョーズ・ギャップ
パラメータ　　　：なし
建玉枚数　　　　：可変
システムの概要：上への窓空けで買い、下への窓空けで売る
検証期間　　　　：1/1/84-12/31/98

Copyright 1999 Lars Kestner,LINK Financial-All rights reserved

### 市場部門による分析

| 市場部門 | 平均純益 | 平均Kレシオ | 平均シャープレシオ | 平均最大ドローダウン | 平均トレード数 | 平均勝率 | 平均損益 | 勝トレードの平均利益 | 敗トレードの平均損失 | 勝トレードの平均日数 | 敗トレードの平均日数 |
|---|---|---|---|---|---|---|---|---|---|---|---|
| 通貨 | 128,796 | 1.11 | 0.04 | -200,593 | 571 | 49 | 192 | 7,701 | -7,149 | 3 | 3 |
| 金利 | -69,833 | -1.41 | -0.03 | -245,125 | 256 | 50 | -263 | 8,654 | -9,086 | 3 | 3 |
| 株価指数 | -289,725 | -1.48 | -0.12 | -446,125 | 228 | 46 | -1,271 | 7,839 | -9,048 | 3 | 3 |
| 貴金属 | -254,835 | -1.40 | -0.10 | -383,012 | 351 | 43 | -844 | 7,985 | -7,604 | 3 | 3 |
| エネルギー | 77,825 | 0.44 | 0.02 | -225,155 | 419 | 49 | 152 | 8,788 | -8,207 | 3 | 3 |
| 穀物 | -66,887 | -0.56 | -0.03 | -213,146 | 331 | 49 | -220 | 7,948 | -8,043 | 3 | 3 |
| 食肉 | -197,683 | -1.53 | -0.09 | -312,815 | 272 | 46 | -777 | 7,706 | -8,065 | 3 | 3 |
| ソフト | -140,614 | -1.14 | -0.06 | -288,128 | 355 | 47 | -374 | 7,994 | -7,720 | 3 | 3 |

### 年次成績分析

| 年 | 純益 | Kレシオ | シャープレシオ |
|---|---|---|---|
| 1984 | 273,946 | 1.16 | 0.28 |
| 1985 | -220,468 | -0.84 | -0.13 |
| 1986 | -694,263 | -1.91 | -0.61 |
| 1987 | -280,716 | -1.92 | -0.22 |
| 1988 | -201,399 | -0.42 | -0.10 |
| 1989 | 72,807 | -0.02 | 0.07 |
| 1990 | 245,999 | 1.41 | 0.23 |
| 1991 | -293,817 | -1.47 | -0.23 |

| 年 | 純益 | Kレシオ | シャープレシオ |
|---|---|---|---|
| 1992 | -42,777 | -0.37 | -0.04 |
| 1993 | -632,877 | -1.77 | -0.50 |
| 1994 | -345,435 | -0.86 | -0.32 |
| 1995 | 108,519 | 1.13 | 0.11 |
| 1996 | -357,844 | -1.57 | -0.26 |
| 1997 | -107,002 | -0.58 | -0.10 |
| 1998 | 42,373 | 0.17 | 0.04 |

### 利益性ウインドウ

| 期間 | ウインドウ数 | 収益ウインドウ数 | 利益ウインドウ率 |
|---|---|---|---|
| 1カ月 | 180 | 77 | 42.78% |
| 3カ月 | 178 | 81 | 45.51% |
| 6カ月 | 175 | 72 | 41.14% |
| 12カ月 | 169 | 63 | 37.28% |
| 18カ月 | 163 | 46 | 28.22% |
| 24カ月 | 157 | 31 | 19.75% |

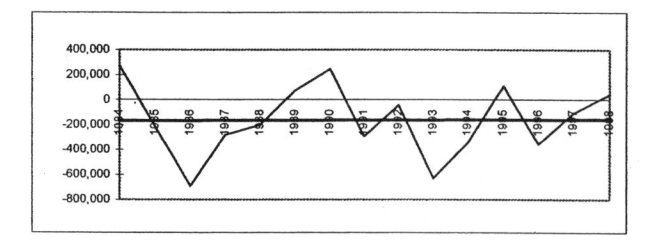

### 年次純益推移

# 第1章 システム

### ⑥フィブ・キャッチャー（P213）

　フィブ・キャッチャーは、長期にわたる値動きの後の急激な反転をとらえるよう設計されている。14日高値（安値）が更新された後、翌日、4日安値（高値）に売り（買い）の逆指値の注文を入れる。

- ・今日の安値が過去14日の最安値であるなら、明日、過去4日の高値を逆指値で買う。
- ・3営業日前に買い玉を仕掛けたなら、今日の大引けで手仕舞う。
- ・今日の高値が過去14日の最高値であるなら、明日、過去4日の安値を逆指値で売る。
- ・3営業日前に売り玉を仕掛けたなら、今日の大引けで手仕舞う。

　このシステムの背後にあるアイデアは、相場に強い動きがあった後は主要なトレンドに対する急激な反動が続くということである。フィブ・キャッチャーはそのような動きを取ろうとするものである。

### 結果

　フィブ・キャッチャーの結果は、プラスであろうとマイナスであろうと決して明確なトレンドを形成しているとは思えない。市場部門のほとんどで結果はまちまちとなっている。チャネル・ブレイクアウト・システムと移動平均システムの収益性に対して強い負の相関を持つことに注意してほしい。

Chapter 1 **SYSTEM**

### トレーディング・システム評価

| | |
|---|---|
| システム名 | ：フィブ・キャッチャー |
| パラメータ | ：１４日高値／安値、シグナル用４日安値／高値 |
| 建玉枚数 | ：可変 |
| システムの概要 | ：１４日安値を付けたら、過去４日の高値を逆指値で買い、売りはその逆 |
| 検証期間 | ：1/1/84-12/31/98 |

Copyright 1999 Lars Kestner,LINK Financial-All rights reserved

| | 市場 | 純益 | Kレシオ | シャープレシオ | 最大ドローダウン | トレード数 | 勝率 | 平均建玉数 | 平均損益 | 勝トレードの平均利益 | 敗トレードの平均損失 | 勝トレードの平均日数 | 敗トレードの平均日数 |
|---|---|---|---|---|---|---|---|---|---|---|---|---|---|
| 通貨 | 英ポンド | -80,375 | -0.26 | -0.09 | -113,513 | 52 | 40 | 8 | -1,546 | 6,645 | -7,094 | 3 | 3 |
| | 加ドル | 77,850 | 1.02 | 0.07 | -44,470 | 59 | 46 | 29 | 1,319 | 10,637 | -6,543 | 3 | 3 |
| | 独マルク | 81,200 | 0.74 | 0.08 | -59,838 | 54 | 57 | 13 | 1,350 | 7,623 | -7,104 | 3 | 3 |
| | 円 | -202,800 | -4.60 | -0.15 | -224,988 | 42 | 36 | 10 | -4,829 | 6,647 | -11,204 | 3 | 3 |
| | スイスフラン | 91,963 | 1.38 | 0.10 | -63,825 | 58 | 62 | 9 | 1,586 | 7,283 | -7,737 | 3 | 3 |
| 金利 | Tボンド | 61,125 | 0.01 | 0.05 | -71,500 | 80 | 50 | 9 | 764 | 9,834 | -8,306 | 3 | 3 |
| | Tノート | -179,500 | -2.60 | -0.14 | -246,375 | 93 | 49 | 13 | -1,930 | 6,764 | -10,439 | 3 | 3 |
| | ユーロ・ドル | -45,000 | -0.81 | -0.03 | -116,500 | 67 | 48 | 5 | -672 | 8,242 | -8,821 | 3 | 3 |
| 株価指数 | S&P | 133,375 | 2.60 | 0.11 | -46,625 | 51 | 57 | 4 | 2,615 | 9,980 | -7,093 | 3 | 3 |
| 貴金属 | 金 | -55,760 | -2.98 | -0.09 | -69,090 | 37 | 49 | 20 | -1,507 | 4,331 | -7,037 | 3 | 3 |
| | 銀 | -38,230 | -0.70 | -0.05 | -72,295 | 52 | 42 | 15 | -735 | 6,194 | -5,817 | 3 | 3 |
| | プラチナ | -42,550 | -1.98 | -0.07 | -79,120 | 32 | 41 | 24 | -1,330 | 6,476 | -6,671 | 3 | 3 |
| エネルギー | 原油 | 112,920 | 0.56 | 0.08 | -72,950 | 48 | 46 | 21 | 2,353 | 13,261 | -6,878 | 3 | 3 |
| | 灯油 | -28,526 | -0.10 | -0.03 | -89,233 | 46 | 43 | 14 | -620 | 8,598 | -7,711 | 3 | 3 |
| 穀物 | トウモロコシ | -78,225 | -0.66 | -0.06 | -123,850 | 76 | 46 | 47 | -1,029 | 8,516 | -9,178 | 3 | 3 |
| | 小麦 | -11,475 | 0.19 | -0.01 | -76,575 | 52 | 48 | 26 | -221 | 8,253 | -8,067 | 3 | 3 |
| | 大豆 | -92,575 | -1.11 | -0.10 | -99,075 | 68 | 47 | 17 | -1,361 | 5,945 | -7,856 | 3 | 3 |
| | 大豆油 | -42,768 | 0.13 | -0.04 | -122,592 | 56 | 52 | 33 | -764 | 7,243 | -9,363 | 3 | 3 |
| | 大豆粕 | 31,970 | 0.25 | 0.03 | -57,070 | 55 | 49 | 27 | 581 | 8,991 | -7,529 | 3 | 3 |
| 食肉 | 生牛 | 12,576 | 0.60 | 0.01 | -97,256 | 75 | 53 | 24 | 168 | 6,738 | -7,341 | 3 | 3 |
| | 飼育牛 | -47,898 | -2.02 | -0.04 | -130,236 | 62 | 48 | 25 | -773 | 7,340 | -8,378 | 3 | 3 |
| | 生去勢豚 | 19,900 | 0.92 | 0.02 | -48,712 | 52 | 52 | 17 | 383 | 7,652 | -7,468 | 3 | 3 |
| | 豚赤身肉 | -81,988 | -1.21 | -0.08 | -113,028 | 55 | 40 | 12 | -1,491 | 8,080 | -7,871 | 3 | 3 |
| ソフト | ココア | 74,860 | 1.31 | 0.08 | -45,710 | 53 | 49 | 25 | 1,412 | 8,779 | -5,681 | 3 | 3 |
| | 綿花 | -95,280 | -0.89 | -0.08 | -174,565 | 56 | 38 | 14 | -1,701 | 8,639 | -7,906 | 3 | 3 |
| | オ・ジュース | 60,405 | 2.46 | 0.09 | -24,540 | 46 | 57 | 18 | 1,313 | 6,458 | -5,375 | 3 | 3 |
| | コーヒー | 165,818 | 2.34 | 0.12 | -45,653 | 63 | 59 | 8 | 2,632 | 9,861 | -7,655 | 3 | 3 |
| | 木材 | 22,192 | 0.70 | 0.02 | -70,112 | 41 | 61 | 16 | 541 | 6,538 | -8,828 | 3 | 3 |
| | 砂糖 | -76,765 | -1.92 | -0.08 | -101,685 | 53 | 38 | 27 | -1,448 | 7,855 | -7,087 | 3 | 3 |
| | 平均 | -8,744 | -0.23 | -0.01 | -93,137 | 56 | 48 | 18 | -170 | 7,910 | -7,725 | 3 | 3 |

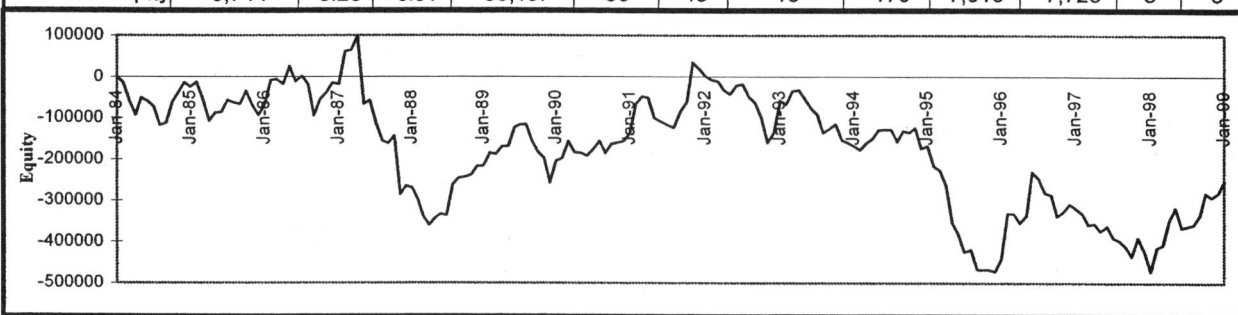

### ポートフォリオ統計

| | | | | |
|---|---|---|---|---|
| 純益 | ： | -253,563 | シャープ・レシオ | ：-0.04 |
| ドローダウン | ： | -570,622 | ブレイクアウトとの相関係数 | ：-0.19 |
| Kレシオ | ： | -0.88 | １０／４０移動平均との相関係数 | ：-0.23 |

# 第1章 システム

損益曲線：英ポンド～灯油　Copyright 1999 Lars Kestner,LINK Financial-All rights reserved

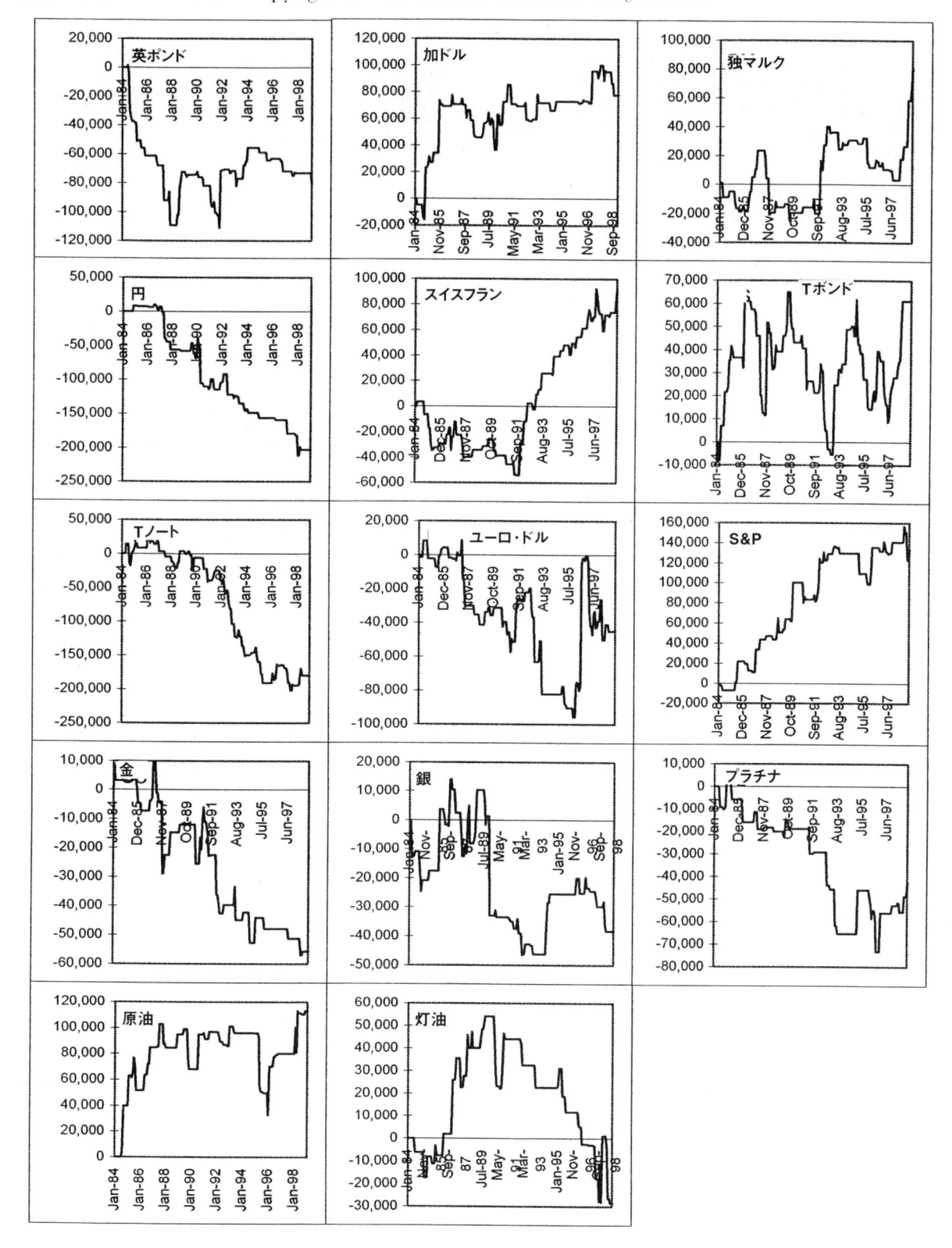

Chapter 1 **SYSTEM**

損益曲線：コーン～砂糖　Copyright 1999 Lars Kestner, LINK Financial-All rights reserved

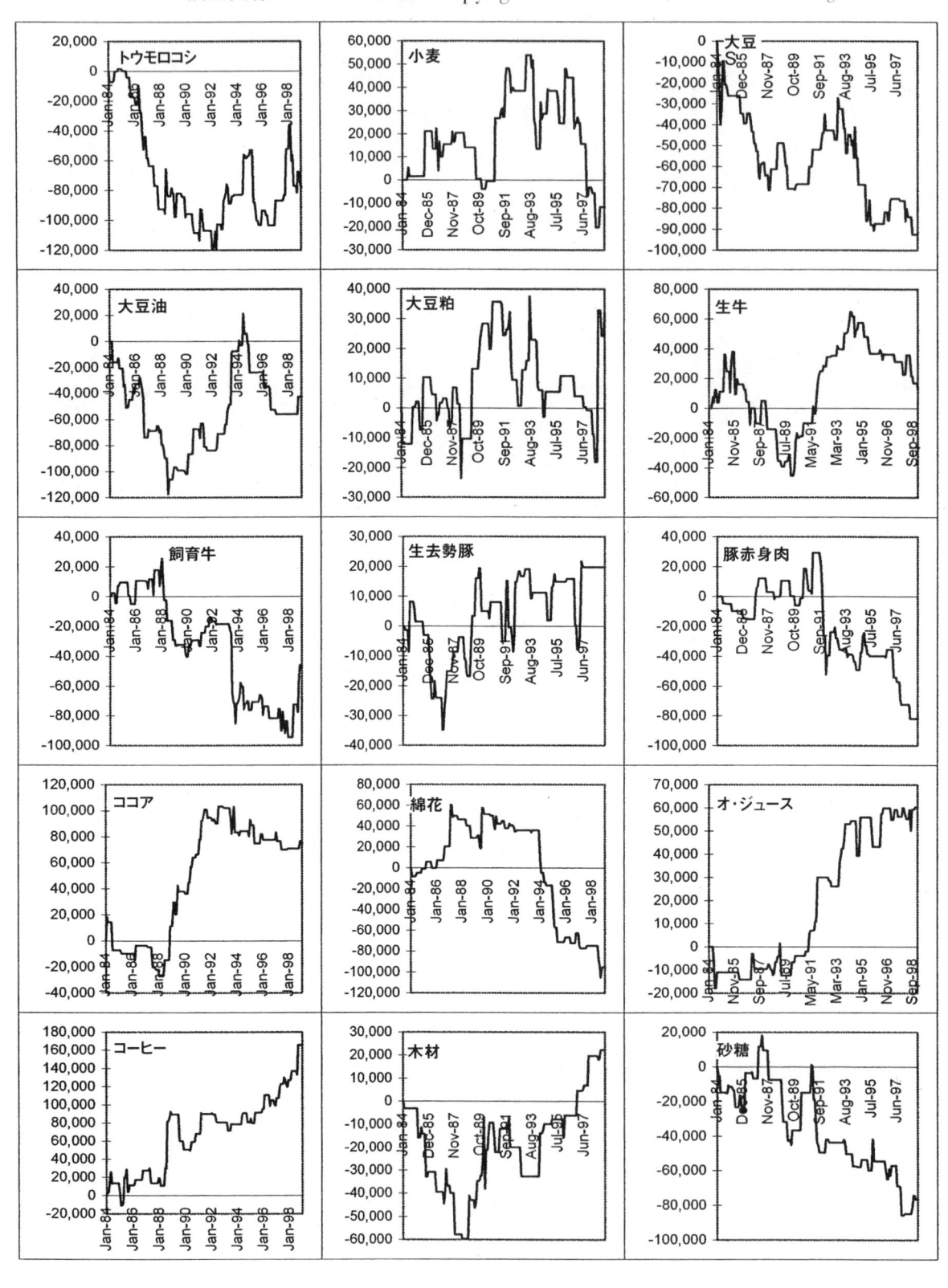

# 第1章　システム

**分類統計**

| | |
|---|---|
| システム名 | ：フィブ・キャッチャー |
| パラメータ | ：１４日高値／安値、シグナル用４日安値／高値 |
| 建玉枚数 | ：可変 |
| システムの概要 | ：１４日安値を付けたら、過去４日の高値を逆指値で買い、売りはその逆 |
| 検証期間 | ：1/1/84-12/31/98 |

Copyright 1999 Lars Kestner,LINK Financial-All rights reserved

## 市場部門による分析

| 市場部門 | 平均純益 | 平均Kレシオ | 平均シャープレシオ | 平均最大ドローダウン | 平均トレード数 | 平均勝率 | 平均損益 | 勝トレードの平均利益 | 敗トレードの平均損失 | 勝トレードの平均日数 | 敗トレードの平均日数 |
|---|---|---|---|---|---|---|---|---|---|---|---|
| 通貨 | -6,433 | -0.34 | 0.00 | -101,327 | 53 | 48 | -424 | 7,767 | -7,936 | 3 | 3 |
| 金利 | -54,458 | -1.13 | -0.04 | -144,792 | 80 | 49 | -613 | 8,280 | -9,189 | 3 | 3 |
| 株価指数 | 133,375 | 2.60 | 0.11 | -46,625 | 51 | 57 | 2,615 | 9,980 | -7,093 | 3 | 3 |
| 貴金属 | -45,513 | -1.89 | -0.07 | -73,502 | 40 | 44 | -1,191 | 5,667 | -6,508 | 3 | 3 |
| エネルギー | 42,197 | 0.23 | 0.03 | -81,092 | 47 | 45 | 866 | 10,930 | -7,295 | 3 | 3 |
| 穀物 | -38,615 | -0.24 | -0.03 | -95,832 | 61 | 48 | -559 | 7,790 | -8,399 | 3 | 3 |
| 食肉 | -24,353 | -0.43 | -0.02 | -97,308 | 61 | 48 | -428 | 7,452 | -7,765 | 3 | 3 |
| ソフト | 25,205 | 0.67 | 0.02 | -77,044 | 52 | 50 | 458 | 8,022 | -7,089 | 3 | 3 |

## 年次成績分析

| 年 | 純益 | Kレシオ | シャープレシオ |
|---|---|---|---|
| 1984 | -25,046 | -0.08 | -0.07 |
| 1985 | -40,778 | -0.32 | -0.12 |
| 1986 | 47,285 | -0.15 | 0.11 |
| 1987 | -250,493 | -2.12 | -0.29 |
| 1988 | 52,149 | 0.94 | 0.15 |
| 1989 | 12,666 | -0.16 | 0.03 |
| 1990 | 66,873 | 1.04 | 0.28 |
| 1991 | 138,748 | 0.71 | 0.28 |

| 年 | 純益 | Kレシオ | シャープレシオ |
|---|---|---|---|
| 1992 | -59,523 | -1.21 | -0.14 |
| 1993 | -110,838 | -2.09 | -0.43 |
| 1994 | 977 | 0.18 | 0.00 |
| 1995 | -273,336 | -2.21 | -0.70 |
| 1996 | 122,425 | 0.40 | 0.20 |
| 1997 | -153,852 | -2.30 | -0.53 |
| 1998 | 219,179 | 1.94 | 0.58 |

## 利益性ウインドウ

| 期間 | ウインドウ数 | 収益ウインドウ数 | 利益ウインドウ率 |
|---|---|---|---|
| 1カ月 | 180 | 89 | 49.44% |
| 3カ月 | 178 | 82 | 46.07% |
| 6カ月 | 175 | 83 | 47.43% |
| 12カ月 | 169 | 81 | 47.93% |
| 18カ月 | 163 | 76 | 46.63% |
| 24カ月 | 157 | 74 | 47.13% |

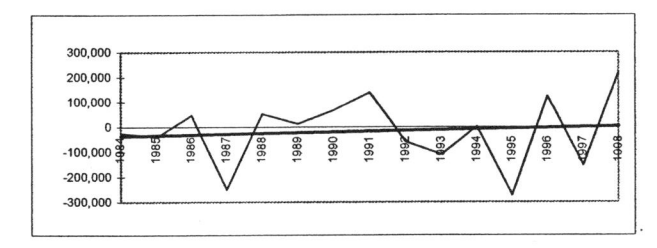

## 年次純益推移

### ⑦ジョーズ・ジェシー・リバモア（P222）

　ジョーズ・ジェシー・リバモアは、もう１つの人気が高いパターンである包み足に基づいている。包み足が発生したら、翌日に逆指値で仕掛けることになる。このシステムには逆指値と時間による２つの仕切り法がある。理想的には、包み足からの放れが主要なトレンドの開始サインとなることである。この戦略は、放れの慣性を利用してトレンドのかなりの部分を取ろうとするものである。

- 今日の安値が昨日の安値よりも安く、今日の高値が昨日の高値よりも高いなら、明日、昨日の高値を逆指値で買う。
- 明日、過去８日間の安値を逆指値で買い玉を仕切る。
- １２営業日前に買いを仕掛けたなら、今日の大引けで手仕舞う。

- 今日の安値が昨日の安値よりも安く、今日の高値が昨日の高値よりも高いなら、明日、昨日の安値を逆指値で売る。
- 明日、過去８日間の高値を逆指値で買い玉を仕切る。
- １２営業日前に売りを仕掛けたなら、今日の大引けで手仕舞う。

**結果**

　ジョーズ・ジェシー・リバモアはポートフォリオで見てわずかに利益となる程度であるが、成績が際立っている市場もある。通貨と石油関連で成績が良いのに加えて、生去勢豚と豚赤身肉でも良い成績を示している。

# 第1章 システム

トレーディング・システム評価

システム名　　　：ジョーズ・ジェシー・リバモア
パラメータ　　　：なし
建玉枚数　　　　：可変
システムの概要　：包み足のあと、上への放れで買い、下への放れで売る
検証期間　　　　：1/1/84-12/31/98　Copyright 1999 Lars Kestner, LINK Financial-All rights reserved

| | 市場 | 純益 | Kレシオ | シャープレシオ | 最大ドローダウン | トレード数 | 勝率 | 平均建玉数 | 平均損益 | 勝トレードの平均利益 | 敗トレードの平均損失 | 勝トレードの平均日数 | 敗トレードの平均日数 |
|---|---|---|---|---|---|---|---|---|---|---|---|---|---|
| 通貨 | 英ポンド | 187,956 | 2.42 | 0.07 | -77,006 | 210 | 36 | 8 | 895 | 16,425 | -7,913 | 11 | 5 |
| | 加ドル | 329,860 | 0.55 | 0.09 | -142,990 | 207 | 38 | 26 | 1,594 | 19,660 | -9,330 | 11 | 5 |
| | 独マルク | 404,800 | 2.63 | 0.13 | -109,300 | 201 | 39 | 11 | 2,014 | 17,790 | -8,202 | 11 | 5 |
| | 円 | 565,450 | 3.10 | 0.21 | -73,250 | 162 | 43 | 10 | 3,380 | 18,161 | -7,587 | 11 | 5 |
| | スイスフラン | 579,750 | 2.16 | 0.20 | -115,400 | 197 | 41 | 8 | 2,905 | 18,587 | -7,818 | 11 | 6 |
| 金利 | Tボンド | -214,000 | -1.26 | -0.07 | -331,000 | 250 | 32 | 8 | -844 | 16,375 | -9,097 | 11 | 4 |
| | Tノート | -493,375 | -5.43 | -0.19 | -556,000 | 201 | 30 | 12 | -2,455 | 13,664 | -9,478 | 10 | 5 |
| | ユーロ・ドル | -114,325 | -0.12 | -0.03 | -366,750 | 230 | 38 | 4 | -497 | 15,797 | -10,410 | 11 | 5 |
| 株価指数 | S&P | -335,150 | -2.46 | -0.11 | -568,350 | 279 | 34 | 4 | -1,197 | 13,393 | -8,850 | 11 | 5 |
| 貴金属 | 金 | -44,400 | -0.68 | -0.02 | -197,370 | 211 | 36 | 20 | -199 | 14,405 | -8,421 | 11 | 5 |
| | 銀 | -194,750 | -1.69 | -0.06 | -444,050 | 249 | 32 | 14 | -782 | 16,198 | -8,673 | 11 | 5 |
| | プラチナ | 48,025 | 0.77 | 0.02 | -145,020 | 176 | 40 | 21 | 273 | 13,588 | -8,520 | 11 | 5 |
| エネルギー | 原油 | 337,890 | 0.50 | 0.11 | -238,350 | 237 | 38 | 18 | 1,395 | 17,942 | -8,555 | 11 | 5 |
| | 灯油 | 241,878 | 1.60 | 0.08 | -167,395 | 207 | 37 | 13 | 1,128 | 17,407 | -8,317 | 11 | 5 |
| 穀物 | トウモロコシ | -205,850 | -1.74 | -0.07 | -279,525 | 174 | 33 | 38 | -1,262 | 15,112 | -9,449 | 11 | 5 |
| | 小麦 | -189,625 | -1.43 | -0.06 | -456,100 | 232 | 34 | 24 | -817 | 16,308 | -9,831 | 11 | 4 |
| | 大豆 | -175,600 | -1.58 | -0.06 | -395,850 | 249 | 38 | 15 | -705 | 13,023 | -9,174 | 11 | 5 |
| | 大豆油 | 11,364 | -0.92 | 0.00 | -240,984 | 221 | 35 | 28 | -22 | 17,093 | -9,358 | 11 | 4 |
| | 大豆粕 | -145,620 | -1.46 | -0.05 | -356,670 | 210 | 37 | 24 | -693 | 13,999 | -9,199 | 11 | 5 |
| 食肉 | 生牛 | -49,072 | -0.19 | -0.02 | -236,348 | 263 | 37 | 23 | -187 | 14,618 | -8,697 | 11 | 5 |
| | 飼育牛 | -77,532 | -1.01 | -0.03 | -308,915 | 215 | 40 | 23 | -361 | 13,800 | -9,619 | 11 | 5 |
| | 生去勢豚 | 528,556 | 3.23 | 0.19 | -110,140 | 193 | 44 | 16 | 2,739 | 16,898 | -8,405 | 11 | 5 |
| | 豚赤身肉 | 300,748 | 1.74 | 0.10 | -117,424 | 246 | 39 | 11 | 1,217 | 16,840 | -8,954 | 11 | 4 |
| ソフト | ココア | -268,170 | -0.86 | -0.09 | -310,340 | 263 | 33 | 23 | -1,065 | 13,922 | -8,601 | 11 | 4 |
| | 綿花 | -673,845 | -7.38 | -0.26 | -710,035 | 225 | 28 | 13 | -2,995 | 12,947 | -9,059 | 11 | 4 |
| | オ・ジュース | 424,530 | 1.41 | 0.15 | -172,365 | 210 | 40 | 19 | 2,022 | 16,535 | -7,654 | 11 | 5 |
| | コーヒー | 326,498 | 0.78 | 0.09 | -167,036 | 231 | 38 | 7 | 1,413 | 17,950 | -8,763 | 11 | 5 |
| | 木材 | 490,848 | 2.35 | 0.14 | -172,688 | 259 | 41 | 11 | 1,884 | 17,695 | -8,896 | 11 | 5 |
| | 砂糖 | -210,246 | -2.84 | -0.09 | -305,267 | 210 | 33 | 25 | -1,001 | 13,274 | -7,987 | 11 | 5 |
| | 平均 | 47,814 | -0.27 | 0.01 | -271,445 | 221 | 37 | 16 | 268 | 15,842 | -8,787 | 11 | 5 |

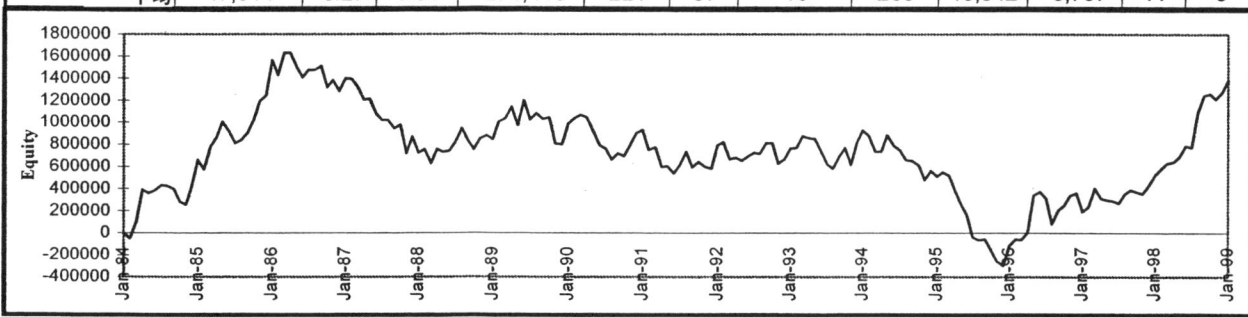

ポートフォリオ統計

純益　　　　：　1,386,592　　シャープ・レシオ　　　　　　　：0.07
ドローダウン：　-1,930,773　　ブレイクアウトとの相関係数　　：0.34
Kレシオ　　 ：　　　　-0.42　　10／40移動平均との相関係数　：0.26

Chapter 1 **SYSTEM**

損益曲線：英ポンド〜灯油　Copyright 1999 Lars Kestner.LINK Financial-All rights reserved

# 第1章　システム

損益曲線：コーン～砂糖　　Copyright 1999 Lars Kestner,LINK Financial-All rights reserved

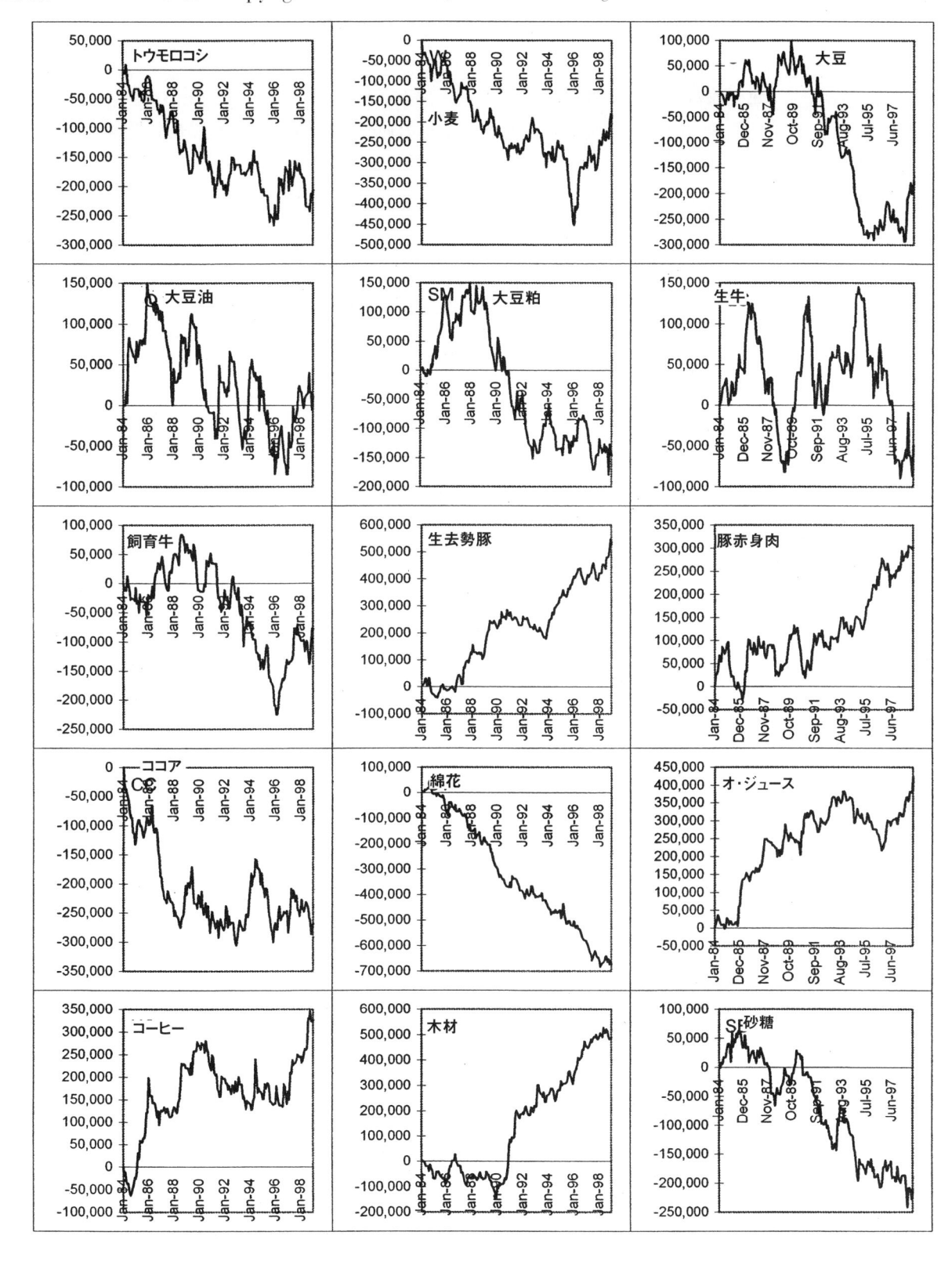

Chapter 1 **SYSTEM**

**分類統計**

システム名　　：ジョーズ・ジェシー・リバモア
パラメータ　　：なし
建玉枚数　　　：可変
システムの概要：包み足のあと、上への放れで買い、下への放れで売る
検証期間　　　：1/1/84-12/31/98

Copyright 1999 Lars Kestner,LINK Financial-All rights reserved

### 市場部門による分析

| 市場部門 | 平均純益 | 平均Kレシオ | 平均シャープレシオ | 平均最大ドローダウン | 平均トレード数 | 平均勝率 | 平均損益 | 勝トレードの平均利益 | 敗トレードの平均損失 | 勝トレードの平均日数 | 敗トレードの平均日数 |
|---|---|---|---|---|---|---|---|---|---|---|---|
| 通貨 | 413,563 | 2.17 | 0.14 | -103,589 | 195 | 39 | 2,157 | 18,125 | -8,170 | 11 | 5 |
| 金利 | -273,900 | -2.27 | -0.10 | -417,917 | 227 | 34 | -1,265 | 15,279 | -9,662 | 11 | 5 |
| 株価指数 | -335,150 | -2.46 | -0.11 | -568,350 | 279 | 34 | -1,197 | 13,393 | -8,850 | 11 | 5 |
| 貴金属 | -63,708 | -0.53 | -0.02 | -262,147 | 212 | 36 | -236 | 14,730 | -8,538 | 11 | 5 |
| エネルギー | 289,884 | 1.05 | 0.10 | -202,873 | 222 | 37 | 1,261 | 17,675 | -8,436 | 11 | 5 |
| 穀物 | -141,066 | -1.43 | -0.05 | -345,826 | 217 | 36 | -700 | 15,107 | -9,402 | 11 | 5 |
| 食肉 | 175,675 | 0.94 | 0.06 | -193,207 | 229 | 40 | 852 | 15,539 | -8,919 | 11 | 5 |
| ソフト | 14,936 | -1.09 | -0.01 | -306,289 | 233 | 35 | 43 | 15,387 | -8,493 | 11 | 5 |

### 年次成績分析

| 年 | 純益 | Kレシオ | シャープレシオ |
|---|---|---|---|
| 1984 | 660,299 | 1.00 | 0.43 |
| 1985 | 903,119 | 1.60 | 0.58 |
| 1986 | -160,098 | -0.92 | -0.11 |
| 1987 | -678,431 | -3.64 | -0.54 |
| 1988 | 120,388 | 0.86 | 0.11 |
| 1989 | 141,067 | -0.23 | 0.08 |
| 1990 | -56,031 | -0.63 | -0.06 |
| 1991 | -134,338 | -0.38 | -0.09 |

| 年 | 純益 | Kレシオ | シャープレシオ |
|---|---|---|---|
| 1992 | -29,290 | -0.10 | -0.03 |
| 1993 | 161,134 | -0.11 | 0.12 |
| 1994 | -415,513 | -2.04 | -0.42 |
| 1995 | -626,996 | -2.78 | -0.52 |
| 1996 | 307,791 | 0.86 | 0.18 |
| 1997 | 329,522 | 1.14 | 0.40 |
| 1998 | 863,970 | 3.29 | 0.77 |

### 利益性ウインドウ

| 期間 | ウインドウ数 | 収益ウインドウ数 | 利益ウインドウ率 |
|---|---|---|---|
| 1カ月 | 180 | 95 | 52.78% |
| 3カ月 | 178 | 100 | 56.18% |
| 6カ月 | 175 | 94 | 53.71% |
| 12カ月 | 169 | 91 | 53.85% |
| 18カ月 | 163 | 84 | 51.53% |
| 24カ月 | 157 | 76 | 48.41% |

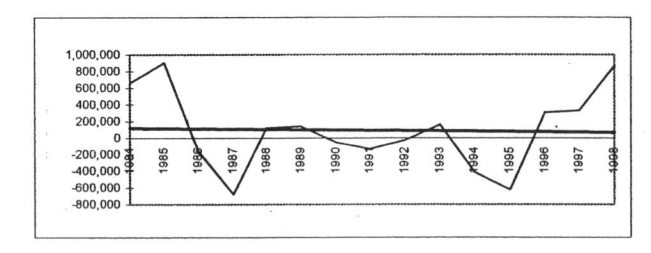

### 年次純益推移

# 第1章 システム

## H．J・ウエルス・ワイルダー著
## 『ワイルダーのテクニカル分析入門』

　『ワイルダーのテクニカル分析入門』（パンローリング刊）でウエルス・ワイルダーは、これまでに知られていない指標とトレーディング・システムからなる８つの章を提供した。アイデアの背後にある論理はとても正当で、着実で明快な説明を与えている。私は、あたかもこの作品が１９９９年に出版されたかのような印象を受けていたが、そうではなかった。それはなんと１９７８年に出版されたものだったのだ。

### ①ボラティリティ・システム（Ｐ２３）

　ワイルダーが提案するボラティリティ・システムは、一般にその兄弟分であるパラボリック・ドテン型システムと比較してあまり知られることはなかった。ボラティリティ・システムもドテン型で、最も利が乗る終値を追跡するために真の値幅（ＴＲ）という概念を用いている。買いポジションを取ったら、順行した終値でみた最高値から過去７日間の真の値幅の平均（ＡＴＲ）の３倍を引いたポイントよりも安い終値でドテン売りする。終値が、順行した終値でみた最安値に過去７日間の真の値幅の平均（ＡＴＲ）の３倍を加えたポイントよりも高ければドテン買いする。

- 今日の終値が売り玉を維持している期間中の最も安い終値に過去７日間の真の値幅の平均（ＡＴＲ）の３倍を加えた価格を上回ったら、明日の寄り付きで買う。
- 今日の終値が買い玉を維持している期間中の最も高い終値に過去７日間の真の値幅の平均（ＡＴＲ）の３倍を引いた価格を下回ったら、明日の寄り付きで売る。

**結果**

　ボラティリティ・システムはもう１つのトップクラスのシステムに分類できる。予想に違わず、通貨、金利、石油、ソフト商品など、ほとんどのトレンドフォローに対して良い反応を示す市場では目立った利益を示している。１枚当たりの平均利益は、１２１ドルである。チャネル・ブレイクアウトと移動平均システムとの相関係数は高いけれども、ボラティリティ・システムはここ２年間の成績悪化の影響を受けていないようである。

Chapter 1 SYSTEM

## トレーディング・システム評価

システム名　　：ボラティリティ・システム
パラメータ　　：利益最高点からＡＴＲの３倍
建玉枚数　　　：可変
システムの概要：利益最高点から過去７日ＡＴＲの３倍の逆行にてドテン
検証期間　　　：1/1/84-12/31/98　Copyright 1999 Lars Kestner,LINK Financial-All rights reserved

| | 市場 | 純益 | Kレシオ | シャープレシオ | 最大ドローダウン | トレード数 | 勝率 | 平均建玉数 | 平均損益 | 勝トレードの平均利益 | 敗トレードの平均損失 | 勝トレードの平均日数 | 敗トレードの平均日数 |
|---|---|---|---|---|---|---|---|---|---|---|---|---|---|
| 通貨 | 英ポンド | 420,956 | 1.35 | 0.08 | -295,300 | 133 | 35 | 8 | 3,306 | 35,006 | -14,018 | 49 | 17 |
| | 加ドル | 744,240 | 2.17 | 0.13 | -176,280 | 122 | 37 | 25 | 6,208 | 39,619 | -13,318 | 53 | 18 |
| | 独マルク | 673,663 | 1.97 | 0.14 | -172,438 | 134 | 42 | 11 | 5,146 | 31,334 | -13,655 | 48 | 14 |
| | 円 | 1,130,200 | 6.54 | 0.21 | -161,113 | 128 | 43 | 9 | 8,636 | 38,357 | -13,757 | 47 | 16 |
| | スイスフラン | 651,450 | 1.83 | 0.14 | -161,500 | 124 | 43 | 8 | 5,220 | 31,668 | -14,524 | 52 | 15 |
| 金利 | Tボンド | 519,875 | 2.19 | 0.11 | -154,125 | 122 | 40 | 9 | 4,269 | 35,824 | -16,911 | 55 | 15 |
| | Tノート | 583,125 | 2.37 | 0.12 | -184,625 | 120 | 41 | 12 | 4,900 | 36,630 | -16,998 | 55 | 15 |
| | ユーロ・ドル | 1,174,700 | 3.91 | 0.21 | -161,250 | 97 | 43 | 4 | 11,866 | 52,094 | -18,854 | 63 | 20 |
| 株価指数 | S&P | -162,450 | -1.07 | -0.03 | -403,825 | 114 | 35 | 4 | -2,121 | 26,619 | -17,656 | 58 | 19 |
| 貴金属 | 金 | 357,820 | 1.97 | 0.07 | -205,290 | 120 | 38 | 20 | 2,849 | 33,461 | -15,519 | 54 | 17 |
| | 銀 | -191,450 | -0.31 | -0.04 | -414,895 | 121 | 31 | 14 | -1,535 | 28,121 | -15,112 | 56 | 20 |
| | プラチナ | -39,050 | -0.56 | -0.01 | -400,360 | 125 | 39 | 22 | -335 | 20,493 | -13,764 | 44 | 21 |
| エネルギー | 原油 | 635,250 | 4.73 | 0.15 | -95,710 | 129 | 43 | 17 | 4,600 | 29,393 | -14,420 | 46 | 15 |
| | 灯油 | 254,318 | 0.26 | 0.05 | -281,988 | 129 | 40 | 13 | 1,654 | 27,418 | -15,744 | 45 | 18 |
| 穀物 | トウモロコシ | 527,950 | 1.40 | 0.08 | -226,250 | 128 | 35 | 43 | 3,949 | 38,992 | -15,050 | 52 | 17 |
| | 小麦 | -18,525 | -0.07 | 0.00 | -370,775 | 128 | 36 | 28 | -277 | 30,020 | -17,272 | 50 | 18 |
| | 大豆 | -387,975 | -1.49 | -0.08 | -451,250 | 138 | 31 | 16 | -2,972 | 24,084 | -15,218 | 47 | 18 |
| | 大豆油 | -28,602 | -0.62 | -0.01 | -343,098 | 130 | 31 | 30 | -421 | 33,677 | -15,576 | 55 | 18 |
| | 大豆粕 | -44,850 | -0.03 | -0.01 | -358,830 | 140 | 33 | 24 | -346 | 30,921 | -15,646 | 47 | 17 |
| 食肉 | 生牛 | -159,180 | -0.82 | -0.04 | -279,564 | 138 | 30 | 24 | -1,468 | 30,796 | -15,584 | 53 | 16 |
| | 飼育牛 | -440,185 | -0.30 | -0.09 | -480,155 | 143 | 30 | 22 | -3,059 | 30,984 | -17,698 | 51 | 16 |
| | 生去勢豚 | 289,552 | -0.28 | 0.06 | -475,072 | 124 | 37 | 16 | 2,412 | 35,297 | -16,983 | 51 | 18 |
| | 豚赤身肉 | -175,048 | -0.95 | -0.04 | -335,648 | 139 | 32 | 11 | -1,186 | 29,109 | -15,689 | 48 | 17 |
| ソフト | ココア | -683,480 | -1.61 | -0.17 | -760,370 | 141 | 29 | 23 | -5,301 | 18,644 | -15,119 | 46 | 18 |
| | 綿花 | 598,940 | 2.63 | 0.14 | -171,635 | 116 | 38 | 13 | 4,524 | 35,455 | -14,378 | 57 | 17 |
| | オ・ジュース | 558,098 | 0.98 | 0.08 | -564,308 | 133 | 34 | 18 | 4,040 | 44,260 | -16,527 | 49 | 17 |
| | コーヒー | 856,316 | 1.24 | 0.10 | -327,386 | 129 | 40 | 7 | 6,605 | 41,723 | -16,357 | 46 | 18 |
| | 木材 | -290,336 | -0.21 | -0.05 | -438,944 | 157 | 29 | 11 | -1,968 | 32,993 | -16,457 | 42 | 17 |
| | 砂糖 | 83,026 | -0.07 | 0.02 | -296,755 | 120 | 42 | 25 | 819 | 23,035 | -15,050 | 51 | 17 |
| | 平均 | 256,495 | 0.94 | 0.05 | -315,474 | 128 | 36 | 17 | 2,069 | 32,622 | -15,616 | 51 | 17 |

### ポートフォリオ統計

純益　　　　：　7,438,347　　　シャープ・レシオ　　　　　　　：0.18
ドローダウン：　-1,053,821　　　ブレイクアウトとの相関係数　　：0.89
Kレシオ　　　：　　　　2.90　　　１０／４０移動平均との相関係数：0.86

# 第1章 システム

損益曲線：英ポンド～灯油　Copyright 1999 Lars Kestner,LINK Financial-All rights reserved

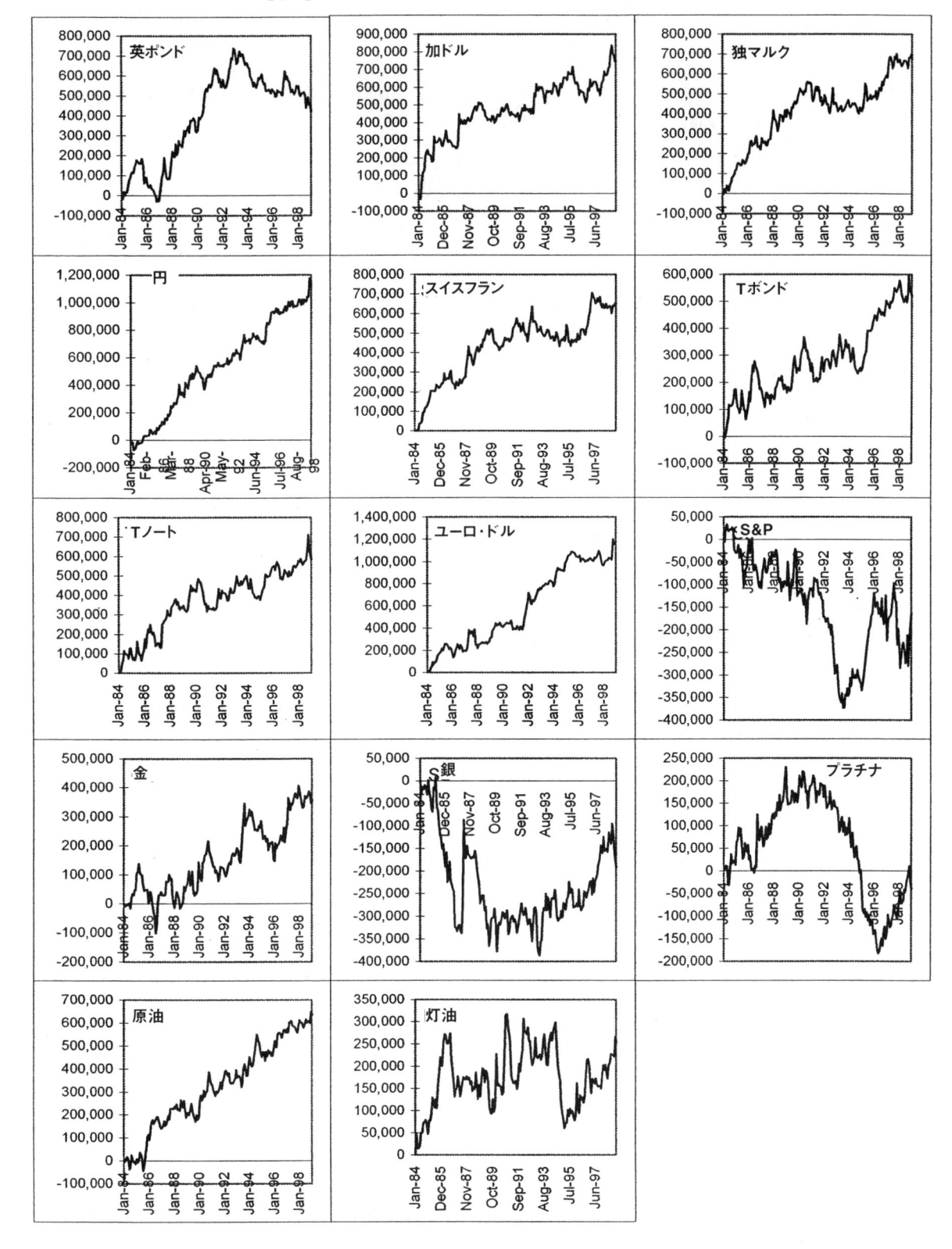

## Chapter 1 SYSTEM

**損益曲線：コーン〜砂糖**  Copyright 1999 Lars Kestner, LINK Financial-All rights reserved

# 第1章 システム

**分類統計**

| | |
|---|---|
| システム名 | ：ボラティリティ・システム |
| パラメータ | ：利益最高点からATRの3倍 |
| 建玉枚数 | ：可変 |
| システムの概要 | ：利益最高点から過去7日ATRの3倍の逆行にてドテン |
| 検証期間 | ：1/1/84-12/31/98 |

Copyright 1999 Lars Kestner,LINK Financial-All rights reserved

### 市場部門による分析

| 市場部門 | 平均純益 | 平均Kレシオ | 平均シャープレシオ | 平均最大ドローダウン | 平均トレード数 | 平均勝率 | 平均損益 | 勝トレードの平均利益 | 敗トレードの平均損失 | 勝トレードの平均日数 | 敗トレードの平均日数 |
|---|---|---|---|---|---|---|---|---|---|---|---|
| 通貨 | 724,102 | 2.77 | 0.14 | -193,326 | 128 | 40 | 5,703 | 35,197 | -13,854 | 50 | 16 |
| 金利 | 759,233 | 2.82 | 0.14 | -166,667 | 113 | 41 | 7,012 | 41,516 | -17,588 | 58 | 17 |
| 株価指数 | -162,450 | -1.07 | -0.03 | -403,825 | 114 | 35 | -2,121 | 26,619 | -17,656 | 58 | 19 |
| 貴金属 | 42,440 | 0.37 | 0.01 | -340,182 | 122 | 36 | 326 | 27,358 | -14,798 | 51 | 20 |
| エネルギー | 444,784 | 2.49 | 0.10 | -188,849 | 129 | 42 | 3,127 | 28,405 | -15,082 | 46 | 16 |
| 穀物 | 9,600 | -0.16 | 0.00 | -350,041 | 133 | 33 | -13 | 31,539 | -15,752 | 50 | 18 |
| 食肉 | -121,215 | -0.59 | -0.03 | -392,610 | 136 | 32 | -826 | 31,547 | -16,489 | 51 | 17 |
| ソフト | 187,094 | 0.49 | 0.02 | -426,566 | 133 | 35 | 1,453 | 32,685 | -15,648 | 48 | 17 |

### 年次成績分析

| 年 | 純益 | Kレシオ | シャープレシオ |
|---|---|---|---|
| 1984 | 961,669 | 1.57 | 0.35 |
| 1985 | 1,090,029 | 1.87 | 0.36 |
| 1986 | -284,368 | -0.57 | -0.09 |
| 1987 | 2,465,678 | 4.27 | 0.79 |
| 1988 | 675,185 | 0.93 | 0.14 |
| 1989 | 44,824 | -0.28 | 0.02 |
| 1990 | 229,745 | 0.49 | 0.10 |
| 1991 | 682,096 | 0.69 | 0.27 |

| 年 | 純益 | Kレシオ | シャープレシオ |
|---|---|---|---|
| 1992 | -192,878 | 0.11 | -0.08 |
| 1993 | 502,820 | 0.44 | 0.25 |
| 1994 | 171,071 | 0.81 | 0.08 |
| 1995 | 465,467 | 0.19 | 0.25 |
| 1996 | 65,385 | 0.57 | 0.02 |
| 1997 | 443,433 | 0.01 | 0.18 |
| 1998 | 118,191 | 0.81 | 0.04 |

### 利益性ウインドウ

| 期間 | ウインドウ数 | 収益ウインドウ数 | 利益ウインドウ率 |
|---|---|---|---|
| 1カ月 | 180 | 95 | 52.78% |
| 3カ月 | 178 | 108 | 60.67% |
| 6カ月 | 175 | 123 | 70.29% |
| 12カ月 | 169 | 135 | 79.88% |
| 18カ月 | 163 | 149 | 91.41% |
| 24カ月 | 157 | 152 | 96.82% |

### 年次純益推移

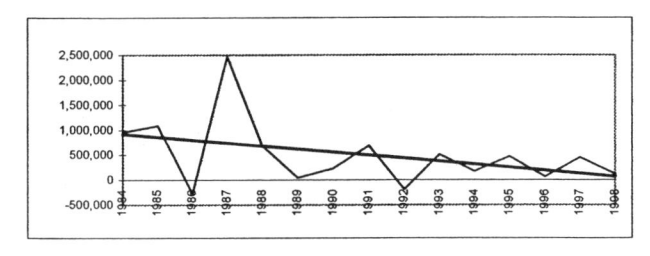

### ②方向性指標（P35）

　私がワイルダーの本で検証を行った最後のシステムは方向性指標で、今日でも市場分析に用いられる概念である。相場の動きは、正の方向性指標（＋ＤＩ）と負の方向性指標（－ＤＩ）とに分けられる。正の方向性指標が負の方向性指標を上抜くと買いサインが発生する。正の方向性指標が負の方向性指標を下抜くと売りサインが発生する。１４日方向性指標比率（ＡＤＸＲ）が２５よりも大きいときにのみサインを採用する。

- 今日の正の１４日方向性指標（＋ＤＩ）が負の１４日方向性指標（－ＤＩ）を上抜き、今日の１４日ＡＤＸＲが２５よりも大きければ、明日の寄り付きで買う。
- 今日の正の１４日方向性指標（＋ＤＩ）が負の１４日方向性指標（－ＤＩ）を下抜けば、明日の寄り付きで買い玉を手仕舞う。
- 今日の負の１４日方向性指標（－ＤＩ）が正の１４日方向性指標（＋ＤＩ）を上抜き、今日の１４日ＡＤＸＲが２５よりも大きければ、明日の寄り付きで売る。
- 今日の負の１４日方向性指標（－ＤＩ）が正の１４日方向性指標（＋ＤＩ）を下抜けば、明日の寄り付きで売り玉を手仕舞う。

**結果**
　ワイルダーの方向性指標の有効性についてはしばしば耳にすることである。ここでの結果は、そうした見解を支持するものではない。面白いことに、５つある通貨のうちたったの２つでしか利益にならない。それは、このようなトレンドフォロー型システムの中ではとても奇妙なことである。加えて、ソフト商品のすべてが利益になっておらず、トレンドフォロー型システムから予想される結果から考えて、極めて例外的である。

# 第1章 システム

トレーディング・システム評価

システム名　　　：方向性指標
パラメータ　　　：１４日＋ＤＩ、１４日－ＤＩ、１４日ＡＤＸＲ
建玉枚数　　　　：可変
システムの概要　：＋ＤＩが－ＤＩを上抜いたら買い、下抜いたら売る。ただしＡＤＸ
　　　　　　　　　Ｒは２５よりも大きい。
検証期間　　　　：1/1/84-12/31/98　Copyright 1999 Lars Kestner,LINK Financial-All rights reserved

| | 市場 | 純益 | Kレシオ | シャープレシオ | 最大ドローダウン | トレード数 | 勝率 | 平均建玉数 | 平均損益 | 勝トレードの平均利益 | 敗トレードの平均損失 | 勝トレードの平均日数 | 敗トレードの平均日数 |
|---|---|---|---|---|---|---|---|---|---|---|---|---|---|
| 通貨 | 英ポンド | -165,363 | -2.06 | -0.08 | -211,263 | 92 | 24 | 7 | -1,797 | 13,537 | -6,617 | 17 | 5 |
| | 加ドル | -290,000 | -1.67 | -0.13 | -307,530 | 80 | 30 | 22 | -3,625 | 10,266 | -9,578 | 18 | 6 |
| | 独マルク | -103,038 | -1.10 | -0.04 | -334,938 | 105 | 33 | 10 | -981 | 16,202 | -9,573 | 28 | 5 |
| | 円 | 239,213 | 0.51 | 0.08 | -132,638 | 112 | 30 | 7 | 2,136 | 22,964 | -6,943 | 19 | 6 |
| | スイスフラン | 203,775 | 1.12 | 0.07 | -115,088 | 102 | 29 | 8 | 1,998 | 27,018 | -8,427 | 33 | 5 |
| 金利 | Tボンド | 238,750 | 1.12 | 0.08 | -100,125 | 117 | 36 | 8 | 2,041 | 20,693 | -8,405 | 24 | 6 |
| | Tノート | -236,000 | -3.72 | -0.13 | -318,625 | 96 | 33 | 12 | -2,458 | 10,406 | -8,891 | 18 | 6 |
| | ユーロ・ドル | 345,325 | 1.88 | 0.11 | -132,000 | 102 | 38 | 4 | 3,386 | 23,487 | -9,058 | 28 | 6 |
| 株価指数 | S&P | -225,975 | -2.00 | -0.11 | -362,250 | 104 | 22 | 4 | -2,362 | 16,685 | -7,771 | 16 | 5 |
| 貴金属 | 金 | -170,520 | -1.99 | -0.09 | -258,830 | 88 | 30 | 18 | -1,938 | 11,669 | -7,644 | 21 | 6 |
| | 銀 | -202,265 | -1.54 | -0.11 | -205,685 | 86 | 26 | 12 | -2,352 | 11,231 | -7,021 | 20 | 7 |
| | プラチナ | -267,260 | -3.90 | -0.14 | -285,285 | 94 | 29 | 20 | -2,843 | 7,959 | -7,196 | 17 | 5 |
| エネルギー | 原油 | 380,770 | 1.12 | 0.11 | -138,250 | 91 | 36 | 16 | 4,347 | 24,835 | -7,310 | 24 | 5 |
| | 灯油 | 136,504 | 0.85 | 0.05 | -159,197 | 76 | 34 | 12 | 1,764 | 20,421 | -7,937 | 24 | 6 |
| 穀物 | トウモロコシ | -328,000 | -4.21 | -0.17 | -361,675 | 90 | 22 | 40 | -3,644 | 14,036 | -8,696 | 22 | 6 |
| | 小麦 | 116,800 | 1.30 | 0.07 | -74,700 | 66 | 36 | 25 | 1,770 | 15,350 | -5,990 | 24 | 7 |
| | 大豆 | -201,275 | -1.19 | -0.11 | -235,125 | 83 | 29 | 14 | -2,425 | 10,429 | -7,654 | 20 | 6 |
| | 大豆油 | -17,382 | -1.16 | -0.01 | -153,954 | 97 | 37 | 27 | -179 | 13,613 | -8,319 | 22 | 5 |
| | 大豆粕 | -206,380 | -3.32 | -0.15 | -251,630 | 68 | 32 | 23 | -3,035 | 7,046 | -7,856 | 15 | 6 |
| 食肉 | 生牛 | -95,616 | -0.77 | -0.05 | -194,580 | 70 | 27 | 22 | -1,366 | 20,048 | -9,344 | 29 | 5 |
| | 飼育牛 | -356,224 | -2.93 | -0.15 | -359,062 | 99 | 26 | 20 | -3,598 | 12,321 | -9,268 | 20 | 5 |
| | 生去勢豚 | -191,384 | -2.28 | -0.09 | -212,436 | 94 | 24 | 15 | -2,036 | 12,512 | -6,749 | 20 | 5 |
| | 豚赤身肉 | 134,092 | 1.09 | 0.06 | -145,040 | 79 | 37 | 12 | 1,697 | 19,280 | -8,501 | 25 | 6 |
| ソフト | ココア | -149,060 | -2.64 | -0.09 | -158,120 | 63 | 29 | 19 | -2,366 | 9,515 | -7,118 | 20 | 6 |
| | 綿花 | -144,500 | -1.07 | -0.06 | -236,280 | 108 | 30 | 14 | -1,338 | 14,377 | -7,955 | 19 | 5 |
| | オ・ジュース | -71,273 | -0.85 | -0.02 | -285,218 | 90 | 27 | 17 | -792 | 24,735 | -10,074 | 31 | 6 |
| | コーヒー | -51,998 | -0.11 | -0.02 | -290,749 | 91 | 24 | 7 | -571 | 22,848 | -8,038 | 30 | 6 |
| | 木材 | -27,744 | 0.71 | -0.01 | -145,264 | 85 | 24 | 10 | -326 | 23,782 | -7,744 | 25 | 6 |
| | 砂糖 | -184,598 | -1.99 | -0.09 | -229,566 | 90 | 34 | 24 | -2,051 | 10,954 | -8,884 | 20 | 5 |
| | 平均 | -65,194 | -1.06 | -0.04 | -220,521 | 90 | 30 | 15 | -791 | 16,145 | -8,088 | 22 | 6 |

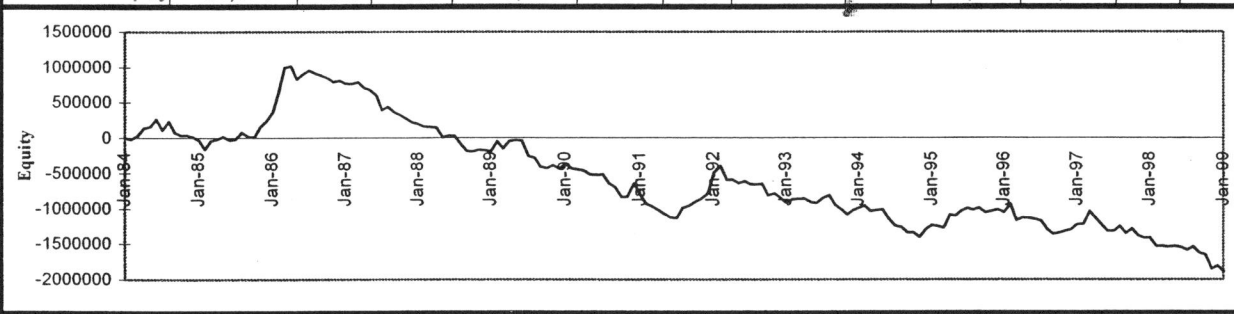

### ポートフォリオ統計

純益　　　　：-1,890,625　　シャープ・レシオ　　　　　　　　：-0.12
ドローダウン：-2,903,894　　ブレイクアウトとの相関係数　　　：0.34
Kレシオ　　　：-2.09　　　　１０／４０移動平均との相関係数　：0.31

## Chapter 1 SYSTEM

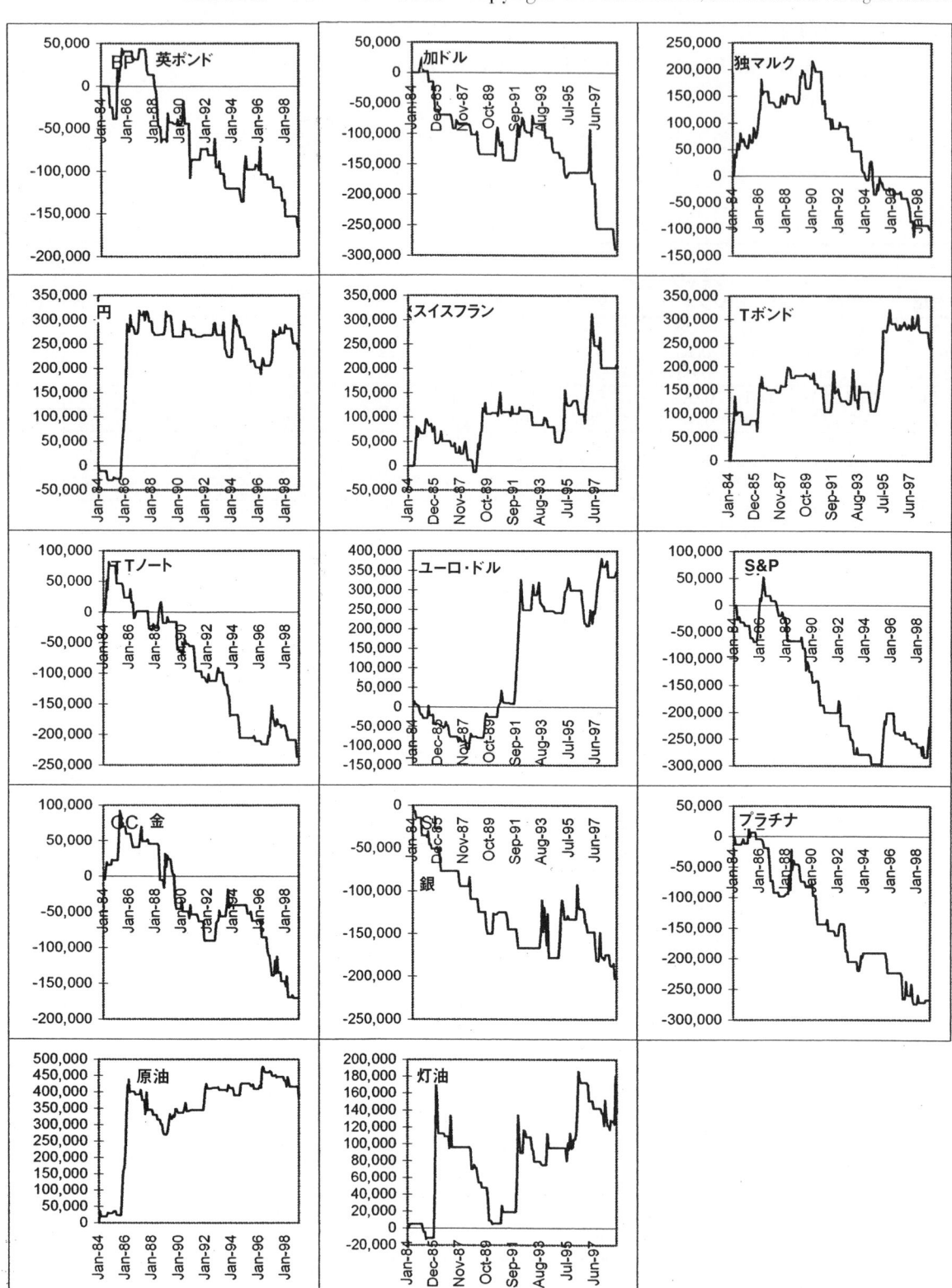

### 損益曲線：英ポンド〜灯油　Copyright 1999 Lars Kestner,LINK Financial-All rights reserved

# 第1章 システム

損益曲線：コーン～砂糖　　Copyright 1999 Lars Kestner, LINK Financial-All rights reserved

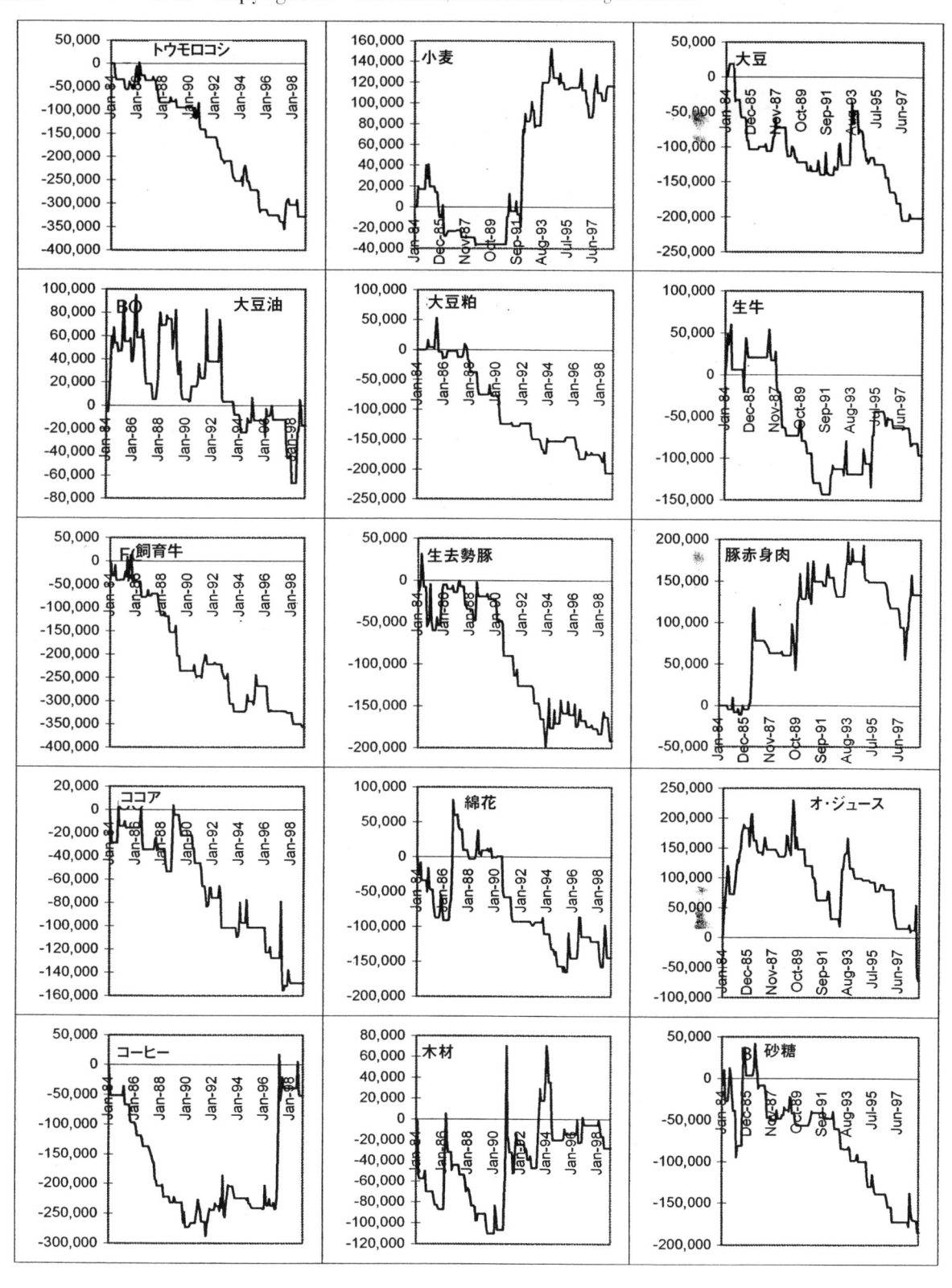

### 分類統計

| | |
|---|---|
| システム名 | ：方向性指標 |
| パラメータ | ：１４日＋ＤＩ、１４日－ＤＩ、１４日ＡＤＸＲ |
| 建玉枚数 | ：可変 |
| システムの概要 | ：＋ＤＩが－ＤＩを上抜いたら買い、下抜いたら売る。ただしＡＤＸＲは２５よりも大きい。 |
| 検証期間 | ：1/1/84-12/31/98 |

Copyright 1999 Lars Kestner,LINK Financial-All rights reserved

### 市場部門による分析

| 市場部門 | 平均純益 | 平均Kレシオ | 平均シャープレシオ | 平均最大ドローダウン | 平均トレード数 | 平均勝率 | 平均損益 | 勝トレードの平均利益 | 敗トレードの平均損失 | 勝トレードの平均日数 | 敗トレードの平均日数 |
|---|---|---|---|---|---|---|---|---|---|---|---|
| 通貨 | -23,083 | -0.64 | -0.02 | -220,291 | 98 | 29 | -454 | 17,997 | -8,228 | 23 | 5 |
| 金利 | 116,025 | -0.24 | 0.02 | -183,583 | 105 | 36 | 989 | 18,195 | -8,785 | 23 | 6 |
| 株価指数 | -225,975 | -2.00 | -0.11 | -362,250 | 104 | 22 | -2,362 | 16,685 | -7,771 | 16 | 5 |
| 貴金属 | -213,348 | -2.47 | -0.11 | -249,933 | 89 | 28 | -2,378 | 10,286 | -7,287 | 19 | 6 |
| エネルギー | 258,637 | 0.98 | 0.08 | -148,723 | 84 | 35 | 3,056 | 22,628 | -7,623 | 24 | 6 |
| 穀物 | -127,247 | -1.72 | -0.07 | -215,417 | 81 | 31 | -1,503 | 12,095 | -7,703 | 21 | 6 |
| 食肉 | -127,283 | -1.22 | -0.06 | -227,779 | 86 | 29 | -1,326 | 16,040 | -8,465 | 24 | 5 |
| ソフト | -104,862 | -0.99 | -0.05 | -224,199 | 88 | 28 | -1,241 | 17,702 | -8,302 | 24 | 6 |

### 年次成績分析

| 年 | 純益 | Kレシオ | シャープレシオ |
|---|---|---|---|
| 1984 | -33,121 | -0.09 | -0.03 |
| 1985 | 395,797 | 1.41 | 0.38 |
| 1986 | 403,982 | 0.25 | 0.23 |
| 1987 | -569,319 | -3.94 | -0.74 |
| 1988 | -389,023 | -2.88 | -0.58 |
| 1989 | -172,955 | -1.26 | -0.14 |
| 1990 | -433,421 | -2.02 | -0.40 |
| 1991 | 306,314 | 0.48 | 0.23 |

| 年 | 純益 | Kレシオ | シャープレシオ |
|---|---|---|---|
| 1992 | -425,657 | -2.43 | -0.44 |
| 1993 | -66,534 | -0.82 | -0.09 |
| 1994 | -250,779 | -1.66 | -0.29 |
| 1995 | 183,270 | 1.09 | 0.24 |
| 1996 | -179,006 | -1.28 | -0.16 |
| 1997 | -183,598 | -1.22 | -0.17 |
| 1998 | -476,576 | -1.88 | -0.56 |

### 利益性ウインドウ

| 期間 | ウインドウ数 | 収益ウインドウ数 | 利益ウインドウ率 |
|---|---|---|---|
| 1カ月 | 180 | 75 | 41.67% |
| 3カ月 | 178 | 60 | 33.71% |
| 6カ月 | 175 | 52 | 29.71% |
| 12カ月 | 169 | 41 | 24.26% |
| 18カ月 | 163 | 45 | 27.61% |
| 24カ月 | 157 | 43 | 27.39% |

### 年次純益推移

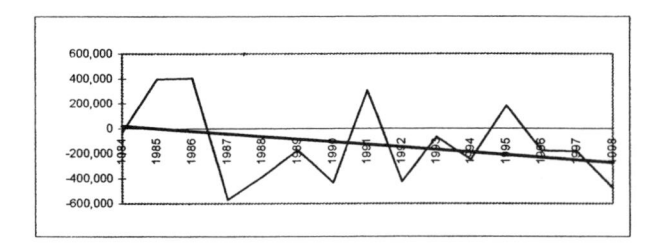

# 第2章
# 評価

evaluation

# 第2章　評価

**複数枚数取引システムの成績一覧（売買コスト0）**

| システム | 考案者 | 純益 | Kレシオ | シャープレシオ |
|---|---|---:|---:|---:|
| 40／20ドンチャン・チャネル・ブレイクアウト | ドンチャン | 11,798,689 | 5.83 | 0.28 |
| 10／40移動平均交差 | ドンチャン | 10,267,988 | 4.58 | 0.24 |
| 14日相対力指数 | 対照標準 | -10,029,396 | -6.37 | -0.23 |
| 20日モメンタム | 対照標準 | 11,540,064 | 5.69 | 0.27 |
| 14日スロー%Kストキャスティック | 対照標準 | -7,744,562 | -4.01 | -0.22 |
| ボックスのブレイクアウト逆張り法（10日） | バーンズ | -7,648,731 | -2.23 | -0.27 |
| ボックスのブレイクアウト逆張り法（40日） | バーンズ | -9,633,699 | -2.83 | -0.28 |
| DRV利食い法 | バーンズ | -10,034,855 | -4.53 | -0.26 |
| オシレーター法 | バーンズ | 2,788,584 | 0.09 | 0.08 |
| ADXフィルターを併用したオシレーター法 | バーンズ | 6,470,756 | 1.49 | 0.20 |
| ストキャスティックの破裂 | バーンスタイン | -2,424,626 | -2.43 | -0.13 |
| ストキャスティックの破裂（ケストナーによる修正版） | バーンスタイン | -1,222,118 | -1.32 | -0.06 |
| 1日（週）の重要な時間（ケストナーによる修正版） | バーンスタイン | 4,998,044 | 3.50 | 0.21 |
| DEMA：2つの指数移動平均 | バーンスタイン | 3,155,650 | 0.59 | 0.09 |
| 5日%Fと3日移動平均との交差 | シャンデ | -9,707,277 | -3.24 | -0.28 |
| 20日%Fと10日移動平均との交差 | シャンデ | -8,923,513 | -5.66 | -0.27 |
| 0.2と0.1のVIDYAの交差 | シャンデ | 9,987,749 | 2.59 | 0.23 |
| 8日Qスティックと8日移動平均との交差 | シャンデ | -11,979,954 | -7.44 | -0.39 |
| 20日Qスティックと20日移動平均との交差 | シャンデ | -1,399,501 | -0.97 | -0.04 |
| 移動平均交差を併用したシャンデのモメンタム・オシレーター | シャンデ | -4,179,988 | -3.20 | -0.14 |
| 強さ1のTDライン抜き | デマーク | 4,392,750 | 4.50 | 0.24 |
| 強さ3のTDライン抜き | デマーク | 3,856,829 | 2.81 | 0.23 |
| RSIによる穏やかな買われ過ぎ／売られ過ぎ | デマーク | -854,407 | -0.37 | -0.05 |
| 移動平均フィルターを併用したREIによる穏やかな買われ過ぎ／売られ過ぎ | デマーク | -652,197 | -0.68 | -0.07 |
| 移動平均フィルターを併用したデマーカーによる穏やかな買われ過ぎ／売られ過ぎ | デマーク | 314,746 | 0.51 | 0.06 |
| 買われ過ぎ／売られ過ぎ移動平均システム | デマーク | -8,569,503 | -4.56 | -0.27 |
| アルファ＝0.03による尖度 | イェンセン | -11,083,674 | -5.38 | -0.36 |
| アルファ＝0.10による尖度 | イェンセン | -11,158,192 | -4.50 | -0.38 |
| FSRS | イェンセン | -2,798,757 | -1.81 | -0.09 |
| 1−2−3反転システム | イェンセン | -8,792,078 | -3.05 | -0.30 |
| ワンナイト・スタンド | クルトシンガー | 4,665,622 | 4.99 | 0.46 |
| ジョーズ・テキサス2ステップ（3日移動平均） | クルトシンガー | -20,104,162 | -5.30 | -0.60 |
| ジョーズ・テキサス2ステップ（10日移動平均） | クルトシンガー | -5,672,685 | -4.25 | -0.18 |
| ジョーズ・クオーター・パウンダー | クルトシンガー | 7,038,317 | 4.41 | 0.25 |
| ジョーズ・ギャップ | クルトシンガー | -2,432,953 | -3.09 | -0.13 |
| フィブ・キャッチャー | クルトシンガー | 1,386,592 | -0.42 | 0.07 |
| ジョーズ・ジェシー・リバモア | クルトシンガー | -253,563 | -0.88 | -0.04 |
| ボラティリティ・システム | ワイルダー | 7,438,347 | 2.90 | 0.18 |
| 方向性指標 | ワイルダー | -1,890,625 | -2.09 | -0.12 |
|  | 平均 | -1,772,315 | -0.93 | -0.05 |
|  | パーセント＞0 | 38% | 36% | 38% |
|  | パーセント＜0 | 62% | 64% | 62% |

## Chapter 2 EVALUATION

### 複数枚数取引システムによる純益の順位表（売買コスト0）

| システム | 考案者 | 純益 |
| --- | --- | --- |
| 40／20ドンチャン・チャネル・ブレイクアウト | ドンチャン | 11,798,689 |
| 20日モメンタム | 対照標準 | 11,540,064 |
| 10／40移動平均交差 | ドンチャン | 10,267,988 |
| 0．2と0．1のVIDYAの交差：動的平均の可変指標 | シャンデ | 9,987,749 |
| ボラティリティ・システム | ワイルダー | 7,438,347 |
| ジョーズ・クオーター・パウンダー | クルトシンガー | 7,038,317 |
| ADXフィルターを併用したオシレーター法 | バーンズ | 6,470,756 |
| 1日（週）の重要な時間（ケストナーによる修正版） | バーンスタイン | 4,998,044 |
| ワンナイト・スタンド | クルトシンガー | 4,665,622 |
| 強さ1のTDライン抜き | デマーク | 4,392,750 |
| 強さ3のTDライン抜き | デマーク | 3,856,829 |
| DEMA：2つの指数移動平均 | バーンスタイン | 3,155,650 |
| オシレーター法 | バーンズ | 2,788,584 |
| ジョーズ・ジェシー・リバモア | クルトシンガー | 1,386,592 |
| 移動平均フィルターを併用したデマーカーによる穏やかな買われ過ぎ／売られ過ぎ | デマーク | 314,746 |
| フィブ・キャッチャー | クルトシンガー | -253,563 |
| 移動平均フィルターを併用したREIによる穏やかな買われ過ぎ／売られ過ぎ | デマーク | -652,197 |
| RSIによる穏やかな買われ過ぎ／売られ過ぎ | デマーク | -854,407 |
| ストキャスティックの破裂（ケストナーによる修正版） | バーンスタイン | -1,222,118 |
| 20日Qスティックと20日移動平均との交差 | シャンデ | -1,399,501 |
| 方向性指標 | ワイルダー | -1,890,625 |
| ストキャスティックの破裂 | バーンスタイン | -2,424,626 |
| ジョーズ・ギャップ | クルトシンガー | -2,432,953 |
| FSRS | イェンセン | -2,798,757 |
| 移動平均交差を併用したシャンデのモメンタム・オシレーター | シャンデ | -4,179,988 |
| ジョーズ・テキサス2ステップ（10日移動平均） | クルトシンガー | -5,672,685 |
| ボックスのブレイクアウト逆張り法（10日） | バーンズ | -7,648,731 |
| 14日スロー%Kストキャスティック | 対照標準 | -7,744,562 |
| 買われ過ぎ／売られ過ぎ移動平均システム | デマーク | -8,569,503 |
| 1-2-3反転システム | イェンセン | -8,792,078 |
| 20日%Fと10日移動平均との交差 | シャンデ | -8,923,513 |
| ボックスのブレイクアウト逆張り法（40日） | バーンズ | -9,633,699 |
| 5日%Fと3日移動平均との交差 | シャンデ | -9,707,277 |
| 14日相対力指数 | 対照標準 | -10,029,396 |
| DRV利食い法 | バーンズ | -10,034,855 |
| アルファ＝0．03による尖度 | イェンセン | -11,083,674 |
| アルファ＝0．10による尖度 | イェンセン | -11,158,192 |
| 8日Qスティックと8日移動平均との交差 | シャンデ | -11,979,954 |
| ジョーズ・テキサス2ステップ（3日移動平均） | クルトシンガー | -20,104,162 |

# 第2章　評価

**純益の度数分布**

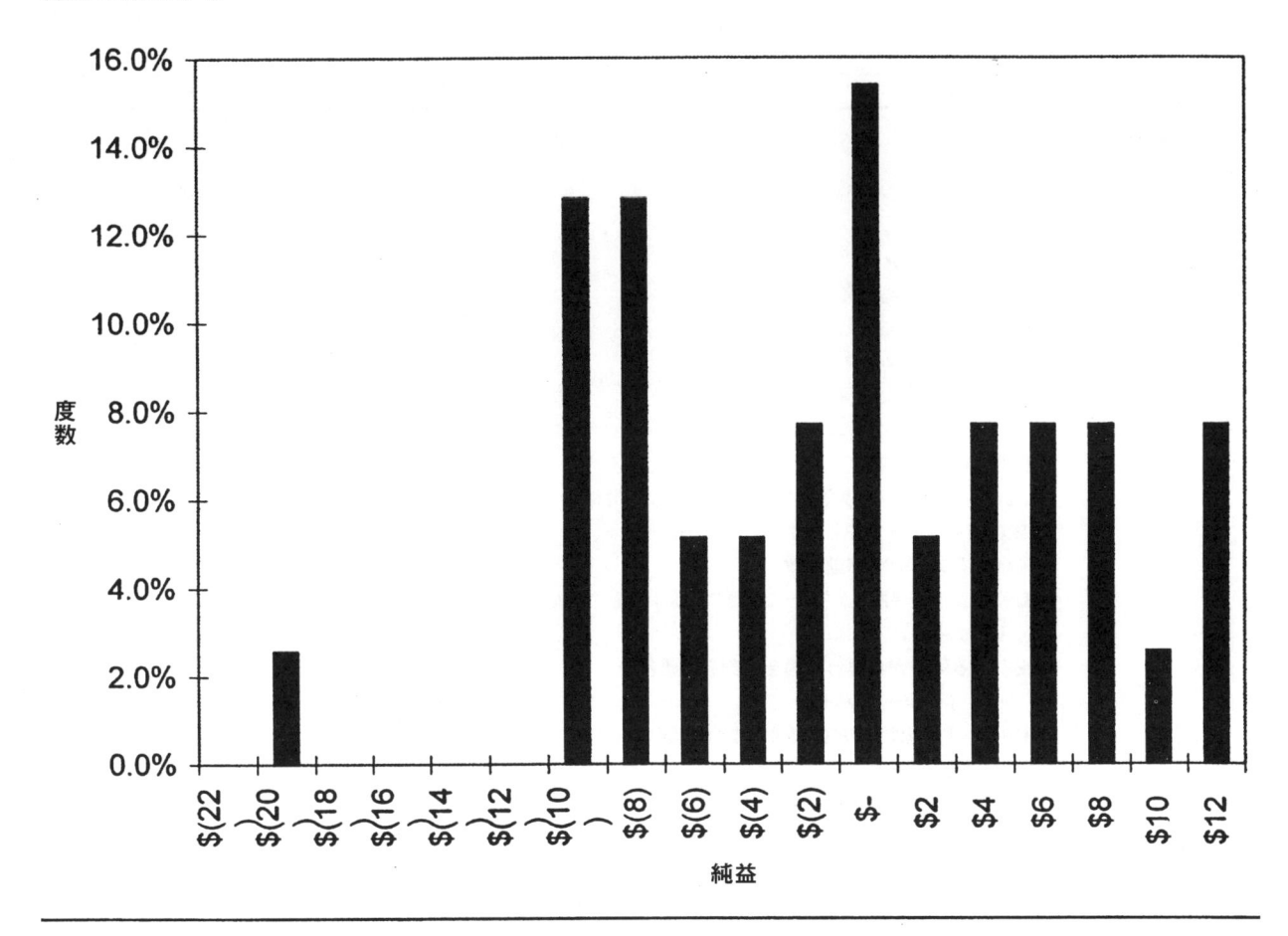

純益

### 複数枚数取引システムによるKレシオの順位表（売買コスト0）

| システム | 考案者 | Kレシオ |
| --- | --- | --- |
| 40／20ドンチャン・チャネル・ブレイクアウト | ドンチャン | 5.83 |
| 20日モメンタム | 対照標準 | 5.69 |
| ワンナイト・スタンド | クルトシンガー | 4.99 |
| 10／40移動平均交差 | ドンチャン | 4.58 |
| 強さ1のTDライン抜き | デマーク | 4.50 |
| ジョーズ・クオーター・パウンダー | クルトシンガー | 4.41 |
| 1日（週）の重要な時間（ケストナーによる修正版） | バーンスタイン | 3.50 |
| ボラティリティ・システム | ワイルダー | 2.90 |
| 強さ3のTDライン抜き | デマーク | 2.81 |
| 0.2と0.1のVIDYAの交差：動的平均の可変指標 | シャンデ | 2.59 |
| ADXフィルターを併用したオシレーター法 | バーンズ | 1.49 |
| DEMA：2つの指数移動平均 | バーンスタイン | 0.59 |
| 移動平均フィルターを併用したデマーカーによる穏やかな買われ過ぎ／売られ過ぎ | デマーク | 0.51 |
| オシレーター法 | バーンズ | 0.09 |
| RSIによる穏やかな買われ過ぎ／売られ過ぎ | デマーク | -0.37 |
| ジョーズ・ジェシー・リバモア | クルトシンガー | -0.42 |
| 移動平均フィルターを併用したREIによる穏やかな買われ過ぎ／売られ過ぎ | デマーク | -0.68 |
| フィブ・キャッチャー | クルトシンガー | -0.88 |
| 20日Qスティックと20日移動平均との交差 | シャンデ | -0.97 |
| ストキャスティックの破裂（ケストナーによる修正版） | バーンスタイン | -1.32 |
| FSRS | イェンセン | -1.81 |
| 方向性指標 | ワイルダー | -2.09 |
| ボックスのブレイクアウト逆張り法（10日） | バーンズ | -2.23 |
| ストキャスティックの破裂 | バーンスタイン | -2.43 |
| ボックスのブレイクアウト逆張り法（40日） | バーンズ | -2.83 |
| 1－2－3反転システム | イェンセン | -3.05 |
| ジョーズ・ギャップ | クルトシンガー | -3.09 |
| 移動平均交差を併用したシャンデのモメンタム・オシレーター | シャンデ | -3.20 |
| 5日％Fと3日移動平均との交差 | シャンデ | -3.24 |
| 14日スロー％Kストキャスティック | 対照標準 | -4.01 |
| ジョーズ・テキサス2ステップ（10日移動平均） | クルトシンガー | -4.25 |
| アルファ＝0.10による尖度 | イェンセン | -4.50 |
| DRV利食い法 | バーンズ | -4.53 |
| 買われ過ぎ／売られ過ぎ移動平均システム | デマーク | -4.56 |
| ジョーズ・テキサス2ステップ（3日移動平均） | クルトシンガー | -5.30 |
| アルファ＝0.03による尖度 | イェンセン | -5.38 |
| 20日％Fと10日移動平均との交差 | シャンデ | -5.66 |
| 14日相対力指数 | 対照標準 | -6.37 |
| 8日Qスティックと8日移動平均との交差 | シャンデ | -7.44 |

第2章 評価

Kレシオの度数分布

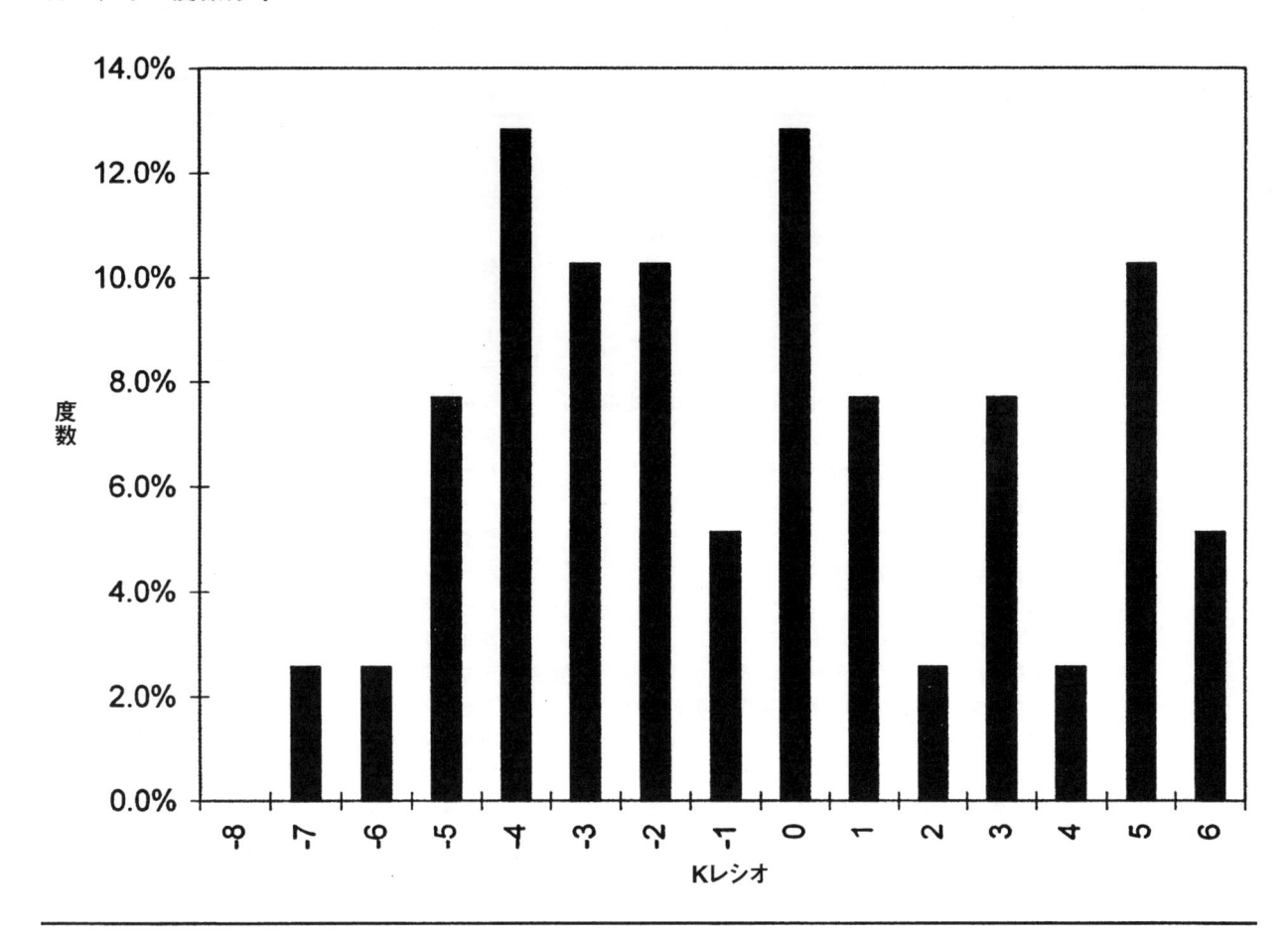

## Chapter 2 EVALUATION

複数枚数取引システムによるシャープ・レシオの順位表（売買コスト０）

| システム | 考案者 | シャープレシオ |
|---|---|---|
| ワンナイト・スタンド | クルトシンガー | 0.46 |
| 40／20ドンチャン・チャネル・ブレイクアウト | ドンチャン | 0.28 |
| 20日モメンタム | 対照標準 | 0.27 |
| ジョーズ・クオーター・パウンダー | クルトシンガー | 0.25 |
| 10／40移動平均交差 | ドンチャン | 0.24 |
| 強さ1のTDライン抜き | デマーク | 0.24 |
| 0.2と0.1のVIDYAの交差：動的平均の可変指標 | シャンデ | 0.23 |
| 強さ3のTDライン抜き | デマーク | 0.23 |
| 1日(週)の重要な時間(ケストナーによる修正版) | バーンスタイン | 0.21 |
| ADXフィルターを併用したオシレーター法 | バーンズ | 0.20 |
| ボラティリティ・システム | ワイルダー | 0.18 |
| DEMA：2つの指数移動平均 | バーンスタイン | 0.09 |
| オシレーター法 | バーンズ | 0.08 |
| ジョーズ・ジェシー・リバモア | クルトシンガー | 0.07 |
| 移動平均フィルターを併用したデマーカーによる穏やかな買われ過ぎ／売られ過ぎ | デマーク | 0.06 |
| 20日Qスティックと20日移動平均との交差 | シャンデ | -0.04 |
| フィブ・キャッチャー | クルトシンガー | -0.04 |
| RSIによる穏やかな買われ過ぎ／売られ過ぎ | デマーク | -0.05 |
| ストキャスティックの破裂(ケストナーによる修正版) | バーンスタイン | -0.06 |
| 移動平均フィルターを併用したREIによる穏やかな買われ過ぎ／売られ過ぎ | デマーク | -0.07 |
| FSRS | イェンセン | -0.09 |
| 方向性指標 | ワイルダー | -0.12 |
| ストキャスティックの破裂 | バーンスタイン | -0.13 |
| ジョーズ・ギャップ | クルトシンガー | -0.13 |
| 移動平均交差を併用したシャンデのモメンタム・オシレーター | シャンデ | -0.14 |
| ジョーズ・テキサス2ステップ(10日移動平均) | クルトシンガー | -0.18 |
| 14日スロー％Kストキャスティック | 対照標準 | -0.22 |
| 14日相対力指数 | 対照標準 | -0.23 |
| DRV利食い法 | バーンズ | -0.26 |
| ボックスのブレイクアウト逆張り法(10日) | バーンズ | -0.27 |
| 20日％Fと10日移動平均との交差 | シャンデ | -0.27 |
| 買われ過ぎ／売られ過ぎ移動平均システム | デマーク | -0.27 |
| ボックスのブレイクアウト逆張り法(40日) | バーンズ | -0.28 |
| 5日％Fと3日移動平均との交差 | シャンデ | -0.28 |
| 1－2－3反転システム | イェンセン | -0.30 |
| アルファ＝0.03による尖度 | イェンセン | -0.36 |
| アルファ＝0.10による尖度 | イェンセン | -0.38 |
| 8日Qスティックと8日移動平均との交差 | シャンデ | -0.39 |
| ジョーズ・テキサス2ステップ(3日移動平均) | クルトシンガー | -0.60 |

# 第2章　評価

シャープ・レシオの度数分布

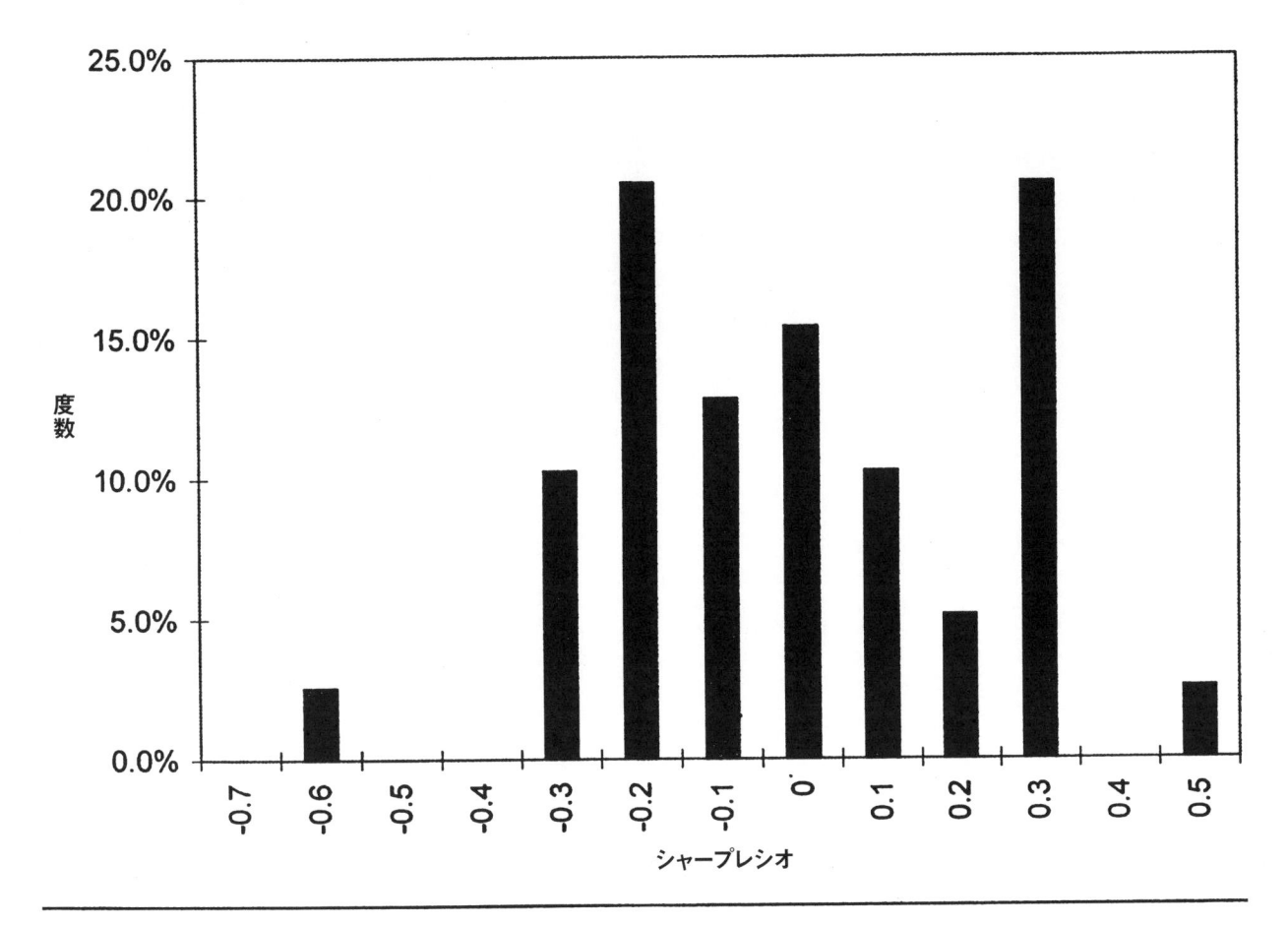

# 第3章
# 結論

# 第3章　結論

## 検証したシステムの全体的な成績に関するコメント

　これらのページから分かる最初の事実は、良いシステムと悪いシステムが存在するということである。手数料とスリッページの売買コストを控除する**前**で考えて、３９の戦略のうちたったの３８％しか利益にならなかった。恐らくいくらか自己裁量を入れることにより結果を改善できるかもしれないが、大抵のケースで、収支トントンの結果を得るだけでも、とても多くの改良を加える必要があるだろう。こういった事実は今日、本で書かれている戦略について何を物語っているのだろうか。**それは読者が用心深くなるべきだということだと思う**。読んだり聞いたりした戦略で売買する前に下調べをしてほしい。資金を委ねる前に過去データを用いて検証してほしい。読者自身で検証できないなら、誰か検証できる人を探すことはとても価値のあることだと思う。未来に全力投入する前に、過去を確認してほしい。

　標準対照システムのうちの３つが純益リストの上位１位、２位、３位を占めている。４０／２０チャネル・ブレイクアウトは１１８０万ドルの収益を上げ、２０日モメンタムは１１５０万ドル、１０／４０移動平均交差は１０３０万ドルの収益であった。７人の著者のうちの１人が現れてくるのはリストの４番目からである。比較的利益になっているシステムは、トム・デマークのＴＤライン抜き、シャンデのＶＩＤＹＡ、クルトシンガーのワンナイト・スタンドとクオーター・パウンダー、バーンズのＡＤＸフィルターを併用したオシレーター手法、ワイルダーのボラティリティ・システムである。その他のシステムの結果はゾッとしてしまうくらい悪いもので、ルールを正反対にすることにより、実行可能な売買戦略を作れるかもしれない。その良い例は、１４日相対力指数、バーンズのＤＲＶ利食法、シャンデの８日Ｑスティック、イェンセンの１－２－３反転システムである。

　興味深いことに、純益リストの上位５番目までにランクされているアイデアは、本質的にはトレンドフォロー型に分類できる。これらの結果から確実に言えることは、少なくともポートフォリオの観点からは、「トレンドはフレンドである」ということである。戦略の性質に依存して、ある市場部門の成績が良い傾向があるのは明白なようだ。通貨、石油関連商品、金利、ソフト商品はとりわけトレンドフォロー型の戦略で良い成績を示している。Ｓ＆Ｐ５００、食肉、穀物、金属は一般的にトレンドフォロー的なアイデアに対して良くない成績を示す。したがって、市場を取捨選択することによって、ポートフォリオの全体的な成績を改善することができる。これまでの戦略のいくつかを２つもしくは３つの市場部門に限って適用することにより、マイナスの成績をプラスにすることができたはずだ。しかし、類似した市場で売買することは、分散投資の大きなメリットを失うことにつながることを覚えていてほしい。

## これからどうするべきか

　本書の結果は「希望の地」へとわれわれを導いてくれるはずだ。恐らく答えは単純

## Chapter 3 CONCLUSION

さにある。チャネル・ブレイクアウト、移動平均交差、２０日モメンタムはとても単純な３つの戦略である。これらの戦略は、成績チャートの上位も占めている。ある特定の市場部門（通貨、石油、金利、ソフト商品）を単純なトレンドフォロー型システムで売買することは、利益になる売買法の１つのようだ。これらの長期システムはトレード数を少なく抑える傾向があり、結果として手数料とスリッページを最小限にとどめ、利益を守っている。

　この本に関して質問やコメントをお持ちになるか、独自の検証、プログラミングに興味がおありなら、気軽に手紙をくれて構わない。すべての手紙に即座にお答えしたいと思う。この本が読者にとって興味深く啓発的であったことを祈っている。私自身にとってそうであったように。最後に読者の素晴らしいトレードをお祈りする。

# 付録1
# イージー・ランゲージによるコード

appendix

# 付録1　イージー・ランゲージによるコード

### 40／20ドンチャン・チャネル・ブレイクアウト

INPUT : Multi(1), EntryDay(40), ExitDays(20);
VAR : Cons(0);

IF Multi = 1 THEN
　Cons = 5000 / ( StdDev( Close - Close[1], 30 ) * BigPointValue )
　ELSE
　　Cons = 1;

IF Cons < 1 THEN Cons = 1;

Buy ("Breakout Buy") Cons Contracts Next Bar at Highest(High, EntryDay) Stop;
Sell ("Breakout Sell") Cons Contracts Next Bar at Lowest(Low, EntryDay) Stop;

ExitLong ("Breakout Exit-Ln") Next Bar at Lowest(Low, ExitDays) Stop;
ExitShort ("Breakout Exit-Sh") Next Bar at Highest(High, ExitDays) Stop;

### 10／40移動平均交差

INPUT: Multi(1), MAShort(10), MALong(40);
VAR: Cons(0);

IF Multi = 1 THEN
　Cons = 5000 / ( StdDev(Close - Close[1], 30) * BigPointValue)
　ELSE
　　Cons = 1;

IF Cons < 1 THEN Cons = 1;

IF Average(Close, MAShort) > Average(Close,
　MALong) THEN
　　Buy ("MA Buy") Cons Contracts Next Bar at Market;

IF Average(Close, MAShort) < Average(Close,
　MALong) THEN
　　Sell ("MA Sell") Cons Contracts Next Bar at
　　　Market;

### 14日相対力指数

INPUT : Multi(1), Length(14), Thres(35);
VAR : Cons(0);

IF Multi = 1 THEN Cons = 5000 / ( StdDev( Close - Close[1], 30 ) * BigPointValue )
　ELSE
　　Cons = 1;

IF Cons < 1 THEN Cons = 1;

IF RSI(Close,Length)<Thres THEN
　Buy ("RSI Buy") Cons Contracts Next Bar at Market;

## APPENDIX 1

```
IF RSI(Close,Length)>(100-Thres) THEN
   Sell ("RSI Sell") Cons Contracts Next Bar at Market;
```

### 20日モメンタム

```
INPUT : Multi(1), Length(20);
VAR : Cons(0);

IF Multi = 1 THEN Cons = 5000 / ( StdDev( Close - Close[1], 30 ) * BigPointValue )
   ELSE
      Cons = 1;

IF Cons < 1 THEN Cons = 1;
IF Close>Close[Length] THEN
   Buy ("Momentum Buy") Cons Contracts Next Bar at Market;

IF Close<Close[Length] THEN
   Sell ("Momentum Sell") Cons Contracts Next Bar at Market;
```

### 14日スロー%Kストキャスティック

```
INPUT : Multi(1), Length(14), Thres(25);
VAR : Cons(0);

IF Multi = 1 THEN Cons = 5000 / ( StdDev( Close - Close[1], 30 ) * BigPointValue )
   ELSE
      Cons = 1;

IF Cons < 1 THEN Cons = 1;

IF SlowK(Length)>Thres AND SlowK(Length)[1]<Thres THEN
   Buy ("Stoch Buy") Cons Contracts Next Bar at Market;

IF SlowK(Length)<(100-Thres) AND SlowK(Length)[1]>(100-Thres) THEN
   Sell ("Stoch Sell") Cons Contracts Next Bar at Market;
```

### ボックスのブレイクアウト逆張り法(10日)

```
INPUT : Multi(1), Channel(10);
VAR : Cons(0), ChRange(0);

IF Multi = 1 THEN Cons = 5000 / ( StdDev( Close - Close[1], 30 ) * BigPointValue )
   ELSE
      Cons = 1;

IF Cons < 1 THEN Cons = 1;

IF Low=Lowest(Low,Channel) THEN
   Buy ("Box Contra Buy") Cons Contracts Next Bar at Market;

IF High=Highest(High,Channel) THEN
   Sell ("Box Contra Sell") Cons Contracts Next Bar at Market;
```

# 付録1　イージー・ランゲージによるコード

ChRange=(Close-Lowest(Low,Channel))/(Highest(High,Channel)-Lowest(Low,Channel));

IF ChRange<0.6 THEN
　ExitShort This Bar on Close;

IF ChRange>0.4 THEN
　ExitLong This Bar on Close;

## DRV利食い法

INPUT : Multi(1), Length(14);
VAR : Cons(0), DRV(0);

IF Multi = 1 THEN Cons = 5000 / ( StdDev( Close - Close[1], 30 ) * BigPointValue )
　ELSE
　　Cons = 1;

IF Cons < 1 THEN Cons = 1;

DRV=XAverage(Close-Close[1],10)/XAverage(AbsValue(Close-Close[1]),10);

IF DRV>-0.4 AND DRV[1]<-0.4 THEN
　Buy ("DRV Buy") Cons Contracts Next Bar at Market;

IF DRV<0.4 AND DRV[1]>0.4 THEN
　Sell ("DRV Sell") Cons Contracts Next Bar at Market;

## オシレーター法

INPUT : Multi(1), Length1(10), Length2(40);
VAR : Cons(0), Osc(0);

IF Multi = 1 THEN Cons = 5000 / ( StdDev( Close - Close[1], 30 ) * BigPointValue )
　ELSE
　　Cons = 1;

IF Cons < 1 THEN Cons = 1;

Osc=Average(Close,10)-Average(Close,40);

IF Osc<Osc[1] THEN
　Sell ("Osc Sell") Cons Contracts Next Bar at Market;

IF Osc>Osc[1] THEN
　Buy ("Osc Buy") Cons Contracts Next Bar at Market;

## ADXフィルターを併用したオシレーター法

INPUT : Multi(1), Length1(10), Length2(40);
VAR : Cons(0), Osc(0);

## APPENDIX I

```
IF Multi = 1 THEN Cons = 5000 / ( StdDev( Close - Close[1], 30 ) * BigPointValue )
  ELSE
    Cons = 1;

IF Cons < 1 THEN Cons = 1;

Osc=Average(Close,10)-Average(Close,40);

IF Osc<Osc[1] AND ADX(14)<30 THEN
  Sell ("Osc Sell") Cons Contracts Next Bar at Market;

IF Osc>Osc[1] AND ADX(14)<30 THEN
  Buy ("Osc Buy") Cons Contracts Next Bar at Market;

IF Osc>Osc[1] THEN ExitShort Next Bar at Market;
IF Osc<Osc[1] THEN ExitLong Next Bar at Market;
```

### ストキャスティックの破裂

```
INPUT: Multi(1), Thrshld(25), Length(14);
VAR: Cons(0);

IF Multi=1 THEN
  Cons = 5000 / ( StdDev( Close - Close[1], 30) * BigPointValue)
  ELSE
    Cons = 1;

IF Cons < 1 THEN Cons = 1;

IF FastK(Length) > (100 - Thrshld) AND
   FastK(Length)[1] < (100 - Thrshld) AND
   FastK(Length) > SlowK(Length) THEN
     Buy ("S-Pop Buy") Cons Contracts Next Bar at Market;

IF FastK(Length) < Thrshld AND FastK(Length)[1] >
   Thrshld AND FastK(Length) < SlowK(Length)
   THEN
     Sell ("S-Pop Sell")  Cons Contracts Next Bar at Market;

IF FastK(Length) < FastD(Length) THEN
  ExitLong ("S-Pop Ln Exit") Next Bar at Market;

IF FastK(Length) > FastD(Length) THEN
  ExitShort ("S-Pop Sh Exit") Next Bar at Market;
```

### ストキャスティックの破裂(ラーズ・ケストナーによる修正版)

```
INPUT: Multi(1), Thrshld(25), Length(14);
VAR: Cons(0);

IF Multi=1 THEN
  Cons = 5000 / ( StdDev( Close - Close[1], 30) * BigPointValue)
```

# 付録1　イージー・ランゲージによるコード

```
    ELSE
      Cons = 1;

IF Cons < 1 THEN Cons = 1;

IF SlowK(Length) > (100 - Thrshld) AND
   SlowK(Length)[1] < (100 - Thrshld) AND
   SlowK(Length) > SlowD(Length) THEN
      Buy ("S-Pop2 Buy") Cons Contracts Next Bar at Market;

IF SlowK(Length) < Thrshld AND
   SlowK(Length)[1] > Thrshld AND
   SlowK(Length) < SlowD(Length)  THEN
      Sell ("S-Pop2 Sell") Cons Contracts Next Bar at Market;

IF SlowK(Length) < SlowD(Length) THEN
   ExitLong ("S-Pop2 Exit-Ln") Next Bar at Market;

IF SlowK(Length) > SlowD(Length) THEN
   ExitShort ("S-Pop2 Exit-Sh") Next Bar at Market;
```

**1日(週)の重要な時間(ラーズ・ケストナーによる修正版)**

```
INPUT : Multi(1);
VAR : Cons(0), YestDate(0), BuyPoint(99999), SellPoint(-99999);

IF Multi = 1 THEN
   Cons = 5000 / ( StdDev(Close - Close[1], 30) * BigPointValue)
   ELSE
      Cons = 1;

IF Cons < 1 THEN Cons = 1;

IF DayofWeek(Date) = 1 and YestDate=5 THEN
   BEGIN
     BuyPoint = Highest(High, 2);
     SellPoint = Lowest(Low, 2);
   END;

IF DayofWeek(Date)=1 and YestDate<>5 THEN
   BEGIN
     BuyPoint = 99999;
     SellPoint = -99999;
   END;

IF DayofWeek(Date)<>5 THEN
   BEGIN
     Buy ("CTOD Buy") Cons Contracts Next Bar at   BuyPoint Stop;
     Sell ("CTOD Sell") Cons Contracts Next Bar at   SellPoint Stop;
   END;

IF DayofWeek(Date)=5 THEN
   BEGIN
```

# APPENDIX I

```
    ExitLong ("CTOD L-Exit") This Bar on Close;
    ExitShort ("CTOD S-Exit") This Bar on Close;
  END;

YestDate = DayofWeek(Date);
```

## DEMA：2つの指数移動平均

```
INPUT: Multi(1), MAShort(8), MALong(18), MADiff(9);
VAR : Cons(0), Difference(0);

IF Multi=1 THEN
  Cons = 5000 / ( StdDev(Close - Close[1], 30) * BigPointValue)
  ELSE
    Cons=1;

IF Cons < 1 THEN Cons = 1;

Difference = XAverage(Close, MAShort) - XAverage(Close, MALong);

IF Difference > XAverage(XAverage(Close,
  MAShort) - XAverage(Close, MALong), MADiff)
  THEN
    Buy ("DEMA Buy") Cons Contracts Next Bar at Market;

IF Difference < XAverage(XAverage(Close,
  MAShort) - XAverage(Close, MALong), MADiff)
  THEN
    Sell ("DEMA Sell") Cons Contracts Next Bar at Market;
```

## 5日%Fと3日移動平均との交差

```
INPUT : Multi(1), RegBars(5), MATrig(3);
VAR: Cons(0), PercentF(0);

IF Multi=1 THEN
  Cons = 5000 / ( StdDev( Close - Close[1], 30) * BigPointValue)
  ELSE
    Cons = 1;

IF Cons < 1 THEN Cons = 1;

PercentF = 100 * (Close - LinearRegValue(Close, 5,
        0)) / Close;

IF PercentF > Average(PercentF, MATrig) THEN
  Buy ("%F Buy") Cons Contracts Next Bar at Market;

IF PercentF < Average(PercentF, MATrig) THEN
  Sell ("%F Sell") Cons Contracts Next Bar at Market;
```

# 付録1　イージー・ランゲージによるコード

**0.2と0.1のVIDYAの交差：動的平均の可変指標**

```
INPUT: Multi(1), AShort(0.20), ALong(0.10);
VAR: Cons(0), K(0), VIDYAShort(0), VIDYALong(0);

IF Multi = 1 THEN
  Cons = 5000 / ( StdDev( Close - Close[1], 30) * BigPointValue)
  ELSE
    Cons = 1;

IF Cons < 1 THEN Cons = 1;

K = StdDev(Close, 20) / Average(StdDev(Close, 20), 20);

IF AShort*K > 1 THEN
  K = 1 / ALong;

IF BarNumber = 1 THEN
  BEGIN
    VIDYAShort = XAverage(Close, 9);
    VIDYALong = XAverage(Close, 19);
  END
  ELSE
    BEGIN
      VIDYAShort = (AShort*k)*Close + (1-(AShort*k))*VIDYAShort[1];
      VIDYALong = (ALong*k)*Close + (1-(ALong*k))*VIDYALong[1];
    END;

IF VIDYAShort > VIDYALong THEN
  Buy ("VIDYA Buy") Cons Contracts Next Bar at Market;

IF VIDYAShort < VIDYALong THEN
  Sell ("VIDYA Sell") Cons Contracts Next Bar at Market;
```

**8日Qスティックと8日移動平均との交差**

```
INPUT: Multi(1), QLen(8), AvgLen(8);
VAR: Cons(0), QStick(0), QAvg(0);

IF Multi=1 THEN
  Cons = 5000 / ( StdDev( Close - Close[1], 30) * BigPointValue)
  ELSE
    Cons = 1;

IF Cons < 1 THEN Cons = 1;

QStick = Average(Close - Open, QLen);
QAvg = Average(QStick, AvgLen);

IF QStick > QAvg THEN
  Buy ("QStick Buy") Cons Contracts Next Bar at Market;

IF QStick < QAvg THEN
```

# APPENDIX I

Sell ("QStick Sell") Cons Contracts Next Bar at Market;

## 移動平均交差を併用したシャンデのモメンタム・オシレーター

```
INPUT: Multi(1), CMOLen(10), AvgLen(10);
VAR: Cons(0), X(0), CMO(0), UpMomentum(0), DownMomentum(0);

IF Multi=1 THEN
   Cons = 5000 / ( StdDev(Close - Close[1], 30) * BigPointValue)
   ELSE
      Cons = 1;

IF Cons < 1 THEN Cons = 1;

UpMomentum = 0;
DownMomentum = 0;

FOR X= 0 TO CMOLen - 1
   BEGIN
      IF Close[X] > Close[X+1] THEN
         UpMomentum = UpMomentum + Close[X] - Close[X+1]
      ELSE
         DownMomentum = DownMomentum + Close[X] - Close[X+1];
   END;

CMO = 100 * (UpMomentum + DownMomentum) /  (UpMomentum - DownMomentum);

IF CMO > Average(CMO, AvgLen) THEN
   Buy ("CMO Buy") Cons Contracts Next Bar at Market;

IF CMO < Average(CMO, AvgLen) THEN
   Sell ("CMO Sell") Cons Contracts Next Bar at Market;
```

## 強さ1のTDライン抜き

```
INPUT: Multi(1), TDStr(1);
VAR: Cons(0), LastLow(0), LastLowBar(0), SecondLow(0), SecondLowBar(0), LastHigh(0), LastHighBar(0),
SecondHigh(0), SecondHighBar(0);

VAR: TDLowLine(0), TDHighLine(0), TDQual1Buy(FALSE), TDQual1Sell(FALSE), TDQual2Buy(FALSE),
TDQual2Sell(FALSE), TDQual3Buy(FALSE), TDQual3Sell(FALSE);

VAR: BuyCondition(FALSE), SellCondition(FALSE), TLLowest(0), TLLowestBar(0);

VAR: BuyDiff(0), BuyTarget(0), BuyLoss(0), TLHighest(0), TLHighestBar(0), SellDiff(0), SellTarget(0),
SellLoss(0);

VAR: SlopeUpLine(0), SlopeDownLine(0), TDOldBuy(0), TDOldSell(0);

IF Multi = 1 THEN
   Cons = 5000 / ( StdDev( Close - Close[1], 30) * BigPointValue)
   ELSE
```

## 付録1　イージー・ランゲージによるコード

```
    Cons = 1;

IF Cons < 1 THEN Cons = 1;

LastLow = SwingLow(1, Low, TDStr, 50);
LastLowBar = SwingLowBar(1, Low, TDStr, 50);
SecondLow = SwingLow(2, Low, TDStr, 50);
SecondLowBar = SwingLowBar(2, Low, TDStr, 50);

IF LastLowBar > 50 THEN
   LastLowBar = 50;

IF SecondLowBar > 50 THEN
   SecondLowBar = 50;


LastHigh = SwingHigh(1, High, TDStr, 50);
LastHighBar = SwingHighBar(1, High, TDStr, 50);
SecondHigh = SwingHigh(2, High, TDStr, 50);
SecondHighBar = SwingHighBar(2, High, TDStr, 50);

IF LastHighBar > 50 THEN
   LastHighBar = 50;

IF SecondHighBar > 50 THEN
   SecondHighBar = 50;

TDLowLine = TLValue( SecondLow, SecondLowBar, LastLow, LastLowBar, 0);

TDHighLine = TLValue( SecondHigh, SecondHighBar, LastHigh, LastHighBar, 0);

TDQual1Buy = Close < Close[1];
TDQual1Sell = Close > Close[1];

TDQual2Buy=True;
TDQual2Sell=True;

TDQual3Buy = TDHighLine > MaxList( Close - Low, Close - Close[1]) + Close;

TDQual3Sell = TDLowLine < Close - MaxList( High - Close, Close[1] - Close);

BuyCondition = TDHighLine <> 0 AND
   LastHigh < SecondHigh AND High < TDHighLine
   AND (TDQual1Buy=TRUE OR
   TDQual2Buy=TRUE OR TDQual3Buy=TRUE);

SellCondition = TDLowLine <> 0 AND LastLow >
   SecondLow AND Low > TDLowLine AND
   (TDQual1Sell = TRUE OR TDQual2Sell=TRUE
   OR TDQual3Sell=TRUE);

IF BuyCondition = TRUE THEN
   Buy ("TD Line Buy") Cons Contracts Next Bar at TDHighLine Stop;

IF SellCondition = TRUE THEN
```

## APPENDIX I

```
    Sell ("TD Line Sell") Cons Contracts Next Bar at TDLowLine Stop;

IF BuyCondition = TRUE AND MarketPosition<>1 THEN
  BEGIN
    TLLowest = Lowest( Low, SecondHighBar);
    TLLowestBar = LowestBar( Low, SecondHighBar);

    IF TLLowestBar > 50 THEN
      TLLowestBar = 50;

    SlopeDownLine = (LastHigh - SecondHigh) / (LastHighBar - SecondHighBar);

    TDOldBuy = TDHighLine + SlopeDownLine * TLLowestBar;

    BuyDiff = TDOldBuy - TLLowest;

    IF BuyDiff < 0 THEN BuyDiff = 0;

    BuyTarget = TDHighLine + BuyDiff;
    BuyLoss = TDHighLine - BuyDiff;
  END;

IF SellCondition = TRUE AND MarketPosition <> -1 THEN
  BEGIN
    TLHighest = Highest( High, SecondLowBar);
    TLHighestBar = HighestBar( High, SecondLowBar);

    IF TLHighestBar > 50 THEN
      TLHighestBar = 50;

    SlopeUpLine = (LastLow - SecondLow) / (LastLowBar - SecondLowBar);

    TDOldSell = TDLowLine + SlopeUpLine * TLHighestBar;

    SellDiff = TLHighest - TDOldSell;

    IF SellDiff < 0 THEN SellDiff = 0;

    SellTarget = TDLowLine - SellDiff;
    SellLoss = TDLowLine + SellDiff;
  END;

ExitLong ("TD Profit Ex-Ln") Next Bar at BuyTarget Limit;
ExitLong ("TD Loss Ex-Ln") Next Bar at BuyLoss Stop;

ExitShort ("TD Profit Ex-Sh") Next Bar at SellTarget Limit;
ExitShort ("TD Loss Ex-Sh") Next Bar at SellLoss Stop;
```

**RSIによる穏やかな買われ過ぎ／売られ過ぎ**

```
INPUT: Multi(1), RSILen(14), DaysLen(5);
VAR: Cons(0), BuyCondition(FALSE), SellCondition(FALSE);
```

# 付録1　イージー・ランゲージによるコード

```
IF Multi = 1 THEN
  Cons = 5000 / ( StdDev( Close - Close[1], 30) * BigPointValue)
  ELSE
    Cons = 1;

IF Cons < 1 THEN Cons = 1;

IncludeSystem:"Exit #1";

BuyCondition = RSI(Close, RSILen) Crosses Above
  40 AND Highest( RSI(Close, RSILen),
  DaysLen+1)[1] > 40;

SellCondition = RSI(Close, RSILen) Crosses Below
  60 AND Lowest( RSI(Close, RSILen),
  DaysLen+1)[1] < 60;

IF BuyCondition = TRUE THEN
  Buy ("RSI Mild Buy") Cons Contracts Next Bar at Market;

IF SellCondition = TRUE THEN
  Sell ("RSI Mild Sell") Cons Contracts Next Bar at Market;

BuyCondition = FALSE;
SellCondition = FALSE;
```

**移動平均フィルターを併用したREIによる穏やかな買われ過ぎ／売られ過ぎ**

```
INPUT: Multi(1), DaysLen(5);
VAR: Cons(0), HighQualifier(1), LowQualifier(1), REIHigh(0), REILow(0), REIToday(0), REISum(0),
REIDenom(0), REI(0), BuyCondition(FALSE), SellCondition(FALSE);

IF Multi = 1 THEN
  Cons = 5000 / ( StdDev( Close - Close[1], 30) * BigPointValue)
  ELSE
    Cons = 1;

IF Cons < 1 THEN Cons = 1;

IncludeSystem:"Exit #1";

IF High[2] < Close[7] AND High[2] < Close[8] AND
  High < Low[5] AND High < Low[6] THEN
  HighQualifier = 0
  ELSE
    HighQualifier = 1;

IF Low[2] > Close[7] AND Low[2] > Close[8] AND
  Low > Close[5] AND Low > Close[6] THEN
  LowQualifier = 0
  ELSE
    LowQualifier = 1;
```

## APPENDIX 1

```
REIHigh = High - High[2];
REILow = Low - Low[2];
REIToday = HighQualifier * REIHigh + LowQualifier * REILow;

REISum = Summation(REIToday, 8);

REIDenom = Summation(AbsValue(REIHigh), 8) + Summation(AbsValue(REILow), 8);

IF REIDenom = 0 THEN REIDenom = 1;

REI = 100* REISum / REIDenom;

BuyCondition = REI Crosses Above -60 AND
   Highest( REI, DaysLen+1)[1] > -60 AND Close >
   Average(Close, 20);

SellCondition = REI Crosses Below +60 AND
   Lowest( REI, DaysLen+1)[1] < +60 AND Close <
   Average(Close, 20);

IF BuyCondition = TRUE THEN
   Buy ("REI Buy") Cons Contracts Next Bar at Market;

IF SellCondition = TRUE THEN
   Sell ("REI Sell") Cons Contracts Next Bar at Market;

BuyCondition = FALSE;
SellCondition = FALSE;
```

### 移動平均フィルターを併用したデマーカーによる穏やかな買われ過ぎ／売られ過ぎ

```
INPUT: Multi(1), DaysLen(5);
VAR: Cons(0), DeMarkHigh(0), DeMarkLow(0), DeMarker(0), BuyCondition(FALSE), Sellcondition(FALSE);

IF Multi = 1 THEN
   Cons = 5000 / ( StdDev( Close - Close[1], 30) * BigPointValue)
   ELSE
     Cons = 1;

IF Cons < 1 THEN Cons = 1;

IncludeSystem:"Exit #1";

IF High > High[1] THEN
   DeMarkHigh = High - High[1];

IF Low < Low[1] THEN
   DeMarkLow = Low[1] - Low;

IF (Summation(DeMarkHigh, 13) +
   Summation(DeMarkLow, 13)) <> 0 THEN
     DeMarker = 100*Summation(DeMarkHigh, 13) /
     (Summation(DeMarkHigh, 13) +
```

# 付録1　イージー・ランゲージによるコード

```
    Summation(DeMarkLow, 13))
  ELSE
    DeMarker = 0;

BuyCondition = DeMarker Crosses Above 30 AND
  Highest(DeMarker, DaysLen+1)[1] > 30 AND
  Close > Average(Close, 20);

SellCondition = DeMarker Crosses Below 70 AND
  Lowest(DeMarker, DaysLen+1)[1] < 70 AND
  Close < Average(Close, 30);

IF BuyCondition = TRUE THEN
  Buy ("DeMarker Buy") Cons Contracts Next Bar at Market;

IF SellCondition = TRUE THEN
  Sell ("DeMarker Sell") Cons Contracts Next Bar at Market;

BuyCondition = FALSE;
SellCondition = FALSE;
```

## 買われ過ぎ／売られ過ぎ移動平均システム

```
INPUT: Multi(1);
VAR: Cons(0), HighLast(FALSE), LowLast(FALSE), BuyCondition(FALSE), SellCondition(FALSE), X(0);

IF Multi =1 THEN
  Cons = 5000 / ( StdDev( Close - Close[1], 30) * BigPointValue)
  ELSE
    Cons = 1;

IF Cons < 1 THEN Cons = 1;

IncludeSystem:"Exit #1";

HighLast = FALSE;
LowLast = FALSE;

For X = 0 to 3
  BEGIN
    IF Low[X] = Highest(Low, 13)[X] THEN
      HighLast = TRUE;
    IF High[X] = Lowest(High, 13)[X] THEN
      LowLast = TRUE;
  END;

BuyCondition = Close > Average(High, 3) AND LowLast = TRUE;
SellCondition = Close < Average(Low, 3) AND HighLast = TRUE;

IF BuyCondition = TRUE THEN
  Buy ("MA System Buy") Cons Contract Next Bar at Market;

IF SellCondition = TRUE THEN
```

# APPENDIX I

  Sell ("MA System Sell") Cons Contracts Next Bar at Market;

BuyCondition = FALSE;
SellCondition = FALSE;

## アルファ＝0.03による尖度

INPUT: Multi(1), MoLength(3), KAlpha(0.03);
VAR: Cons(0), Acceleration(0), Kurtosis(0);

IF Multi=1 THEN
  Cons = 5000 / ( StdDev( Close - Close[1], 30) * BigPointValue)
  ELSE
    Cons = 1;

IF Cons < 1 THEN Cons = 1;

Acceleration = Momentum(Close, MoLength) - Momentum(Close, MoLength)[1];
Kurtosis = KAlpha*Acceleration + (1-
        KAlpha)*Kurtosis[1];

IF Kurtosis > 0 THEN
  Buy ("Kurtosis Buy") Cons Contracts Next Bar at Market;

IF Kurtosis < 0 THEN
  Sell ("Kurtosis Sell") Cons Contracts Next Bar at Market;

## FSRS

INPUT: Multi(1);
VAR: Cons(0), Acceleration(0), Kurtosis(0), FSRS(0);

IF Multi=1 THEN
  Cons = 5000 / ( StdDev( Close - Close[1], 30) * BigPointValue)
  ELSE
    Cons = 1;

IF Cons < 1 THEN Cons = 1;

Acceleration = Momentum(Close, 3) - Momentum(Close, 3)[1];
Kurtosis = 0.03*Acceleration + 0.97*Kurtosis[1];
FSRS = 10000*WAverage(Kurtosis, 6) + RSI(Close, 9);

IF FSRS > WAverage(FSRS, 6) THEN
  Buy ("FSRS Buy") Cons Contracts Next Bar at Market;

IF FSRS < WAverage(FSRS, 6) THEN
  Sell ("FSRS Sell") Cons Contracts Next Bar at Market;

# 付録1　イージー・ランゲージによるコード

### 1－2－3反転システム

```
INPUT: Multi(1);
VAR: Cons(0), BuyCondition(FALSE), SellCondition(FALSE);

IF Multi=1 THEN
   Cons = 5000 / ( StdDev( Close - Close[1], 30) * BigPointValue)
   ELSE
     Cons = 1;

IF Cons < 1 THEN Cons = 1;

IncludeSystem:"Exit #1";

BuyCondition = Close > Close[1] AND Close[1] <
   Close[2] AND Close[2] < Close[3] AND SlowK(9)
   > SlowK(9)[1] AND SlowD(9)<50;

SellCondition = Close < Close[1] AND Close[1] >
   Close[2] AND Close[2] > Close[3] AND SlowK(9)
   < SlowK(9)[1] AND SlowD(9) > 50;

IF BuyCondition = TRUE THEN
   Buy ("123 Buy") Cons Contracts Next Bar at Market;

IF SellCondition = TRUE THEN
   Sell ("123 Sell") Cons Contracts Next Bar at Market;

BuyCondition = FALSE;
SellCondition = FALSE;
```

### ワンナイト・スタンド

```
INPUT: Multi(1);
VAR: Cons(0), AboveMA(TRUE);

IF Multi=1 THEN
   Cons = 5000 / ( StdDev( Close - Close[1], 30) * BigPointValue)
   ELSE
     Cons = 1;

IF Cons < 1 THEN Cons = 1;

AboveMA = Average(Close, 10) > Average(Close, 40);

IF DayofWeek(Date)=4 AND AboveMA=TRUE
   THEN
     Buy ("One Buy") Cons Contracts Next Bar at Highest(High, 4) Stop;

IF DayofWeek(Date)=4 AND AboveMA=FALSE
   THEN
     Sell ("One Sell") Cons Contracts Next Bar at Lowest(Low, 8) Stop;
```

# APPENDIX I

ExitLong ("One Exit-Ln") Next Bar at Market;
ExitShort ("One Exit-Sh") Next Bar at Market;

## ジョーズ・テキサス2ステップ

INPUT: Multi(1), RSILen(14), RSIAvg(3);
VAR: Cons(0);

IF Multi=1 THEN
  Cons = 5000 / ( StdDev( Close - Close[1], 30) * BigPointValue)
  ELSE
    Cons = 1;

IF Cons < 1 THEN Cons = 1;

IF RSI(Close, RSILen) > Average( RSI(Close,
  RSILen), RSIAvg) THEN
    Buy ("Texas Buy") Cons Contracts Next Bar at Market;

IF RSI(Close, RSILen) < Average( RSI(Close,
  RSILen), RSIAvg) THEN
    Sell ("Texas Sell") Cons Contracts Next Bar at Market;

## ジョーズ・クオーター・パウンダー

INPUT: Multi(1);
VAR: Cons(0), BuyCondition(FALSE), SellCondition(FALSE);

IF Multi=1 THEN
  Cons = 5000 / ( StdDev( Close -Close[1], 30) * BigPointValue)
  ELSE
    Cons = 1;

IF Cons < 1 THEN Cons = 1;

IncludeSystem:"Exit #1";

BuyCondition = Close[3] > Open[3] AND
  Close[2] > Open[2] AND Close[2] > Close[3];

SellCondition = Close[3] < Open[3] AND
  Close[2] < Open[2] AND Close[2] < Close[3];

IF BuyCondition = TRUE THEN
  Buy ("Q-Pound Buy") Cons Contracts Next Bar at High[2] Stop;

IF SellCondition = TRUE THEN
  Sell ("Q-Pound Sell") Cons Contracts Next Bar at Low[2] Stop;

BuyCondition = FALSE;
SellCondition = FALSE;

# 付録1　イージー・ランゲージによるコード

## ジョーズ・ギャップ

```
INPUT: Multi(1);
VAR: Cons(0);

IF Multi=1 THEN
   Cons = 5000 / ( StdDev( Close - CLose[1], 30) * BigPointValue)
   ELSE
     Cons = 1;

IF Cons < 1 THEN Cons = 1;

IF Low > High[1] THEN
   Buy ("Gap Buy") Cons Contracts Next Bar at Market;

IF High < Low[1] THEN
   Sell ("Gap Sell") Cons Contracts Next Bar at Market;

IF BarsSinceEntry(0) >2 THEN
   BEGIN
     ExitLong ("Gap Exit-Ln") This Bar on Close;
     ExitShort ("Gap Exit-Sh") This Bar on Close;
   END;
```

## フィブ・キャッチャー

```
INPUT: Multi(1), DaySet(14), Opposite(4);
VAR: Cons(0);

IF Multi=1 THEN
   Cons = 5000 / ( StdDev( Close - Close[1], 30) * BigPointValue)
   ELSE
     Cons = 1;

IF Cons < 1 THEN Cons = 1;

IF Low = Lowest(Low, DaySet) THEN
   Buy ("Fib Ctch Buy") Cons Contracts Next Bar at Highest(High, Opposite) Stop;

IF High = Highest(High, DaySet) THEN
   Sell ("Fib Ctch Sell") Cons Contracts Next Bar at Lowest(Low, Opposite) Stop;

IF BarsSinceEntry(0) > 2 THEN
   BEGIN
     ExitLong ("Fib Ctch Exit-Ln") This Bar on Close;
     ExitShort ("Fib Ctch Exit-Sh") This Bar on Close;
   END;
```

# APPENDIX I

## ジョーズ・ジェシー・リバモア

```
INPUT: Multi(1);
VAR: Cons(0), OutsideDay(FALSE);

IF Multi=1 THEN
   Cons = 5000 / ( StdDev( Close - Close[1], 30) * BigPointValue)
   ELSE
      Cons = 1;

IF Cons < 1 THEN Cons = 1;

OutsideDay = High > High[1] AND Low < Low[1];

IF OutsideDay = TRUE THEN
   Buy ("Jesse Buy") Cons Contracts Next Bar at Highest(High, 2) Stop;

IF OutsideDay = TRUE THEN
   Sell ("Jesse Sell") Cons Contracts Next Bar at Lowest(Low, 2) Stop;

ExitLong ("Jesse Exit1-Ln") Next Bar at Lowest(Low, 8) Stop;
ExitShort ("Jesse Exit1-Sh") Next Bar at Highest(High, 8) Stop;

If BarsSinceEntry(0) > 11 THEN
   BEGIN
      ExitLong ("Jesse Exit2-Ln") This Bar on Close;
      ExitShort ("Jesse Exit2-Sh") This Bar on Close;
   END;

OutsideDay = FALSE;
```

## ボラティリティ・システム

```
INPUT: Multi(1), Mult(3);
VAR: Cons(0), VolIndex(0), HighestClose(0), LowestClose(0);

IF Multi=1 THEN
   Cons = 5000 / ( StdDev( Close - Close[1], 30) * BigPointValue)
   ELSE
      Cons = 1;

IF Cons < 1 THEN Cons = 1;

IF BarNumber = 1 THEN
   BEGIN
      IF Close > Average(Close, 10) THEN
         Buy Cons Contracts Next Bar at Market
      ELSE
         Sell Cons Contracts Next Bar at Market;
   END;

VolIndex = ( 6*VolIndex[1] + TrueRange ) / 7;
```

# 付録1　イージー・ランゲージによるコード

```
IF MarketPosition = 1 THEN
   IF Close > HighestClose THEN
      HighestClose = Close;

IF MarketPosition = -1 THEN
   IF Close < LowestClose THEN
      LowestClose = Close;

IF MarketPosition = 1 AND Close < HighestClose -
   Mult*VolIndex THEN
      BEGIN
         LowestClose = Close;
         Sell ("Volatility Sell") Cons Contracts Next Bar at Market;
      END;

IF MarketPosition = -1 AND Close > LowestClose +
   Mult*VolIndex THEN
      BEGIN
         HighestClose = Close;
         Buy ("Volatility Buy") Cons Contracts Next Bar at Market;
      END;
```

**方向性指標**

```
INPUT: Multi(1), DXLen(14);
VAR: Cons(0), BuyCondition(FALSE), SellCondition(FALSE);

IF Multi=1 THEN
   Cons = 5000 / ( StdDev( Close - Close[1], 30) * BigPointValue)
   ELSE
      Cons = 1;

IF Cons < 1 THEN Cons = 1;

BuyCondition = DMIPlus(DXLen) Crosses Above
   DMIMinus(DXLen) AND ADXR(15) > 25;

SellCondition = DMIPlus(14) Crosses Below
   DMIMinus(14) AND ADXR(15) > 25;

IF BuyCondition = TRUE THEN
   Buy ("DX Buy") Cons Contracts Next Bar at Market;

IF SellCondition = TRUE THEN
   Sell ("DX Sell") Cons Contracts Next Bar at Market;

IF DMIPlus(DXLen) < DMIMinus(DXLen) THEN
   ExitLong ("DX Exit-Ln") Next Bar at Market;

IF DMIPlus(DXLen) > DMIMinus(DXLen) THEN
   ExitShort ("DX Exit-Sh") Next Bar at Market;

BuyCondition = FALSE;
```

## APPENDIX I

SellCondition = FALSE;

### 「検証のガイドライン」(15P)で説明した目標値による仕切り法

```
Var: VolIndex(0), LongLimit(0), LongStop(0), ShortLimit(0), ShortStop(0), Num(0);

VolIndex = 3*StdDev(Close - Close[1], 30);

IF MarketPosition(0)=1 THEN
   BEGIN
     LongLimit = EntryPrice(0) + VolIndex;
     LongStop = EntryPrice(0) - VolIndex;
{    ExitLong ("Exit #2 Ln +") Next Bar at LongLimit Limit;
     ExitLong ("Exit #2 Ln -") Next Bar at LongStop Stop;}
   END;

IF MarketPosition=1 AND (Close>LongLimit OR Close<LongStop) THEN
   ExitLong Next Bar at Market;

IF MarketPosition(0)=-1 THEN
   BEGIN
     ShortLimit = EntryPrice(0) - VolIndex;
     ShortStop = EntryPrice(0) + VolIndex;
{    ExitShort ("Exit #2 Sh +") Next Bar at ShortLimit Limit;
     ExitShort ("Exit #2 Sh -") Next Bar at ShortStop Stop;}
   END;

IF MarketPosition=-1 AND (Close>ShortStop OR Close<ShortLimit) THEN
   ExitShort Next Bar at Market;
```

# 付録2
# 日本市場における検証結果

appendix

## 付録2　日本市場における検証結果

本書に登場した全システムの日本市場における成績をお届けします。

### 1．検証の前提

本書の評価手法をできるだけ忠実に再現するよう心掛けましたが、市場機構の違いや、その他の理由により、本書の手法と若干異なる評価をしている点があります。

**市場、データ、検証期間**

**図表A**

| 銘柄 | 取引所 | データ開始 | データ終了 | 呼値単位 | 倍率 | 節 | 備考 |
|---|---|---|---|---|---|---|---|
| 金 | 東京工業品取引所 | 1989/1/4 | 2000/4/28 | 1円 | 1,000 | | |
| 銀 | 東京工業品取引所 | 1989/1/4 | 2000/4/28 | 0.1円 | 6,000 | | |
| 白金 | 東京工業品取引所 | 1989/1/4 | 2000/4/28 | 1円 | 500 | | |
| パラジウム | 東京工業品取引所 | 1992/8/3 | 2000/4/28 | 1円 | 1,500 | | 上場来 |
| アルミ | 東京工業品取引所 | 1997/4/7 | 2000/4/28 | 0.1円 | 10,000 | | 上場来 |
| ゴム | 東京工業品取引所 | 1989/1/4 | 2000/4/28 | 0.1円 | 5,000 | ○ | |
| ゴム指数 | 大阪商品取引所 | 1995/3/10 | 2000/4/28 | 0.05 | 20,000 | ○ | 上場来 |
| ガソリン | 東京工業品取引所 | 1999/7/5 | 2000/4/28 | 10円 | 100 | | 上場来 |
| 灯油 | 東京工業品取引所 | 1999/7/5 | 2000/4/28 | 10円 | 100 | | 上場来 |
| とうもろこし | 東京穀物取引所 | 1992/4/20 | 2000/4/28 | 10円 | 100 | ○ | 上場来 |
| 大豆 | 東京穀物取引所 | 1989/1/4 | 2000/4/28 | 10円 | 30 | ○ | |
| 粗糖 | 東京穀物取引所 | 1989/1/4 | 2000/4/28 | 10円 | 50 | ○ | |
| アラビカ | 東京穀物取引所 | 1998/6/16 | 2000/4/28 | 10円 | 50 | ○ | 上場来 |
| ロブスタ | 東京穀物取引所 | 1998/6/16 | 2000/4/28 | 10円 | 50 | ○ | 上場来 |
| 小豆 | 東京穀物取引所 | 1989/1/4 | 2000/4/28 | 10円 | 80 | ○ | |
| 乾繭 | 横浜商品取引所 | 1989/1/4 | 2000/4/28 | 1円 | 300 | ○ | |
| 生糸 | 横浜商品取引所 | 1989/1/4 | 2000/4/28 | 1円 | 150 | ○ | |
| 日経225 | 大阪証券取引所 | 1989/1/4 | 2000/4/28 | 10円 | 1,000 | | |
| 日経300 | 大阪証券取引所 | 1994/2/14 | 2000/4/28 | 0.1 | 10,000 | | 上場来 |
| TOPIX | 東京証券取引所 | 1990/4/3 | 2000/4/28 | 0.5 | 10,000 | | 上場は88/9/3 |
| 債券先物 | 東京証券取引所 | 1989/1/4 | 2000/4/28 | 0.01円 | 1,000,000 | | |

付録で取り上げる市場を表Aに示します。流動性とデータ取得性の観点からこれら21の市場を選択しました。できるだけ広範囲にわたる市場を取り上げるよう考慮しましたが、実質的に同じ商品で異なる市場が存在する場合は最も取引高の多い市場を選択しました。外国為替に関係する市場として、本来なら東京金融先物市場の米ドル先物を取り上げるべきかもしれませんが、流動性があまりにも少ないことから、ここでは割愛しました。日本円－米ドルに関しては本書のJY（CME　日本円先物）の結果をご覧ください。

## APPENDIX 2

　検証で使用するデータは本書と同様、最も取組高の多い限月に対するサヤ修正つなぎ足です。サヤ修正は取組入れ替わり後の最初の大引けで行います。結果として得られるデータは、金、小豆といった期先に取引が集中する銘柄については期先のつなぎ足に近いものになり、日経平均先物、債券先物といった期近に取引が集中する銘柄については当限つなぎ足に近いものになります。ちなみに米国ではほとんどの銘柄で期近に取引が集中します。

**節銘柄における逆指値注文**

　本書では、逆指値注文が許可されており、指定した値段で取引が成立したものと仮定しています。日本では節ごとの一括約定方式による銘柄が存在し、このような逆指値の仮定では、現実とかけ離れた価格で取引してしまうケースが多くなり、それから得られる結果に対して注意する必要があります。このようなケースに対処するために、付録における逆指値の取り扱いは、以下のルールに従っています。
　①寄り付きで逆指値を満足する場合は寄り付きで取引成立。
　②大引けを含む日中で逆指値を満足する場合は大引けで取引成立。
　これにより、注文執行は遅れがちとなり、価格は投資家にとってやや不利側に計算されます。その結果、プラスの成績については安全側の見積もりとなりますが、マイナスの結果の逆を考える場合には注意が必要です。節銘柄には表Aの「節」列に「○」マークを付けています。

**損益計算方法**

　付録では、建玉枚数を計算するのに１，０００，０００円を分子にしました。実際の建玉枚数を計算するには１，０００，０００円を金額ベース・ボラティリティで割ります。その結果、債券先物では通常数枚となりますが、白金では通常百数十枚となります。例えば、白金で２０００年１月２５日にドンチャン・チャネル・ブレイクアウト・システムを仕掛ける場合は、

　①過去３０日分の（終値－前日終値）の標準偏差の前日値：１２．０１９９０７円
　②①×倍率＝６００９．９５３５円（金額ベース・ボラティリティ）
　③１，０００，０００÷②＝１６６．３９０６→１６６枚（少数点以下四捨五入）

と計算されます。
　本書と同様、結果において手数料、スリページについては一切控除していません。実際には、１回のトレード当たり、平均建玉枚数分の手数料の取引コストが少なくとも必要となります。

# 付録2　日本市場における検証結果

## 2．結果

以下、本書と同様の順序にして結果をお届けします。また結果の最後には本書と同様のランキングをお届けします。結果の評価に関してはすべてを読者に委ねますが、上位3システムが米国市場と同様であることは興味深い事実です。

本書の結果により、読者の投資活動がいっそう有利に展開することを祈ります。

APPENDIX 2

トレーディング・システム評価
システム名: 40/20 ドンチャン・チャネル・ブレイクアウト
検証期間: 1989/1/4 - 2000/4/28

| 市場 | 純益 | Kレシオ | シャープレシオ | 最大ドローダウン | トレード数 | 勝率 | 平均建玉数 | 平均利益 | 勝トレードの平均利益 | 敗トレードの平均損失 | 勝トレードの平均日数 | 敗トレードの平均日数 |
|---|---|---|---|---|---|---|---|---|---|---|---|---|
| 金 | 51,727,000 | 1.18 | 0.08 | -49,792,000 | 58 | 38% | 110 | 891,844 | 7,571,500 | -3,190,166 | 54 | 23 |
| 銀 | -10,836,600 | 0.49 | -0.02 | -44,451,600 | 63 | 37% | 75 | -172,009 | 5,179,173 | -3,248,940 | 45 | 20 |
| 白金 | 46,784,500 | 0.57 | 0.06 | -61,061,500 | 57 | 44% | 182 | 820,780 | 6,313,000 | -3,470,015 | 48 | 19 |
| パラ | 184,158,000 | 1.17 | 0.21 | -50,977,500 | 70 | 19% | 86 | 2,630,828 | 19,530,461 | -3,169,909 | 68 | 23 |
| アルミ | 24,443,000 | 0.89 | 0.11 | -24,595,000 | 15 | 53% | 60 | 1,629,533 | 6,620,250 | -4,074,142 | 53 | 17 |
| ゴム | 11,782,000 | 1.29 | 0.02 | -48,346,000 | 61 | 36% | 139 | 193,147 | 6,479,181 | -3,352,820 | 59 | 18 |
| ゴム指 | 28,344,400 | 1.42 | 0.10 | -24,916,800 | 26 | 46% | 39 | 1,090,169 | 6,034,983 | -3,148,242 | 55 | 21 |
| ガス | -10,820,000 | -2.26 | -0.40 | -20,912,000 | 5 | 20% | 33 | -2,164,000 | 3,870,000 | -3,672,500 | 31 | 19 |
| 灯油 | -1,545,000 | -0.86 | -0.04 | -14,887,000 | 4 | 50% | 39 | -386,250 | 3,570,000 | -4,342,500 | 43 | 23 |
| コーン | 60,255,000 | 1.80 | 0.12 | -38,395,000 | 38 | 42% | 71 | 1,585,657 | 8,106,562 | -3,307,142 | 61 | 24 |
| 大豆 | 40,889,400 | 1.83 | 0.06 | -34,569,000 | 59 | 41% | 106 | 693,040 | 6,457,275 | -3,457,127 | 54 | 19 |
| 粗糖 | 128,598,500 | 3.25 | 0.16 | -43,590,000 | 54 | 44% | 73 | 2,381,453 | 9,260,729 | -3,229,620 | 58 | 22 |
| ロブス | -16,341,500 | -1.11 | -0.20 | -27,535,500 | 11 | 27% | 67 | -1,485,590 | 5,329,000 | -4,041,062 | 63 | 16 |
| アラビ | 12,894,000 | 0.61 | 0.14 | -20,842,000 | 8 | 63% | 55 | 1,611,750 | 5,607,200 | -5,047,333 | 47 | 16 |
| 小豆 | 131,626,400 | 1.51 | 0.18 | -29,588,000 | 60 | 48% | 90 | 2,193,773 | 7,861,186 | -3,108,000 | 51 | 21 |
| 乾繭 | 120,306,000 | 2.43 | 0.15 | -44,820,900 | 59 | 42% | 81 | 2,039,084 | 10,385,004 | -4,097,620 | 58 | 18 |
| 生糸 | 35,308,200 | 1.19 | 0.05 | -39,115,200 | 62 | 42% | 90 | 569,487 | 7,645,142 | -4,540,708 | 50 | 18 |
| 日経225 | 65,120,000 | 2.16 | 0.09 | -34,610,000 | 62 | 45% | 5 | 1,050,322 | 6,295,714 | -3,269,411 | 48 | 18 |
| 日経300 | 14,111,000 | 1.57 | 0.05 | -37,744,000 | 32 | 41% | 34 | 440,968 | 5,777,769 | -3,210,526 | 56 | 18 |
| TOPIX | 55,230,000 | 3.16 | 0.09 | -39,925,000 | 53 | 43% | 6 | 1,042,075 | 7,264,347 | -3,728,333 | 54 | 19 |
| 債券先 | 187,150,000 | 4.48 | 0.24 | -33,500,000 | 52 | 44% | 3 | 3,599,038 | 12,173,913 | -3,316,071 | 66 | 19 |
| 平均 | 55,199,252 | 1.27 | 0.06 | -36,389,238 | 43 | 41% | 69 | 964,529 | 7,492,019 | -3,620,104 | 53 | 19 |

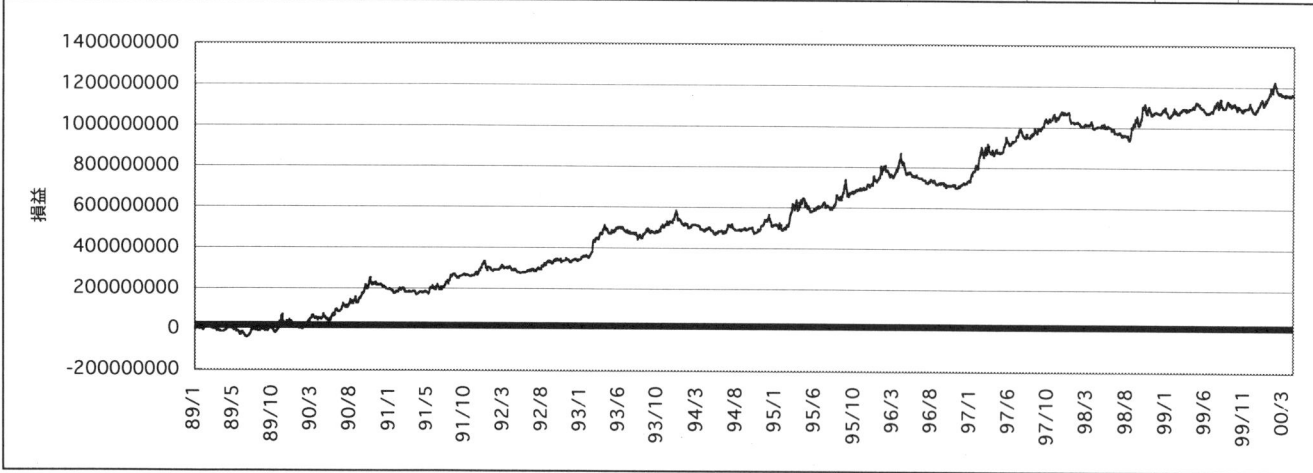

**ポートフォリオ統計**

| | |
|---|---|
| 純益: | 1,159,184,300 |
| ドローダウン: | -173,931,000 |
| Kレシオ: | 7.44 |
| シャープ・レシオ: | 0.31 |
| 40/20ブレイクアウトとの相関係数: | 0.99 |
| 10/40移動平均との相関係数: | 0.85 |

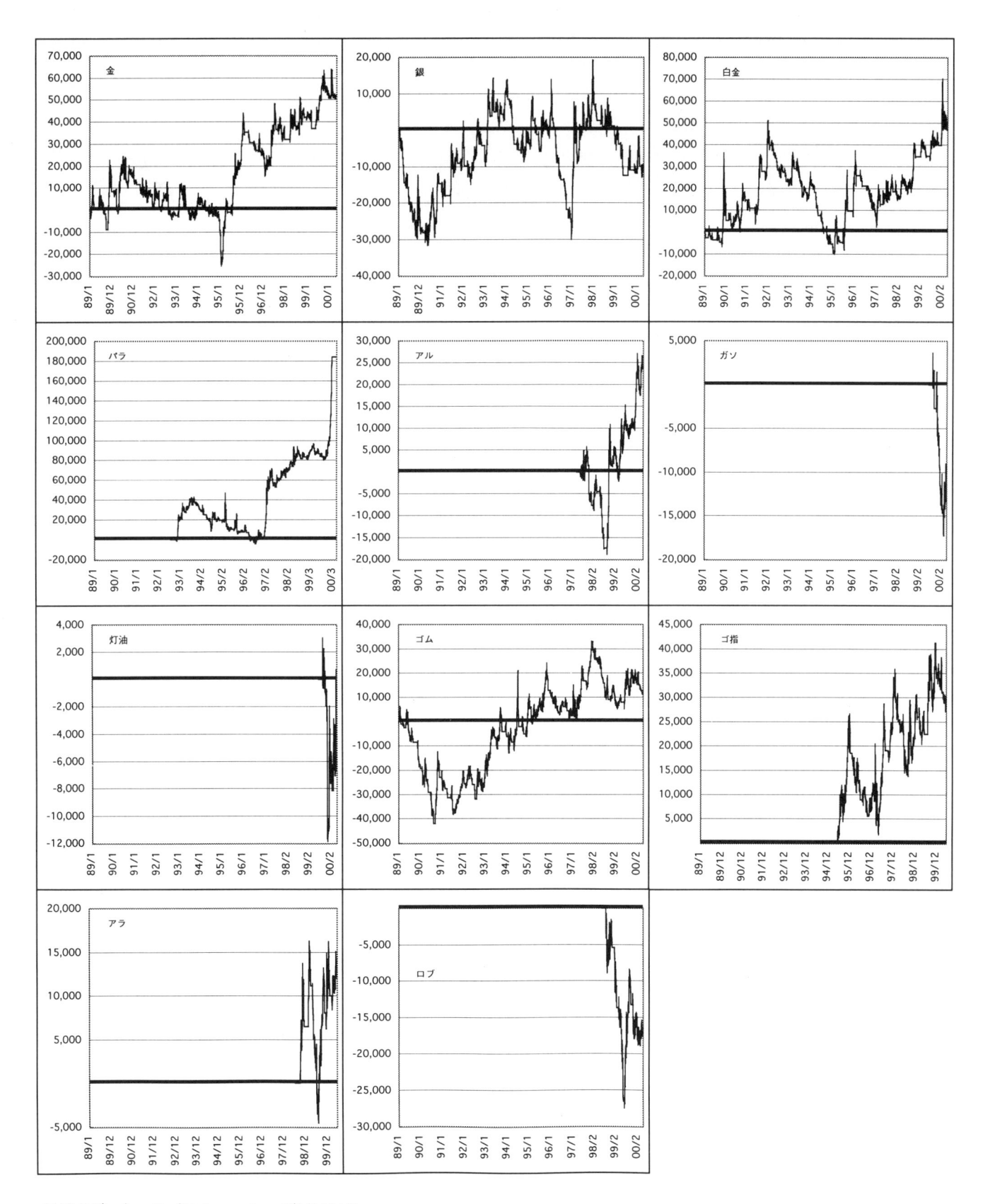

# 付録2　日本市場における検証結果

損益曲線: 金 - ロブスタコーヒー(単位千円)
システム名: 40/20 ドンチャン・チャネル・ブレイクアウト
建玉枚数: 可変
Pan Rolling, Inc.

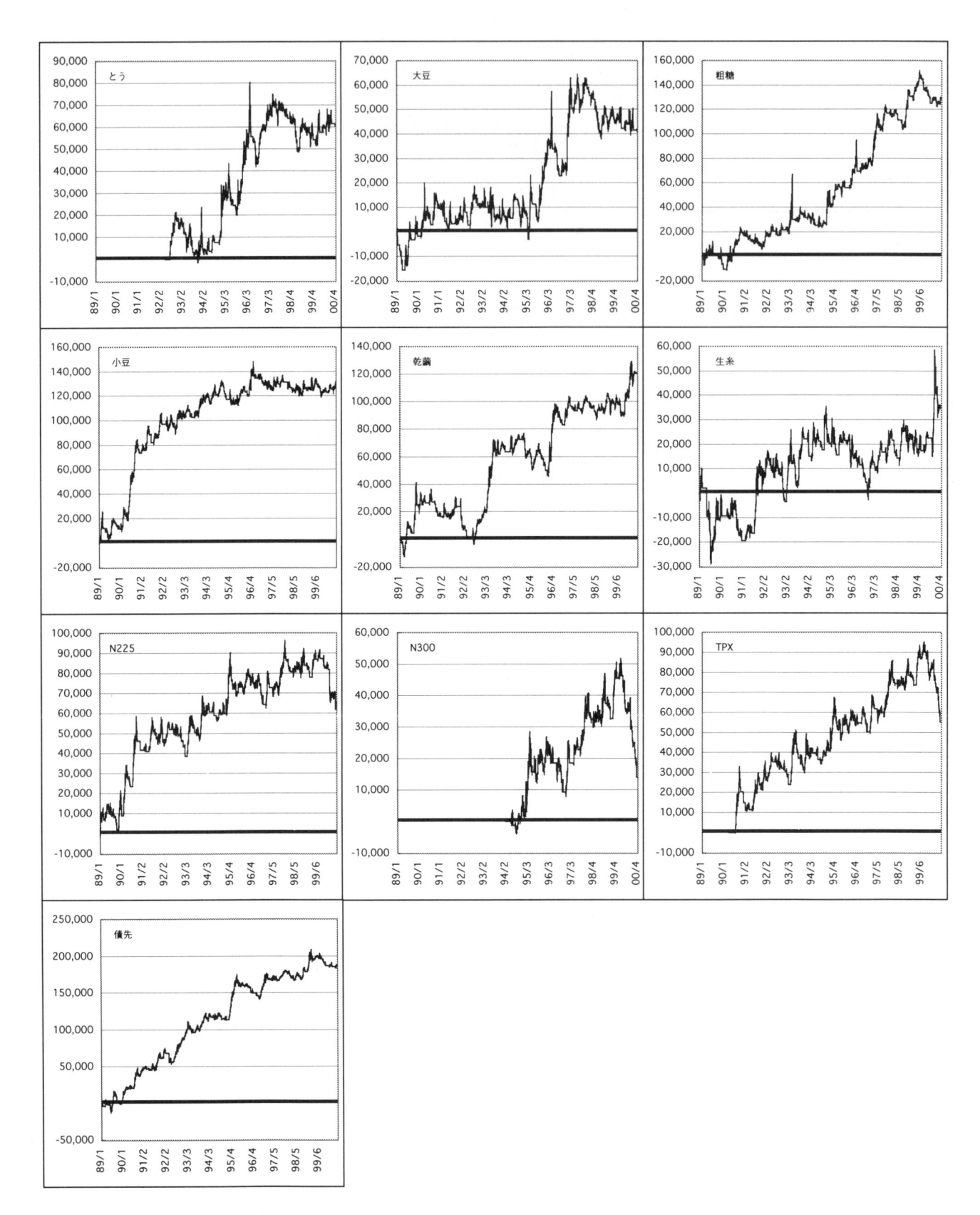

## APPENDIX 2

損益曲線: とうもろこし - 債券先物(単位千円)
システム名: 40/20 ドンチャン・チャネル・ブレイクアウト
建玉枚数: 可変
Pan Rolling, Inc.

## 付録2　日本市場における検証結果

**年次成績分析**

|  | 純益 | Kレシオ | シャープレシオ |
|---|---|---|---|
| 1989 | 28,316,050 | 0.25 | 0.19 |
| 1990 | 169,950,350 | 3.41 | 0.59 |
| 1991 | 126,692,350 | 2.00 | 0.50 |
| 1992 | 15,269,750 | 1.04 | 0.34 |
| 1993 | 233,801,150 | 1.12 | 0.47 |
| 1994 | -58,709,000 | -0.08 | 0.29 |
| 1995 | 195,609,400 | 2.07 | 0.43 |
| 1996 | 23,686,650 | -0.98 | 0.27 |
| 1997 | 325,046,300 | 3.52 | 0.39 |
| 1998 | 27,509,500 | 0.39 | 0.31 |
| 1999 | 43,607,950 | 0.49 | 0.31 |
| 2000 | 28,403,850 | 0.28 | 0.50 |

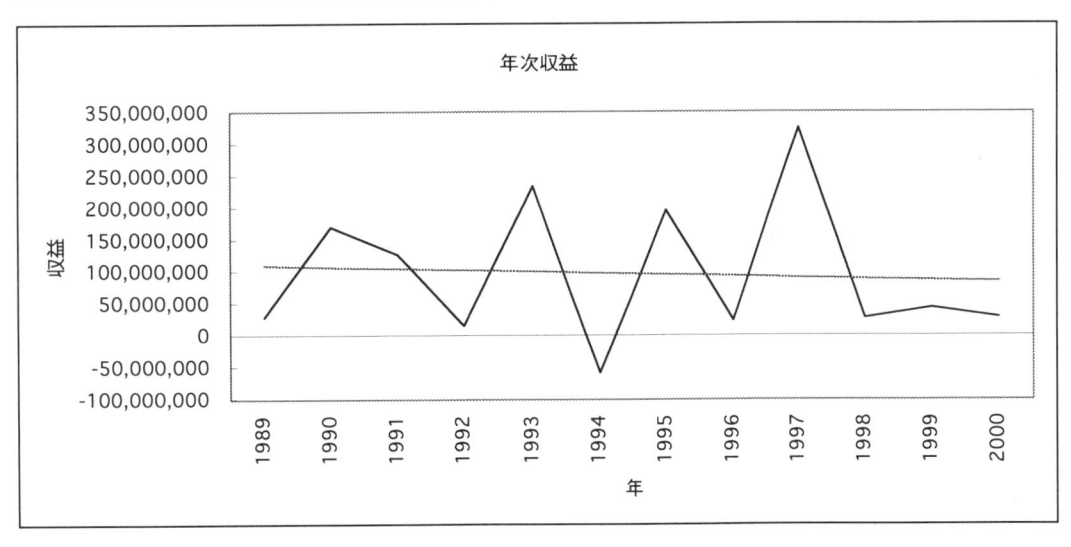

年次収益

**収益性ウインドウ**

| 期間(月) | ウインドウ数 | 利益ウインドウ数 | 利益ウインドウ率 |
|---|---|---|---|
| 1 | 136 | 83 | 0.61 |
| 3 | 134 | 83 | 0.62 |
| 6 | 131 | 99 | 0.76 |
| 12 | 125 | 120 | 0.96 |
| 18 | 119 | 119 | 1.00 |
| 24 | 113 | 113 | 1.00 |

APPENDIX 2

トレーディング・システム評価
システム名: 10/40日移動平均交差
検証期間: 1989/1/4 - 2000/4/28

| 市場 | 純益 | Kレシオ | シャープレシオ | 最大ドローダウン | トレード数 | 勝率 | 平均建玉数 | 平均利益 | 勝トレードの平均利益 | 敗トレードの平均損失 | 勝トレードの平均日数 | 敗トレードの平均日数 |
|---|---|---|---|---|---|---|---|---|---|---|---|---|
| 金 | 60,353,000 | 1.79 | 0.09 | -34,464,000 | 86 | 40% | 94 | 701,779 | 6,150,352 | -2,916,843 | 51 | 19 |
| 銀 | -8,769,600 | 0.41 | -0.01 | -41,755,200 | 84 | 31% | 67 | -104,400 | 6,054,900 | -2,915,736 | 55 | 23 |
| 白金 | 13,073,000 | -0.61 | 0.02 | -82,288,500 | 84 | 31% | 167 | 155,630 | 5,659,615 | -2,311,672 | 54 | 23 |
| パラ | 232,423,500 | 2.11 | 0.26 | -39,342,000 | 46 | 48% | 125 | 5,052,684 | 12,738,000 | -2,173,295 | 61 | 17 |
| アルミ | 40,128,000 | 1.73 | 0.18 | -20,458,000 | 19 | 42% | 58 | 2,112,000 | 8,761,375 | -2,723,909 | 55 | 24 |
| ゴム | -10,243,000 | 0.70 | -0.02 | -61,766,000 | 87 | 30% | 129 | -117,735 | 6,788,750 | -3,112,508 | 59 | 19 |
| ゴム指 | 15,800,200 | 0.30 | 0.06 | -43,359,000 | 35 | 34% | 35 | 451,434 | 7,247,400 | -3,094,286 | 67 | 18 |
| ガス | 3,825,000 | 0.17 | 0.18 | -9,094,000 | 8 | 50% | 33 | 478,125 | 2,279,000 | -1,322,750 | 30 | 2 |
| 灯油 | 4,312,000 | -0.12 | 0.13 | -8,840,000 | 4 | 50% | 37 | 1,078,000 | 5,724,000 | -3,568,000 | 46 | 14 |
| コーン | 63,966,000 | 2.08 | 0.12 | -37,346,000 | 54 | 37% | 67 | 1,184,555 | 7,785,450 | -2,698,323 | 62 | 20 |
| 大豆 | 32,711,400 | 1.19 | 0.05 | -35,981,700 | 94 | 39% | 91 | 347,993 | 4,967,562 | -2,747,061 | 49 | 17 |
| 粗糖 | 148,671,500 | 5.02 | 0.19 | -35,990,000 | 76 | 45% | 67 | 1,956,203 | 7,588,529 | -2,666,792 | 59 | 19 |
| ロブス | 4,901,000 | 0.00 | 0.07 | -24,089,000 | 15 | 33% | 63 | 326,733 | 5,464,400 | -2,242,100 | 48 | 16 |
| アラビ | 27,395,000 | 1.95 | 0.32 | -17,304,000 | 9 | 56% | 52 | 3,043,888 | 8,009,400 | -3,163,000 | 62 | 23 |
| 小豆 | 109,762,400 | 1.36 | 0.15 | -31,688,800 | 76 | 38% | 84 | 1,444,242 | 8,097,103 | -2,660,714 | 60 | 21 |
| 乾繭 | 147,099,900 | 1.89 | 0.15 | -75,541,800 | 77 | 36% | 73 | 1,910,388 | 11,853,075 | -3,771,146 | 68 | 18 |
| 生糸 | -16,192,050 | 0.09 | -0.02 | -66,179,100 | 92 | 36% | 85 | -176,000 | 6,270,213 | -3,781,510 | 53 | 18 |
| 日経225 | 23,900,000 | 1.09 | 0.03 | -38,090,000 | 91 | 37% | 4 | 262,637 | 5,809,117 | -3,045,789 | 51 | 18 |
| 日経300 | -13,441,000 | -0.25 | -0.04 | -35,010,000 | 54 | 37% | 33 | -248,907 | 4,538,100 | -3,064,794 | 48 | 16 |
| TOPIX | 52,620,000 | 1.31 | 0.08 | -32,740,000 | 75 | 31% | 6 | 701,600 | 8,336,304 | -2,675,288 | 66 | 17 |
| 債券先 | 185,020,000 | 4.64 | 0.22 | -30,020,000 | 73 | 42% | 3 | 2,534,520 | 9,376,774 | -2,577,073 | 67 | 16 |
| 平均 | 53,205,536 | 1.28 | 0.10 | -38,159,386 | 59 | 39% | 65 | 1,099,779 | 7,119,020 | -2,820,599 | 56 | 18 |

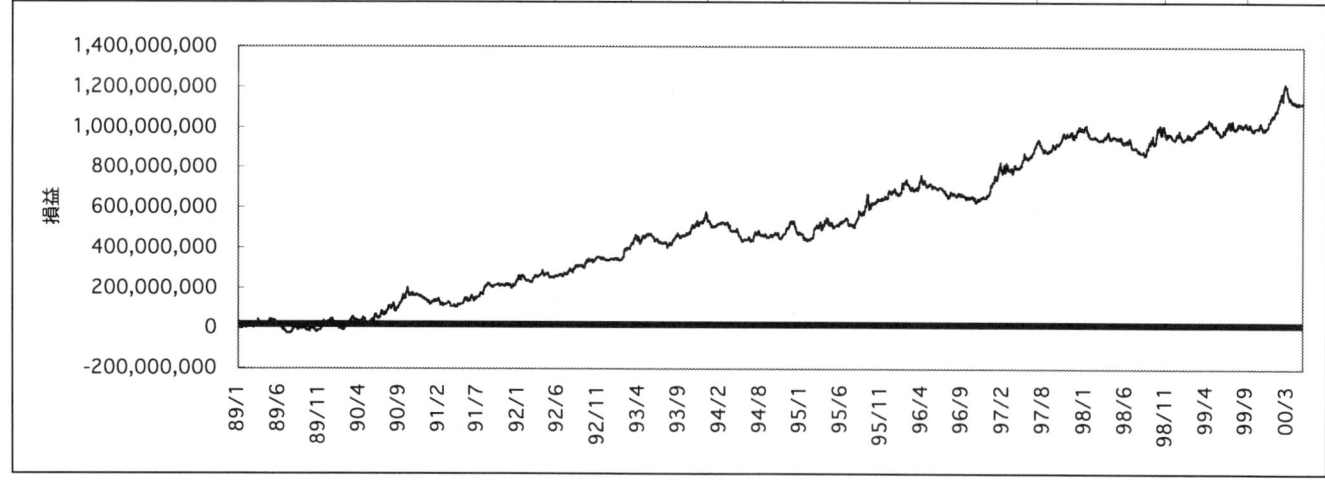

**ポートフォリオ統計**

| | |
|---|---|
| 純益: | 1,117,316,250 |
| ドローダウン: | -148,165,900 |
| Kレシオ: | 6.65 |
| シャープ・レシオ: | 0.27 |
| ブレイクアウトとの相関係数: | 0.85 |
| 移動平均との相関係数: | 1.00 |

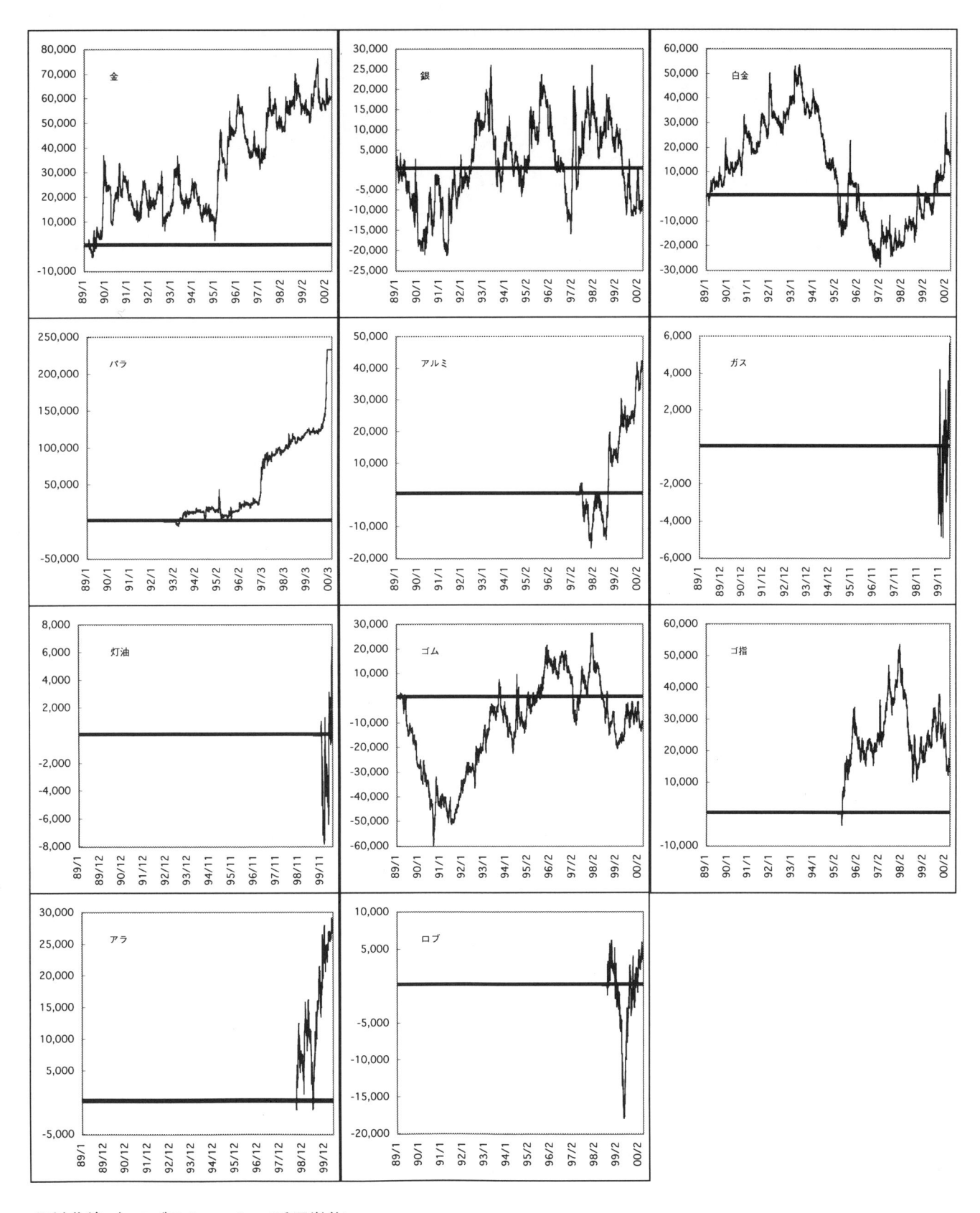

## 付録2　日本市場における検証結果

損益曲線: 金-ロブスタコーヒー(千円単位)
システム名: 10/40日移動平均交差
建玉枚数: 可変
Copyright (c) 2000 Pan Rolling, Inc.

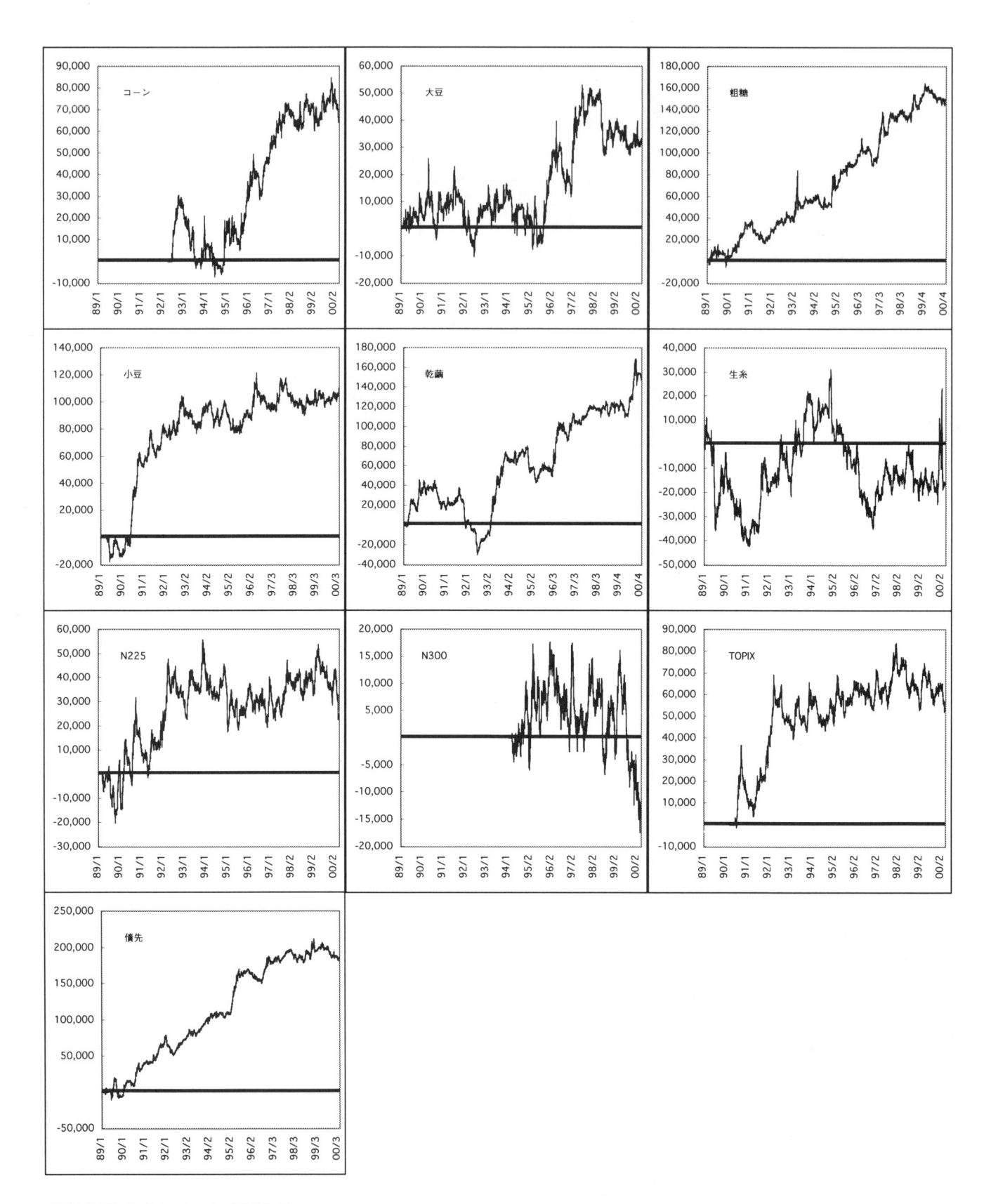

## APPENDIX 2

損益曲線: とうもろこし-債券先物
システム名: 10/40日移動平均交差
建玉枚数: 可変

Copyright (c) 2000 Pan Rolling, Inc.

## 付録2　日本市場における検証結果

**年次成績分析**

|  | 純益 | Kレシオ | シャープレシオ |
|---|---:|---:|---:|
| 1989 | 31,929,450 | -0.13 | 0.17 |
| 1990 | 109,223,700 | 2.62 | 0.29 |
| 1991 | 99,601,150 | 1.83 | 0.45 |
| 1992 | 100,244,450 | 2.42 | 0.49 |
| 1993 | 228,342,150 | 1.56 | 0.75 |
| 1994 | -93,991,500 | -0.40 | -0.23 |
| 1995 | 203,739,300 | 2.73 | 0.52 |
| 1996 | -15,176,000 | -1.04 | -0.06 |
| 1997 | 319,892,600 | 3.56 | 0.88 |
| 1998 | -19,381,550 | -0.09 | -0.05 |
| 1999 | 83,382,850 | 0.78 | 0.22 |
| 2000 | 69,509,650 | 0.24 | 0.23 |

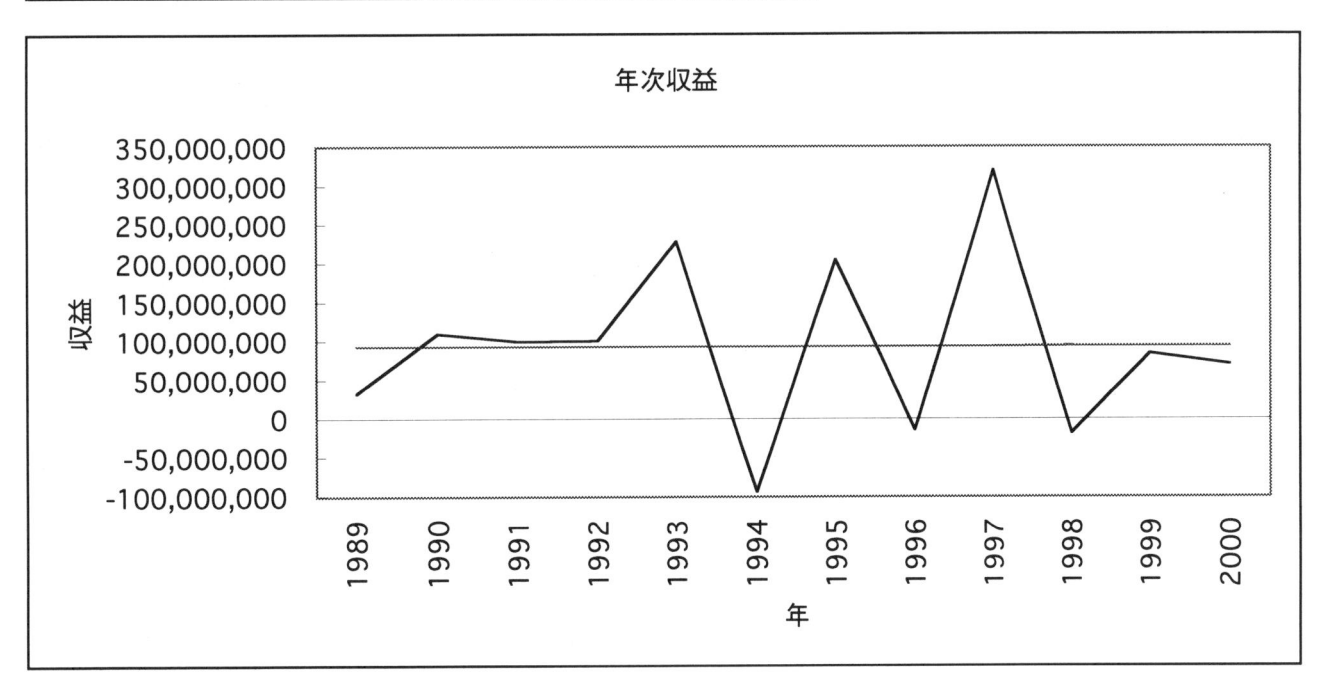

年次収益

**収益性ウインドウ**

| 期間(月) | ウインドウ数 | 利益ウインドウ数 | 利益ウインドウ率 |
|---:|---:|---:|---:|
| 1 | 136 | 82 | 0.60 |
| 3 | 134 | 92 | 0.69 |
| 6 | 131 | 99 | 0.76 |
| 12 | 125 | 112 | 0.90 |
| 18 | 119 | 115 | 0.97 |
| 24 | 113 | 113 | 1.00 |

APPENDIX 2

トレーディング・システム評価
システム名: 20日モメンタム
検証期間: 1989/1/4 - 2000/4/28

| 市場 | 純益 | Kレシオ | シャープレシオ | 最大ドローダウン | トレード数 | 勝率 | 平均建玉数 | 平均利益 | 勝トレードの平均利益 | 敗トレードの平均損失 | 勝トレードの平均日数 | 敗トレードの平均日数 |
|---|---|---|---|---|---|---|---|---|---|---|---|---|
| 金 | 68,616,000 | 1.85 | 0.10 | -35,816,000 | 281 | 36% | 100 | 244,185 | 3,139,186 | -1,471,233 | 16 | 7 |
| 銀 | 66,062,400 | 2.75 | 0.09 | -42,343,200 | 266 | 44% | 72 | 248,354 | 2,388,106 | -1,498,154 | 15 | 7 |
| 白金 | 102,734,500 | 1.62 | 0.14 | -45,522,000 | 342 | 39% | 152 | 300,393 | 2,589,314 | -1,201,281 | 13 | 5 |
| パラ | 141,946,500 | 1.11 | 0.17 | -44,256,000 | 182 | 37% | 114 | 779,925 | 4,304,382 | -1,435,728 | 18 | 5 |
| アルミ | 33,741,000 | 1.74 | 0.14 | -19,613,000 | 74 | 38% | 58 | 455,959 | 3,115,500 | -1,215,750 | 17 | 5 |
| ゴム | 28,136,500 | 0.88 | 0.04 | -46,518,500 | 240 | 33% | 131 | 117,235 | 3,434,683 | -1,579,243 | 21 | 7 |
| ゴム指 | 18,063,600 | 0.01 | 0.05 | -31,447,000 | 107 | 35% | 38 | 168,818 | 3,696,951 | -1,696,051 | 23 | 5 |
| ガス | -9,527,000 | -0.90 | -0.24 | -22,096,000 | 19 | 42% | 32 | -501,421 | 1,977,500 | -2,304,272 | 13 | 7 |
| 灯油 | -2,041,000 | 0.13 | -0.08 | -11,158,000 | 17 | 53% | 36 | -120,058 | 1,475,000 | -1,914,500 | 14 | 7 |
| コーン | 18,898,000 | 0.49 | 0.04 | -48,687,000 | 196 | 36% | 64 | 96,418 | 2,908,628 | -1,526,495 | 16 | 7 |
| 大豆 | 70,013,700 | 2.36 | 0.12 | -46,509,000 | 253 | 41% | 93 | 276,733 | 2,789,857 | -1,530,574 | 17 | 7 |
| 粗糖 | 162,544,000 | 4.90 | 0.18 | -42,875,000 | 260 | 43% | 61 | 625,169 | 3,394,977 | -1,552,887 | 18 | 5 |
| ロブス | -13,593,000 | -1.04 | -0.15 | -28,707,500 | 48 | 27% | 63 | -283,187 | 2,626,807 | -1,364,042 | 16 | 7 |
| アラビ | 15,701,500 | 1.48 | 0.14 | -15,316,500 | 40 | 40% | 59 | 392,537 | 3,090,906 | -1,406,375 | 18 | 6 |
| 小豆 | 68,696,800 | 0.44 | 0.09 | -50,894,400 | 271 | 32% | 81 | 253,493 | 3,844,717 | -1,484,880 | 21 | 5 |
| 乾繭 | 129,702,300 | 2.51 | 0.16 | -28,040,400 | 255 | 39% | 73 | 508,636 | 3,845,088 | -1,643,912 | 20 | 5 |
| 生糸 | 74,591,700 | 1.64 | 0.09 | -41,132,700 | 246 | 36% | 85 | 303,218 | 3,784,820 | -1,646,321 | 21 | 6 |
| 日経225 | 28,680,000 | 0.43 | 0.04 | -47,560,000 | 266 | 36% | 4 | 107,819 | 3,018,144 | -1,600,484 | 19 | 6 |
| 日経300 | -20,855,000 | -0.07 | -0.06 | -45,162,000 | 190 | 36% | 31 | -109,763 | 2,248,840 | -1,454,752 | 13 | 5 |
| TOPIX | 36,455,000 | 2.07 | 0.06 | -48,830,000 | 268 | 37% | 6 | 136,026 | 2,788,979 | -1,444,298 | 15 | 6 |
| 債券先 | 266,040,000 | 5.54 | 0.34 | -25,450,000 | 208 | 42% | 3 | 1,279,038 | 4,818,045 | -1,276,083 | 24 | 6 |
| 平均 | 61,171,786 | 1.43 | 0.07 | -36,568,295 | 192 | 38% | 65 | 251,406 | 3,108,592 | -1,535,586 | 17 | 6 |

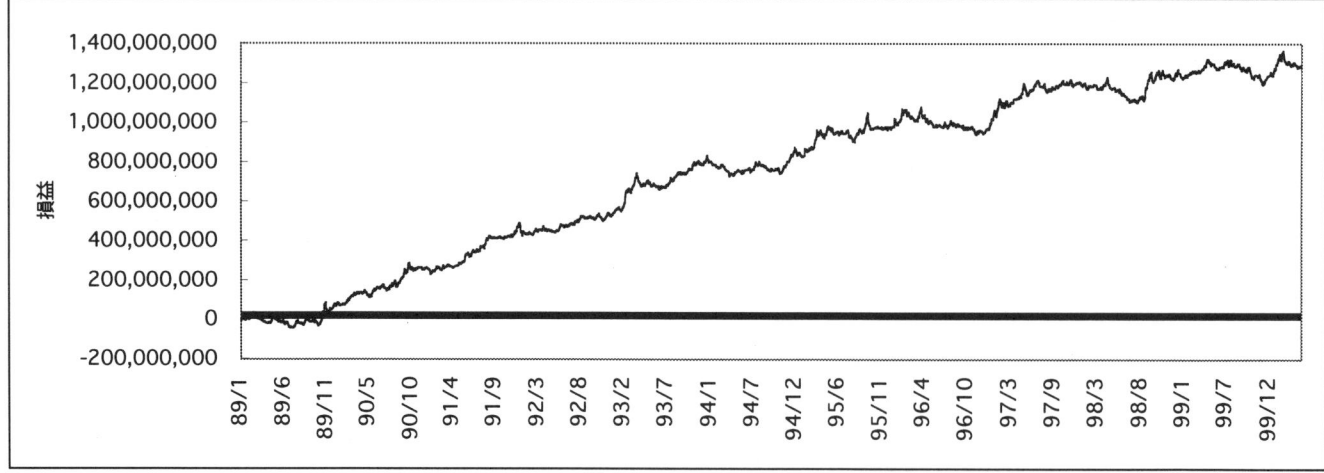

**ポートフォリオ統計**

| | |
|---|---|
| 純益: | 1,284,607,500 |
| ドローダウン: | -140,071,900 |
| Kレシオ: | 5.27 |
| シャープ・レシオ: | 0.33 |
| ブレイクアウトとの相関係数: | 0.78 |
| 移動平均との相関係数: | 0.67 |

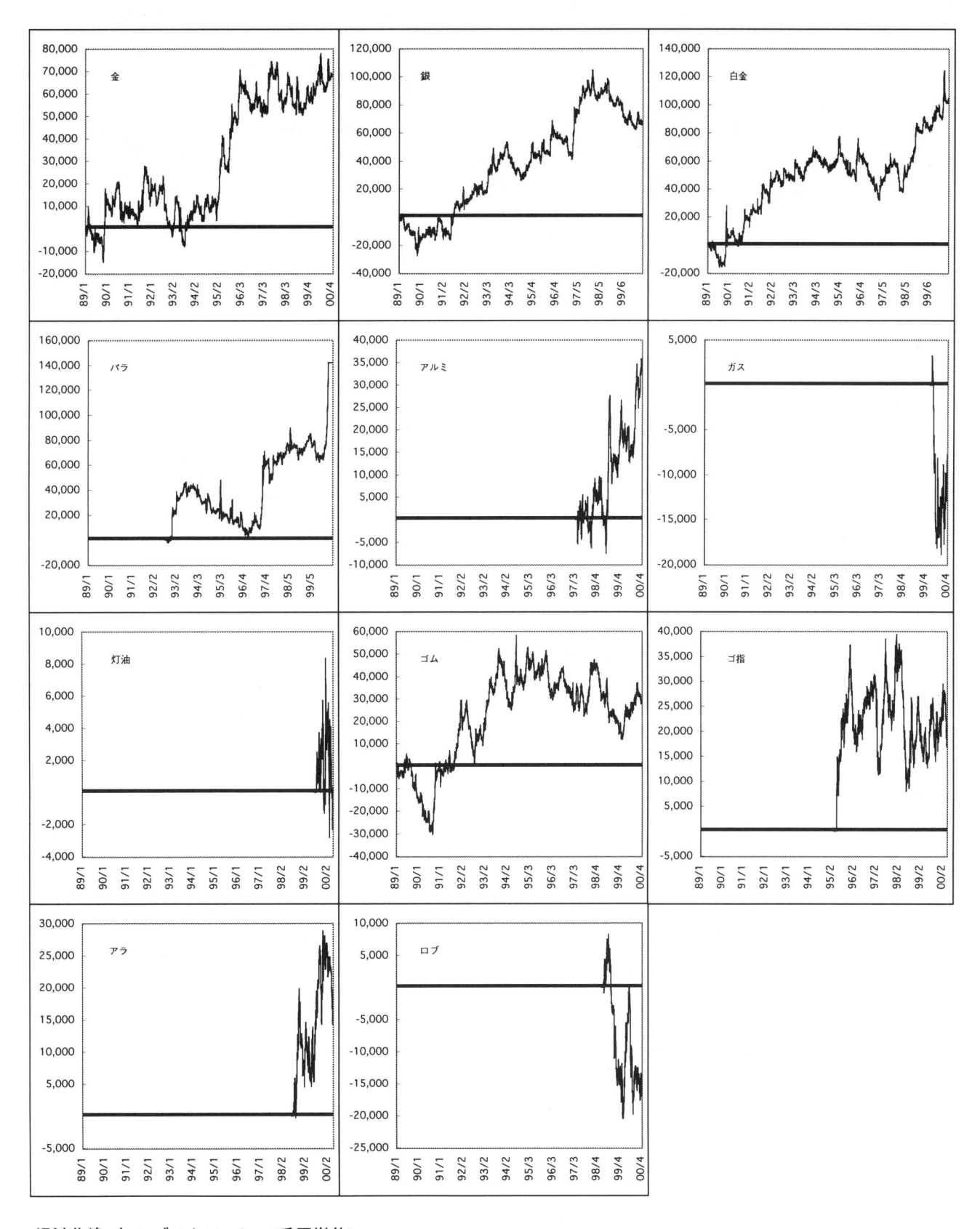

## 付録2　日本市場における検証結果

損益曲線: 金-ロブスタコーヒー(千円単位)
システム名: 20日モメンタム
建玉枚数: 可変
Copyright c 2000 Pan Rolling, Inc.

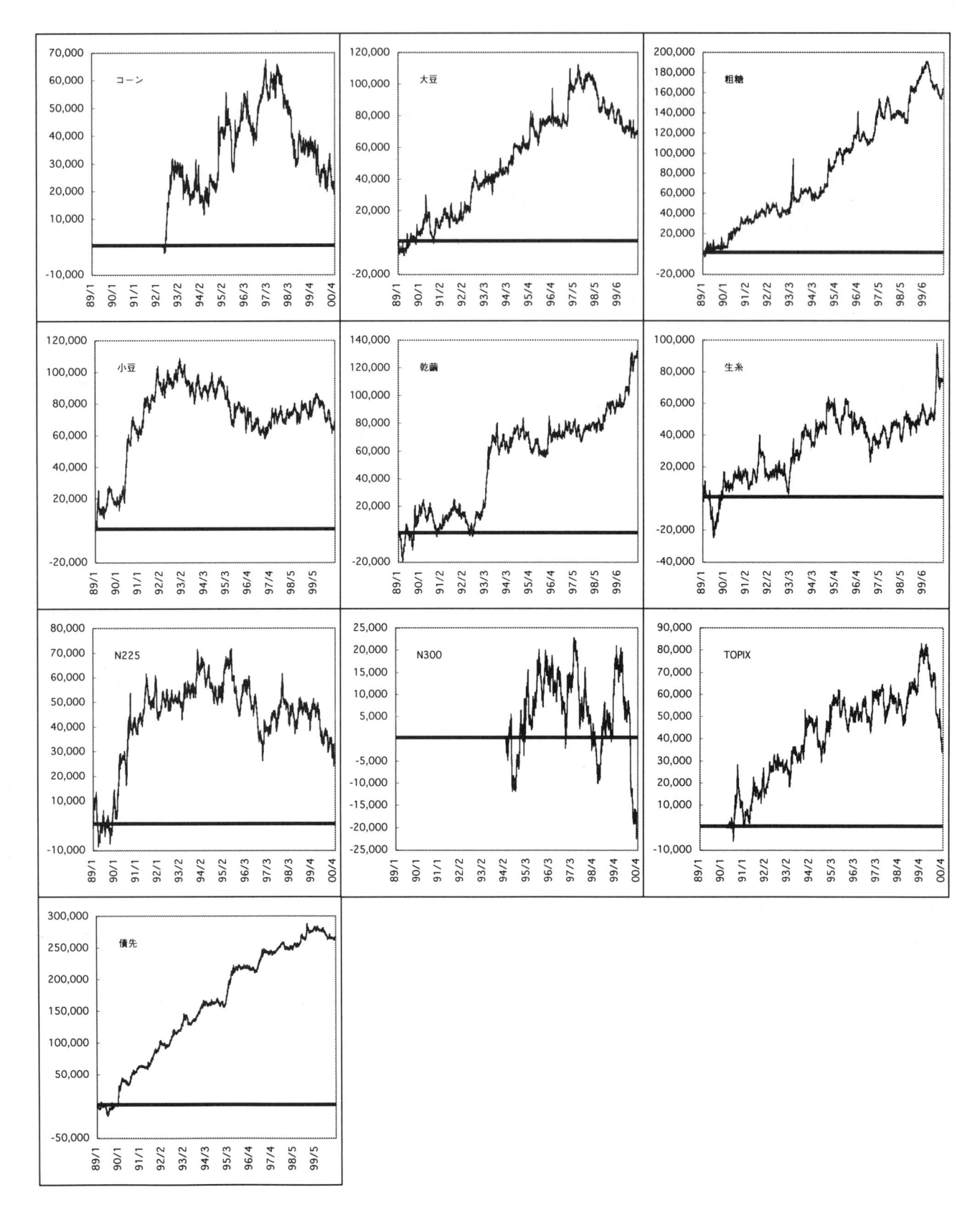

APPENDIX 2

損益曲線: とうもろこし-債券先物
システム名: 20日モメンタム
建玉枚数: 可変
Copyright c 2000 Pan Rolling, Inc.

## 付録2　日本市場における検証結果

**年次成績分析**

|      | 純益 | Kレシオ | シャープレシオ |
|---|---|---|---|
| 1989 | 73,760,200 | 0.22 | 0.26 |
| 1990 | 186,286,550 | 3.45 | 0.57 |
| 1991 | 220,208,800 | 4.21 | 0.80 |
| 1992 | 51,506,900 | 2.31 | 0.18 |
| 1993 | 290,174,300 | 2.04 | 0.72 |
| 1994 | 25,259,850 | 0.41 | 0.07 |
| 1995 | 129,429,700 | 1.12 | 0.42 |
| 1996 | -3,585,500 | -1.42 | -0.01 |
| 1997 | 211,084,850 | 1.75 | 0.60 |
| 1998 | 62,098,200 | 0.42 | 0.15 |
| 1999 | -3,660,850 | -0.19 | -0.01 |
| 2000 | 42,044,500 | 0.13 | 0.28 |

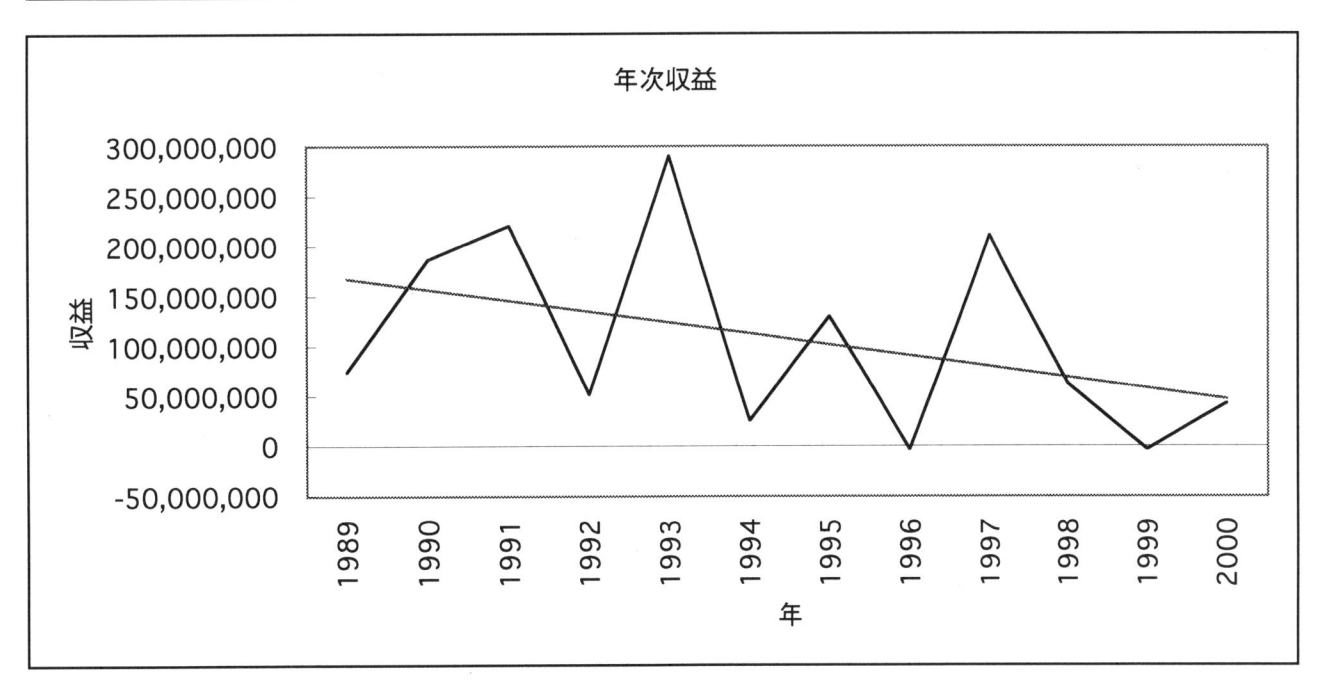

**年次収益**

**収益性ウインドウ**

| 期間(月) | ウインドウ数 | 利益ウインドウ数 | 利益ウインドウ率 |
|---|---|---|---|
| 1 | 136 | 81 | 0.60 |
| 3 | 134 | 91 | 0.68 |
| 6 | 131 | 105 | 0.80 |
| 12 | 125 | 117 | 0.94 |
| 18 | 119 | 119 | 1.00 |
| 24 | 113 | 113 | 1.00 |

## APPENDIX 2

トレーディング・システム評価
システム名: 14日相対力指数
検証期間: 1989/1/4 - 2000/4/28

| 市場 | 純益 | Kレシオ | シャープレシオ | 最大ドローダウン | トレード数 | 勝率 | 平均建玉数 | 平均利益 | 勝トレードの平均利益 | 敗トレードの平均損失 | 勝トレードの平均日数 | 敗トレードの平均日数 |
|---|---|---|---|---|---|---|---|---|---|---|---|---|
| 金 | 3,997,000 | -0.94 | 0.01 | -82,524,000 | 37 | 62% | 98 | 108,027 | 6,197,478 | -9,896,071 | 49 | 116 |
| 銀 | -38,854,800 | -2.55 | -0.06 | -76,365,000 | 30 | 57% | 73 | -1,295,160 | 4,025,611 | -8,253,092 | 63 | 130 |
| 白金 | 7,589,500 | 0.26 | 0.01 | -65,043,000 | 34 | 68% | 154 | 223,220 | 5,440,195 | -10,685,000 | 67 | 113 |
| パラ | -97,665,000 | -0.52 | -0.10 | -144,225,000 | 23 | 65% | 120 | -4,246,304 | 5,443,200 | -22,414,125 | 47 | 142 |
| アルミ | -30,295,000 | -1.50 | -0.13 | -57,911,000 | 10 | 50% | 60 | -3,029,500 | 4,955,200 | -11,014,200 | 29 | 118 |
| ゴム | -36,486,000 | -1.23 | -0.05 | -130,119,500 | 34 | 62% | 144 | -1,073,117 | 5,358,190 | -11,462,153 | 43 | 145 |
| ゴム指 | -92,786,200 | -3.93 | -0.30 | -114,346,600 | 11 | 36% | 35 | -8,435,109 | 4,200,000 | -15,655,171 | 45 | 152 |
| ガス | -3,770,000 | 0.15 | -0.22 | -9,240,000 | 3 | 33% | 27 | -1,256,666 | 4,340,000 | -4,055,000 | 48 | 69 |
| 灯油 | -5,557,000 | -0.03 | -0.24 | -10,907,000 | 3 | 33% | 31 | -1,852,333 | 2,695,000 | -4,126,000 | 47 | 70 |
| コーン | -10,795,000 | -0.31 | -0.02 | -54,503,000 | 30 | 63% | 72 | -359,833 | 5,122,947 | -9,830,090 | 43 | 104 |
| 大豆 | 15,588,000 | 0.54 | 0.02 | -48,929,100 | 39 | 62% | 84 | 399,692 | 5,231,150 | -7,330,640 | 38 | 125 |
| 粗糖 | -141,884,500 | -2.83 | -0.17 | -155,356,500 | 29 | 45% | 65 | -4,892,568 | 3,980,576 | -12,102,000 | 45 | 135 |
| ロブス | 13,872,000 | 1.30 | 0.14 | -19,152,000 | 8 | 63% | 61 | 1,734,000 | 6,605,900 | -6,385,833 | 30 | 98 |
| アラビ | -7,738,000 | -0.71 | -0.07 | -22,906,000 | 6 | 50% | 56 | -1,289,666 | 4,095,500 | -6,674,833 | 60 | 84 |
| 小豆 | -88,220,800 | -0.77 | -0.11 | -123,261,600 | 35 | 43% | 83 | -2,520,594 | 5,762,613 | -8,733,000 | 35 | 113 |
| 乾繭 | -91,586,700 | -1.60 | -0.09 | -132,554,400 | 43 | 65% | 82 | -2,129,923 | 5,197,467 | -15,807,720 | 34 | 118 |
| 生糸 | -2,095,200 | -0.59 | 0.00 | -64,373,850 | 40 | 58% | 86 | -52,380 | 6,359,263 | -8,726,955 | 36 | 115 |
| 日経225 | -148,250,000 | -3.40 | -0.18 | -153,520,000 | 28 | 39% | 5 | -5,294,642 | 4,400,909 | -11,568,235 | 52 | 130 |
| 日経300 | -34,615,000 | -0.85 | -0.11 | -51,275,000 | 13 | 62% | 34 | -2,662,692 | 4,579,500 | -14,250,200 | 49 | 214 |
| TOPIX | -79,875,000 | -1.94 | -0.12 | -110,600,000 | 28 | 50% | 6 | -2,852,678 | 5,337,500 | -11,892,307 | 43 | 137 |
| 債券先 | -226,910,000 | -4.40 | -0.26 | -247,900,000 | 30 | 33% | 3 | -7,563,666 | 5,360,000 | -14,025,500 | 40 | 118 |
| 平均 | -52,206,557 | -1.23 | -0.10 | -89,286,312 | 24 | 52% | 66 | -2,301,995 | 4,985,152 | -10,708,958 | 45 | 121 |

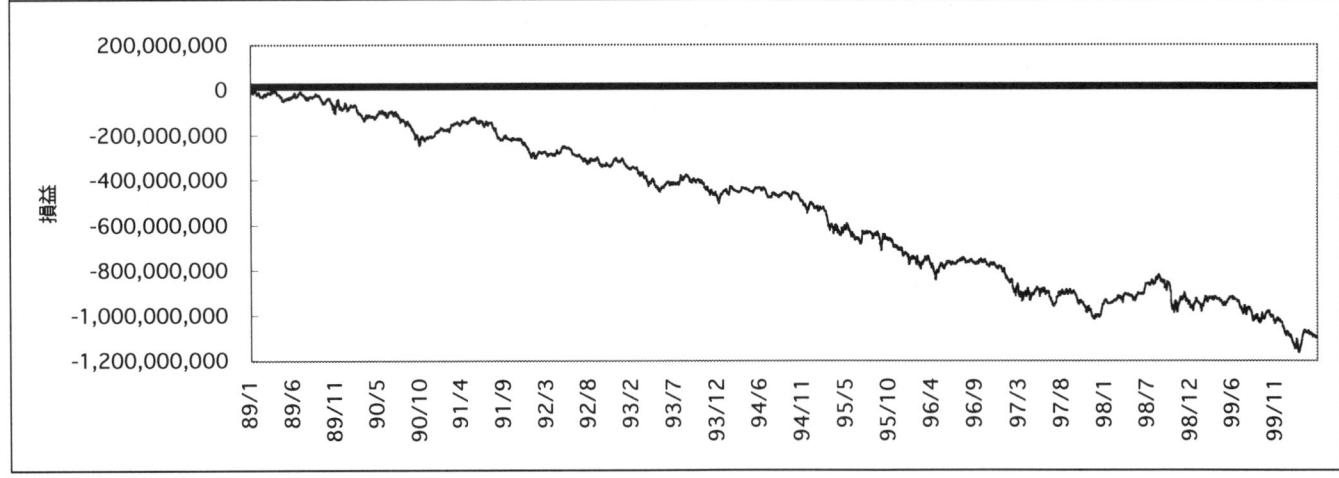

**ポートフォリオ統計**

| | |
|---|---:|
| 純益: | -1,096,337,700 |
| ドローダウン: | -1,168,263,800 |
| Kレシオ: | -6.46 |
| シャープ・レシオ: | -0.28 |
| ブレイクアウトとの相関係数: | -0.75 |
| 移動平均との相関係数: | -0.70 |

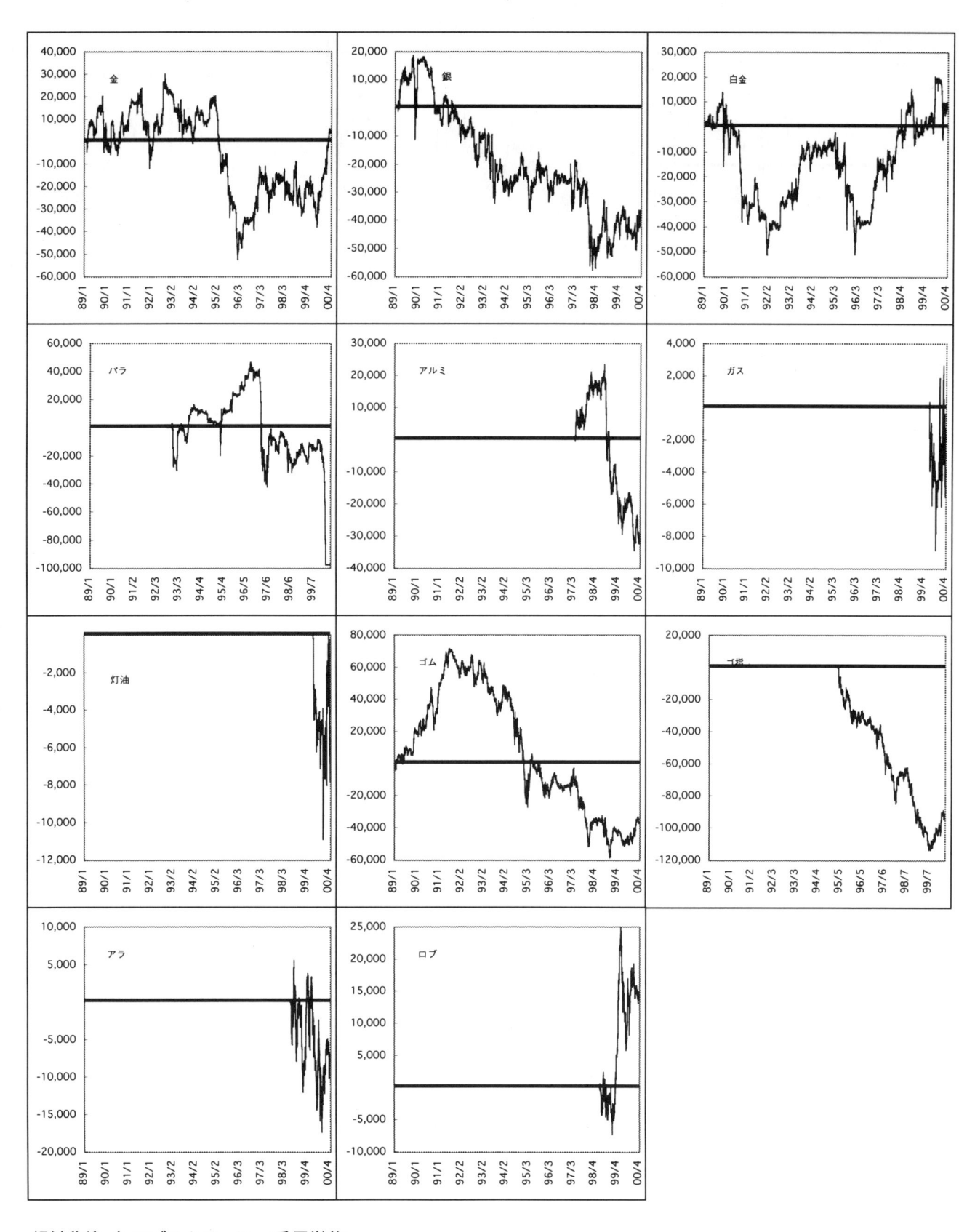

## 付録2　日本市場における検証結果

損益曲線: 金-ロブスタコーヒー(千円単位)
システム名: 14日相対力指数
建玉枚数: 可変

Copyright (c) 2000 Pan Rolling, Inc.

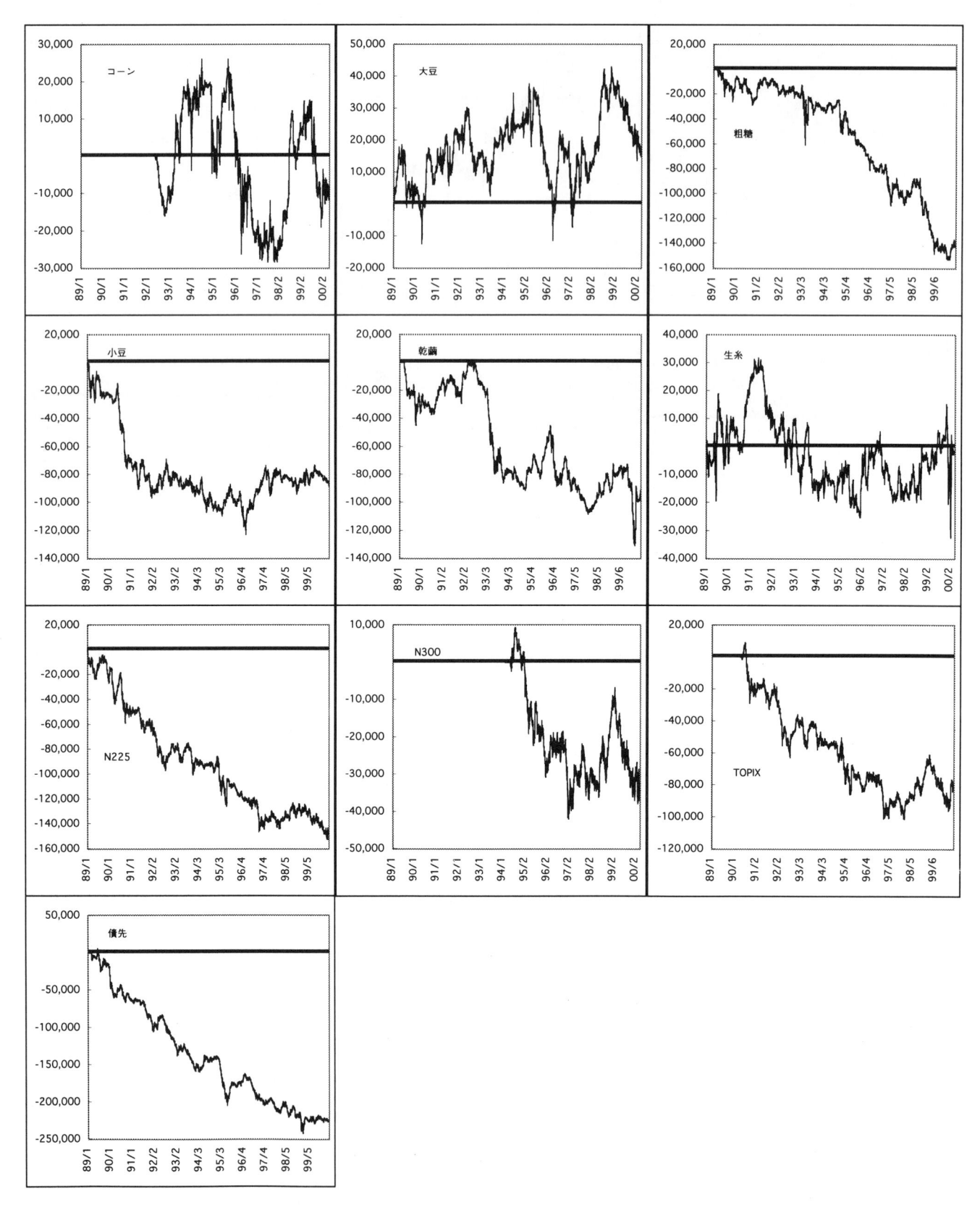

## APPENDIX 2

損益曲線: とうもろこし-債券先物
システム名: 14日相対力指数
建玉枚数: 可変

Copyright (c) 2000 Pan Rolling, Inc.

## 付録2　日本市場における検証結果

**年次成績分析**

|  | 純益 | Kレシオ | シャープレシオ |
|---|---|---|---|
| 1989 | -67,562,400 | -1.17 | -0.41 |
| 1990 | -122,042,050 | -1.86 | -0.37 |
| 1991 | -95,248,200 | -0.99 | -0.29 |
| 1992 | -40,220,750 | -0.99 | -0.16 |
| 1993 | -173,351,450 | -1.04 | -0.62 |
| 1994 | -10,488,300 | -0.89 | -0.04 |
| 1995 | -222,906,800 | -2.03 | -0.76 |
| 1996 | -71,258,700 | -0.19 | -0.39 |
| 1997 | -194,064,800 | -1.27 | -0.57 |
| 1998 | 30,491,550 | 0.22 | 0.04 |
| 1999 | -115,732,600 | -1.46 | -0.31 |
| 2000 | -13,953,200 | 0.29 | -0.07 |

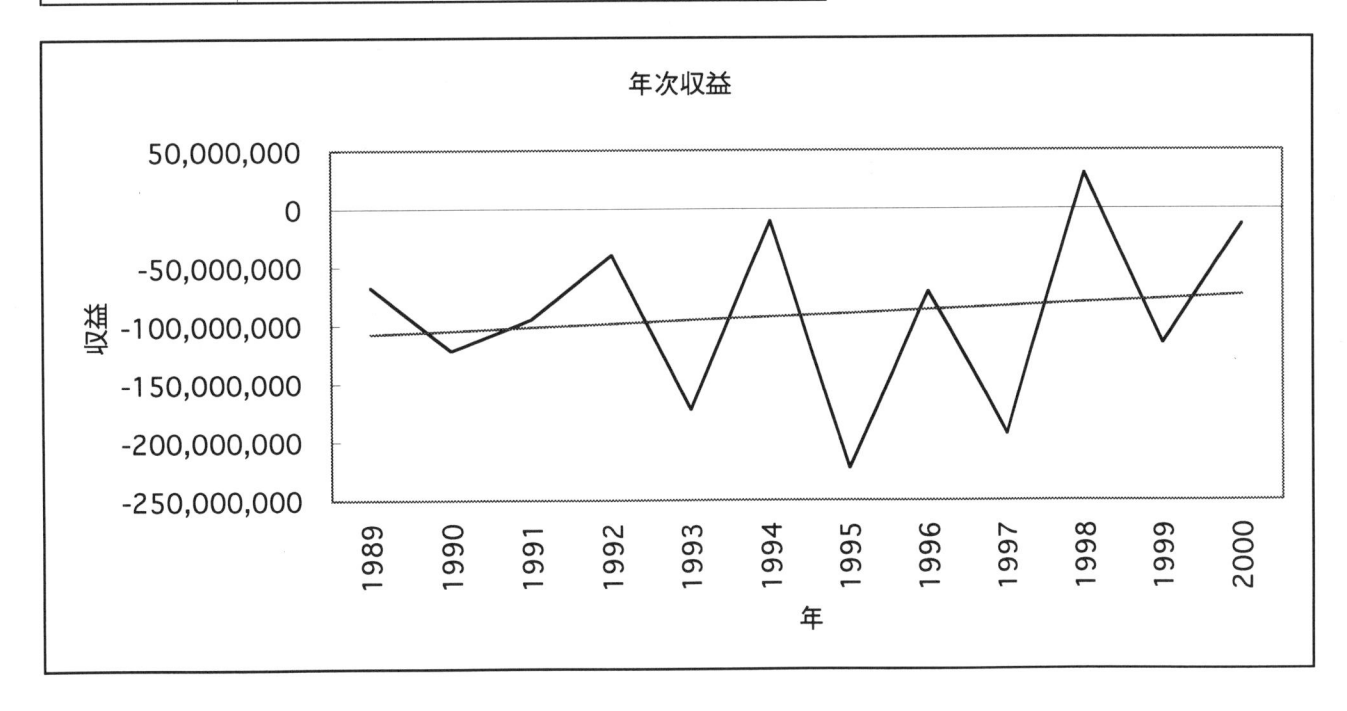

年次収益

**収益性ウインドウ**

| 期間(月) | ウインドウ数 | 利益ウインドウ数 | 利益ウインドウ率 |
|---|---|---|---|
| 1 | 136 | 46 | 0.34 |
| 3 | 134 | 45 | 0.34 |
| 6 | 131 | 21 | 0.16 |
| 12 | 125 | 8 | 0.06 |
| 18 | 119 | 5 | 0.04 |
| 24 | 113 | 1 | 0.01 |

# APPENDIX 2

トレーディング・システム評価
システム名: １４日スロー％Ｋストキャスティック
検証期間: 1989/1/4 - 2000/4/28

| 市場 | 純益 | Kレシオ | シャープレシオ | 最大ドローダウン | トレード数 | 勝率 | 平均建玉数 | 平均利益 | 勝トレードの平均利益 | 敗トレードの平均損失 | 勝トレードの平均日数 | 敗トレードの平均日数 |
|---|---|---|---|---|---|---|---|---|---|---|---|---|
| 金 | -21,551,000 | -0.37 | -0.03 | -57,415,000 | 122 | 49% | 93 | -176,647 | 3,536,583 | -4,100,807 | 18 | 29 |
| 銀 | 74,955,600 | 1.85 | 0.11 | -32,739,000 | 133 | 56% | 68 | 563,575 | 3,147,300 | -2,723,182 | 18 | 25 |
| 白金 | -26,826,500 | -0.71 | -0.04 | -89,816,500 | 123 | 51% | 150 | -218,101 | 2,866,222 | -3,575,836 | 19 | 27 |
| パラ | -142,849,500 | -1.99 | -0.17 | -144,826,500 | 72 | 50% | 116 | -1,984,020 | 2,651,208 | -7,008,617 | 17 | 37 |
| アルミ | -65,963,000 | -2.32 | -0.29 | -69,693,000 | 29 | 41% | 58 | -2,274,586 | 2,211,416 | -5,441,176 | 19 | 30 |
| ゴム | -18,560,000 | -1.60 | -0.03 | -94,754,000 | 114 | 61% | 130 | -162,807 | 2,889,760 | -4,843,411 | 19 | 33 |
| ゴム指 | -25,282,400 | -0.36 | -0.07 | -60,756,400 | 47 | 53% | 37 | -537,923 | 4,058,648 | -5,761,300 | 20 | 33 |
| ガス | 4,606,000 | 0.69 | 0.15 | -10,777,000 | 12 | 58% | 30 | 383,833 | 2,257,285 | -2,239,000 | 14 | 17 |
| 灯油 | 27,100,000 | 2.28 | 0.60 | -8,837,000 | 9 | 67% | 33 | 3,011,111 | 5,276,166 | -1,519,000 | 15 | 31 |
| コーン | -69,262,000 | -1.07 | -0.13 | -93,690,000 | 89 | 43% | 61 | -778,224 | 2,992,868 | -3,588,058 | 18 | 25 |
| 大豆 | 26,739,000 | 0.44 | 0.04 | -40,436,400 | 133 | 50% | 86 | 201,045 | 3,090,559 | -2,956,204 | 18 | 25 |
| 粗糖 | 64,172,000 | 1.91 | 0.08 | -44,995,000 | 121 | 58% | 59 | 530,347 | 3,498,578 | -3,688,336 | 19 | 29 |
| ロブス | -1,485,500 | 0.45 | -0.02 | -23,959,500 | 21 | 48% | 65 | -70,738 | 3,269,600 | -3,107,409 | 18 | 24 |
| アラビ | -13,389,000 | -0.84 | -0.12 | -27,483,000 | 17 | 41% | 57 | -787,588 | 3,297,428 | -3,647,100 | 22 | 29 |
| 小豆 | -49,448,000 | -0.17 | -0.07 | -118,027,200 | 113 | 50% | 84 | -437,592 | 3,376,056 | -4,479,318 | 20 | 29 |
| 乾繭 | -910,200 | -0.46 | 0.00 | -106,862,700 | 117 | 53% | 70 | -7,779 | 4,000,403 | -4,526,094 | 19 | 29 |
| 生糸 | 51,354,900 | 0.35 | 0.06 | -79,195,200 | 130 | 52% | 77 | 395,037 | 3,990,902 | -3,484,444 | 18 | 25 |
| 日経225 | -41,590,000 | -1.85 | -0.06 | -78,180,000 | 118 | 58% | 4 | -352,457 | 2,765,000 | -4,783,541 | 17 | 33 |
| 日経300 | -22,485,000 | -1.79 | -0.07 | -50,086,000 | 64 | 59% | 33 | -351,328 | 2,274,236 | -4,356,240 | 18 | 33 |
| TOPIX | -73,595,000 | -4.11 | -0.13 | -109,780,000 | 109 | 53% | 6 | -675,183 | 2,312,931 | -4,073,431 | 17 | 29 |
| 債券先 | -218,520,000 | -3.15 | -0.26 | -233,590,000 | 90 | 50% | 3 | -2,428,000 | 2,613,333 | -7,469,333 | 21 | 41 |
| 平均 | -25,847,124 | -0.61 | -0.02 | -75,042,829 | 85 | 52% | 63 | -293,239 | 3,160,785 | -4,160,564 | 18 | 29 |

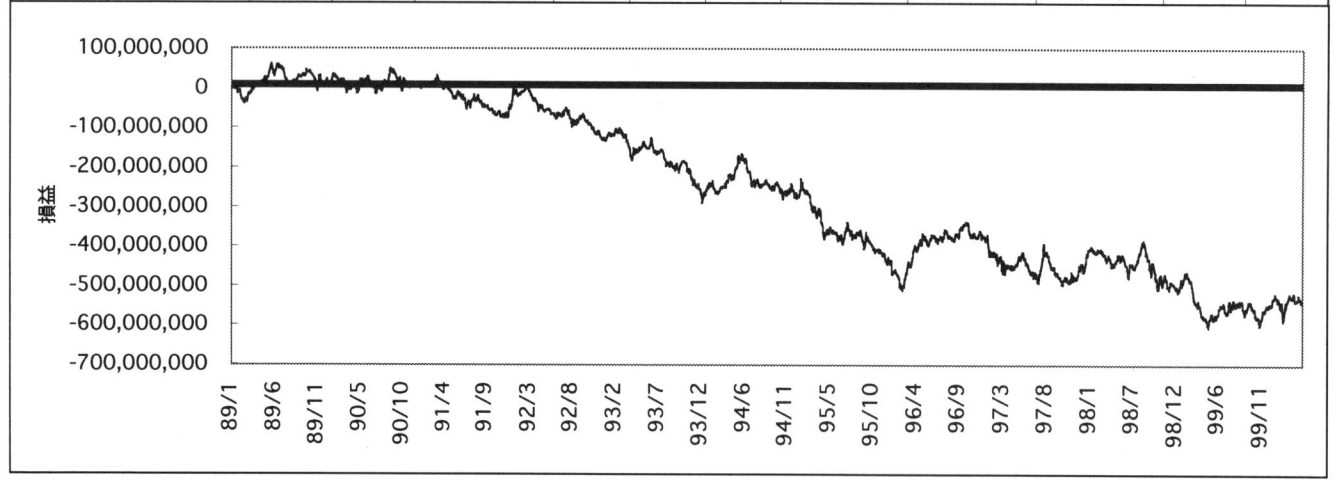

**ポートフォリオ統計**

| | |
|---|---|
| 純益: | -542,789,600 |
| ドローダウン: | -666,719,450 |
| Kレシオ: | -4.29 |
| シャープ・レシオ: | -0.16 |
| ブレイクアウトとの相関係数: | -0.42 |
| 移動平均との相関係数: | -0.48 |

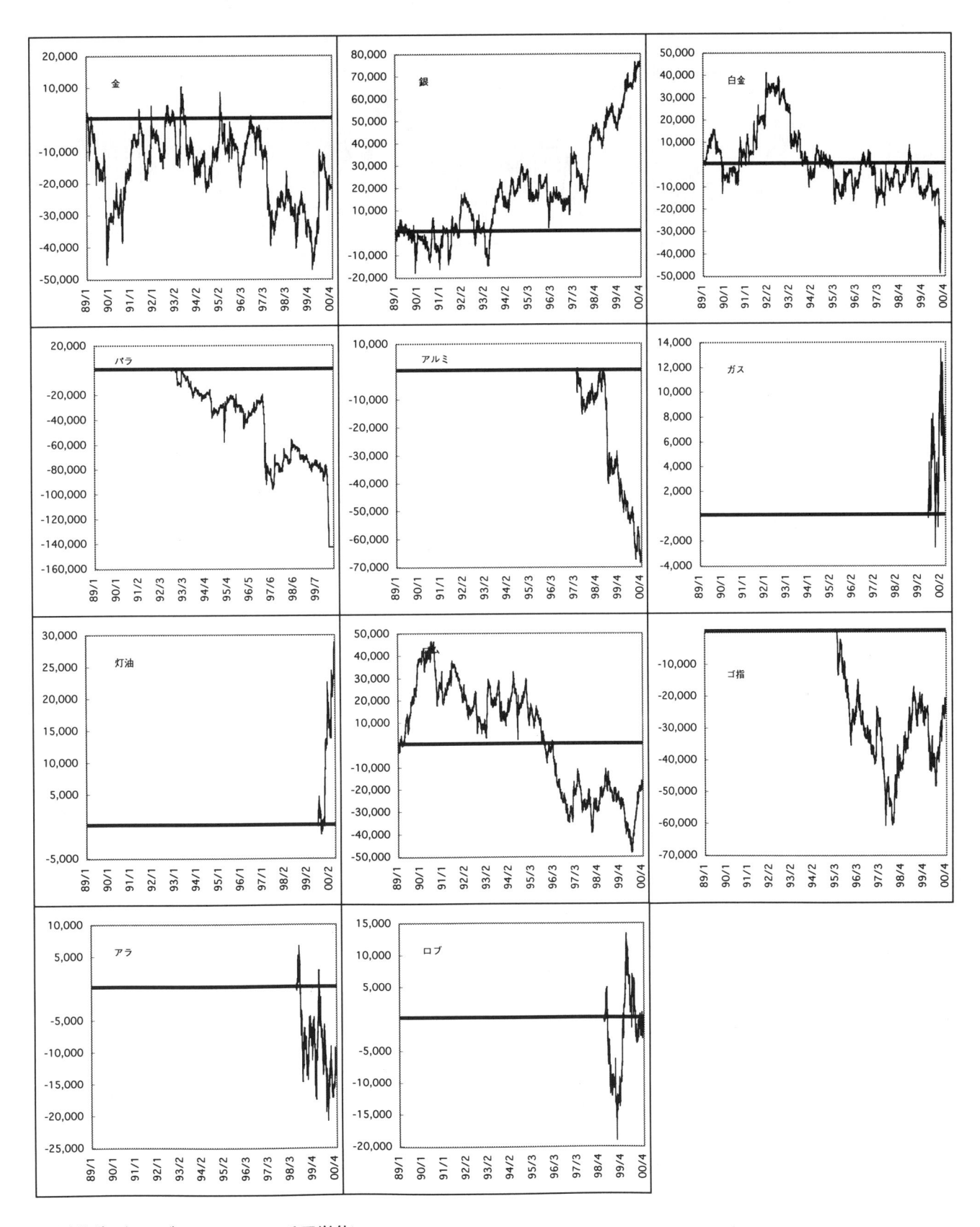

## 付録2　日本市場における検証結果

損益曲線: 金-ロブスタコーヒー(千円単位)
システム名: １４日スロー％Ｋストキャスティック
建玉枚数: 可変
Copyright (c) 2000 Pan Rolling, Inc.

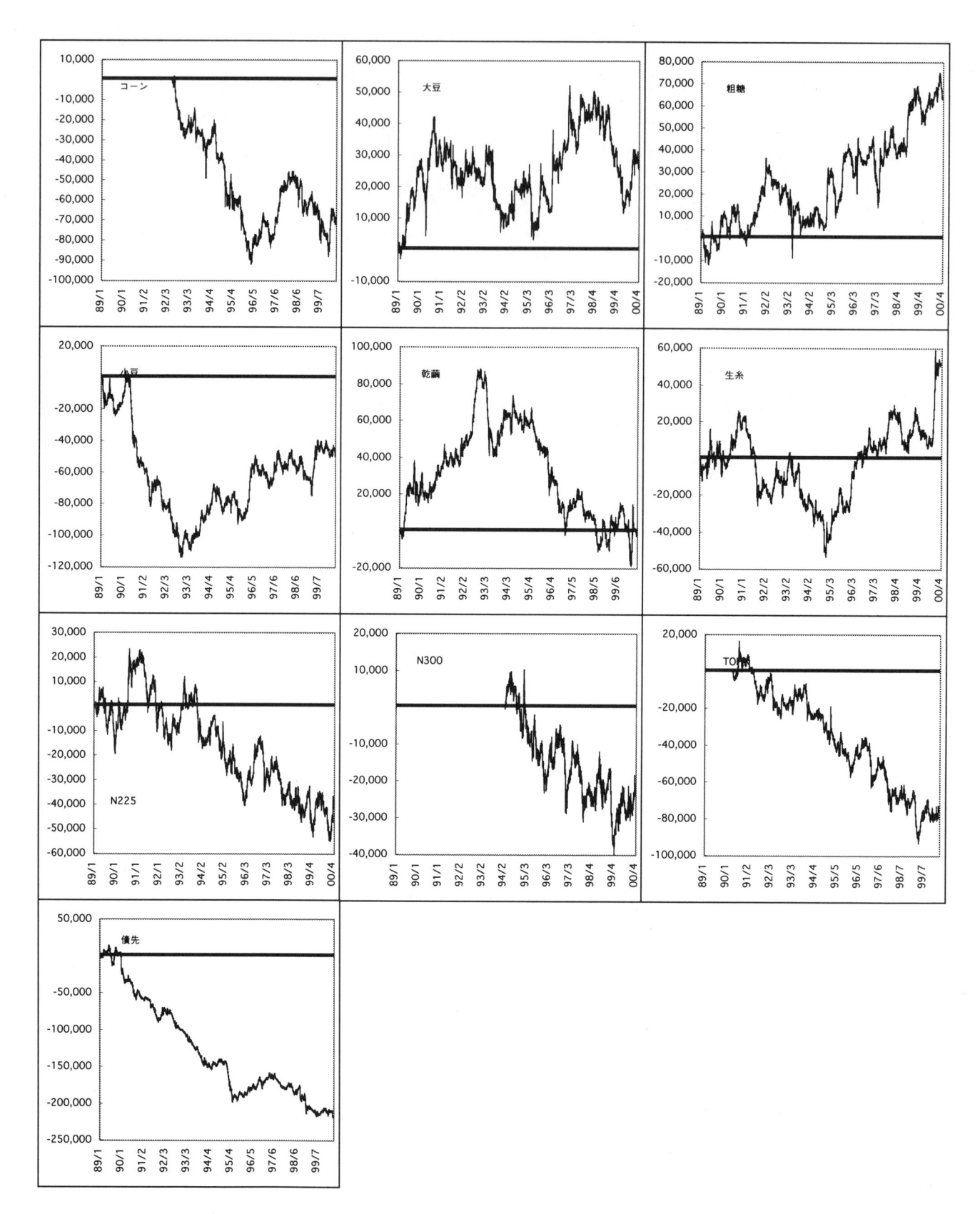

## APPENDIX 2

損益曲線: とうもろこし-債券先物
システム名: １４日スロー％Ｋストキャスティック
建玉枚数: 可変
Copyright (c) 2000 Pan Rolling, Inc.

## 付録2　日本市場における検証結果

**年次成績分析**

|  | 純益 | Kレシオ | シャープレシオ |
|---|---|---|---|
| 1989 | 19,313,850 | 0.57 | 0.07 |
| 1990 | -17,307,900 | -0.10 | -0.06 |
| 1991 | -24,562,400 | -2.32 | -0.12 |
| 1992 | -100,846,450 | -3.11 | -0.47 |
| 1993 | -155,365,200 | -2.38 | -0.48 |
| 1994 | 5,382,200 | -0.15 | 0.02 |
| 1995 | -162,025,050 | -2.29 | -0.54 |
| 1996 | 58,137,400 | 1.32 | 0.17 |
| 1997 | -65,821,300 | -0.81 | -0.19 |
| 1998 | -67,790,400 | -0.99 | -0.23 |
| 1999 | -38,888,000 | -0.60 | -0.10 |
| 2000 | 6,983,650 | 0.21 | 0.07 |

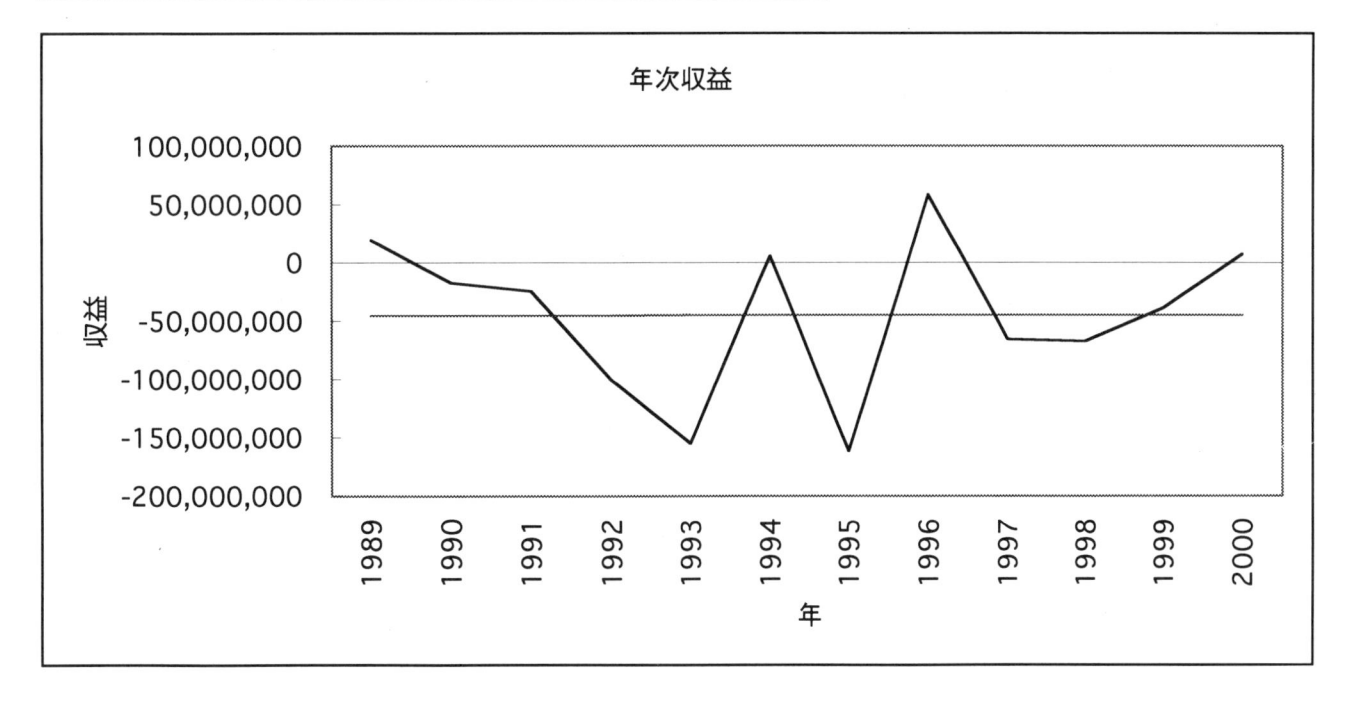

**収益性ウインドウ**

| 期間(月) | ウインドウ数 | 利益ウインドウ数 | 利益ウインドウ率 |
|---|---|---|---|
| 1 | 136 | 54 | 0.40 |
| 3 | 134 | 51 | 0.38 |
| 6 | 131 | 45 | 0.34 |
| 12 | 125 | 24 | 0.19 |
| 18 | 119 | 8 | 0.07 |
| 24 | 113 | 6 | 0.05 |

# APPENDIX 2

トレーディング・システム評価
システム名: ボックスのブレイクアウト逆張り法(10日)
検証期間: 1989/1/4 - 2000/4/28

| 市場 | 純益 | Kレシオ | シャープレシオ | 最大ドローダウン | トレード数 | 勝率 | 平均建玉数 | 平均利益 | 勝トレードの平均利益 | 敗トレードの平均損失 | 勝トレードの平均日数 | 敗トレードの平均日数 |
|---|---|---|---|---|---|---|---|---|---|---|---|---|
| 金 | -74,291,000 | -2.21 | -0.13 | -83,626,000 | 302 | 63% | 97 | -245,996 | 1,174,418 | -2,956,485 | 3 | 10 |
| 銀 | -45,438,600 | -0.94 | -0.08 | -88,122,600 | 299 | 69% | 72 | -151,968 | 1,067,590 | -3,003,347 | 3 | 10 |
| 白金 | -95,810,000 | -1.86 | -0.15 | -106,859,500 | 298 | 66% | 155 | -321,510 | 1,082,752 | -3,175,561 | 2 | 9 |
| パラ | -99,442,500 | -1.53 | -0.16 | -103,476,000 | 241 | 53% | 114 | -412,624 | 1,221,949 | -4,061,142 | 3 | 8 |
| アルミ | 2,255,000 | 0.87 | 0.02 | -16,853,000 | 86 | 67% | 58 | 26,220 | 1,117,948 | -2,235,214 | 2 | 9 |
| ゴム | -89,933,500 | -3.55 | -0.17 | -96,235,000 | 273 | 58% | 142 | -329,426 | 1,201,187 | -2,602,990 | 3 | 10 |
| ゴム指 | -52,850,000 | -1.58 | -0.21 | -57,661,000 | 128 | 61% | 37 | -412,890 | 1,270,392 | -3,100,828 | 3 | 10 |
| ガス | -1,602,000 | 0.36 | -0.05 | -11,122,000 | 18 | 61% | 31 | -89,000 | 1,210,727 | -2,131,428 | 2 | 7 |
| 灯油 | -2,546,000 | -0.50 | -0.10 | -10,670,000 | 17 | 47% | 34 | -149,764 | 1,619,000 | -1,722,000 | 1 | 5 |
| コーン | -4,007,000 | -0.54 | -0.01 | -38,602,000 | 202 | 64% | 65 | -19,836 | 1,186,184 | -2,434,015 | 3 | 9 |
| 大豆 | -28,552,200 | -0.70 | -0.05 | -67,743,300 | 304 | 64% | 89 | -93,921 | 1,180,881 | -2,875,823 | 3 | 9 |
| 粗糖 | -107,194,500 | -3.67 | -0.18 | -110,099,500 | 275 | 59% | 66 | -389,798 | 1,175,699 | -2,929,740 | 3 | 10 |
| ロブス | 14,672,000 | -0.08 | 0.17 | -23,098,500 | 50 | 74% | 65 | 293,440 | 1,247,837 | -2,422,923 | 3 | 10 |
| アラビ | 251,000 | 0.32 | 0.00 | -11,499,500 | 52 | 63% | 55 | 4,826 | 1,175,303 | -2,028,105 | 2 | 7 |
| 小豆 | -51,907,200 | -1.20 | -0.09 | -80,273,600 | 281 | 67% | 83 | -184,723 | 1,341,987 | -3,380,008 | 3 | 11 |
| 乾繭 | -146,208,600 | -2.55 | -0.23 | -156,026,100 | 270 | 63% | 75 | -541,513 | 1,372,255 | -3,938,746 | 2 | 11 |
| 生糸 | -153,569,250 | -3.93 | -0.23 | -165,958,500 | 261 | 60% | 80 | -588,387 | 1,183,399 | -3,283,296 | 3 | 10 |
| 日経225 | -8,170,000 | -0.12 | -0.02 | -52,130,000 | 309 | 65% | 4 | -26,440 | 1,217,450 | -2,351,962 | 3 | 9 |
| 日経300 | 36,627,000 | 0.82 | 0.17 | -27,219,000 | 166 | 66% | 31 | 220,644 | 1,249,009 | -1,777,053 | 3 | 8 |
| TOPIX | 42,095,000 | 0.84 | 0.09 | -25,740,000 | 267 | 69% | 6 | 157,659 | 1,285,792 | -2,445,632 | 3 | 9 |
| 債券先 | -122,330,000 | -4.23 | -0.22 | -140,910,000 | 277 | 60% | 3 | -441,624 | 1,309,454 | -3,048,558 | 2 | 11 |
| 平均 | -47,045,350 | -1.24 | -0.08 | -70,186,910 | 208 | 63% | 65 | -176,030 | 1,232,915 | -2,757,374 | 3 | 9 |

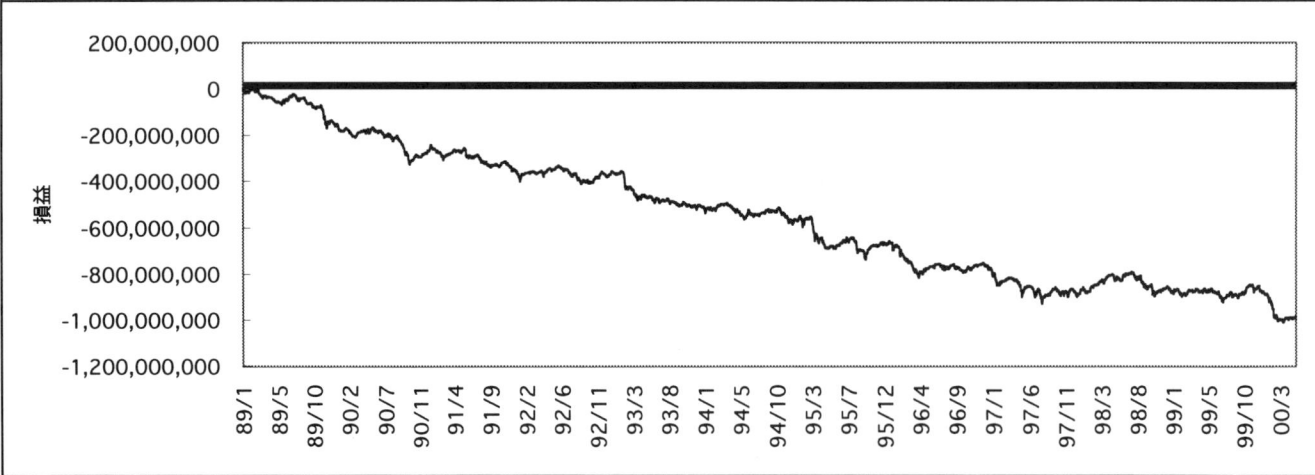

**ポートフォリオ統計**

| | |
|---|---|
| 純益: | -987,952,350 |
| ドローダウン: | -1,011,940,600 |
| Kレシオ: | -5.40 |
| シャープ・レシオ: | -0.33 |
| ブレイクアウトとの相関係数: | -0.55 |
| 移動平均との相関係数: | -0.43 |

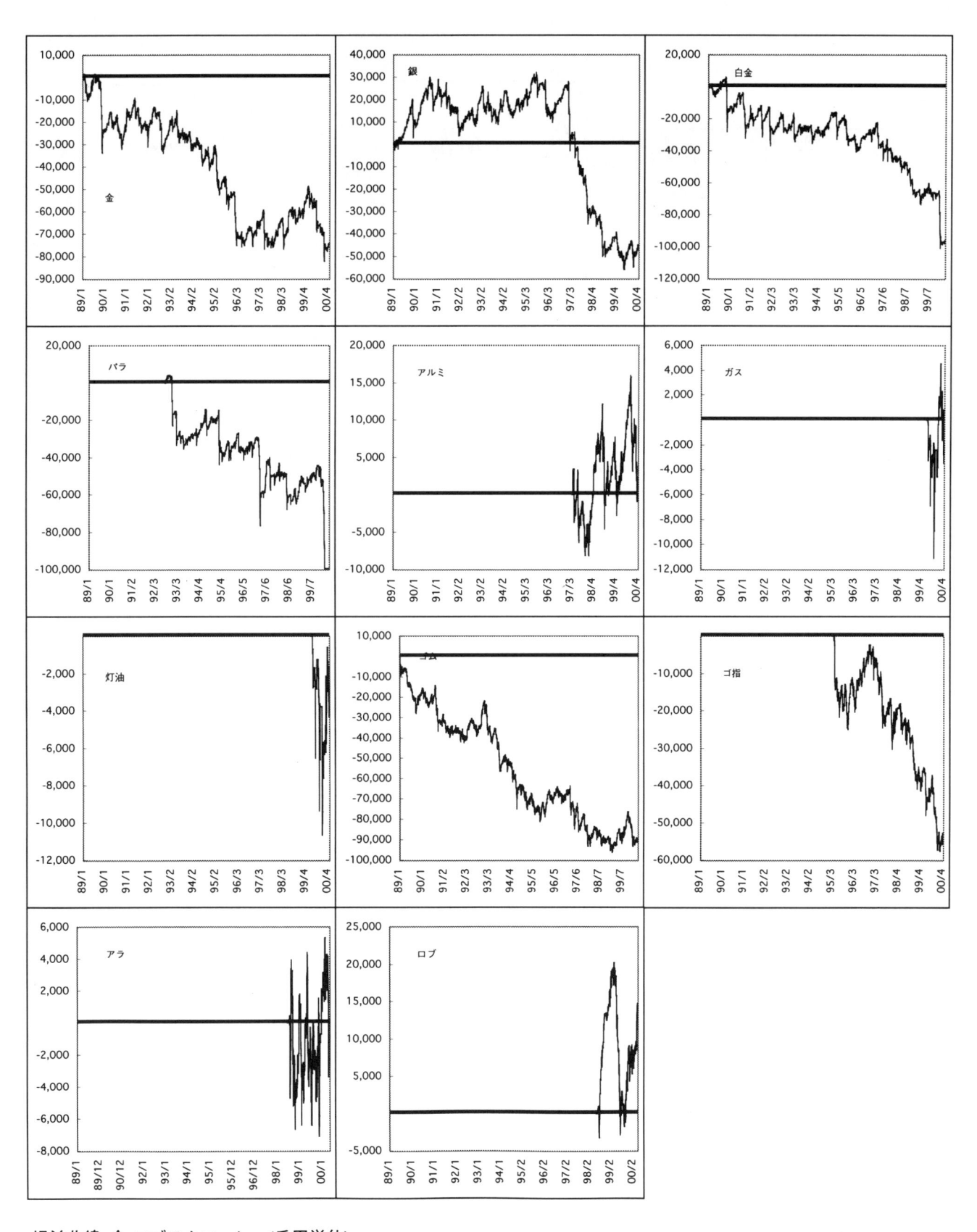

## 付録2　日本市場における検証結果

損益曲線: 金-ロブスタコーヒー(千円単位)
システム名: ボックスのブレイクアウト逆張り法(10日)
建玉枚数: 可変
Copyright (c) 2000 Pan Rolling, Inc.

APPENDIX 2

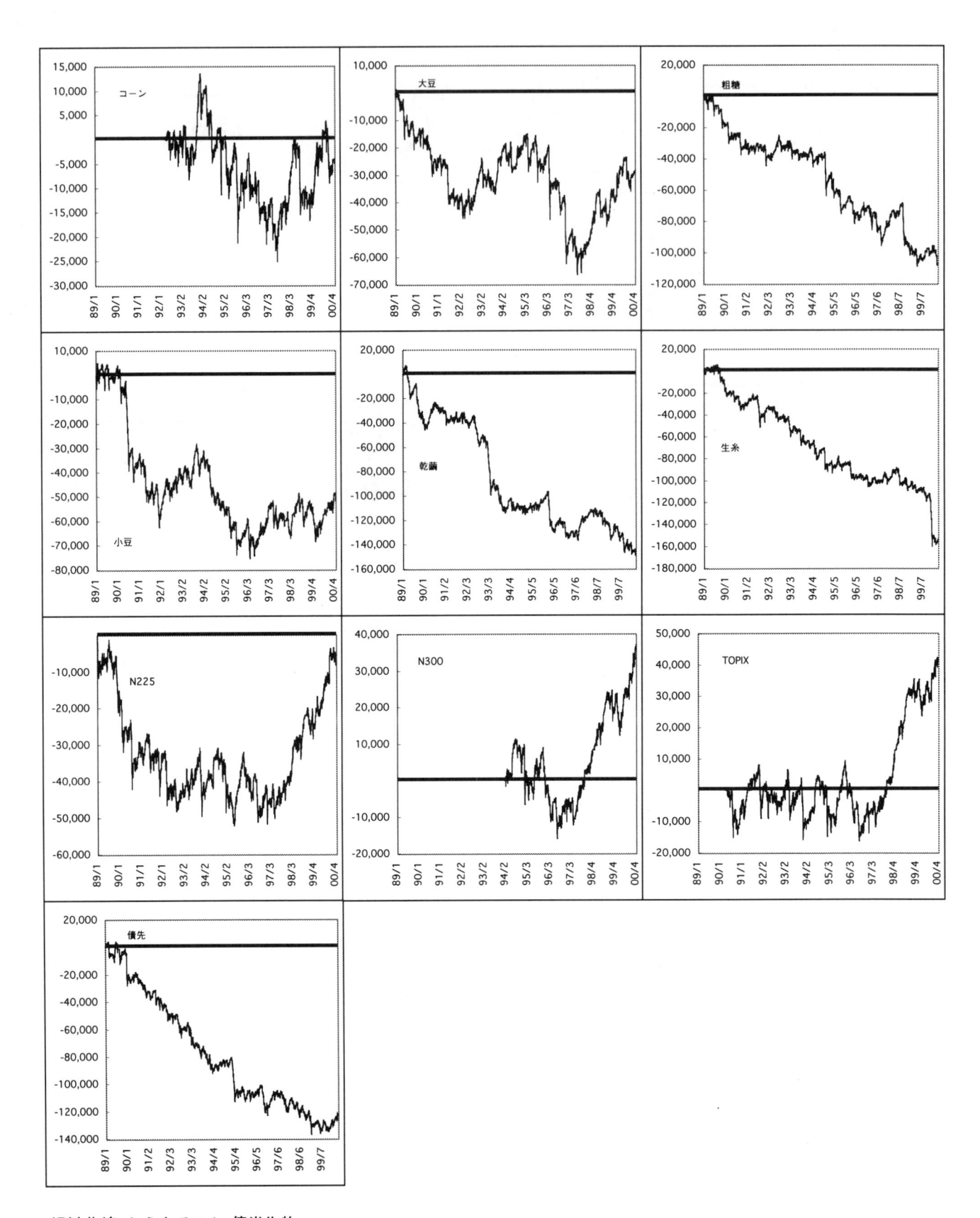

損益曲線: とうもろこし-債券先物
システム名: ボックスのブレイクアウト逆張り法(10日)
建玉枚数: 可変
Copyright (c) 2000 Pan Rolling, Inc.

## 付録2　日本市場における検証結果

**年次成績分析**

| | 純益 | Kレシオ | シャープレシオ |
|---|---|---|---|
| 1989 | -158,552,750 | -1.65 | -0.60 |
| 1990 | -121,240,250 | -1.66 | -0.42 |
| 1991 | -105,965,750 | -2.01 | -0.41 |
| 1992 | 25,088,950 | -0.47 | 0.11 |
| 1993 | -169,980,250 | -1.88 | -0.77 |
| 1994 | -40,819,950 | -0.96 | -0.22 |
| 1995 | -92,935,300 | -0.91 | -0.25 |
| 1996 | -104,795,950 | -0.58 | -0.34 |
| 1997 | -117,452,900 | -1.30 | -0.44 |
| 1998 | 7,743,550 | -0.19 | 0.03 |
| 1999 | -7,259,500 | 0.11 | -0.04 |
| 2000 | -101,782,250 | -1.23 | -0.76 |

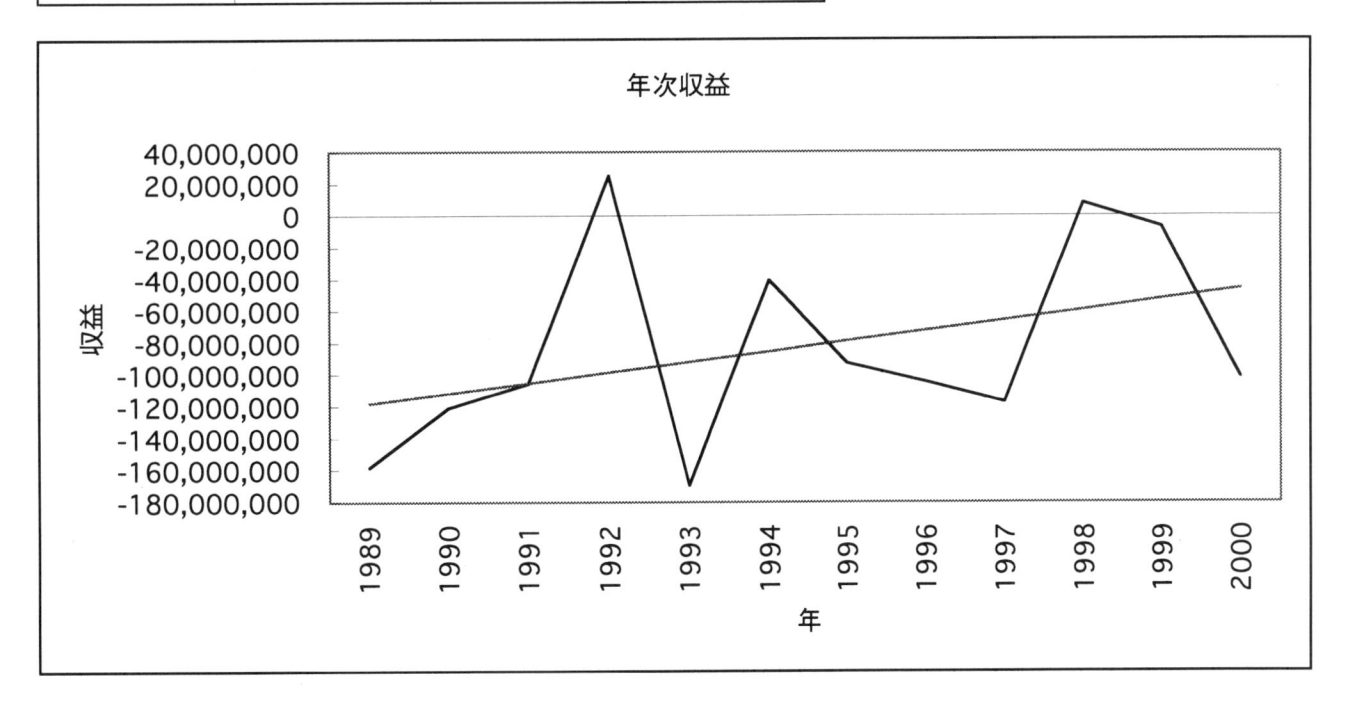

**収益性ウインドウ**

| 期間(月) | ウインドウ数 | 利益ウインドウ数 | 利益ウインドウ率 |
|---|---|---|---|
| 1 | 136 | 59 | 0.43 |
| 3 | 134 | 39 | 0.29 |
| 6 | 131 | 21 | 0.16 |
| 12 | 125 | 13 | 0.10 |
| 18 | 119 | 5 | 0.04 |
| 24 | 113 | 3 | 0.03 |

## APPENDIX 2

トレーディング・システム評価
システム名: ボックスのブレイクアウト逆張り法(40日)
検証期間: 1989/1/4 - 2000/4/28

| 市場 | 純益 | Kレシオ | シャープレシオ | 最大ドローダウン | トレード数 | 勝率 | 平均建玉数 | 平均利益 | 勝トレードの平均利益 | 敗トレードの平均損失 | 勝トレードの平均日数 | 敗トレードの平均日数 |
|---|---|---|---|---|---|---|---|---|---|---|---|---|
| 金 | -62,603,000 | -2.59 | -0.12 | -86,342,000 | 70 | 59% | 104 | -894,328 | 2,158,146 | -5,209,896 | 12 | 33 |
| 銀 | 2,610,000 | -0.66 | 0.01 | -48,441,000 | 79 | 68% | 75 | 33,037 | 1,967,022 | -4,144,368 | 9 | 32 |
| 白金 | 5,468,500 | 1.12 | 0.01 | -47,795,000 | 77 | 69% | 177 | 71,019 | 2,549,707 | -5,893,909 | 8 | 30 |
| パラ | -161,341,500 | -1.53 | -0.20 | -163,348,500 | 59 | 54% | 120 | -2,734,601 | 2,424,281 | -13,273,250 | 10 | 32 |
| アルミ | -23,859,000 | -1.16 | -0.12 | -38,357,000 | 18 | 61% | 57 | -1,325,500 | 1,866,909 | -6,342,142 | 11 | 38 |
| ゴム | -50,184,500 | -2.76 | -0.09 | -90,841,000 | 75 | 64% | 135 | -669,126 | 2,122,510 | -5,632,037 | 11 | 40 |
| ゴム指 | -43,786,200 | -2.31 | -0.16 | -59,187,200 | 30 | 60% | 38 | -1,459,540 | 2,305,600 | -7,107,250 | 13 | 44 |
| ガス | 5,060,000 | 1.71 | 0.27 | -8,220,000 | 5 | 80% | 33 | 1,012,000 | 2,367,500 | -4,410,000 | 13 | 30 |
| 灯油 | -154,000 | -0.19 | -0.01 | -9,900,000 | 5 | 60% | 36 | -30,800 | 1,498,666 | -2,325,000 | 9 | 17 |
| コーン | -15,584,000 | -0.95 | -0.05 | -45,044,000 | 54 | 65% | 68 | -288,592 | 1,986,142 | -4,478,894 | 10 | 33 |
| 大豆 | -16,795,500 | -1.03 | -0.03 | -59,341,200 | 78 | 64% | 102 | -215,326 | 2,142,072 | -4,424,967 | 11 | 33 |
| 粗糖 | -114,646,500 | -2.64 | -0.20 | -134,635,500 | 67 | 49% | 67 | -1,711,141 | 2,114,757 | -5,588,893 | 11 | 38 |
| ロブス | 9,570,000 | 0.31 | 0.13 | -20,520,000 | 13 | 85% | 66 | 736,153 | 2,253,909 | -7,611,500 | 9 | 53 |
| アラビ | -7,623,000 | -0.70 | -0.10 | -19,800,000 | 11 | 55% | 52 | -693,000 | 2,251,166 | -4,226,000 | 10 | 37 |
| 小豆 | -78,501,600 | -1.01 | -0.13 | -100,511,200 | 75 | 56% | 89 | -1,046,688 | 2,308,552 | -5,316,993 | 12 | 33 |
| 乾繭 | -122,418,600 | -2.51 | -0.20 | -129,130,200 | 68 | 51% | 77 | -1,800,273 | 2,771,597 | -6,649,227 | 11 | 39 |
| 生糸 | -61,105,350 | -2.18 | -0.10 | -90,390,600 | 71 | 58% | 86 | -860,638 | 2,735,871 | -5,775,870 | 12 | 35 |
| 日経225 | -38,210,000 | -0.72 | -0.06 | -78,310,000 | 76 | 67% | 4 | -502,763 | 2,487,058 | -6,877,083 | 11 | 40 |
| 日経300 | 4,387,000 | -1.11 | 0.02 | -34,247,000 | 39 | 67% | 32 | 112,487 | 2,589,653 | -4,841,846 | 9 | 36 |
| TOPIX | -33,540,000 | -1.38 | -0.07 | -64,280,000 | 65 | 69% | 6 | -516,000 | 2,375,111 | -7,021,000 | 9 | 43 |
| 債券先 | -166,900,000 | -4.46 | -0.23 | -193,910,000 | 67 | 61% | 3 | -2,491,044 | 2,533,658 | -10,831,200 | 11 | 53 |
| 平均 | -46,197,964 | -1.27 | -0.07 | -72,502,448 | 52 | 63% | 68 | -727,365 | 2,276,661 | -6,094,349 | 11 | 37 |

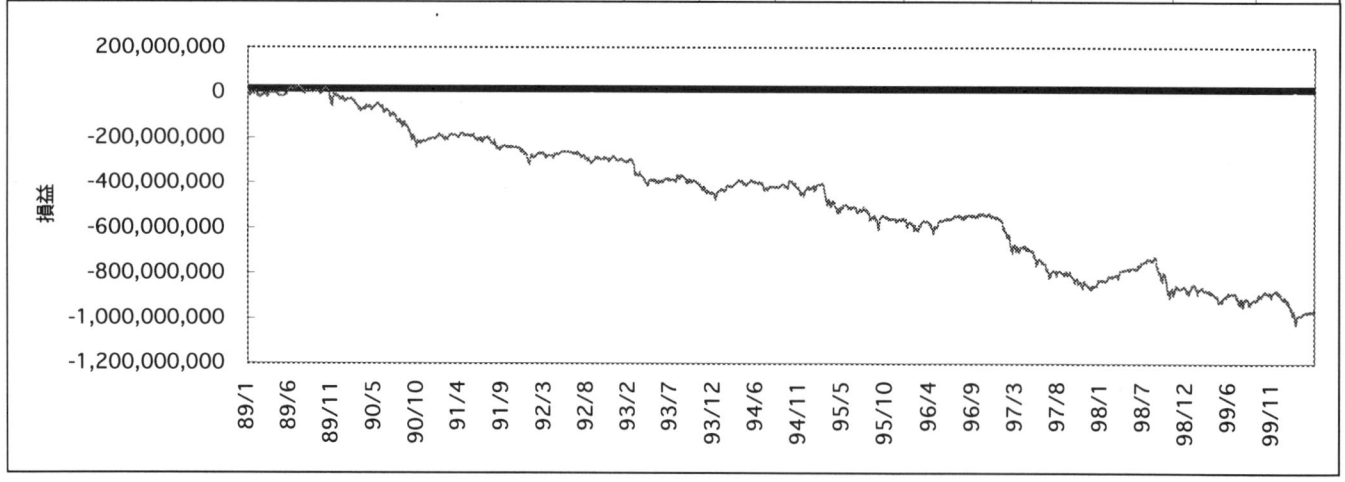

**ポートフォリオ統計**

| | |
|---|---|
| 純益: | -970,157,250 |
| ドローダウン: | -1,056,434,550 |
| Kレシオ: | -6.38 |
| シャープ・レシオ: | -0.30 |
| ブレイクアウトとの相関係数: | -0.90 |
| 移動平均との相関係数: | -0.79 |

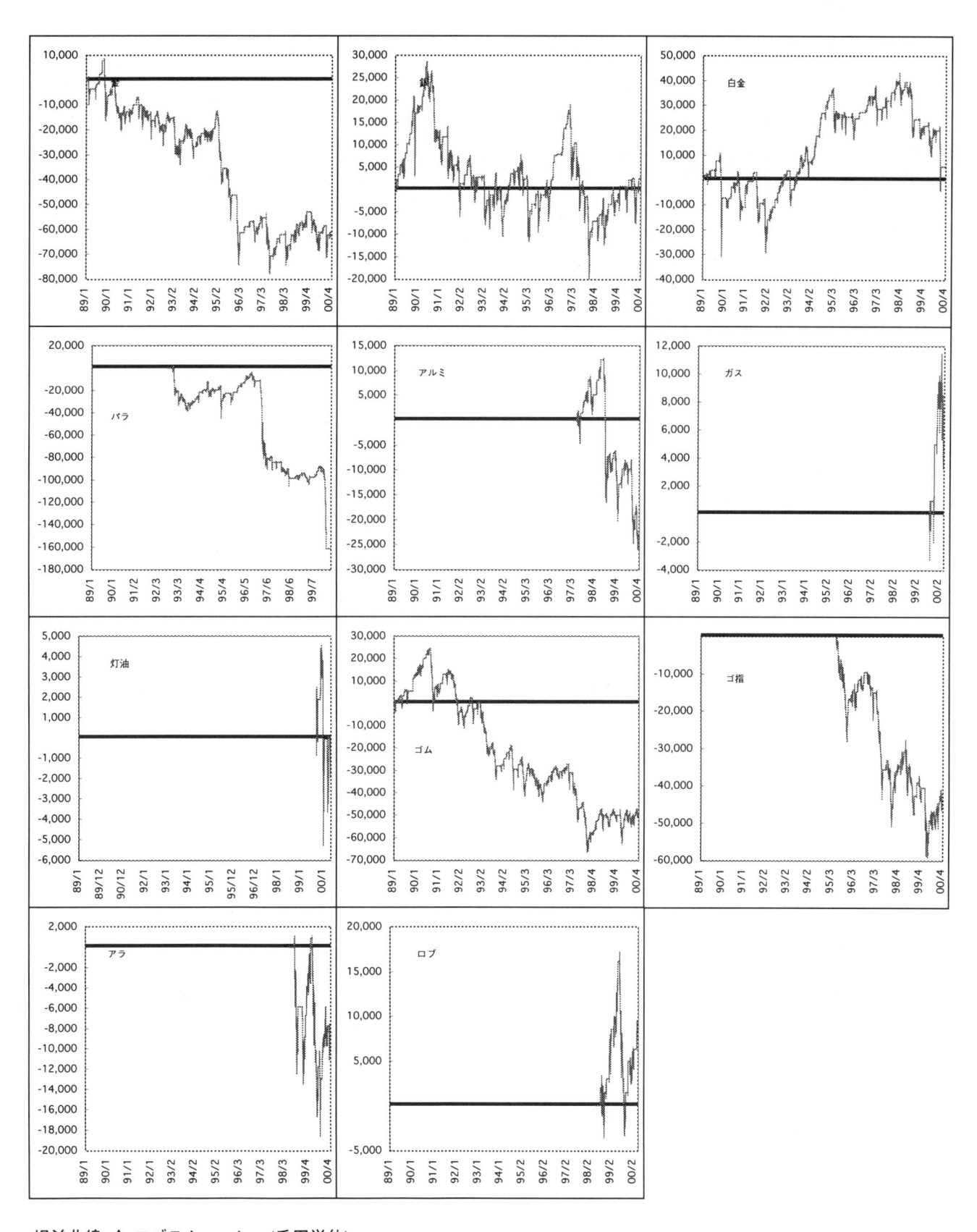

## 付録2　日本市場における検証結果

損益曲線: 金-ロブスタコーヒー(千円単位)
システム名: ボックスのブレイクアウト逆張り法(40日)
建玉枚数: 可変
Copyright (c) 2000 Pan Rolling, Inc.

## APPENDIX 2

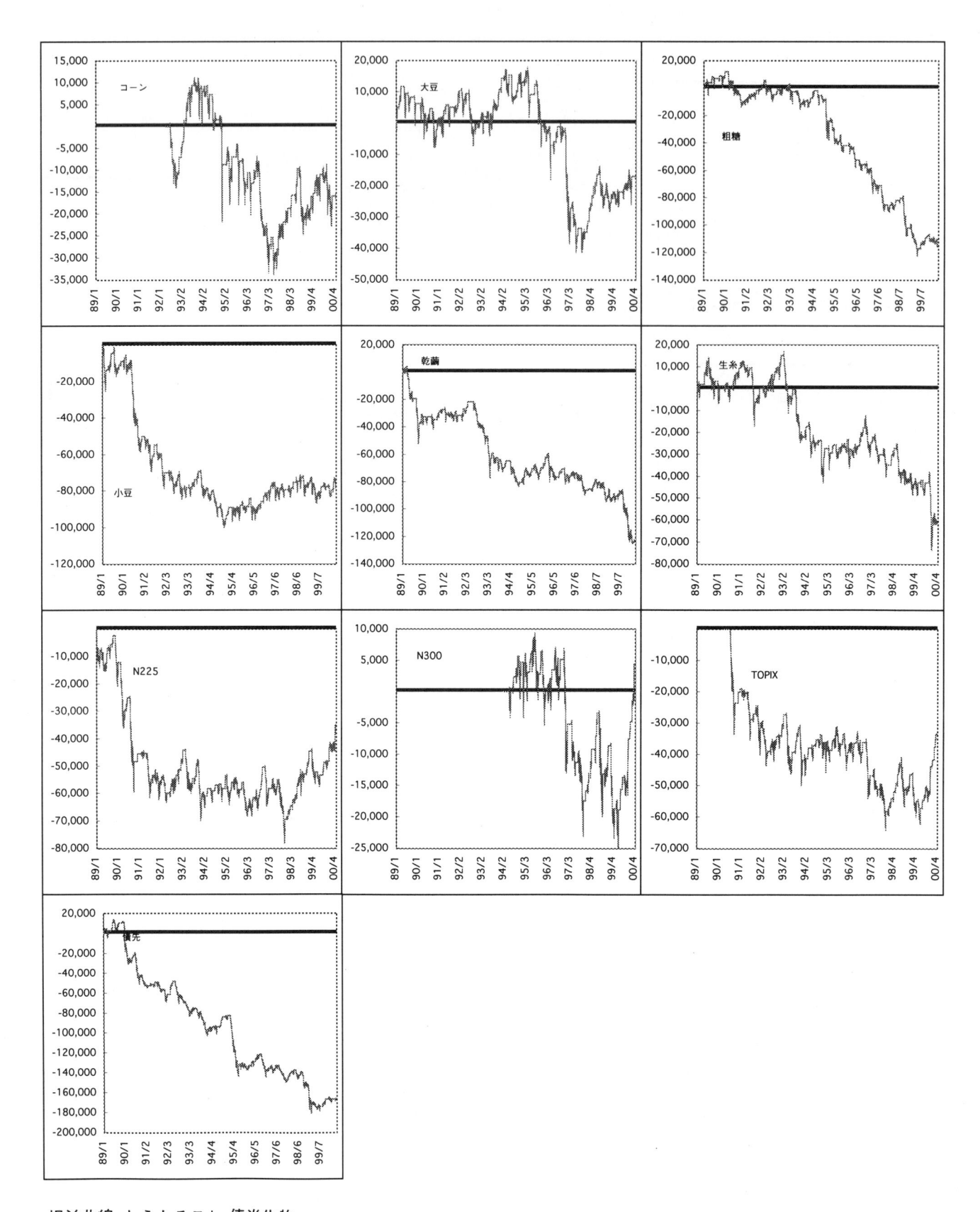

損益曲線: とうもろこし-債券先物
システム名: ボックスのブレイクアウト逆張り法(40日)
建玉枚数: 可変
Copyright (c) 2000 Pan Rolling, Inc.

## 付録2　日本市場における検証結果

**年次成績分析**

|  | 純益 | Kレシオ | シャープレシオ |
|---|---|---|---|
| 1989 | -29,566,750 | -0.03 | -0.17 |
| 1990 | -177,904,750 | -2.80 | -0.57 |
| 1991 | -98,246,050 | -1.72 | -0.42 |
| 1992 | 10,471,700 | -0.59 | 0.05 |
| 1993 | -171,843,400 | -1.40 | -0.66 |
| 1994 | 39,621,250 | -0.07 | 0.15 |
| 1995 | -133,440,500 | -1.97 | -0.56 |
| 1996 | -4,032,750 | 1.24 | -0.02 |
| 1997 | -290,153,050 | -3.67 | -0.93 |
| 1998 | -27,139,250 | -0.28 | -0.06 |
| 1999 | -27,520,400 | -0.43 | -0.08 |
| 2000 | -60,403,300 | -0.64 | -0.49 |

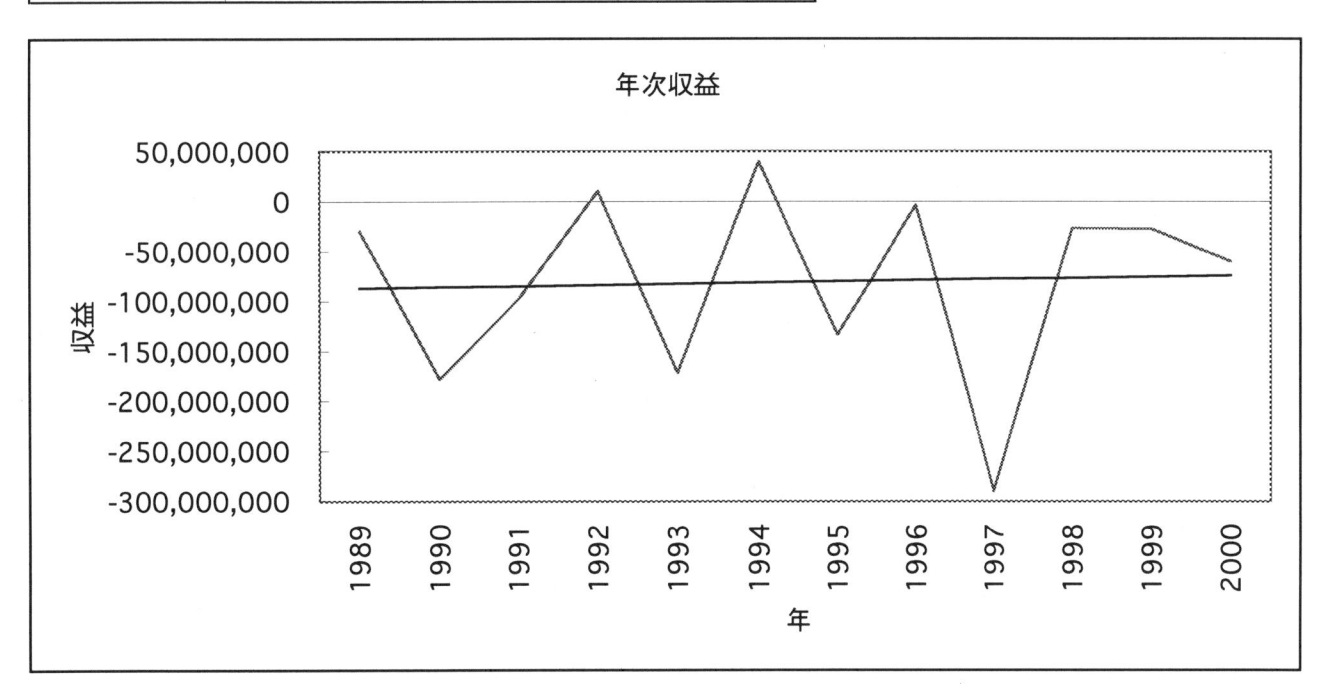

年次収益

**収益性ウインドウ**

| 期間(月) | ウインドウ数 | 利益ウインドウ数 | 利益ウインドウ率 |
|---|---|---|---|
| 1 | 136 | 62 | 0.46 |
| 3 | 134 | 45 | 0.34 |
| 6 | 131 | 30 | 0.23 |
| 12 | 125 | 10 | 0.08 |
| 18 | 119 | 0 | 0.00 |
| 24 | 113 | 0 | 0.00 |

# APPENDIX 2

トレーディング・システム評価
システム名: DRV利食い法
検証期間: 1989/1/4 - 2000/4/28

| 市場 | 純益 | Kレシオ | シャープレシオ | 最大ドローダウン | トレード数 | 勝率 | 平均建玉数 | 平均利益 | 勝トレードの平均利益 | 敗トレードの平均損失 | 勝トレードの平均日数 | 敗トレードの平均日数 |
|---|---|---|---|---|---|---|---|---|---|---|---|---|
| 金 | -83,810,000 | -2.93 | -0.14 | -106,582,000 | 101 | 50% | 91 | -829,801 | 2,968,580 | -4,644,780 | 17 | 38 |
| 銀 | -41,976,000 | -1.36 | -0.07 | -95,280,000 | 107 | 59% | 69 | -392,299 | 2,426,428 | -4,428,204 | 18 | 38 |
| 白金 | -14,185,500 | 0.21 | -0.02 | -73,244,500 | 101 | 64% | 152 | -140,450 | 2,771,530 | -5,552,428 | 21 | 39 |
| パラ | -205,912,500 | -2.03 | -0.26 | -206,349,000 | 53 | 53% | 130 | -3,885,141 | 2,140,392 | -11,076,812 | 17 | 56 |
| アルミ | -40,894,000 | -1.92 | -0.18 | -58,330,000 | 27 | 48% | 58 | -1,514,592 | 2,707,923 | -5,435,500 | 18 | 36 |
| ゴム | -56,654,000 | -1.70 | -0.08 | -105,237,000 | 109 | 64% | 126 | -519,761 | 2,596,778 | -6,274,434 | 14 | 46 |
| ゴム指 | -31,965,000 | -1.01 | -0.10 | -47,563,000 | 49 | 69% | 34 | -652,346 | 2,308,811 | -7,364,306 | 14 | 51 |
| ガス | 1,390,000 | 0.49 | 0.05 | -11,210,000 | 9 | 67% | 31 | 154,444 | 2,186,166 | -3,909,000 | 14 | 29 |
| 灯油 | 3,318,000 | 0.96 | 0.07 | -10,656,000 | 7 | 43% | 36 | 474,000 | 5,529,666 | -3,317,750 | 8 | 41 |
| コーン | -50,890,000 | -2.18 | -0.09 | -79,873,000 | 68 | 56% | 65 | -748,382 | 3,017,289 | -5,518,233 | 16 | 45 |
| 大豆 | -91,213,200 | -2.88 | -0.13 | -120,224,400 | 90 | 53% | 85 | -1,013,480 | 2,600,562 | -5,143,814 | 18 | 46 |
| 粗糖 | -79,578,500 | -1.89 | -0.09 | -115,132,500 | 98 | 61% | 65 | -812,025 | 2,838,058 | -6,575,315 | 18 | 45 |
| ロブス | -3,069,000 | -0.19 | -0.04 | -21,405,500 | 16 | 69% | 59 | -191,812 | 2,448,818 | -6,001,200 | 18 | 46 |
| アラビ | -11,222,500 | -0.07 | -0.10 | -28,053,500 | 14 | 50% | 56 | -801,607 | 4,372,071 | -5,975,285 | 18 | 43 |
| 小豆 | -56,932,800 | -0.53 | -0.08 | -73,345,600 | 104 | 61% | 86 | -547,430 | 3,117,879 | -6,179,492 | 18 | 40 |
| 乾繭 | -24,178,500 | -0.69 | -0.03 | -80,888,700 | 114 | 60% | 69 | -212,092 | 3,477,423 | -5,666,158 | 16 | 37 |
| 生糸 | -12,664,200 | -0.45 | -0.02 | -105,482,100 | 118 | 59% | 76 | -107,323 | 3,246,184 | -4,997,856 | 14 | 37 |
| 日経225 | -41,780,000 | -1.41 | -0.05 | -97,910,000 | 104 | 62% | 5 | -401,730 | 2,969,218 | -5,795,250 | 16 | 44 |
| 日経300 | -36,053,000 | -1.72 | -0.12 | -57,400,000 | 60 | 70% | 33 | -600,883 | 1,917,523 | -6,477,166 | 15 | 49 |
| TOPIX | -15,185,000 | 0.05 | -0.02 | -51,160,000 | 102 | 67% | 6 | -148,872 | 2,524,411 | -5,495,441 | 14 | 44 |
| 債券先 | -206,960,000 | -6.89 | -0.27 | -250,790,000 | 86 | 53% | 3 | -2,406,511 | 2,772,391 | -8,362,250 | 17 | 51 |
| 平均 | -52,400,748 | -1.34 | -0.09 | -85,529,371 | 73 | 59% | 63 | -728,481 | 2,901,814 | -5,913,842 | 16 | 43 |

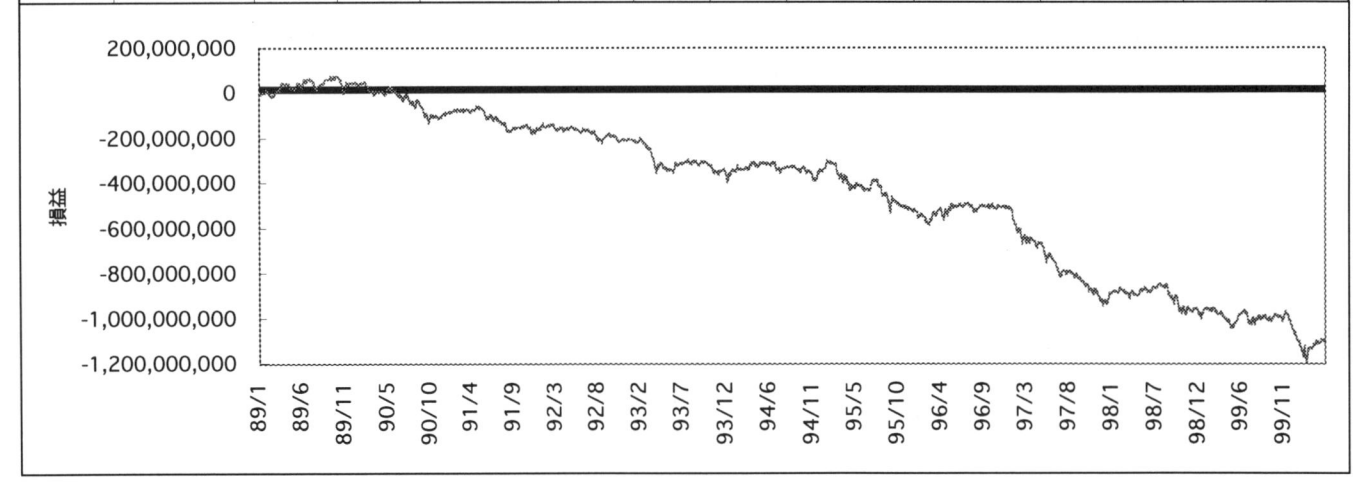

**ポートフォリオ統計**

| | |
|---|---|
| 純益: | -1,100,415,700 |
| ドローダウン: | -1,270,823,600 |
| Kレシオ: | -4.58 |
| シャープ・レシオ: | -0.28 |
| ブレイクアウトとの相関係数: | -0.77 |
| 移動平均との相関係数: | -0.77 |

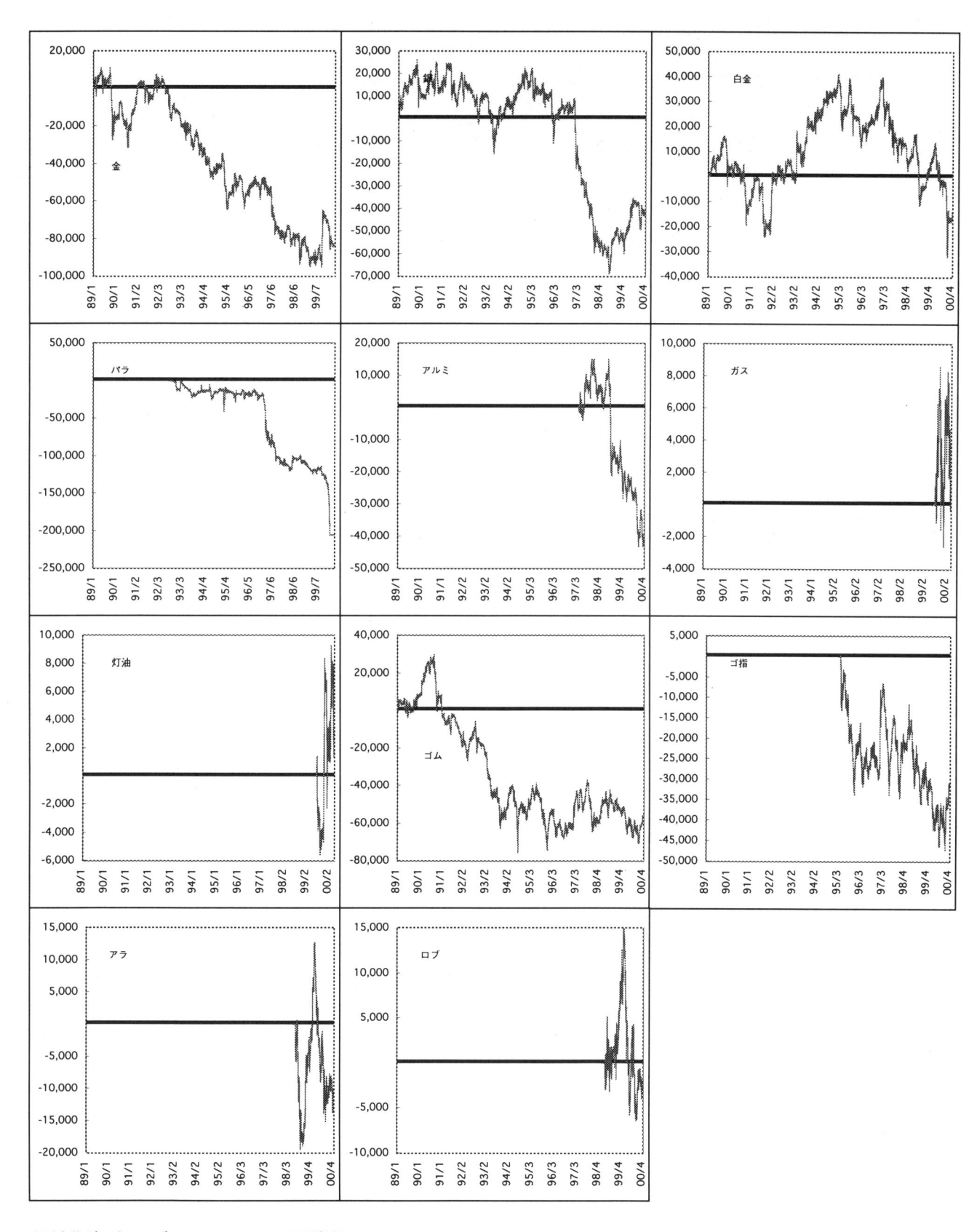

## 付録2　日本市場における検証結果

損益曲線: 金-ロブスタコーヒー(千円単位)
システム名: DRV利食い法
建玉枚数: 可変
Copyright (c) 2000 Pan Rolling, Inc.

APPENDIX 2

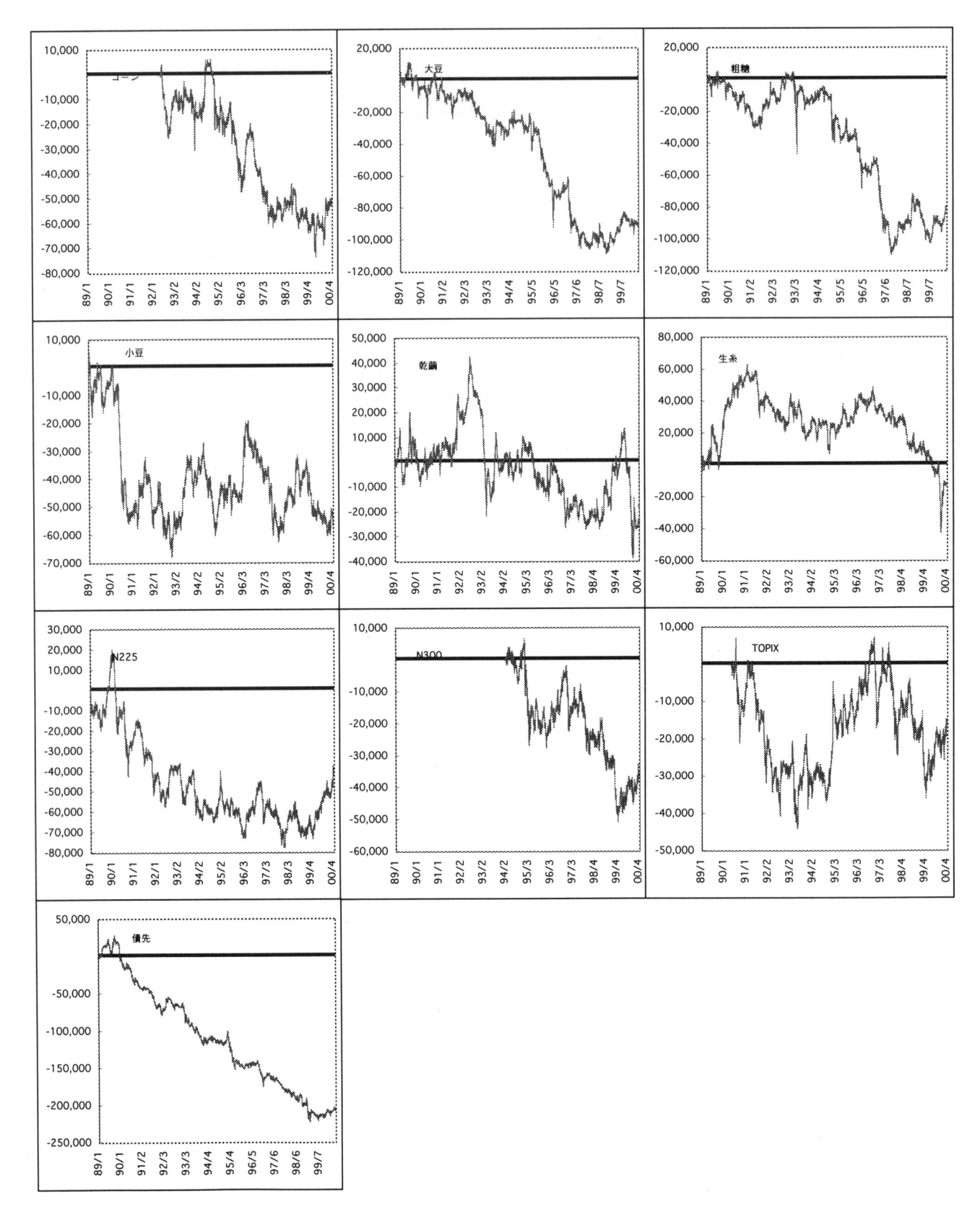

損益曲線: とうもろこし-債券先物
システム名: DRV利食い法
建玉枚数: 可変
Copyright (c) 2000 Pan Rolling, Inc.

## 付録2　日本市場における検証結果

**年次成績分析**

|  | 純益 | Kレシオ | シャープレシオ |
|---|---|---|---|
| 1989 | 46,188,350 | 0.88 | 0.17 |
| 1990 | -133,000,250 | -2.71 | -0.45 |
| 1991 | -72,600,400 | -2.03 | -0.31 |
| 1992 | -49,386,050 | -2.17 | -0.22 |
| 1993 | -179,021,200 | -1.06 | -0.53 |
| 1994 | 38,125,550 | -0.27 | 0.14 |
| 1995 | -173,221,150 | -2.74 | -0.45 |
| 1996 | 10,240,150 | 0.95 | 0.04 |
| 1997 | -406,038,600 | -5.54 | -1.19 |
| 1998 | -64,139,250 | -0.73 | -0.19 |
| 1999 | -71,624,100 | -0.49 | -0.14 |
| 2000 | -45,938,750 | 0.05 | -0.25 |

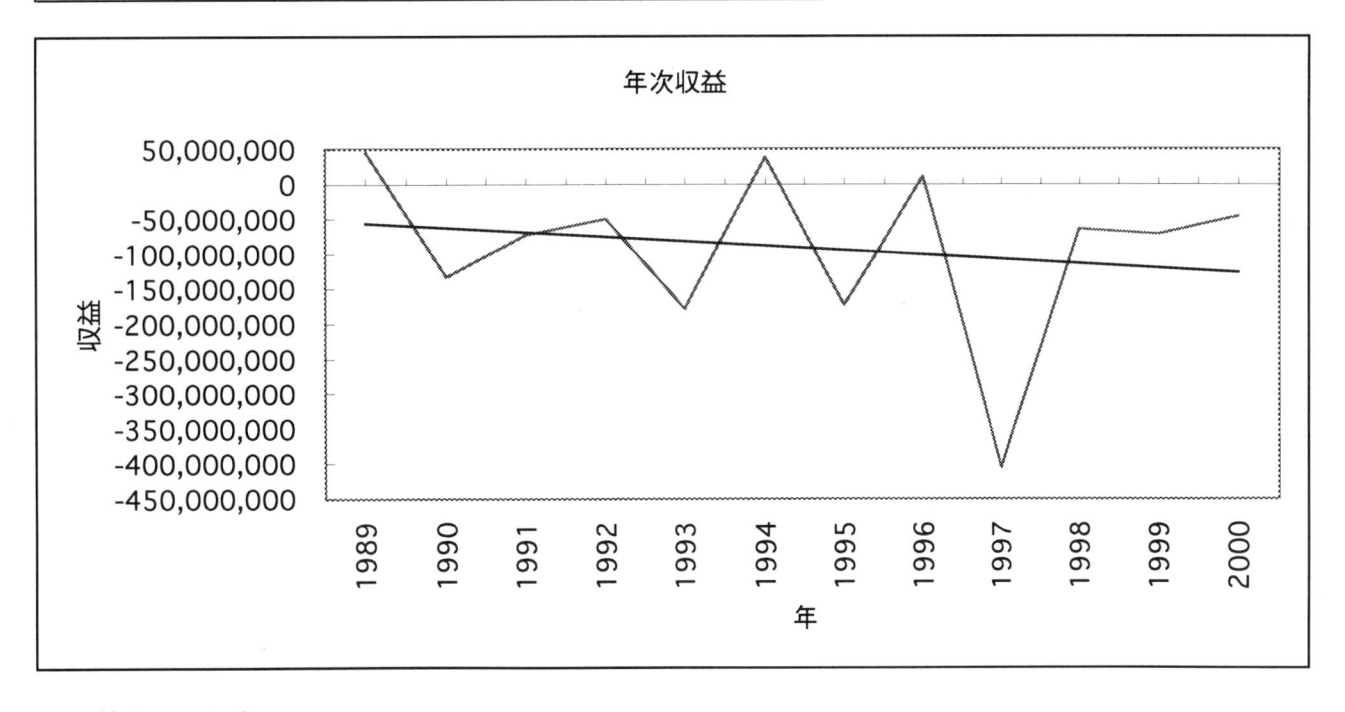

**収益性ウインドウ**

| 期間(月) | ウインドウ数 | 利益ウインドウ数 | 利益ウインドウ率 |
|---|---|---|---|
| 1 | 136 | 52 | 0.38 |
| 3 | 134 | 46 | 0.34 |
| 6 | 131 | 30 | 0.23 |
| 12 | 125 | 12 | 0.10 |
| 18 | 119 | 1 | 0.01 |
| 24 | 113 | 0 | 0.00 |

APPENDIX 2

トレーディング・システム評価
システム名: オシレーター法
検証期間: 1989/1/4 - 2000/4/28

| 市場 | 純益 | Kレシオ | シャープレシオ | 最大ドローダウン | トレード数 | 勝率 | 平均建玉数 | 平均利益 | 勝トレードの平均利益 | 敗トレードの平均損失 | 勝トレードの平均日数 | 敗トレードの平均日数 |
|---|---|---|---|---|---|---|---|---|---|---|---|---|
| 金 | 69,993,000 | 1.29 | 0.10 | -52,802,000 | 385 | 41% | 101 | 181,800 | 2,545,598 | -1,547,727 | 11 | 5 |
| 銀 | 83,239,200 | 2.80 | 0.13 | -27,985,800 | 446 | 40% | 75 | 186,634 | 2,317,796 | -1,300,574 | 9 | 5 |
| 白金 | 105,168,500 | 2.90 | 0.16 | -30,858,000 | 422 | 40% | 153 | 249,214 | 2,457,733 | -1,260,928 | 9 | 5 |
| パラ | 61,623,000 | 0.56 | 0.08 | -86,121,000 | 264 | 34% | 124 | 233,420 | 3,573,387 | -1,592,599 | 10 | 5 |
| アルミ | -6,057,000 | -0.78 | -0.04 | -21,565,000 | 111 | 44% | 58 | -54,567 | 1,798,428 | -1,543,934 | 9 | 4 |
| ゴム | 84,304,500 | 0.97 | 0.12 | -38,583,000 | 349 | 41% | 143 | 241,560 | 2,926,805 | -1,685,777 | 12 | 5 |
| ゴム指 | 13,382,400 | 0.09 | 0.04 | -32,723,600 | 162 | 45% | 38 | 82,607 | 2,510,726 | -1,930,688 | 10 | 6 |
| ガス | -33,721,000 | -1.81 | -0.76 | -41,080,000 | 30 | 20% | 31 | -1,124,033 | 1,404,500 | -1,756,166 | 6 | 5 |
| 灯油 | -10,823,000 | -1.36 | -0.48 | -14,996,000 | 26 | 38% | 34 | -416,269 | 1,111,000 | -1,370,812 | 5 | 7 |
| コーン | -2,458,000 | -0.85 | 0.00 | -52,140,000 | 280 | 43% | 65 | -8,778 | 2,241,826 | -1,754,608 | 9 | 5 |
| 大豆 | -5,308,200 | 0.14 | -0.01 | -43,940,700 | 395 | 36% | 87 | -13,438 | 2,490,727 | -1,620,996 | 11 | 5 |
| 粗糖 | 31,298,500 | 0.24 | 0.04 | -49,298,500 | 396 | 41% | 63 | 79,036 | 2,387,490 | -1,645,717 | 10 | 5 |
| ロブス | -30,532,500 | -0.75 | -0.26 | -38,868,000 | 78 | 38% | 65 | -391,442 | 1,553,783 | -1,641,404 | 7 | 4 |
| アラビ | 5,391,500 | -0.09 | 0.06 | -17,852,500 | 50 | 44% | 52 | 107,830 | 2,534,954 | -1,799,196 | 12 | 6 |
| 小豆 | 50,870,400 | 1.05 | 0.07 | -46,210,400 | 369 | 39% | 86 | 137,860 | 2,945,950 | -1,712,598 | 12 | 5 |
| 乾繭 | 34,605,600 | -0.05 | 0.04 | -78,908,400 | 399 | 37% | 72 | 86,730 | 3,157,076 | -1,751,585 | 11 | 5 |
| 生糸 | 33,949,200 | 0.38 | 0.04 | -77,470,500 | 373 | 35% | 84 | 91,016 | 3,226,785 | -1,647,001 | 11 | 5 |
| 日経225 | 78,860,000 | 0.28 | 0.11 | -66,700,000 | 436 | 41% | 4 | 180,871 | 2,514,333 | -1,477,154 | 10 | 4 |
| 日経300 | -14,502,000 | 0.14 | -0.04 | -39,476,000 | 252 | 38% | 31 | -57,547 | 2,210,136 | -1,467,091 | 9 | 4 |
| TOPIX | -34,105,000 | -1.09 | -0.06 | -63,760,000 | 388 | 38% | 6 | -87,899 | 2,117,128 | -1,478,468 | 10 | 4 |
| 債券先 | 56,180,000 | 1.74 | 0.07 | -40,440,000 | 406 | 39% | 3 | 138,374 | 2,742,974 | -1,545,942 | 11 | 4 |
| 平均 | 27,207,576 | 0.28 | -0.03 | -45,799,019 | 287 | 39% | 65 | -7,477 | 2,417,578 | -1,596,713 | 10 | 5 |

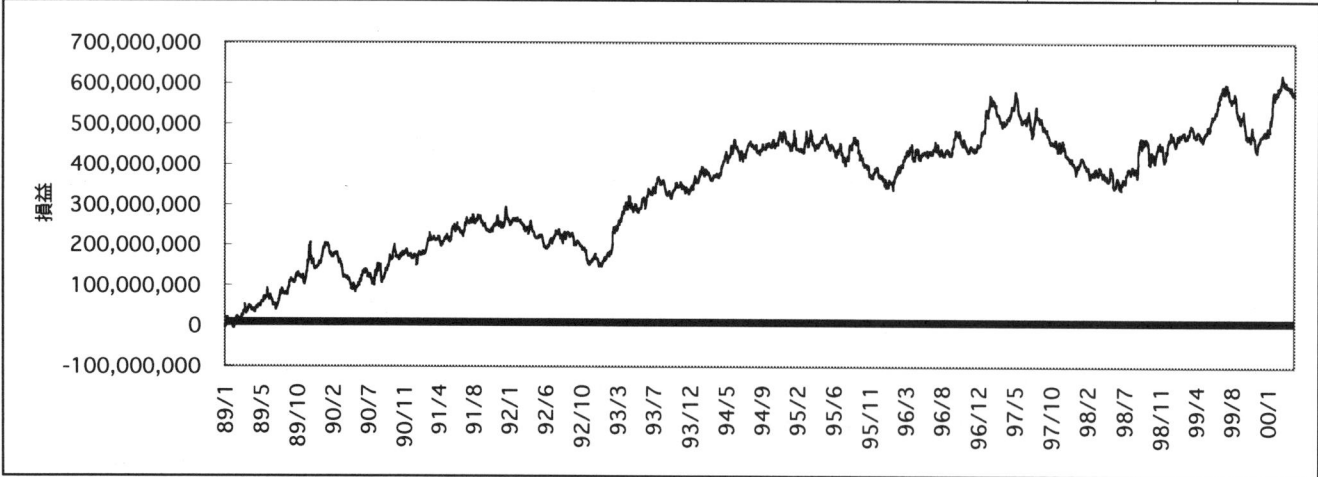

**ポートフォリオ統計**

| | |
|---|---|
| 純益: | 571,359,100 |
| ドローダウン: | -244,318,300 |
| Kレシオ: | 2.12 |
| シャープ・レシオ: | 0.15 |
| ブレイクアウトとの相関係数: | 0.14 |
| 移動平均との相関係数: | 0.09 |

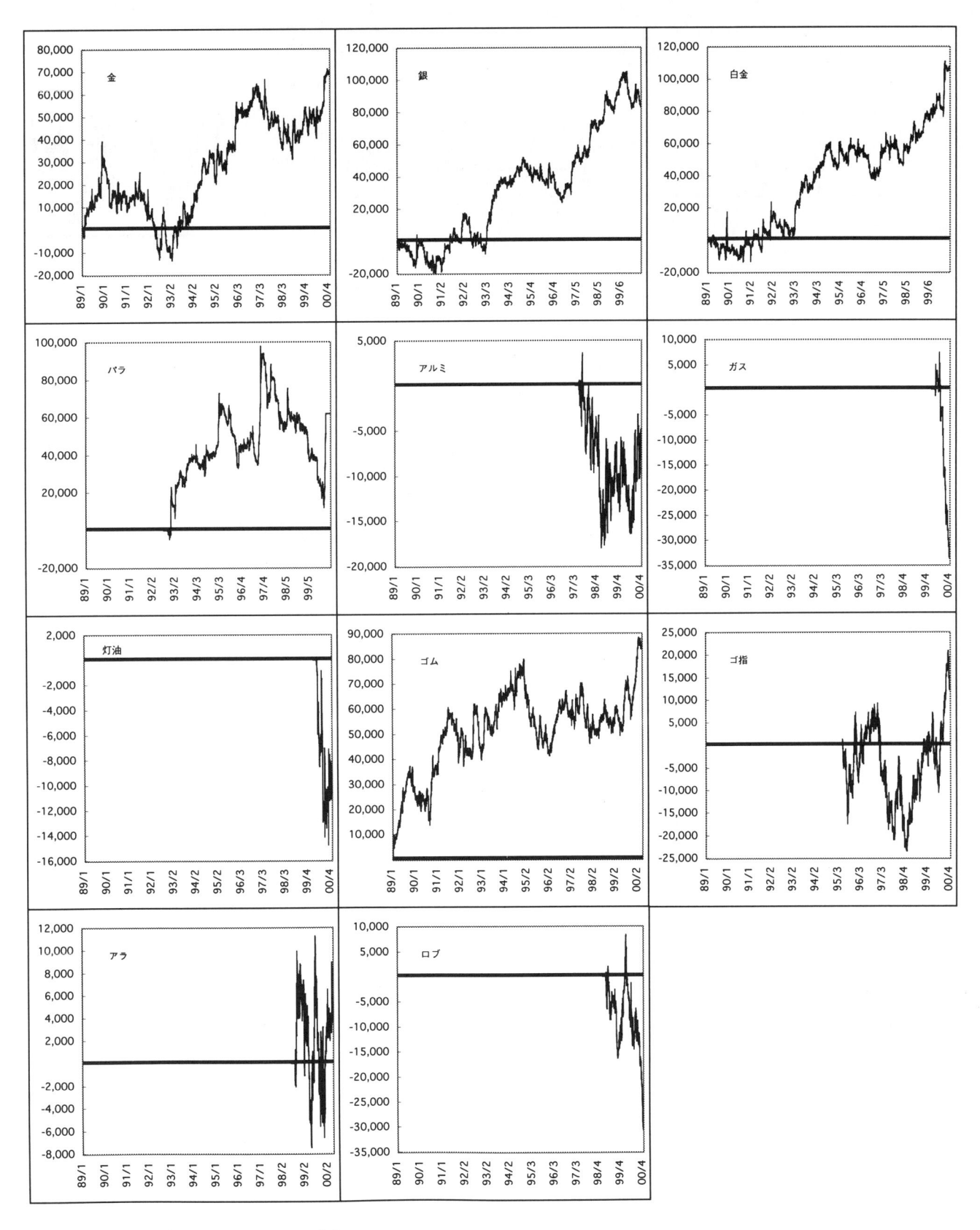

## 付録2　日本市場における検証結果

損益曲線: 金-ロブスタコーヒー(千円単位)
システム名: オシレーター法
建玉枚数: 可変
Copyright (c) 2000 Pan Rolling, Inc.

## APPENDIX 2

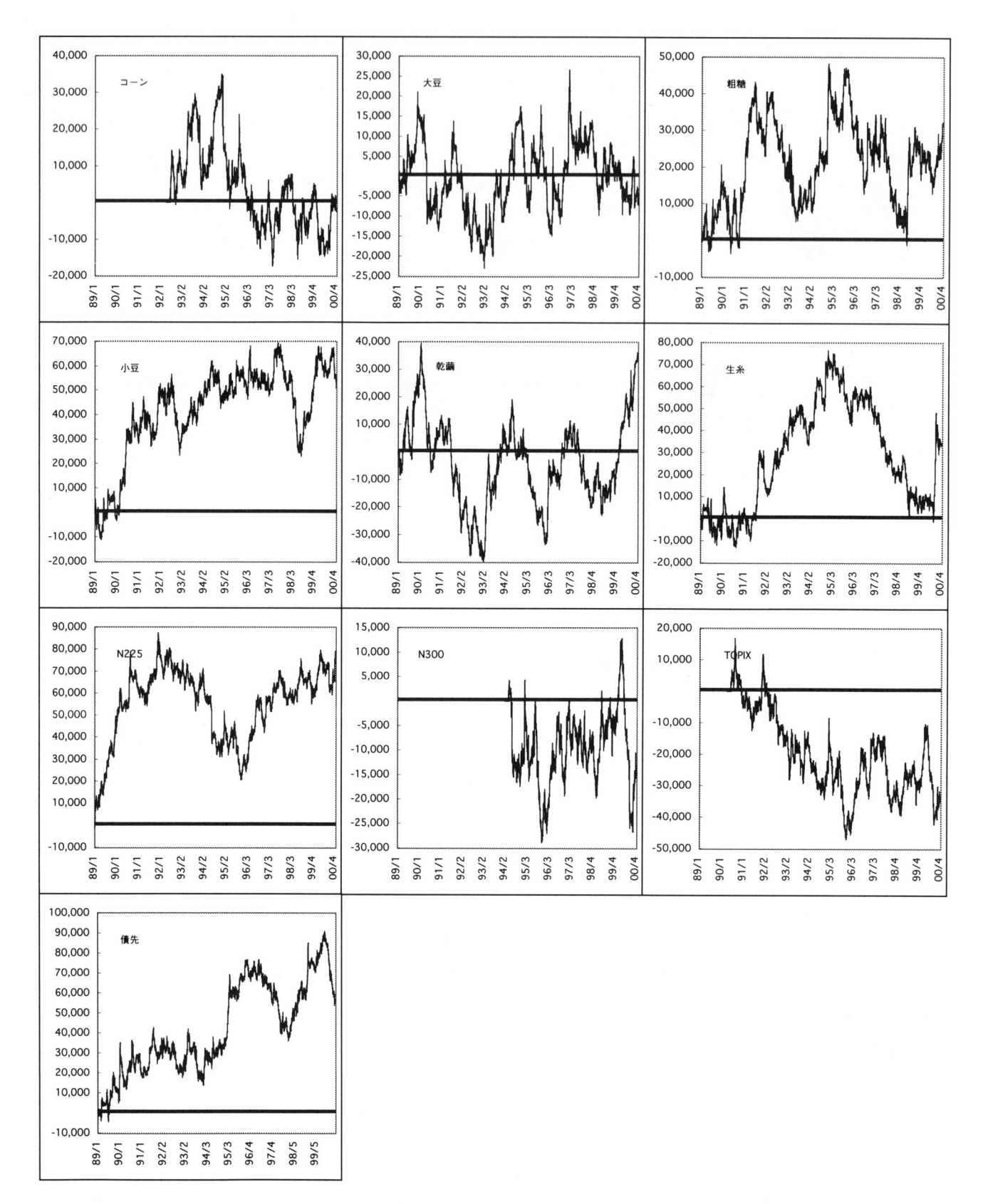

損益曲線: とうもろこし-債券先物
システム名: オシレーター法
建玉枚数: 可変
Copyright (c) 2000 Pan Rolling, Inc.

## 付録2　日本市場における検証結果

**年次成績分析**

|      | 純益          | Kレシオ | シャープレシオ |
|------|--------------|--------|----------------|
| 1989 | 156,769,500  | 3.08   | 0.74           |
| 1990 | 13,331,700   | 0.07   | 0.04           |
| 1991 | 95,659,400   | 1.58   | 0.43           |
| 1992 | -110,791,300 | -1.76  | -0.65          |
| 1993 | 206,023,550  | 1.64   | 0.66           |
| 1994 | 90,423,700   | 2.00   | 0.32           |
| 1995 | -86,498,050  | -1.11  | -0.32          |
| 1996 | 82,914,150   | 1.22   | 0.27           |
| 1997 | -53,466,100  | -1.10  | -0.12          |
| 1998 | 72,850,650   | 0.71   | 0.18           |
| 1999 | 5,378,750    | 0.21   | 0.01           |
| 2000 | 98,763,150   | 1.37   | 0.64           |

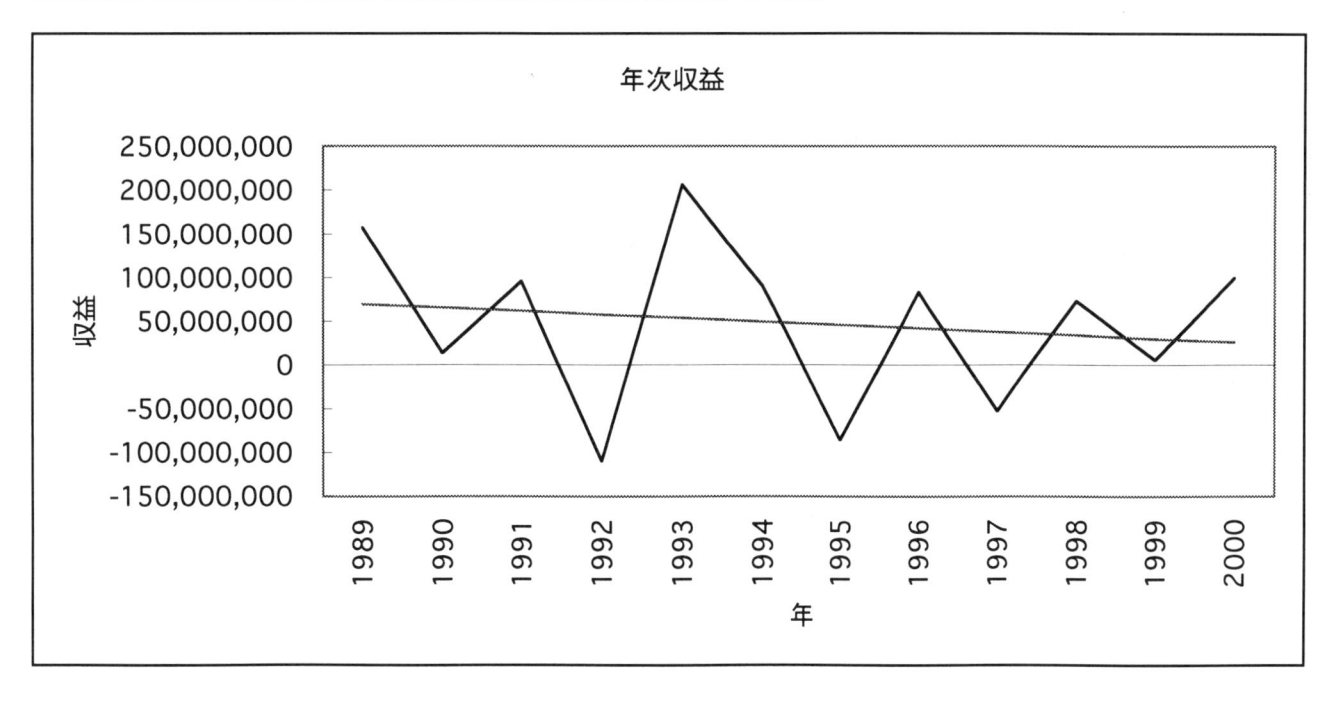

**年次収益**

**収益性ウインドウ**

| 期間(月) | ウインドウ数 | 利益ウインドウ数 | 利益ウインドウ率 |
|----------|--------------|------------------|------------------|
| 1        | 136          | 75               | 0.55             |
| 3        | 134          | 86               | 0.64             |
| 6        | 131          | 88               | 0.67             |
| 12       | 125          | 88               | 0.70             |
| 18       | 119          | 85               | 0.71             |
| 24       | 113          | 89               | 0.79             |

APPENDIX 2

トレーディング・システム評価
システム名: ADXフィルターを併用したオシレーター法
検証期間: 1989/1/4 - 2000/4/28

| 市場 | 純益 | Kレシオ | シャープレシオ | 最大ドローダウン | トレード数 | 勝率 | 平均建玉数 | 平均利益 | 勝トレードの平均利益 | 敗トレードの平均損失 | 勝トレードの平均日数 | 敗トレードの平均日数 |
|---|---|---|---|---|---|---|---|---|---|---|---|---|
| 金 | 66,596,000 | 1.87 | 0.11 | -38,734,000 | 329 | 41% | 101 | 202,419 | 2,563,044 | -1,535,247 | 10 | 5 |
| 銀 | 85,515,000 | 3.28 | 0.14 | -28,677,000 | 409 | 40% | 75 | 209,083 | 2,292,069 | -1,246,284 | 9 | 4 |
| 白金 | 75,449,500 | 3.40 | 0.13 | -29,690,000 | 370 | 40% | 159 | 203,917 | 2,331,435 | -1,253,967 | 9 | 5 |
| パラ | -54,990,000 | -2.18 | -0.16 | -72,793,500 | 186 | 31% | 109 | -295,645 | 2,106,763 | -1,446,904 | 10 | 5 |
| アルミ | -258,000 | 0.04 | 0.00 | -17,763,000 | 84 | 46% | 58 | -3,071 | 1,627,256 | -1,448,204 | 9 | 5 |
| ゴム | 69,375,500 | 0.84 | 0.11 | -37,488,000 | 284 | 40% | 139 | 244,279 | 3,076,539 | -1,656,389 | 13 | 5 |
| ゴム指 | 21,832,200 | 0.75 | 0.08 | -20,034,400 | 119 | 49% | 37 | 183,463 | 2,523,313 | -2,041,311 | 10 | 6 |
| ガス | -30,451,000 | -1.85 | -0.71 | -37,542,000 | 26 | 23% | 31 | -1,171,192 | 1,404,500 | -1,943,900 | 6 | 5 |
| 灯油 | -7,527,000 | -1.04 | -0.33 | -13,918,000 | 24 | 42% | 34 | -313,625 | 1,152,600 | -1,360,928 | 5 | 7 |
| コーン | 26,916,000 | 0.20 | 0.06 | -41,686,000 | 249 | 45% | 67 | 108,096 | 2,306,099 | -1,696,748 | 9 | 5 |
| 大豆 | -5,318,100 | 0.32 | -0.01 | -40,136,100 | 372 | 35% | 88 | -14,295 | 2,531,768 | -1,601,469 | 10 | 5 |
| 粗糖 | 60,338,500 | 1.01 | 0.09 | -38,145,000 | 371 | 42% | 63 | 162,637 | 2,402,650 | -1,588,257 | 10 | 5 |
| ロブス | -10,471,500 | 0.51 | -0.09 | -28,460,000 | 60 | 42% | 67 | -174,525 | 1,724,440 | -1,575,955 | 8 | 4 |
| アラビ | 9,926,500 | 0.39 | 0.12 | -15,584,500 | 43 | 47% | 52 | 230,848 | 2,542,250 | -1,779,065 | 11 | 6 |
| 小豆 | 86,146,400 | 2.15 | 0.14 | -37,483,200 | 305 | 41% | 87 | 282,447 | 2,851,372 | -1,553,305 | 11 | 5 |
| 乾繭 | 30,429,600 | 0.31 | 0.04 | -74,492,100 | 336 | 37% | 72 | 90,564 | 3,072,753 | -1,654,852 | 10 | 5 |
| 生糸 | 41,004,150 | 0.43 | 0.05 | -76,234,350 | 309 | 35% | 85 | 132,699 | 3,322,094 | -1,629,970 | 11 | 5 |
| 日経225 | 72,050,000 | 0.42 | 0.11 | -58,120,000 | 337 | 40% | 4 | 213,798 | 2,757,720 | -1,522,613 | 10 | 4 |
| 日経300 | -5,665,000 | 0.43 | -0.02 | -39,476,000 | 221 | 38% | 31 | -25,633 | 2,279,012 | -1,453,902 | 9 | 4 |
| TOPIX | 3,840,000 | 0.20 | 0.01 | -46,100,000 | 309 | 39% | 6 | 12,427 | 2,360,708 | -1,510,513 | 10 | 4 |
| 債券先 | 99,650,000 | 2.85 | 0.15 | -37,070,000 | 266 | 39% | 3 | 374,624 | 3,060,476 | -1,403,164 | 12 | 4 |
| 平均 | 30,208,988 | 0.68 | 0.00 | -39,506,055 | 239 | 40% | 65 | 31,110 | 2,394,708 | -1,566,807 | 10 | 5 |

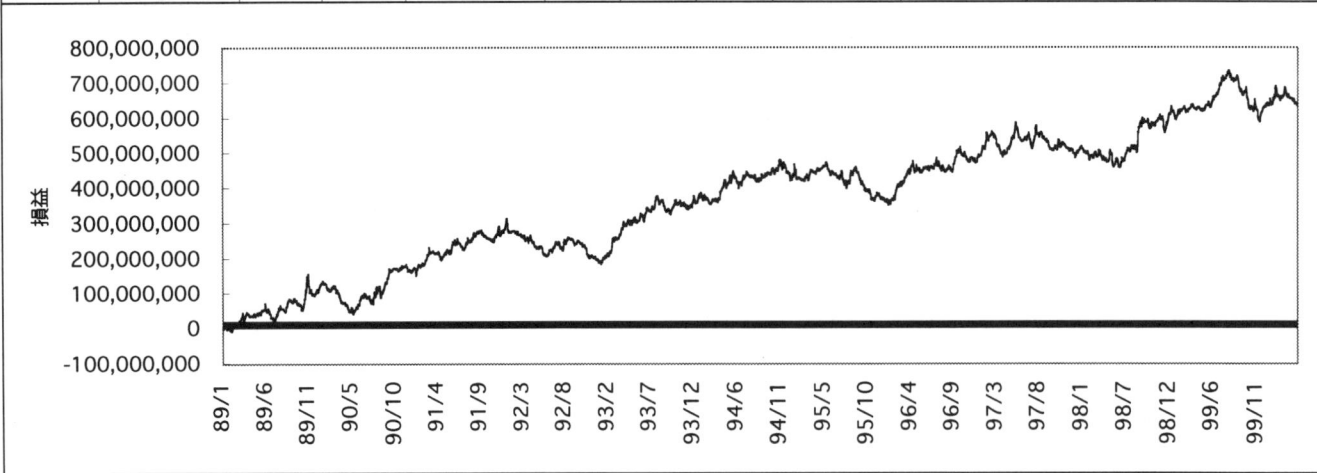

**ポートフォリオ統計**

| | |
|---|---|
| 純益: | 634,388,750 |
| ドローダウン: | -146,022,450 |
| Kレシオ: | 4.16 |
| シャープ・レシオ: | 0.20 |
| ブレイクアウトとの相関係数: | 0.25 |
| 移動平均との相関係数: | 0.17 |

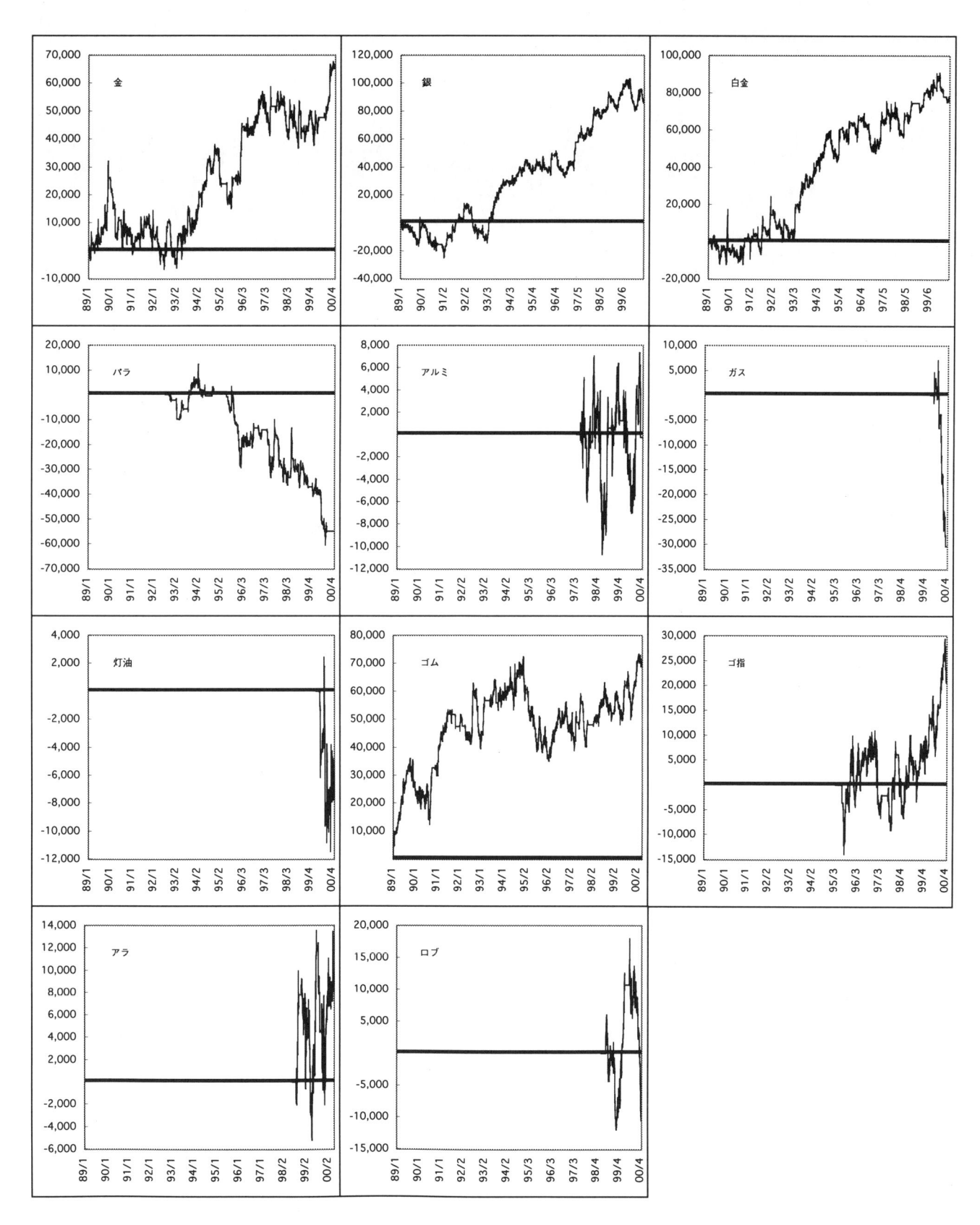

## 付録2　日本市場における検証結果

損益曲線: 金-ロブスタコーヒー(千円単位)
システム名: ADXフィルターを併用したオシレーター法
建玉枚数: 可変
Copyright (c) 2000 Pan Rolling, Inc.

## APPENDIX 2

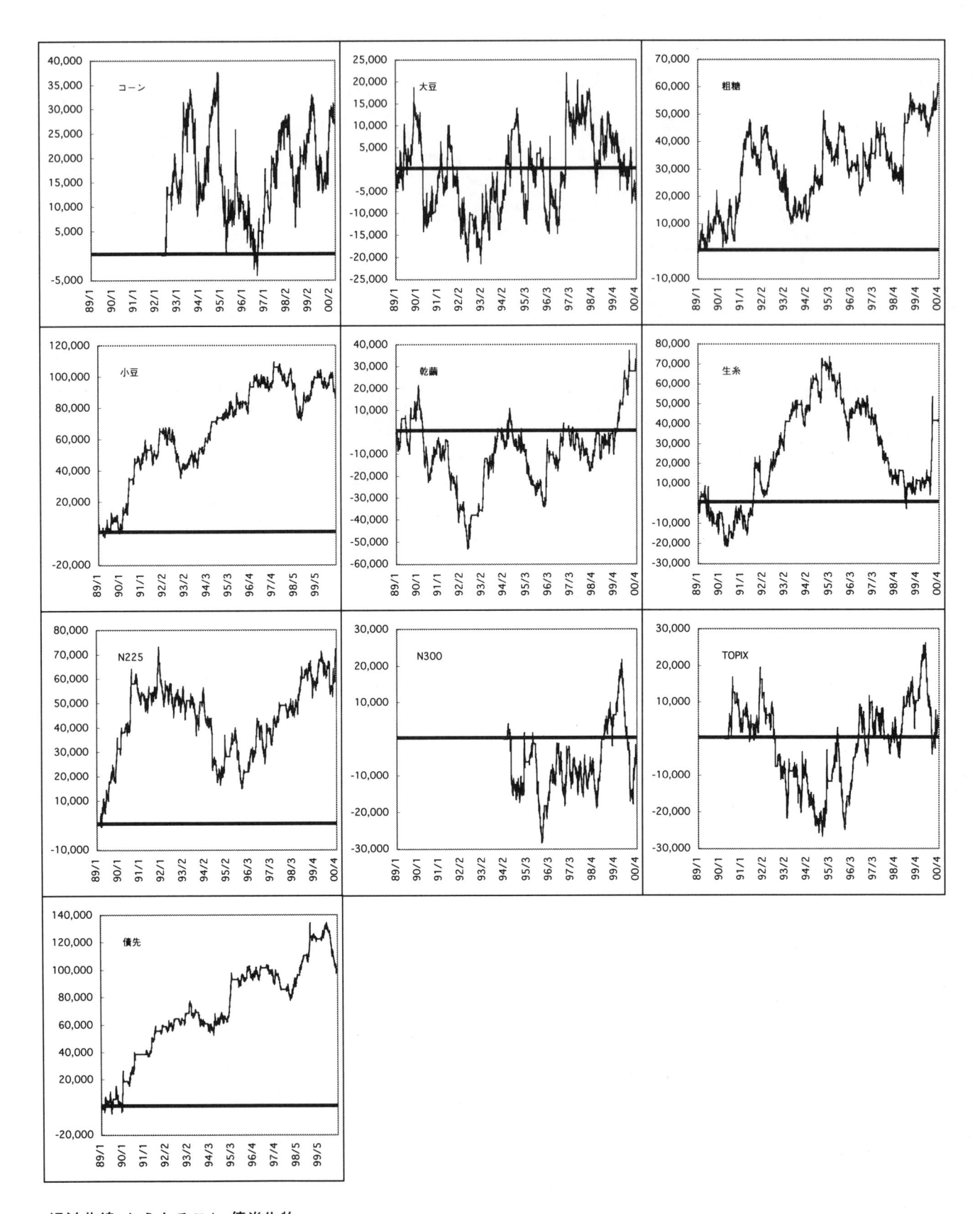

損益曲線: とうもろこし-債券先物
システム名: ADXフィルターを併用したオシレーター法
建玉枚数: 可変
Copyright (c) 2000 Pan Rolling, Inc.

## 付録2　日本市場における検証結果

**年次成績分析**

|      | 純益          | Kレシオ | シャープレシオ |
|------|--------------|--------|---------------|
| 1989 | 109,301,550  | 2.02   | 0.43          |
| 1990 | 55,218,550   | 0.72   | 0.15          |
| 1991 | 131,329,400  | 2.47   | 0.61          |
| 1992 | -103,221,300 | -1.02  | -0.54         |
| 1993 | 174,448,600  | 1.92   | 0.74          |
| 1994 | 74,222,450   | 2.14   | 0.26          |
| 1995 | -76,038,650  | -0.91  | -0.30         |
| 1996 | 127,710,150  | 1.56   | 0.45          |
| 1997 | 3,660,200    | -0.16  | 0.01          |
| 1998 | 119,280,150  | 1.23   | 0.42          |
| 1999 | 15,465,350   | 0.32   | 0.05          |
| 2000 | 3,012,300    | 0.14   | 0.04          |

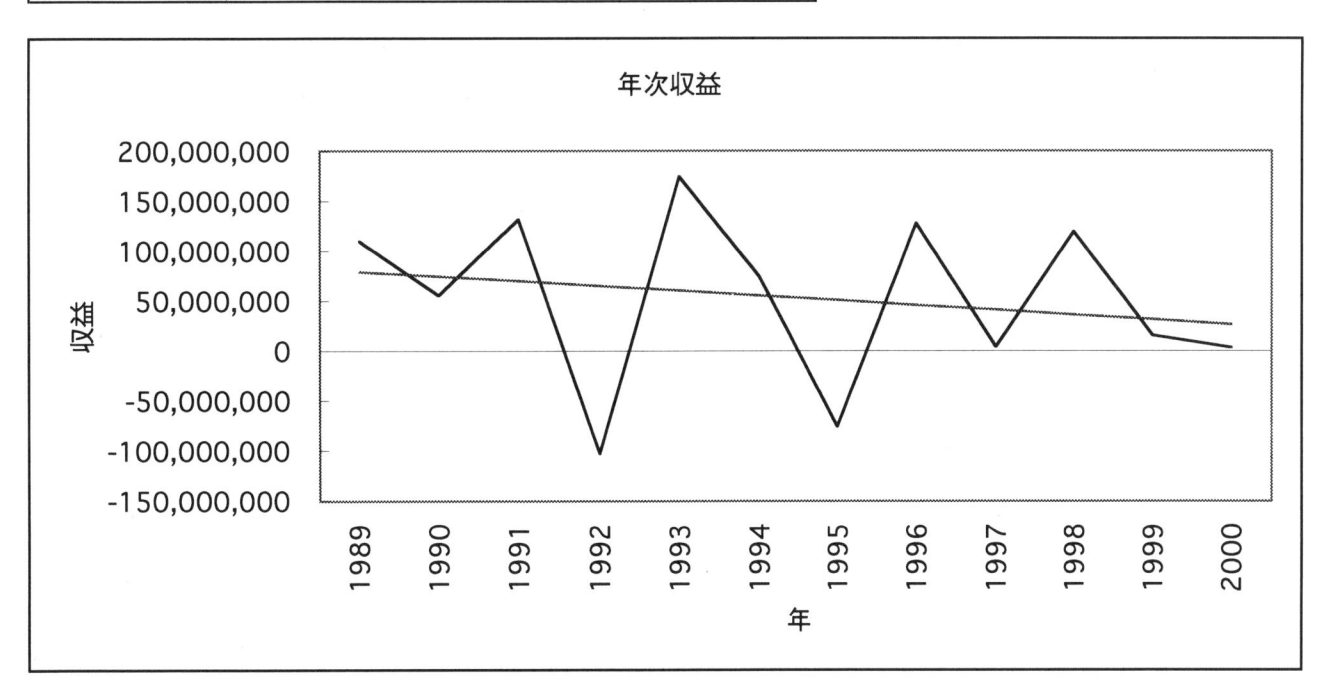

**収益性ウインドウ**

| 期間(月) | ウインドウ数 | 利益ウインドウ数 | 利益ウインドウ率 |
|---------|-------------|----------------|----------------|
| 1       | 136         | 77             | 0.57           |
| 3       | 134         | 86             | 0.64           |
| 6       | 131         | 87             | 0.66           |
| 12      | 125         | 102            | 0.82           |
| 18      | 119         | 104            | 0.87           |
| 24      | 113         | 111            | 0.98           |

# APPENDIX 2

トレーディング・システム評価
システム名: ストキャスティックの破裂
検証期間: 1989/1/4 - 2000/4/28

| 市場 | 純益 | Kレシオ | シャープレシオ | 最大ドローダウン | トレード数 | 勝率 | 平均建玉数 | 平均利益 | 勝トレードの平均利益 | 敗トレードの平均損失 | 勝トレードの平均日数 | 敗トレードの平均日数 |
|---|---:|---:|---:|---:|---:|---:|---:|---:|---:|---:|---:|---:|
| 金 | 31,765,000 | 0.94 | 0.09 | -30,056,000 | 363 | 45% | 96 | 87,506 | 1,329,822 | -989,283 | 2 | 2 |
| 銀 | -16,555,200 | 0.00 | -0.05 | -48,455,400 | 372 | 44% | 72 | -44,503 | 1,147,748 | -993,357 | 2 | 2 |
| 白金 | -48,495,000 | -0.88 | -0.13 | -52,689,500 | 391 | 39% | 153 | -124,028 | 1,318,081 | -1,082,950 | 2 | 2 |
| パラ | -4,563,000 | -0.06 | -0.02 | -35,109,000 | 227 | 33% | 121 | -20,101 | 1,889,684 | -1,089,551 | 3 | 2 |
| アルミ | -14,620,000 | -1.55 | -0.13 | -27,360,000 | 102 | 37% | 59 | -143,333 | 1,300,763 | -1,085,576 | 3 | 2 |
| ゴム | 59,933,500 | 2.48 | 0.16 | -17,241,500 | 348 | 45% | 139 | 172,222 | 1,611,787 | -1,010,071 | 3 | 2 |
| ゴム指 | 29,254,400 | 1.47 | 0.15 | -13,271,800 | 150 | 43% | 37 | 195,029 | 1,859,683 | -1,077,941 | 3 | 2 |
| ガス | -2,310,000 | -0.55 | -0.06 | -10,032,000 | 23 | 43% | 31 | -100,434 | 1,549,300 | -1,483,583 | 3 | 2 |
| 灯油 | 470,000 | 0.33 | 0.02 | -8,165,000 | 23 | 39% | 33 | 20,434 | 1,872,555 | -1,170,214 | 3 | 2 |
| コーン | 30,329,000 | 0.79 | 0.12 | -21,183,000 | 259 | 45% | 64 | 117,100 | 1,468,051 | -1,021,642 | 3 | 2 |
| 大豆 | -17,223,900 | -1.31 | -0.05 | -33,124,500 | 374 | 39% | 90 | -46,053 | 1,374,059 | -1,118,421 | 3 | 2 |
| 粗糖 | 21,953,000 | 0.74 | 0.06 | -32,925,000 | 351 | 43% | 63 | 62,544 | 1,463,243 | -1,095,409 | 3 | 2 |
| ロブス | -20,930,500 | -0.70 | -0.38 | -22,223,000 | 66 | 32% | 65 | -317,128 | 1,064,119 | -961,711 | 3 | 2 |
| アラビ | 12,297,500 | 0.96 | 0.24 | -7,270,000 | 60 | 52% | 54 | 204,958 | 1,396,741 | -1,069,017 | 3 | 2 |
| 小豆 | -29,768,800 | -1.24 | -0.08 | -61,125,600 | 344 | 39% | 80 | -86,537 | 1,502,574 | -1,098,618 | 3 | 2 |
| 乾繭 | 1,427,100 | -0.93 | 0.00 | -50,516,400 | 327 | 40% | 75 | 4,364 | 1,581,495 | -1,074,250 | 3 | 2 |
| 生糸 | -10,336,200 | -0.41 | -0.03 | -33,237,600 | 328 | 40% | 82 | -31,512 | 1,585,950 | -1,099,034 | 3 | 2 |
| 日経225 | 25,270,000 | 0.76 | 0.07 | -26,920,000 | 387 | 46% | 4 | 65,297 | 1,305,875 | -994,541 | 3 | 2 |
| 日経300 | 24,093,000 | 0.41 | 0.12 | -25,145,000 | 216 | 48% | 32 | 111,541 | 1,220,980 | -926,927 | 3 | 2 |
| TOPIX | 16,425,000 | 1.12 | 0.06 | -16,695,000 | 335 | 41% | 6 | 49,029 | 1,321,094 | -861,596 | 3 | 2 |
| 債券先 | 29,980,000 | 2.09 | 0.08 | -21,120,000 | 333 | 44% | 3 | 90,030 | 1,526,068 | -1,056,906 | 3 | 2 |
| 平均 | 5,637,852 | 0.21 | 0.01 | -28,279,300 | 256 | 42% | 65 | 12,687 | 1,461,413 | -1,064,790 | 3 | 2 |

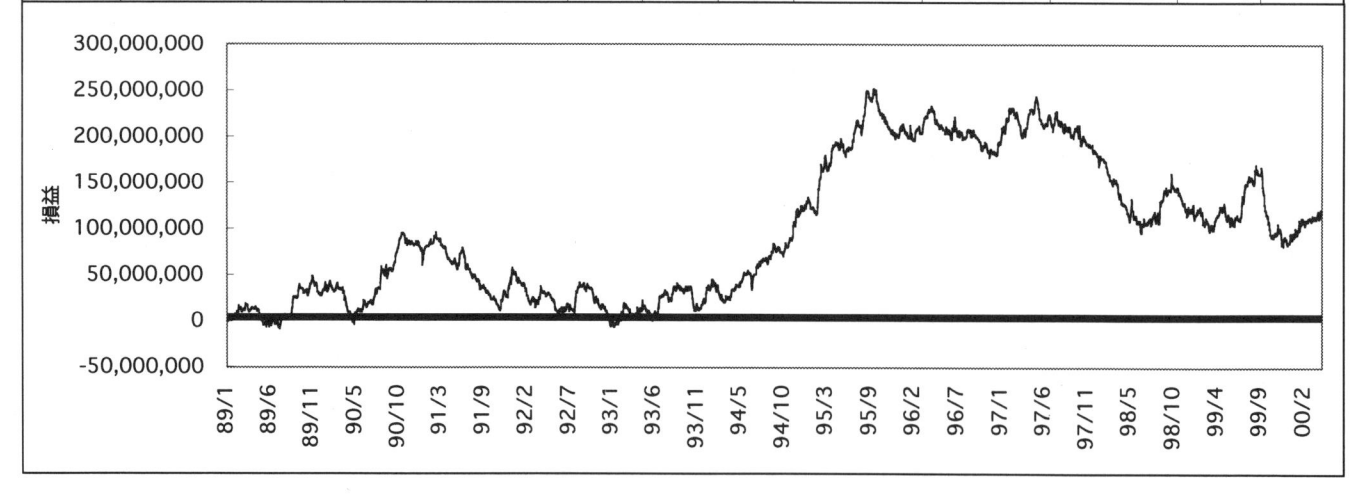

**ポートフォリオ統計**

| | |
|---|---:|
| 純益: | 118,394,900 |
| ドローダウン: | -170,613,100 |
| Kレシオ: | 0.93 |
| シャープ・レシオ: | 0.06 |
| ブレイクアウトとの相関係数: | 0.27 |
| 移動平均との相関係数: | 0.16 |

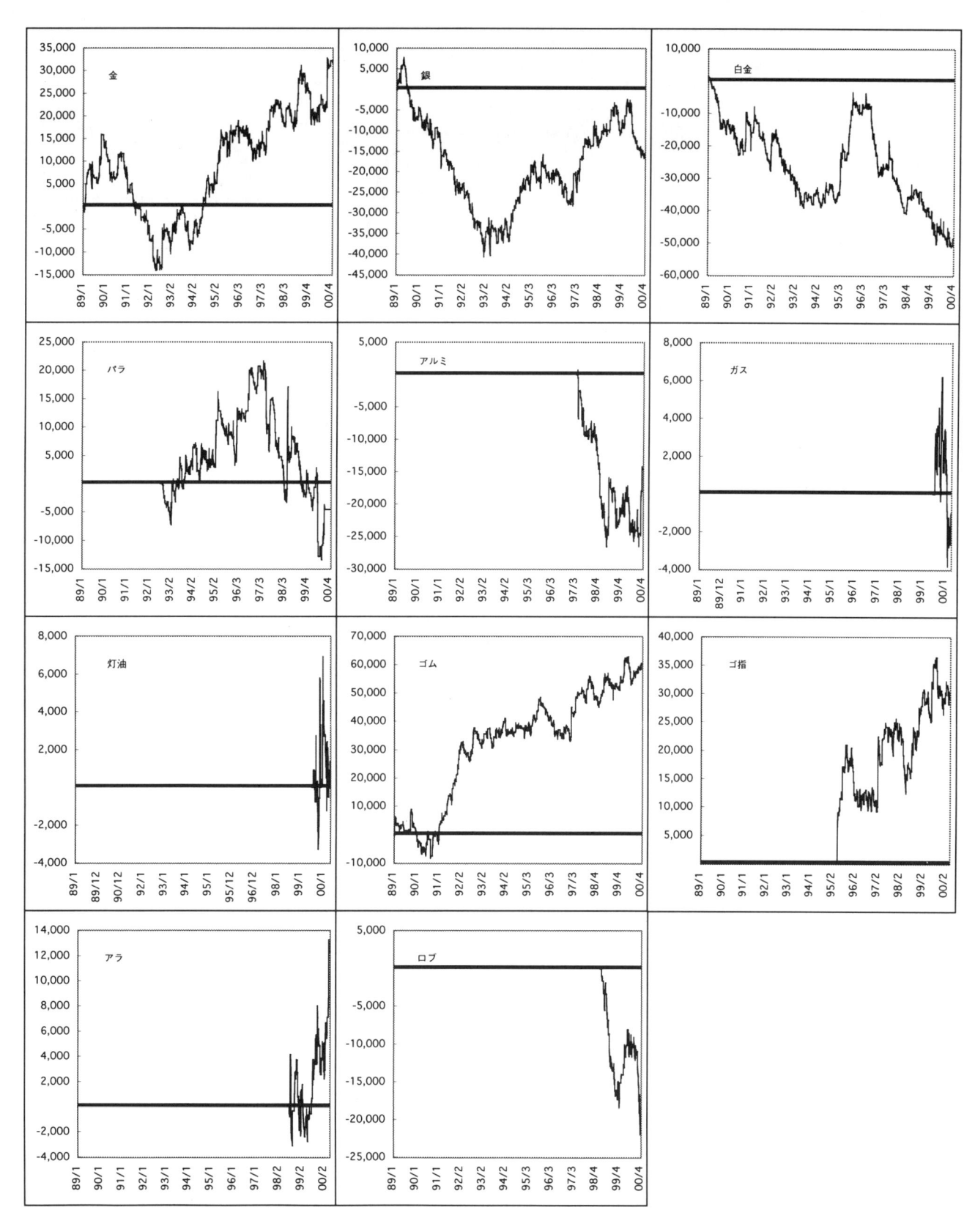

## 付録2　日本市場における検証結果

損益曲線: 金-ロブスタコーヒー(千円単位)
システム名: ストキャスティックの破裂
建玉枚数: 可変
Copyright (c) 2000 Pan Rolling, Inc.

APPENDIX 2

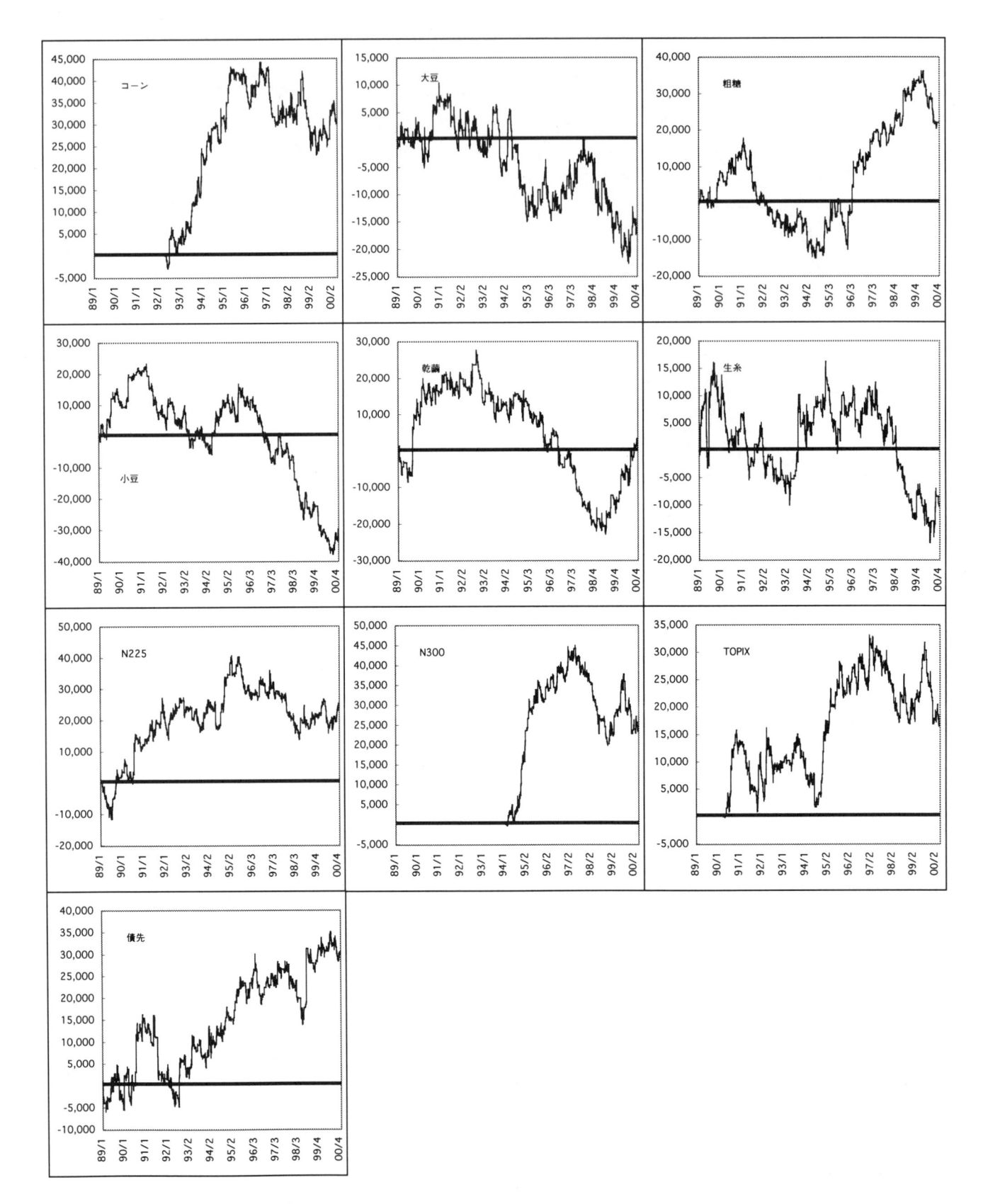

損益曲線: とうもろこし-債券先物
システム名: ストキャスティックの破裂
建玉枚数: 可変
Copyright (c) 2000 Pan Rolling, Inc.

## 付録2　日本市場における検証結果

**年次成績分析**

|  | 純益 | Kレシオ | シャープレシオ |
|---|---|---|---|
| 1989 | 33,716,800 | 0.86 | 0.25 |
| 1990 | 51,091,800 | 1.18 | 0.32 |
| 1991 | -32,235,400 | -1.74 | -0.19 |
| 1992 | -53,075,100 | -0.44 | -0.32 |
| 1993 | 33,142,600 | 0.95 | 0.19 |
| 1994 | 87,080,800 | 2.47 | 0.75 |
| 1995 | 87,411,200 | 1.40 | 0.43 |
| 1996 | -12,322,550 | -0.83 | -0.11 |
| 1997 | -12,169,950 | -0.73 | -0.06 |
| 1998 | -63,831,100 | -0.54 | -0.40 |
| 1999 | -33,924,050 | -0.08 | -0.12 |
| 2000 | 33,509,850 | 2.17 | 2.55 |

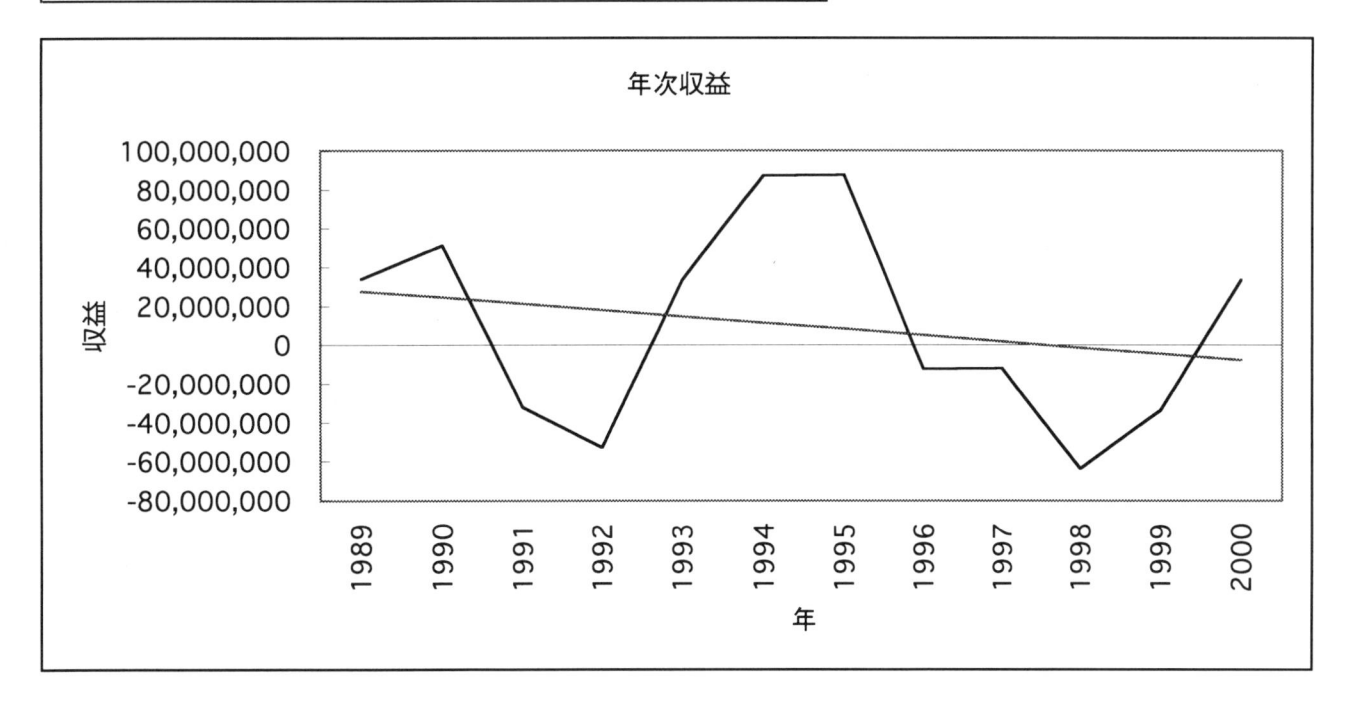

年次収益

**収益性ウインドウ**

| 期間(月) | ウインドウ数 | 利益ウインドウ数 | 利益ウインドウ率 |
|---|---|---|---|
| 1 | 136 | 71 | 0.52 |
| 3 | 134 | 70 | 0.52 |
| 6 | 131 | 66 | 0.50 |
| 12 | 125 | 67 | 0.54 |
| 18 | 119 | 63 | 0.53 |
| 24 | 113 | 60 | 0.53 |

## APPENDIX 2

トレーディング・システム評価
システム名: ストキャスティックの破裂(ラーズ・ケストナーによる修正版)
検証期間: 1989/1/4 - 2000/4/28

| 市場 | 純益 | Kレシオ | シャープレシオ | 最大ドローダウン | トレード数 | 勝率 | 平均建玉数 | 平均利益 | 勝トレードの平均利益 | 敗トレードの平均損失 | 勝トレードの平均日数 | 敗トレードの平均日数 |
|---|---|---|---|---|---|---|---|---|---|---|---|---|
| 金 | 4,744,000 | 0.22 | 0.01 | -28,870,000 | 219 | 45% | 95 | 21,662 | 1,549,091 | -1,267,818 | 3 | 3 |
| 銀 | 15,203,400 | 1.22 | 0.05 | -16,866,600 | 228 | 41% | 72 | 66,681 | 1,563,412 | -978,902 | 3 | 3 |
| 白金 | 13,678,500 | 0.57 | 0.04 | -25,713,500 | 225 | 38% | 158 | 60,793 | 1,802,411 | -1,065,087 | 3 | 2 |
| パラ | 38,829,000 | 1.75 | 0.15 | -23,617,500 | 147 | 42% | 124 | 264,142 | 1,989,435 | -1,126,880 | 3 | 2 |
| アルミ | 15,597,000 | 0.44 | 0.16 | -13,152,000 | 62 | 44% | 57 | 251,564 | 1,863,259 | -1,119,709 | 4 | 2 |
| ゴム | 27,735,500 | 1.04 | 0.09 | -14,951,000 | 218 | 47% | 138 | 127,227 | 1,453,612 | -1,105,807 | 4 | 2 |
| ゴム指 | 21,030,800 | 1.14 | 0.12 | -12,574,800 | 92 | 46% | 38 | 228,595 | 1,967,290 | -1,231,908 | 4 | 2 |
| ガス | 8,957,000 | 0.85 | 0.26 | -8,493,000 | 15 | 40% | 31 | 597,133 | 3,067,500 | -1,181,000 | 4 | 2 |
| 灯油 | 1,473,000 | 0.34 | 0.16 | -6,704,000 | 13 | 54% | 34 | 113,307 | 946,000 | -858,166 | 3 | 2 |
| コーン | -23,843,000 | -2.99 | -0.12 | -35,205,000 | 160 | 44% | 64 | -149,018 | 1,329,281 | -1,343,431 | 4 | 3 |
| 大豆 | -2,069,400 | -0.18 | -0.01 | -36,988,800 | 237 | 39% | 90 | -8,731 | 1,625,235 | -1,152,002 | 4 | 3 |
| 粗糖 | 26,767,500 | 1.67 | 0.08 | -26,241,000 | 229 | 41% | 63 | 116,888 | 1,864,143 | -1,178,269 | 4 | 2 |
| ロブス | -11,569,000 | -0.13 | -0.23 | -16,456,000 | 41 | 44% | 65 | -282,170 | 916,888 | -1,220,565 | 3 | 3 |
| アラビ | -9,009,500 | -0.96 | -0.20 | -13,861,500 | 31 | 42% | 56 | -290,629 | 1,282,730 | -1,426,944 | 3 | 3 |
| 小豆 | 2,556,800 | -0.33 | 0.01 | -37,368,800 | 223 | 41% | 83 | 11,465 | 1,739,643 | -1,202,216 | 4 | 2 |
| 乾繭 | 28,434,000 | 0.52 | 0.07 | -24,069,600 | 216 | 39% | 75 | 131,638 | 2,258,082 | -1,267,465 | 4 | 2 |
| 生糸 | 8,943,300 | 0.28 | 0.03 | -27,034,200 | 228 | 43% | 80 | 39,225 | 1,796,709 | -1,295,613 | 4 | 3 |
| 日経225 | 39,780,000 | 2.18 | 0.12 | -20,520,000 | 236 | 47% | 4 | 168,559 | 1,604,464 | -1,185,762 | 4 | 2 |
| 日経300 | -7,414,000 | -0.88 | -0.04 | -23,378,000 | 134 | 38% | 32 | -55,328 | 1,609,823 | -1,105,123 | 3 | 2 |
| TOPIX | 14,160,000 | 0.24 | 0.05 | -18,990,000 | 212 | 39% | 6 | 66,792 | 1,652,256 | -970,600 | 4 | 2 |
| 債券先 | 58,880,000 | 2.10 | 0.19 | -11,940,000 | 193 | 51% | 3 | 305,077 | 1,749,489 | -1,210,430 | 4 | 2 |
| 平均 | 12,993,567 | 0.43 | 0.05 | -21,095,014 | 160 | 43% | 65 | 84,994 | 1,696,703 | -1,166,367 | 4 | 2 |

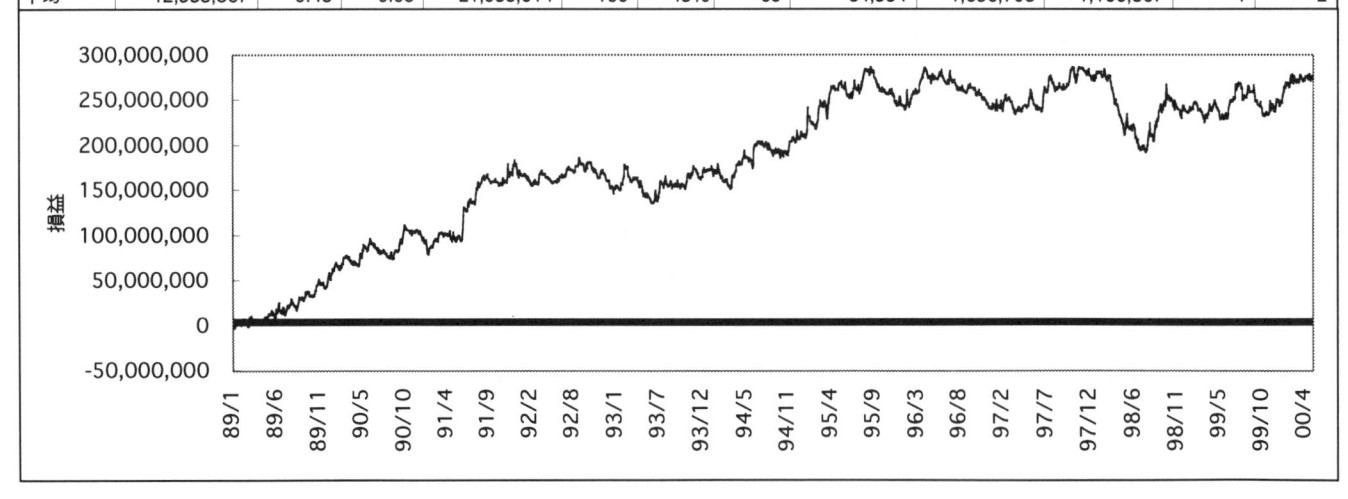

**ポートフォリオ統計**

| | |
|---|---:|
| 純益: | 272,864,900 |
| ドローダウン: | -94,982,350 |
| Kレシオ: | 1.98 |
| シャープ・レシオ: | 0.17 |
| ブレイクアウトとの相関係数: | 0.23 |
| 移動平均との相関係数: | 0.10 |

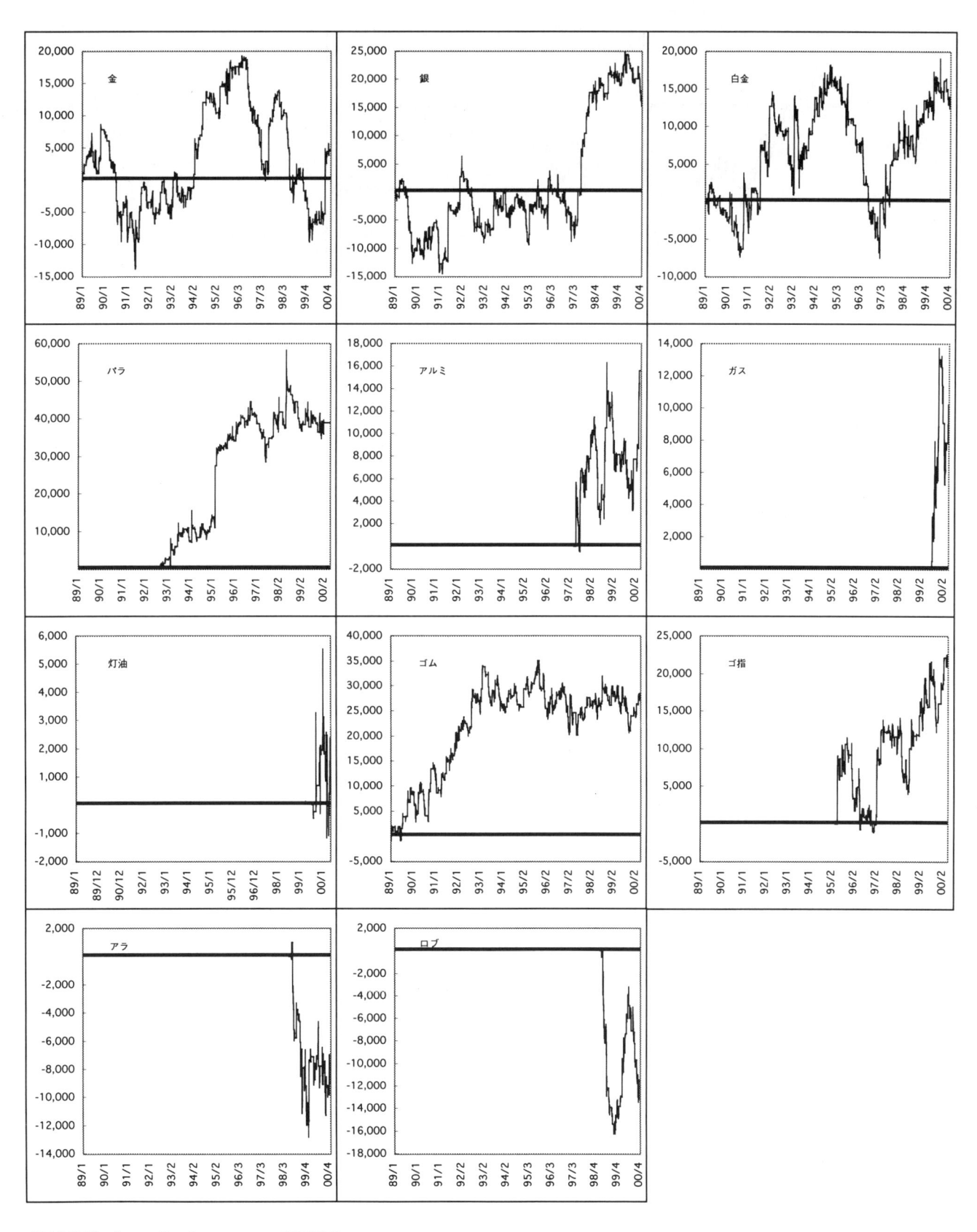

## 付録2　日本市場における検証結果

損益曲線: 金-ロブスタコーヒー(千円単位)
システム名: ストキャスティックの破裂(ラーズ・ケストナーによる修正版)
建玉枚数: 可変
Copyright c 2000 Pan Rolling, Inc.

## APPENDIX 2

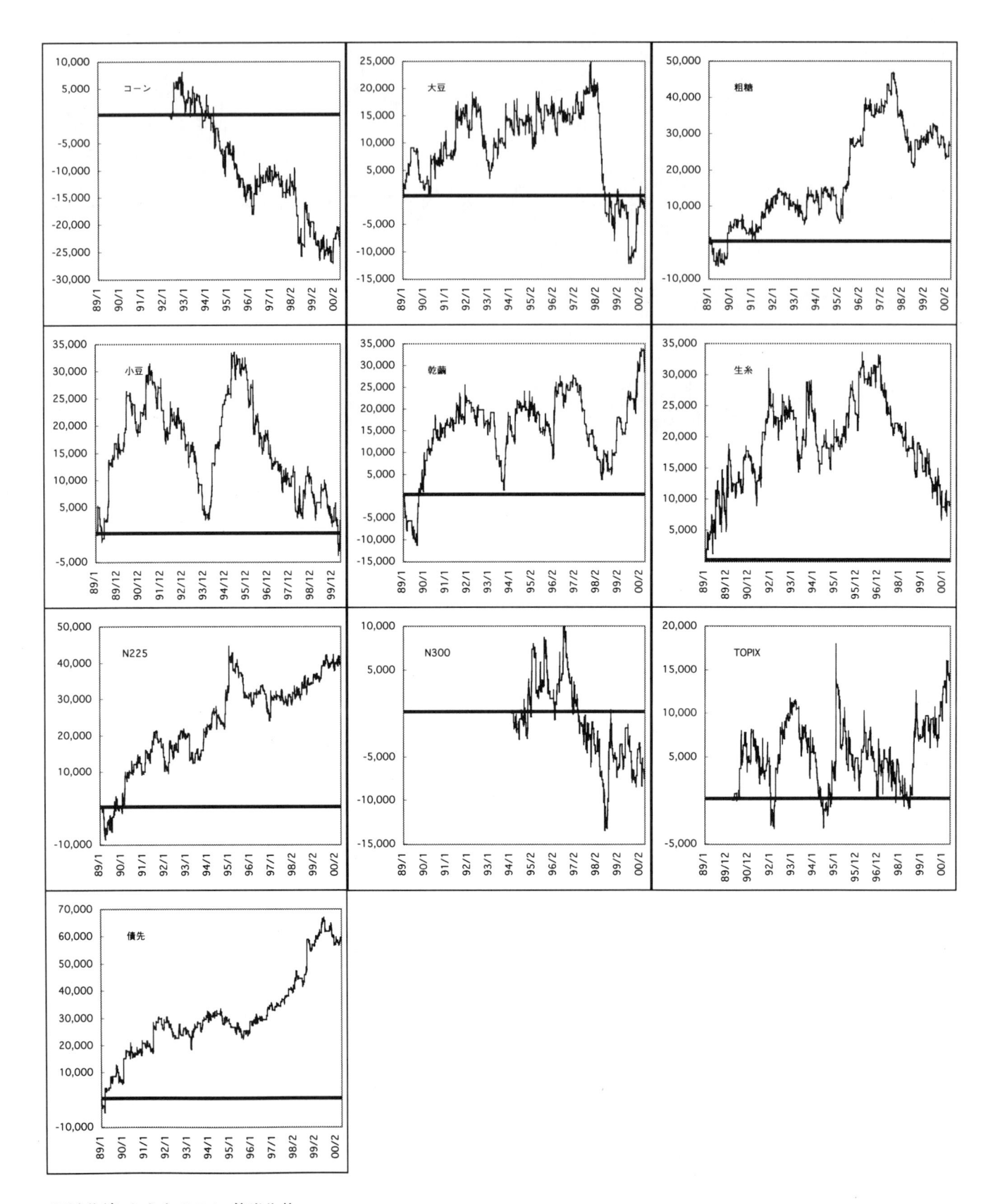

損益曲線: とうもろこし-債券先物
システム名: ストキャスティックの破裂(ラーズ・ケストナーによる修正版)
建玉枚数: 可変

Copyright c 2000 Pan Rolling, Inc.

## 付録2　日本市場における検証結果

**年次成績分析**

|  | 純益 | Kレシオ | シャープレシオ |
|---|---|---|---|
| 1989 | 54,998,150 | 3.25 | 0.71 |
| 1990 | 43,002,950 | 1.63 | 0.40 |
| 1991 | 81,289,600 | 2.85 | 0.48 |
| 1992 | -26,611,900 | 0.36 | -0.22 |
| 1993 | 20,354,500 | 0.31 | 0.15 |
| 1994 | 36,964,750 | 1.53 | 0.29 |
| 1995 | 34,467,250 | 0.79 | 0.20 |
| 1996 | 23,550 | -0.19 | 0.00 |
| 1997 | 32,296,300 | 1.67 | 0.20 |
| 1998 | -41,011,200 | -0.46 | -0.20 |
| 1999 | 13,593,850 | 0.29 | 0.10 |
| 2000 | 23,497,100 | 0.98 | 0.75 |

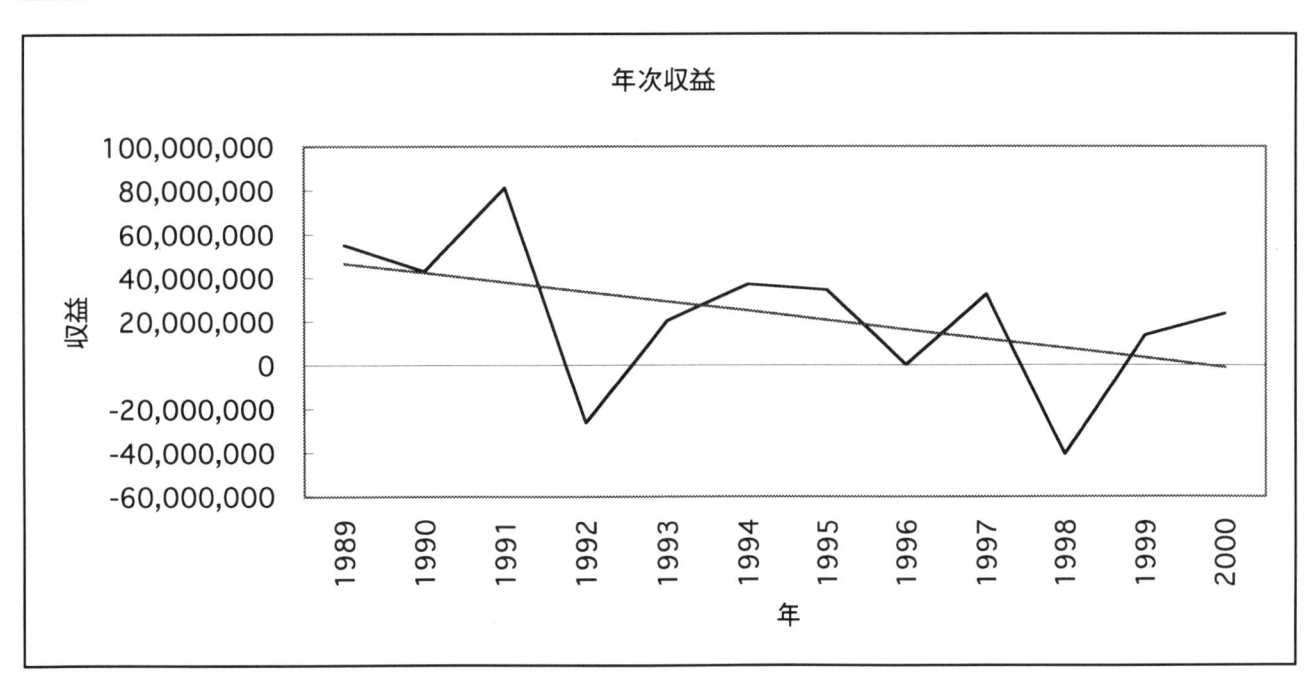

年次収益

**収益性ウインドウ**

| 期間(月) | ウインドウ数 | 利益ウインドウ数 | 利益ウインドウ率 |
|---|---|---|---|
| 1 | 136 | 77 | 0.57 |
| 3 | 134 | 85 | 0.63 |
| 6 | 131 | 88 | 0.67 |
| 12 | 125 | 89 | 0.71 |
| 18 | 119 | 81 | 0.68 |
| 24 | 113 | 82 | 0.73 |

# APPENDIX 2

トレーディング・システム評価
システム名: 1日(週)の重要な時間
検証期間: 1989/1/4 - 2000/4/28

| 市場 | 純益 | Kレシオ | シャープレシオ | 最大ドローダウン | トレード数 | 勝率 | 平均建玉数 | 平均利益 | 勝トレードの平均利益 | 敗トレードの平均損失 | 勝トレードの平均日数 | 敗トレードの平均日数 |
|---|---|---|---|---|---|---|---|---|---|---|---|---|
| 金 | 7,535,000 | -0.40 | 0.02 | -43,564,000 | 622 | 46% | 96 | 12,114 | 1,297,830 | -1,121,270 | 2 | 2 |
| 銀 | 36,828,600 | 0.74 | 0.07 | -28,929,600 | 613 | 45% | 71 | 60,079 | 1,338,318 | -1,028,599 | 2 | 2 |
| 白金 | -60,137,000 | -2.91 | -0.11 | -83,611,500 | 647 | 40% | 155 | -92,947 | 1,358,128 | -1,114,538 | 2 | 2 |
| パラ | 4,053,000 | 0.19 | 0.01 | -33,667,500 | 446 | 37% | 118 | 9,087 | 1,777,050 | -1,214,582 | 2 | 2 |
| アルミ | -31,301,000 | -1.55 | -0.23 | -49,485,000 | 170 | 41% | 58 | -184,123 | 1,303,347 | -1,249,814 | 2 | 2 |
| ゴム | 77,815,500 | 3.31 | 0.19 | -18,154,500 | 632 | 44% | 138 | 123,125 | 1,507,074 | -1,099,171 | 2 | 2 |
| ゴム指 | 39,230,000 | 2.14 | 0.17 | -21,203,600 | 286 | 45% | 37 | 137,167 | 1,634,928 | -1,208,984 | 2 | 2 |
| ガス | -7,216,000 | 0.37 | -0.17 | -13,200,000 | 40 | 45% | 32 | -180,400 | 1,394,722 | -1,469,136 | 2 | 2 |
| 灯油 | -10,087,000 | -0.02 | -0.21 | -17,897,000 | 42 | 33% | 33 | -240,166 | 1,697,571 | -1,209,035 | 2 | 2 |
| コーン | -6,090,000 | 0.14 | -0.02 | -25,765,000 | 439 | 44% | 66 | -13,872 | 1,384,497 | -1,186,530 | 2 | 2 |
| 大豆 | -72,945,300 | -1.55 | -0.15 | -109,166,400 | 648 | 39% | 88 | -112,569 | 1,373,698 | -1,251,824 | 2 | 2 |
| 粗糖 | -22,362,500 | -0.97 | -0.05 | -92,286,500 | 648 | 38% | 64 | -34,510 | 1,434,215 | -1,143,839 | 2 | 2 |
| ロブス | -9,147,500 | -0.73 | -0.12 | -19,560,000 | 103 | 40% | 63 | -88,810 | 1,354,707 | -1,176,190 | 2 | 2 |
| アラビ | 4,730,000 | 0.41 | 0.06 | -19,861,000 | 105 | 44% | 56 | 45,047 | 1,439,391 | -1,205,529 | 2 | 2 |
| 小豆 | 149,269,600 | 7.27 | 0.33 | -13,819,200 | 603 | 49% | 84 | 247,544 | 1,515,937 | -1,108,646 | 2 | 2 |
| 乾繭 | 117,487,500 | 3.36 | 0.27 | -20,332,200 | 596 | 48% | 73 | 197,126 | 1,626,738 | -1,272,548 | 2 | 2 |
| 生糸 | 153,596,550 | 4.15 | 0.33 | -12,842,850 | 594 | 49% | 80 | 258,580 | 1,663,067 | -1,245,049 | 2 | 2 |
| 日経225 | 10,940,000 | -0.50 | 0.03 | -34,900,000 | 633 | 48% | 4 | 17,282 | 1,301,791 | -1,230,094 | 2 | 2 |
| 日経300 | 44,732,000 | 2.40 | 0.17 | -15,694,000 | 338 | 51% | 32 | 132,343 | 1,350,269 | -1,156,298 | 2 | 2 |
| TOPIX | 35,485,000 | 1.99 | 0.09 | -25,525,000 | 560 | 49% | 6 | 63,366 | 1,301,516 | -1,177,663 | 2 | 2 |
| 債券先 | 54,670,000 | 2.75 | 0.11 | -19,190,000 | 615 | 47% | 3 | 88,894 | 1,498,472 | -1,177,781 | 2 | 2 |
| 平均 | 24,623,164 | 0.98 | 0.04 | -34,221,660 | 447 | 44% | 65 | 21,160 | 1,454,917 | -1,192,720 | 2 | 2 |

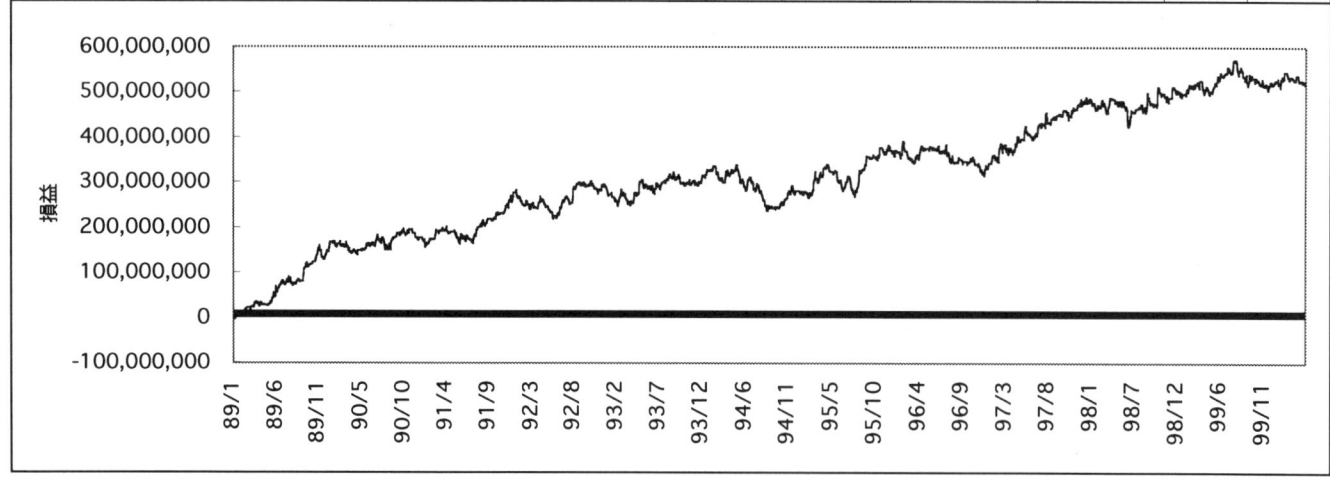

**ポートフォリオ統計**

| | |
|---|---|
| 純益: | 517,086,450 |
| ドローダウン: | -101,996,150 |
| Kレシオ: | 3.91 |
| シャープ・レシオ: | 0.22 |
| ブレイクアウトとの相関係数: | 0.32 |
| 移動平均との相関係数: | 0.20 |

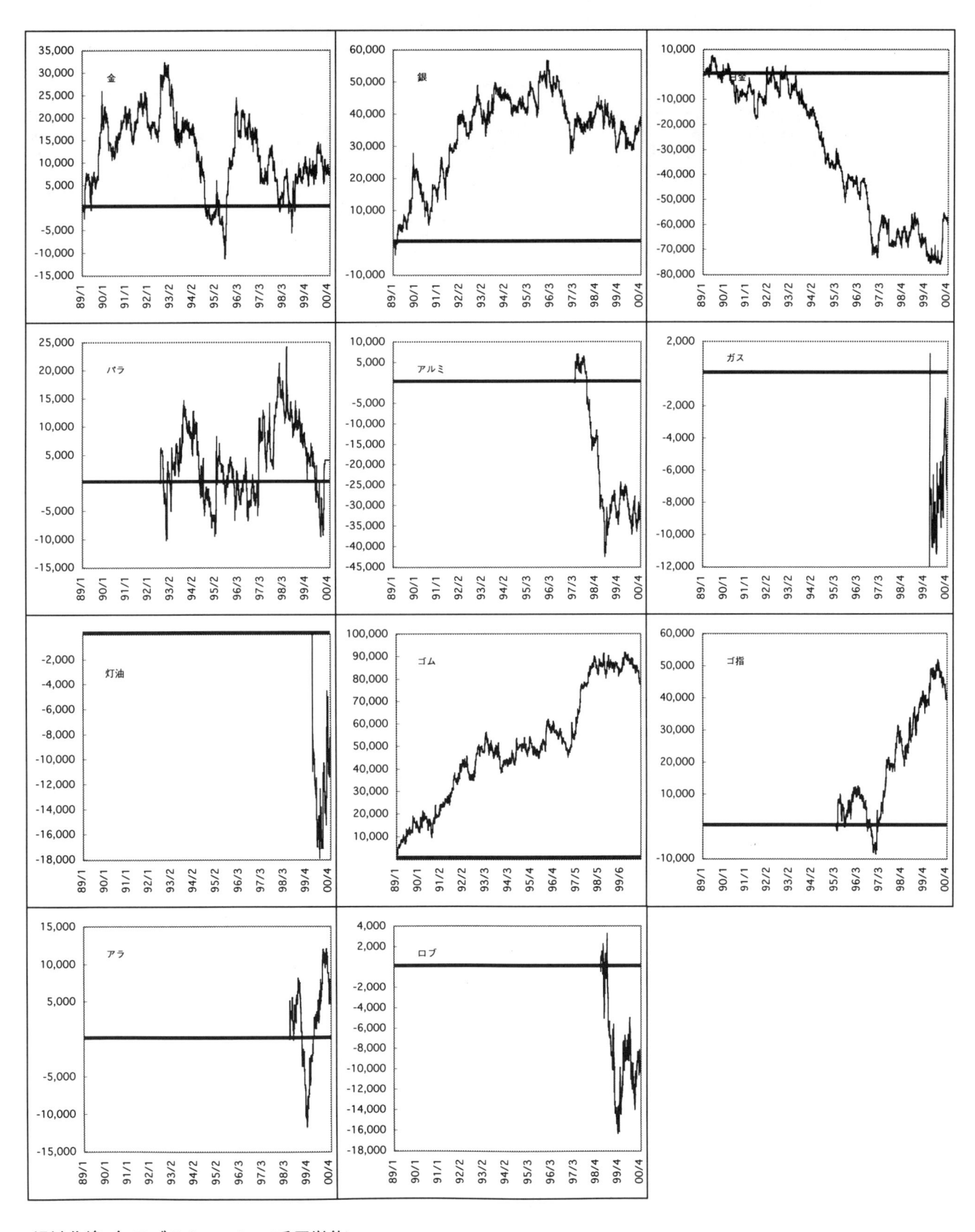

## 付録2　日本市場における検証結果

損益曲線: 金-ロブスタコーヒー(千円単位)
システム名: 1日(週)の重要な時間
建玉枚数: 可変
Copyright (c) 2000 Pan Rolling, Inc.

## APPENDIX 2

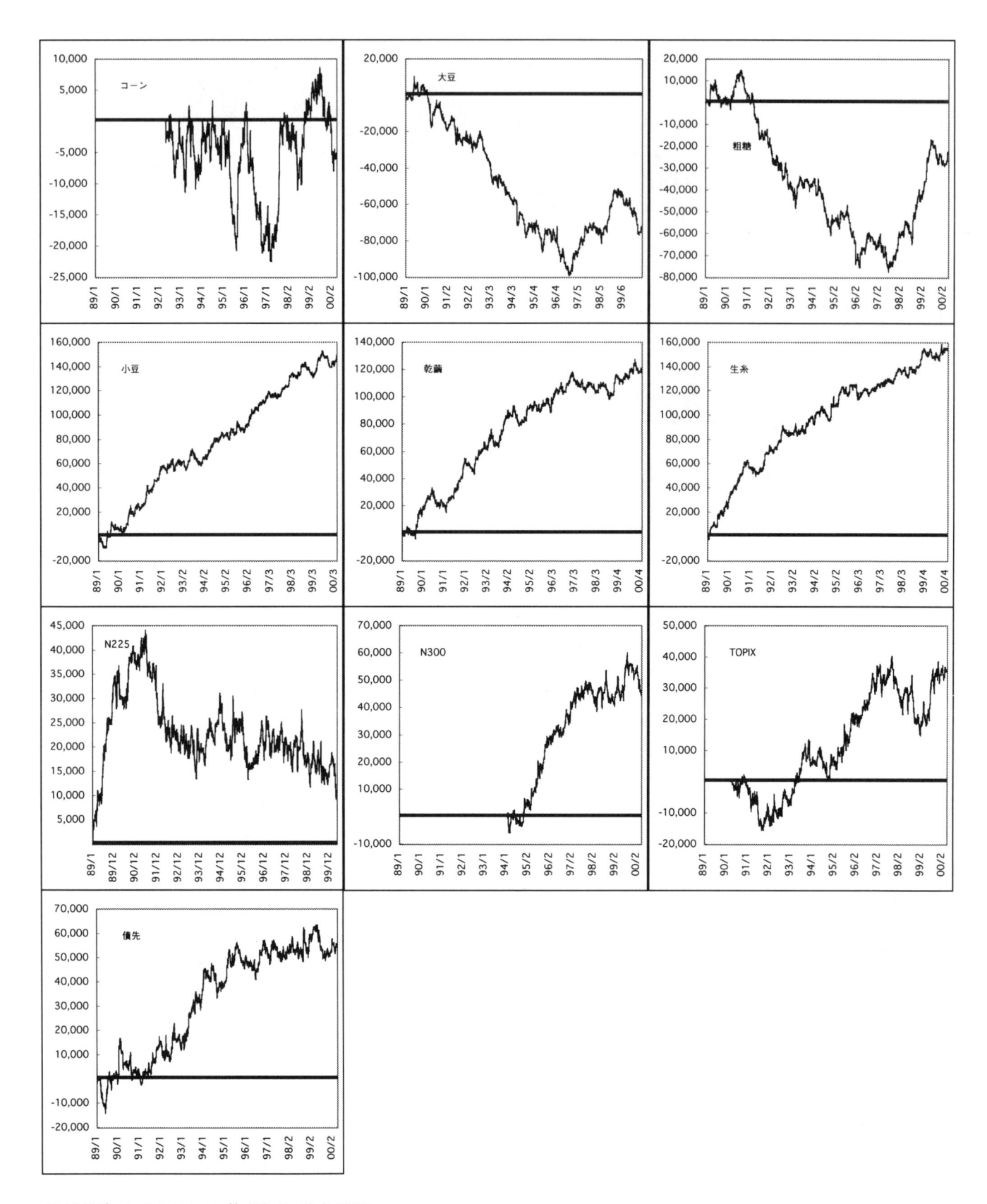

損益曲線: とうもろこし-債券先物 (単位千円)
システム名: 1日(週)の重要な時間
建玉枚数: 可変
Copyright (c) 2000 Pan Rolling, Inc.

## 付録2　日本市場における検証結果

**年次成績分析**

|      | 純益         | Kレシオ | シャープレシオ |
|------|-------------|-------|----------|
| 1989 | 144,973,500 | 4.41  | 0.73     |
| 1990 | 31,710,750  | 1.02  | 0.22     |
| 1991 | 98,991,350  | 1.53  | 0.55     |
| 1992 | -3,806,800  | 0.88  | -0.02    |
| 1993 | 43,434,400  | 1.23  | 0.18     |
| 1994 | -34,067,500 | -1.33 | -0.14    |
| 1995 | 77,537,550  | 1.30  | 0.30     |
| 1996 | -15,399,950 | -0.96 | -0.09    |
| 1997 | 132,958,550 | 4.13  | 0.77     |
| 1998 | 24,477,900  | 0.44  | 0.09     |
| 1999 | 17,778,650  | 0.44  | 0.09     |
| 2000 | -1,501,950  | -0.01 | -0.03    |

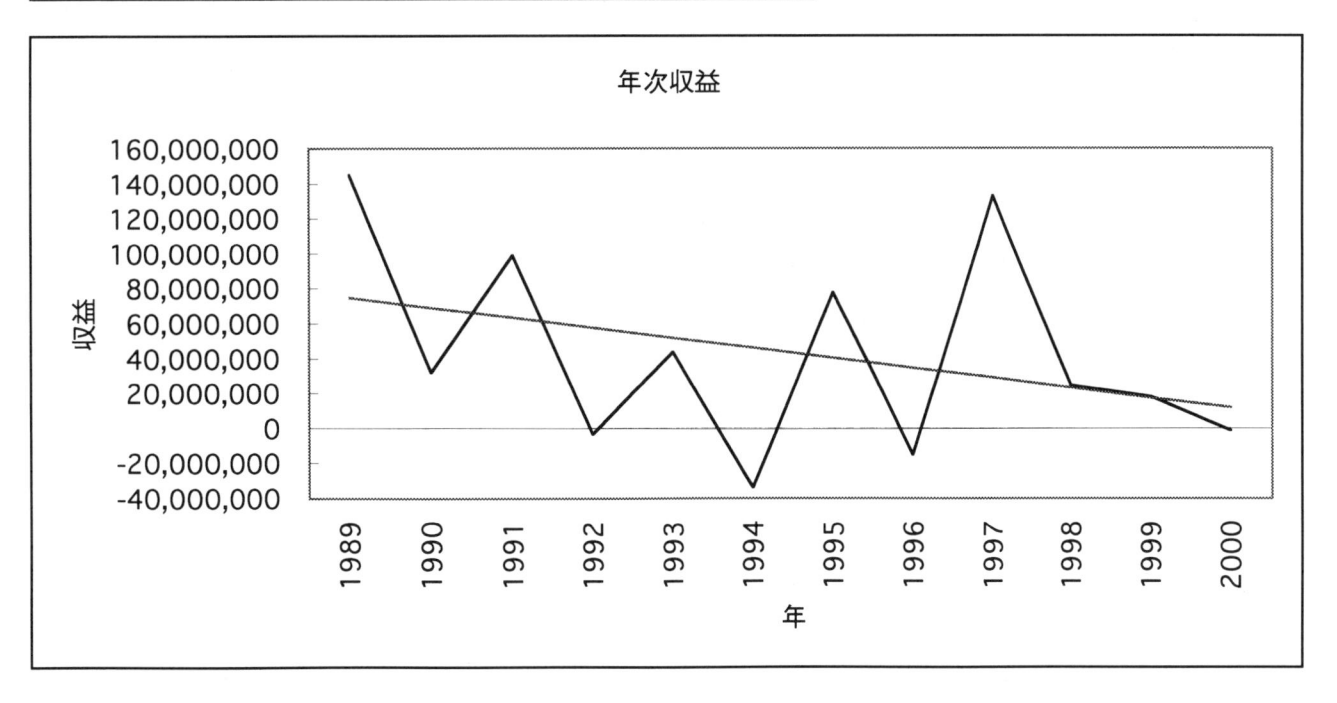

**年次収益**

**収益性ウインドウ**

| 期間(月) | ウインドウ数 | 利益ウインドウ数 | 利益ウインドウ率 |
|--------|-----------|-------------|-------------|
| 1      | 136       | 84          | 0.62        |
| 3      | 134       | 85          | 0.63        |
| 6      | 131       | 100         | 0.76        |
| 12     | 125       | 107         | 0.86        |
| 18     | 119       | 110         | 0.92        |
| 24     | 113       | 108         | 0.96        |

# APPENDIX 2

トレーディング・システム評価
システム名: 2つの指数移動平均
検証期間: 1989/1/4 - 2000/4/28

| 市場 | 純益 | Kレシオ | シャープレシオ | 最大ドローダウン | トレード数 | 勝率 | 平均建玉数 | 平均利益 | 勝トレードの平均利益 | 敗トレードの平均損失 | 勝トレードの平均日数 | 敗トレードの平均日数 |
|---|---|---|---|---|---|---|---|---|---|---|---|---|
| 金 | 159,112,000 | 3.79 | 0.22 | -33,370,000 | 260 | 43% | 99 | 611,969 | 3,721,036 | -1,800,872 | 15 | 7 |
| 銀 | 101,085,600 | 2.20 | 0.15 | -33,835,200 | 270 | 41% | 72 | 374,391 | 3,343,859 | -1,720,272 | 15 | 7 |
| 白金 | 112,888,500 | 2.96 | 0.16 | -34,432,500 | 253 | 37% | 151 | 446,199 | 3,992,531 | -1,671,398 | 17 | 7 |
| パラ | 91,036,500 | 0.85 | 0.14 | -72,793,500 | 184 | 33% | 121 | 494,763 | 4,814,926 | -1,825,891 | 15 | 8 |
| アルミ | 25,383,000 | 1.85 | 0.18 | -12,227,000 | 74 | 42% | 55 | 343,013 | 3,131,000 | -1,666,930 | 15 | 6 |
| ゴム | 95,632,000 | 1.78 | 0.15 | -33,473,000 | 255 | 40% | 137 | 375,027 | 3,910,168 | -1,969,046 | 17 | 7 |
| ゴム指 | -8,452,000 | -0.34 | -0.03 | -29,667,800 | 120 | 36% | 38 | -70,433 | 3,880,613 | -2,276,862 | 16 | 7 |
| ガス | -10,038,000 | -0.45 | -0.26 | -18,339,000 | 17 | 41% | 30 | -590,470 | 1,630,142 | -2,144,900 | 16 | 7 |
| 灯油 | -8,898,000 | -1.07 | -0.44 | -12,128,000 | 13 | 38% | 34 | -684,461 | 1,664,600 | -2,152,625 | 17 | 11 |
| コーン | -27,842,000 | -1.09 | -0.06 | -60,080,000 | 201 | 33% | 65 | -138,517 | 3,304,671 | -1,874,097 | 14 | 7 |
| 大豆 | 21,723,900 | 0.89 | 0.03 | -34,715,700 | 265 | 35% | 86 | 81,976 | 3,318,735 | -1,782,102 | 16 | 7 |
| 粗糖 | -47,501,000 | -1.75 | -0.06 | -85,421,000 | 258 | 34% | 66 | -184,112 | 3,556,404 | -2,247,043 | 17 | 8 |
| ロブス | -24,027,500 | -0.24 | -0.24 | -30,711,000 | 38 | 26% | 66 | -632,302 | 3,578,200 | -2,136,053 | 18 | 9 |
| アラビ | -942,000 | -0.04 | -0.01 | -21,672,500 | 42 | 40% | 53 | -22,428 | 2,848,470 | -1,974,640 | 16 | 7 |
| 小豆 | 11,956,000 | 0.48 | 0.02 | -45,502,400 | 275 | 36% | 84 | 43,476 | 3,806,184 | -2,130,996 | 17 | 6 |
| 乾繭 | 83,221,200 | 1.73 | 0.11 | -35,904,900 | 253 | 38% | 70 | 328,937 | 4,474,493 | -2,220,065 | 18 | 7 |
| 生糸 | 59,171,250 | 1.23 | 0.08 | -42,276,600 | 257 | 38% | 81 | 230,238 | 4,203,994 | -2,178,851 | 17 | 7 |
| 日経225 | 38,450,000 | 0.51 | 0.06 | -39,540,000 | 294 | 36% | 4 | 130,782 | 3,554,245 | -1,818,817 | 16 | 6 |
| 日経300 | -78,432,000 | -2.31 | -0.23 | -97,648,000 | 185 | 31% | 31 | -423,956 | 2,468,413 | -1,772,800 | 13 | 6 |
| TOPIX | -27,675,000 | -0.12 | -0.05 | -60,580,000 | 263 | 33% | 6 | -105,228 | 3,012,159 | -1,702,005 | 15 | 6 |
| 債券先 | 81,320,000 | 1.96 | 0.11 | -34,190,000 | 276 | 41% | 3 | 294,637 | 3,791,071 | -2,093,170 | 15 | 7 |
| 平均 | 30,817,736 | 0.61 | 0.00 | -41,357,529 | 193 | 37% | 64 | 43,024 | 3,428,853 | -1,959,973 | 16 | 7 |

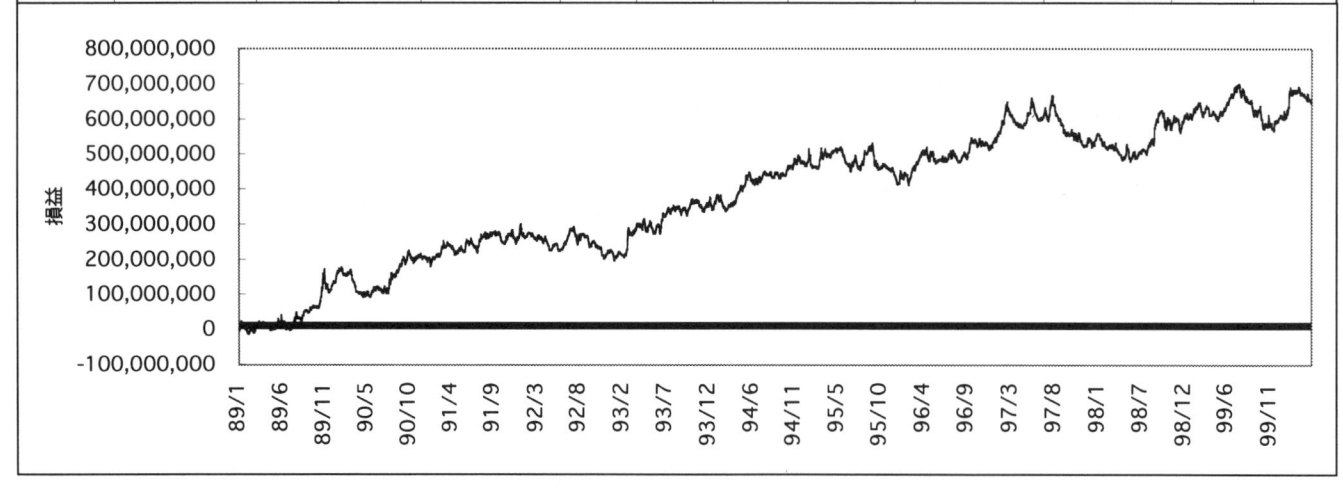

**ポートフォリオ統計**

| | |
|---|---|
| 純益: | 647,172,450 |
| ドローダウン: | -187,508,750 |
| Kレシオ: | 3.73 |
| シャープ・レシオ: | 0.19 |
| ブレイクアウトとの相関係数: | 0.11 |
| 移動平均との相関係数: | 0.02 |

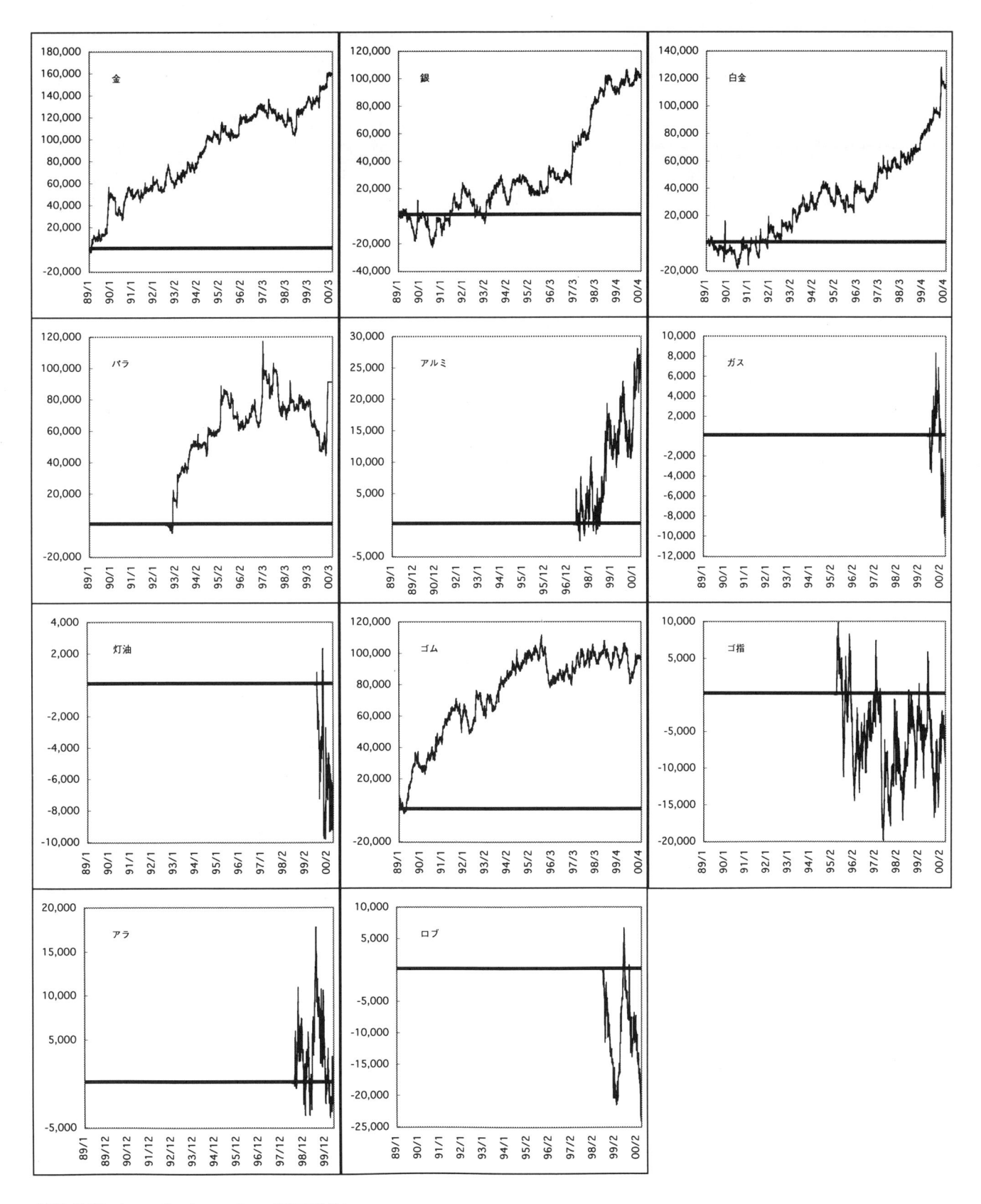

# 付録2　日本市場における検証結果

損益曲線: 金-ロブスタコーヒー(千円単位)
システム名: 2つの指数移動平均
建玉枚数: 可変
Copyright (c) 2000 Pan Rolling, Inc.

## APPENDIX 2

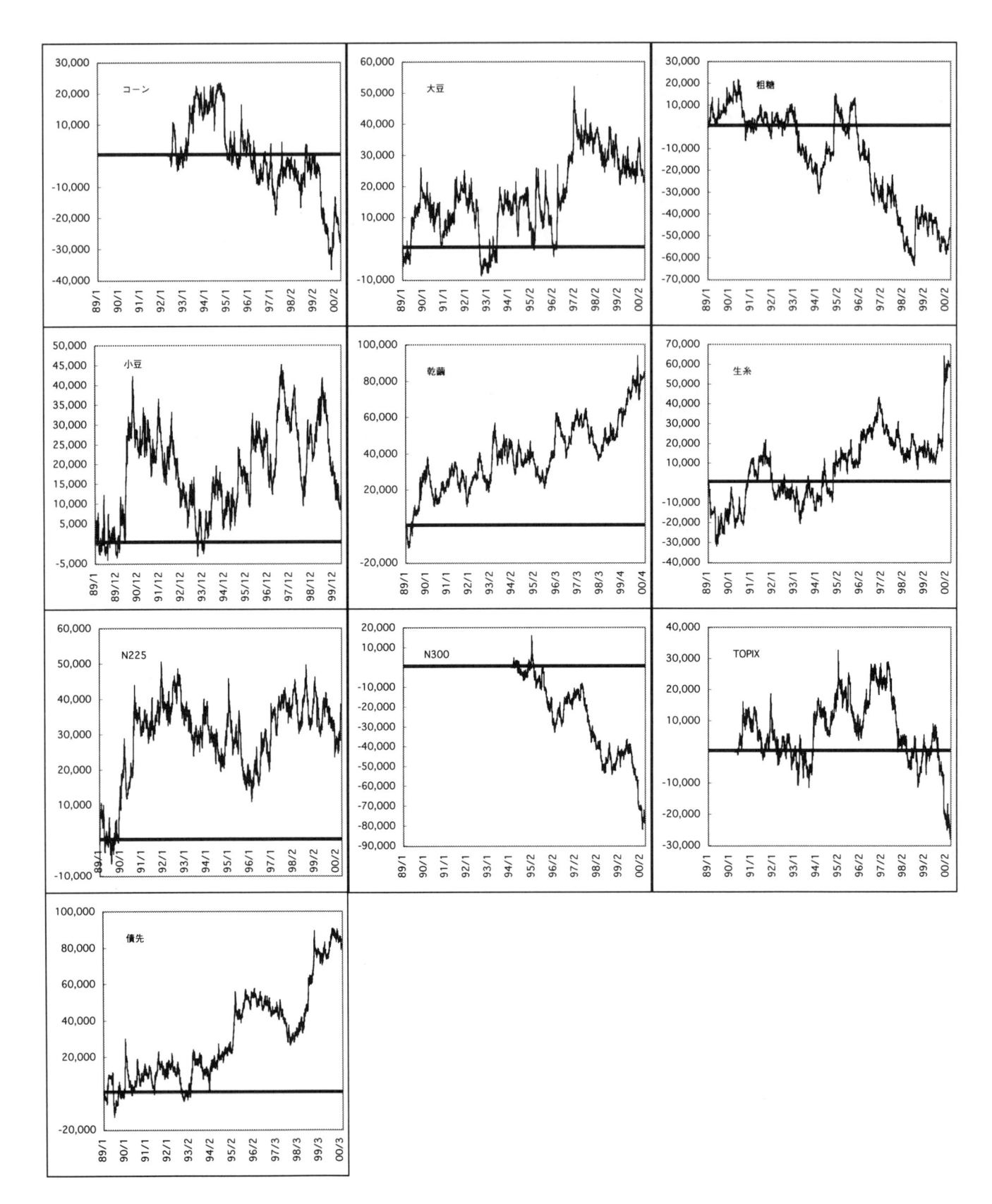

損益曲線: とうもろこし-債券先物 (単位千円)
システム名: 2つの指数移動平均
建玉枚数: 可変
Copyright (c) 2000 Pan Rolling, Inc.

## 付録2　日本市場における検証結果

**年次成績分析**

|      | 純益         | Kレシオ | シャープレシオ |
|------|-------------|--------|---------------|
| 1989 | 133,555,100 | 1.54   | 0.63          |
| 1990 | 72,142,650  | 0.72   | 0.21          |
| 1991 | 71,628,800  | 1.49   | 0.30          |
| 1992 | -73,724,000 | -0.66  | -0.34         |
| 1993 | 161,803,600 | 2.13   | 0.56          |
| 1994 | 111,117,400 | 2.52   | 0.41          |
| 1995 | -62,403,200 | -0.43  | -0.17         |
| 1996 | 131,689,500 | 1.49   | 0.48          |
| 1997 | -7,782,250  | -0.56  | -0.02         |
| 1998 | 72,021,600  | 0.86   | 0.18          |
| 1999 | -4,572,000  | -0.20  | -0.01         |
| 2000 | 41,695,250  | 0.79   | 0.35          |

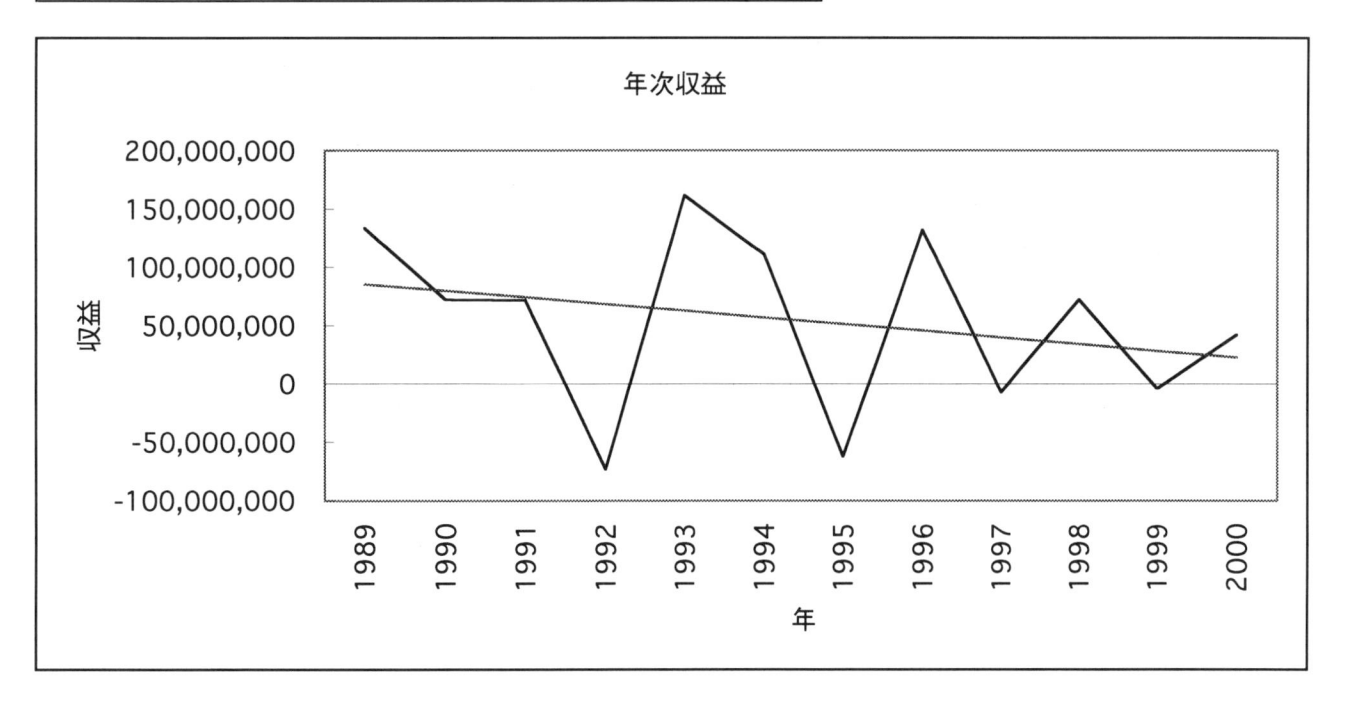

年次収益

**収益性ウインドウ**

| 期間(月) | ウインドウ数 | 利益ウインドウ数 | 利益ウインドウ率 |
|---------|-------------|-----------------|-----------------|
| 1       | 136         | 71              | 0.52            |
| 3       | 134         | 88              | 0.66            |
| 6       | 131         | 94              | 0.72            |
| 12      | 125         | 99              | 0.79            |
| 18      | 119         | 102             | 0.86            |
| 24      | 113         | 110             | 0.97            |

## APPENDIX 2

トレーディング・システム評価
システム名: 5日%Fと3日移動平均との交差
検証期間: 1989/1/4 - 2000/4/28

| 市場 | 純益 | Kレシオ | シャープレシオ | 最大ドローダウン | トレード数 | 勝率 | 平均建玉数 | 平均利益 | 勝トレードの平均利益 | 敗トレードの平均損失 | 勝トレードの平均日数 | 敗トレードの平均日数 |
|---|---|---|---|---|---|---|---|---|---|---|---|---|
| 金 | -54,040,000 | -1.25 | -0.08 | -84,519,000 | 1,239 | 44% | 95 | -43,615 | 1,298,289 | -1,172,670 | 3 | 2 |
| 銀 | 11,304,600 | 0.99 | 0.02 | -57,335,400 | 1,248 | 47% | 71 | 9,058 | 1,175,762 | -1,038,351 | 2 | 2 |
| 白金 | -149,858,000 | -1.31 | -0.20 | -182,724,000 | 1,222 | 44% | 149 | -122,633 | 1,191,978 | -1,202,359 | 3 | 2 |
| パラ | -43,818,000 | -0.06 | -0.09 | -66,526,500 | 820 | 41% | 120 | -53,436 | 1,492,862 | -1,275,866 | 3 | 2 |
| アルミ | -47,150,000 | -0.32 | -0.21 | -65,262,000 | 331 | 42% | 57 | -142,447 | 1,178,143 | -1,146,260 | 3 | 2 |
| ゴム | -128,803,000 | -2.40 | -0.18 | -139,563,000 | 1,259 | 41% | 139 | -102,305 | 1,365,315 | -1,170,100 | 3 | 2 |
| ゴム指 | -1,895,600 | 0.15 | -0.01 | -36,380,600 | 511 | 44% | 38 | -3,709 | 1,576,103 | -1,235,547 | 3 | 2 |
| ガス | 16,897,000 | 1.50 | 0.60 | -8,636,000 | 73 | 60% | 30 | 231,465 | 1,223,886 | -1,368,666 | 3 | 2 |
| 灯油 | -19,681,000 | -2.02 | -0.43 | -29,905,000 | 85 | 39% | 33 | -231,541 | 1,079,545 | -1,084,431 | 3 | 2 |
| コーン | 57,681,000 | 0.15 | 0.12 | -63,994,000 | 848 | 47% | 63 | 68,020 | 1,375,714 | -1,134,478 | 3 | 2 |
| 大豆 | -59,192,100 | -1.31 | -0.08 | -104,630,100 | 1,217 | 43% | 87 | -48,637 | 1,286,379 | -1,192,284 | 3 | 2 |
| 粗糖 | 7,779,500 | 0.71 | 0.01 | -53,489,500 | 1,209 | 44% | 63 | 6,434 | 1,404,193 | -1,194,267 | 3 | 2 |
| ロブス | 17,281,000 | 1.10 | 0.15 | -17,393,500 | 182 | 51% | 64 | 94,950 | 1,276,793 | -1,138,454 | 3 | 2 |
| アラビ | 41,262,000 | 2.74 | 0.50 | -14,694,000 | 198 | 51% | 54 | 208,393 | 1,381,504 | -1,045,425 | 2 | 2 |
| 小豆 | -86,020,000 | -2.22 | -0.13 | -139,980,000 | 1,176 | 43% | 85 | -73,146 | 1,501,049 | -1,293,920 | 3 | 2 |
| 乾繭 | -109,857,600 | -2.52 | -0.14 | -178,347,600 | 1,195 | 43% | 73 | -91,931 | 1,503,240 | -1,292,477 | 3 | 2 |
| 生糸 | -117,012,150 | -1.90 | -0.19 | -135,091,800 | 1,113 | 41% | 81 | -105,132 | 1,573,885 | -1,275,392 | 3 | 2 |
| 日経225 | -116,030,000 | -2.65 | -0.18 | -159,650,000 | 1,232 | 42% | 4 | -94,180 | 1,276,156 | -1,124,045 | 3 | 2 |
| 日経300 | 23,289,000 | -0.06 | 0.06 | -50,507,000 | 652 | 48% | 32 | 35,719 | 1,258,897 | -1,112,912 | 3 | 2 |
| TOPIX | 6,055,000 | 0.56 | 0.01 | -45,420,000 | 1,098 | 46% | 6 | 5,514 | 1,261,240 | -1,091,896 | 3 | 2 |
| 債券先 | -163,080,000 | -3.23 | -0.24 | -186,540,000 | 1,247 | 42% | 3 | -130,777 | 1,349,521 | -1,228,796 | 3 | 2 |
| 平均 | -43,566,112 | -0.63 | -0.03 | -86,694,714 | 865 | 45% | 64 | -27,806 | 1,334,784 | -1,181,838 | 3 | 2 |

**ポートフォリオ統計**

| | |
|---|---|
| 純益: | -914,888,350 |
| ドローダウン: | -1,009,229,100 |
| Kレシオ: | -2.88 |
| シャープ・レシオ: | -0.25 |
| ブレイクアウトとの相関係数: | 0.10 |
| 移動平均との相関係数: | 0.07 |

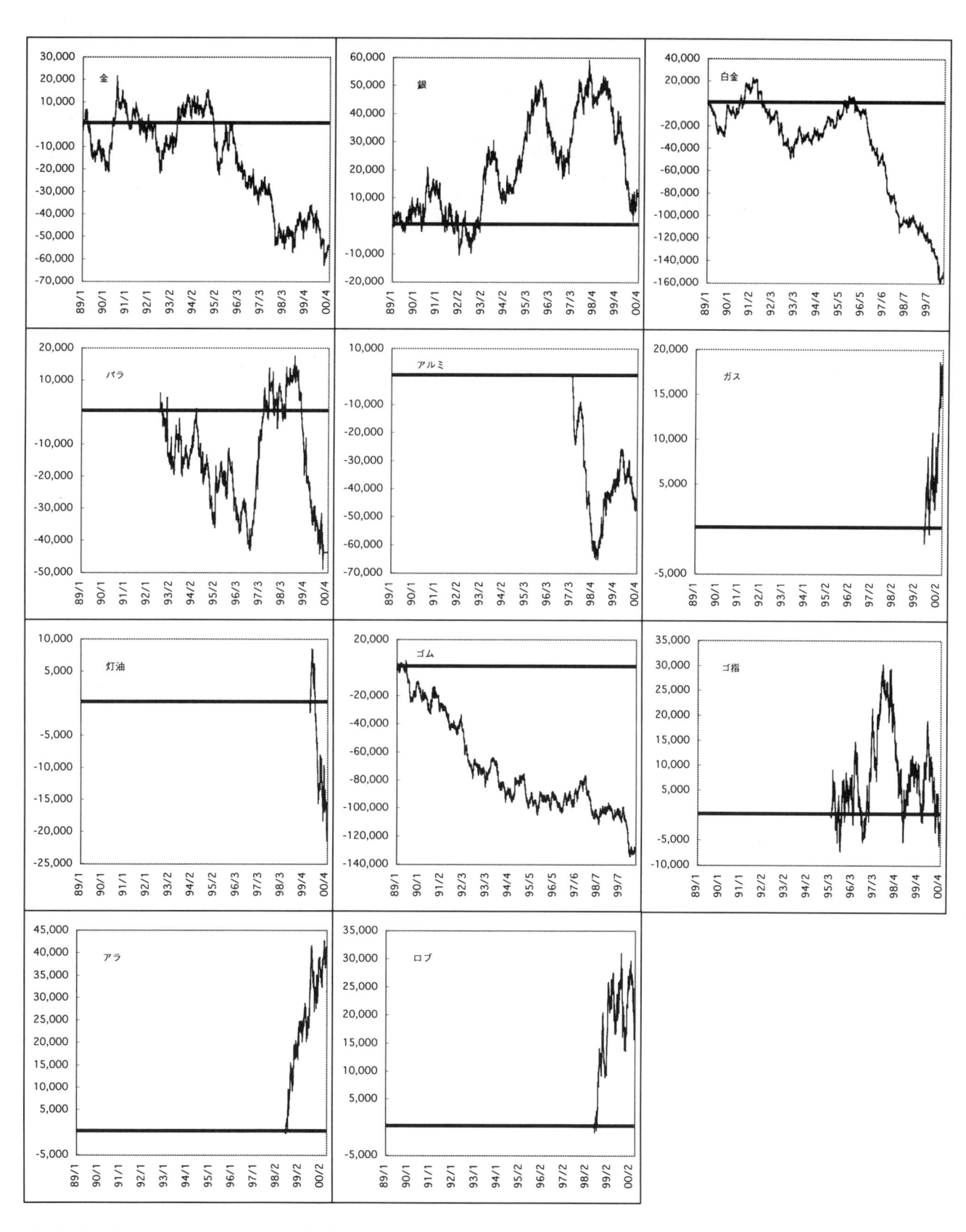

## 付録2　日本市場における検証結果

損益曲線: 金-ロブスタコーヒー(千円単位)
システム名: 5日%Fと3日移動平均との交差
建玉枚数: 可変
Copyright (c) 2000 Pan Rolling, Inc.

## APPENDIX 2

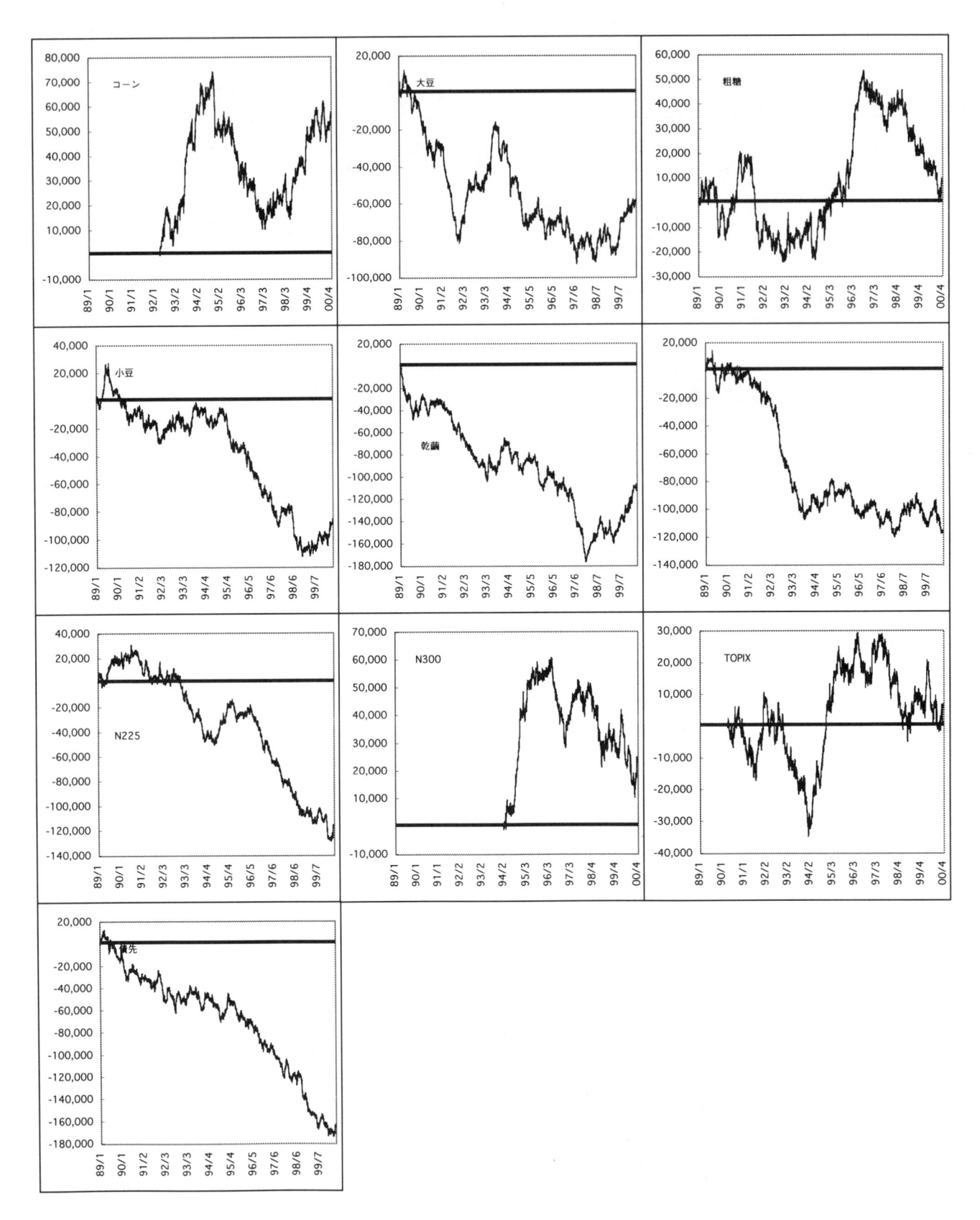

損益曲線: とうもろこし-債券先物 (単位千円)
システム名: 5日%Fと3日移動平均との交差
建玉枚数: 可変
Copyright (c) 2000 Pan Rolling, Inc.

## 付録2　日本市場における検証結果

**年次成績分析**

| | 純益 | Kレシオ | シャープレシオ |
|---|---|---|---|
| 1989 | -66,595,600 | -2.29 | -0.43 |
| 1990 | 12,893,550 | 0.57 | 0.05 |
| 1991 | -215,263,200 | -5.00 | -1.02 |
| 1992 | -168,330,650 | -2.68 | -0.66 |
| 1993 | 18,151,500 | 0.60 | 0.07 |
| 1994 | 77,708,300 | 0.48 | 0.21 |
| 1995 | -8,575,550 | 0.23 | -0.03 |
| 1996 | -220,953,100 | -2.42 | -0.82 |
| 1997 | -139,945,750 | -2.46 | -0.41 |
| 1998 | -71,728,750 | -0.67 | -0.20 |
| 1999 | -109,968,400 | -0.51 | -0.23 |
| 2000 | -22,280,700 | -0.09 | -0.12 |

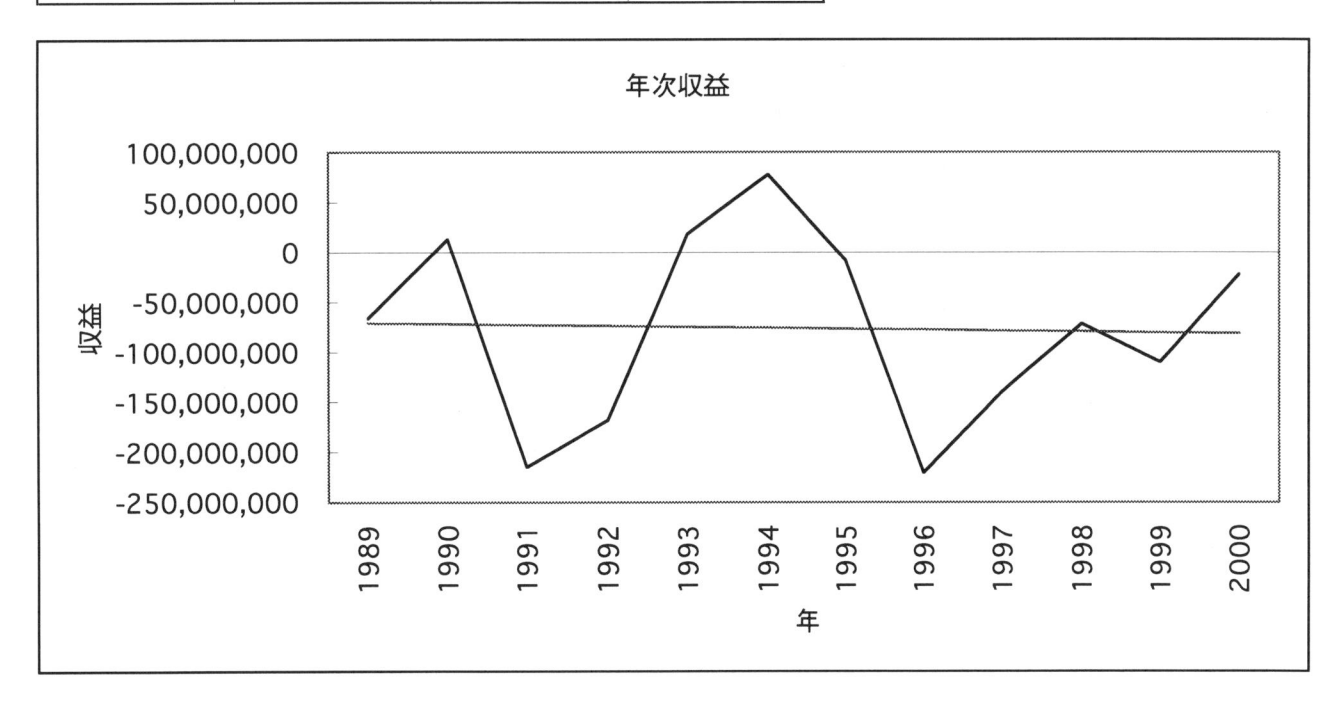

**収益性ウインドウ**

| 期間(月) | ウインドウ数 | 利益ウインドウ数 | 利益ウインドウ率 |
|---|---|---|---|
| 1 | 136 | 47 | 0.35 |
| 3 | 134 | 45 | 0.34 |
| 6 | 131 | 30 | 0.23 |
| 12 | 125 | 30 | 0.24 |
| 18 | 119 | 21 | 0.18 |
| 24 | 113 | 20 | 0.18 |

## APPENDIX 2

トレーディング・システム評価
システム名: 20日%Fと10日移動平均との交差
検証期間: 1989/1/4 - 2000/4/28

| 市場 | 純益 | Kレシオ | シャープレシオ | 最大ドローダウン | トレード数 | 勝率 | 平均建玉数 | 平均利益 | 勝トレードの平均利益 | 敗トレードの平均損失 | 勝トレードの平均日数 | 敗トレードの平均日数 |
|---|---|---|---|---|---|---|---|---|---|---|---|---|
| 金 | 15,587,000 | -0.38 | 0.02 | -83,433,000 | 521 | 42% | 97 | 29,917 | 2,220,627 | -1,625,261 | 7 | 4 |
| 銀 | 44,665,200 | 0.80 | 0.07 | -40,216,800 | 539 | 45% | 73 | 82,866 | 1,881,020 | -1,407,541 | 6 | 4 |
| 白金 | -91,507,000 | -2.07 | -0.12 | -126,267,500 | 583 | 39% | 151 | -156,958 | 1,945,511 | -1,512,134 | 6 | 4 |
| パラ | -7,720,500 | -1.05 | -0.01 | -91,476,000 | 378 | 36% | 128 | -20,424 | 2,382,319 | -1,507,800 | 6 | 4 |
| アルミ | -36,336,000 | -1.76 | -0.19 | -59,806,000 | 164 | 40% | 57 | -221,560 | 1,586,415 | -1,452,635 | 5 | 4 |
| ゴム | -67,815,500 | -1.80 | -0.10 | -105,822,500 | 563 | 38% | 139 | -120,453 | 2,128,492 | -1,519,488 | 7 | 4 |
| ゴム指 | -7,035,600 | 0.19 | -0.02 | -75,895,600 | 236 | 39% | 38 | -29,811 | 2,539,690 | -1,653,801 | 7 | 4 |
| ガス | 9,786,000 | 1.62 | 0.25 | -8,030,000 | 30 | 53% | 30 | 326,200 | 1,613,875 | -1,145,428 | 7 | 5 |
| 灯油 | 20,602,000 | 2.23 | 0.45 | -6,669,000 | 24 | 50% | 34 | 858,416 | 2,775,250 | -1,154,636 | 7 | 7 |
| コーン | -30,049,000 | -0.77 | -0.06 | -41,283,000 | 377 | 37% | 64 | -79,705 | 2,241,833 | -1,456,746 | 7 | 4 |
| 大豆 | -42,987,900 | -2.35 | -0.07 | -77,892,300 | 568 | 39% | 90 | -75,682 | 1,954,804 | -1,523,815 | 6 | 4 |
| 粗糖 | -24,034,500 | 0.21 | -0.03 | -53,300,000 | 539 | 40% | 64 | -44,590 | 2,174,255 | -1,622,110 | 6 | 4 |
| ロブス | -10,794,500 | 0.20 | -0.11 | -23,578,500 | 92 | 43% | 62 | -117,331 | 1,682,087 | -1,561,560 | 6 | 4 |
| アラビ | 3,703,000 | 0.57 | 0.03 | -24,669,000 | 91 | 45% | 55 | 40,692 | 1,816,890 | -1,444,683 | 6 | 4 |
| 小豆 | -44,128,800 | -0.78 | -0.06 | -85,220,000 | 537 | 36% | 84 | -82,176 | 2,569,095 | -1,585,236 | 7 | 4 |
| 乾繭 | -3,446,700 | -0.42 | 0.00 | -121,336,200 | 508 | 40% | 77 | -6,784 | 2,501,275 | -1,720,694 | 8 | 4 |
| 生糸 | -106,784,850 | -2.29 | -0.14 | -147,190,050 | 528 | 35% | 84 | -202,244 | 2,592,289 | -1,739,832 | 8 | 4 |
| 日経225 | -64,680,000 | -1.75 | -0.09 | -137,580,000 | 545 | 39% | 4 | -118,678 | 2,074,788 | -1,544,542 | 7 | 4 |
| 日経300 | -11,799,000 | -1.08 | -0.03 | -62,224,000 | 327 | 42% | 31 | -36,082 | 1,710,375 | -1,293,174 | 6 | 3 |
| TOPIX | -80,280,000 | -1.43 | -0.14 | -100,565,000 | 498 | 40% | 6 | -161,204 | 1,765,757 | -1,472,260 | 7 | 4 |
| 債券先 | -124,230,000 | -3.83 | -0.18 | -161,800,000 | 596 | 35% | 3 | -208,439 | 2,187,572 | -1,512,815 | 7 | 4 |
| 平均 | -31,394,602 | -0.76 | -0.03 | -77,821,640 | 393 | 41% | 65 | -16,382 | 2,111,629 | -1,497,914 | 7 | 4 |

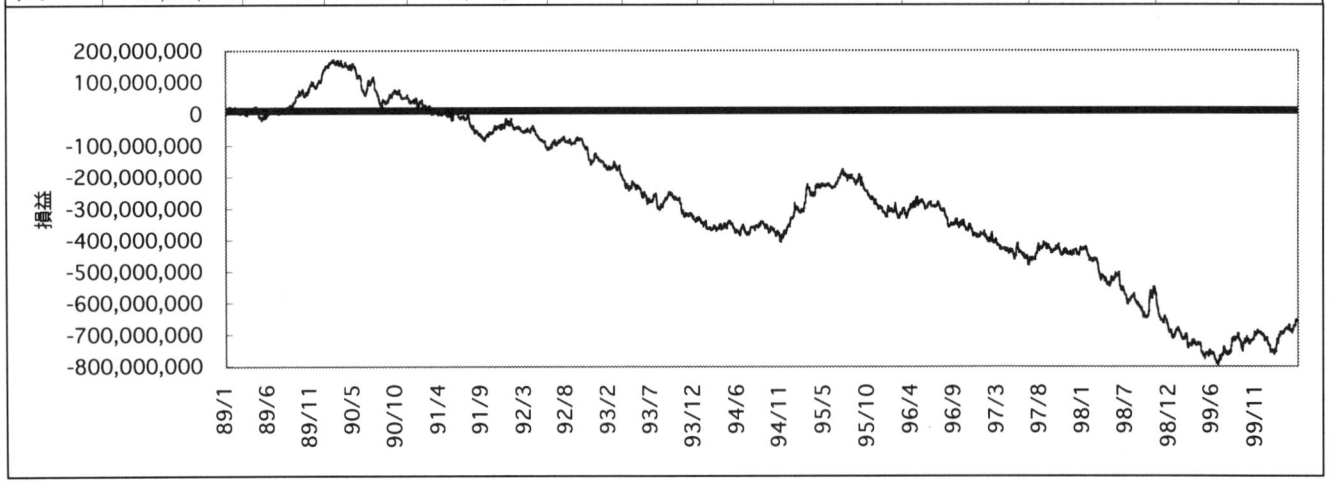

**ポートフォリオ統計**

| | |
|---|---|
| 純益: | -659,286,650 |
| ドローダウン: | -966,422,600 |
| Kレシオ: | -3.13 |
| シャープ・レシオ: | -0.18 |
| ブレイクアウトとの相関係数: | 0.03 |
| 移動平均との相関係数: | -0.09 |

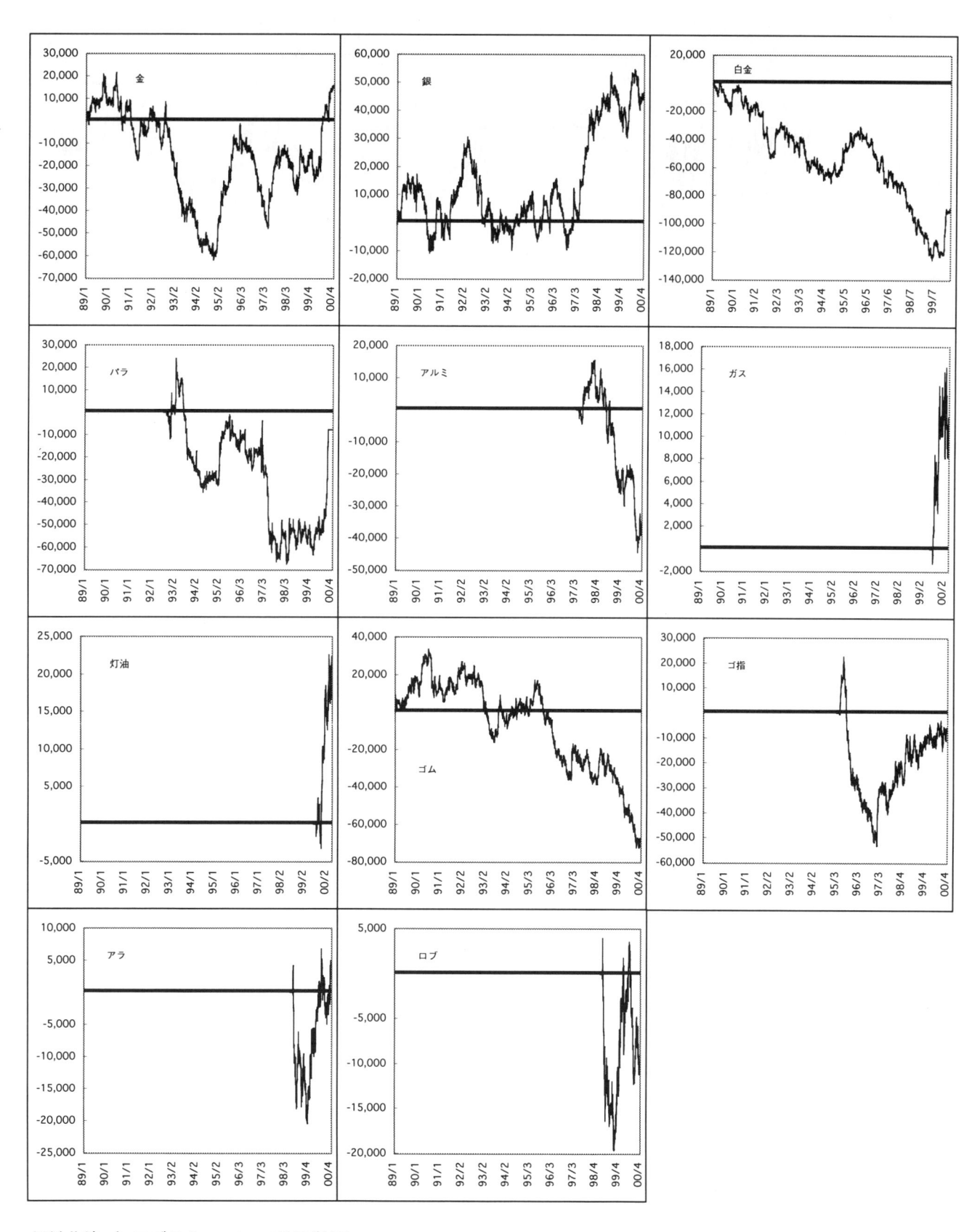

## 付録2　日本市場における検証結果

損益曲線: 金-ロブスタコーヒー(千円単位)
システム名: 20日%Fと10日移動平均との交差
建玉枚数: 可変
Copyright (c) 2000 Pan Rolling, Inc.

## APPENDIX 2

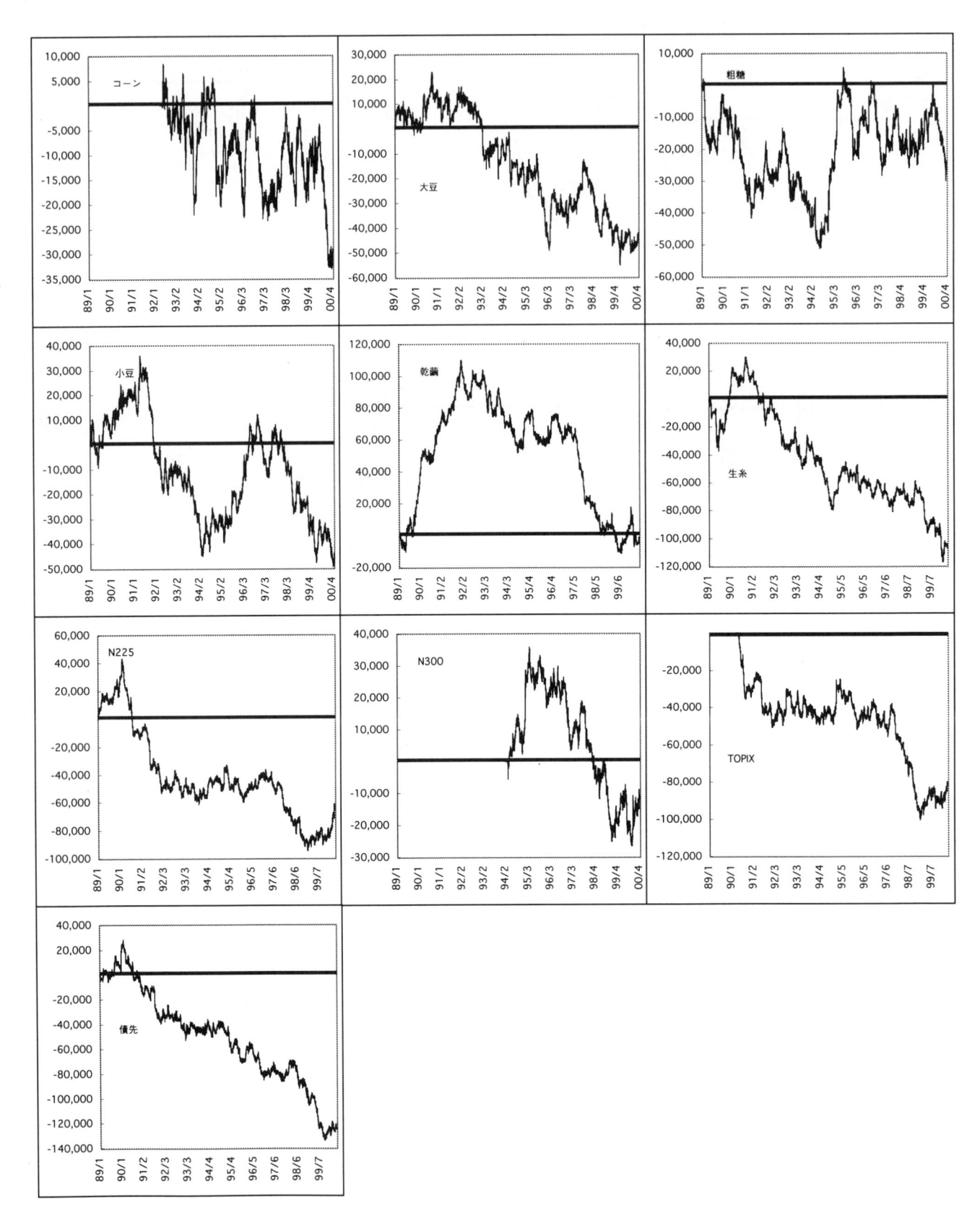

損益曲線: とうもろこし-債券先物 (単位千円)
システム名: 20日%Fと10日移動平均との交差
建玉枚数: 可変
Copyright (c) 2000 Pan Rolling, Inc.

## 付録2　日本市場における検証結果

**年次成績分析**

|  | 純益 | Kレシオ | シャープレシオ |
|---|---|---|---|
| 1989 | 104,049,600 | 1.24 | 0.43 |
| 1990 | -60,148,550 | -1.71 | -0.14 |
| 1991 | -71,776,100 | -1.64 | -0.26 |
| 1992 | -121,978,750 | -1.72 | -0.61 |
| 1993 | -186,958,550 | -2.46 | -0.66 |
| 1994 | -20,871,800 | -0.60 | -0.10 |
| 1995 | 30,970,250 | 0.12 | 0.08 |
| 1996 | -56,013,450 | -1.13 | -0.26 |
| 1997 | -46,953,000 | -0.54 | -0.19 |
| 1998 | -261,587,800 | -2.86 | -0.52 |
| 1999 | -22,974,450 | 0.05 | -0.06 |
| 2000 | 54,955,950 | 1.62 | 0.36 |

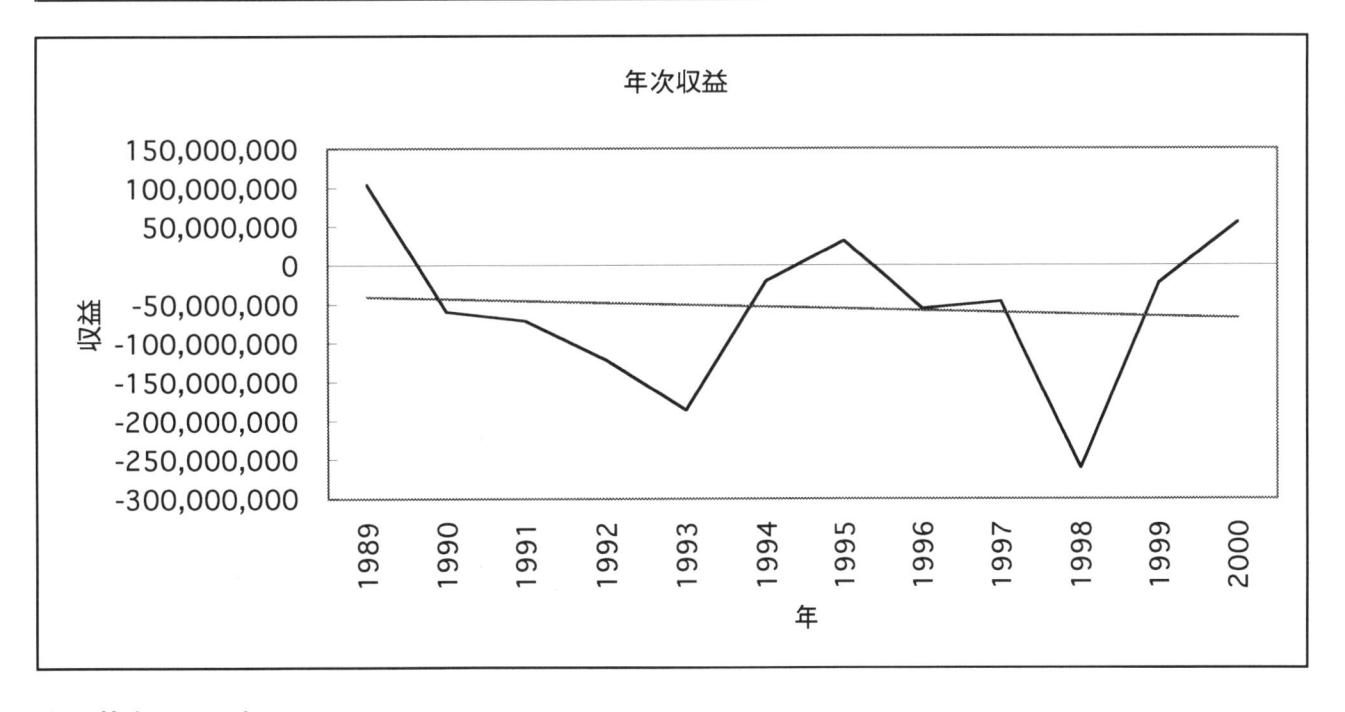

**収益性ウインドウ**

| 期間(月) | ウインドウ数 | 利益ウインドウ数 | 利益ウインドウ率 |
|---|---|---|---|
| 1 | 136 | 59 | 0.43 |
| 3 | 134 | 48 | 0.36 |
| 6 | 131 | 34 | 0.26 |
| 12 | 125 | 26 | 0.21 |
| 18 | 119 | 24 | 0.20 |
| 24 | 113 | 21 | 0.19 |

# APPENDIX 2

トレーディング・システム評価
システム名: 0.2と0.1のVIDYAの交差
検証期間: 1989/1/4 - 2000/4/28

| 市場 | 純益 | Kレシオ | シャープレシオ | 最大ドローダウン | トレード数 | 勝率 | 平均建玉数 | 平均利益 | 勝トレードの平均利益 | 敗トレードの平均損失 | 勝トレードの平均日数 | 敗トレードの平均日数 |
|---|---|---|---|---|---|---|---|---|---|---|---|---|
| 金 | 55,103,000 | 2.11 | 0.09 | -30,839,000 | 126 | 37% | 92 | 437,325 | 5,088,936 | -2,359,961 | 37 | 13 |
| 銀 | -2,379,600 | -0.09 | 0.00 | -67,722,600 | 126 | 37% | 70 | -18,885 | 3,887,591 | -2,373,030 | 36 | 14 |
| 白金 | 89,783,000 | 1.09 | 0.14 | -34,981,000 | 122 | 38% | 161 | 735,926 | 4,875,130 | -1,769,381 | 37 | 14 |
| パラ | 157,996,500 | 2.24 | 0.18 | -36,823,500 | 81 | 35% | 114 | 1,950,574 | 10,095,000 | -2,397,375 | 42 | 12 |
| アルミ | 30,581,000 | 1.32 | 0.13 | -25,237,000 | 30 | 50% | 60 | 1,019,366 | 4,408,533 | -2,539,071 | 31 | 16 |
| ゴム | 40,934,000 | 1.96 | 0.06 | -56,138,000 | 116 | 29% | 132 | 352,879 | 6,422,750 | -2,163,896 | 50 | 13 |
| ゴム指 | 19,538,600 | 1.52 | 0.07 | -21,178,800 | 46 | 39% | 36 | 424,752 | 5,792,866 | -3,026,178 | 46 | 13 |
| ガス | 735,000 | -0.55 | 0.03 | -14,937,000 | 5 | 40% | 33 | 147,000 | 4,686,000 | -2,879,000 | 34 | 25 |
| 灯油 | -5,735,000 | -0.31 | -0.20 | -11,764,000 | 9 | 22% | 34 | -637,222 | 3,572,000 | -1,839,857 | 27 | 13 |
| コーン | -3,064,000 | 0.56 | -0.01 | -37,982,000 | 93 | 33% | 65 | -32,946 | 4,650,870 | -2,413,786 | 39 | 12 |
| 大豆 | 67,314,300 | 1.40 | 0.11 | -46,426,200 | 133 | 35% | 94 | 506,122 | 5,180,986 | -2,035,846 | 39 | 12 |
| 粗糖 | 117,664,500 | 2.98 | 0.16 | -24,148,500 | 107 | 41% | 65 | 1,099,668 | 5,883,079 | -2,314,606 | 42 | 14 |
| ロブス | -6,444,500 | -0.16 | -0.08 | -18,832,000 | 22 | 27% | 63 | -292,931 | 3,632,333 | -1,764,906 | 34 | 12 |
| アラビ | 9,664,500 | 0.89 | 0.11 | -15,354,500 | 15 | 53% | 54 | 644,300 | 3,345,125 | -2,442,357 | 38 | 14 |
| 小豆 | 136,032,800 | 2.45 | 0.18 | -25,105,600 | 113 | 40% | 83 | 1,203,830 | 6,495,733 | -2,298,164 | 45 | 11 |
| 乾繭 | 163,212,000 | 2.80 | 0.18 | -42,629,700 | 97 | 37% | 78 | 1,682,597 | 9,383,050 | -2,861,931 | 54 | 14 |
| 生糸 | 29,586,600 | 1.11 | 0.04 | -50,867,250 | 120 | 29% | 85 | 246,555 | 7,847,344 | -2,883,181 | 49 | 13 |
| 日経225 | 110,300,000 | 2.13 | 0.15 | -30,980,000 | 124 | 34% | 4 | 889,516 | 6,373,809 | -1,919,512 | 43 | 12 |
| 日経300 | -35,035,000 | -0.70 | -0.10 | -44,873,000 | 72 | 26% | 32 | -486,597 | 4,882,157 | -2,411,245 | 44 | 12 |
| TOPIX | 41,370,000 | 1.30 | 0.07 | -42,200,000 | 116 | 30% | 6 | 356,637 | 6,003,428 | -2,083,333 | 42 | 12 |
| 債券先 | 147,000,000 | 4.86 | 0.17 | -38,920,000 | 101 | 35% | 3 | 1,455,445 | 8,605,714 | -2,336,363 | 57 | 12 |
| 平均 | 55,436,081 | 1.38 | 0.07 | -34,187,602 | 84 | 36% | 65 | 556,377 | 5,767,259 | -2,338,713 | 41 | 14 |

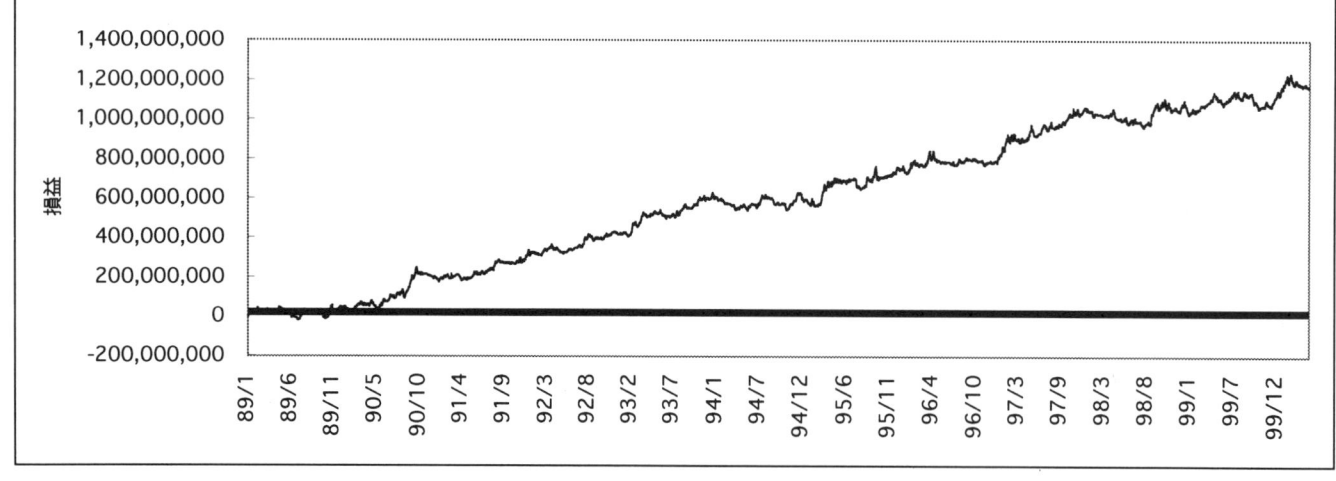

**ポートフォリオ統計**

| | |
|---|---|
| 純益: | 1,164,157,700 |
| ドローダウン: | -100,716,250 |
| Kレシオ: | 8.96 |
| シャープ・レシオ: | 0.33 |
| ブレイクアウトとの相関係数: | 0.78 |
| 移動平均との相関係数: | 0.77 |

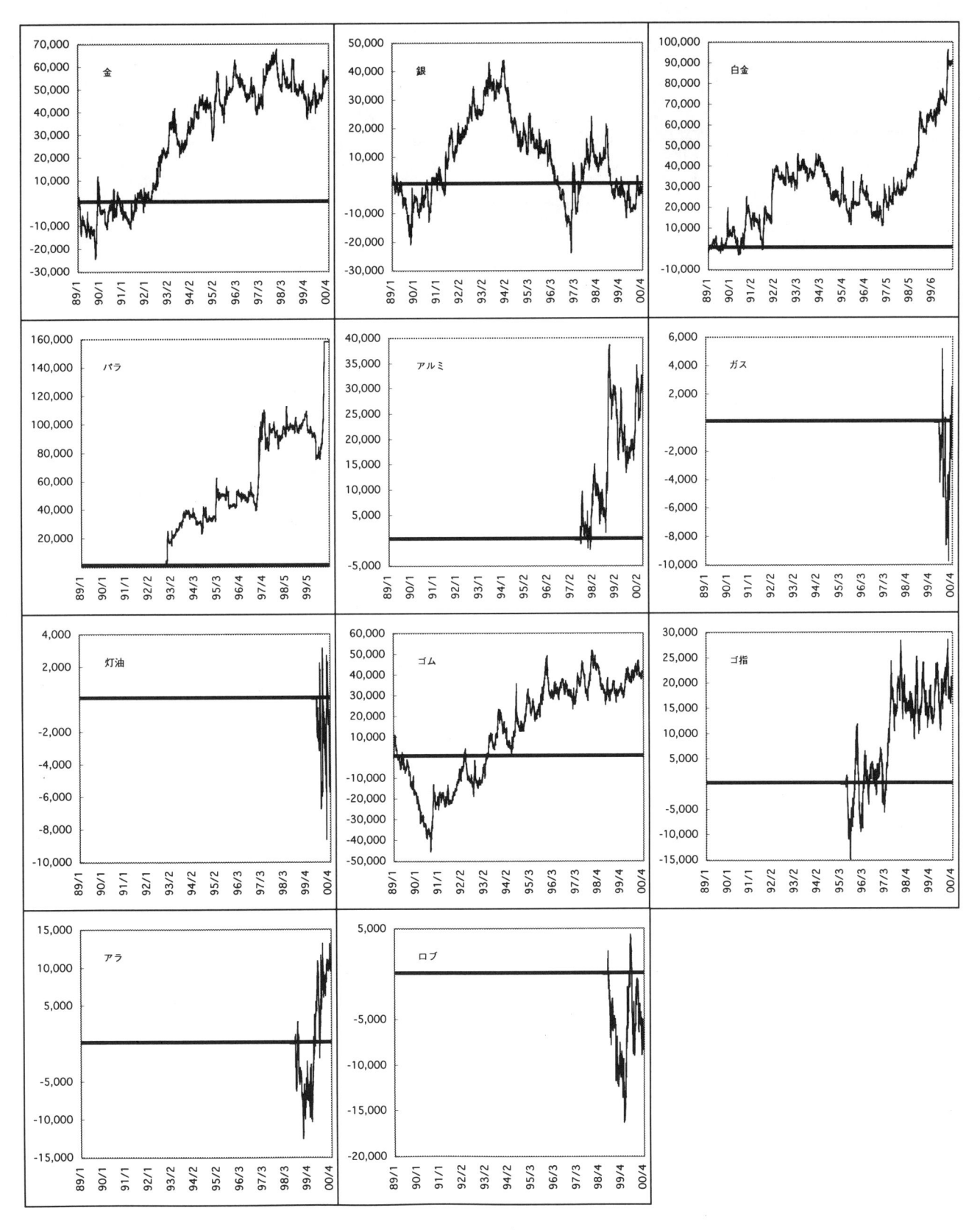

# 付録2　日本市場における検証結果

損益曲線: 金-ロブスタコーヒー(千円単位)
システム名: 0.2と0.1のVIDYAの交差
建玉枚数: 可変
Copyright (c) 2000 Pan Rolling, Inc.

APPENDIX 2

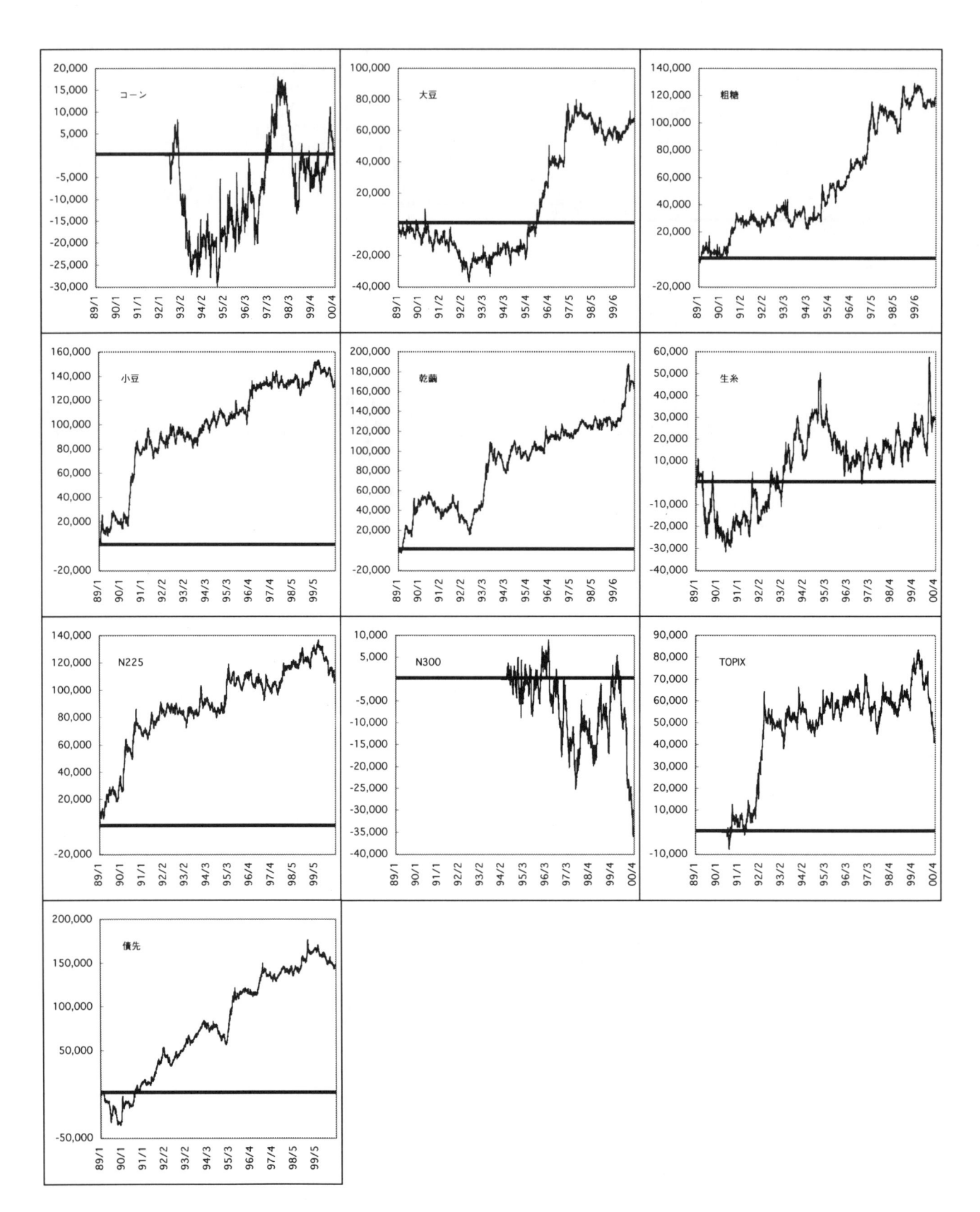

損益曲線: とうもろこし-債券先物 (単位千円)
システム名: 0.2と0.1のVIDYAの交差
建玉枚数: 可変
Copyright (c) 2000 Pan Rolling, Inc.

## 付録2　日本市場における検証結果

**年次成績分析**

|  | 純益 | Kレシオ | シャープレシオ |
|---|---|---|---|
| 1989 | 45,817,850 | -0.11 | 0.21 |
| 1990 | 150,053,350 | 2.32 | 0.34 |
| 1991 | 114,803,000 | 2.34 | 0.65 |
| 1992 | 102,289,550 | 2.26 | 0.34 |
| 1993 | 207,481,950 | 2.53 | 1.00 |
| 1994 | -27,966,600 | 0.19 | -0.09 |
| 1995 | 152,789,800 | 1.51 | 0.43 |
| 1996 | 46,150,750 | 0.43 | 0.13 |
| 1997 | 248,511,200 | 3.14 | 0.77 |
| 1998 | 36,461,600 | 0.44 | 0.12 |
| 1999 | 55,703,850 | 0.42 | 0.14 |
| 2000 | 32,061,400 | 0.15 | 0.23 |

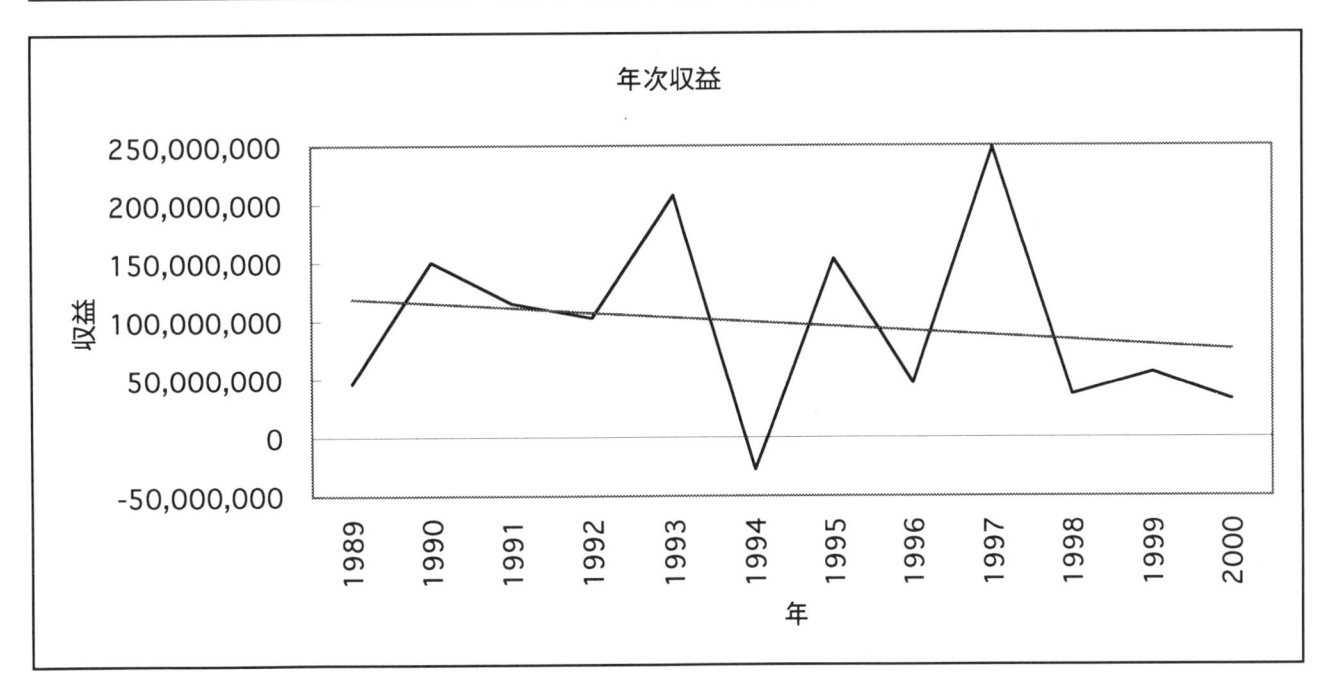

**収益性ウインドウ**

| 期間(月) | ウインドウ数 | 利益ウインドウ数 | 利益ウインドウ率 |
|---|---|---|---|
| 1 | 136 | 89 | 0.65 |
| 3 | 134 | 98 | 0.73 |
| 6 | 131 | 110 | 0.84 |
| 12 | 125 | 122 | 0.98 |
| 18 | 119 | 119 | 1.00 |
| 24 | 113 | 113 | 1.00 |

APPENDIX 2

トレーディング・システム評価
システム名: 8日Qスティックと8日移動平均との交差
検証期間: 1989/1/4 - 2000/4/28

| 市場 | 純益 | Kレシオ | シャープレシオ | 最大ドローダウン | トレード数 | 勝率 | 平均建玉数 | 平均利益 | 勝トレードの平均利益 | 敗トレードの平均損失 | 勝トレードの平均日数 | 敗トレードの平均日数 |
|---|---|---|---|---|---|---|---|---|---|---|---|---|
| 金 | -20,036,000 | -1.24 | -0.03 | -92,910,000 | 500 | 40% | 93 | -40,072 | 2,137,547 | -1,566,839 | 7 | 5 |
| 銀 | -25,287,000 | -0.23 | -0.04 | -57,617,400 | 497 | 41% | 69 | -50,879 | 1,871,148 | -1,416,539 | 7 | 5 |
| 白金 | 1,150,000 | 0.43 | 0.00 | -77,913,500 | 581 | 39% | 142 | 1,979 | 1,936,296 | -1,283,747 | 7 | 4 |
| パラ | 47,089,500 | 1.15 | 0.10 | -35,866,500 | 337 | 37% | 112 | 139,731 | 2,526,250 | -1,419,989 | 7 | 5 |
| アルミ | 7,340,000 | 0.56 | 0.04 | -24,546,000 | 151 | 42% | 58 | 48,609 | 2,085,875 | -1,501,857 | 6 | 4 |
| ゴム | -16,004,000 | -1.12 | -0.02 | -74,260,000 | 498 | 36% | 134 | -32,136 | 2,475,176 | -1,506,529 | 9 | 3 |
| ゴム指 | -89,250,400 | -2.82 | -0.28 | -116,732,800 | 230 | 34% | 38 | -388,045 | 2,344,853 | -1,817,839 | 8 | 4 |
| ガス | 6,345,000 | 0.95 | 0.13 | -9,079,000 | 39 | 41% | 30 | 162,692 | 2,078,875 | -1,223,500 | 7 | 4 |
| 灯油 | -6,979,000 | 0.11 | -0.21 | -15,091,000 | 34 | 41% | 31 | -205,264 | 1,339,428 | -1,354,263 | 7 | 5 |
| コーン | -122,897,000 | -2.36 | -0.25 | -130,101,000 | 388 | 34% | 62 | -316,744 | 2,044,854 | -1,569,369 | 6 | 4 |
| 大豆 | -159,935,700 | -5.37 | -0.25 | -167,027,100 | 521 | 36% | 87 | -306,978 | 1,708,902 | -1,542,337 | 7 | 4 |
| 粗糖 | -134,233,500 | -4.10 | -0.18 | -165,849,500 | 477 | 39% | 60 | -281,411 | 2,066,131 | -1,913,409 | 7 | 5 |
| ロブス | -11,180,000 | -0.03 | -0.12 | -25,673,500 | 96 | 47% | 64 | -116,458 | 1,387,611 | -1,502,500 | 6 | 4 |
| アラビ | -13,733,000 | -1.38 | -0.16 | -26,667,000 | 75 | 44% | 56 | -183,106 | 1,600,227 | -1,706,166 | 8 | 4 |
| 小豆 | -42,837,600 | -0.61 | -0.06 | -105,636,800 | 463 | 35% | 88 | -92,521 | 2,723,053 | -1,664,688 | 10 | 4 |
| 乾繭 | -13,759,800 | -0.82 | -0.02 | -74,260,200 | 513 | 37% | 72 | -26,822 | 2,513,249 | -1,557,698 | 8 | 4 |
| 生糸 | 7,093,050 | -0.19 | 0.01 | -85,964,850 | 425 | 37% | 82 | 16,689 | 2,831,641 | -1,644,641 | 10 | 5 |
| 日経225 | -27,360,000 | -1.11 | -0.04 | -84,690,000 | 494 | 36% | 4 | -55,384 | 2,400,625 | -1,446,527 | 9 | 4 |
| 日経300 | -109,500,000 | -2.72 | -0.31 | -137,131,000 | 281 | 36% | 32 | -389,679 | 1,706,190 | -1,582,593 | 8 | 4 |
| TOPIX | -140,380,000 | -2.86 | -0.24 | -149,725,000 | 445 | 35% | 6 | -315,460 | 1,960,162 | -1,562,703 | 9 | 4 |
| 債券先 | 52,030,000 | 1.34 | 0.07 | -38,460,000 | 492 | 39% | 3 | 105,752 | 2,560,979 | -1,512,925 | 9 | 4 |
| 平均 | -38,682,164 | -1.07 | -0.09 | -80,723,912 | 359 | 38% | 63 | -110,738 | 2,109,480 | -1,537,936 | 8 | 4 |

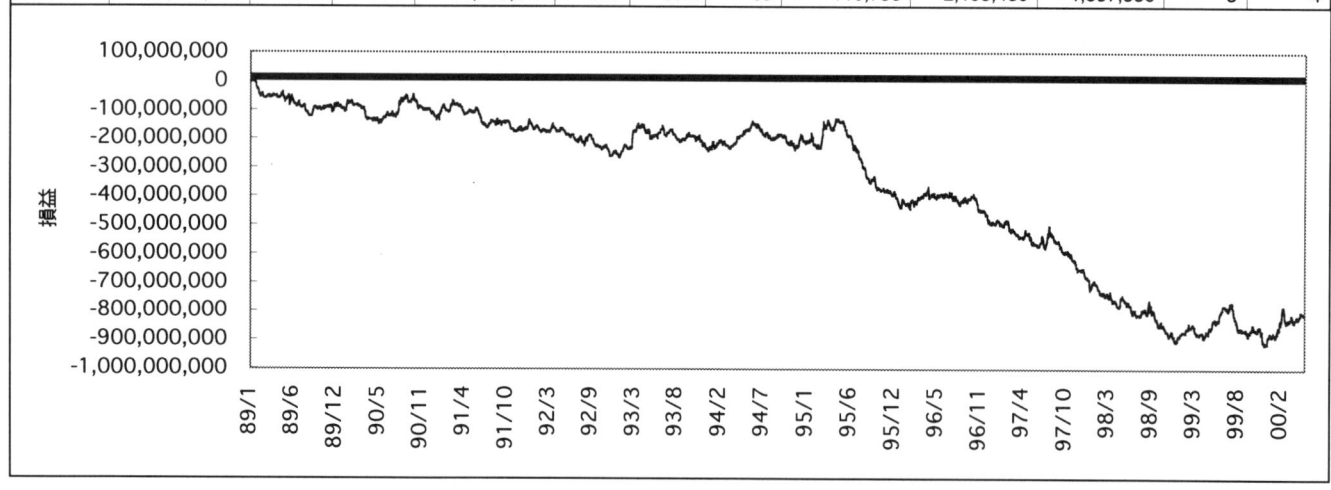

**ポートフォリオ統計**

| | |
|---|---:|
| 純益: | -812,325,450 |
| ドローダウン: | -919,893,700 |
| Kレシオ: | -2.41 |
| シャープ・レシオ: | -0.23 |
| ブレイクアウトとの相関係数: | 0.10 |
| 移動平均との相関係数: | -0.04 |

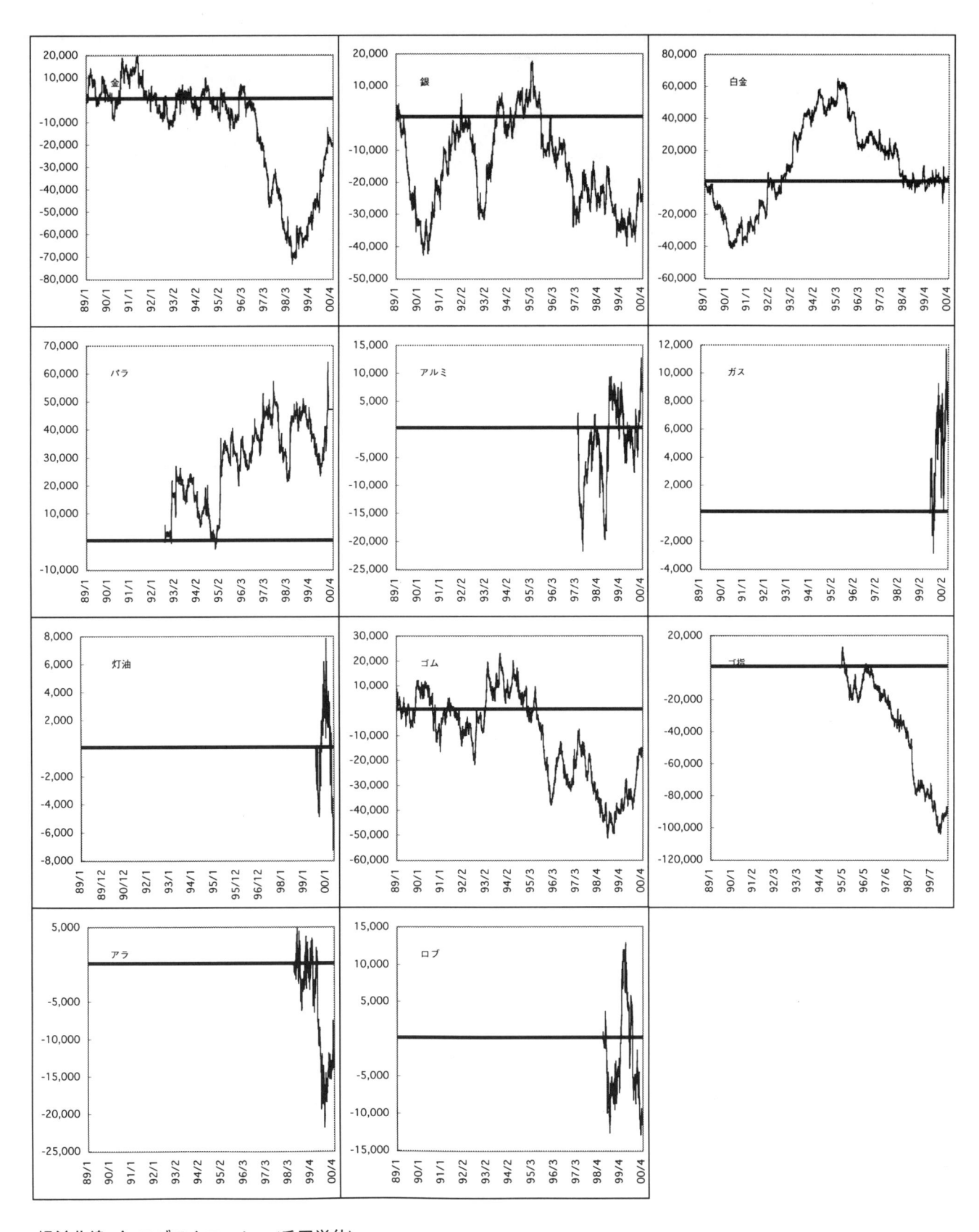

## 付録2　日本市場における検証結果

損益曲線: 金-ロブスタコーヒー(千円単位)
システム名: 8日Qスティックと8日移動平均との交差
建玉枚数: 可変
Copyright (c) 2000 Pan Rolling, Inc.

APPENDIX 2

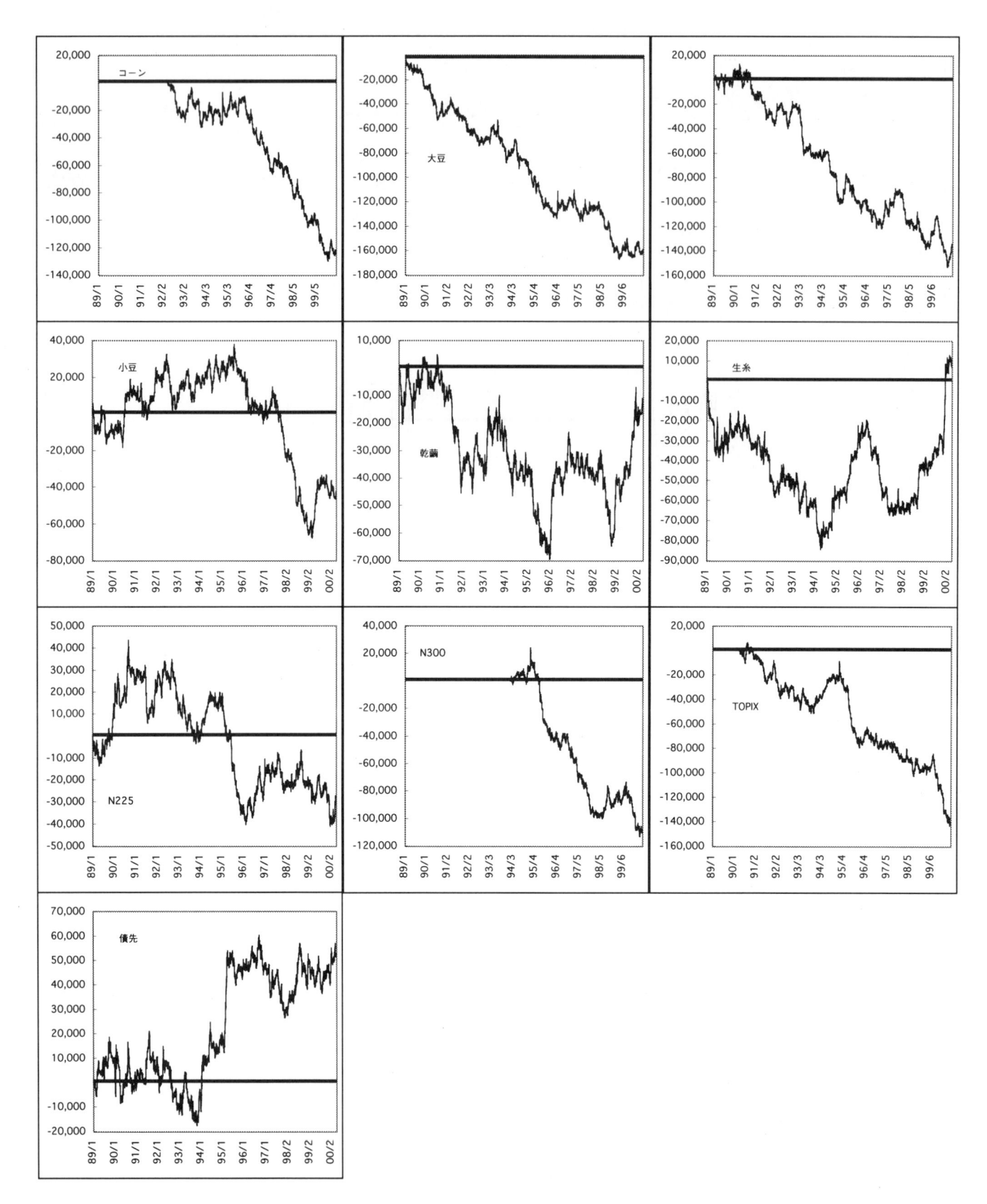

損益曲線: とうもろこし-債券先物 (単位千円)
システム名: 8日Qスティックと8日移動平均との交差
建玉枚数: 可変
Copyright (c) 2000 Pan Rolling, Inc.

## 付録2　日本市場における検証結果

**年次成績分析**

|  | 純益 | Kレシオ | シャープレシオ |
|---|---|---|---|
| 1989 | -94,734,750 | -1.49 | -0.50 |
| 1990 | -29,922,500 | 0.13 | -0.08 |
| 1991 | -34,863,250 | -1.67 | -0.14 |
| 1992 | -102,029,750 | -2.73 | -0.53 |
| 1993 | 42,844,250 | -0.15 | 0.13 |
| 1994 | 4,802,900 | 0.08 | 0.02 |
| 1995 | -225,300,250 | -1.74 | -0.49 |
| 1996 | -55,533,750 | -0.64 | -0.22 |
| 1997 | -188,050,200 | -2.19 | -0.79 |
| 1998 | -201,264,050 | -3.42 | -0.59 |
| 1999 | 435,600 | -0.13 | 0.00 |
| 2000 | 71,290,300 | 0.91 | 0.79 |

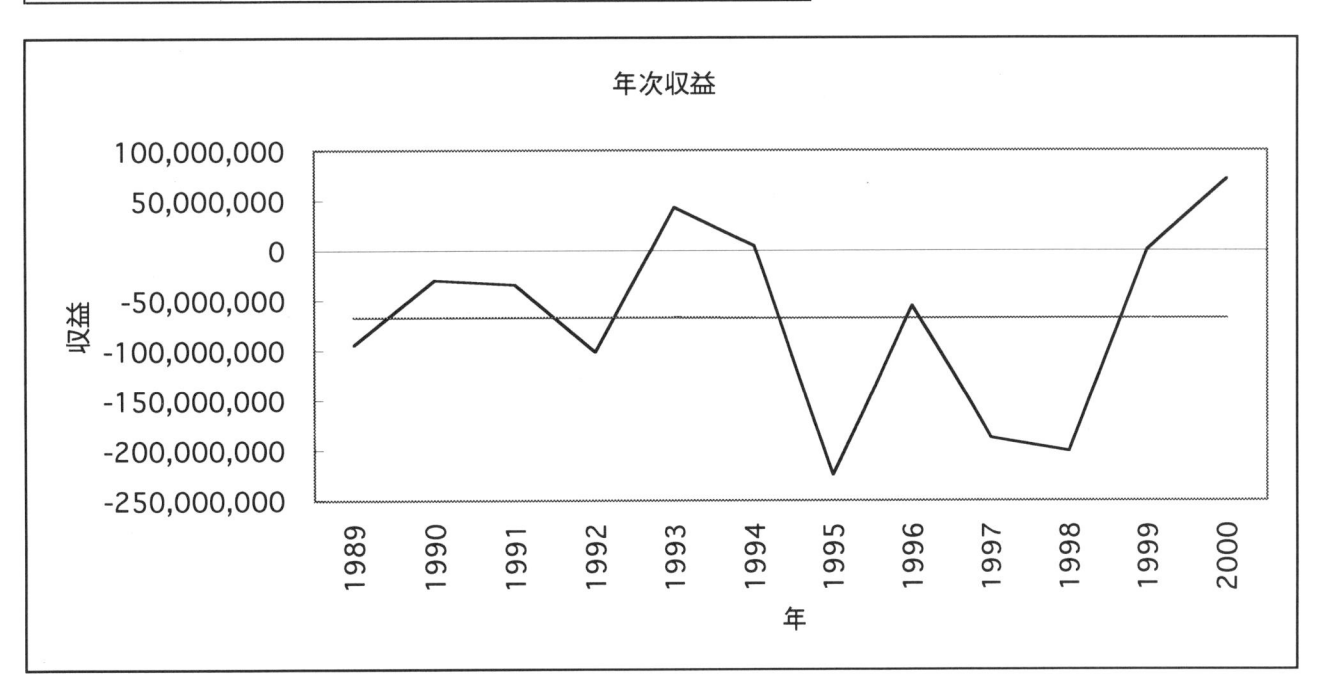

**収益性ウインドウ**

| 期間(月) | ウインドウ数 | 利益ウインドウ数 | 利益ウインドウ率 |
|---|---|---|---|
| 1 | 136 | 50 | 0.37 |
| 3 | 134 | 40 | 0.30 |
| 6 | 131 | 33 | 0.25 |
| 12 | 125 | 27 | 0.22 |
| 18 | 119 | 15 | 0.13 |
| 24 | 113 | 11 | 0.10 |

# APPENDIX 2

トレーディング・システム評価
システム名: 20日Qスティックと20日移動平均との交差
検証期間: 1989/1/4 - 2000/4/28

| 市場 | 純益 | Kレシオ | シャープレシオ | 最大ドローダウン | トレード数 | 勝率 | 平均建玉数 | 平均利益 | 勝トレードの平均利益 | 敗トレードの平均損失 | 勝トレードの平均日数 | 敗トレードの平均日数 |
|---|---|---|---|---|---|---|---|---|---|---|---|---|
| 金 | -111,735,000 | -4.15 | -0.15 | -168,896,000 | 376 | 41% | 94 | -297,167 | 2,036,535 | -1,959,837 | 9 | 6 |
| 銀 | 7,766,400 | -0.27 | 0.01 | -65,019,000 | 316 | 43% | 68 | 24,577 | 2,273,329 | -1,755,374 | 11 | 7 |
| 白金 | -13,451,000 | -0.51 | -0.02 | -90,239,000 | 369 | 38% | 143 | -36,452 | 2,374,928 | -1,544,379 | 10 | 6 |
| パラ | 10,494,000 | -0.87 | 0.02 | -69,364,500 | 236 | 33% | 118 | 44,466 | 3,248,658 | -1,721,328 | 12 | 6 |
| アルミ | -3,738,000 | -0.01 | -0.02 | -26,740,000 | 107 | 37% | 60 | -34,934 | 2,306,400 | -1,548,290 | 8 | 6 |
| ゴム | -22,647,000 | -0.95 | -0.03 | -103,966,500 | 280 | 34% | 139 | -80,882 | 3,170,265 | -1,821,886 | 16 | 7 |
| ゴム指 | -55,420,000 | -2.08 | -0.15 | -87,560,400 | 157 | 33% | 38 | -352,993 | 2,827,453 | -1,928,072 | 13 | 5 |
| ガス | -5,486,000 | -0.85 | -0.13 | -16,616,000 | 21 | 43% | 31 | -261,238 | 2,056,555 | -1,999,583 | 13 | 6 |
| 灯油 | -15,148,000 | -0.92 | -0.34 | -19,132,000 | 28 | 39% | 32 | -541,000 | 1,538,909 | -1,886,823 | 10 | 4 |
| コーン | -125,529,000 | -5.69 | -0.26 | -147,954,000 | 270 | 33% | 65 | -464,922 | 2,169,157 | -1,820,480 | 9 | 7 |
| 大豆 | -119,448,300 | -2.01 | -0.19 | -122,895,300 | 359 | 37% | 85 | -332,725 | 1,942,263 | -1,781,930 | 10 | 6 |
| 粗糖 | -47,204,000 | -1.78 | -0.07 | -73,524,500 | 339 | 42% | 59 | -139,244 | 2,409,650 | -2,083,957 | 11 | 7 |
| ロブス | 10,990,500 | 1.14 | 0.11 | -14,514,000 | 56 | 52% | 62 | 196,258 | 1,912,482 | -1,647,092 | 9 | 7 |
| アラビ | 581,000 | -0.73 | 0.01 | -29,267,000 | 56 | 43% | 50 | 10,375 | 2,782,041 | -2,135,096 | 9 | 7 |
| 小豆 | 9,096,800 | 0.42 | 0.01 | -81,928,800 | 289 | 38% | 85 | 31,476 | 3,143,898 | -1,902,440 | 16 | 6 |
| 乾繭 | 96,161,400 | 0.91 | 0.12 | -52,408,200 | 329 | 38% | 72 | 292,283 | 3,545,061 | -1,675,249 | 13 | 6 |
| 生糸 | -88,635,000 | -2.33 | -0.12 | -125,941,800 | 316 | 32% | 80 | -280,490 | 3,363,046 | -1,995,021 | 14 | 6 |
| 日経225 | 17,130,000 | 0.50 | 0.02 | -71,220,000 | 301 | 35% | 4 | 56,910 | 3,307,788 | -1,684,948 | 15 | 6 |
| 日経300 | -73,278,000 | -2.32 | -0.21 | -85,151,000 | 213 | 32% | 31 | -344,028 | 2,224,623 | -1,574,840 | 11 | 5 |
| TOPIX | -31,430,000 | -0.29 | -0.05 | -75,585,000 | 277 | 39% | 5 | -113,465 | 2,531,074 | -1,788,491 | 12 | 7 |
| 債券先 | 1,550,000 | -0.07 | 0.00 | -65,700,000 | 328 | 34% | 3 | 4,725 | 3,426,181 | -1,770,424 | 15 | 5 |
| 平均 | -26,637,105 | -1.09 | -0.07 | -75,886,810 | 239 | 38% | 63 | -124,689 | 2,599,538 | -1,810,740 | 12 | 6 |

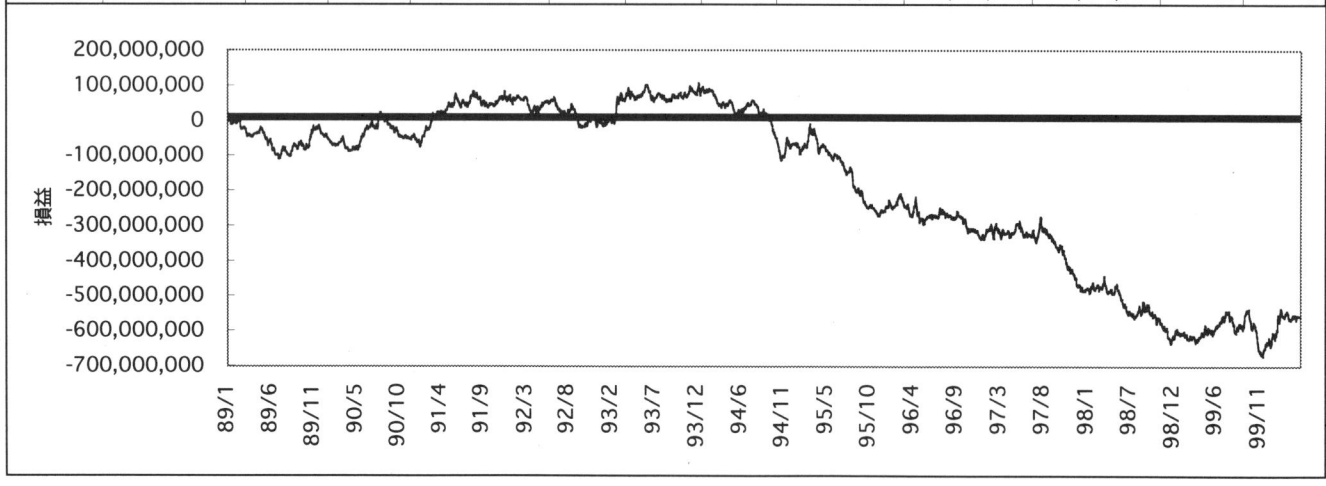

**ポートフォリオ統計**

| | |
|---|---|
| 純益: | -559,379,200 |
| ドローダウン: | -779,426,600 |
| Kレシオ: | -1.61 |
| シャープ・レシオ: | -0.16 |
| ブレイクアウトとの相関係数: | 0.20 |
| 移動平均との相関係数: | 0.14 |

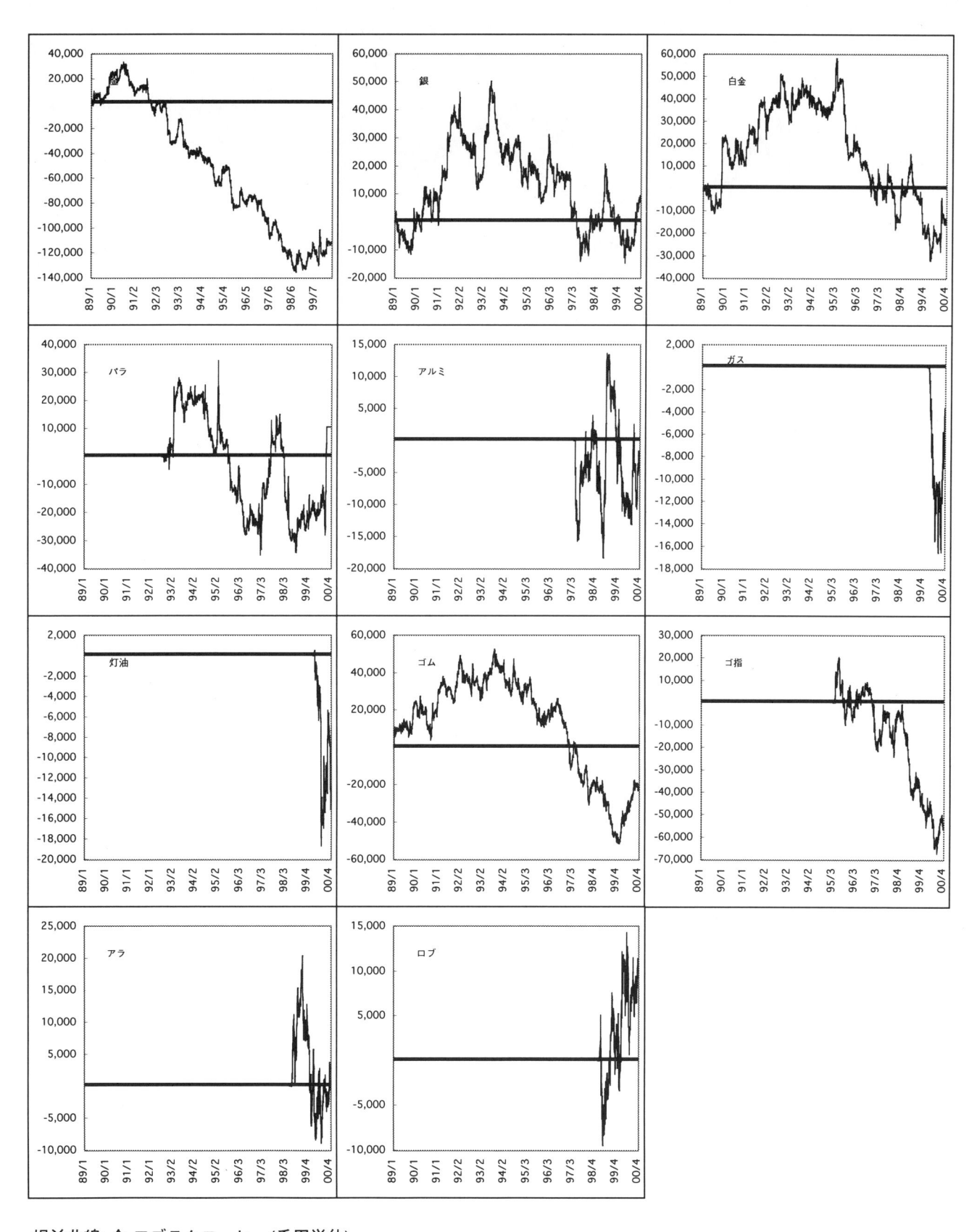

## 付録2　日本市場における検証結果

損益曲線: 金-ロブスタコーヒー(千円単位)
システム名: 20日Qスティックと20日移動平均との交差
建玉枚数: 可変
Copyright (c) 2000 Pan Rolling, Inc.

## APPENDIX 2

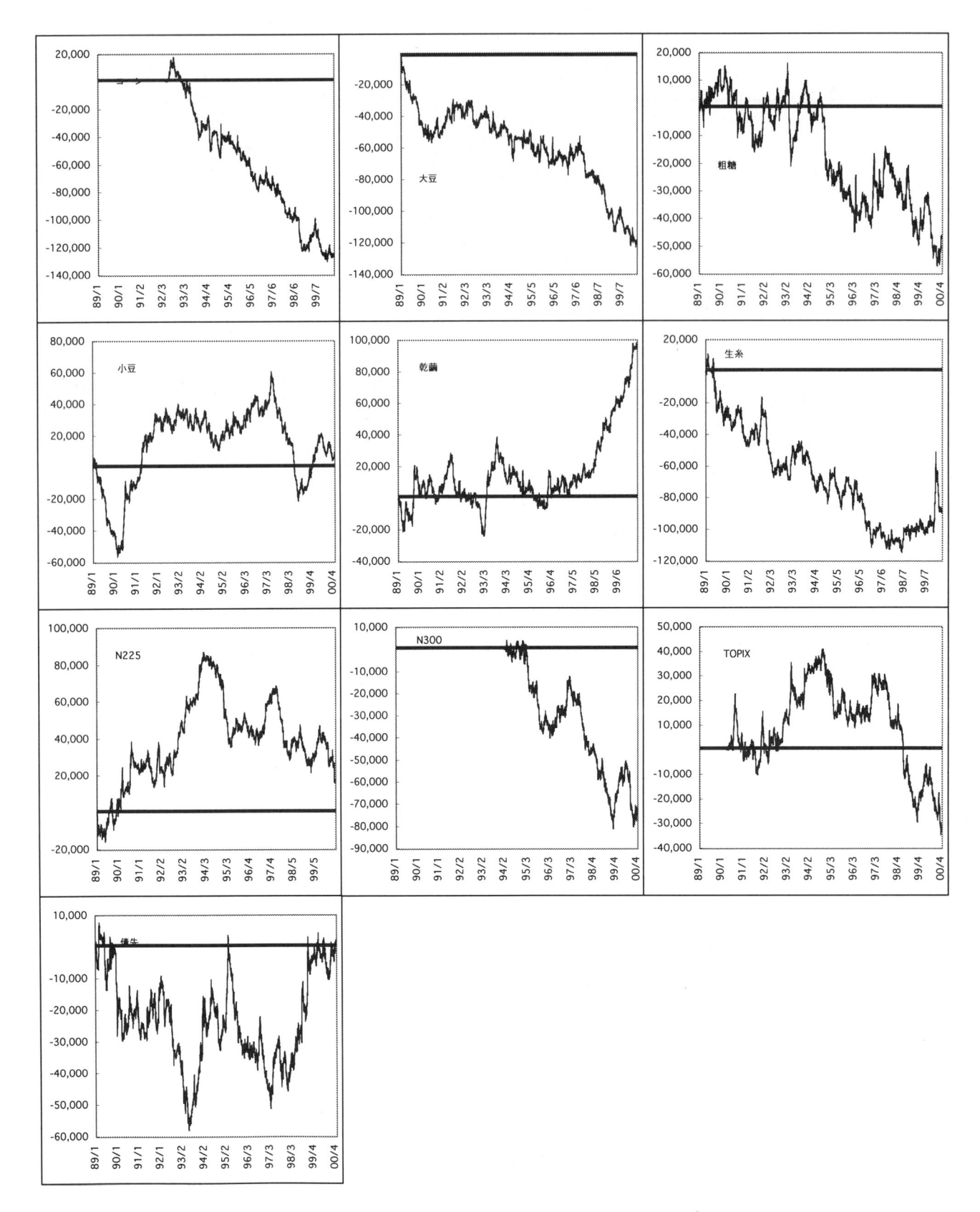

損益曲線: とうもろこし-債券先物 (単位千円)
システム名: 20日Qスティックと20日移動平均との交差
建玉枚数: 可変

Copyright (c) 2000 Pan Rolling, Inc.

## 付録2　日本市場における検証結果

**年次成績分析**

|  | 純益 | Kレシオ | シャープレシオ |
|---:|---:|---:|---:|
| 1989 | -38,529,450 | -0.54 | -0.14 |
| 1990 | -17,187,700 | 0.49 | -0.07 |
| 1991 | 115,661,850 | 1.34 | 0.55 |
| 1992 | -71,677,500 | -1.54 | -0.21 |
| 1993 | 106,844,450 | 0.76 | 0.43 |
| 1994 | -163,391,500 | -1.85 | -0.45 |
| 1995 | -179,650,150 | -2.72 | -0.63 |
| 1996 | -89,048,150 | -1.58 | -0.38 |
| 1997 | -132,165,400 | -1.13 | -0.42 |
| 1998 | -144,199,350 | -2.30 | -0.47 |
| 1999 | -24,638,850 | 0.02 | -0.06 |
| 2000 | 78,602,550 | 1.09 | 0.82 |

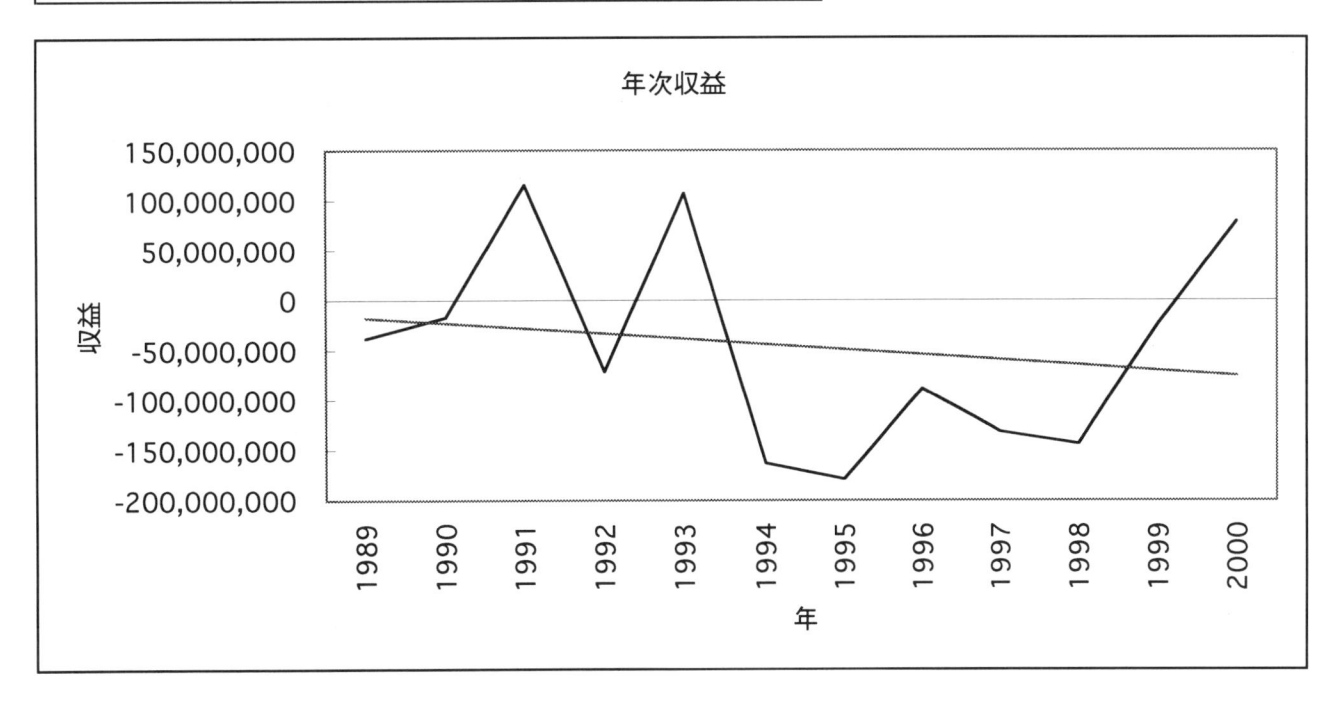

**収益性ウインドウ**

| 期間(月) | ウインドウ数 | 利益ウインドウ数 | 利益ウインドウ率 |
|---:|---:|---:|---:|
| 1 | 136 | 59 | 0.43 |
| 3 | 134 | 56 | 0.42 |
| 6 | 131 | 43 | 0.33 |
| 12 | 125 | 41 | 0.33 |
| 18 | 119 | 41 | 0.34 |
| 24 | 113 | 40 | 0.35 |

# APPENDIX 2

トレーディング・システム評価
システム名: 移動平均交差を併用したシャンデのモメンタム・オシレーター
検証期間: 1989/1/4 - 2000/4/28

| 市場 | 純益 | Kレシオ | シャープレシオ | 最大ドローダウン | トレード数 | 勝率 | 平均建玉数 | 平均利益 | 勝トレードの平均利益 | 敗トレードの平均損失 | 勝トレードの平均日数 | 敗トレードの平均日数 |
|---|---|---|---|---|---|---|---|---|---|---|---|---|
| 金 | 120,621,000 | 3.22 | 0.19 | -50,113,000 | 474 | 43% | 98 | 254,474 | 2,436,916 | -1,442,567 | 8 | 5 |
| 銀 | 40,370,400 | 1.64 | 0.06 | -39,895,800 | 454 | 40% | 74 | 88,921 | 2,339,852 | -1,474,610 | 8 | 5 |
| 白金 | 98,012,000 | 1.71 | 0.14 | -30,731,500 | 509 | 42% | 150 | 192,557 | 2,225,514 | -1,311,568 | 8 | 4 |
| パラ | 98,239,500 | 1.20 | 0.15 | -41,448,000 | 370 | 38% | 129 | 265,512 | 2,653,122 | -1,345,992 | 7 | 4 |
| アルミ | -40,433,000 | -1.91 | -0.29 | -48,279,000 | 134 | 40% | 59 | -301,738 | 1,702,611 | -1,654,675 | 7 | 5 |
| ゴム | 32,641,500 | 0.84 | 0.05 | -52,959,000 | 477 | 43% | 142 | 68,430 | 2,267,651 | -1,612,787 | 8 | 4 |
| ゴム指 | 14,730,200 | -0.25 | 0.04 | -37,054,400 | 196 | 41% | 38 | 75,154 | 2,893,027 | -1,900,982 | 9 | 4 |
| ガス | 1,660,000 | 0.50 | 0.04 | -17,850,000 | 33 | 52% | 31 | 50,303 | 1,554,941 | -1,548,375 | 7 | 4 |
| 灯油 | 21,332,000 | 2.08 | 0.55 | -7,404,000 | 39 | 59% | 32 | 546,974 | 1,570,000 | -923,625 | 5 | 4 |
| コーン | -23,979,000 | -0.76 | -0.05 | -51,594,000 | 344 | 39% | 65 | -69,706 | 2,337,022 | -1,641,191 | 8 | 5 |
| 大豆 | -153,000 | 0.19 | 0.00 | -66,250,200 | 527 | 41% | 87 | -290 | 1,998,360 | -1,532,852 | 7 | 4 |
| 粗糖 | -13,790,000 | -0.46 | -0.02 | -63,775,000 | 516 | 40% | 64 | -26,724 | 2,264,245 | -1,634,694 | 7 | 4 |
| ロブス | 148,000 | 0.65 | 0.00 | -18,834,000 | 73 | 42% | 63 | 2,027 | 1,850,887 | -1,430,737 | 9 | 4 |
| アラビ | 3,560,500 | 0.45 | 0.05 | -12,203,000 | 75 | 44% | 54 | 47,473 | 2,032,803 | -1,512,428 | 8 | 5 |
| 小豆 | -45,267,200 | -0.55 | -0.07 | -79,227,200 | 455 | 38% | 84 | -99,488 | 2,479,567 | -1,739,824 | 9 | 4 |
| 乾繭 | 62,369,100 | 2.09 | 0.09 | -28,067,700 | 432 | 39% | 78 | 144,372 | 2,868,308 | -1,619,717 | 9 | 5 |
| 生糸 | 28,969,200 | -0.35 | 0.04 | -64,499,850 | 423 | 40% | 82 | 68,485 | 2,923,086 | -1,838,072 | 9 | 5 |
| 日経225 | -39,930,000 | -1.65 | -0.06 | -95,470,000 | 474 | 41% | 4 | -84,240 | 2,142,989 | -1,656,981 | 8 | 5 |
| 日経300 | -17,738,000 | -0.66 | -0.05 | -47,535,000 | 275 | 45% | 31 | -64,501 | 1,691,422 | -1,525,560 | 7 | 4 |
| TOPIX | -89,960,000 | -2.19 | -0.17 | -113,795,000 | 451 | 41% | 6 | -199,467 | 1,761,189 | -1,599,153 | 7 | 4 |
| 債券先 | 590,000 | -0.04 | 0.00 | -51,340,000 | 477 | 42% | 3 | 1,236 | 2,319,751 | -1,718,376 | 8 | 4 |
| 平均 | 11,999,676 | 0.27 | 0.03 | -48,491,698 | 343 | 42% | 65 | 45,703 | 2,205,393 | -1,555,465 | 8 | 4 |

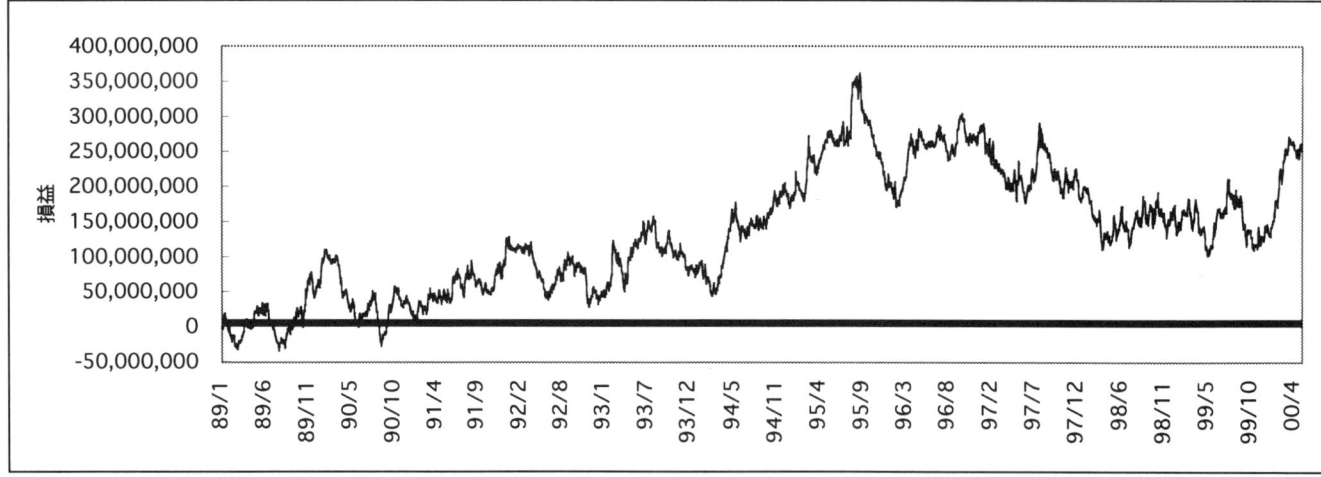

**ポートフォリオ統計**

| | |
|---|---|
| 純益: | 251,993,200 |
| ドローダウン: | -260,697,800 |
| Kレシオ: | 1.07 |
| シャープ・レシオ: | 0.07 |
| ブレイクアウトとの相関係数: | 0.07 |
| 移動平均との相関係数: | 0.00 |

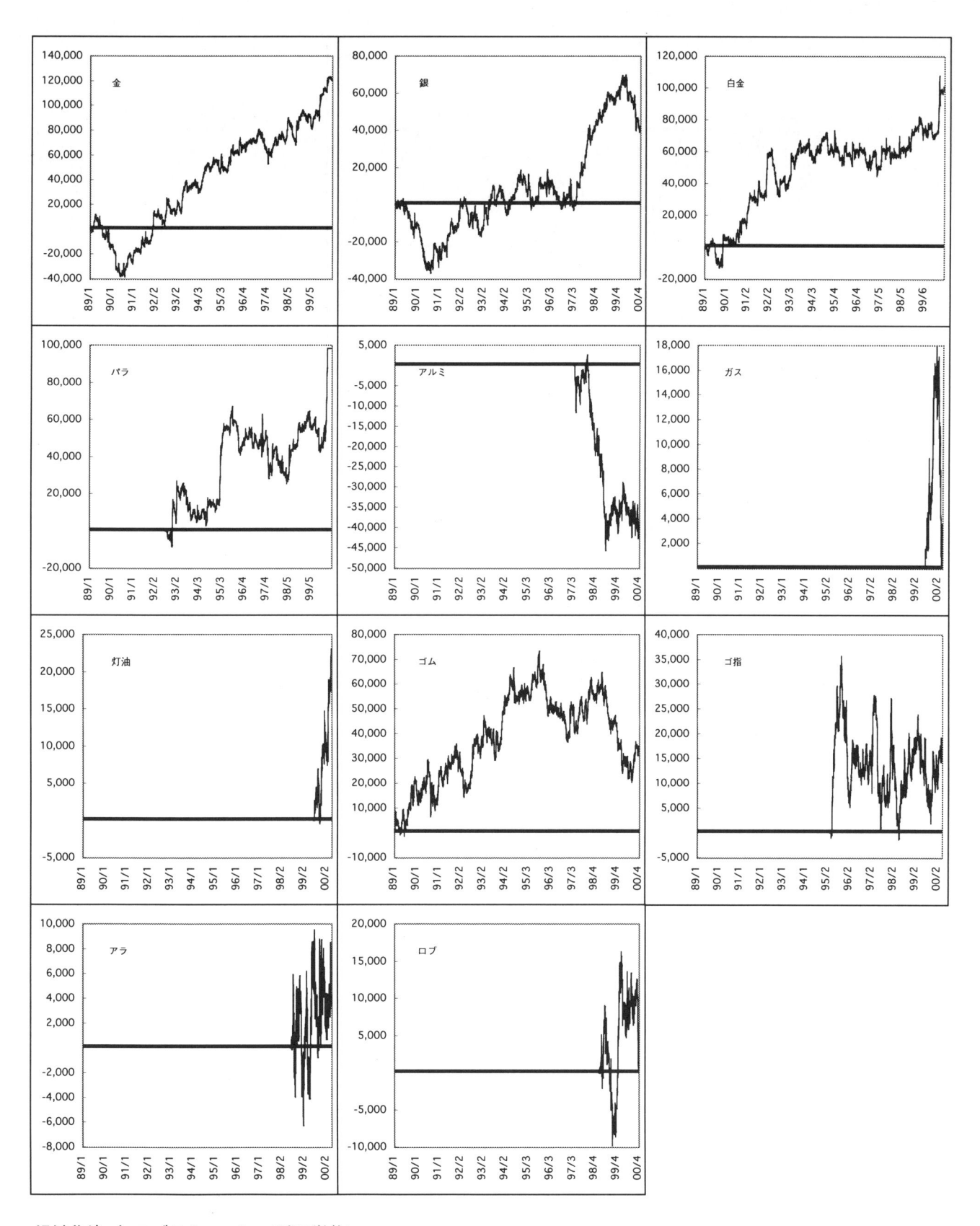

# 付録2　日本市場における検証結果

損益曲線: 金-ロブスタコーヒー(千円単位)
システム名:移動平均交差を併用したシャンデのモメンタム・オシレーター
建玉枚数: 可変
Copyright (c) 2000 Pan Rolling, Inc.

## APPENDIX 2

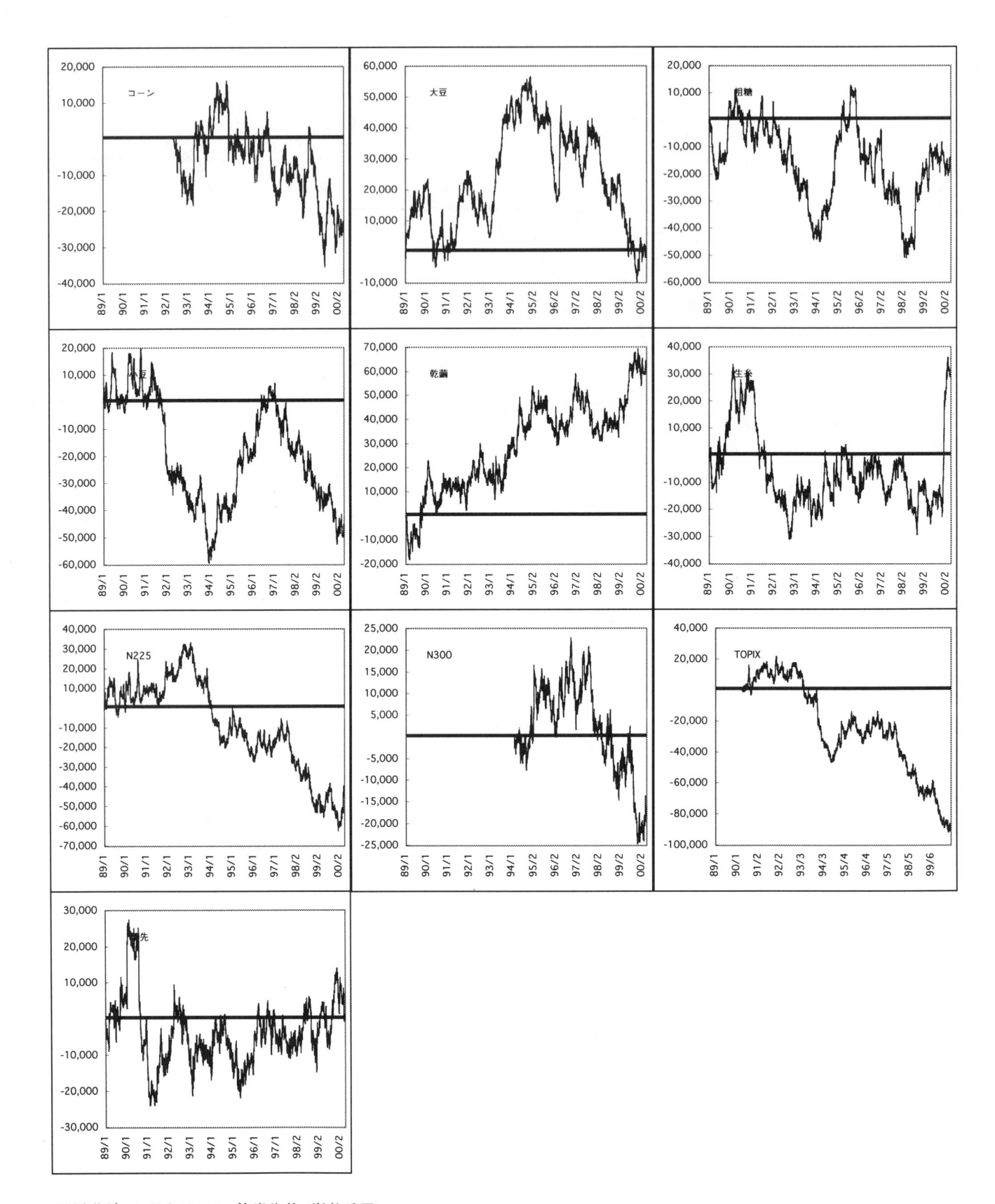

損益曲線: とうもろこし-債券先物 (単位千円)
システム名: 移動平均交差を併用したシャンデのモメンタム・オシレーター
建玉枚数: 可変

Copyright (c) 2000 Pan Rolling, Inc.

## 付録2　日本市場における検証結果

**年次成績分析**

|  | 純益 | Kレシオ | シャープレシオ |
|---|---|---|---|
| 1989 | 65,576,700 | 0.66 | 0.18 |
| 1990 | -43,508,950 | -0.77 | -0.11 |
| 1991 | 82,988,150 | 1.24 | 0.35 |
| 1992 | -64,195,400 | -0.93 | -0.25 |
| 1993 | 39,476,150 | 0.41 | 0.11 |
| 1994 | 91,410,450 | 1.97 | 0.32 |
| 1995 | 24,891,800 | 0.59 | 0.05 |
| 1996 | 86,508,200 | 1.09 | 0.29 |
| 1997 | -73,745,600 | -0.28 | -0.23 |
| 1998 | -35,563,450 | -0.11 | -0.12 |
| 1999 | -42,391,050 | -0.19 | -0.13 |
| 2000 | 120,546,200 | 1.74 | 0.96 |

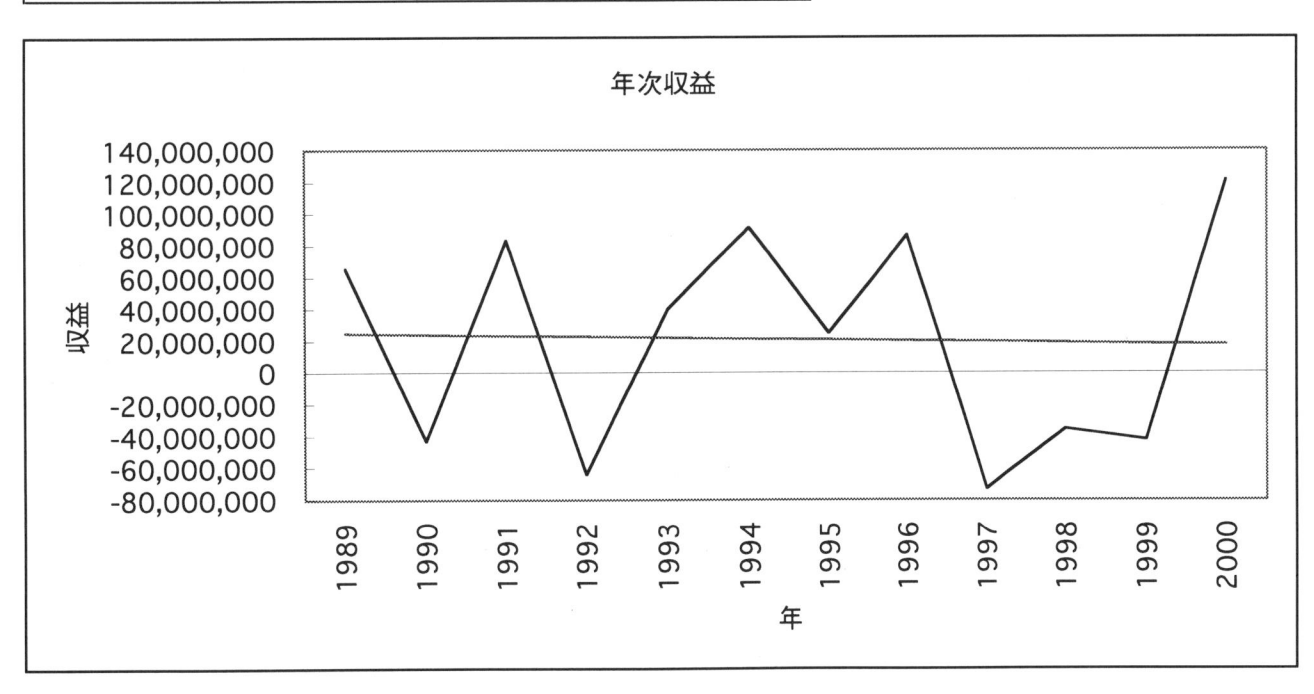

**年次収益**

**収益性ウインドウ**

| 期間(月) | ウインドウ数 | 利益ウインドウ数 | 利益ウインドウ率 |
|---|---|---|---|
| 1 | 136 | 67 | 0.49 |
| 3 | 134 | 77 | 0.57 |
| 6 | 131 | 76 | 0.58 |
| 12 | 125 | 74 | 0.59 |
| 18 | 119 | 77 | 0.65 |
| 24 | 113 | 74 | 0.65 |

# APPENDIX 2

トレーディング・システム評価
システム名: 強さ1のTDライン抜き
検証期間: 1989/1/4 - 2000/4/28

| 市場 | 純益 | Kレシオ | シャープレシオ | 最大ドローダウン | トレード数 | 勝率 | 平均建玉数 | 平均利益 | 勝トレードの平均利益 | 敗トレードの平均損失 | 勝トレードの平均日数 | 敗トレードの平均日数 |
|---|---|---|---|---|---|---|---|---|---|---|---|---|
| 金 | 7,822,000 | 1.08 | 0.02 | -18,446,000 | 165 | 52% | 96 | 47,406 | 1,699,011 | -1,750,544 | 6 | 6 |
| 銀 | 637,800 | -0.23 | 0.00 | -37,479,600 | 190 | 43% | 75 | 3,356 | 2,076,918 | -1,537,546 | 6 | 5 |
| 白金 | 11,668,500 | 1.59 | 0.04 | -18,165,000 | 191 | 47% | 145 | 61,091 | 1,916,405 | -1,592,158 | 5 | 7 |
| パラ | -2,137,500 | -0.53 | -0.01 | -38,710,500 | 129 | 42% | 115 | -16,569 | 2,203,916 | -1,637,148 | 7 | 7 |
| アルミ | -15,000 | 0.44 | 0.00 | -9,720,000 | 48 | 52% | 58 | -312 | 1,833,800 | -1,993,913 | 3 | 5 |
| ゴム | 1,568,500 | -0.01 | 0.01 | -25,118,000 | 144 | 52% | 142 | 10,892 | 1,832,406 | -2,156,539 | 6 | 5 |
| ゴム指 | -800,400 | 0.53 | -0.01 | -20,751,800 | 63 | 51% | 41 | -12,704 | 1,827,412 | -2,117,057 | 4 | 6 |
| ガス | -9,695,000 | -0.66 | -0.34 | -16,523,000 | 11 | 45% | 30 | -881,363 | 1,183,000 | -2,601,666 | 6 | 10 |
| 灯油 | 12,407,000 | 1.94 | 0.56 | -3,859,000 | 11 | 73% | 34 | 1,127,909 | 2,041,000 | -1,307,000 | 6 | 9 |
| コーン | 599,000 | 0.07 | 0.00 | -28,667,000 | 104 | 48% | 69 | 5,759 | 2,304,840 | -2,204,673 | 6 | 8 |
| 大豆 | 38,609,700 | 2.18 | 0.13 | -15,723,900 | 147 | 57% | 89 | 262,651 | 1,731,539 | -1,780,660 | 6 | 7 |
| 粗糖 | 33,344,500 | 1.06 | 0.10 | -25,592,000 | 166 | 54% | 61 | 200,870 | 1,750,921 | -1,677,910 | 4 | 7 |
| ロブス | 3,006,000 | -0.22 | 0.07 | -4,936,500 | 25 | 48% | 68 | 120,240 | 1,309,291 | -1,058,791 | 4 | 4 |
| アラビ | -5,920,000 | -0.72 | -0.10 | -14,961,500 | 29 | 41% | 57 | -204,137 | 1,557,958 | -1,447,970 | 5 | 3 |
| 小豆 | 26,080,000 | 0.37 | 0.08 | -29,230,400 | 141 | 57% | 84 | 184,964 | 1,836,520 | -2,120,028 | 4 | 8 |
| 乾繭 | -3,360,300 | -0.06 | -0.01 | -30,685,800 | 147 | 50% | 76 | -22,859 | 1,903,909 | -2,289,676 | 4 | 7 |
| 生糸 | 77,725,800 | 4.93 | 0.32 | -11,179,350 | 132 | 61% | 80 | 588,831 | 1,860,556 | -1,451,403 | 5 | 5 |
| 日経225 | 10,970,000 | -0.30 | 0.03 | -34,260,000 | 179 | 48% | 4 | 61,284 | 2,180,813 | -1,898,709 | 5 | 6 |
| 日経300 | 33,914,000 | 2.51 | 0.20 | -8,128,000 | 96 | 54% | 31 | 353,270 | 2,041,846 | -1,680,511 | 5 | 7 |
| TOPIX | 23,130,000 | 0.72 | 0.07 | -31,110,000 | 150 | 53% | 6 | 154,200 | 2,098,375 | -2,067,714 | 6 | 7 |
| 債券先 | 39,890,000 | 2.45 | 0.11 | -18,660,000 | 180 | 54% | 3 | 221,611 | 1,995,876 | -1,851,927 | 5 | 5 |
| 平均 | 14,259,267 | 0.82 | 0.06 | -21,043,207 | 117 | 52% | 65 | 107,923 | 1,866,015 | -1,820,169 | 5 | 6 |

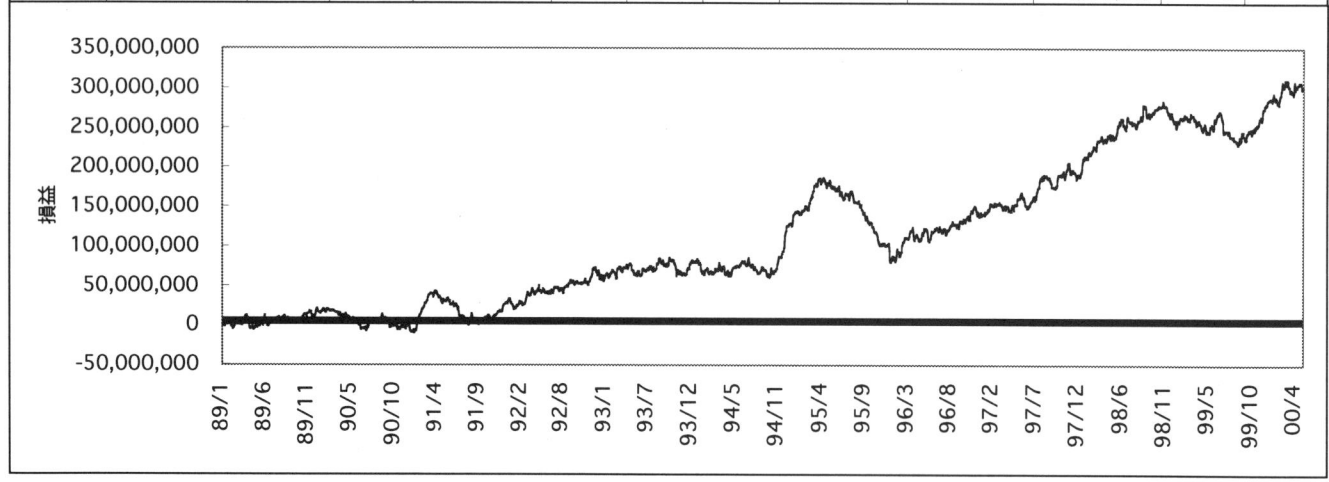

**ポートフォリオ統計**

| | |
|---|---|
| 純益: | 299,444,600 |
| ドローダウン: | -107,100,300 |
| Kレシオ: | 3.12 |
| シャープ・レシオ: | 0.21 |
| ブレイクアウトとの相関係数: | -0.04 |
| 移動平均との相関係数: | -0.06 |

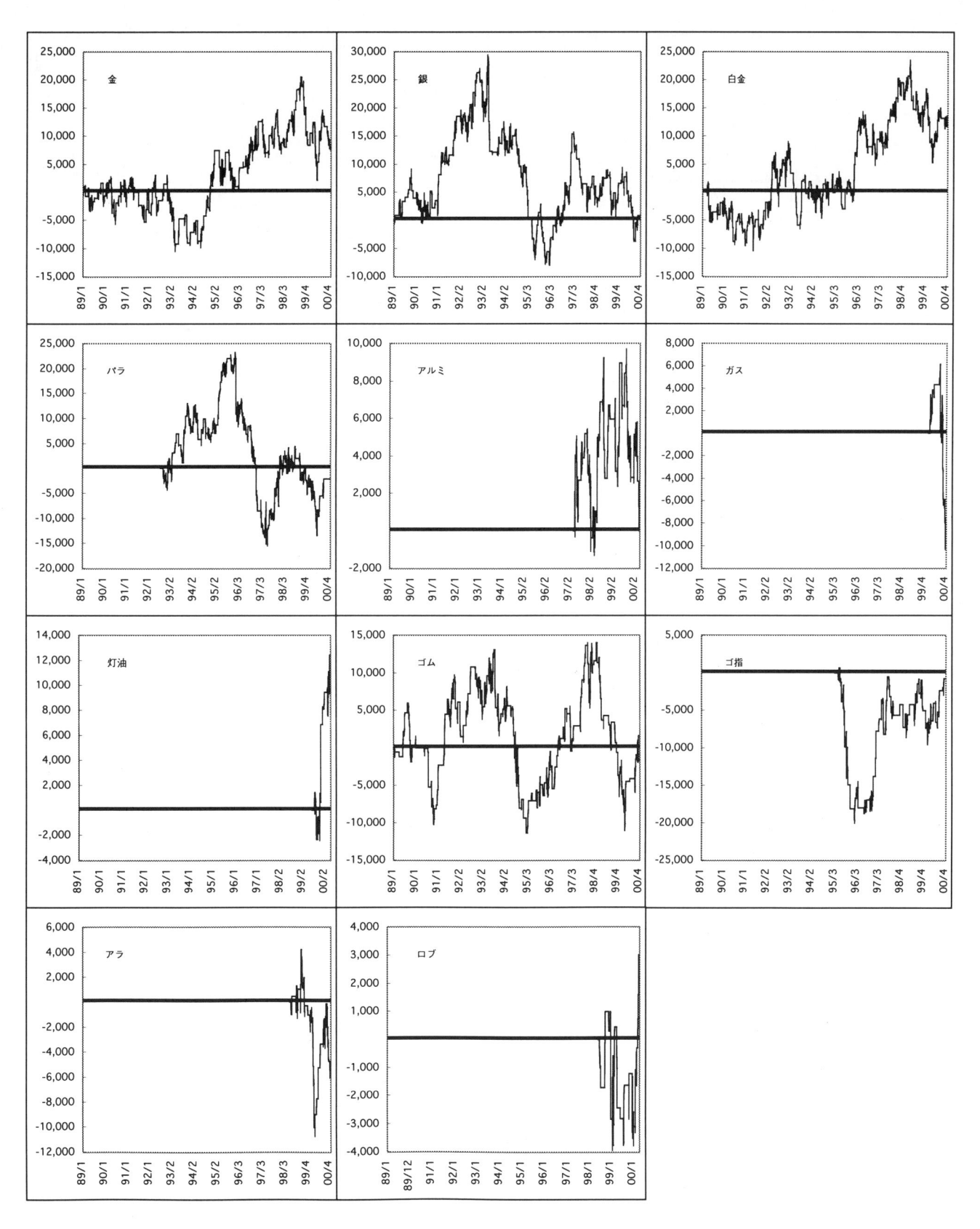

## 付録2　日本市場における検証結果

損益曲線: 金-ロブスタコーヒー(千円単位)
システム名: 強さ1のTDライン抜き
建玉枚数: 可変
Copyright (c) 2000 Pan Rolling, Inc.

## APPENDIX 2

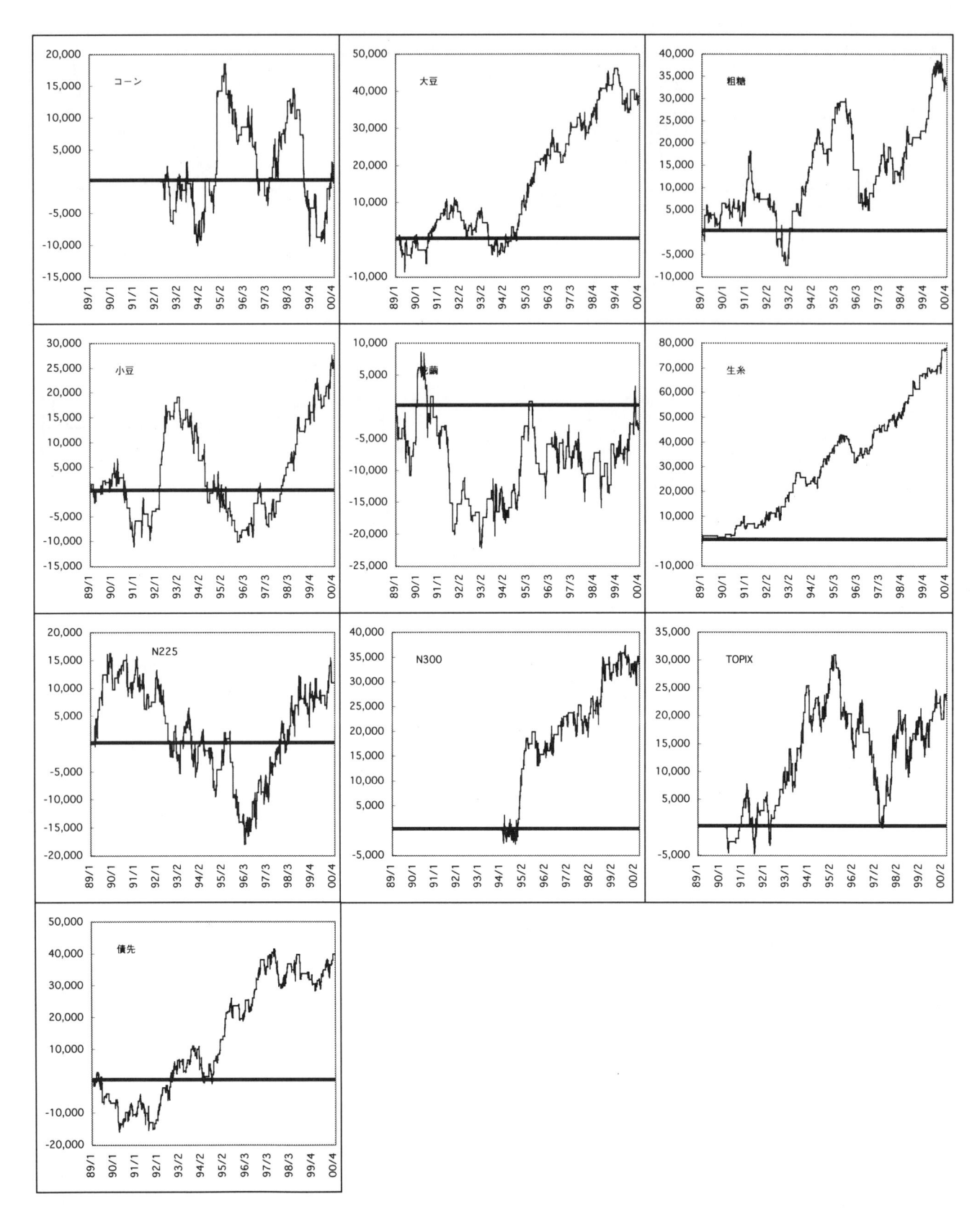

損益曲線: とうもろこし-債券先物 (単位千円)
システム名: 強さ1のTDライン抜き
建玉枚数: 可変
Copyright (c) 2000 Pan Rolling, Inc.

## 付録2　日本市場における検証結果

**年次成績分析**

|  | 純益 | Kレシオ | シャープレシオ |
|---|---|---|---|
| 1989 | 19,182,000 | 1.03 | 0.25 |
| 1990 | -29,003,700 | -1.52 | -0.34 |
| 1991 | 38,377,350 | -0.36 | 0.25 |
| 1992 | 29,894,000 | 2.41 | 0.48 |
| 1993 | 20,883,600 | 0.58 | 0.22 |
| 1994 | 46,536,250 | 0.60 | 0.28 |
| 1995 | -22,378,800 | -0.75 | -0.13 |
| 1996 | 37,664,800 | 2.38 | 0.35 |
| 1997 | 50,463,700 | 2.16 | 0.45 |
| 1998 | 65,531,200 | 2.19 | 0.43 |
| 1999 | 29,546,450 | -0.01 | 0.21 |
| 2000 | 12,747,750 | 0.88 | 0.20 |

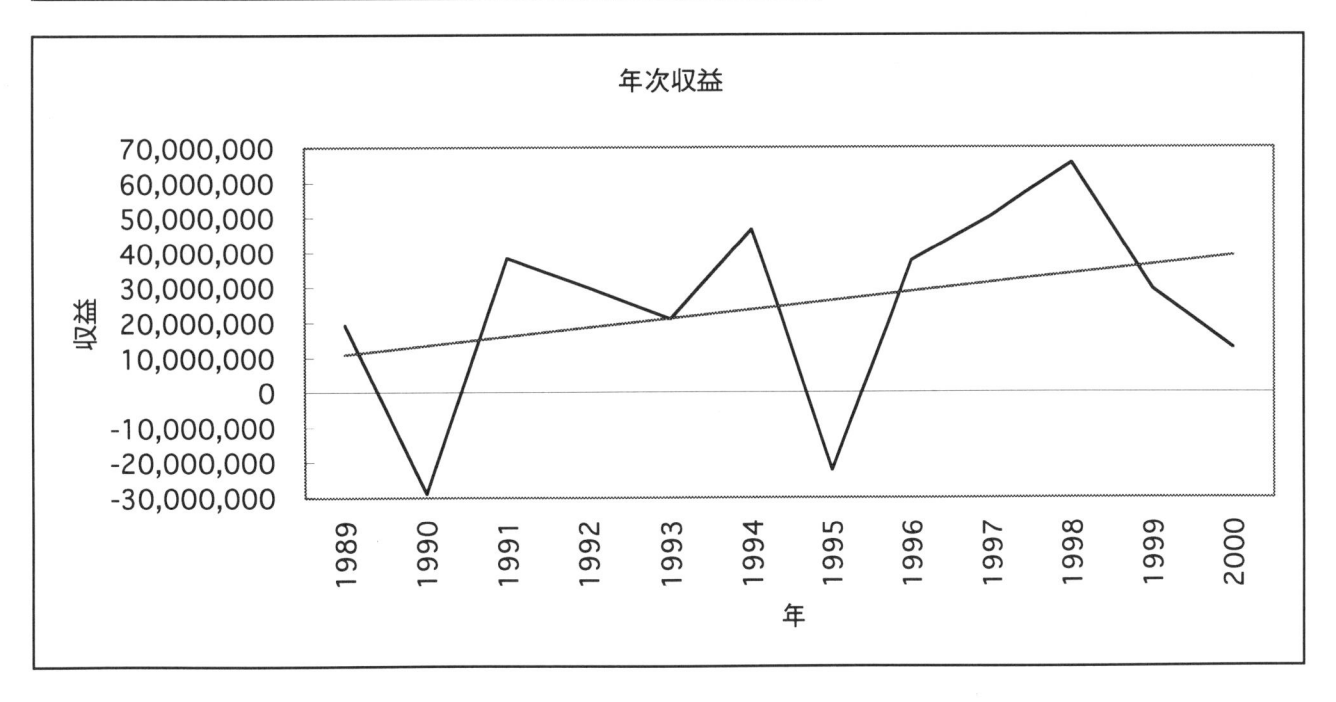

**収益性ウインドウ**

| 期間(月) | ウインドウ数 | 利益ウインドウ数 | 利益ウインドウ率 |
|---|---|---|---|
| 1 | 136 | 79 | 0.58 |
| 3 | 134 | 89 | 0.66 |
| 6 | 131 | 95 | 0.73 |
| 12 | 125 | 97 | 0.78 |
| 18 | 119 | 97 | 0.82 |
| 24 | 113 | 104 | 0.92 |

## APPENDIX 2

トレーディング・システム評価
システム名: 強さ3のTDライン抜き
検証期間: 1989/1/4 - 2000/4/28

| 市場 | 純益 | Kレシオ | シャープレシオ | 最大ドローダウン | トレード数 | 勝率 | 平均建玉数 | 平均利益 | 勝トレードの平均利益 | 敗トレードの平均損失 | 勝トレードの平均日数 | 敗トレードの平均日数 |
|---|---|---|---|---|---|---|---|---|---|---|---|---|
| 金 | 22,958,000 | 0.86 | 0.07 | -23,125,000 | 99 | 53% | 96 | 231,898 | 2,696,634 | -2,495,042 | 11 | 9 |
| 銀 | 64,737,000 | 2.26 | 0.18 | -22,895,400 | 107 | 58% | 71 | 605,018 | 2,779,364 | -2,390,746 | 11 | 11 |
| 白金 | 13,181,500 | 0.43 | 0.04 | -46,872,500 | 126 | 47% | 144 | 104,615 | 2,455,330 | -1,995,196 | 11 | 11 |
| パラ | 14,055,000 | 0.19 | 0.05 | -25,387,500 | 76 | 46% | 113 | 184,934 | 3,165,385 | -2,359,353 | 12 | 14 |
| アルミ | -40,093,000 | -5.09 | -0.50 | -40,605,000 | 23 | 13% | 56 | -1,743,173 | 2,729,000 | -2,541,052 | 3 | 9 |
| ゴム | 11,563,000 | 0.88 | 0.03 | -27,865,000 | 90 | 53% | 137 | 128,477 | 2,599,822 | -2,830,712 | 12 | 11 |
| ゴム指 | 24,358,000 | 2.21 | 0.18 | -14,549,800 | 31 | 65% | 41 | 785,741 | 2,735,410 | -3,035,020 | 8 | 18 |
| ガス | -11,677,000 | -0.80 | -0.30 | -17,749,000 | 10 | 30% | 30 | -1,167,700 | 2,933,333 | -2,925,285 | 14 | 5 |
| 灯油 | -7,526,000 | 0.14 | -0.22 | -13,507,000 | 8 | 38% | 33 | -940,750 | 2,713,666 | -3,133,400 | 13 | 9 |
| コーン | -5,161,000 | -0.73 | -0.02 | -35,731,000 | 68 | 51% | 64 | -75,897 | 2,609,571 | -3,015,500 | 10 | 12 |
| 大豆 | -20,923,800 | -0.63 | -0.05 | -40,163,700 | 88 | 44% | 90 | -237,770 | 2,770,700 | -2,687,106 | 9 | 13 |
| 粗糖 | 14,091,000 | 0.17 | 0.04 | -26,605,500 | 100 | 51% | 66 | 140,910 | 2,596,215 | -2,464,916 | 9 | 9 |
| ロブス | -11,280,500 | -1.25 | -0.22 | -14,826,000 | 15 | 33% | 73 | -752,033 | 2,407,800 | -2,591,055 | 7 | 10 |
| アラビ | -18,513,000 | -1.95 | -0.24 | -23,552,000 | 14 | 36% | 58 | -1,322,357 | 2,454,500 | -3,420,611 | 10 | 8 |
| 小豆 | 10,513,600 | -0.43 | 0.03 | -57,856,800 | 88 | 55% | 85 | 119,472 | 2,653,683 | -3,075,347 | 8 | 13 |
| 乾繭 | 63,746,100 | 3.36 | 0.18 | -17,710,500 | 87 | 56% | 71 | 732,713 | 3,191,981 | -2,573,916 | 9 | 12 |
| 生糸 | 43,759,650 | 3.05 | 0.14 | -14,492,250 | 80 | 56% | 79 | 546,995 | 2,830,820 | -2,534,159 | 10 | 11 |
| 日経225 | -82,450,000 | -4.92 | -0.19 | -109,790,000 | 110 | 38% | 4 | -749,545 | 2,917,380 | -3,059,402 | 6 | 11 |
| 日経300 | 10,618,000 | -0.52 | 0.06 | -25,603,000 | 73 | 49% | 33 | 145,452 | 2,676,833 | -2,317,513 | 8 | 10 |
| TOPIX | -16,100,000 | -0.32 | -0.05 | -32,295,000 | 99 | 44% | 6 | -162,626 | 3,139,659 | -2,804,454 | 11 | 9 |
| 債券先 | 6,240,000 | 0.59 | 0.02 | -29,760,000 | 101 | 46% | 3 | 61,782 | 3,164,130 | -2,579,814 | 10 | 11 |
| 平均 | 4,099,836 | -0.12 | -0.04 | -31,473,426 | 71 | 46% | 64 | -160,183 | 2,772,439 | -2,706,171 | 10 | 11 |

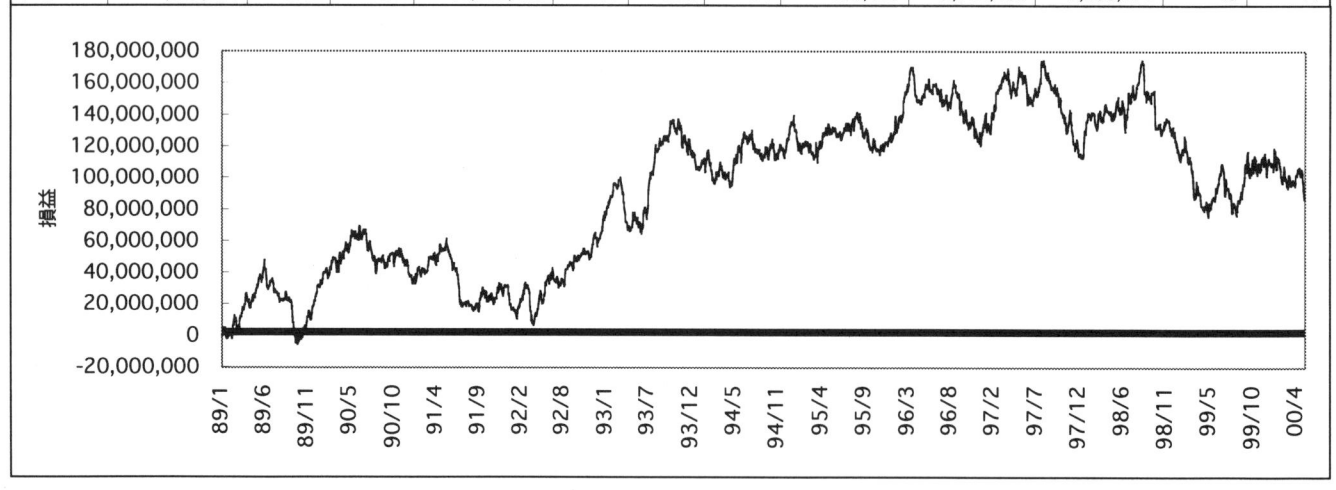

**ポートフォリオ統計**

| | |
|---|---|
| 純益: | 86,096,550 |
| ドローダウン: | -99,186,950 |
| Kレシオ: | 1.25 |
| シャープ・レシオ: | 0.05 |
| ブレイクアウトとの相関係数: | -0.27 |
| 移動平均との相関係数: | -0.34 |

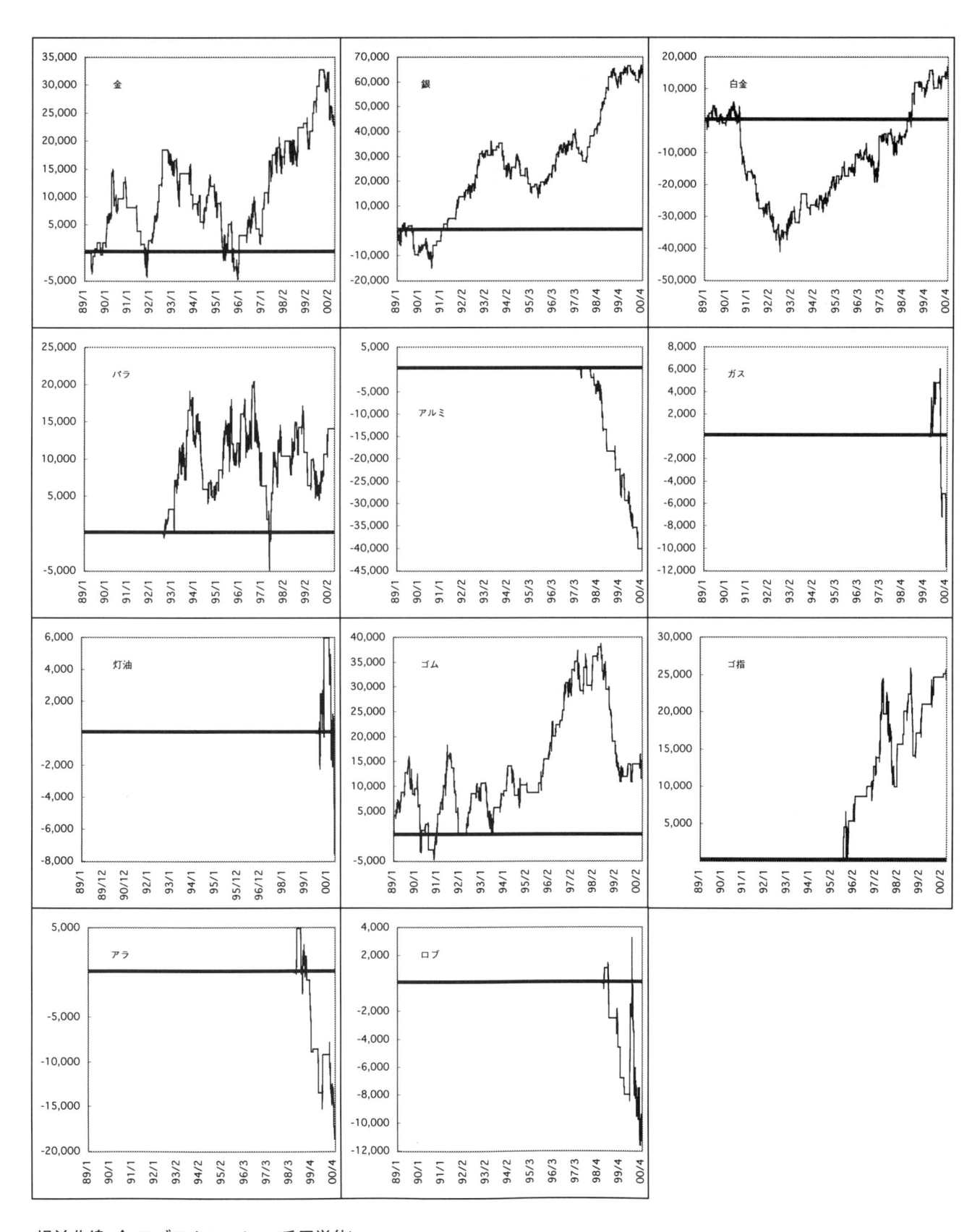

## 付録2　日本市場における検証結果

損益曲線: 金-ロブスタコーヒー(千円単位)
システム名: 強さ3のTDライン抜き
建玉枚数: 可変
Copyright (c) 2000 Pan Rolling, Inc.

APPENDIX 2

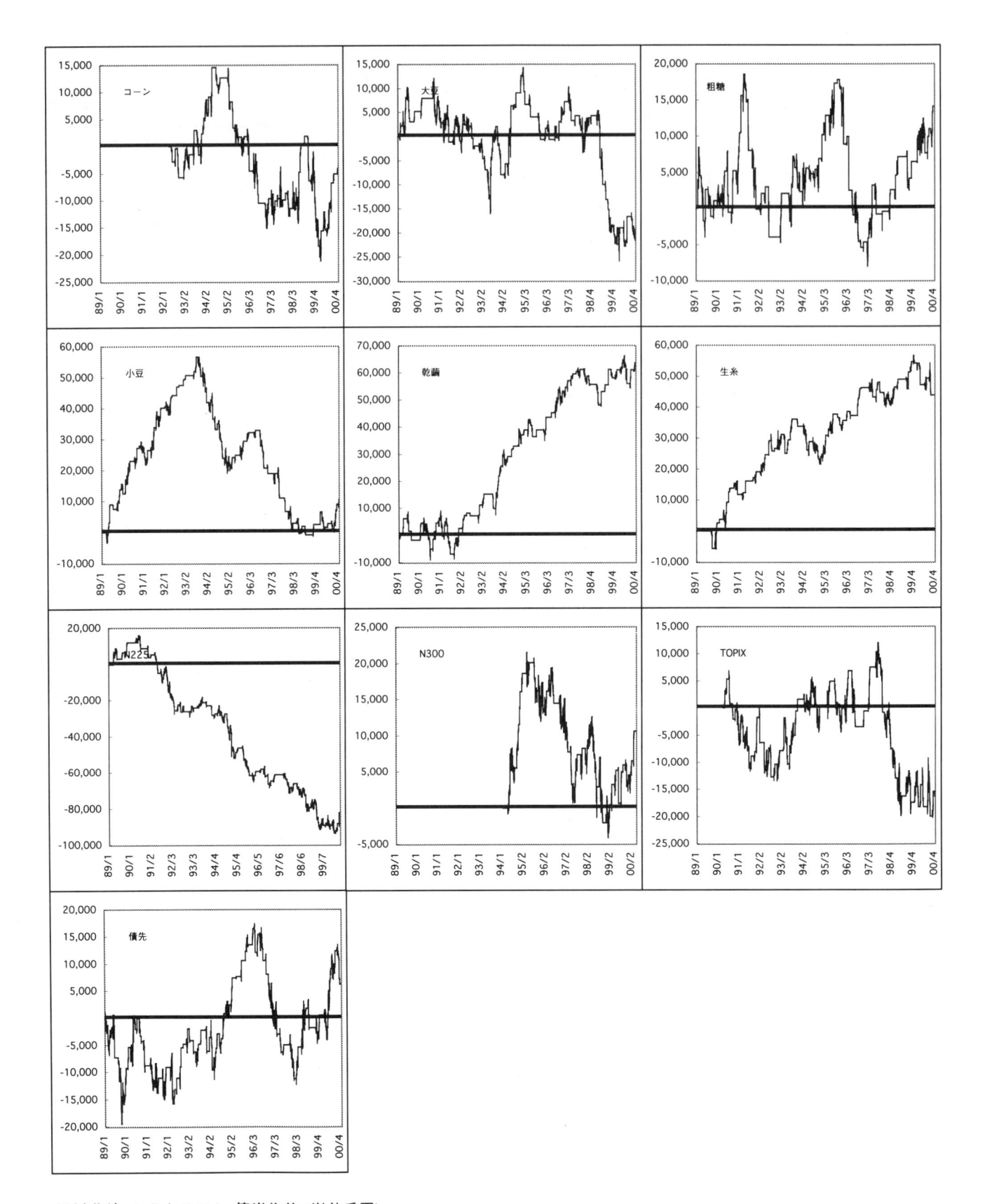

損益曲線: とうもろこし-債券先物 (単位千円)
システム名: 強さ3のTDライン抜き
建玉枚数: 可変
Copyright (c) 2000 Pan Rolling, Inc.

## 付録2　日本市場における検証結果

**年次成績分析**

|  | 純益 | Kレシオ | シャープレシオ |
|---|---|---|---|
| 1989 | 31,005,050 | 0.08 | 0.22 |
| 1990 | 2,836,850 | 0.06 | 0.03 |
| 1991 | -2,986,700 | -0.85 | -0.03 |
| 1992 | 35,494,200 | 2.17 | 0.35 |
| 1993 | 39,504,250 | 1.18 | 0.21 |
| 1994 | 28,053,800 | 0.90 | 0.24 |
| 1995 | -8,608,150 | 0.09 | -0.09 |
| 1996 | 14,406,000 | -0.33 | 0.09 |
| 1997 | -24,609,200 | -0.39 | -0.15 |
| 1998 | 5,024,650 | 0.11 | 0.03 |
| 1999 | -10,546,250 | 0.09 | -0.06 |
| 2000 | -23,477,950 | -0.68 | -0.53 |

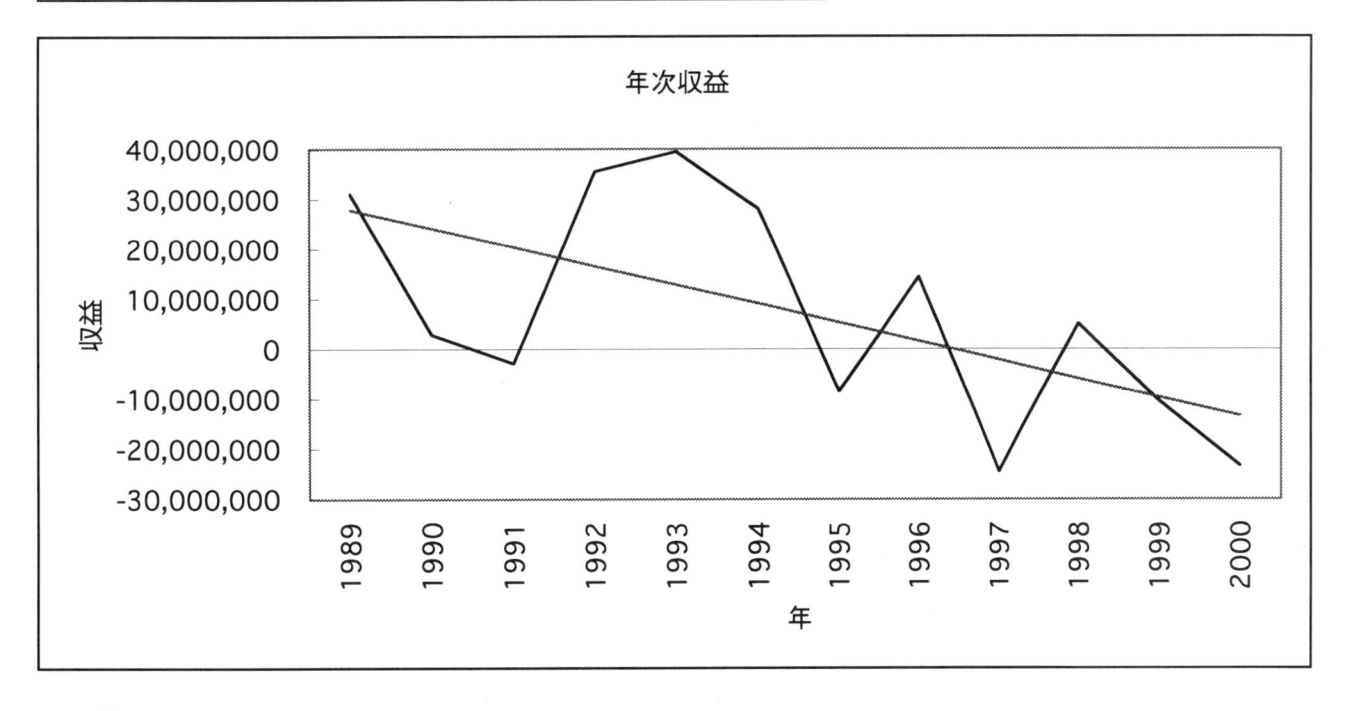

**収益性ウインドウ**

| 期間(月) | ウインドウ数 | 利益ウインドウ数 | 利益ウインドウ率 |
|---|---|---|---|
| 1 | 136 | 74 | 0.54 |
| 3 | 134 | 80 | 0.60 |
| 6 | 131 | 77 | 0.59 |
| 12 | 125 | 77 | 0.62 |
| 18 | 119 | 72 | 0.61 |
| 24 | 113 | 74 | 0.65 |

## APPENDIX 2

トレーディング・システム評価
システム名: RSIによる穏やかな買われ過ぎ/売られ過ぎ
検証期間: 1989/1/4 - 2000/4/28

| 市場 | 純益 | Kレシオ | シャープレシオ | 最大ドローダウン | トレード数 | 勝率 | 平均建玉数 | 平均利益 | 勝トレードの平均利益 | 敗トレードの平均損失 | 勝トレードの平均日数 | 敗トレードの平均日数 |
|---|---|---|---|---|---|---|---|---|---|---|---|---|
| 金 | -17,979,000 | -1.08 | -0.05 | -33,118,000 | 98 | 49% | 96 | -183,459 | 2,930,979 | -3,173,320 | 11 | 11 |
| 銀 | 14,397,000 | -0.34 | 0.04 | -28,903,800 | 107 | 52% | 70 | 134,551 | 3,065,003 | -3,083,200 | 13 | 14 |
| 白金 | 34,754,000 | 2.08 | 0.11 | -19,040,500 | 107 | 55% | 154 | 324,803 | 2,852,042 | -2,781,593 | 14 | 13 |
| パラ | -38,427,000 | -2.33 | -0.19 | -38,779,500 | 70 | 40% | 138 | -548,957 | 2,966,089 | -2,892,321 | 14 | 12 |
| アルミ | -23,439,000 | -1.09 | -0.23 | -31,256,000 | 30 | 40% | 60 | -781,300 | 2,467,333 | -2,947,055 | 15 | 8 |
| ゴム | -16,289,000 | -0.99 | -0.04 | -44,372,500 | 105 | 50% | 139 | -155,133 | 2,863,669 | -3,231,990 | 10 | 11 |
| ゴム指 | -18,095,200 | -0.70 | -0.10 | -26,624,600 | 41 | 44% | 37 | -441,346 | 2,950,177 | -3,095,582 | 9 | 10 |
| ガス | 1,506,000 | 1.13 | 0.07 | -6,498,000 | 8 | 50% | 31 | 188,250 | 3,144,250 | -2,767,750 | 5 | 10 |
| 灯油 | -3,056,000 | 0.18 | -0.12 | -6,646,000 | 5 | 40% | 34 | -611,200 | 3,027,000 | -3,036,666 | 14 | 7 |
| コーン | -38,631,000 | -1.66 | -0.16 | -44,072,000 | 75 | 45% | 66 | -515,080 | 2,715,205 | -3,193,853 | 12 | 10 |
| 大豆 | -24,350,100 | -1.05 | -0.07 | -39,738,900 | 108 | 50% | 89 | -225,463 | 2,859,888 | -3,310,816 | 12 | 10 |
| 粗糖 | -74,840,500 | -4.20 | -0.21 | -93,201,000 | 94 | 41% | 65 | -796,175 | 3,057,128 | -3,528,518 | 12 | 10 |
| ロブス | 24,940,000 | 1.74 | 0.39 | -7,049,500 | 17 | 71% | 63 | 1,467,058 | 3,400,000 | -3,172,000 | 13 | 9 |
| アラビ | 8,751,500 | 1.22 | 0.17 | -10,470,500 | 16 | 50% | 53 | 546,968 | 3,165,687 | -2,071,750 | 12 | 9 |
| 小豆 | -31,374,400 | -1.52 | -0.09 | -36,709,600 | 104 | 46% | 84 | -301,676 | 2,896,633 | -3,043,085 | 10 | 8 |
| 乾繭 | -11,889,600 | -0.41 | -0.03 | -34,894,500 | 102 | 50% | 76 | -116,564 | 3,060,347 | -3,293,476 | 9 | 9 |
| 生糸 | -5,780,250 | -0.86 | -0.02 | -49,094,700 | 96 | 51% | 81 | -60,210 | 3,036,906 | -3,289,120 | 10 | 8 |
| 日経225 | 30,190,000 | 1.96 | 0.08 | -18,120,000 | 112 | 55% | 4 | 269,553 | 2,929,516 | -3,028,800 | 8 | 10 |
| 日経300 | 3,554,000 | -0.28 | 0.02 | -23,447,000 | 70 | 50% | 30 | 50,771 | 2,909,342 | -2,807,800 | 9 | 9 |
| TOPIX | 95,000 | -0.22 | 0.00 | -26,225,000 | 103 | 50% | 5 | 922 | 2,859,711 | -2,913,921 | 10 | 11 |
| 債券先 | -54,050,000 | -4.60 | -0.17 | -77,460,000 | 100 | 40% | 3 | -540,500 | 2,958,750 | -2,873,333 | 7 | 10 |
| 平均 | -11,429,217 | -0.62 | -0.03 | -33,129,600 | 75 | 49% | 66 | -109,247 | 2,957,888 | -3,025,521 | 11 | 10 |

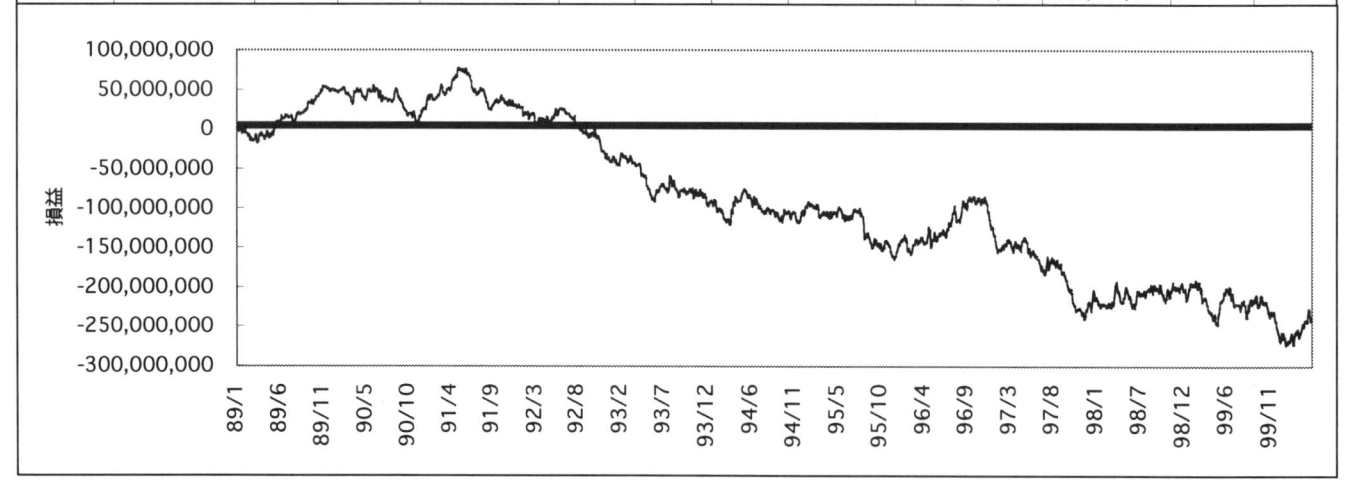

**ポートフォリオ統計**

| | |
|---|---|
| 純益: | -240,013,550 |
| ドローダウン: | -351,414,750 |
| Kレシオ: | -3.18 |
| シャープ・レシオ: | -0.15 |
| ブレイクアウトとの相関係数: | -0.47 |
| 移動平均との相関係数: | -0.53 |

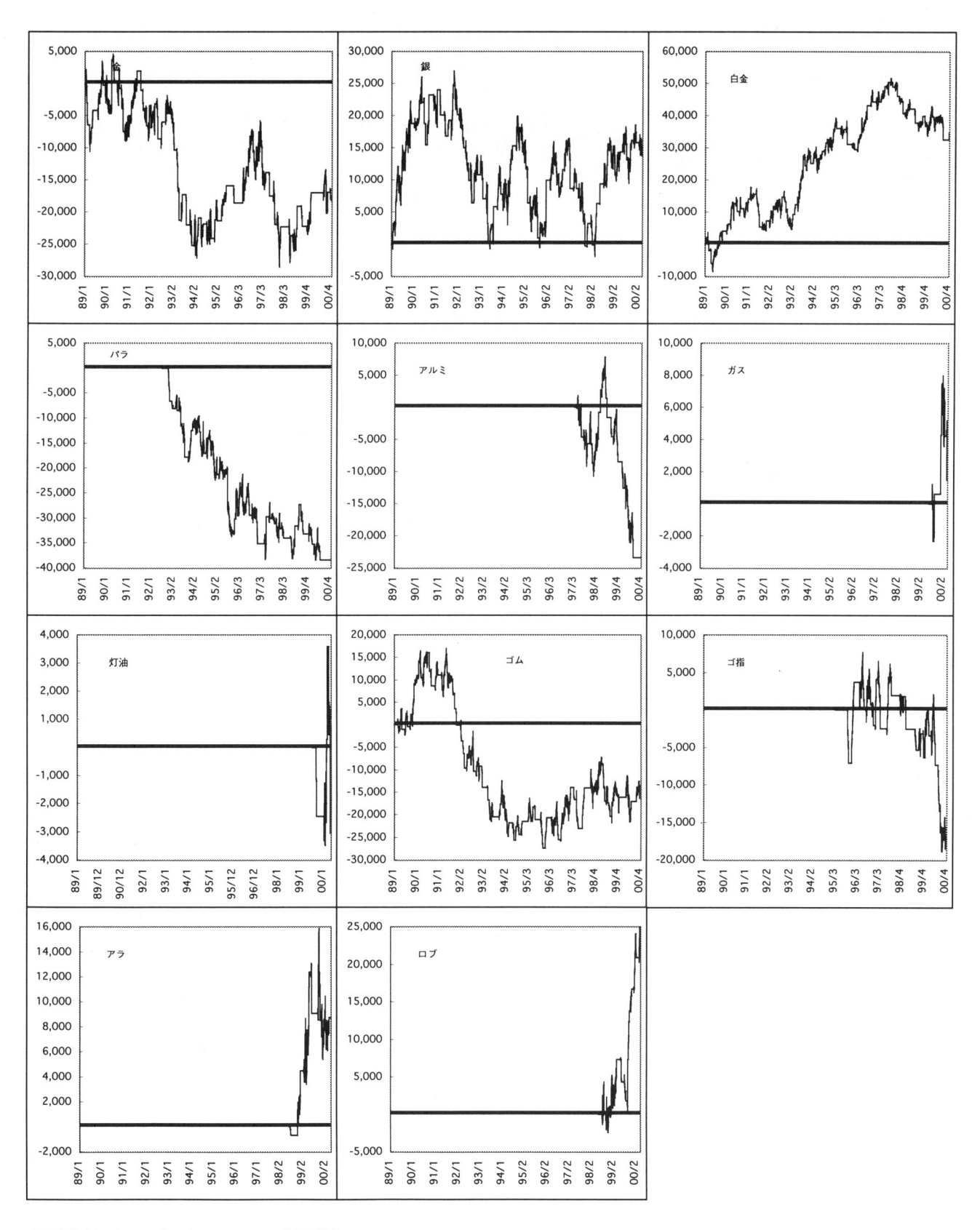

# 付録2　日本市場における検証結果

損益曲線: 金-ロブスタコーヒー(千円単位)
システム名: RSIによる穏やかな買われ過ぎ/売られ過ぎ
建玉枚数: 可変
Copyright (c) 2000 Pan Rolling, Inc.

## APPENDIX 2

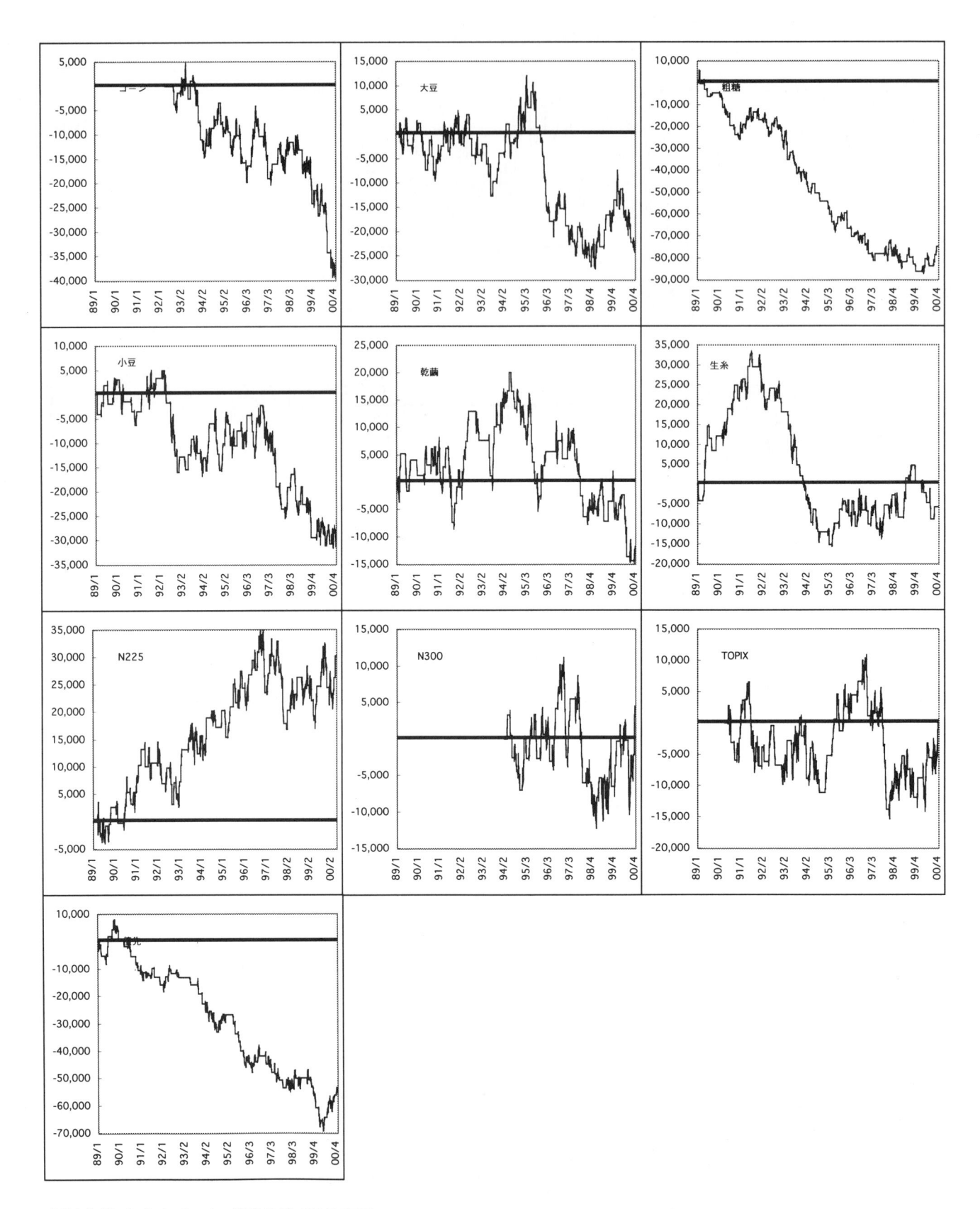

損益曲線: とうもろこし-債券先物 (単位千円)
システム名: RSIによる穏やかな買われ過ぎ/売られ過ぎ
建玉枚数: 可変

Copyright (c) 2000 Pan Rolling, Inc.

## 付録2　日本市場における検証結果

**年次成績分析**

|   | 純益 | Kレシオ | シャープレシオ |
|---|---|---|---|
| 1989 | 50,478,950 | 2.49 | 0.51 |
| 1990 | -23,071,850 | -1.28 | -0.20 |
| 1991 | 3,297,500 | -0.49 | 0.03 |
| 1992 | -65,787,400 | -1.40 | -0.55 |
| 1993 | -62,987,750 | -1.61 | -0.57 |
| 1994 | -9,793,200 | -0.42 | -0.08 |
| 1995 | -39,116,200 | -1.98 | -0.29 |
| 1996 | 12,120,000 | 1.38 | 0.06 |
| 1997 | -83,245,000 | -2.04 | -0.46 |
| 1998 | 14,258,200 | 0.89 | 0.16 |
| 1999 | -63,816,300 | -0.65 | -0.30 |
| 2000 | 27,649,500 | 1.57 | 0.96 |

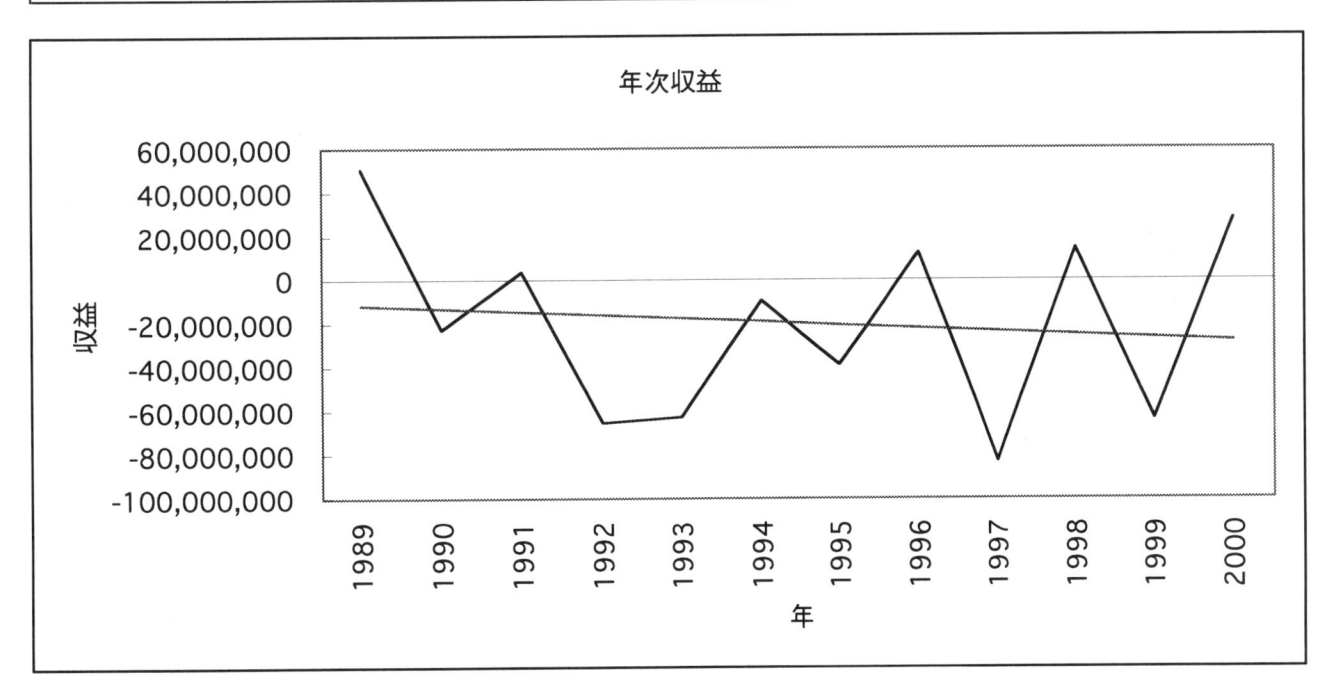

年次収益

**収益性ウインドウ**

| 期間(月) | ウインドウ数 | 利益ウインドウ数 | 利益ウインドウ率 |
|---|---|---|---|
| 1 | 136 | 67 | 0.49 |
| 3 | 134 | 58 | 0.43 |
| 6 | 131 | 44 | 0.34 |
| 12 | 125 | 35 | 0.28 |
| 18 | 119 | 24 | 0.20 |
| 24 | 113 | 15 | 0.13 |

APPENDIX 2

トレーディング・システム評価
システム名: 移動平均フィルターを併用したREIによる穏やかな買われ過ぎ/売られ過ぎ
検証期間: 1989/1/4 - 2000/4/28

| 市場 | 純益 | Kレシオ | シャープレシオ | 最大ドローダウン | トレード数 | 勝率 | 平均建玉数 | 平均利益 | 勝トレードの平均利益 | 敗トレードの平均損失 | 勝トレードの平均日数 | 敗トレードの平均日数 |
|---|---|---|---|---|---|---|---|---|---|---|---|---|
| 金 | 10,577,000 | 1.40 | 0.06 | -15,810,000 | 25 | 60% | 87 | 423,080 | 2,875,333 | -3,255,300 | 13 | 15 |
| 銀 | -31,800 | -0.63 | 0.00 | -17,758,200 | 23 | 52% | 70 | -1,382 | 2,566,800 | -2,803,036 | 12 | 9 |
| 白金 | -19,095,000 | -2.00 | -0.11 | -22,298,500 | 17 | 35% | 151 | -1,123,235 | 2,826,833 | -3,277,818 | 19 | 12 |
| パラ | -15,469,500 | -1.93 | -0.13 | -17,359,500 | 28 | 32% | 137 | -552,482 | 2,474,833 | -2,096,833 | 13 | 10 |
| アルミ | 4,745,000 | 0.30 | 0.23 | -292,000 | 2 | 50% | 72 | 2,372,500 | 4,745,000 | 0 | 4 | 0 |
| ゴム | 5,227,500 | -0.13 | 0.04 | -17,914,500 | 20 | 55% | 168 | 261,375 | 2,814,454 | -2,859,055 | 7 | 7 |
| ゴム指 | 10,837,200 | 2.54 | 0.18 | -4,624,800 | 8 | 75% | 35 | 1,354,650 | 2,851,000 | -3,134,400 | 9 | 12 |
| ガス | 1,020,000 | -0.16 | 0.05 | -5,301,000 | 4 | 50% | 31 | 255,000 | 3,160,500 | -2,650,500 | 7 | 13 |
| 灯油 | -5,463,000 | -2.93 | -0.68 | -5,525,000 | 2 | 0% | 32 | -2,731,500 | 0 | -2,731,500 | 0 | 14 |
| コーン | -11,934,000 | -0.49 | -0.10 | -20,572,000 | 14 | 43% | 62 | -852,428 | 2,658,666 | -3,485,750 | 17 | 11 |
| 大豆 | -5,833,800 | -0.30 | -0.03 | -19,555,800 | 26 | 50% | 82 | -224,376 | 2,728,753 | -3,177,507 | 15 | 8 |
| 粗糖 | 2,122,500 | 1.33 | 0.01 | -12,054,000 | 18 | 56% | 60 | 117,916 | 3,130,250 | -3,647,500 | 7 | 7 |
| ロブス | 910,500 | -0.41 | 0.03 | -4,981,500 | 5 | 60% | 52 | 182,100 | 2,534,500 | -3,346,500 | 22 | 8 |
| アラビ | 11,746,500 | 1.87 | 0.42 | -2,448,500 | 5 | 80% | 53 | 2,349,300 | 3,050,375 | -455,000 | 11 | 1 |
| 小豆 | -4,463,200 | -0.38 | -0.03 | -21,726,400 | 26 | 46% | 86 | -171,661 | 2,938,066 | -2,837,142 | 10 | 9 |
| 乾繭 | 9,489,300 | 0.25 | 0.05 | -15,267,300 | 26 | 58% | 67 | 364,973 | 3,062,040 | -3,312,845 | 10 | 12 |
| 生糸 | 6,294,900 | 0.16 | 0.03 | -13,430,700 | 25 | 56% | 94 | 251,796 | 2,930,292 | -3,157,200 | 8 | 9 |
| 日経225 | 15,620,000 | 0.37 | 0.09 | -11,950,000 | 25 | 56% | 4 | 624,800 | 3,195,714 | -2,647,272 | 9 | 11 |
| 日経300 | -4,380,000 | -1.33 | -0.04 | -20,958,000 | 20 | 45% | 34 | -219,000 | 2,695,555 | -2,603,636 | 8 | 8 |
| TOPIX | 12,780,000 | 0.43 | 0.08 | -17,145,000 | 27 | 56% | 6 | 473,333 | 2,777,666 | -2,407,083 | 8 | 9 |
| 債券先 | -14,690,000 | -1.65 | -0.10 | -20,290,000 | 20 | 35% | 3 | -734,500 | 2,820,000 | -2,648,461 | 12 | 9 |
| 平均 | 476,671 | -0.18 | 0.00 | -13,679,176 | 17 | 50% | 66 | 115,250 | 2,801,744 | -2,692,111 | 10 | 9 |

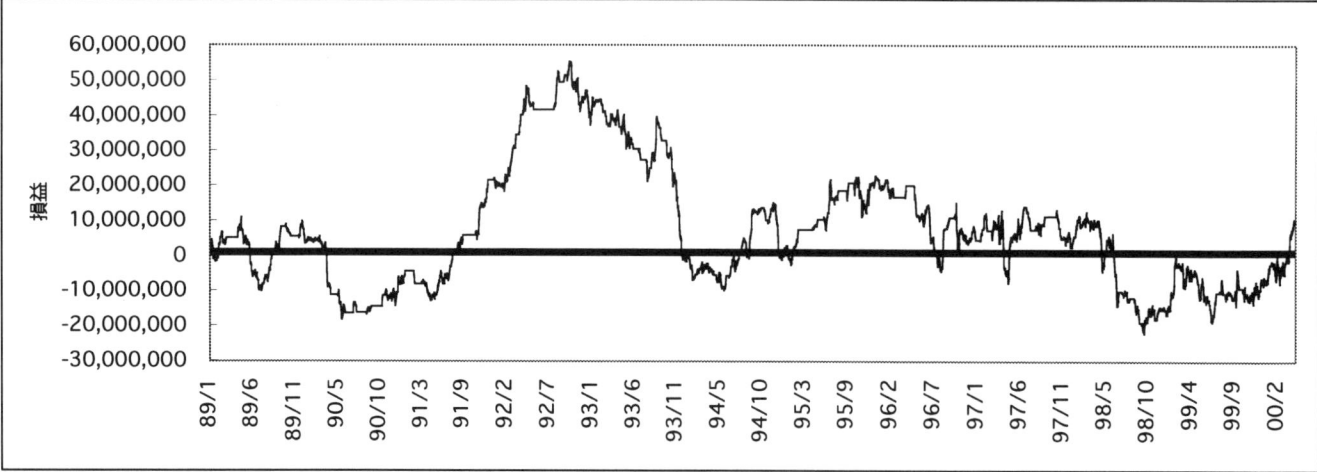

ポートフォリオ統計

| | |
|---|---|
| 純益: | 10,010,100 |
| ドローダウン: | -77,308,950 |
| Kレシオ: | -0.18 |
| シャープ・レシオ: | 0.01 |
| ブレイクアウトとの相関係数: | 0.14 |
| 移動平均との相関係数: | 0.17 |

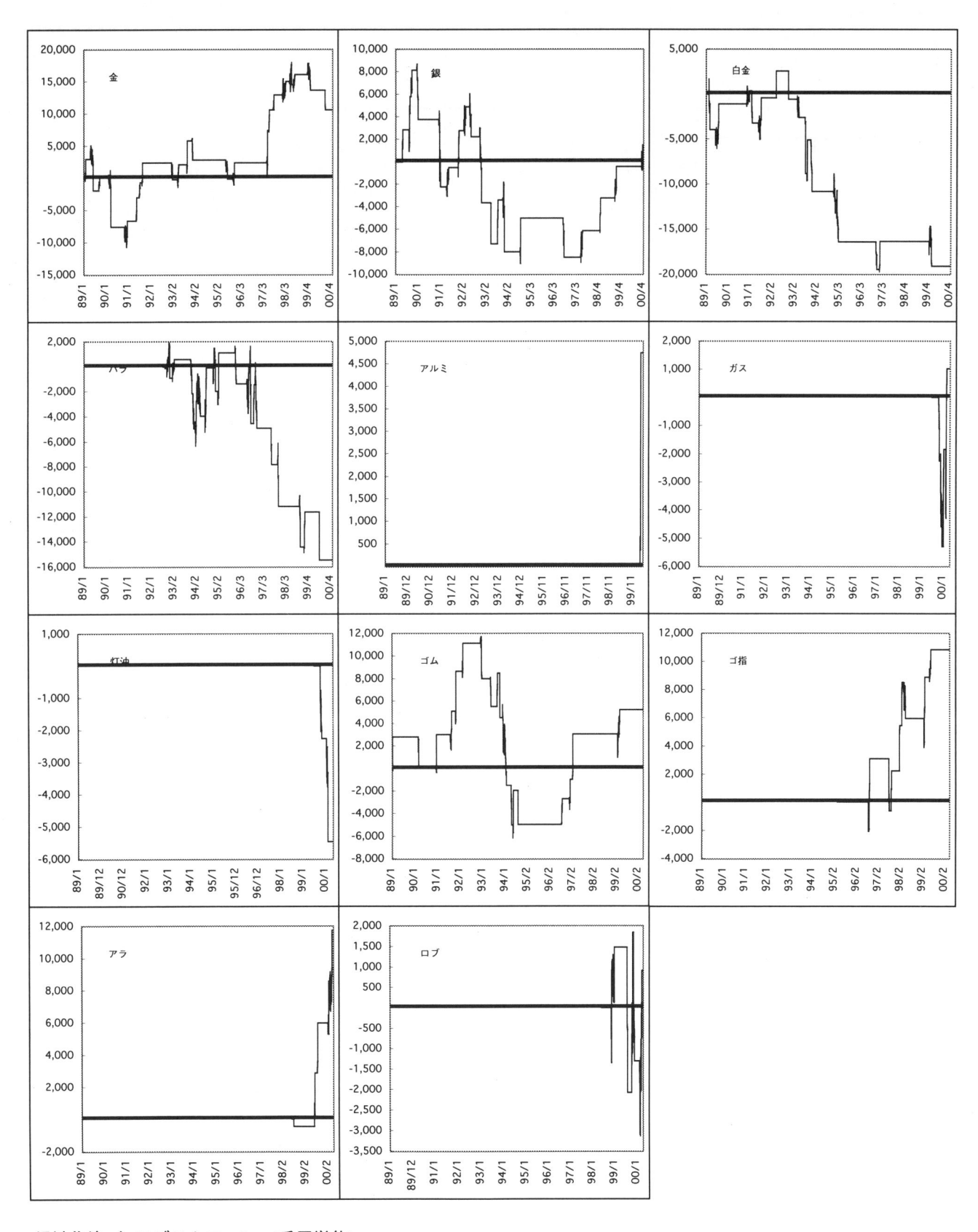

## 付録2　日本市場における検証結果

損益曲線: 金-ロブスタコーヒー(千円単位)
システム名: 移動平均フィルターを併用したREIによる穏やかな買われ過ぎ/売られ過ぎ
建玉枚数: 可変
Copyright (c) 2000 Pan Rolling, Inc.

APPENDIX 2

損益曲線: とうもろこし-債券先物 (単位千円)
システム名: 移動平均フィルターを併用したREIによる穏やかな買われ過ぎ/売られ過ぎ
建玉枚数: 可変
Copyright (c) 2000 Pan Rolling, Inc.

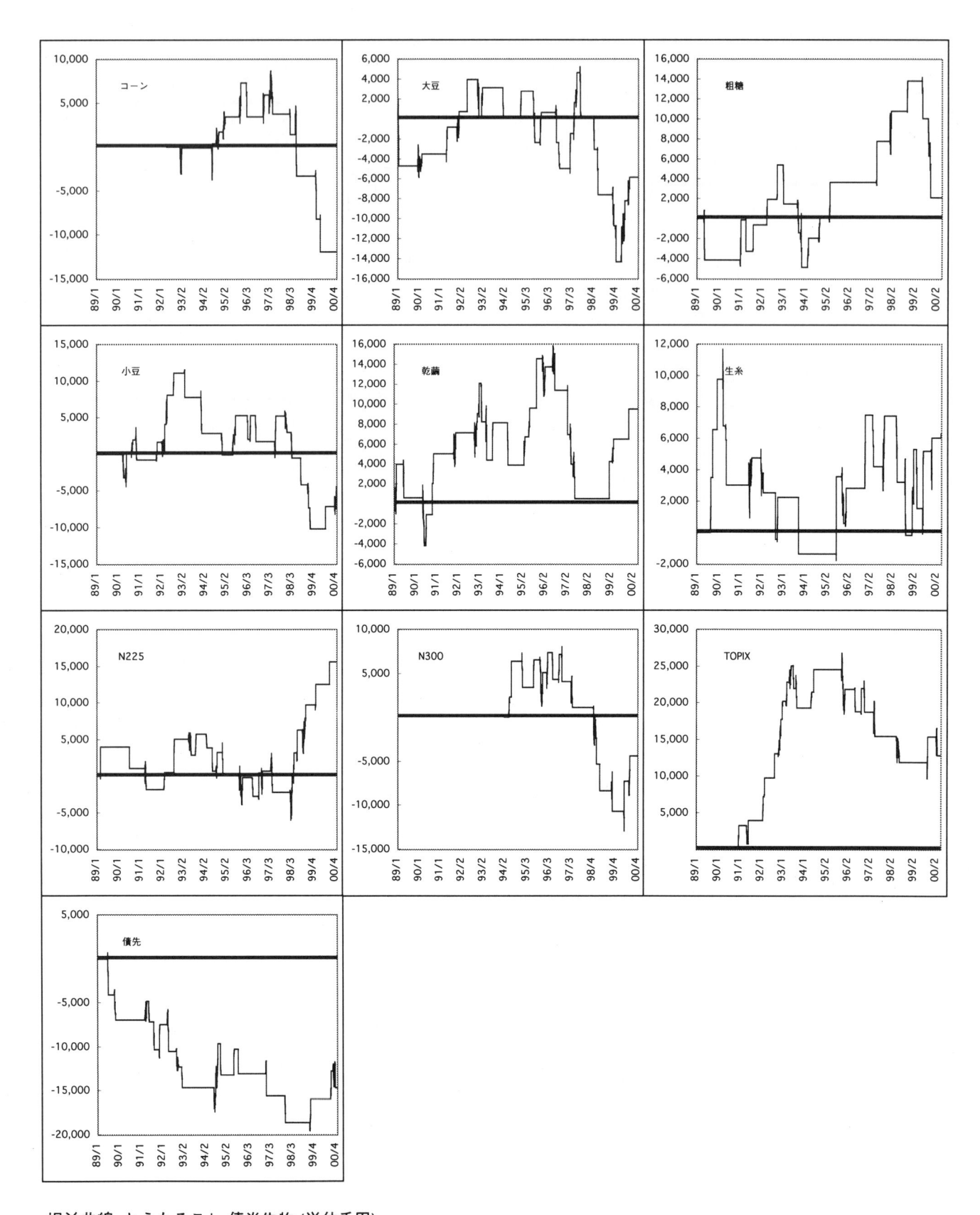

## 付録2　日本市場における検証結果

**年次成績分析**

|  | 純益 | Kレシオ | シャープレシオ |
|---|---|---|---|
| 1989 | 3,918,450 | 0.15 | 0.07 |
| 1990 | -12,083,000 | -0.85 | -0.25 |
| 1991 | 30,220,150 | 1.66 | 0.60 |
| 1992 | 16,191,500 | 1.30 | 0.20 |
| 1993 | -39,775,850 | -1.36 | -0.49 |
| 1994 | 1,328,000 | 1.18 | 0.02 |
| 1995 | 21,772,450 | 2.09 | 0.48 |
| 1996 | -17,061,200 | -1.21 | -0.25 |
| 1997 | -2,076,850 | 0.19 | -0.02 |
| 1998 | -19,329,800 | -2.25 | -0.23 |
| 1999 | 10,475,550 | -0.31 | 0.15 |
| 2000 | 16,430,700 | 1.31 | 0.79 |

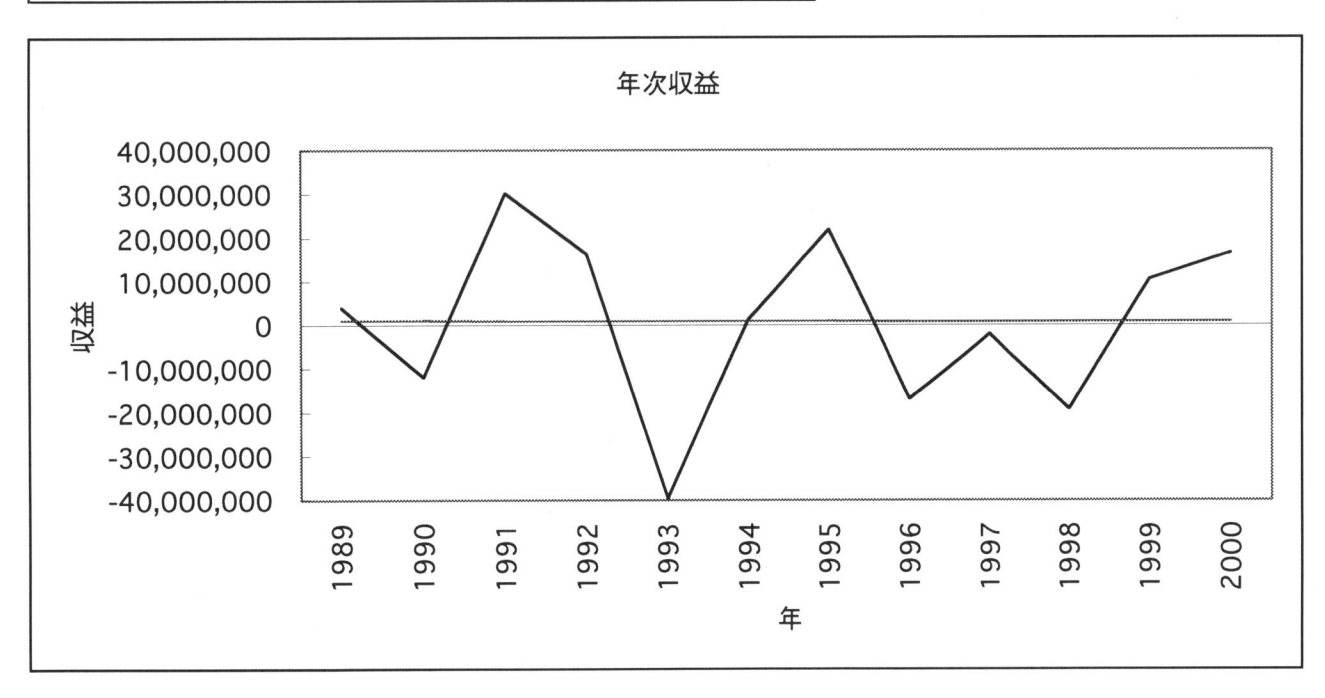

年次収益

**収益性ウインドウ**

| 期間(月) | ウインドウ数 | 利益ウインドウ数 | 利益ウインドウ率 |
|---|---|---|---|
| 1 | 136 | 71 | 0.52 |
| 3 | 134 | 69 | 0.51 |
| 6 | 131 | 67 | 0.51 |
| 12 | 125 | 64 | 0.51 |
| 18 | 119 | 49 | 0.41 |
| 24 | 113 | 41 | 0.36 |

APPENDIX 2

トレーディング・システム評価
システム名: 移動平均フィルターを併用したデマーカーによる穏やかな買われ過ぎ/売られ過ぎ
検証期間: 1989/1/4 - 2000/4/28

| 市場 | 純益 | Kレシオ | シャープレシオ | 最大ドローダウン | トレード数 | 勝率 | 平均建玉数 | 平均利益 | 勝トレードの平均利益 | 敗トレードの平均損失 | 勝トレードの平均日数 | 敗トレードの平均日数 |
|---|---|---|---|---|---|---|---|---|---|---|---|---|
| 金 | -4,407,000 | -0.86 | -0.03 | -11,140,000 | 11 | 45% | 94 | -400,636 | 2,844,000 | -3,104,500 | 11 | 8 |
| 銀 | 8,739,600 | 1.29 | 0.08 | -7,455,600 | 11 | 64% | 70 | 794,509 | 2,894,400 | -2,880,300 | 18 | 7 |
| 白金 | 9,108,500 | 1.53 | 0.08 | -6,818,000 | 10 | 60% | 146 | 910,850 | 2,779,916 | -1,892,750 | 15 | 15 |
| パラ | 1,935,000 | 0.24 | 0.02 | -10,473,000 | 15 | 53% | 139 | 129,000 | 2,687,250 | -2,794,714 | 15 | 9 |
| アルミ | 5,377,000 | 1.00 | 0.15 | -2,590,000 | 4 | 75% | 55 | 1,344,250 | 2,655,666 | -2,590,000 | 16 | 4 |
| ゴム | -8,487,500 | -1.70 | -0.06 | -19,537,000 | 16 | 44% | 116 | -530,468 | 2,751,714 | -3,083,277 | 10 | 11 |
| ゴム指 | -3,947,600 | -0.81 | -0.11 | -4,028,400 | 3 | 33% | 29 | -1,315,866 | 2,035,800 | -2,991,700 | 11 | 15 |
| ガス | 0 | 0.00 | 0.00 | 0 | 0 | 0% | 0 | 0 | 0 | 0 | 0 | 0 |
| 灯油 | -4,032,000 | -0.88 | -0.32 | -5,460,000 | 1 | 0% | 42 | -4,032,000 | 0 | -4,032,000 | 0 | 5 |
| コーン | -4,632,000 | -0.38 | -0.05 | -16,506,000 | 9 | 44% | 64 | -514,666 | 2,968,500 | -3,301,200 | 12 | 10 |
| 大豆 | -1,410,900 | 0.47 | -0.01 | -11,286,600 | 17 | 47% | 97 | -82,994 | 3,393,562 | -3,173,266 | 8 | 13 |
| 粗糖 | -3,342,500 | -0.91 | -0.03 | -16,805,500 | 10 | 40% | 52 | -334,250 | 4,119,750 | -3,303,583 | 9 | 9 |
| ロブス | 3,315,000 | 1.67 | 0.21 | -612,000 | 1 | 100% | 51 | 3,315,000 | 3,315,000 | 0 | 9 | 0 |
| アラビ | -3,026,000 | -1.02 | -0.28 | -3,366,000 | 1 | 0% | 34 | -3,026,000 | 0 | -3,026,000 | 0 | 2 |
| 小豆 | 6,149,600 | 0.20 | 0.04 | -13,493,600 | 15 | 60% | 85 | 409,973 | 2,848,177 | -3,247,333 | 11 | 7 |
| 乾繭 | 15,079,800 | 3.58 | 0.11 | -6,324,900 | 15 | 67% | 78 | 1,005,320 | 2,920,050 | -2,824,140 | 12 | 8 |
| 生糸 | -19,244,400 | -1.12 | -0.10 | -27,908,400 | 20 | 30% | 84 | -962,220 | 3,751,225 | -2,982,267 | 16 | 14 |
| 日経225 | -9,570,000 | 0.10 | -0.06 | -23,840,000 | 20 | 40% | 5 | -478,500 | 3,268,750 | -2,976,666 | 7 | 10 |
| 日経300 | -20,616,000 | -2.38 | -0.28 | -24,699,000 | 10 | 20% | 33 | -2,061,600 | 2,891,000 | -3,299,750 | 9 | 9 |
| TOPIX | 6,185,000 | 0.27 | 0.04 | -17,095,000 | 20 | 55% | 6 | 309,250 | 2,976,818 | -2,951,111 | 9 | 10 |
| 債券先 | 710,000 | -0.12 | 0.01 | -9,820,000 | 17 | 53% | 3 | 41,764 | 2,791,111 | -3,051,250 | 9 | 7 |
| 平均 | -1,243,638 | 0.01 | -0.03 | -11,393,286 | 11 | 44% | 61 | -260,918 | 2,566,319 | -2,738,372 | 10 | 8 |

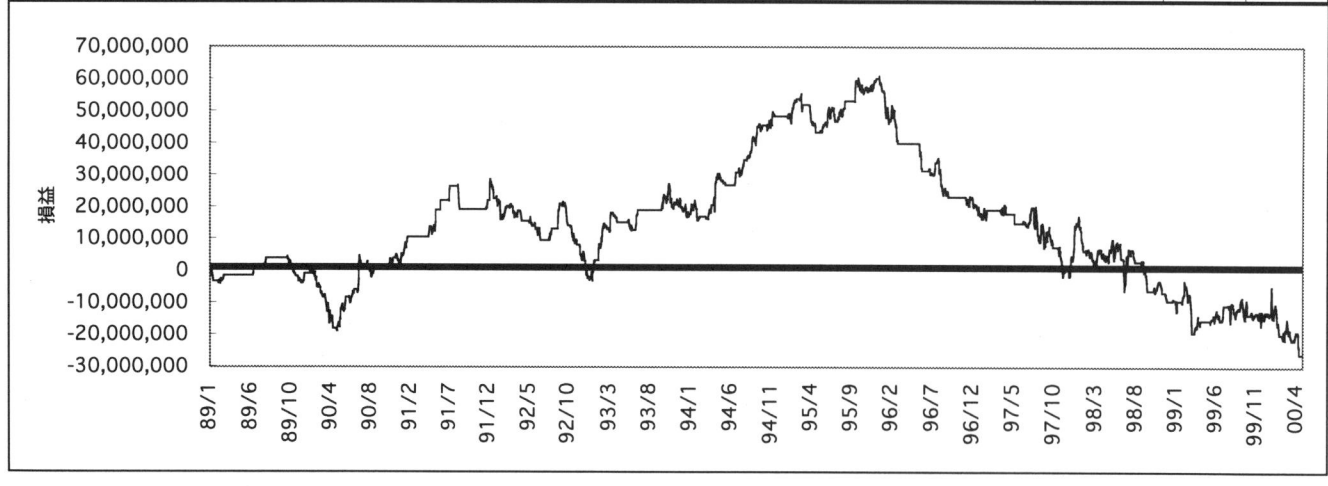

**ポートフォリオ統計**

| | |
|---|---|
| 純益: | -26,116,400 |
| ドローダウン: | -87,033,350 |
| Kレシオ: | -0.06 |
| シャープ・レシオ: | -0.05 |
| ブレイクアウトとの相関係数: | 0.10 |
| 移動平均との相関係数: | 0.02 |

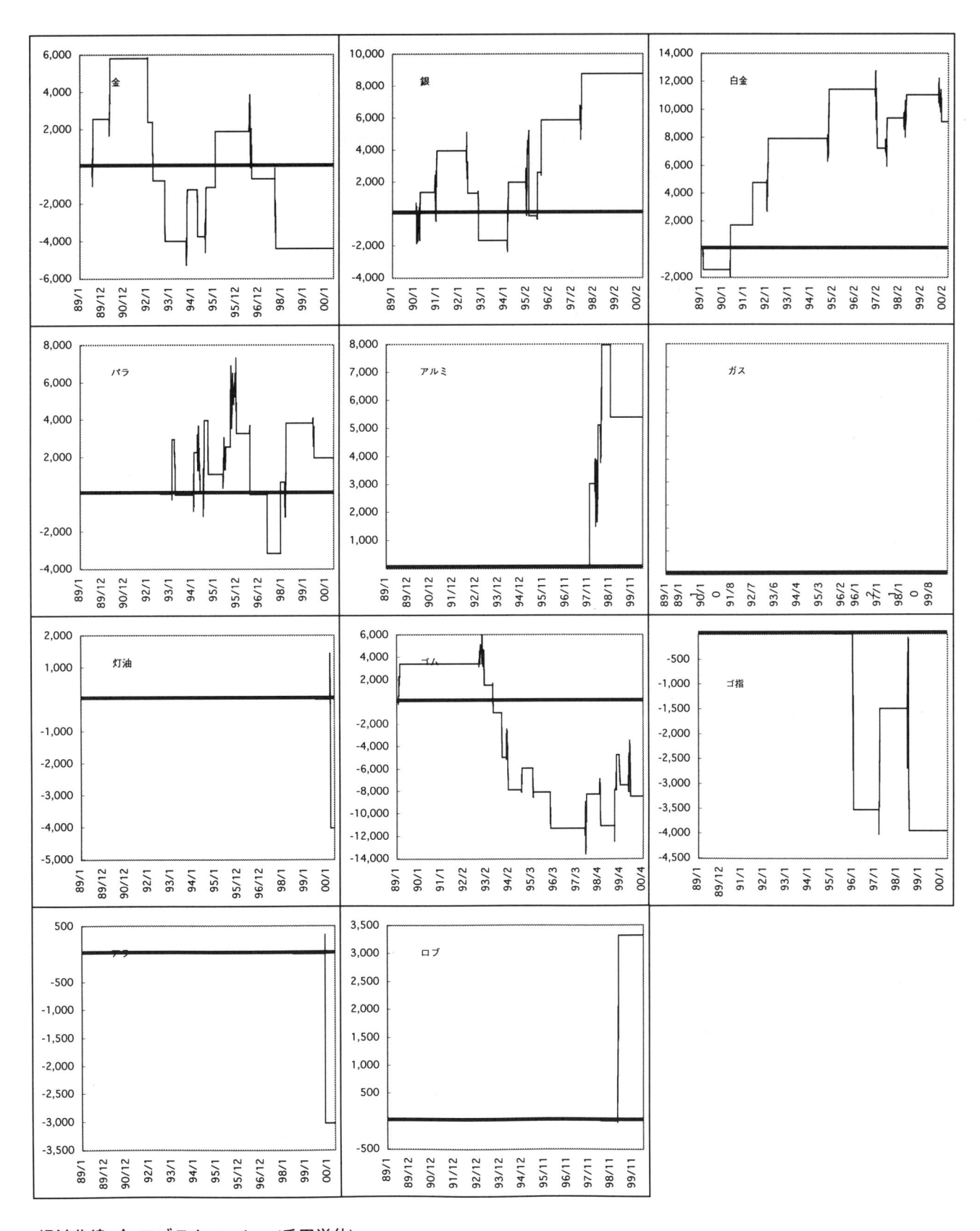

# 付録2 日本市場における検証結果

損益曲線: 金-ロブスタコーヒー(千円単位)
システム名: 移動平均フィルターを併用したデマーカーによる穏やかな買われ過ぎ/売られ過ぎ
建玉枚数: 可変
Copyright (c) 2000 Pan Rolling, Inc.

## APPENDIX 2

損益曲線: とうもろこし-債券先物 (単位千円)
システム名: 移動平均フィルターを併用したデマーカーによる穏やかな買われ過ぎ/売られ過ぎ
建玉枚数: 可変
Copyright (c) 2000 Pan Rolling, Inc.

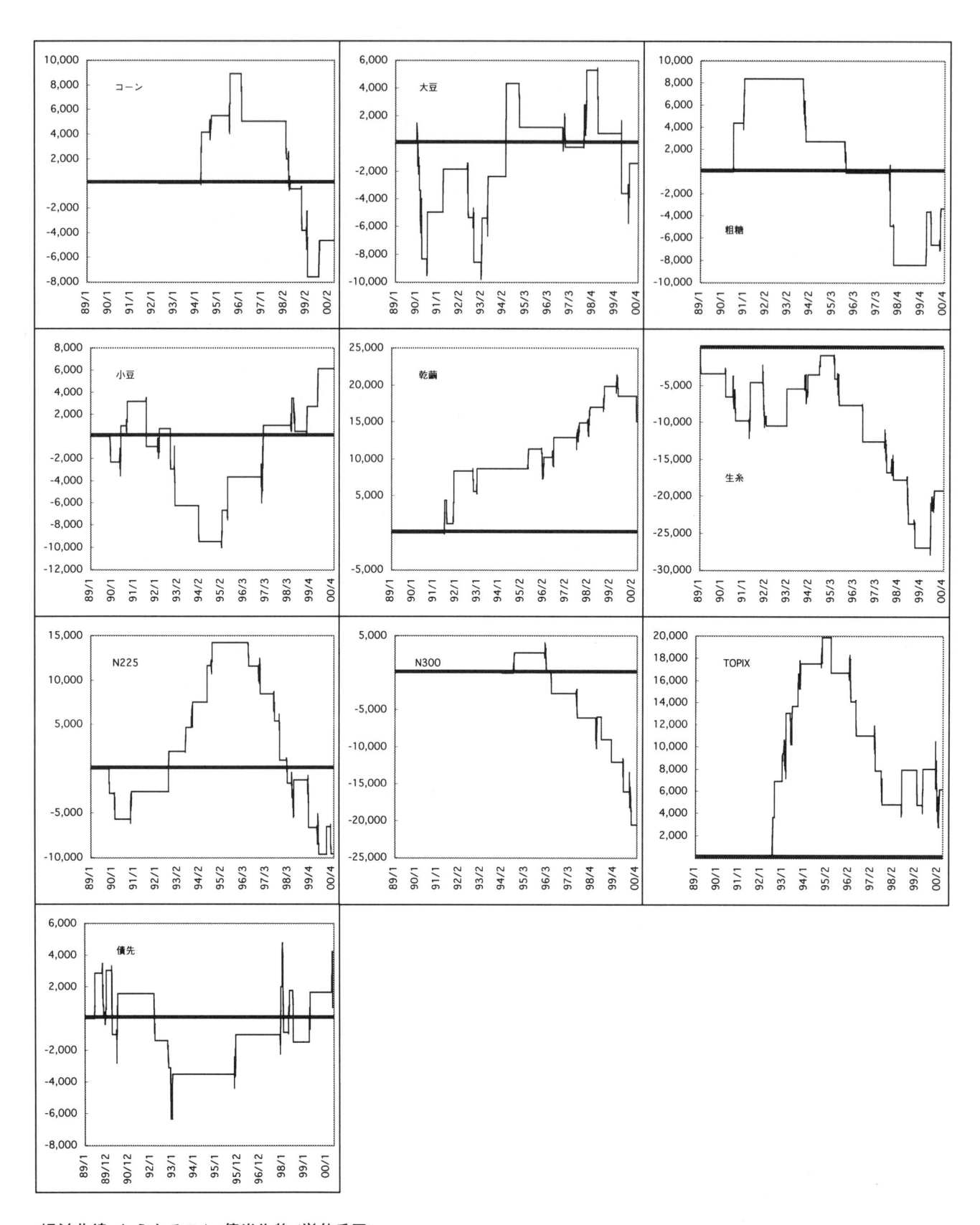

## 付録2　日本市場における検証結果

**年次成績分析**

|  | 純益 | Kレシオ | シャープレシオ |
|---:|---:|---:|---:|
| 1989 | -1,015,700 | 0.48 | -0.04 |
| 1990 | 5,611,450 | 0.79 | 0.10 |
| 1991 | 18,517,850 | 1.15 | 0.39 |
| 1992 | -23,803,000 | -1.04 | -0.43 |
| 1993 | 18,198,300 | 1.24 | 0.41 |
| 1994 | 30,748,450 | 3.94 | 0.86 |
| 1995 | 7,539,500 | 0.86 | 0.19 |
| 1996 | -37,687,700 | -3.59 | -0.77 |
| 1997 | -3,542,150 | -1.41 | -0.05 |
| 1998 | -23,659,950 | -1.63 | -0.45 |
| 1999 | -4,445,650 | -0.18 | -0.11 |
| 2000 | -12,577,800 | -1.45 | -2.05 |

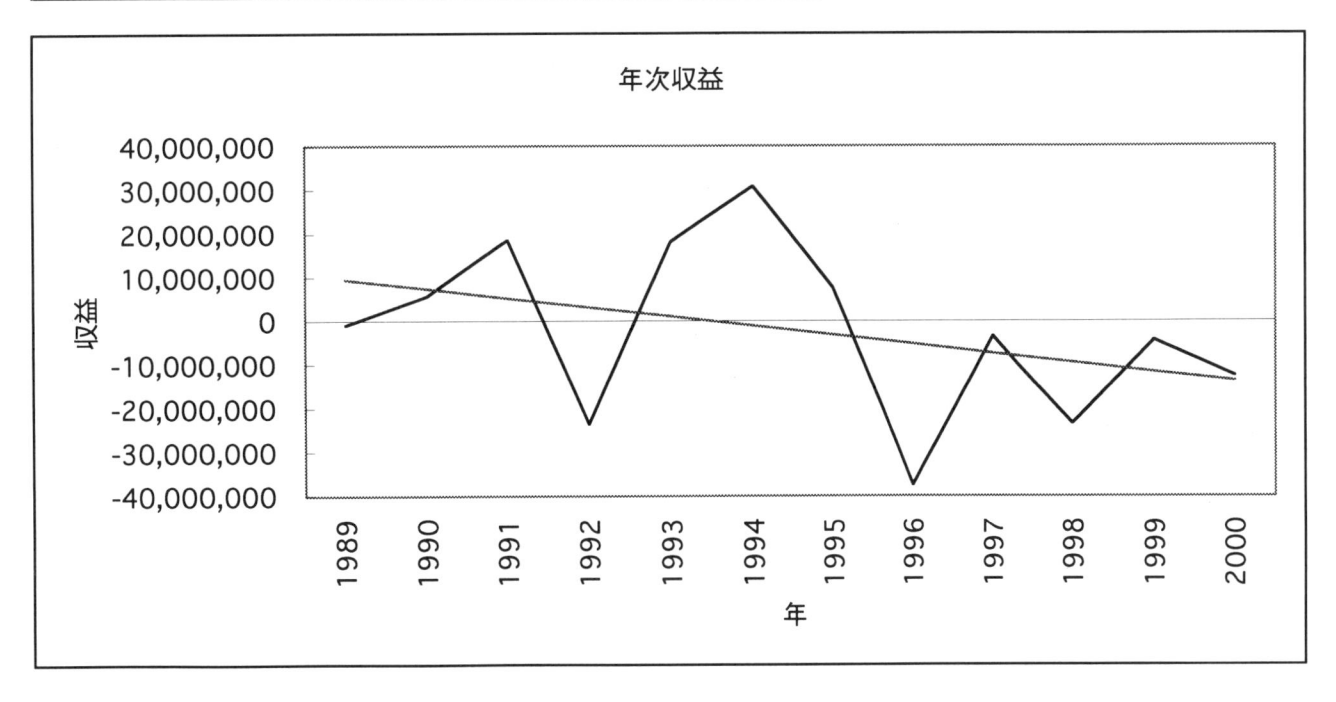

年次収益

**収益性ウインドウ**

| 期間(月) | ウインドウ数 | 利益ウインドウ数 | 利益ウインドウ率 |
|---:|---:|---:|---:|
| 1 | 136 | 59 | 0.43 |
| 3 | 134 | 59 | 0.44 |
| 6 | 131 | 57 | 0.44 |
| 12 | 125 | 50 | 0.40 |
| 18 | 119 | 55 | 0.46 |
| 24 | 113 | 56 | 0.50 |

## APPENDIX 2

トレーディング・システム評価
システム名: 買われ過ぎ/売られ過ぎ移動平均システム
検証期間: 1989/1/4 - 2000/4/28

| 市場 | 純益 | Kレシオ | シャープレシオ | 最大ドローダウン | トレード数 | 勝率 | 平均建玉数 | 平均利益 | 勝トレードの平均利益 | 敗トレードの平均損失 | 勝トレードの平均日数 | 敗トレードの平均日数 |
|---|---|---|---|---|---|---|---|---|---|---|---|---|
| 金 | -15,888,000 | -1.45 | -0.04 | -49,790,000 | 217 | 48% | 95 | -73,216 | 2,464,971 | -2,567,383 | 9 | 9 |
| 銀 | 62,854,200 | 2.77 | 0.13 | -27,021,600 | 209 | 55% | 71 | 300,737 | 2,614,378 | -2,501,968 | 9 | 9 |
| 白金 | -90,244,000 | -3.35 | -0.22 | -103,245,000 | 218 | 41% | 152 | -413,963 | 2,208,584 | -2,258,330 | 10 | 8 |
| パラ | -58,041,000 | -0.93 | -0.22 | -59,677,500 | 130 | 39% | 113 | -446,469 | 2,583,147 | -2,433,096 | 9 | 8 |
| アルミ | -35,909,000 | -2.61 | -0.26 | -43,673,000 | 56 | 43% | 55 | -641,232 | 2,089,583 | -2,689,343 | 11 | 7 |
| ゴム | -43,950,000 | -1.13 | -0.09 | -75,688,500 | 221 | 49% | 136 | -198,868 | 2,354,577 | -2,708,099 | 9 | 7 |
| ゴム指 | 13,424,200 | 0.14 | 0.06 | -24,640,400 | 94 | 52% | 37 | 142,810 | 2,821,228 | -2,773,688 | 8 | 7 |
| ガス | 8,788,000 | 2.02 | 0.26 | -8,304,000 | 16 | 44% | 31 | 549,250 | 3,340,285 | -1,621,555 | 6 | 8 |
| 灯油 | 5,945,000 | 1.06 | 0.20 | -6,780,000 | 14 | 50% | 33 | 424,642 | 2,468,857 | -1,619,571 | 9 | 4 |
| コーン | -73,368,000 | -1.39 | -0.22 | -79,077,000 | 155 | 45% | 64 | -473,341 | 2,275,271 | -2,736,905 | 9 | 8 |
| 大豆 | -105,591,000 | -4.39 | -0.24 | -112,393,200 | 222 | 43% | 89 | -475,635 | 2,400,123 | -2,712,217 | 10 | 8 |
| 粗糖 | 2,167,000 | -0.11 | 0.00 | -33,075,500 | 233 | 53% | 63 | 9,300 | 2,412,308 | -2,887,715 | 8 | 8 |
| ロブス | -16,504,500 | -0.79 | -0.22 | -22,417,500 | 37 | 54% | 62 | -446,067 | 1,990,775 | -3,312,941 | 8 | 8 |
| アラビ | -40,972,500 | -3.22 | -0.52 | -45,076,000 | 37 | 27% | 55 | -1,107,364 | 2,592,950 | -2,477,851 | 8 | 7 |
| 小豆 | -78,389,600 | -3.32 | -0.15 | -94,326,400 | 224 | 43% | 82 | -349,953 | 2,783,716 | -2,700,206 | 7 | 7 |
| 乾繭 | -72,293,100 | -1.64 | -0.15 | -78,546,900 | 231 | 43% | 70 | -312,957 | 2,664,762 | -2,586,025 | 8 | 7 |
| 生糸 | -14,708,850 | -1.24 | -0.03 | -76,095,150 | 226 | 51% | 80 | -65,083 | 2,479,141 | -2,725,546 | 8 | 7 |
| 日経225 | -34,990,000 | -1.19 | -0.08 | -72,030,000 | 223 | 47% | 4 | -156,905 | 2,529,615 | -2,526,016 | 8 | 6 |
| 日経300 | -10,416,000 | -1.30 | -0.04 | -45,435,000 | 121 | 50% | 31 | -86,082 | 2,477,483 | -2,607,622 | 9 | 7 |
| TOPIX | -33,400,000 | -0.91 | -0.09 | -54,625,000 | 193 | 48% | 6 | -173,056 | 2,373,817 | -2,541,650 | 8 | 7 |
| 債券先 | -99,650,000 | -2.86 | -0.22 | -121,760,000 | 204 | 42% | 3 | -488,480 | 2,500,465 | -2,689,658 | 8 | 6 |
| 平均 | -34,816,055 | -1.23 | -0.10 | -58,746,555 | 156 | 46% | 63 | -213,425 | 2,496,478 | -2,556,066 | 8 | 7 |

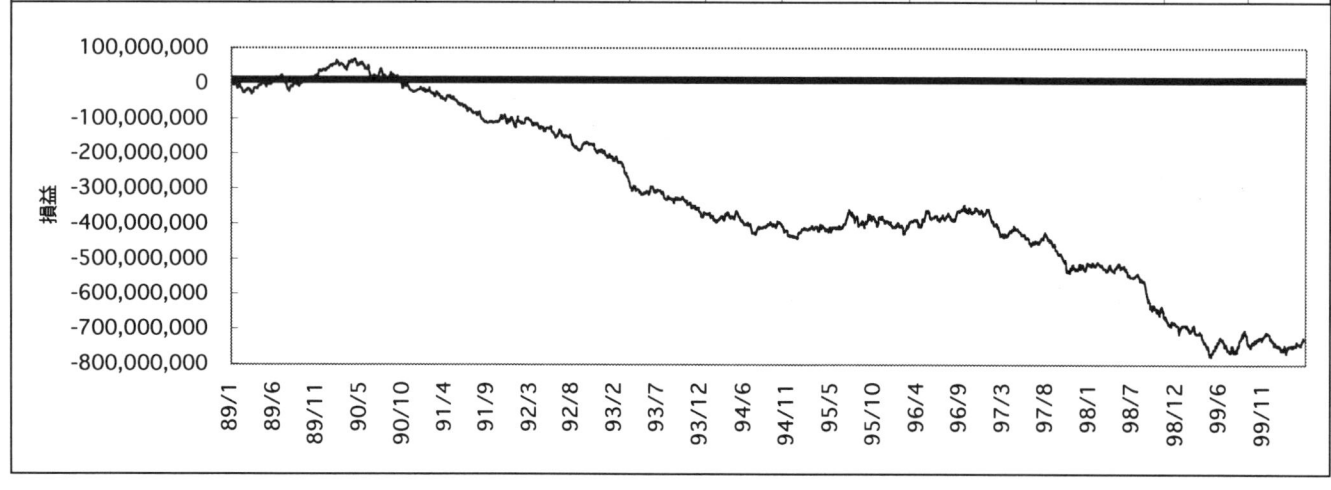

**ポートフォリオ統計**

| | |
|---|---|
| 純益: | -731,137,150 |
| ドローダウン: | -847,594,800 |
| Kレシオ: | -3.85 |
| シャープ・レシオ: | -0.30 |
| ブレイクアウトとの相関係数: | -0.43 |
| 移動平均との相関係数: | -0.45 |

## 付録2　日本市場における検証結果

損益曲線: 金-ロブスタコーヒー(千円単位)
システム名: 買われ過ぎ/売られ過ぎ移動平均システム
建玉枚数: 可変
Copyright (c) 2000 Pan Rolling, Inc.

## APPENDIX 2

**損益曲線**: とうもろこし-債券先物 (単位千円)
**システム名**: 買われ過ぎ/売られ過ぎ移動平均システム
**建玉枚数**: 可変

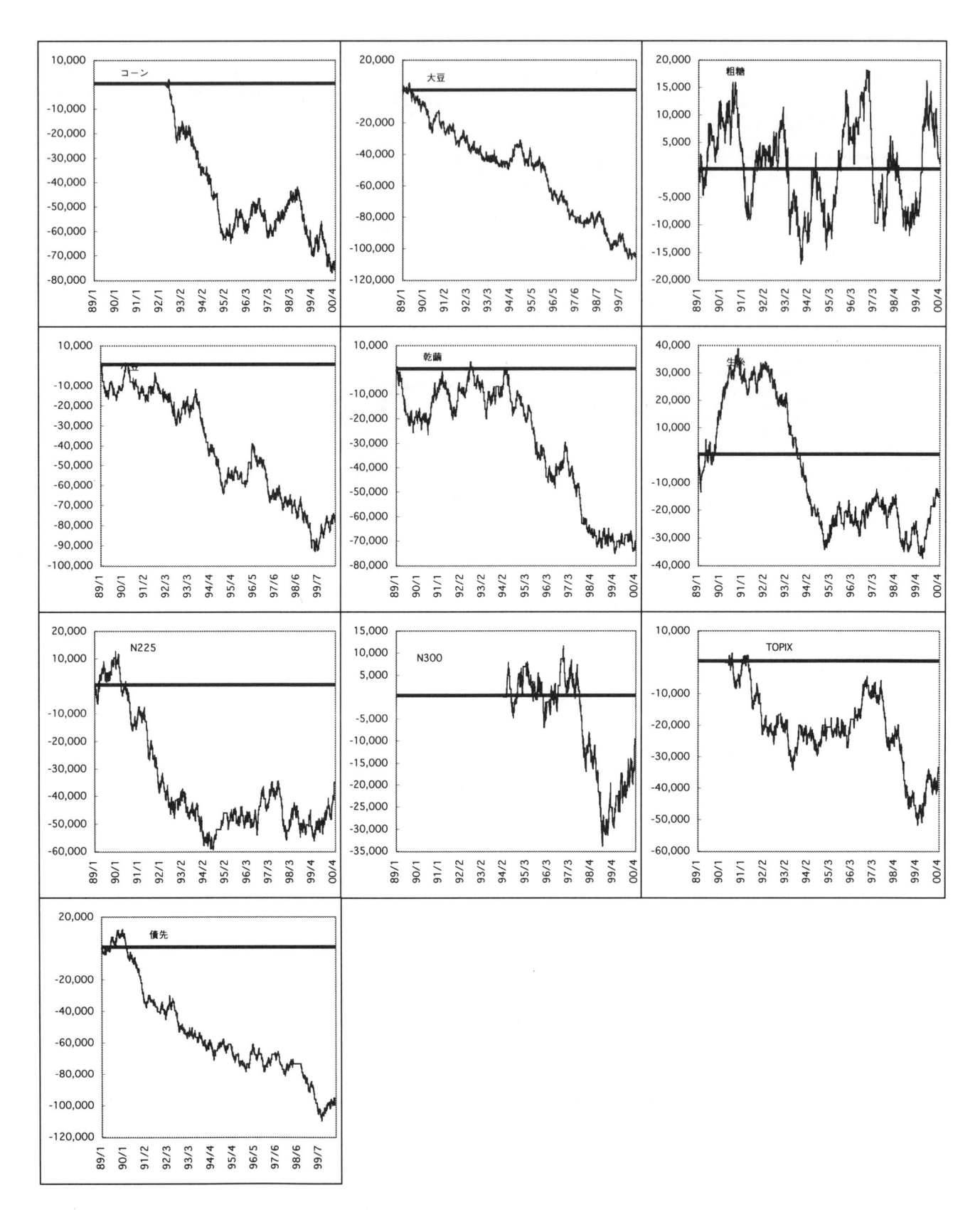

Copyright (c) 2000 Pan Rolling, Inc.

## 付録2　日本市場における検証結果

**年次成績分析**

|  | 純益 | Kレシオ | シャープレシオ |
|---:|---:|---:|---:|
| 1989 | 39,837,950 | 1.06 | 0.28 |
| 1990 | -55,454,400 | -2.12 | -0.32 |
| 1991 | -102,994,350 | -3.21 | -1.00 |
| 1992 | -93,540,250 | -3.29 | -0.57 |
| 1993 | -169,654,500 | -2.25 | -0.77 |
| 1994 | -57,868,200 | -1.42 | -0.31 |
| 1995 | 30,265,950 | 0.82 | 0.15 |
| 1996 | 51,904,350 | 1.52 | 0.61 |
| 1997 | -157,328,600 | -2.26 | -0.57 |
| 1998 | -179,317,550 | -2.26 | -0.71 |
| 1999 | -41,366,700 | -0.30 | -0.11 |
| 2000 | 4,379,150 | 0.59 | 0.07 |

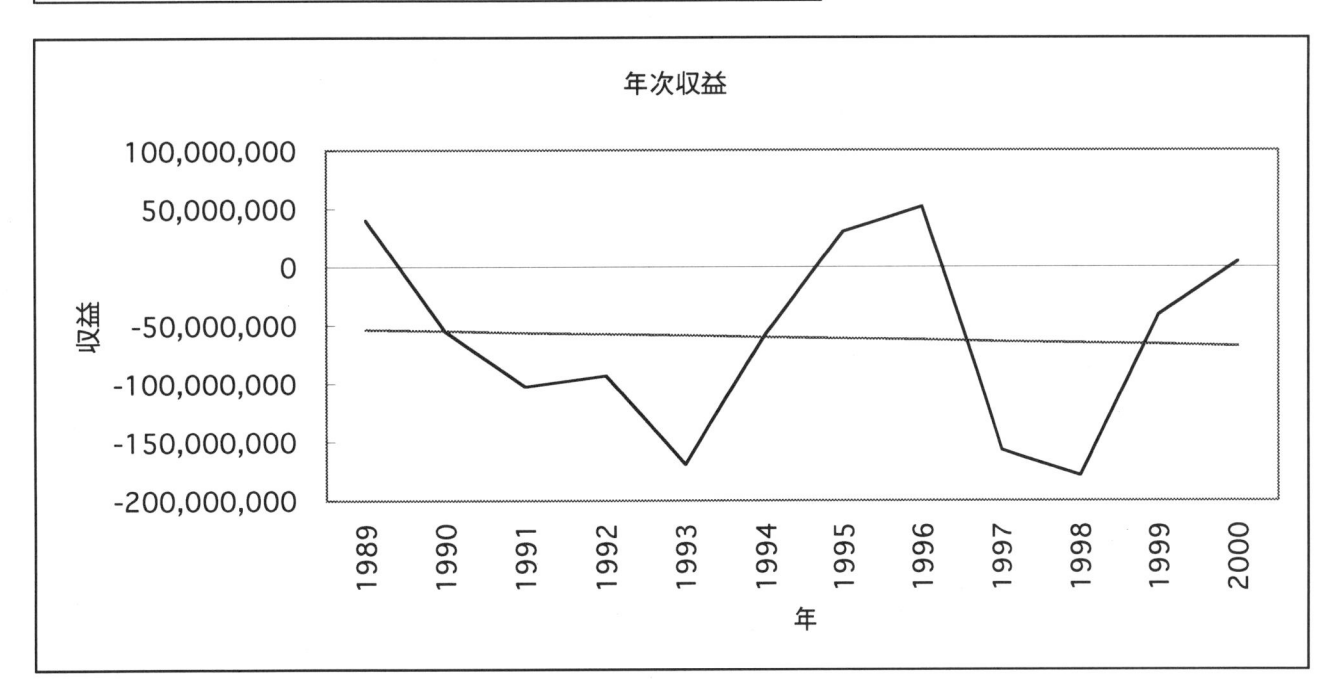

年次収益

**収益性ウインドウ**

| 期間(月) | ウインドウ数 | 利益ウインドウ数 | 利益ウインドウ率 |
|---:|---:|---:|---:|
| 1 | 136 | 61 | 0.45 |
| 3 | 134 | 36 | 0.27 |
| 6 | 131 | 36 | 0.27 |
| 12 | 125 | 30 | 0.24 |
| 18 | 119 | 18 | 0.15 |
| 24 | 113 | 9 | 0.08 |

APPENDIX 2

トレーディング・システム評価
システム名:アルファ=0.03による尖度
検証期間: 1989/1/4 - 2000/4/28

| 市場 | 純益 | Kレシオ | シャープレシオ | 最大ドローダウン | トレード数 | 勝率 | 平均建玉数 | 平均利益 | 勝トレードの平均利益 | 敗トレードの平均損失 | 勝トレードの平均日数 | 敗トレードの平均日数 |
|---|---|---|---|---|---|---|---|---|---|---|---|---|
| 金 | 78,641,000 | 1.33 | 0.11 | -49,521,000 | 771 | 42% | 95 | 101,998 | 1,799,931 | -1,159,576 | 5 | 3 |
| 銀 | -2,092,200 | 0.06 | 0.00 | -55,770,000 | 811 | 43% | 72 | -2,579 | 1,456,418 | -1,139,245 | 4 | 3 |
| 白金 | -33,353,500 | -0.67 | -0.05 | -64,048,000 | 848 | 39% | 151 | -39,331 | 1,582,178 | -1,132,663 | 4 | 3 |
| パラ | 53,148,000 | -0.16 | 0.08 | -56,335,500 | 542 | 39% | 122 | 98,059 | 1,950,760 | -1,236,077 | 5 | 3 |
| アルミ | -25,168,000 | -1.03 | -0.15 | -54,242,000 | 181 | 43% | 57 | -139,049 | 1,526,129 | -1,398,823 | 5 | 3 |
| ゴム | 25,779,000 | 0.00 | 0.04 | -68,556,500 | 724 | 40% | 138 | 35,606 | 1,868,934 | -1,214,393 | 6 | 3 |
| ゴム指 | 9,176,800 | 0.64 | 0.03 | -32,245,000 | 295 | 39% | 38 | 31,107 | 2,035,941 | -1,275,238 | 6 | 3 |
| ガス | 3,875,000 | 1.11 | 0.07 | -13,524,000 | 34 | 44% | 31 | 113,970 | 1,641,600 | -1,152,722 | 5 | 3 |
| 灯油 | 24,287,000 | 2.61 | 0.67 | -9,299,000 | 36 | 69% | 34 | 674,638 | 1,585,600 | -1,535,300 | 4 | 3 |
| コーン | -70,121,000 | -2.07 | -0.14 | -80,526,000 | 529 | 40% | 65 | -132,553 | 1,514,676 | -1,283,486 | 5 | 3 |
| 大豆 | -81,334,800 | -2.27 | -0.14 | -110,661,900 | 778 | 37% | 89 | -104,543 | 1,568,632 | -1,204,210 | 5 | 3 |
| 粗糖 | 19,649,500 | 0.62 | 0.03 | -53,530,000 | 735 | 39% | 64 | 26,734 | 1,825,715 | -1,291,215 | 5 | 3 |
| ロブス | -8,450,500 | -0.09 | -0.10 | -23,830,000 | 119 | 40% | 61 | -71,012 | 1,288,447 | -1,033,764 | 4 | 2 |
| アラビ | -19,284,500 | -1.32 | -0.25 | -33,551,000 | 105 | 39% | 54 | -183,661 | 1,410,853 | -1,205,148 | 5 | 3 |
| 小豆 | -8,633,600 | 0.16 | -0.01 | -67,415,200 | 716 | 36% | 84 | -12,058 | 2,168,539 | -1,279,542 | 6 | 3 |
| 乾繭 | 44,384,700 | -0.34 | 0.06 | -68,660,400 | 703 | 38% | 73 | 63,136 | 2,245,748 | -1,272,605 | 6 | 3 |
| 生糸 | 64,905,000 | 0.25 | 0.10 | -57,676,650 | 697 | 38% | 82 | 93,120 | 2,283,226 | -1,253,768 | 6 | 3 |
| 日経225 | -66,870,000 | -3.08 | -0.11 | -118,790,000 | 779 | 38% | 4 | -85,840 | 1,655,423 | -1,163,983 | 5 | 3 |
| 日経300 | 870,000 | -0.19 | 0.00 | -45,398,000 | 427 | 41% | 32 | 2,037 | 1,512,331 | -1,063,661 | 5 | 2 |
| TOPIX | -18,145,000 | -0.02 | -0.04 | -57,670,000 | 670 | 42% | 6 | -27,082 | 1,496,093 | -1,158,390 | 5 | 2 |
| 債券先 | 860,000 | -0.34 | 0.00 | -54,830,000 | 756 | 39% | 3 | 1,137 | 1,878,209 | -1,222,665 | 5 | 3 |
| 平均 | -375,100 | -0.23 | 0.01 | -56,003,817 | 536 | 41% | 65 | 21,135 | 1,728,352 | -1,222,689 | 5 | 3 |

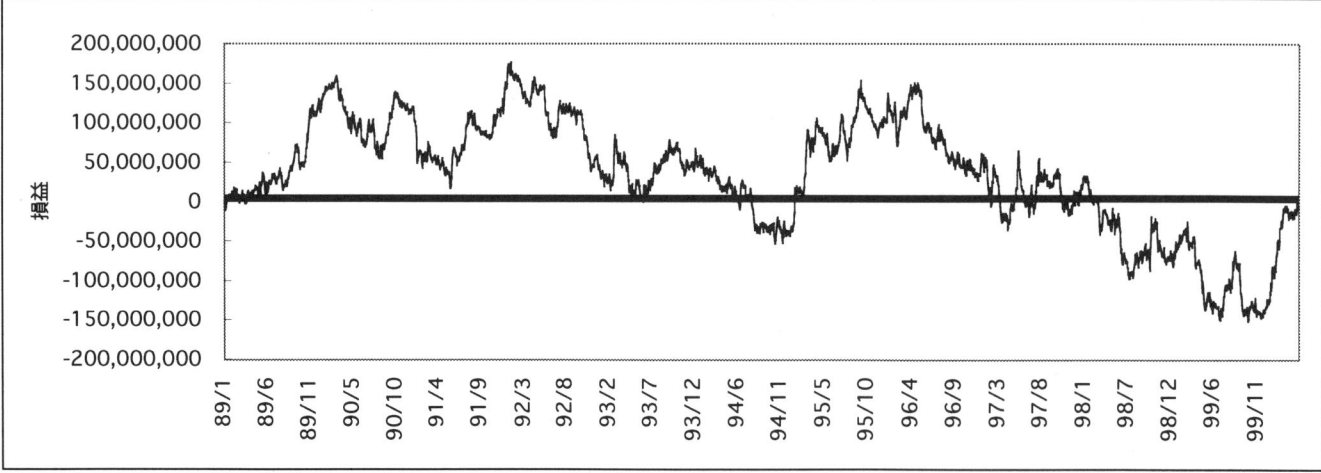

**ポートフォリオ統計**

| | |
|---|---|
| 純益: | -7,877,100 |
| ドローダウン: | -328,617,700 |
| Kレシオ: | -0.81 |
| シャープ・レシオ: | 0.00 |
| ブレイクアウトとの相関係数: | 0.24 |
| 移動平均との相関係数: | 0.16 |

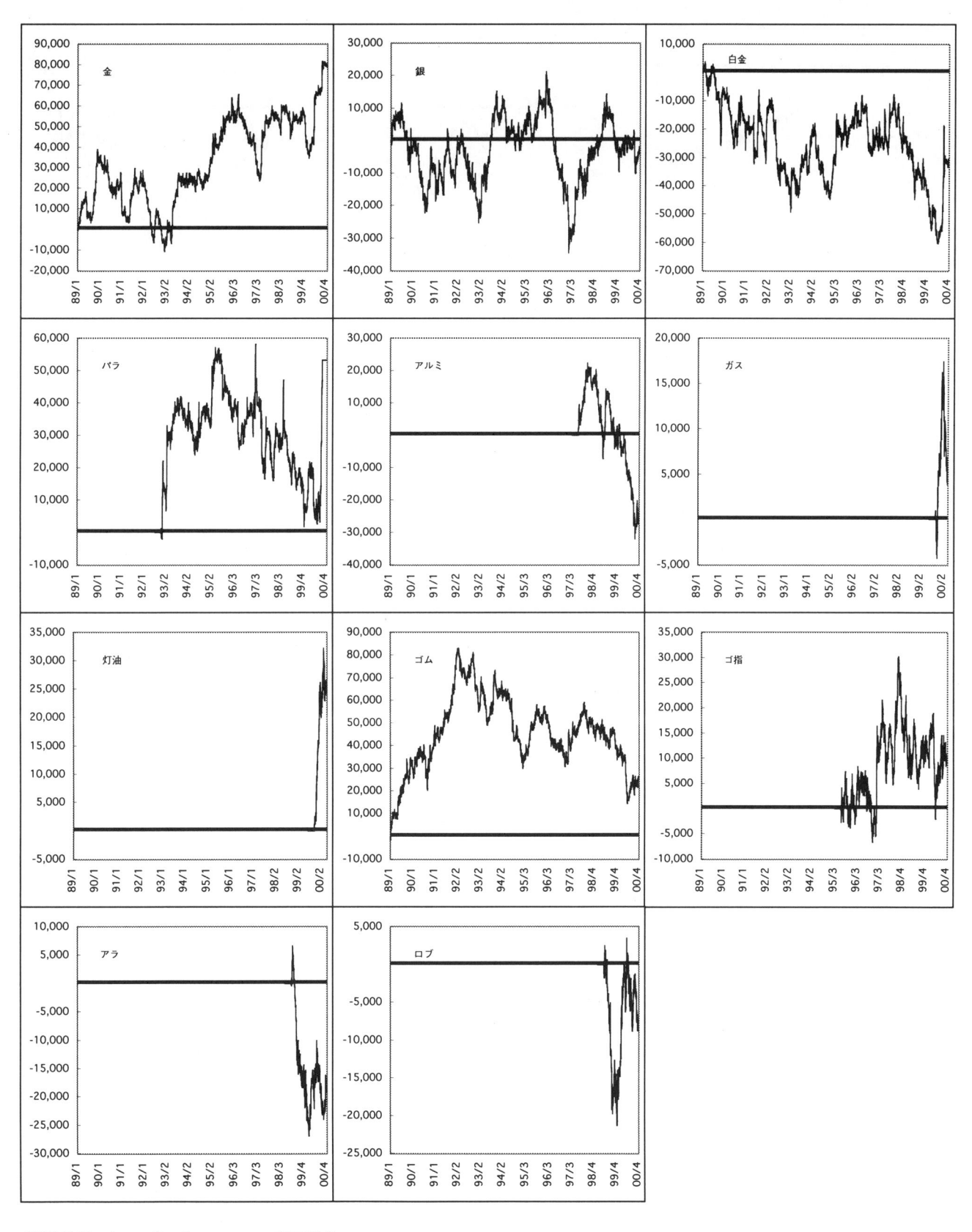

## 付録2　日本市場における検証結果

損益曲線: 金-ロブスタコーヒー(千円単位)
システム名: アルファ=0.03による尖度
建玉枚数: 可変
Copyright (c) 2000 Pan Rolling, Inc.

## APPENDIX 2

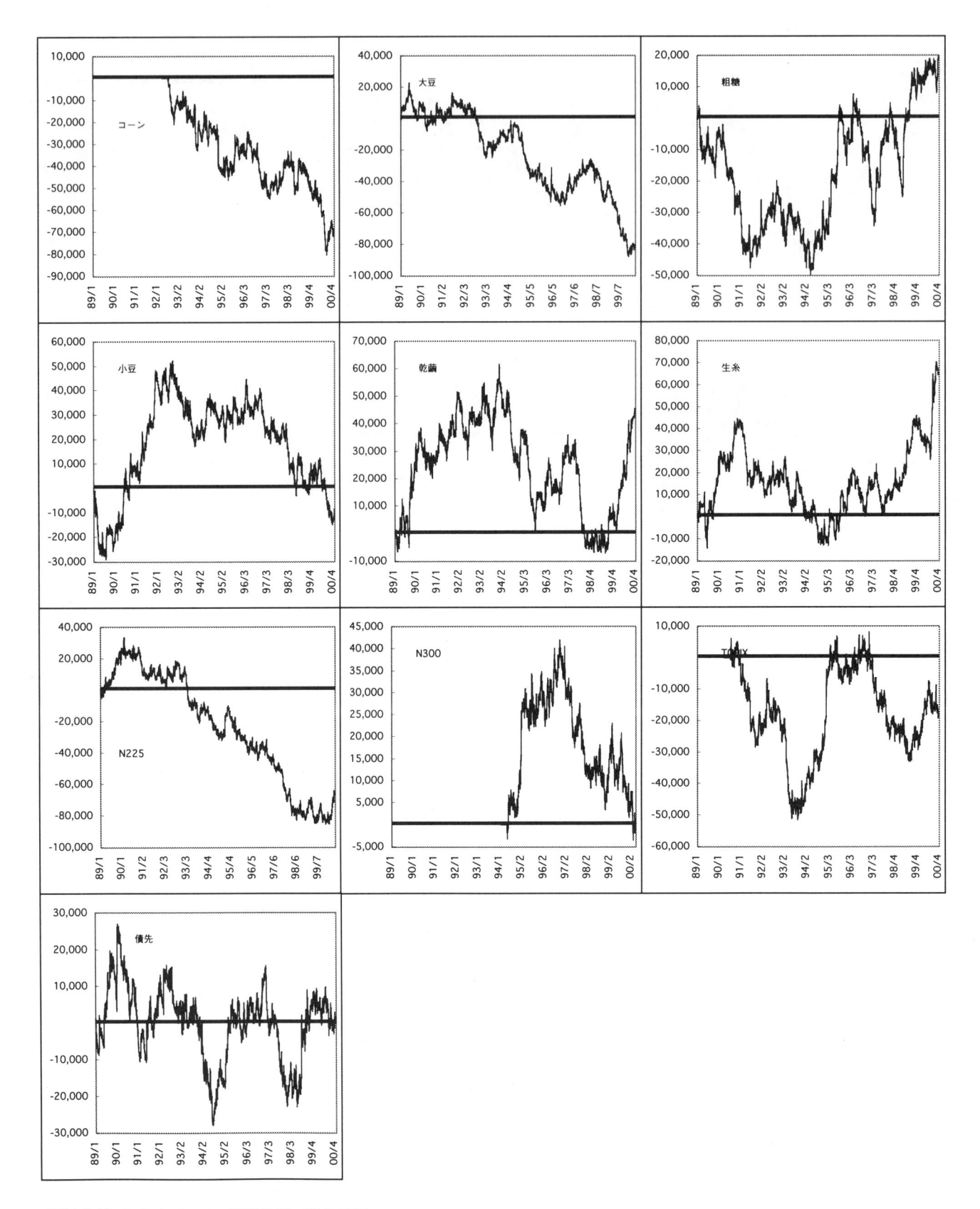

損益曲線: とうもろこし-債券先物 (単位千円)
システム名:アルファ=0.03による尖度
建玉枚数: 可変

Copyright (c) 2000 Pan Rolling, Inc.

## 付録2　日本市場における検証結果

**年次成績分析**

|  | 純益 | Kレシオ | シャープレシオ |
|---|---|---|---|
| 1989 | 126,599,850 | 1.70 | 0.40 |
| 1990 | -8,020,900 | -0.34 | -0.03 |
| 1991 | 38,274,500 | 0.97 | 0.10 |
| 1992 | -123,904,800 | -1.76 | -0.43 |
| 1993 | 21,172,650 | 0.38 | 0.08 |
| 1994 | -97,157,550 | -2.98 | -0.55 |
| 1995 | 144,353,100 | 1.15 | 0.47 |
| 1996 | -41,935,200 | -1.61 | -0.16 |
| 1997 | -47,424,650 | -0.07 | -0.13 |
| 1998 | -82,315,000 | -1.21 | -0.26 |
| 1999 | -62,337,750 | -1.13 | -0.15 |
| 2000 | 124,818,650 | 2.06 | 1.39 |

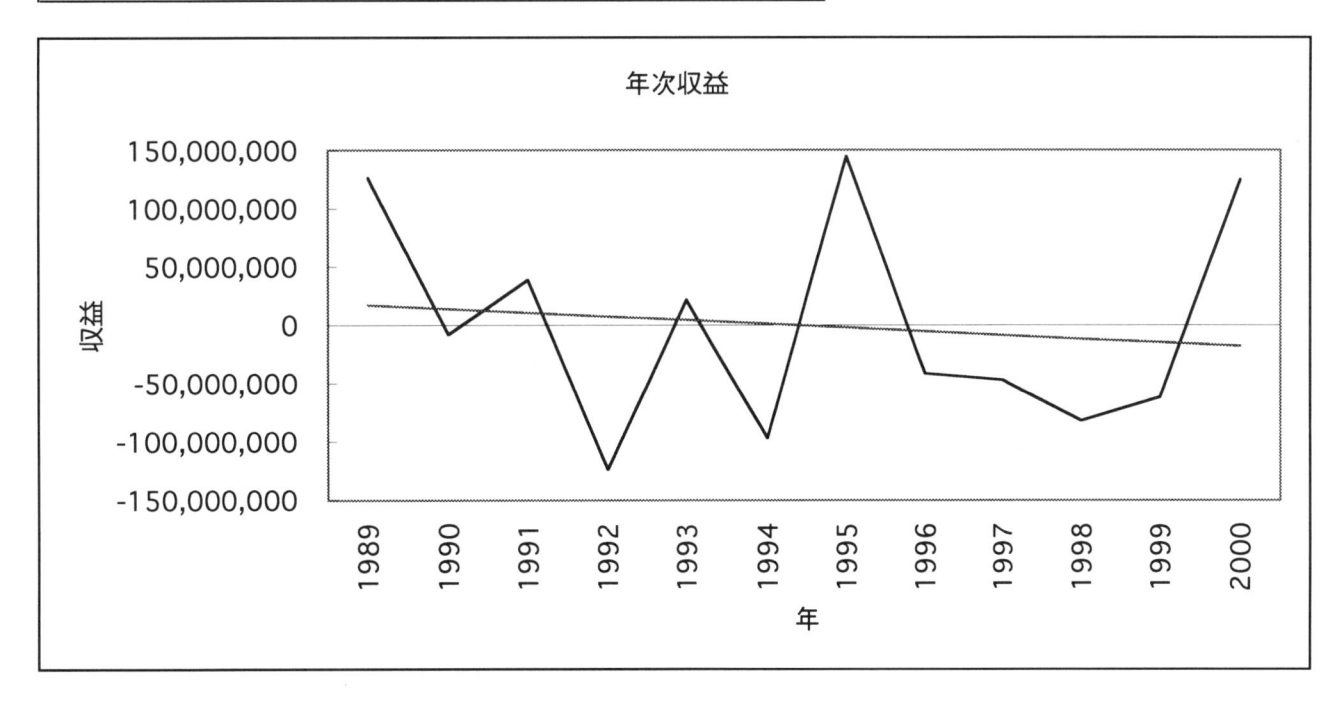

**収益性ウインドウ**

| 期間(月) | ウインドウ数 | 利益ウインドウ数 | 利益ウインドウ率 |
|---|---|---|---|
| 1 | 136 | 63 | 0.46 |
| 3 | 134 | 61 | 0.46 |
| 6 | 131 | 64 | 0.49 |
| 12 | 125 | 50 | 0.40 |
| 18 | 119 | 44 | 0.37 |
| 24 | 113 | 44 | 0.39 |

APPENDIX 2

トレーディング・システム評価
システム名:アルファ=0.1による尖度
検証期間: 1989/1/4 - 2000/4/28

| 市場 | 純益 | Kレシオ | シャープレシオ | 最大ドローダウン | トレード数 | 勝率 | 平均建玉数 | 平均利益 | 勝トレードの平均利益 | 敗トレードの平均損失 | 勝トレードの平均日数 | 敗トレードの平均日数 |
|---|---|---|---|---|---|---|---|---|---|---|---|---|
| 金 | 60,275,000 | 0.74 | 0.09 | -54,689,000 | 811 | 42% | 95 | 74,321 | 1,760,615 | -1,202,884 | 4 | 3 |
| 銀 | 26,142,600 | 0.60 | 0.04 | -54,544,200 | 838 | 43% | 72 | 31,196 | 1,523,608 | -1,106,379 | 4 | 3 |
| 白金 | -29,474,000 | -0.49 | -0.04 | -93,895,500 | 870 | 39% | 153 | -33,878 | 1,579,240 | -1,115,903 | 4 | 3 |
| パラ | 55,852,500 | 0.37 | 0.09 | -46,126,500 | 557 | 38% | 124 | 100,273 | 2,046,864 | -1,218,205 | 5 | 3 |
| アルミ | -20,873,000 | -1.07 | -0.12 | -51,801,000 | 204 | 45% | 57 | -102,318 | 1,473,615 | -1,421,761 | 4 | 3 |
| ゴム | 26,881,500 | 0.31 | 0.04 | -51,828,000 | 774 | 40% | 136 | 34,730 | 1,846,311 | -1,199,857 | 5 | 3 |
| ゴム指 | 4,786,800 | -0.20 | 0.01 | -33,666,600 | 309 | 39% | 38 | 15,491 | 2,177,273 | -1,345,549 | 6 | 3 |
| ガス | 1,020,000 | 0.66 | 0.02 | -14,203,000 | 42 | 43% | 31 | 24,285 | 1,655,666 | -1,199,250 | 6 | 3 |
| 灯油 | 9,349,000 | 1.73 | 0.24 | -9,696,000 | 52 | 50% | 32 | 179,788 | 1,434,192 | -1,117,600 | 4 | 3 |
| コーン | -50,714,000 | -1.33 | -0.11 | -63,458,000 | 546 | 40% | 64 | -92,882 | 1,658,940 | -1,271,529 | 5 | 3 |
| 大豆 | -85,054,800 | -2.07 | -0.15 | -107,124,000 | 830 | 38% | 87 | -102,475 | 1,538,901 | -1,219,463 | 4 | 3 |
| 粗糖 | 34,279,500 | 0.70 | 0.05 | -62,345,000 | 775 | 41% | 63 | 44,231 | 1,762,205 | -1,291,176 | 5 | 3 |
| ロブス | -28,235,000 | -0.84 | -0.28 | -37,984,500 | 135 | 36% | 64 | -209,148 | 1,434,812 | -1,142,423 | 4 | 3 |
| アラビ | -30,025,000 | -0.79 | -0.29 | -49,346,500 | 125 | 41% | 56 | -240,200 | 1,357,009 | -1,340,979 | 4 | 3 |
| 小豆 | -82,838,400 | -1.44 | -0.11 | -119,755,200 | 792 | 36% | 83 | -104,593 | 2,008,651 | -1,336,001 | 5 | 3 |
| 乾繭 | 47,935,800 | -0.27 | 0.07 | -68,531,400 | 745 | 40% | 74 | 64,343 | 2,040,926 | -1,288,452 | 5 | 3 |
| 生糸 | 11,532,600 | -1.09 | 0.02 | -102,645,300 | 735 | 38% | 82 | 15,690 | 2,138,706 | -1,312,792 | 5 | 3 |
| 日経225 | -108,800,000 | -4.43 | -0.17 | -154,010,000 | 822 | 37% | 4 | -132,360 | 1,668,668 | -1,228,303 | 5 | 3 |
| 日経300 | -25,281,000 | -1.34 | -0.08 | -57,605,000 | 454 | 41% | 32 | -55,685 | 1,455,724 | -1,103,333 | 5 | 2 |
| TOPIX | -69,565,000 | -1.18 | -0.14 | -71,440,000 | 706 | 40% | 6 | -98,533 | 1,504,035 | -1,193,905 | 5 | 3 |
| 債券先 | 4,490,000 | 0.38 | 0.01 | -60,720,000 | 790 | 39% | 3 | 5,683 | 1,930,873 | -1,246,631 | 5 | 3 |
| 平均 | -11,824,519 | -0.53 | -0.04 | -65,019,748 | 567 | 40% | 65 | -27,716 | 1,714,135 | -1,233,446 | 5 | 3 |

**ポートフォリオ統計**

| | |
|---|---:|
| 純益: | -248,314,900 |
| ドローダウン: | -556,410,650 |
| Kレシオ: | -1.52 |
| シャープ・レシオ: | -0.07 |
| ブレイクアウトとの相関係数: | 0.08 |
| 移動平均との相関係数: | 0.02 |

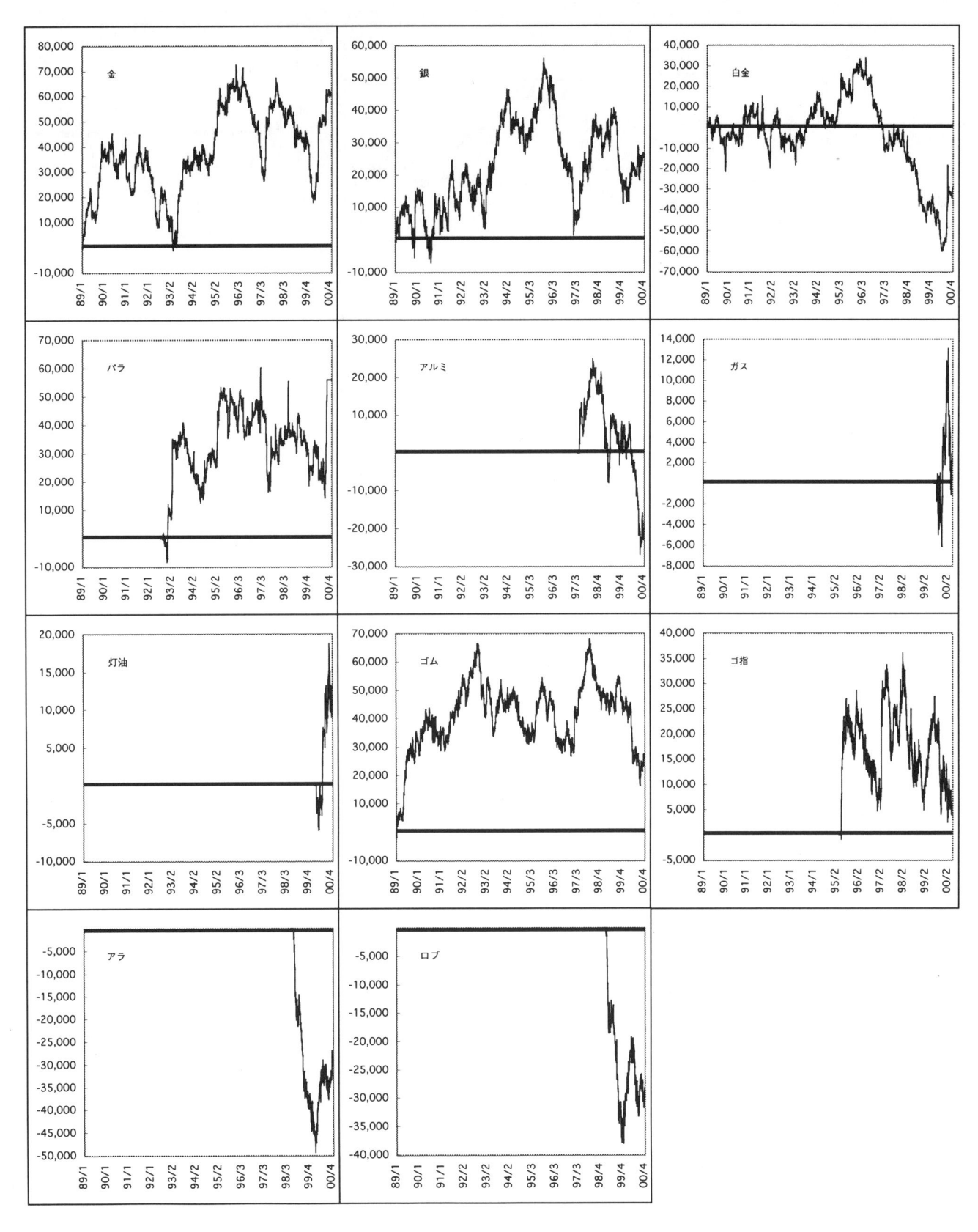

# 付録2　日本市場における検証結果

損益曲線: 金-ロブスタコーヒー(千円単位)
システム名:アルファ=0.1による尖度
建玉枚数: 可変
Copyright (c) 2000 Pan Rolling, Inc.

## APPENDIX 2

損益曲線: とうもろこし-債券先物 (単位千円)
システム名: アルファ=0.1による尖度
建玉枚数: 可変
Copyright (c) 2000 Pan Rolling, Inc.

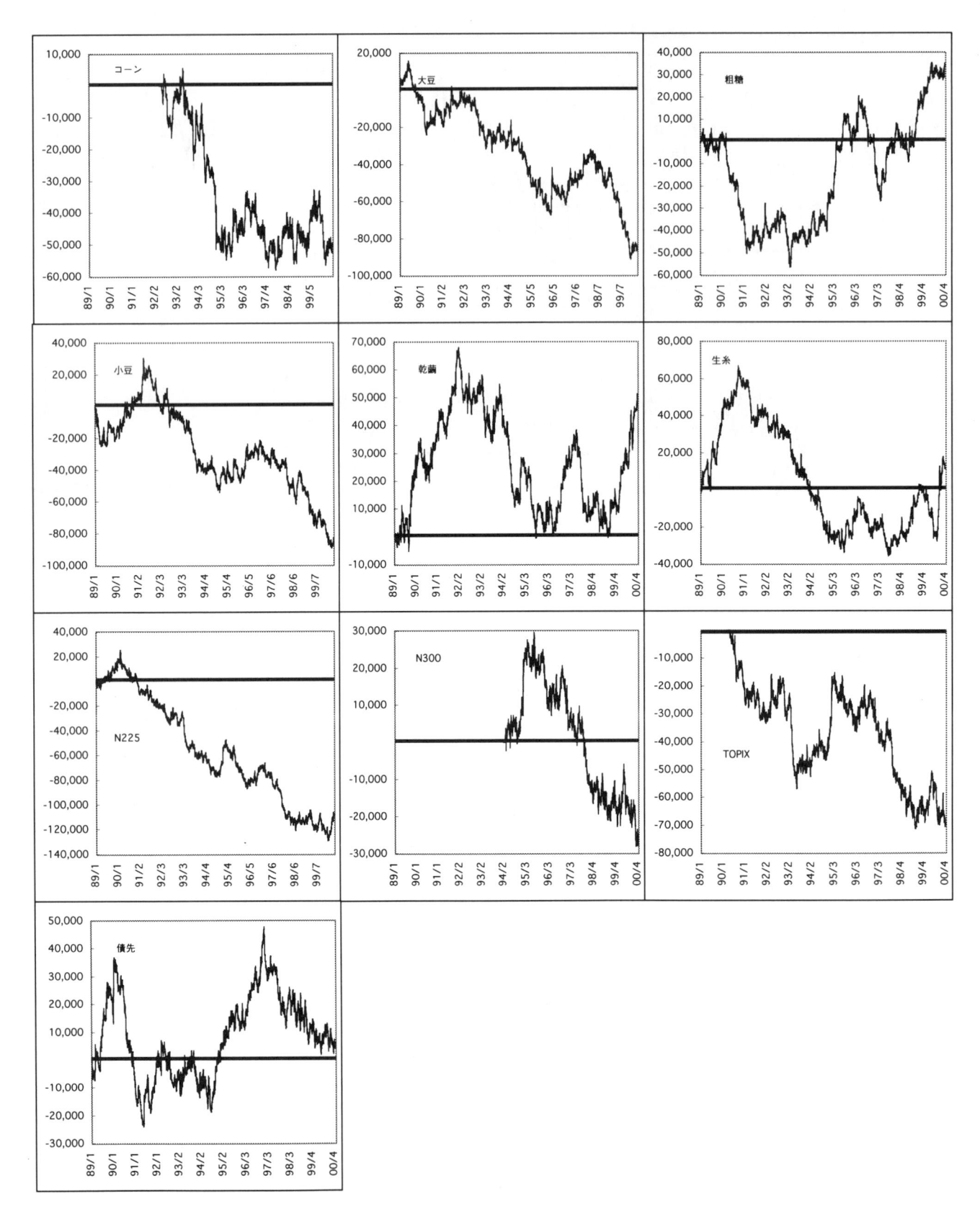

## 付録2　日本市場における検証結果

**年次成績分析**

|      | 純益          | Kレシオ | シャープレシオ |
|------|--------------|--------|----------------|
| 1989 | 159,215,100  | 3.22   | 0.58           |
| 1990 | -38,637,450  | -1.10  | -0.16          |
| 1991 | -7,709,100   | 0.25   | -0.02          |
| 1992 | -111,952,050 | -2.00  | -0.39          |
| 1993 | -39,372,000  | -0.38  | -0.18          |
| 1994 | -67,876,000  | -2.42  | -0.25          |
| 1995 | 116,397,800  | 0.97   | 0.34           |
| 1996 | -16,655,600  | -0.81  | -0.09          |
| 1997 | -51,119,950  | 0.03   | -0.13          |
| 1998 | -190,613,250 | -3.59  | -0.73          |
| 1999 | -101,002,250 | -1.35  | -0.25          |
| 2000 | 101,009,850  | 1.91   | 1.23           |

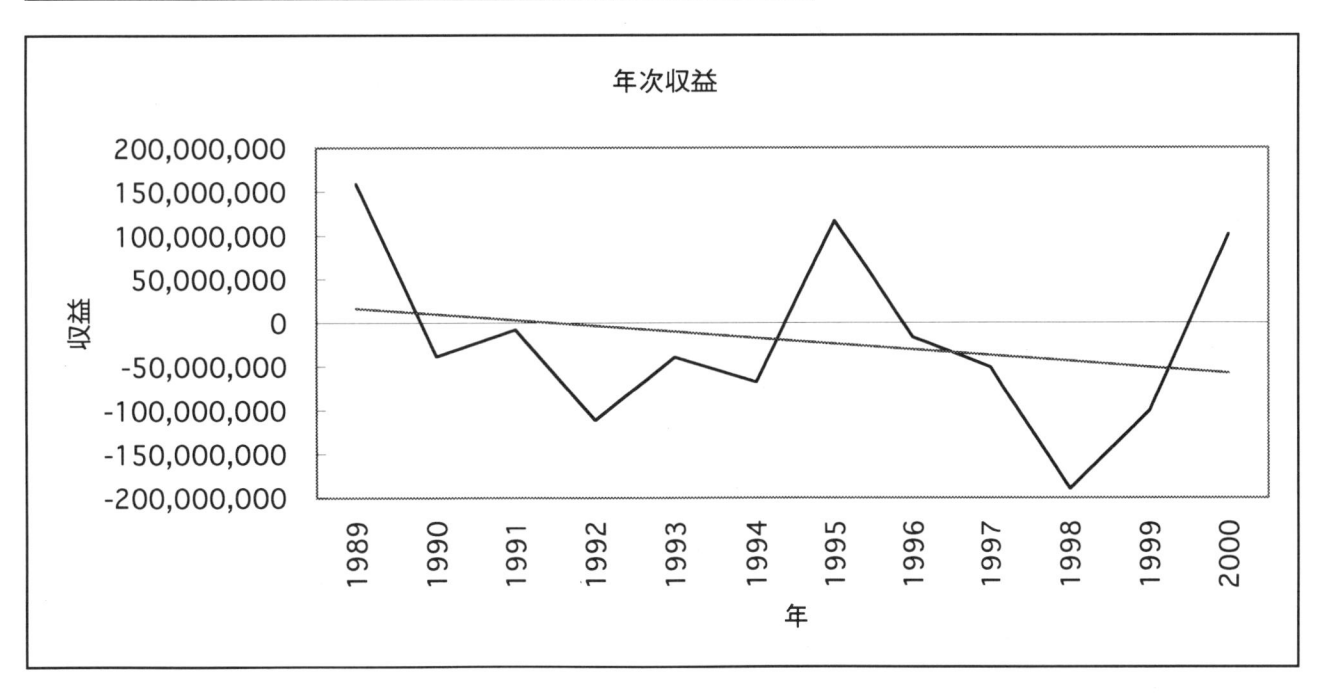

年次収益

**収益性ウインドウ**

| 期間(月) | ウインドウ数 | 利益ウインドウ数 | 利益ウインドウ率 |
|----------|--------------|------------------|------------------|
| 1        | 136          | 63               | 0.46             |
| 3        | 134          | 52               | 0.39             |
| 6        | 131          | 40               | 0.31             |
| 12       | 125          | 34               | 0.27             |
| 18       | 119          | 29               | 0.24             |
| 24       | 113          | 29               | 0.26             |

APPENDIX 2

トレーディング・システム評価
システム名: FSRS
検証期間: 1989/1/4 - 2000/4/28

| 市場 | 純益 | Kレシオ | シャープレシオ | 最大ドローダウン | トレード数 | 勝率 | 平均建玉数 | 平均利益 | 勝トレードの平均利益 | 敗トレードの平均損失 | 勝トレードの平均日数 | 敗トレードの平均日数 |
|---|---|---|---|---|---|---|---|---|---|---|---|---|
| 金 | 32,010,000 | 0.04 | 0.05 | -79,866,000 | 539 | 44% | 94 | 59,387 | 2,157,781 | -1,660,489 | 6 | 4 |
| 銀 | 32,511,600 | 0.86 | 0.05 | -34,163,400 | 556 | 46% | 71 | 58,474 | 1,893,431 | -1,513,649 | 6 | 4 |
| 白金 | -118,708,500 | -2.72 | -0.16 | -147,687,000 | 604 | 40% | 153 | -196,537 | 1,859,857 | -1,597,735 | 6 | 4 |
| パラ | 62,770,500 | 0.14 | 0.10 | -52,699,500 | 379 | 44% | 123 | 165,621 | 2,282,527 | -1,634,617 | 6 | 4 |
| アルミ | 13,013,000 | 0.63 | 0.07 | -29,225,000 | 125 | 46% | 57 | 104,104 | 1,935,758 | -1,550,953 | 6 | 4 |
| ゴム | 15,579,000 | 0.55 | 0.02 | -41,155,500 | 542 | 43% | 137 | 28,743 | 2,144,721 | -1,622,692 | 6 | 4 |
| ゴム指 | 1,852,400 | 0.76 | 0.01 | -48,506,000 | 242 | 40% | 39 | 7,654 | 2,380,921 | -1,590,951 | 6 | 4 |
| ガス | 9,110,000 | 1.87 | 0.15 | -9,976,000 | 21 | 38% | 31 | 433,809 | 3,091,125 | -1,201,461 | 8 | 5 |
| 灯油 | 32,099,000 | 3.01 | 0.60 | -6,426,000 | 22 | 59% | 35 | 1,459,045 | 3,105,538 | -919,222 | 7 | 4 |
| コーン | -67,328,000 | -1.23 | -0.15 | -72,276,000 | 380 | 41% | 64 | -177,178 | 1,971,610 | -1,663,479 | 6 | 4 |
| 大豆 | -35,077,800 | -0.88 | -0.06 | -69,491,100 | 564 | 41% | 87 | -62,194 | 1,849,271 | -1,510,651 | 6 | 4 |
| 粗糖 | -2,316,500 | 0.09 | 0.00 | -52,769,500 | 551 | 42% | 64 | -4,204 | 2,097,458 | -1,626,617 | 6 | 4 |
| ロブス | -37,034,500 | -2.15 | -0.38 | -42,011,000 | 83 | 36% | 61 | -446,198 | 1,674,516 | -1,646,603 | 6 | 4 |
| アラビ | 688,000 | -0.31 | 0.01 | -21,290,500 | 74 | 43% | 52 | 9,297 | 1,898,531 | -1,430,119 | 6 | 5 |
| 小豆 | -11,772,800 | 0.26 | -0.02 | -61,511,200 | 550 | 42% | 84 | -21,405 | 2,312,472 | -1,785,884 | 6 | 4 |
| 乾繭 | 22,021,800 | -0.11 | 0.03 | -82,599,000 | 533 | 44% | 74 | 41,316 | 2,321,639 | -1,727,754 | 6 | 4 |
| 生糸 | 50,780,850 | -0.21 | 0.07 | -55,812,900 | 533 | 44% | 81 | 95,273 | 2,361,463 | -1,730,904 | 7 | 4 |
| 日経225 | -91,690,000 | -2.42 | -0.13 | -136,060,000 | 558 | 42% | 4 | -164,318 | 2,000,000 | -1,721,265 | 6 | 4 |
| 日経300 | -70,263,000 | -3.69 | -0.22 | -92,264,000 | 312 | 39% | 32 | -225,201 | 1,769,626 | -1,531,526 | 6 | 4 |
| TOPIX | -33,205,000 | -0.45 | -0.06 | -56,840,000 | 483 | 45% | 6 | -68,747 | 1,797,314 | -1,602,376 | 6 | 4 |
| 債券先 | -22,210,000 | -1.03 | -0.03 | -89,900,000 | 561 | 40% | 3 | -39,590 | 2,274,977 | -1,642,164 | 6 | 4 |
| 平均 | -10,341,426 | -0.33 | 0.00 | -61,072,838 | 391 | 43% | 64 | 50,341 | 2,151,454 | -1,567,196 | 6 | 4 |

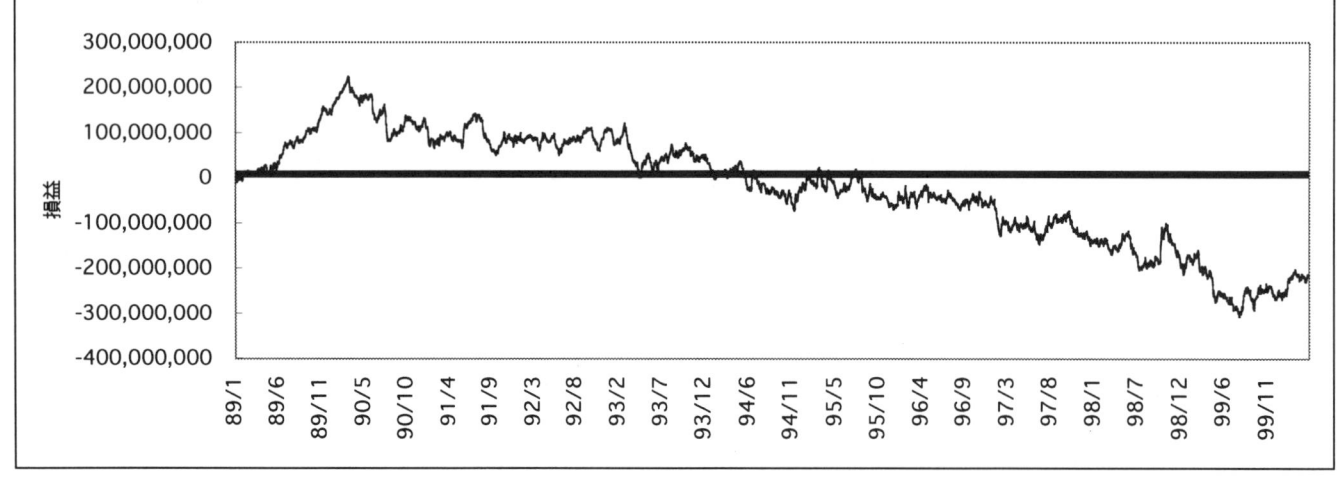

**ポートフォリオ統計**

| | |
|---|---|
| 純益: | -217,169,950 |
| ドローダウン: | -532,747,600 |
| Kレシオ: | -2.27 |
| シャープ・レシオ: | -0.06 |
| ブレイクアウトとの相関係数: | -0.04 |
| 移動平均との相関係数: | -0.12 |

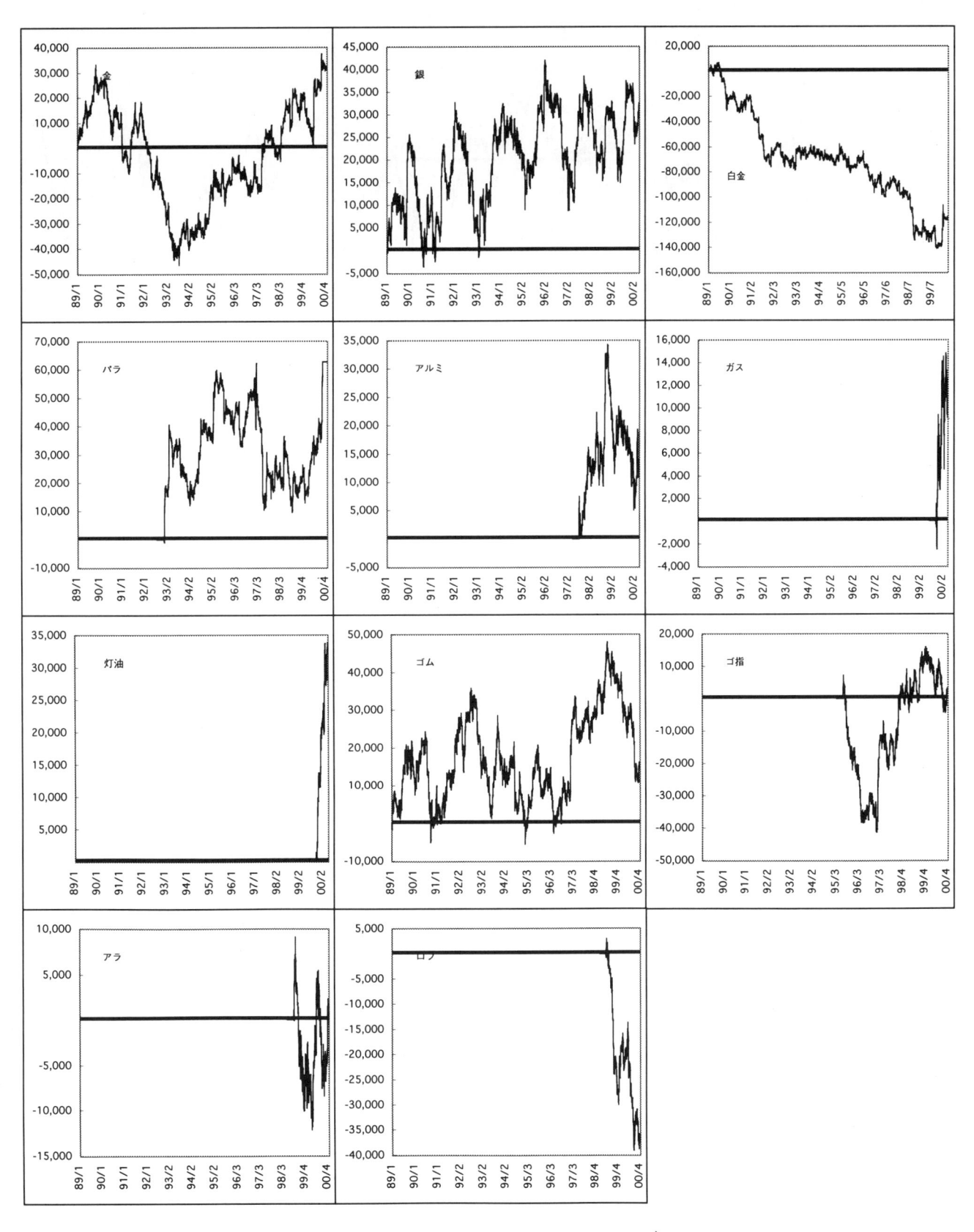

## 付録2　日本市場における検証結果

損益曲線: 金-ロブスタコーヒー(千円単位)
システム名: FSRS
建玉枚数: 可変
Copyright (c) 2000 Pan Rolling, Inc.

APPENDIX 2

損益曲線: とうもろこし-債券先物 (単位千円)
システム名: FSRS
建玉枚数: 可変
Copyright (c) 2000 Pan Rolling, Inc.

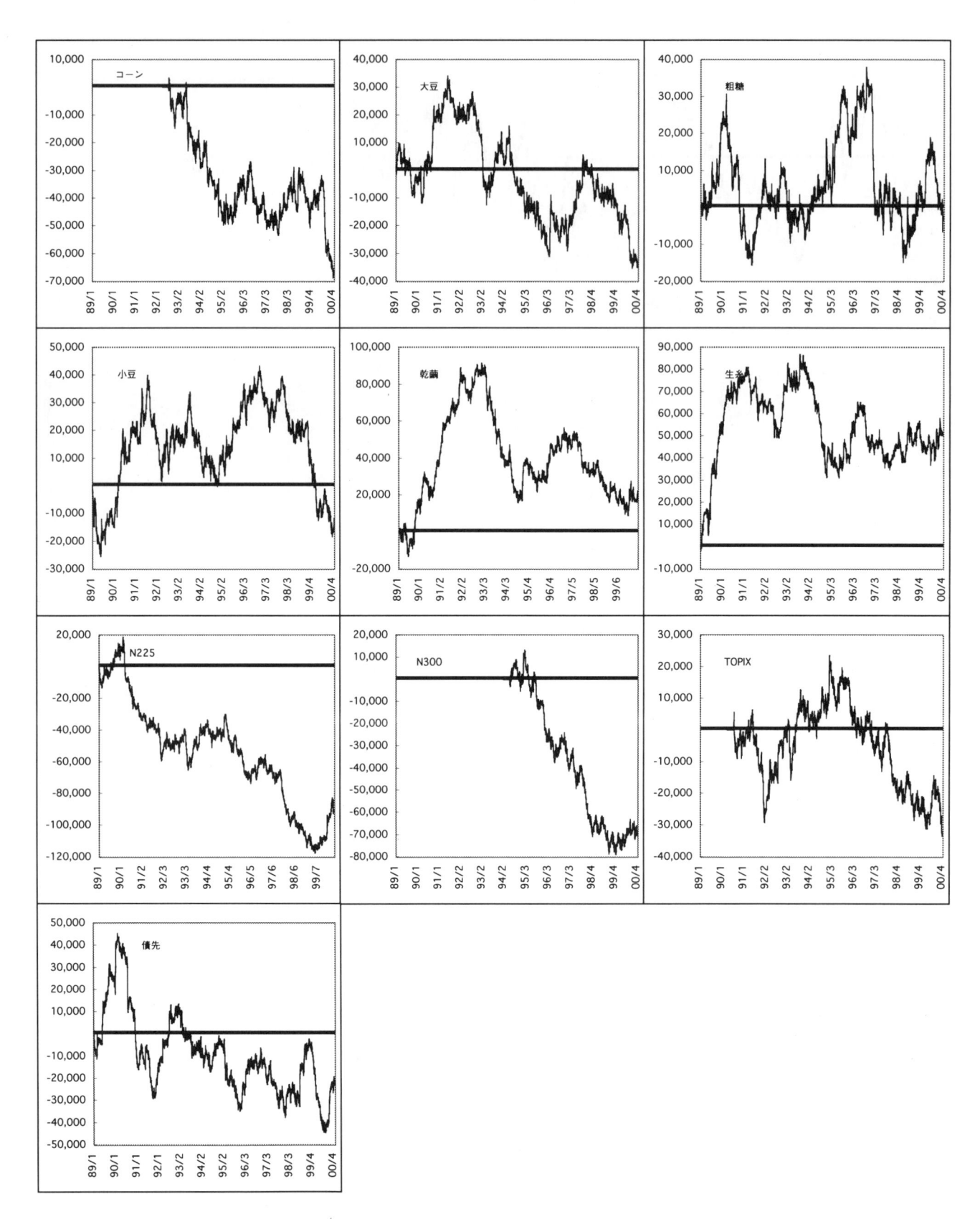

## 付録2　日本市場における検証結果

**年次成績分析**

|      | 純益 | Kレシオ | シャープレシオ |
|------|------|--------|----------------|
| 1989 | 147,544,650 | 3.92 | 0.76 |
| 1990 | -16,282,650 | -1.20 | -0.05 |
| 1991 | -46,130,650 | -0.10 | -0.13 |
| 1992 | 21,797,100 | 0.26 | 0.10 |
| 1993 | -61,833,500 | -0.32 | -0.21 |
| 1994 | -75,995,250 | -1.75 | -0.33 |
| 1995 | -29,751,400 | -0.94 | -0.12 |
| 1996 | 8,277,500 | -0.46 | 0.06 |
| 1997 | -64,762,750 | -0.23 | -0.19 |
| 1998 | -76,848,850 | -0.31 | -0.17 |
| 1999 | -68,361,500 | -0.91 | -0.17 |
| 2000 | 45,177,350 | 1.18 | 0.84 |

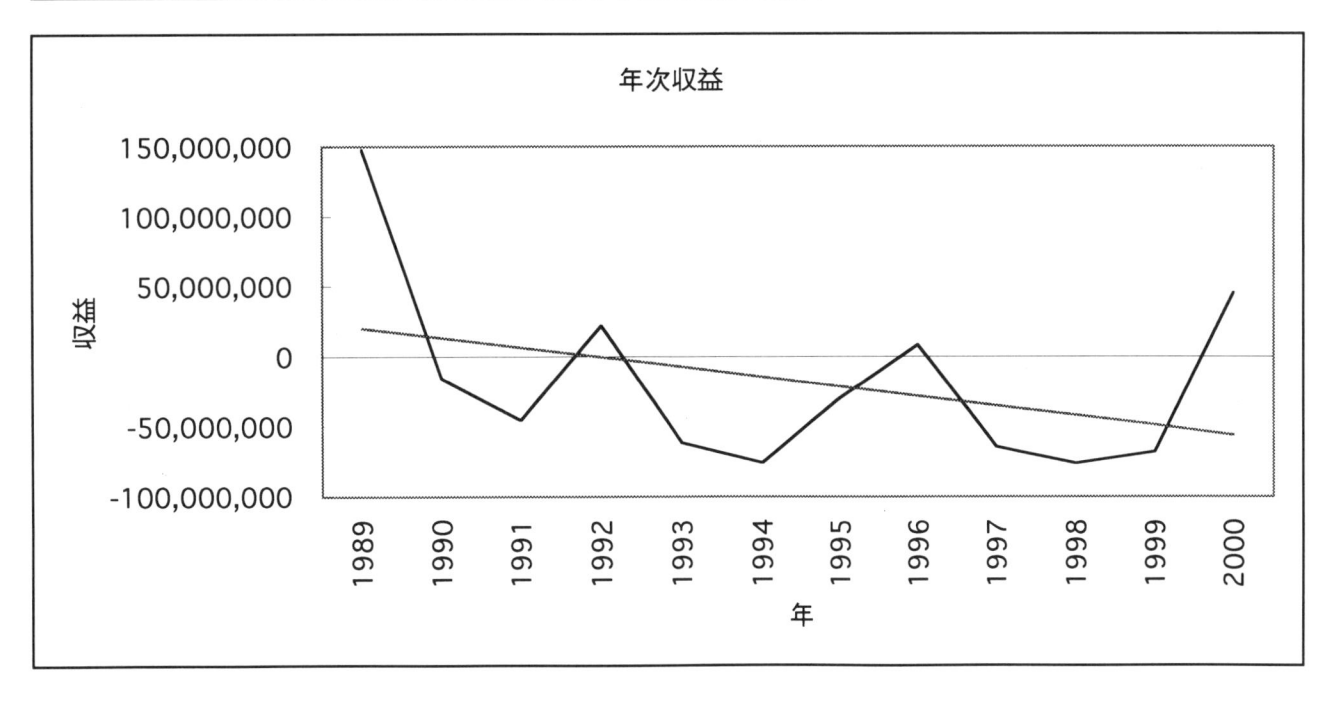

年次収益

**収益性ウインドウ**

| 期間(月) | ウインドウ数 | 利益ウインドウ数 | 利益ウインドウ率 |
|---------|------------|----------------|----------------|
| 1  | 136 | 69 | 0.51 |
| 3  | 134 | 62 | 0.46 |
| 6  | 131 | 56 | 0.43 |
| 12 | 125 | 23 | 0.18 |
| 18 | 119 | 16 | 0.13 |
| 24 | 113 | 10 | 0.09 |

年次成績分析

APPENDIX 2

トレーディング・システム評価
システム名: 1-2-3反転システム
検証期間: 1989/1/4 - 2000/4/28

| 市場 | 純益 | Kレシオ | シャープレシオ | 最大ドローダウン | トレード数 | 勝率 | 平均建玉数 | 平均利益 | 勝トレードの平均利益 | 敗トレードの平均損失 | 勝トレードの平均日数 | 敗トレードの平均日数 |
|---|---|---|---|---|---|---|---|---|---|---|---|---|
| 金 | -62,390,000 | -1.69 | -0.14 | -75,923,000 | 169 | 43% | 94 | -369,171 | 2,883,342 | -2,902,914 | 9 | 9 |
| 銀 | 90,116,400 | 4.36 | 0.22 | -13,401,600 | 151 | 60% | 69 | 596,797 | 2,752,226 | -2,626,400 | 11 | 9 |
| 白金 | -72,327,500 | -1.24 | -0.17 | -86,727,500 | 170 | 42% | 141 | -425,455 | 2,481,520 | -2,642,073 | 9 | 10 |
| パラ | -76,677,000 | -2.47 | -0.25 | -88,278,000 | 100 | 37% | 107 | -766,770 | 2,654,513 | -2,820,870 | 10 | 10 |
| アルミ | 3,628,000 | -0.05 | 0.04 | -21,386,000 | 45 | 56% | 56 | 80,622 | 2,133,040 | -2,615,684 | 11 | 6 |
| ゴム | -65,000,500 | -2.66 | -0.13 | -102,876,000 | 171 | 48% | 139 | -380,119 | 2,633,189 | -3,156,426 | 10 | 9 |
| ゴム指 | -18,867,200 | -0.85 | -0.08 | -37,652,000 | 95 | 46% | 36 | -198,602 | 2,896,768 | -2,926,500 | 6 | 7 |
| ガス | 22,058,000 | 3.48 | 0.57 | -5,340,000 | 12 | 75% | 31 | 1,838,166 | 3,157,888 | -2,121,000 | 9 | 8 |
| 灯油 | 1,486,000 | 0.51 | 0.06 | -4,172,000 | 9 | 33% | 31 | 165,111 | 3,287,666 | -1,396,166 | 3 | 8 |
| コーン | -73,191,000 | -3.42 | -0.21 | -74,265,000 | 122 | 43% | 61 | -599,926 | 2,496,461 | -2,942,130 | 10 | 8 |
| 大豆 | -41,720,400 | -0.71 | -0.10 | -86,188,200 | 136 | 46% | 90 | -306,767 | 3,050,917 | -3,162,702 | 12 | 10 |
| 粗糖 | -25,583,000 | -0.14 | -0.06 | -56,425,500 | 137 | 47% | 66 | -186,737 | 2,984,092 | -3,136,414 | 9 | 11 |
| ロブス | -15,430,500 | -2.36 | -0.23 | -22,101,500 | 23 | 35% | 63 | -670,891 | 3,206,000 | -2,738,566 | 9 | 9 |
| アラビ | -18,006,000 | -1.80 | -0.28 | -23,151,500 | 23 | 43% | 50 | -782,869 | 2,437,050 | -3,259,730 | 11 | 10 |
| 小豆 | -34,240,800 | -0.20 | -0.08 | -51,655,200 | 169 | 49% | 82 | -202,608 | 2,828,780 | -3,059,779 | 10 | 7 |
| 乾繭 | -59,761,800 | -0.49 | -0.12 | -87,965,100 | 192 | 45% | 69 | -311,259 | 2,803,586 | -2,919,940 | 8 | 8 |
| 生糸 | -84,451,650 | -2.62 | -0.18 | -127,891,200 | 207 | 47% | 80 | -407,978 | 2,592,737 | -3,054,065 | 8 | 8 |
| 日経225 | 7,490,000 | -0.71 | 0.02 | -46,170,000 | 188 | 53% | 4 | 39,840 | 2,586,400 | -2,853,977 | 9 | 6 |
| 日経300 | -10,062,000 | -0.75 | -0.05 | -37,961,000 | 96 | 53% | 32 | -104,812 | 2,312,000 | -2,843,866 | 10 | 8 |
| TOPIX | -8,200,000 | -0.58 | -0.02 | -34,710,000 | 147 | 48% | 6 | -55,782 | 2,693,591 | -2,659,266 | 8 | 8 |
| 債券先 | -126,100,000 | -4.84 | -0.25 | -148,690,000 | 195 | 39% | 3 | -646,666 | 2,690,389 | -2,824,237 | 7 | 7 |
| 平均 | -31,772,902 | -0.91 | -0.07 | -58,710,967 | 122 | 47% | 62 | -175,994 | 2,741,055 | -2,793,462 | 9 | 8 |

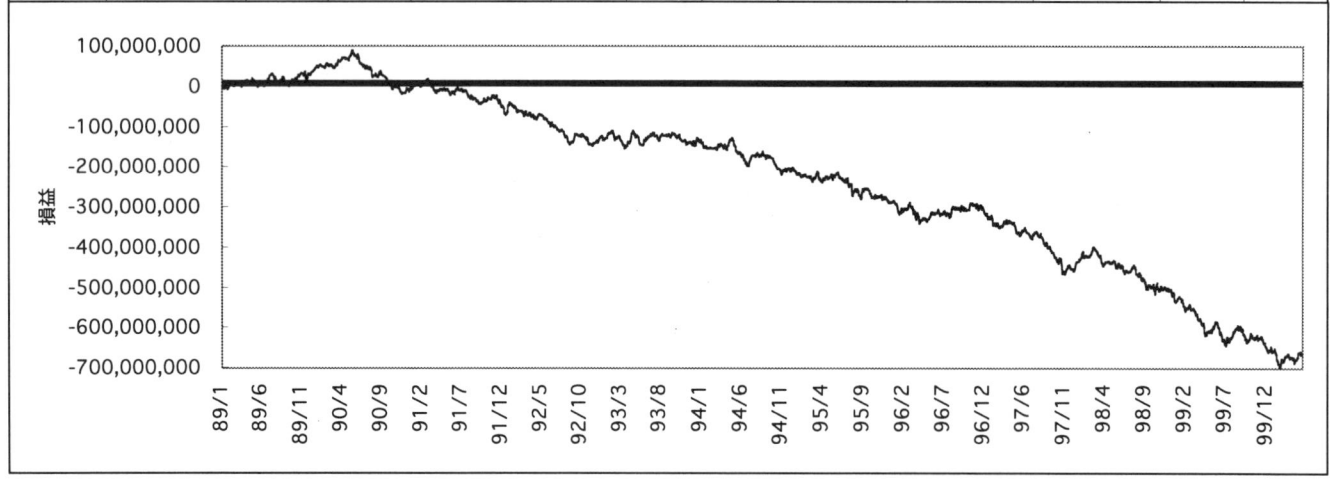

**ポートフォリオ統計**

| | |
|---|---|
| 純益: | -667,230,950 |
| ドローダウン: | -788,374,250 |
| Kレシオ: | -4.30 |
| シャープ・レシオ: | -0.32 |
| ブレイクアウトとの相関係数: | -0.48 |
| 移動平均との相関係数: | -0.43 |

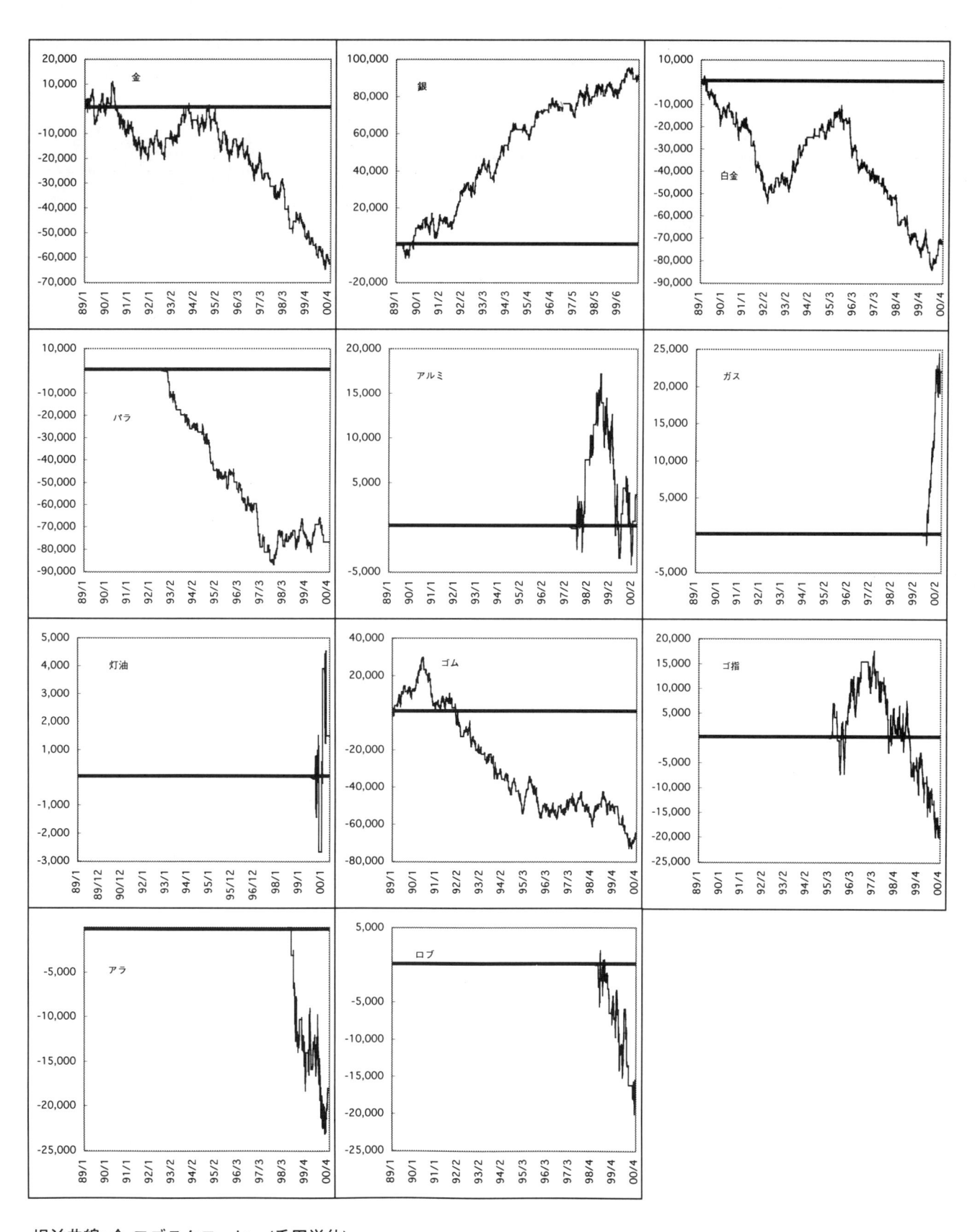

# 付録2　日本市場における検証結果

損益曲線: 金-ロブスタコーヒー(千円単位)
システム名: 1-2-3反転システム
建玉枚数: 可変
Copyright (c) 2000 Pan Rolling, Inc.

APPENDIX 2

損益曲線: とうもろこし-債券先物 (単位千円)
システム名: 1-2-3反転システム
建玉枚数: 可変
Copyright (c) 2000 Pan Rolling, Inc.

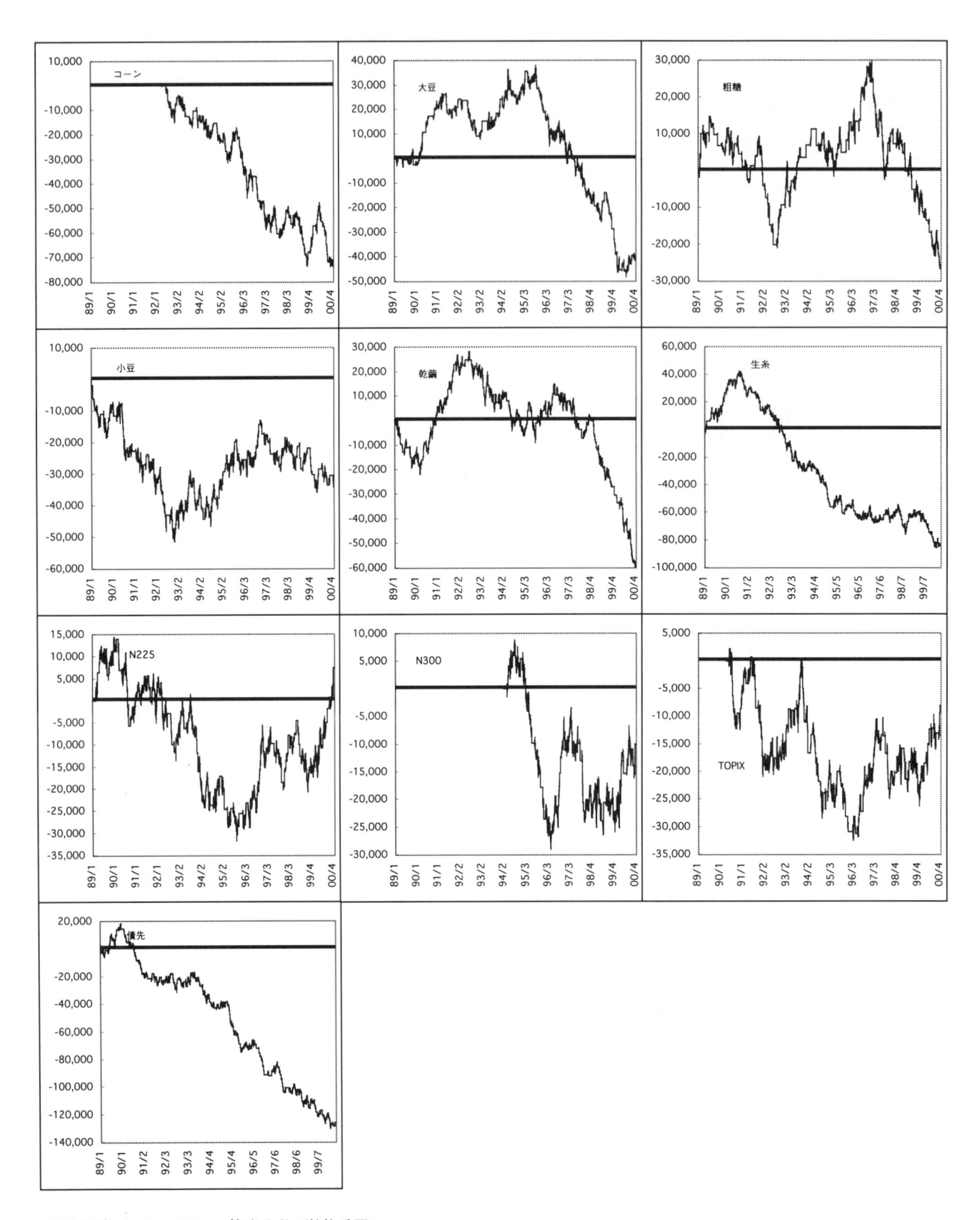

## 付録2　日本市場における検証結果

**年次成績分析**

|  | 純益 | Kレシオ | シャープレシオ |
|---|---|---|---|
| 1989 | 46,973,200 | 1.12 | 0.52 |
| 1990 | -53,644,150 | -1.37 | -0.33 |
| 1991 | -61,048,700 | -1.97 | -0.36 |
| 1992 | -59,610,400 | -3.30 | -0.30 |
| 1993 | -20,928,450 | -0.13 | -0.14 |
| 1994 | -62,141,300 | -1.69 | -0.38 |
| 1995 | -74,431,850 | -2.20 | -0.64 |
| 1996 | -23,978,700 | 0.07 | -0.13 |
| 1997 | -127,392,900 | -2.90 | -0.56 |
| 1998 | -80,883,500 | -3.15 | -0.39 |
| 1999 | -142,019,050 | -1.87 | -0.48 |
| 2000 | -8,125,150 | -0.17 | -0.12 |

**収益性ウインドウ**

| 期間(月) | ウインドウ数 | 利益ウインドウ数 | 利益ウインドウ率 |
|---|---|---|---|
| 1 | 136 | 57 | 0.42 |
| 3 | 134 | 38 | 0.28 |
| 6 | 131 | 23 | 0.18 |
| 12 | 125 | 13 | 0.10 |
| 18 | 119 | 4 | 0.03 |
| 24 | 113 | 2 | 0.02 |

APPENDIX 2

トレーディング・システム評価
システム名: ワンナイト・スタンド
検証期間: 1989/1/4 - 2000/4/28

| 市場 | 純益 | Kレシオ | シャープレシオ | 最大ドローダウン | トレード数 | 勝率 | 平均建玉数 | 平均利益 | 勝トレードの平均利益 | 敗トレードの平均損失 | 勝トレードの平均日数 | 敗トレードの平均日数 |
|---|---|---|---|---|---|---|---|---|---|---|---|---|
| 金 | 48,670,000 | 3.16 | 0.22 | -7,152,000 | 123 | 52% | 98 | 395,691 | 1,465,671 | -791,807 | 1 | 1 |
| 銀 | 37,390,200 | 4.15 | 0.29 | -7,834,200 | 119 | 56% | 76 | 314,203 | 987,349 | -653,686 | 1 | 1 |
| 白金 | 31,134,500 | 2.41 | 0.16 | -9,039,500 | 123 | 55% | 164 | 253,126 | 1,214,838 | -1,009,303 | 1 | 1 |
| パラ | 33,753,000 | 2.16 | 0.21 | -8,056,500 | 107 | 51% | 121 | 315,448 | 1,350,545 | -1,013,175 | 1 | 1 |
| アルミ | 4,605,000 | 1.12 | 0.12 | -8,320,000 | 34 | 47% | 53 | 135,441 | 1,169,375 | -881,562 | 1 | 1 |
| ゴム | 26,217,500 | 2.86 | 0.18 | -7,204,000 | 140 | 60% | 142 | 187,267 | 804,369 | -810,774 | 1 | 1 |
| ゴム指 | 22,035,600 | 2.72 | 0.29 | -4,182,000 | 67 | 58% | 40 | 328,889 | 1,089,692 | -757,866 | 1 | 1 |
| ガス | -1,204,000 | -0.41 | -0.13 | -3,456,000 | 7 | 43% | 31 | -172,000 | 866,666 | -951,000 | 1 | 1 |
| 灯油 | 1,753,000 | 0.26 | 0.17 | -2,368,000 | 10 | 70% | 33 | 175,300 | 957,714 | -1,650,333 | 1 | 1 |
| コーン | 23,726,000 | 3.08 | 0.17 | -7,188,000 | 95 | 49% | 69 | 249,747 | 1,092,574 | -642,441 | 1 | 1 |
| 大豆 | 40,282,500 | 4.97 | 0.24 | -7,179,000 | 131 | 54% | 92 | 307,500 | 1,110,849 | -803,912 | 1 | 1 |
| 粗糖 | 47,153,500 | 3.81 | 0.21 | -6,857,500 | 150 | 48% | 69 | 314,356 | 1,340,618 | -796,306 | 1 | 1 |
| ロブス | 11,058,000 | 2.16 | 0.50 | -2,154,000 | 26 | 62% | 66 | 425,307 | 951,000 | -415,800 | 1 | 1 |
| アラビ | 21,242,000 | 4.76 | 0.85 | -865,000 | 25 | 84% | 56 | 849,680 | 1,064,190 | -368,666 | 1 | 1 |
| 小豆 | 12,819,200 | 1.73 | 0.09 | -9,331,200 | 155 | 54% | 87 | 82,704 | 746,409 | -755,745 | 1 | 1 |
| 乾繭 | 21,631,800 | 1.12 | 0.13 | -16,059,300 | 147 | 50% | 72 | 147,155 | 987,119 | -764,059 | 1 | 1 |
| 生糸 | 37,286,700 | 2.56 | 0.23 | -6,913,800 | 146 | 57% | 79 | 255,388 | 1,001,557 | -727,659 | 1 | 1 |
| 日経225 | 1,730,000 | 0.15 | 0.01 | -10,260,000 | 145 | 48% | 4 | 11,931 | 800,144 | -753,239 | 1 | 1 |
| 日経300 | -1,216,000 | -0.53 | -0.02 | -5,977,000 | 88 | 43% | 32 | -13,818 | 776,894 | -640,375 | 1 | 1 |
| TOPIX | 4,000,000 | 0.13 | 0.03 | -9,225,000 | 135 | 48% | 6 | 29,629 | 905,230 | -818,507 | 1 | 1 |
| 債券先 | 43,930,000 | 2.93 | 0.31 | -6,840,000 | 162 | 56% | 3 | 271,172 | 921,428 | -595,820 | 1 | 1 |
| 平均 | 22,285,643 | 2.16 | 0.20 | -6,974,381 | 102 | 55% | 66 | 231,625 | 1,028,773 | -790,573 | 1 | 1 |

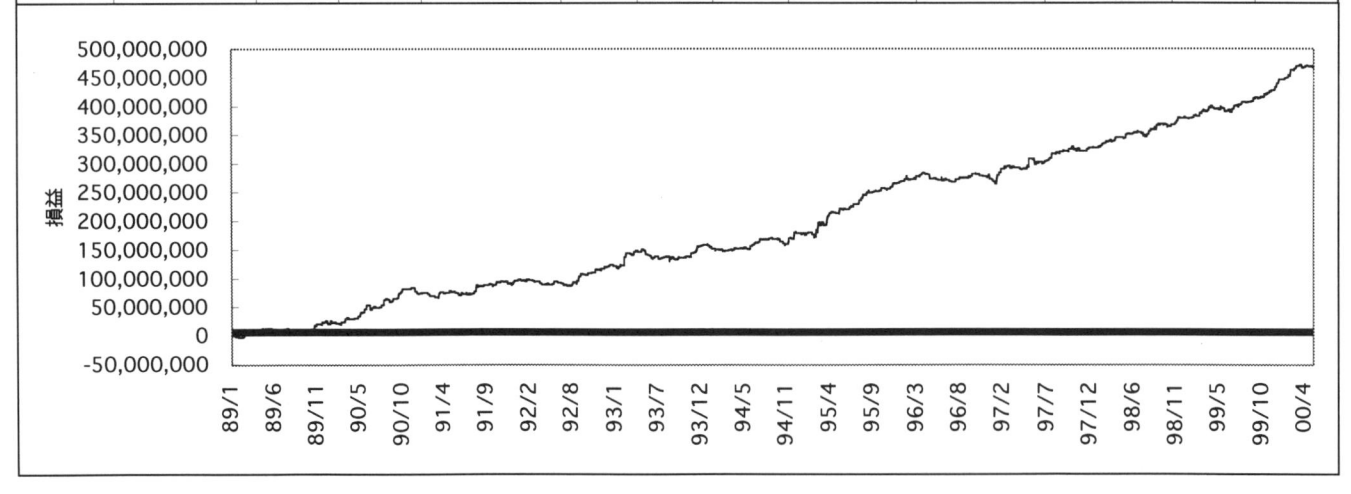

**ポートフォリオ統計**

| | |
|---|---|
| 純益: | 467,998,500 |
| ドローダウン: | -21,359,400 |
| Kレシオ: | 7.03 |
| シャープ・レシオ: | 0.51 |
| ブレイクアウトとの相関係数: | 0.35 |
| 移動平均との相関係数: | 0.35 |

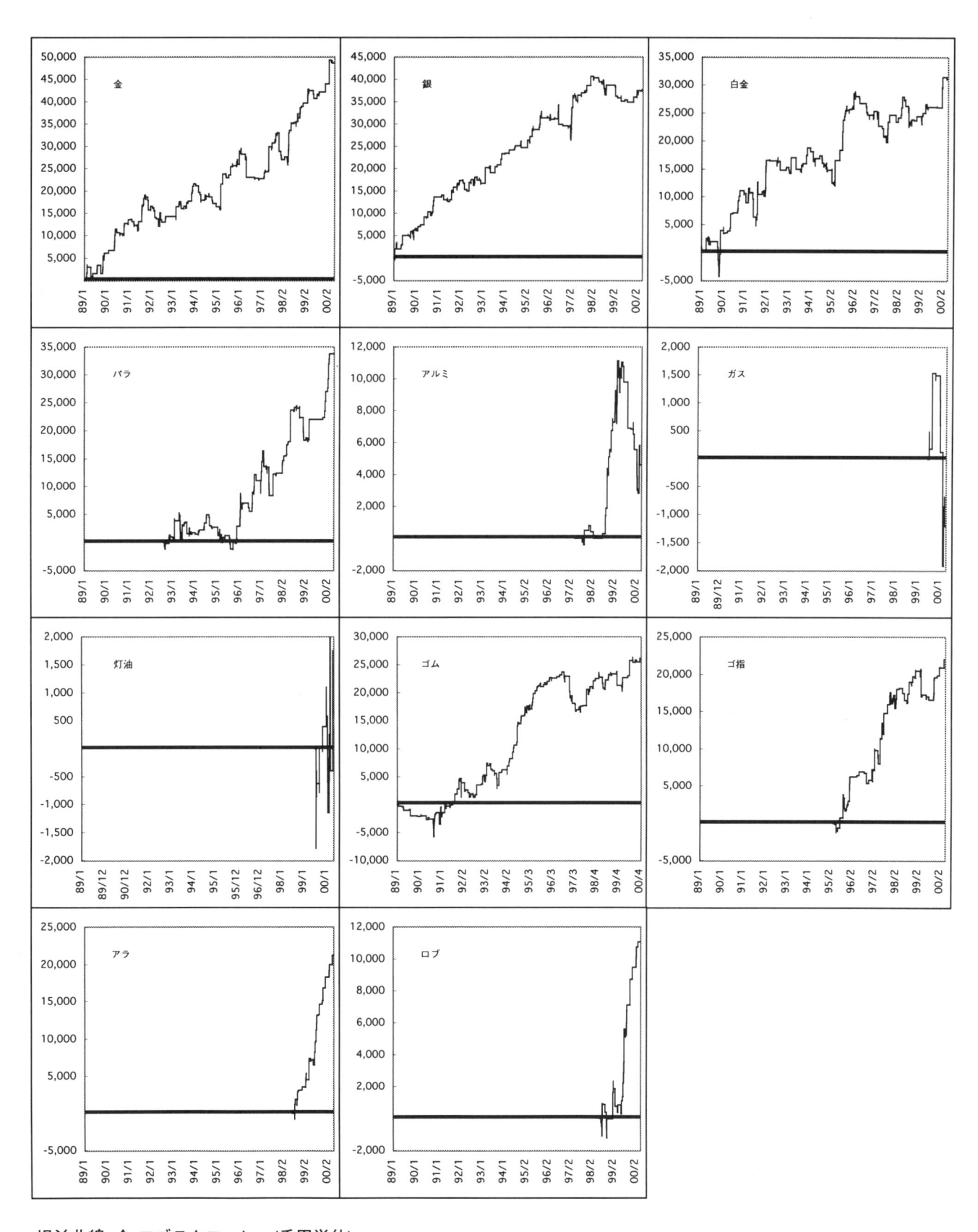

## 付録2　日本市場における検証結果

損益曲線: 金-ロブスタコーヒー(千円単位)
システム名: ワンナイト・スタンド
建玉枚数: 可変

Copyright (c) 2000 Pan Rolling, Inc.

# APPENDIX 2

損益曲線: とうもろこし-債券先物 (単位千円)
システム名: ワンナイト・スタンド
建玉枚数: 可変

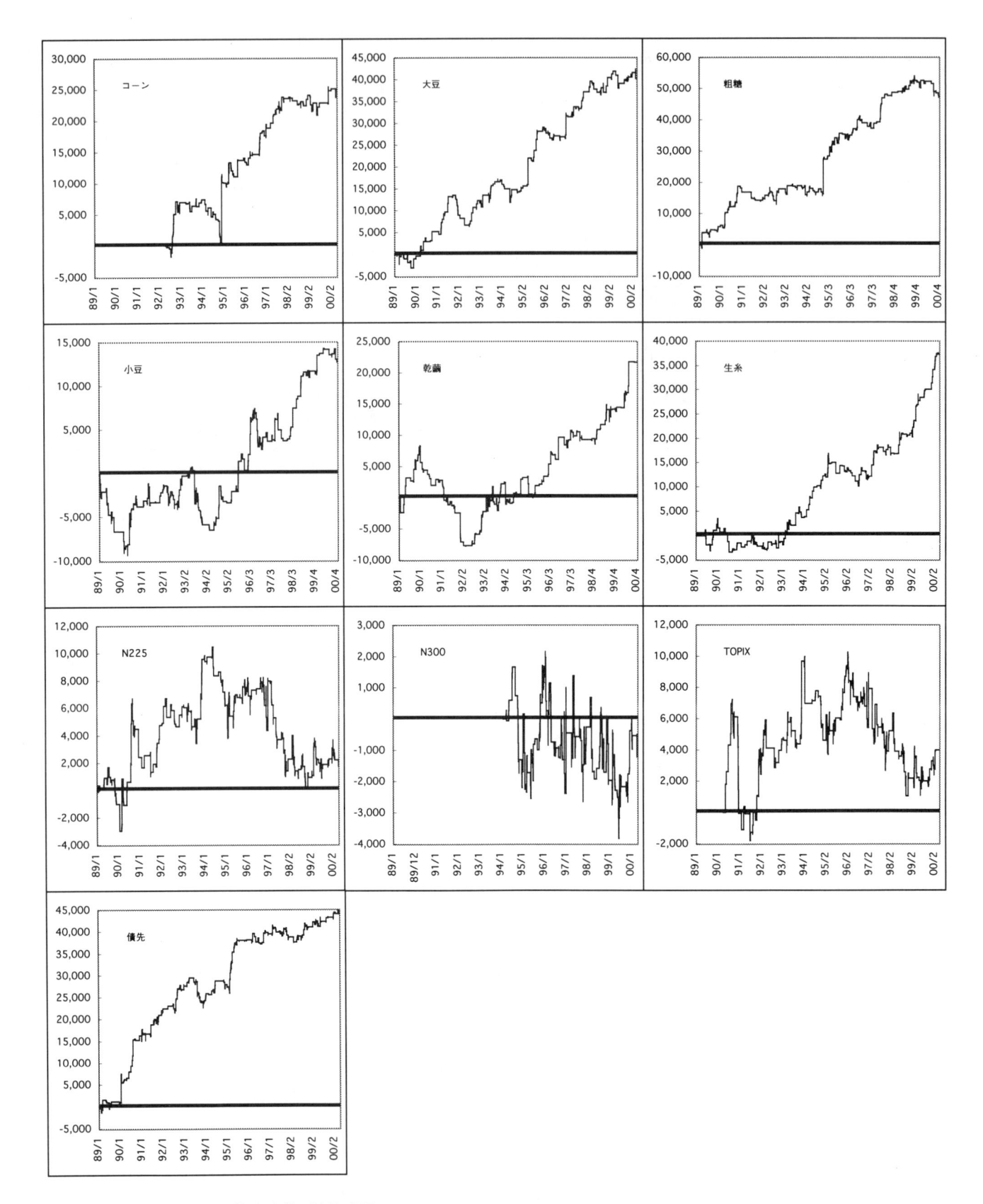

Copyright (c) 2000 Pan Rolling, Inc.

## 付録2　日本市場における検証結果

**年次成績分析**

|  | 純益 | Kレシオ | シャープレシオ |
|---:|---:|---:|---:|
| 1989 | 22,770,050 | 1.01 | 0.36 |
| 1990 | 51,561,250 | 4.09 | 0.67 |
| 1991 | 21,961,550 | 1.79 | 0.40 |
| 1992 | 27,454,650 | 1.03 | 0.38 |
| 1993 | 34,834,400 | 0.63 | 0.29 |
| 1994 | 17,920,850 | 1.57 | 0.25 |
| 1995 | 89,479,850 | 5.13 | 1.09 |
| 1996 | 1,740,650 | 0.23 | 0.02 |
| 1997 | 60,175,300 | 2.70 | 0.68 |
| 1998 | 51,473,800 | 4.30 | 0.65 |
| 1999 | 66,916,150 | 2.74 | 0.91 |
| 2000 | 21,710,000 | 1.68 | 0.65 |

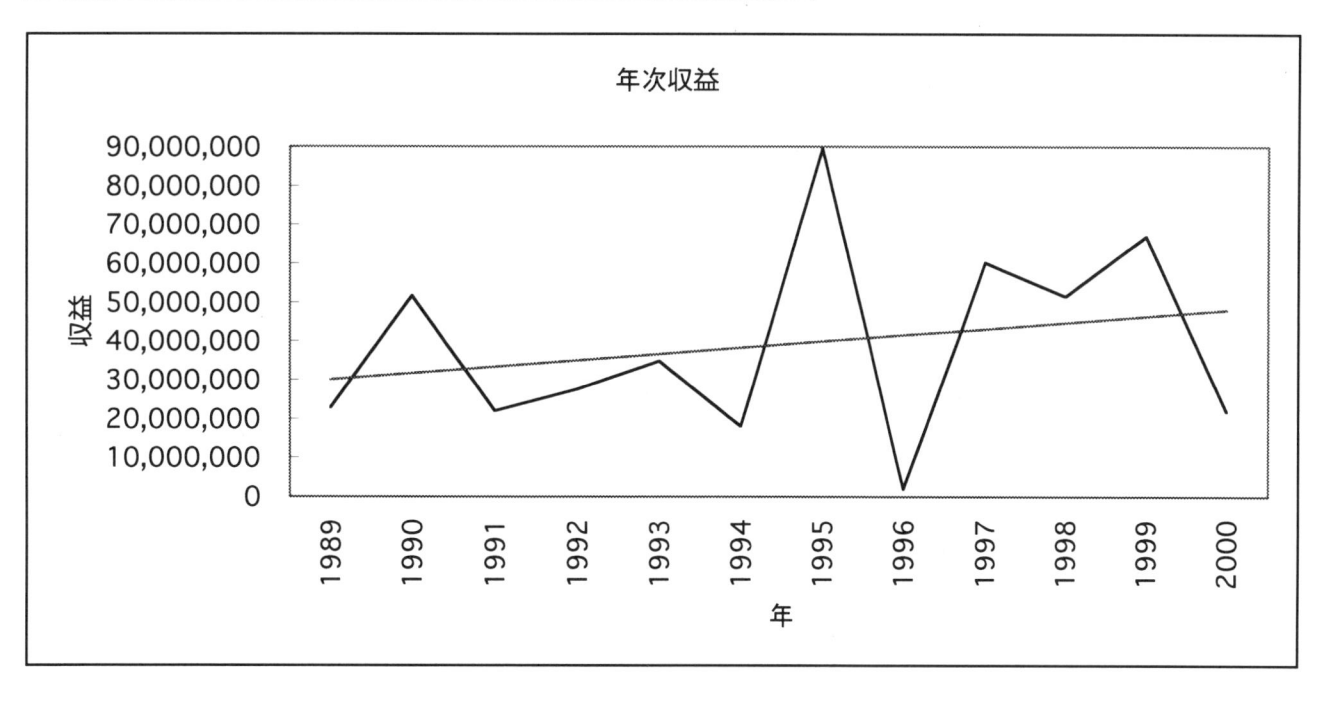

年次収益（1989年～2000年の折れ線グラフ）

**収益性ウインドウ**

| 期間(月) | ウインドウ数 | 利益ウインドウ数 | 利益ウインドウ率 |
|---:|---:|---:|---:|
| 1 | 136 | 92 | 0.68 |
| 3 | 134 | 106 | 0.79 |
| 6 | 131 | 117 | 0.89 |
| 12 | 125 | 125 | 1.00 |
| 18 | 119 | 119 | 1.00 |
| 24 | 113 | 113 | 1.00 |

APPENDIX 2

トレーディング・システム評価
システム名: ジョーズ・テキサス2ステップ(3日移動平均)
検証期間: 1989/1/4 - 2000/4/28

| 市場 | 純益 | Kレシオ | シャープレシオ | 最大ドローダウン | トレード数 | 勝率 | 平均建玉数 | 平均利益 | 勝トレードの平均利益 | 敗トレードの平均損失 | 勝トレードの平均日数 | 敗トレードの平均日数 |
|---|---|---|---|---|---|---|---|---|---|---|---|---|
| 金 | 59,524,000 | 0.67 | 0.09 | -66,209,000 | 1,047 | 41% | 95 | 56,851 | 1,585,339 | -1,039,420 | 4 | 2 |
| 銀 | 8,312,400 | 0.16 | 0.01 | -48,271,800 | 1,104 | 44% | 71 | 7,529 | 1,233,383 | -1,013,682 | 3 | 2 |
| 白金 | -213,093,000 | -2.35 | -0.30 | -234,065,000 | 1,108 | 37% | 148 | -192,322 | 1,258,806 | -1,093,506 | 3 | 2 |
| パラ | 37,644,000 | 0.57 | 0.06 | -53,781,000 | 708 | 36% | 120 | 53,169 | 1,831,340 | -1,047,834 | 4 | 2 |
| アルミ | -31,435,000 | -1.99 | -0.18 | -47,999,000 | 289 | 40% | 57 | -108,771 | 1,268,434 | -1,081,128 | 3 | 2 |
| ゴム | -26,811,500 | -1.33 | -0.05 | -65,599,500 | 1,019 | 39% | 138 | -26,311 | 1,570,791 | -1,085,452 | 4 | 2 |
| ゴム指 | 6,254,000 | 0.18 | 0.02 | -59,894,000 | 420 | 35% | 38 | 14,890 | 2,150,389 | -1,164,192 | 5 | 2 |
| ガス | 3,436,000 | 0.63 | 0.09 | -10,516,000 | 68 | 44% | 30 | 50,529 | 1,473,633 | -1,072,973 | 4 | 2 |
| 灯油 | 1,895,000 | 0.70 | 0.03 | -13,911,000 | 67 | 36% | 32 | 28,283 | 1,627,791 | -885,047 | 4 | 2 |
| コーン | -86,347,000 | -2.06 | -0.18 | -122,452,000 | 741 | 40% | 65 | -116,527 | 1,333,559 | -1,126,166 | 4 | 2 |
| 大豆 | -98,604,600 | -2.45 | -0.17 | -122,123,100 | 1,080 | 38% | 87 | -91,300 | 1,357,369 | -1,083,284 | 4 | 2 |
| 粗糖 | -86,961,000 | -2.49 | -0.13 | -118,600,500 | 1,077 | 39% | 63 | -80,743 | 1,457,436 | -1,164,177 | 3 | 2 |
| ロブス | -30,524,000 | -1.50 | -0.32 | -34,279,500 | 169 | 41% | 64 | -180,615 | 1,215,644 | -1,179,417 | 3 | 2 |
| アラビ | 5,269,500 | 0.73 | 0.04 | -20,344,000 | 161 | 43% | 55 | 32,729 | 1,485,702 | -1,105,045 | 4 | 2 |
| 小豆 | -126,328,000 | -1.71 | -0.19 | -147,688,000 | 1,038 | 36% | 85 | -121,703 | 1,696,648 | -1,166,497 | 4 | 2 |
| 乾繭 | -90,065,400 | -2.90 | -0.13 | -144,367,500 | 1,037 | 34% | 74 | -86,851 | 1,854,041 | -1,112,363 | 4 | 2 |
| 生糸 | -111,370,050 | -3.40 | -0.17 | -183,902,550 | 956 | 34% | 81 | -116,495 | 1,866,522 | -1,159,189 | 5 | 2 |
| 日経225 | -90,660,000 | -2.66 | -0.16 | -145,550,000 | 1,043 | 35% | 4 | -86,922 | 1,585,516 | -1,022,959 | 4 | 2 |
| 日経300 | 44,566,000 | 0.48 | 0.14 | -29,201,000 | 586 | 43% | 32 | 76,051 | 1,355,161 | -916,345 | 4 | 2 |
| TOPIX | -19,005,000 | 0.26 | -0.04 | -51,860,000 | 933 | 39% | 6 | -20,369 | 1,440,967 | -999,708 | 4 | 2 |
| 債券先 | -72,830,000 | -2.51 | -0.12 | -116,370,000 | 1,024 | 37% | 3 | -71,123 | 1,643,720 | -1,100,949 | 4 | 2 |
| 平均 | -43,673,031 | -1.09 | -0.08 | -87,475,450 | 746 | 39% | 64 | -46,668 | 1,537,723 | -1,077,111 | 4 | 2 |

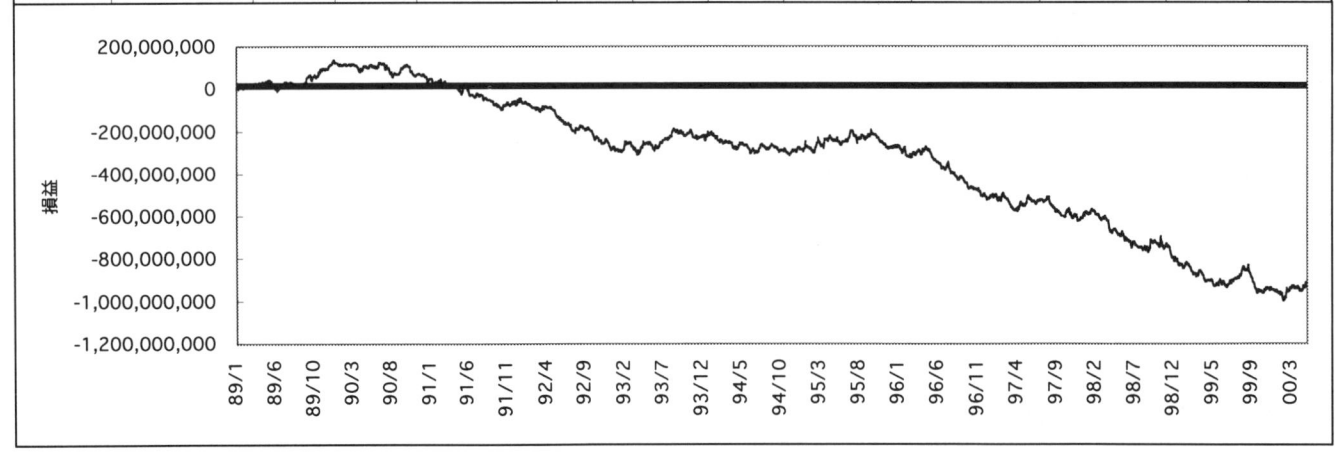

**ポートフォリオ統計**

| | |
|---|---|
| 純益: | -917,133,650 |
| ドローダウン: | -1,137,817,400 |
| Kレシオ: | -3.28 |
| シャープ・レシオ: | -0.27 |
| ブレイクアウトとの相関係数: | 0.09 |
| 移動平均との相関係数: | 0.06 |

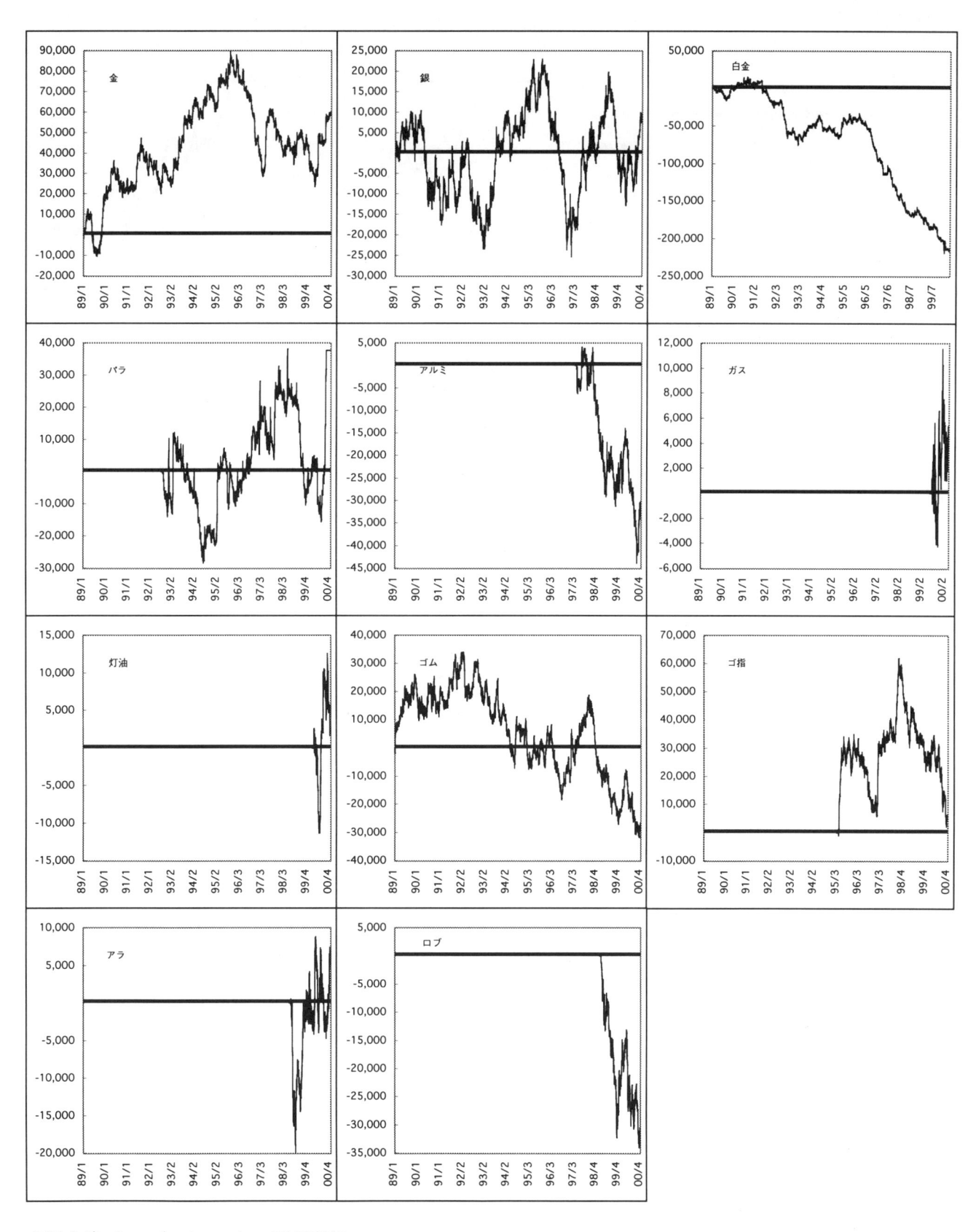

## 付録2　日本市場における検証結果

損益曲線: 金-ロブスタコーヒー(千円単位)
システム名: ジョーズ・テキサス2ステップ(3日移動平均)
建玉枚数: 可変
Copyright (c) 2000 Pan Rolling, Inc.

APPENDIX 2

損益曲線: とうもろこし-債券先物 (単位千円)
システム名: ジョーズ・テキサス2ステップ(3日移動平均)
建玉枚数: 可変

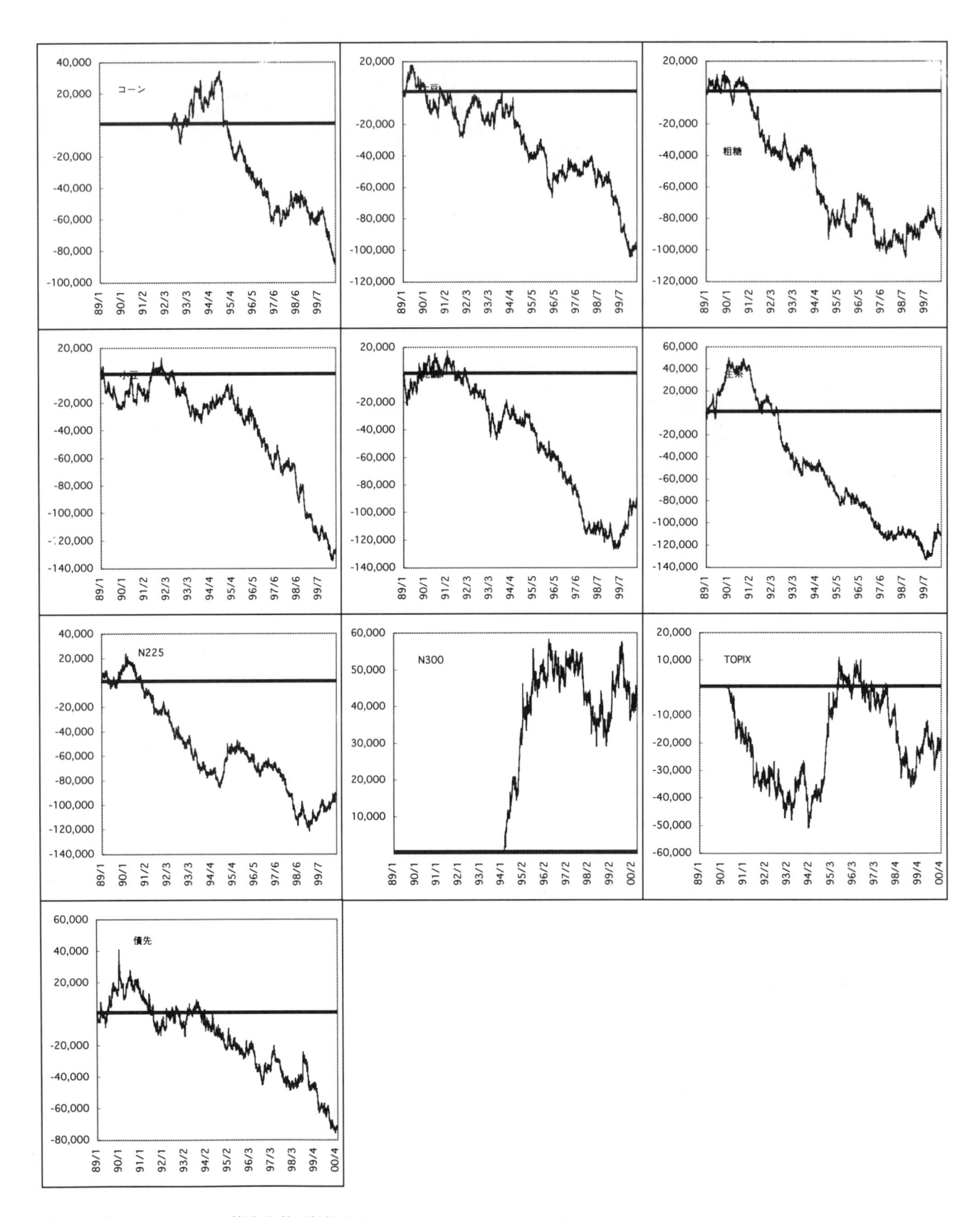

Copyright (c) 2000 Pan Rolling, Inc.

## 付録2　日本市場における検証結果

**年次成績分析**

|      | 純益          | Kレシオ | シャープレシオ |
|------|---------------|---------|----------------|
| 1989 | 113,107,000   | 1.16    | 0.44           |
| 1990 | -46,329,800   | -1.07   | -0.20          |
| 1991 | -131,295,500  | -3.26   | -0.52          |
| 1992 | -216,963,200  | -4.42   | -0.82          |
| 1993 | 53,154,800    | 1.33    | 0.16           |
| 1994 | -56,563,800   | -1.34   | -0.29          |
| 1995 | 10,753,050    | 0.28    | 0.04           |
| 1996 | -227,401,400  | -3.55   | -0.86          |
| 1997 | -79,484,600   | -1.18   | -0.23          |
| 1998 | -251,298,700  | -2.50   | -0.85          |
| 1999 | -124,521,850  | -0.89   | -0.29          |
| 2000 | 39,710,350    | 0.85    | 0.28           |

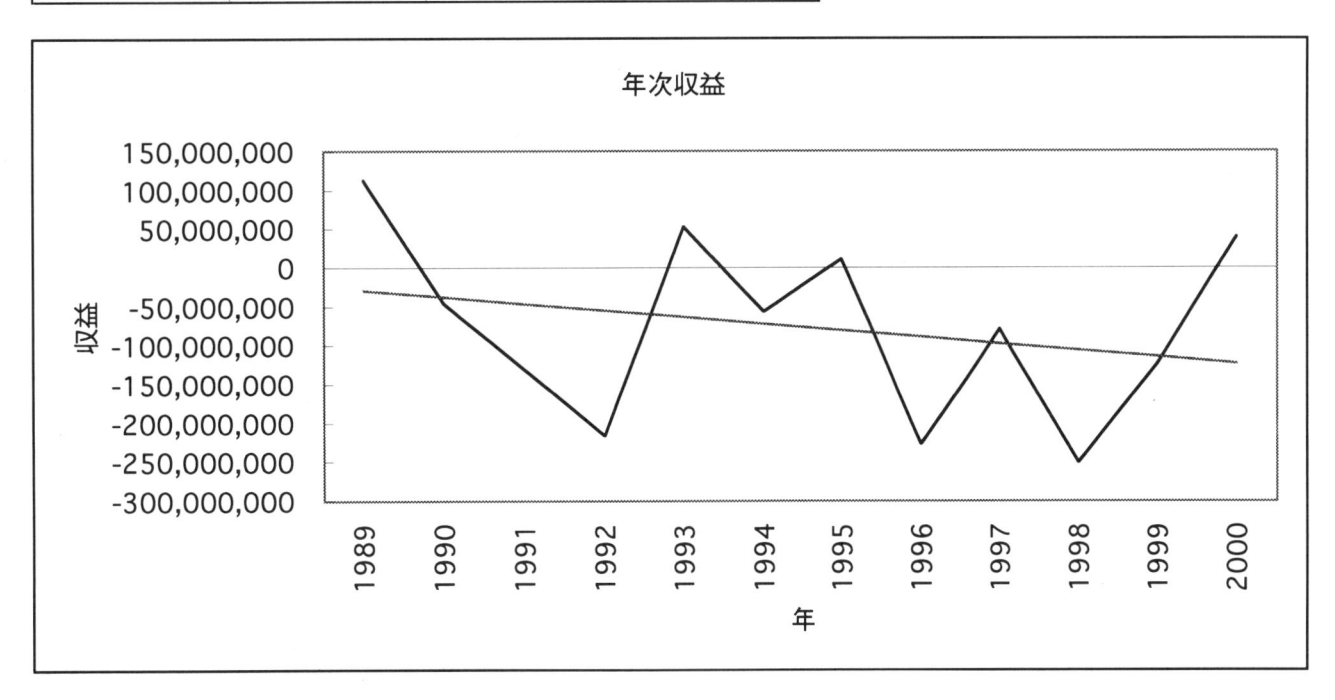

年次収益

**収益性ウインドウ**

| 期間(月) | ウインドウ数 | 利益ウインドウ数 | 利益ウインドウ率 |
|----------|--------------|------------------|------------------|
| 1        | 136          | 60               | 0.44             |
| 3        | 134          | 42               | 0.31             |
| 6        | 131          | 33               | 0.25             |
| 12       | 125          | 26               | 0.21             |
| 18       | 119          | 16               | 0.13             |
| 24       | 113          | 9                | 0.08             |

## APPENDIX 2

トレーディング・システム評価
システム名: ジョーズ・テキサス2ステップ(10日移動平均)
検証期間: 1989/1/4 - 2000/4/28

| 市場 | 純益 | Kレシオ | シャープレシオ | 最大ドローダウン | トレード数 | 勝率 | 平均建玉数 | 平均利益 | 勝トレードの平均利益 | 敗トレードの平均損失 | 勝トレードの平均日数 | 敗トレードの平均日数 |
|---|---|---|---|---|---|---|---|---|---|---|---|---|
| 金 | 119,752,000 | 2.72 | 0.18 | -31,879,000 | 565 | 39% | 98 | 211,950 | 2,312,545 | -1,192,827 | 7 | 4 |
| 銀 | 62,241,600 | 1.85 | 0.10 | -41,073,600 | 525 | 40% | 72 | 118,555 | 2,156,837 | -1,280,964 | 7 | 4 |
| 白金 | -21,425,000 | -0.80 | -0.03 | -70,630,000 | 591 | 37% | 150 | -36,252 | 2,045,718 | -1,267,972 | 7 | 3 |
| パラ | 78,516,000 | 0.66 | 0.11 | -54,585,000 | 411 | 34% | 130 | 191,036 | 2,646,744 | -1,217,665 | 7 | 3 |
| アルミ | -18,927,000 | -1.23 | -0.10 | -36,533,000 | 162 | 35% | 58 | -116,833 | 1,923,561 | -1,248,252 | 7 | 3 |
| ゴム | 34,415,500 | 0.99 | 0.05 | -44,293,000 | 535 | 35% | 143 | 64,328 | 2,544,352 | -1,279,399 | 9 | 3 |
| ゴム指 | 15,114,400 | 0.70 | 0.04 | -32,510,600 | 236 | 36% | 38 | 64,044 | 2,821,430 | -1,508,102 | 9 | 3 |
| ガス | 6,995,000 | 1.46 | 0.19 | -9,088,000 | 37 | 49% | 31 | 189,054 | 1,538,333 | -1,089,210 | 7 | 4 |
| 灯油 | 9,693,000 | 1.48 | 0.18 | -9,530,000 | 33 | 42% | 33 | 293,727 | 2,213,857 | -1,183,388 | 7 | 4 |
| コーン | -19,862,000 | 0.20 | -0.04 | -44,762,000 | 369 | 35% | 64 | -53,826 | 2,287,553 | -1,367,431 | 8 | 4 |
| 大豆 | -30,108,300 | -1.27 | -0.05 | -63,824,700 | 537 | 34% | 89 | -56,067 | 2,280,731 | -1,335,272 | 8 | 4 |
| 粗糖 | -61,654,000 | -1.98 | -0.08 | -91,734,000 | 565 | 34% | 64 | -109,122 | 2,173,048 | -1,408,820 | 8 | 3 |
| ロブス | -29,944,500 | -0.32 | -0.26 | -35,565,500 | 95 | 32% | 65 | -315,205 | 1,895,666 | -1,356,476 | 8 | 3 |
| アラビ | -13,601,000 | -0.41 | -0.12 | -20,728,000 | 88 | 39% | 55 | -154,556 | 2,004,470 | -1,513,944 | 7 | 3 |
| 小豆 | -61,042,400 | -1.65 | -0.08 | -103,266,400 | 539 | 32% | 83 | -113,251 | 2,681,071 | -1,435,098 | 9 | 3 |
| 乾繭 | 119,661,900 | 1.79 | 0.15 | -56,299,800 | 490 | 36% | 74 | 244,207 | 3,117,600 | -1,342,223 | 10 | 3 |
| 生糸 | 62,867,550 | 0.31 | 0.08 | -59,115,450 | 470 | 35% | 83 | 133,760 | 3,081,520 | -1,480,742 | 10 | 4 |
| 日経225 | -9,730,000 | -0.26 | -0.02 | -64,570,000 | 540 | 33% | 4 | -18,018 | 2,462,513 | -1,279,886 | 9 | 3 |
| 日経300 | -56,279,000 | -2.30 | -0.17 | -92,258,000 | 302 | 34% | 32 | -186,354 | 1,840,470 | -1,226,165 | 8 | 3 |
| TOPIX | -81,205,000 | -0.84 | -0.16 | -84,720,000 | 477 | 35% | 6 | -170,241 | 1,892,379 | -1,291,960 | 8 | 3 |
| 債券先 | -27,440,000 | -0.53 | -0.05 | -71,300,000 | 576 | 33% | 3 | -47,638 | 2,554,656 | -1,346,358 | 9 | 3 |
| 平均 | 3,716,131 | 0.03 | 0.00 | -53,250,764 | 388 | 36% | 65 | 6,348 | 2,308,336 | -1,316,769 | 8 | 3 |

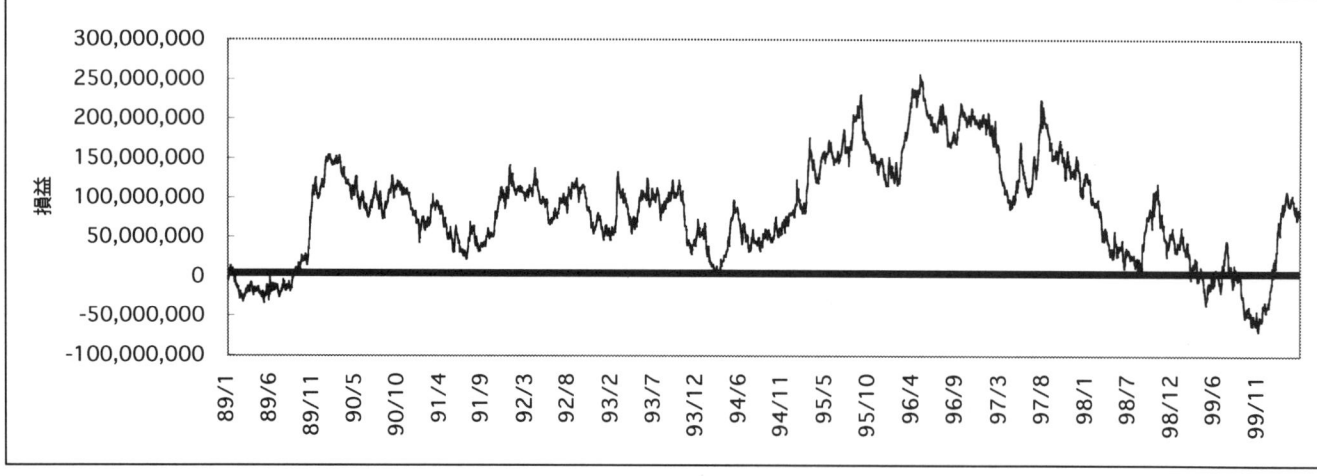

**ポートフォリオ統計**

| | |
|---|---|
| 純益: | 78,038,750 |
| ドローダウン: | -325,604,100 |
| Kレシオ: | 0.09 |
| シャープ・レシオ: | 0.02 |
| ブレイクアウトとの相関係数: | 0.15 |
| 移動平均との相関係数: | 0.06 |

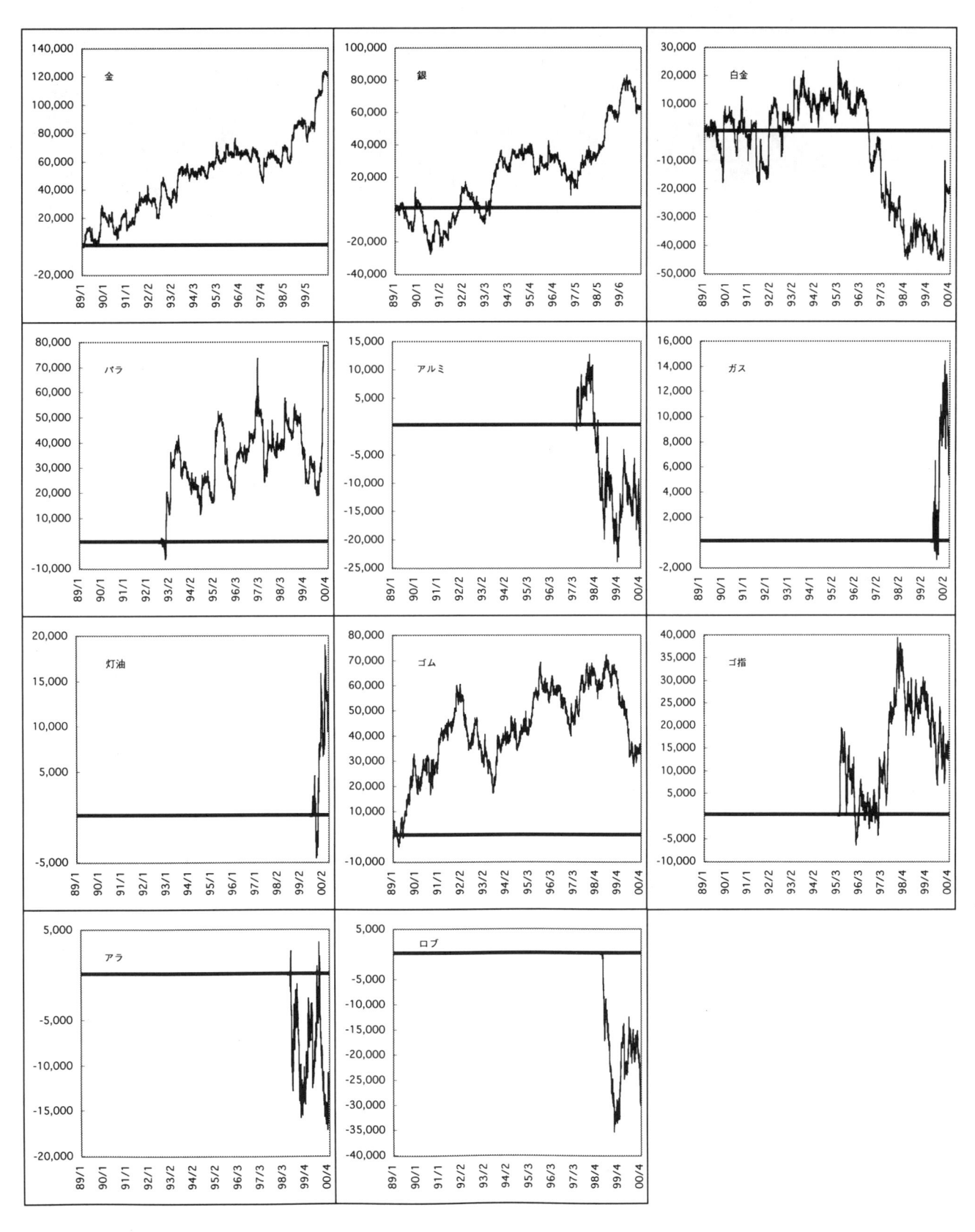

## 付録2　日本市場における検証結果

損益曲線: 金-ロブスタコーヒー(千円単位)
システム名: ジョーズ・テキサス2ステップ(10日移動平均)
建玉枚数: 可変
Copyright (c) 2000 Pan Rolling, Inc.

APPENDIX 2

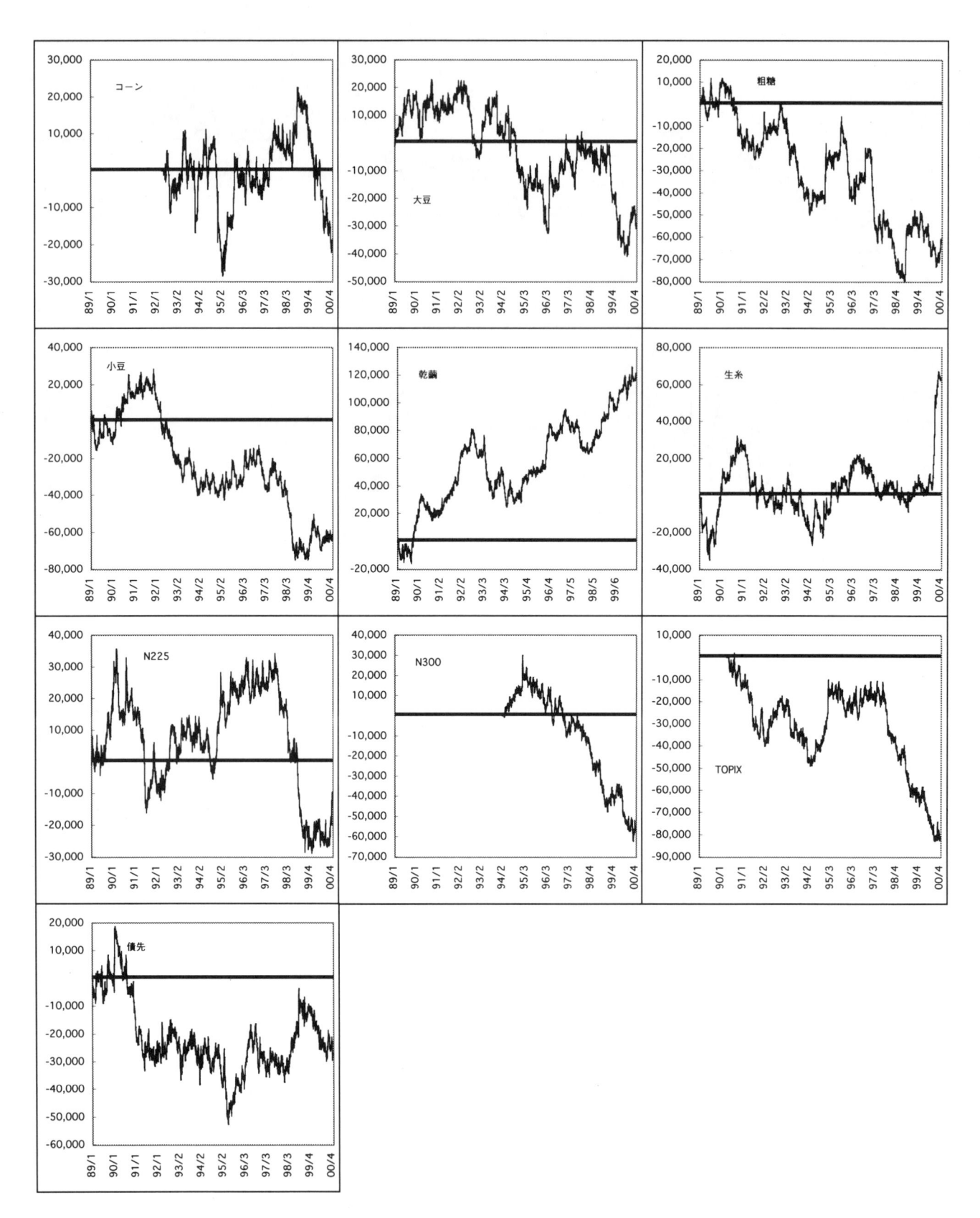

損益曲線: とうもろこし-債券先物 (単位千円)
システム名: ジョーズ・テキサス2ステップ(10日移動平均)
建玉枚数: 可変
Copyright (c) 2000 Pan Rolling, Inc.

## 付録2　日本市場における検証結果

**年次成績分析**

|  | 純益 | Kレシオ | シャープレシオ |
|---:|---:|---:|---:|
| 1989 | 120,143,300 | 0.94 | 0.33 |
| 1990 | -37,808,350 | -0.85 | -0.15 |
| 1991 | 34,425,300 | 0.04 | 0.12 |
| 1992 | -65,513,950 | -0.69 | -0.39 |
| 1993 | 9,708,650 | -0.05 | 0.03 |
| 1994 | 17,958,850 | 0.52 | 0.06 |
| 1995 | 35,931,100 | 0.61 | 0.12 |
| 1996 | 85,529,000 | 0.37 | 0.25 |
| 1997 | -68,972,600 | 0.02 | -0.20 |
| 1998 | -85,001,050 | -0.39 | -0.25 |
| 1999 | -83,656,650 | -1.41 | -0.26 |
| 2000 | 115,295,150 | 1.47 | 0.78 |

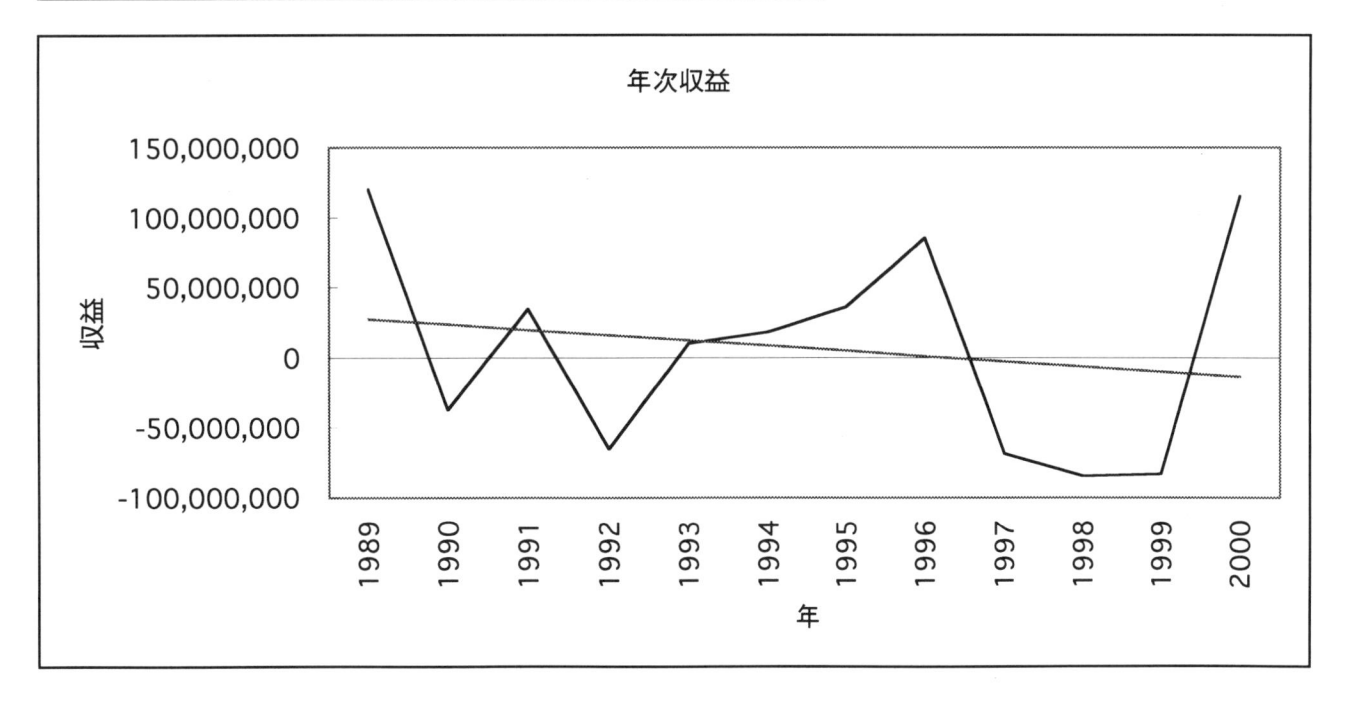

年次収益

**収益性ウインドウ**

| 期間(月) | ウインドウ数 | 利益ウインドウ数 | 利益ウインドウ率 |
|---:|---:|---:|---:|
| 1 | 136 | 63 | 0.46 |
| 3 | 134 | 67 | 0.50 |
| 6 | 131 | 63 | 0.48 |
| 12 | 125 | 61 | 0.49 |
| 18 | 119 | 60 | 0.50 |
| 24 | 113 | 52 | 0.46 |

APPENDIX 2

トレーディング・システム評価
システム名:ジョーズ・クオーター・パウンダー
検証期間: 1989/1/4 - 2000/4/28

| 市場 | 純益 | Kレシオ | シャープレシオ | 最大ドローダウン | トレード数 | 勝率 | 平均建玉数 | 平均利益 | 勝トレードの平均利益 | 敗トレードの平均損失 | 勝トレードの平均日数 | 敗トレードの平均日数 |
|---|---|---|---|---|---|---|---|---|---|---|---|---|
| 金 | 28,296,000 | 0.53 | 0.06 | -35,203,000 | 217 | 45% | 93 | 130,396 | 3,125,846 | -2,356,245 | 9 | 8 |
| 銀 | 19,324,800 | 1.18 | 0.04 | -30,116,400 | 227 | 42% | 70 | 85,131 | 2,999,892 | -2,012,613 | 8 | 9 |
| 白金 | 94,434,000 | 0.78 | 0.20 | -54,672,500 | 236 | 50% | 149 | 400,144 | 3,001,717 | -2,175,991 | 8 | 8 |
| パラ | 30,210,000 | -0.03 | 0.09 | -30,870,000 | 167 | 45% | 103 | 180,898 | 3,089,180 | -2,214,049 | 7 | 7 |
| アルミ | 9,856,000 | 1.29 | 0.07 | -14,005,000 | 55 | 44% | 56 | 179,200 | 3,314,833 | -2,248,387 | 7 | 9 |
| ゴム | -344,500 | 0.27 | 0.00 | -49,235,500 | 281 | 45% | 139 | -1,225 | 2,772,773 | -2,270,870 | 7 | 8 |
| ゴム指 | 71,991,800 | 3.39 | 0.27 | -14,908,000 | 136 | 51% | 38 | 529,351 | 3,098,340 | -2,195,333 | 7 | 6 |
| ガス | 3,221,000 | 1.56 | 0.13 | -6,355,000 | 14 | 50% | 32 | 230,071 | 3,130,142 | -2,670,000 | 7 | 8 |
| 灯油 | -11,112,000 | -0.81 | -0.27 | -18,529,000 | 23 | 35% | 34 | -483,130 | 2,604,000 | -2,129,600 | 5 | 5 |
| コーン | -50,065,000 | -1.86 | -0.14 | -60,315,000 | 143 | 42% | 66 | -350,104 | 2,781,133 | -2,613,650 | 9 | 8 |
| 大豆 | 22,073,400 | 0.98 | 0.05 | -43,290,600 | 186 | 46% | 86 | 118,674 | 3,097,411 | -2,486,665 | 9 | 10 |
| 粗糖 | -10,955,500 | 0.16 | -0.02 | -46,293,500 | 202 | 44% | 64 | -54,235 | 3,188,646 | -2,631,651 | 9 | 7 |
| ロブス | 9,709,500 | 1.35 | 0.11 | -14,002,500 | 34 | 44% | 66 | 285,573 | 3,088,166 | -1,927,000 | 11 | 9 |
| アラビ | 780,000 | 0.41 | 0.01 | -19,713,000 | 41 | 44% | 51 | 19,024 | 2,972,444 | -2,292,347 | 8 | 6 |
| 小豆 | 62,603,200 | 0.75 | 0.11 | -42,258,400 | 289 | 48% | 86 | 216,620 | 2,904,948 | -2,324,929 | 7 | 7 |
| 乾繭 | 46,037,700 | 1.48 | 0.08 | -46,903,200 | 286 | 47% | 73 | 160,970 | 3,065,646 | -2,399,729 | 7 | 6 |
| 生糸 | 29,849,250 | 0.58 | 0.06 | -27,746,100 | 248 | 48% | 82 | 120,359 | 2,919,667 | -2,420,550 | 8 | 7 |
| 日経225 | 8,740,000 | 0.22 | 0.02 | -79,520,000 | 304 | 45% | 4 | 28,750 | 2,813,823 | -2,239,161 | 6 | 7 |
| 日経300 | -62,184,000 | -3.09 | -0.23 | -71,797,000 | 163 | 37% | 33 | -381,496 | 2,561,885 | -2,141,754 | 7 | 6 |
| TOPIX | -7,495,000 | 0.13 | -0.02 | -65,900,000 | 256 | 45% | 6 | -29,277 | 2,647,695 | -2,228,428 | 7 | 6 |
| 債券先 | 57,250,000 | 1.93 | 0.11 | -33,580,000 | 289 | 47% | 3 | 198,096 | 2,860,882 | -2,183,092 | 7 | 6 |
| 平均 | 16,772,412 | 0.53 | 0.03 | -38,343,510 | 181 | 45% | 64 | 75,419 | 2,954,241 | -2,293,431 | 7 | 7 |

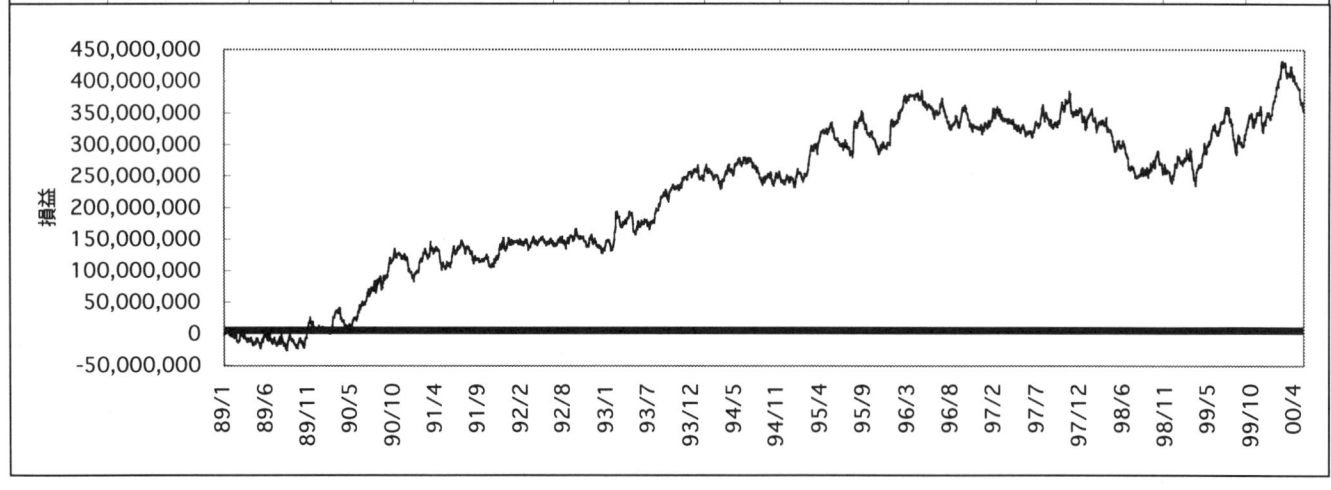

**ポートフォリオ統計**

| | |
|---|---|
| 純益: | 352,220,650 |
| ドローダウン: | -150,792,650 |
| Kレシオ: | 2.18 |
| シャープ・レシオ: | 0.14 |
| ブレイクアウトとの相関係数: | 0.31 |
| 移動平均との相関係数: | 0.25 |

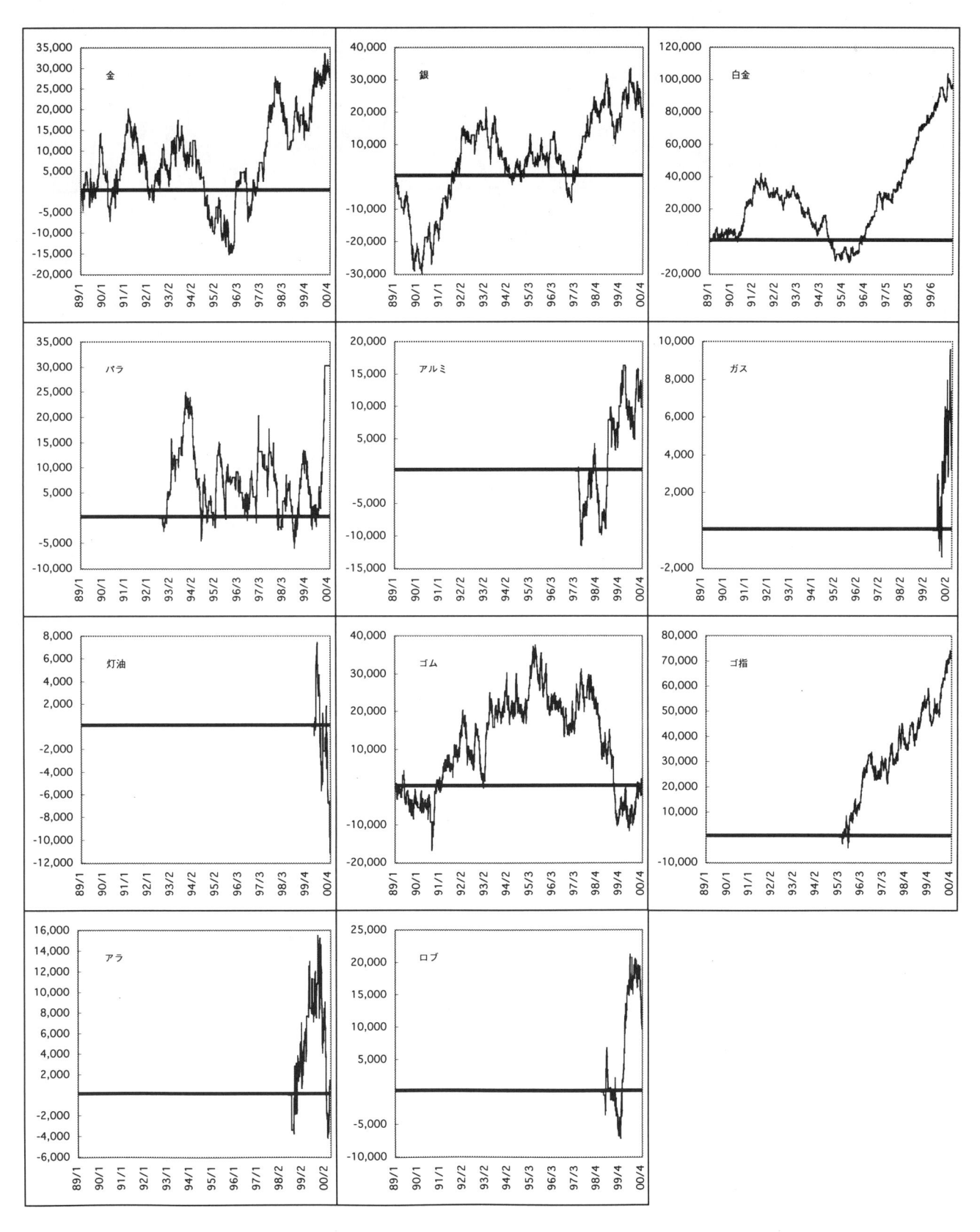

## 付録2　日本市場における検証結果

損益曲線: 金-ロブスタコーヒー(千円単位)
システム名:ジョーズ・クオーター・パウンダー
建玉枚数: 可変
Copyright (c) 2000 Pan Rolling, Inc.

## APPENDIX 2

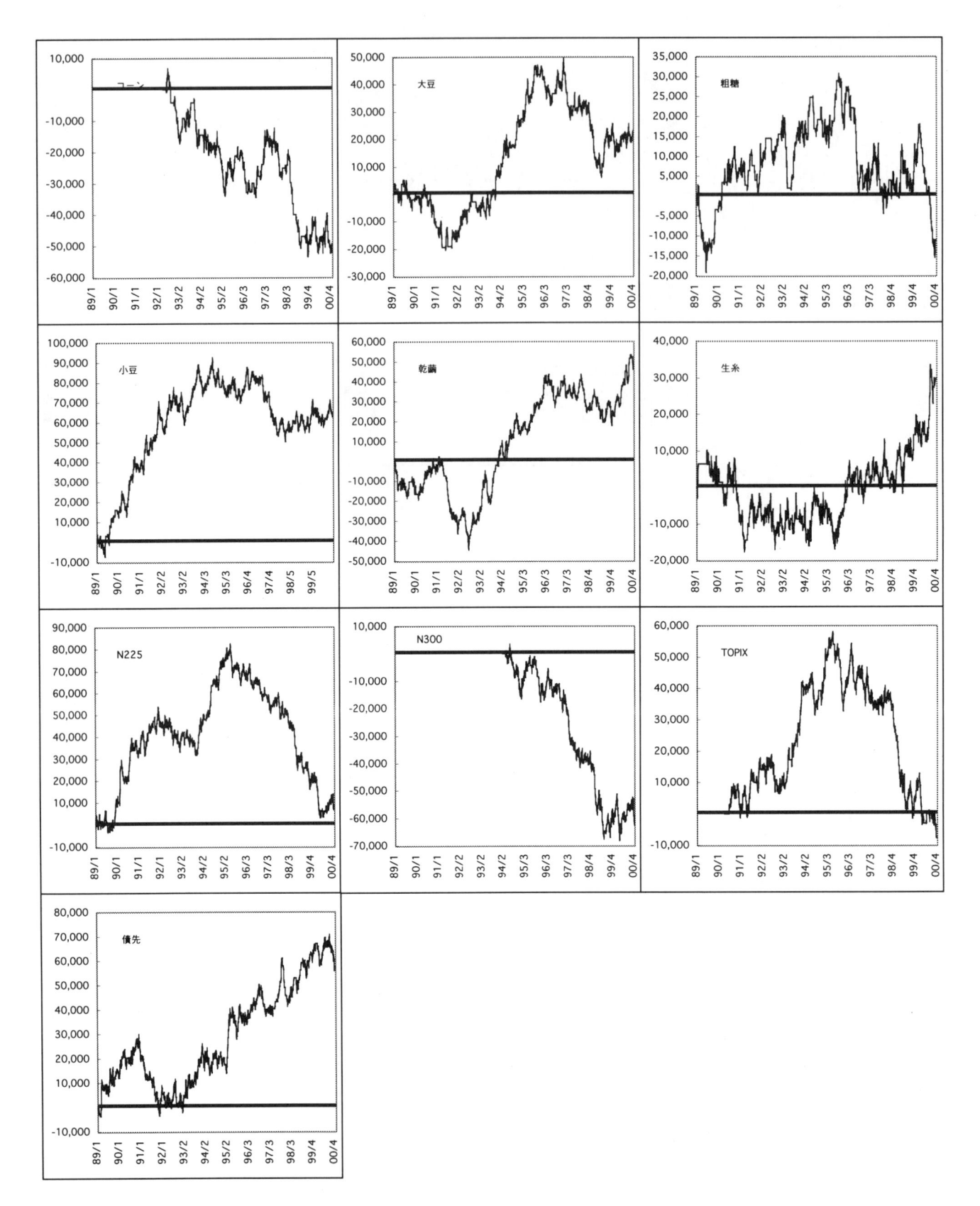

損益曲線: とうもろこし-債券先物 (単位千円)
システム名: ジョーズ・クオーター・パウンダー
建玉枚数: 可変

Copyright (c) 2000 Pan Rolling, Inc.

## 付録2　日本市場における検証結果

**年次成績分析**

|      | 純益         | Kレシオ | シャープレシオ |
|------|-------------|--------|----------------|
| 1989 | 9,563,500   | 0.10   | 0.06           |
| 1990 | 82,296,700  | 2.56   | 0.36           |
| 1991 | 52,282,250  | 0.26   | 0.26           |
| 1992 | -11,056,600 | 0.03   | -0.10          |
| 1993 | 126,527,750 | 2.54   | 0.62           |
| 1994 | -14,975,800 | -0.22  | -0.08          |
| 1995 | 54,306,500  | 0.64   | 0.20           |
| 1996 | 33,393,450  | -0.72  | 0.13           |
| 1997 | 20,561,450  | 0.40   | 0.10           |
| 1998 | -83,879,650 | -1.90  | -0.45          |
| 1999 | 78,670,050  | 1.24   | 0.33           |
| 2000 | 4,531,050   | -0.13  | 0.03           |

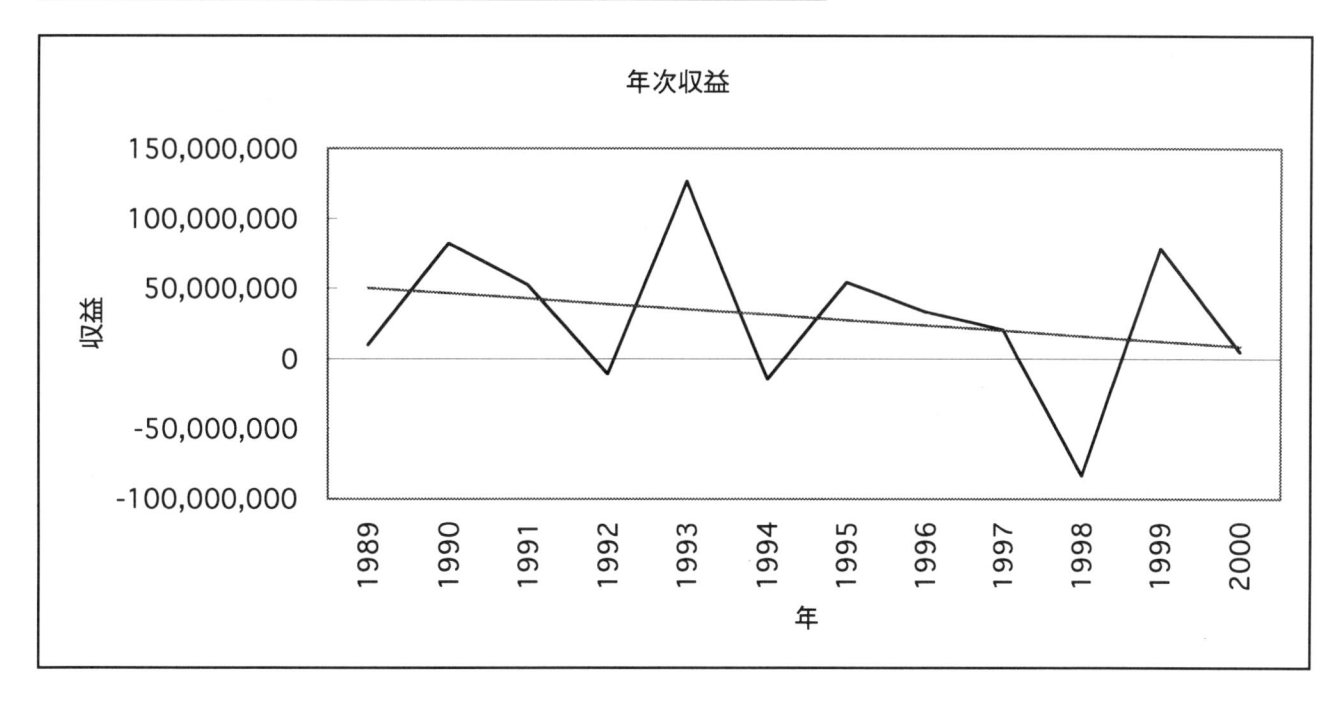

年次収益

**収益性ウインドウ**

| 期間(月) | ウインドウ数 | 利益ウインドウ数 | 利益ウインドウ率 |
|---------|-------------|-----------------|-----------------|
| 1       | 136         | 72              | 0.53            |
| 3       | 134         | 80              | 0.60            |
| 6       | 131         | 86              | 0.66            |
| 12      | 125         | 94              | 0.75            |
| 18      | 119         | 94              | 0.79            |
| 24      | 113         | 90              | 0.80            |

APPENDIX 2

トレーディング・システム評価
システム名: ジョーズ・ギャップ
検証期間: 1989/1/4 - 2000/4/28

| 市場 | 純益 | Kレシオ | シャープレシオ | 最大ドローダウン | トレード数 | 勝率 | 平均建玉数 | 平均利益 | 勝トレードの平均利益 | 敗トレードの平均損失 | 勝トレードの平均日数 | 敗トレードの平均日数 |
|---|---|---|---|---|---|---|---|---|---|---|---|---|
| 金 | 65,547,000 | 1.33 | 0.12 | -46,718,000 | 778 | 47% | 91 | 84,250 | 1,417,462 | -1,157,195 | 3 | 2 |
| 銀 | 52,321,200 | 1.18 | 0.11 | -43,351,200 | 684 | 49% | 68 | 76,492 | 1,292,497 | -1,121,900 | 3 | 2 |
| 白金 | -65,152,000 | -1.38 | -0.11 | -76,850,000 | 578 | 41% | 144 | -112,719 | 1,456,888 | -1,248,156 | 3 | 2 |
| パラ | 37,014,000 | 0.64 | 0.08 | -38,535,000 | 274 | 43% | 103 | 135,087 | 2,076,457 | -1,424,712 | 3 | 3 |
| アルミ | -3,767,000 | -0.57 | -0.03 | -18,397,000 | 142 | 46% | 56 | -26,528 | 1,518,800 | -1,384,986 | 3 | 2 |
| ゴム | -37,835,500 | -0.68 | -0.07 | -70,820,500 | 620 | 44% | 138 | -61,025 | 1,624,376 | -1,419,130 | 3 | 3 |
| ゴム指 | 43,307,400 | 1.17 | 0.15 | -29,415,000 | 297 | 46% | 37 | 145,816 | 1,839,320 | -1,292,751 | 3 | 2 |
| ガス | -10,661,000 | 0.19 | -0.21 | -20,352,000 | 37 | 46% | 31 | -288,135 | 1,663,941 | -1,947,400 | 3 | 3 |
| 灯油 | 2,103,000 | 0.79 | 0.05 | -11,226,000 | 27 | 41% | 31 | 77,888 | 1,982,454 | -1,313,600 | 3 | 3 |
| コーン | -18,535,000 | 0.00 | -0.05 | -36,112,000 | 572 | 45% | 64 | -32,403 | 1,477,054 | -1,317,280 | 3 | 2 |
| 大豆 | -99,074,400 | -1.63 | -0.20 | -116,487,900 | 824 | 41% | 86 | -120,235 | 1,402,154 | -1,269,337 | 3 | 2 |
| 粗糖 | 10,032,000 | -0.20 | 0.02 | -83,465,000 | 867 | 43% | 61 | 11,570 | 1,407,047 | -1,177,432 | 2 | 2 |
| ロブス | -22,379,000 | -0.62 | -0.28 | -30,914,000 | 116 | 41% | 63 | -192,922 | 1,310,627 | -1,217,079 | 3 | 2 |
| アラビ | 4,624,500 | 0.65 | 0.04 | -12,509,000 | 151 | 49% | 54 | 30,625 | 1,300,729 | -1,205,651 | 2 | 2 |
| 小豆 | 62,166,400 | 1.62 | 0.11 | -38,686,400 | 536 | 50% | 83 | 115,982 | 1,623,187 | -1,400,006 | 3 | 3 |
| 乾繭 | 51,464,100 | 2.13 | 0.09 | -31,814,400 | 635 | 46% | 70 | 81,045 | 1,820,939 | -1,407,144 | 3 | 2 |
| 生糸 | 52,376,100 | 0.79 | 0.09 | -32,913,000 | 739 | 44% | 78 | 70,874 | 1,837,969 | -1,349,210 | 3 | 2 |
| 日経225 | -65,950,000 | -1.12 | -0.14 | -106,840,000 | 355 | 46% | 4 | -185,774 | 1,482,147 | -1,635,851 | 3 | 3 |
| 日経300 | 19,654,000 | 0.67 | 0.09 | -18,036,000 | 177 | 50% | 30 | 111,039 | 1,539,134 | -1,348,609 | 3 | 3 |
| TOPIX | -60,755,000 | -1.83 | -0.18 | -61,815,000 | 278 | 41% | 5 | -218,543 | 1,415,526 | -1,379,658 | 3 | 3 |
| 債券先 | -3,860,000 | 0.56 | -0.01 | -48,580,000 | 414 | 45% | 3 | -9,323 | 1,666,117 | -1,415,580 | 3 | 3 |
| 平均 | 601,943 | 0.18 | -0.02 | -46,373,210 | 433 | 45% | 62 | -14,616 | 1,578,801 | -1,353,937 | 3 | 2 |

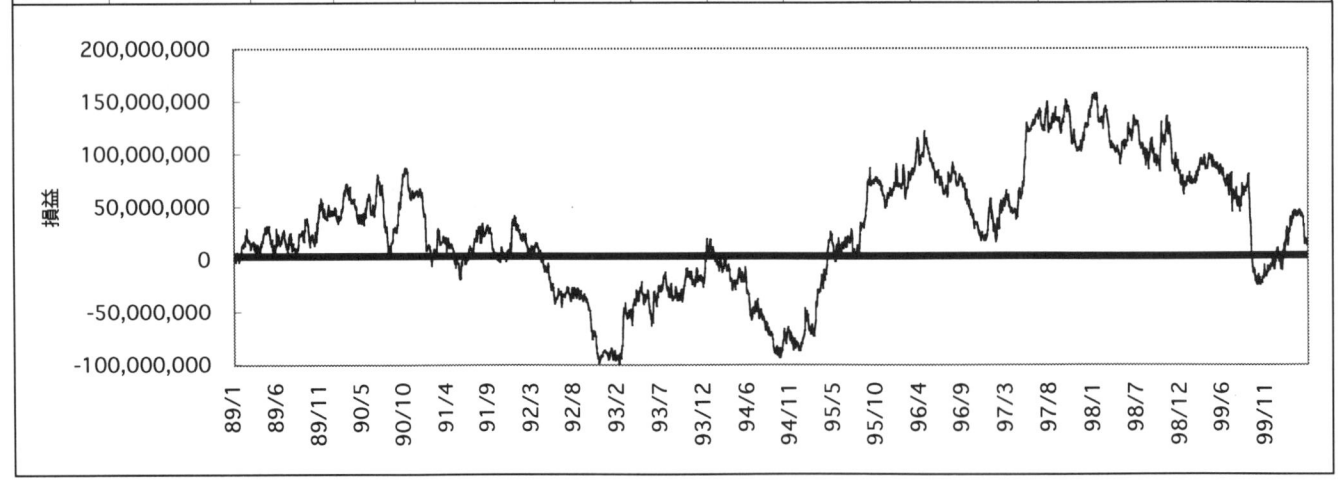

**ポートフォリオ統計**

| | |
|---|---|
| 純益: | 12,640,800 |
| ドローダウン: | -186,324,550 |
| Kレシオ: | 0.46 |
| シャープ・レシオ: | 0.00 |
| ブレイクアウトとの相関係数: | 0.31 |
| 移動平均との相関係数: | 0.25 |

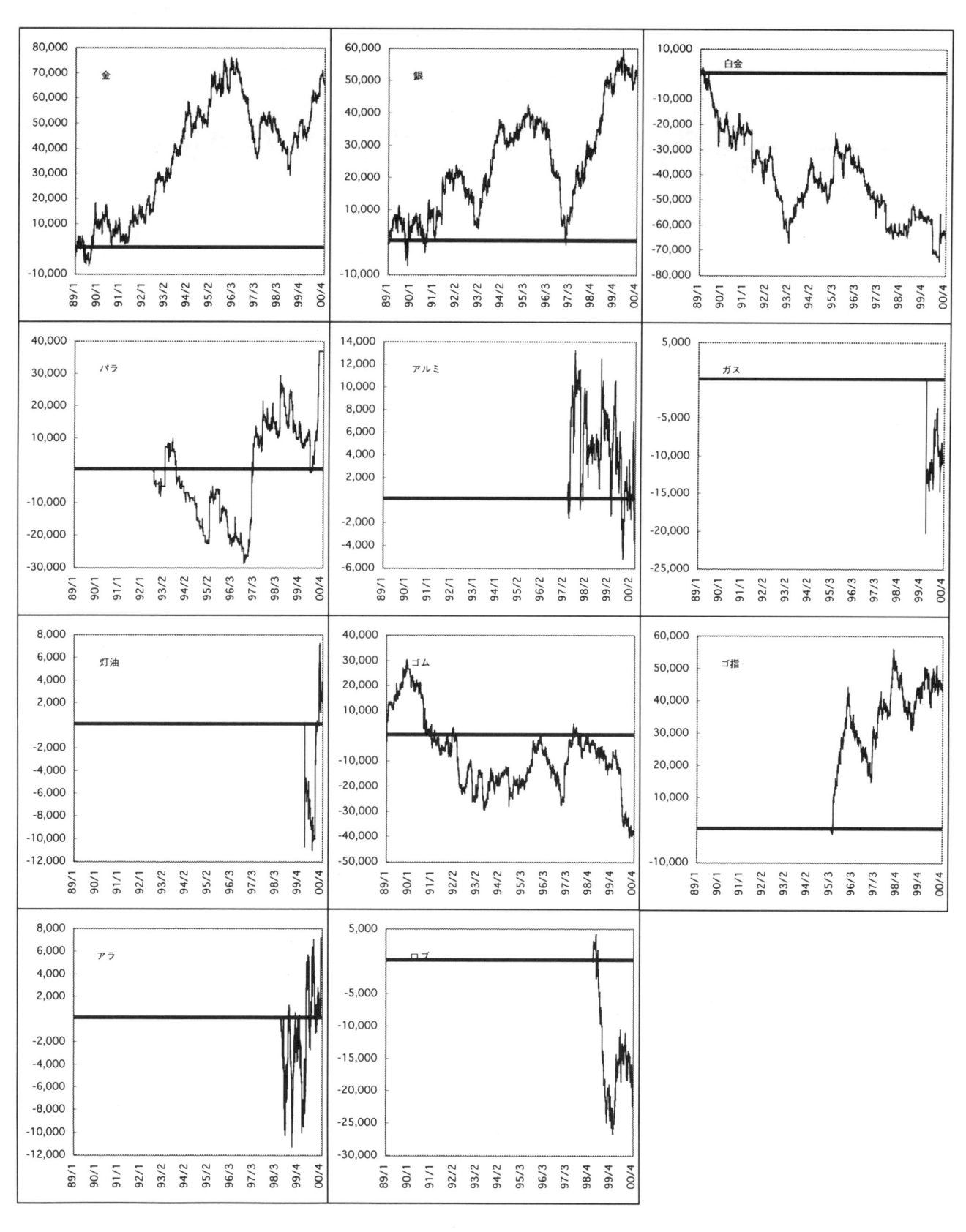

## 付録2　日本市場における検証結果

損益曲線: 金-ロブスタコーヒー(千円単位)
システム名: ジョーズ・ギャップ
建玉枚数: 可変
Copyright (c) 2000 Pan Rolling, Inc.

APPENDIX 2

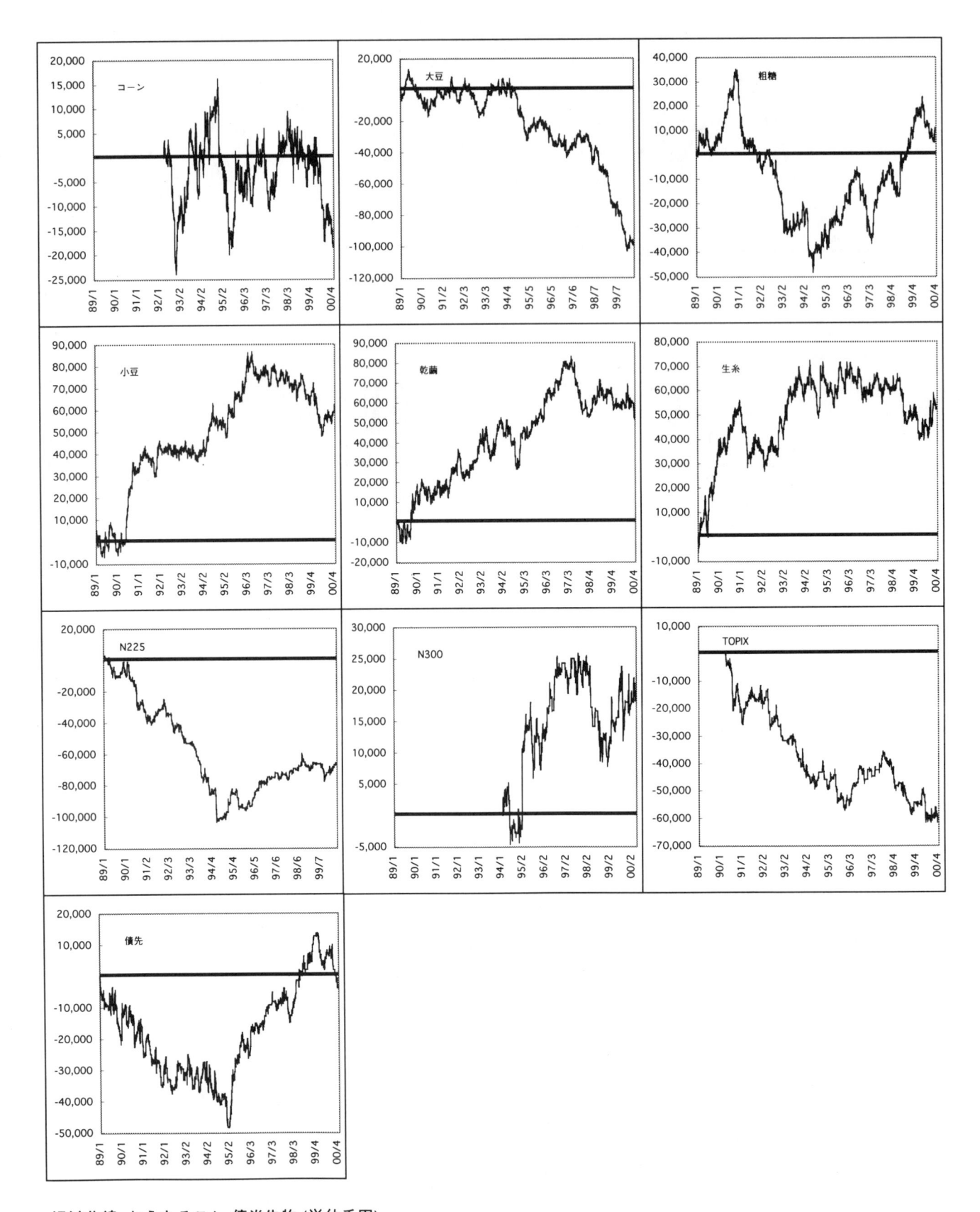

損益曲線: とうもろこし-債券先物 (単位千円)
システム名: ジョーズ・ギャップ
建玉枚数: 可変
Copyright (c) 2000 Pan Rolling, Inc.

## 付録2　日本市場における検証結果

**年次成績分析**

|  | 純益 | Kレシオ | シャープレシオ |
|---|---|---|---|
| 1989 | 47,565,450 | 0.93 | 0.22 |
| 1990 | 15,230,300 | 0.20 | 0.06 |
| 1991 | -21,705,900 | -0.02 | -0.08 |
| 1992 | -131,509,400 | -3.18 | -0.83 |
| 1993 | 81,537,800 | 1.39 | 0.38 |
| 1994 | -78,264,600 | -3.20 | -0.51 |
| 1995 | 156,464,850 | 2.54 | 0.59 |
| 1996 | -12,182,950 | -1.01 | -0.05 |
| 1997 | 71,667,900 | 1.23 | 0.24 |
| 1998 | -56,215,450 | -0.94 | -0.19 |
| 1999 | -75,160,050 | -1.39 | -0.28 |
| 2000 | 15,212,850 | 0.91 | 0.15 |

**収益性ウインドウ**

| 期間(月) | ウインドウ数 | 利益ウインドウ数 | 利益ウインドウ率 |
|---|---|---|---|
| 1 | 136 | 63 | 0.46 |
| 3 | 134 | 70 | 0.52 |
| 6 | 131 | 63 | 0.48 |
| 12 | 125 | 55 | 0.44 |
| 18 | 119 | 55 | 0.46 |
| 24 | 113 | 58 | 0.51 |

# APPENDIX 2

トレーディング・システム評価
システム名:フィブ・キャッチャー
検証期間: 1989/1/4 - 2000/4/28

| 市場 | 純益 | Kレシオ | シャープレシオ | 最大ドローダウン | トレード数 | 勝率 | 平均建玉数 | 平均利益 | 勝トレードの平均利益 | 敗トレードの平均損失 | 勝トレードの平均日数 | 敗トレードの平均日数 |
|---|---|---|---|---|---|---|---|---|---|---|---|---|
| 金 | 8,561,000 | 2.15 | 0.05 | -9,332,000 | 33 | 52% | 107 | 259,424 | 2,026,294 | -1,725,733 | 3 | 3 |
| 銀 | 7,426,200 | 1.82 | 0.05 | -7,863,600 | 46 | 59% | 79 | 161,439 | 1,140,333 | -1,229,621 | 3 | 3 |
| 白金 | -9,376,000 | -0.80 | -0.05 | -24,244,500 | 44 | 45% | 192 | -213,090 | 1,503,550 | -1,715,086 | 3 | 3 |
| パラ | -8,319,000 | -0.80 | -0.06 | -13,414,500 | 102 | 14% | 68 | -81,558 | 1,477,071 | -1,611,000 | 3 | 3 |
| アルミ | -6,210,000 | -3.09 | -0.29 | -7,230,000 | 7 | 29% | 58 | -887,142 | 258,000 | -1,345,200 | 3 | 3 |
| ゴム | -17,656,000 | -3.33 | -0.14 | -17,656,000 | 27 | 48% | 135 | -653,925 | 1,172,384 | -2,349,785 | 3 | 3 |
| ゴム指 | 3,380,200 | 0.96 | 0.06 | -3,662,400 | 10 | 60% | 37 | 338,020 | 1,801,333 | -1,856,950 | 3 | 3 |
| ガス | 3,071,000 | 1.51 | 0.32 | 0 | 1 | 100% | 37 | 3,071,000 | 3,071,000 | 0 | 3 | 0 |
| 灯油 | -594,000 | -1.33 | -0.44 | -858,000 | 1 | 0% | 33 | -594,000 | 0 | -594,000 | 0 | 3 |
| コーン | -6,596,000 | -0.82 | -0.13 | -10,743,000 | 15 | 40% | 75 | -439,733 | 837,000 | -1,452,250 | 3 | 3 |
| 大豆 | -4,242,900 | -0.11 | -0.04 | -11,117,400 | 37 | 43% | 98 | -114,672 | 1,319,812 | -1,408,883 | 3 | 3 |
| 粗糖 | 9,786,000 | 0.01 | 0.08 | -7,810,000 | 38 | 45% | 79 | 257,526 | 1,710,029 | -1,071,361 | 3 | 3 |
| ロブス | -4,671,000 | -1.30 | -0.22 | -8,266,500 | 6 | 17% | 66 | -778,500 | 1,512,000 | -1,545,750 | 3 | 3 |
| アラビ | 5,246,000 | 1.73 | 0.21 | 0 | 1 | 100% | 61 | 5,246,000 | 5,246,000 | 0 | 3 | 0 |
| 小豆 | 7,468,000 | 1.34 | 0.05 | -10,040,000 | 24 | 63% | 87 | 311,166 | 1,651,093 | -1,922,044 | 3 | 3 |
| 乾繭 | 7,470,900 | 1.68 | 0.08 | -7,180,200 | 35 | 43% | 89 | 213,454 | 1,479,760 | -818,083 | 3 | 3 |
| 生糸 | 10,007,850 | 0.62 | 0.06 | -9,897,900 | 26 | 46% | 94 | 384,917 | 2,568,962 | -1,487,121 | 3 | 3 |
| 日経225 | 10,990,000 | 1.62 | 0.08 | -11,060,000 | 41 | 56% | 4 | 268,048 | 1,610,000 | -1,531,764 | 3 | 3 |
| 日経300 | -2,153,000 | -0.05 | -0.04 | -7,855,000 | 23 | 39% | 33 | -93,608 | 1,446,222 | -1,083,500 | 3 | 3 |
| TOPIX | 11,715,000 | 1.02 | 0.10 | -7,885,000 | 34 | 44% | 6 | 344,558 | 1,898,000 | -881,842 | 3 | 3 |
| 債券先 | 170,000 | 0.32 | 0.00 | -9,600,000 | 31 | 39% | 3 | 5,483 | 2,665,000 | -1,674,210 | 3 | 3 |
| 平均 | 1,213,060 | 0.15 | -0.01 | -8,843,619 | 28 | 47% | 69 | 333,562 | 1,733,040 | -1,300,199 | 3 | 3 |

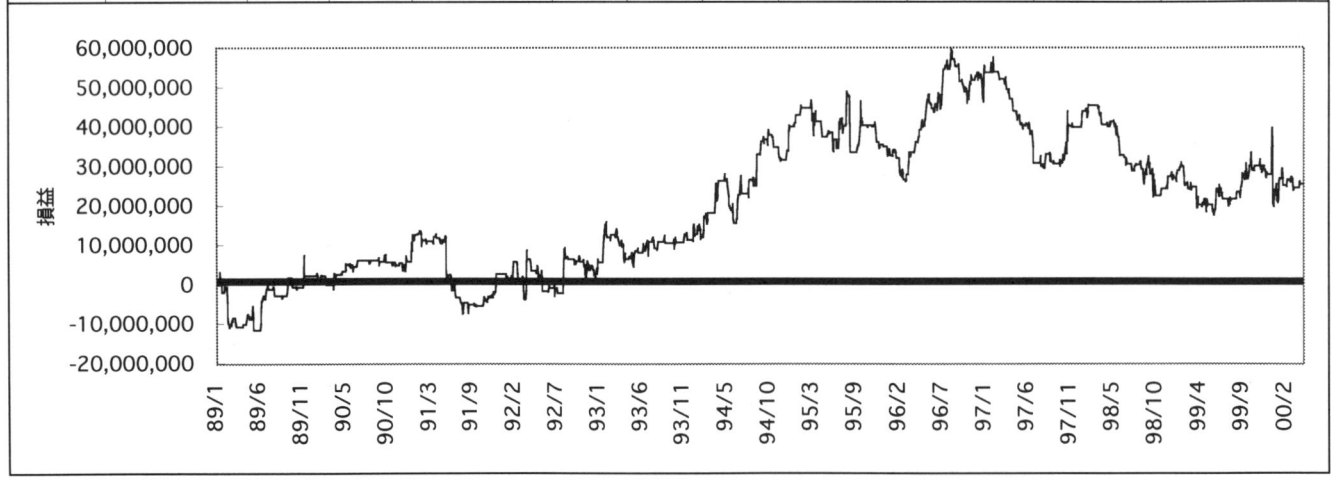

**ポートフォリオ統計**

| | |
|---|---|
| 純益: | 25,474,250 |
| ドローダウン: | -42,106,000 |
| Kレシオ: | 1.17 |
| シャープ・レシオ: | 0.04 |
| ブレイクアウトとの相関係数: | -0.11 |
| 移動平均との相関係数: | -0.19 |

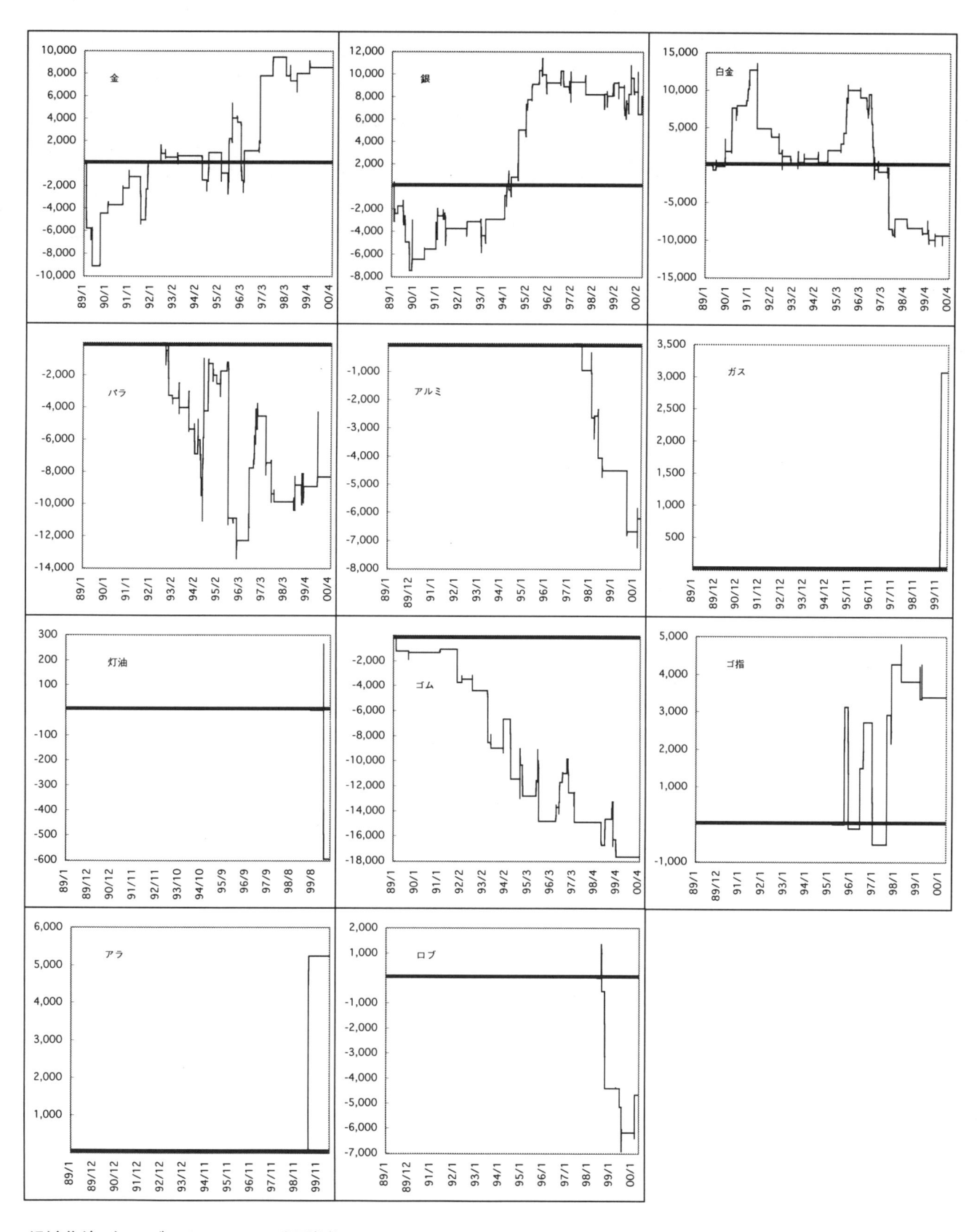

## 付録2　日本市場における検証結果

損益曲線: 金-ロブスタコーヒー(千円単位)
システム名: フィブ・キャッチャー
建玉枚数: 可変
Copyright (c) 2000 Pan Rolling, Inc.

## APPENDIX 2

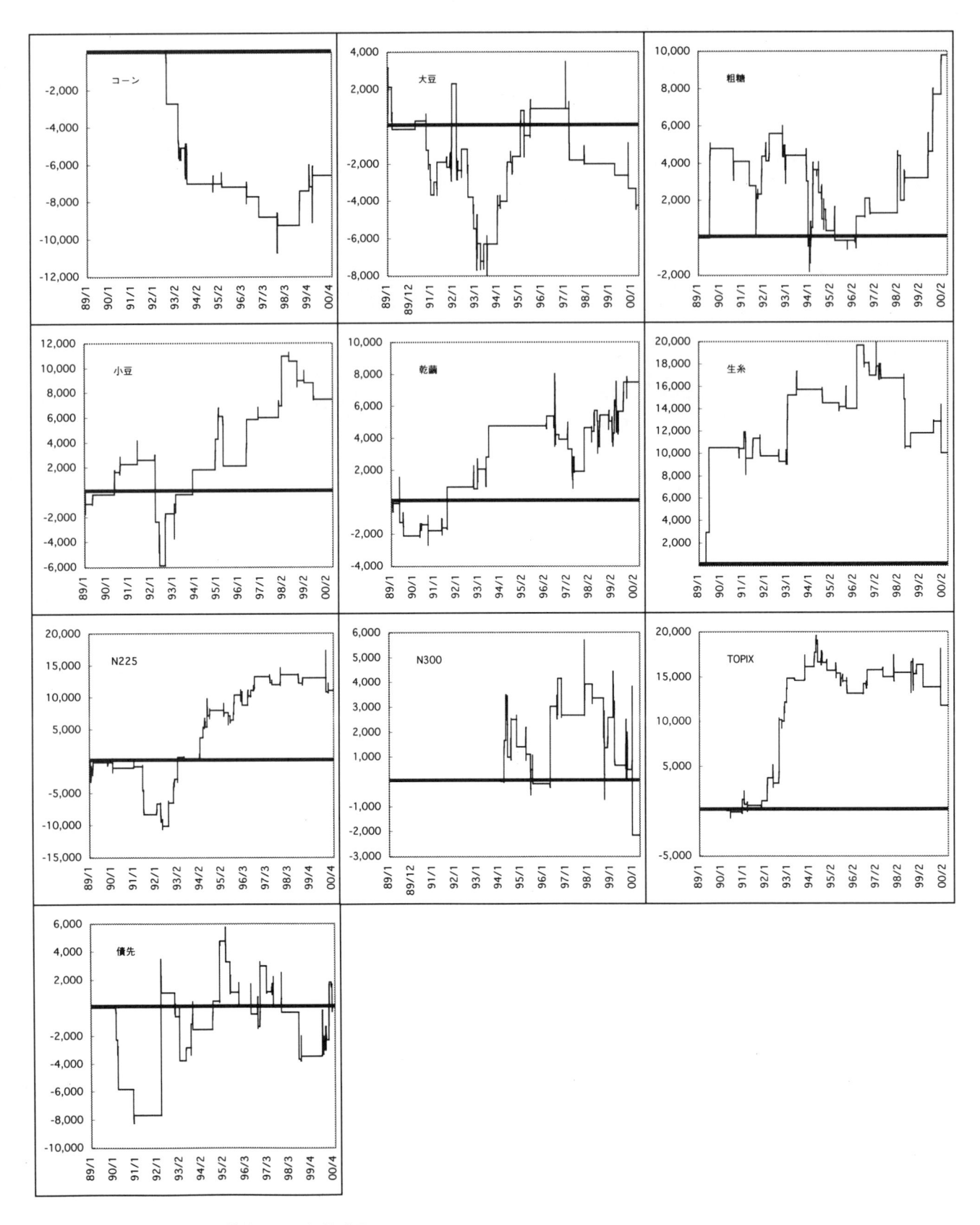

損益曲線: とうもろこし-債券先物 (単位千円)
システム名: フィブ・キャッチャー
建玉枚数: 可変
Copyright (c) 2000 Pan Rolling, Inc.

## 付録2　日本市場における検証結果

**年次成績分析**

|  | 純益 | Kレシオ | シャープレシオ |
|---|---|---|---|
| 1989 | 2,284,500 | 0.70 | 0.04 |
| 1990 | 3,561,600 | 1.13 | 0.26 |
| 1991 | -3,188,150 | -1.19 | -0.06 |
| 1992 | 1,454,400 | 0.28 | 0.03 |
| 1993 | 7,244,250 | 0.26 | 0.20 |
| 1994 | 22,574,300 | 1.78 | 0.41 |
| 1995 | 1,090,850 | -0.54 | 0.02 |
| 1996 | 12,163,050 | 1.73 | 0.17 |
| 1997 | -7,244,800 | -1.31 | -0.12 |
| 1998 | -12,807,900 | -2.51 | -0.29 |
| 1999 | 738,750 | 0.37 | 0.02 |
| 2000 | -2,396,600 | -0.04 | -0.14 |

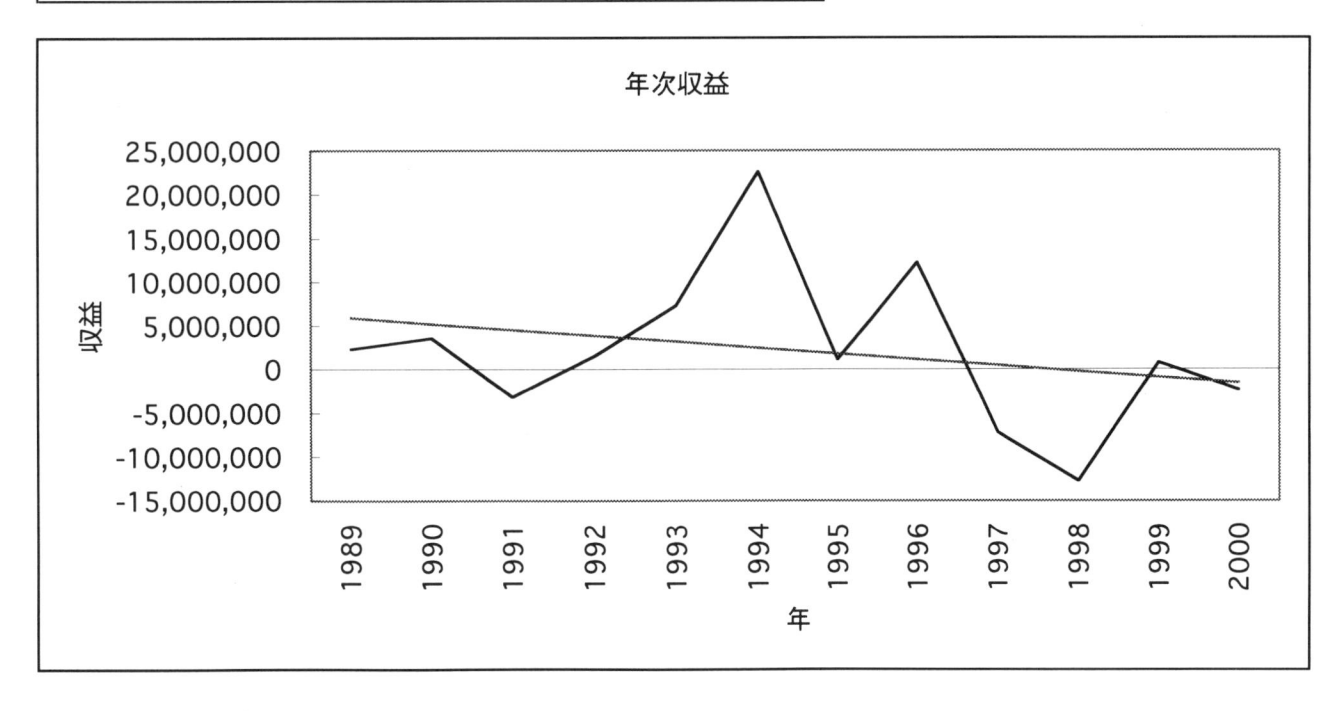

年次収益

**収益性ウインドウ**

| 期間(月) | ウインドウ数 | 利益ウインドウ数 | 利益ウインドウ率 |
|---|---|---|---|
| 1 | 136 | 65 | 0.48 |
| 3 | 134 | 72 | 0.54 |
| 6 | 131 | 78 | 0.60 |
| 12 | 125 | 76 | 0.61 |
| 18 | 119 | 66 | 0.55 |
| 24 | 113 | 72 | 0.64 |

# APPENDIX 2

トレーディング・システム評価
システム名: ジョーズ・ジェシー・リバモア
検証期間: 1989/1/4 - 2000/4/28

| 市場 | 純益 | Kレシオ | シャープレシオ | 最大ドローダウン | トレード数 | 勝率 | 平均建玉数 | 平均利益 | 勝トレードの平均利益 | 敗トレードの平均損失 | 勝トレードの平均日数 | 敗トレードの平均日数 |
|---|---|---|---|---|---|---|---|---|---|---|---|---|
| 金 | 25,673,000 | 0.69 | 0.08 | -25,021,000 | 79 | 37% | 92 | 324,974 | 3,485,793 | -1,539,081 | 10 | 5 |
| 銀 | 38,661,600 | 2.15 | 0.09 | -21,634,800 | 106 | 39% | 80 | 364,732 | 3,701,473 | -1,739,981 | 11 | 5 |
| 白金 | 50,970,000 | 3.53 | 0.14 | -13,969,000 | 115 | 37% | 158 | 443,217 | 3,672,178 | -1,414,541 | 10 | 5 |
| パラ | 21,337,500 | -0.12 | 0.08 | -22,347,000 | 59 | 42% | 98 | 361,652 | 3,046,560 | -1,713,328 | 10 | 6 |
| アルミ | 20,841,000 | 1.25 | 0.18 | -12,264,000 | 29 | 48% | 57 | 718,655 | 3,556,428 | -1,929,933 | 11 | 5 |
| ゴム | 9,416,000 | 0.23 | 0.02 | -30,953,000 | 151 | 34% | 130 | 62,357 | 3,466,413 | -1,779,557 | 10 | 5 |
| ゴム指 | 2,428,800 | -0.84 | 0.01 | -39,507,400 | 86 | 31% | 37 | 28,241 | 3,809,074 | -1,731,313 | 10 | 4 |
| ガス | 2,396,000 | 1.13 | 0.10 | -9,181,000 | 9 | 44% | 30 | 266,222 | 2,370,500 | -1,417,200 | 9 | 7 |
| 灯油 | 4,483,000 | 1.12 | 0.14 | -6,940,000 | 15 | 33% | 32 | 298,866 | 2,983,200 | -1,043,300 | 9 | 5 |
| コーン | -13,472,000 | -0.87 | -0.05 | -29,615,000 | 95 | 35% | 63 | -141,810 | 2,626,909 | -1,697,627 | 10 | 6 |
| 大豆 | 5,235,600 | 0.43 | 0.02 | -18,633,300 | 96 | 28% | 91 | 54,537 | 3,524,466 | -1,383,461 | 11 | 6 |
| 粗糖 | 6,984,000 | 0.66 | 0.02 | -24,205,000 | 89 | 33% | 60 | 78,471 | 3,729,655 | -1,686,266 | 10 | 6 |
| ロブス | 10,565,000 | 2.02 | 0.18 | -6,336,000 | 23 | 43% | 63 | 459,347 | 2,525,950 | -1,130,346 | 9 | 5 |
| アラビ | 1,613,000 | 0.60 | 0.03 | -9,203,000 | 19 | 37% | 55 | 84,894 | 2,561,714 | -1,359,916 | 11 | 6 |
| 小豆 | 10,694,400 | 0.15 | 0.02 | -41,607,200 | 156 | 36% | 85 | 68,553 | 3,478,642 | -1,917,808 | 10 | 5 |
| 乾繭 | 49,461,900 | 2.65 | 0.10 | -20,558,100 | 193 | 36% | 69 | 256,279 | 3,666,038 | -1,755,600 | 10 | 5 |
| 生糸 | 13,875,000 | 0.10 | 0.03 | -32,717,100 | 165 | 33% | 76 | 84,090 | 4,061,538 | -1,920,075 | 10 | 5 |
| 日経225 | -18,510,000 | -0.88 | -0.04 | -51,060,000 | 183 | 35% | 4 | -101,147 | 2,927,187 | -1,729,831 | 10 | 5 |
| 日経300 | -26,259,000 | -1.70 | -0.12 | -37,556,000 | 100 | 36% | 32 | -262,590 | 1,904,250 | -1,481,437 | 9 | 5 |
| TOPIX | -685,000 | -0.02 | 0.00 | -26,720,000 | 162 | 41% | 5 | -4,228 | 2,336,818 | -1,613,697 | 9 | 4 |
| 債券先 | 9,440,000 | -0.25 | 0.02 | -45,940,000 | 172 | 38% | 3 | 54,883 | 2,900,615 | -1,673,831 | 10 | 5 |
| 平均 | 10,721,419 | 0.57 | 0.05 | -25,046,090 | 100 | 37% | 63 | 166,676 | 3,158,829 | -1,602,768 | 10 | 5 |

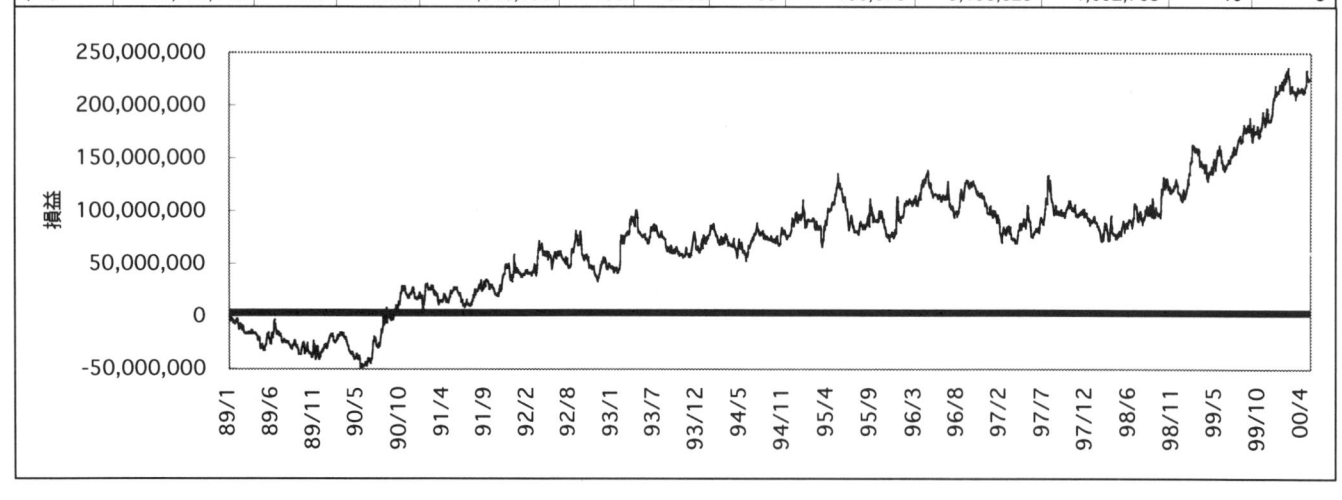

**ポートフォリオ統計**

| | |
|---|---|
| 純益: | 225,149,800 |
| ドローダウン: | -69,165,600 |
| Kレシオ: | 2.27 |
| シャープ・レシオ: | 0.12 |
| ブレイクアウトとの相関係数: | 0.18 |
| 移動平均との相関係数: | 0.13 |

# 付録2　日本市場における検証結果

損益曲線: 金-ロブスタコーヒー(千円単位)
システム名: ジョーズ・ジェシー・リバモア
建玉枚数: 可変
Copyright (c) 2000 Pan Rolling, Inc.

## APPENDIX 2

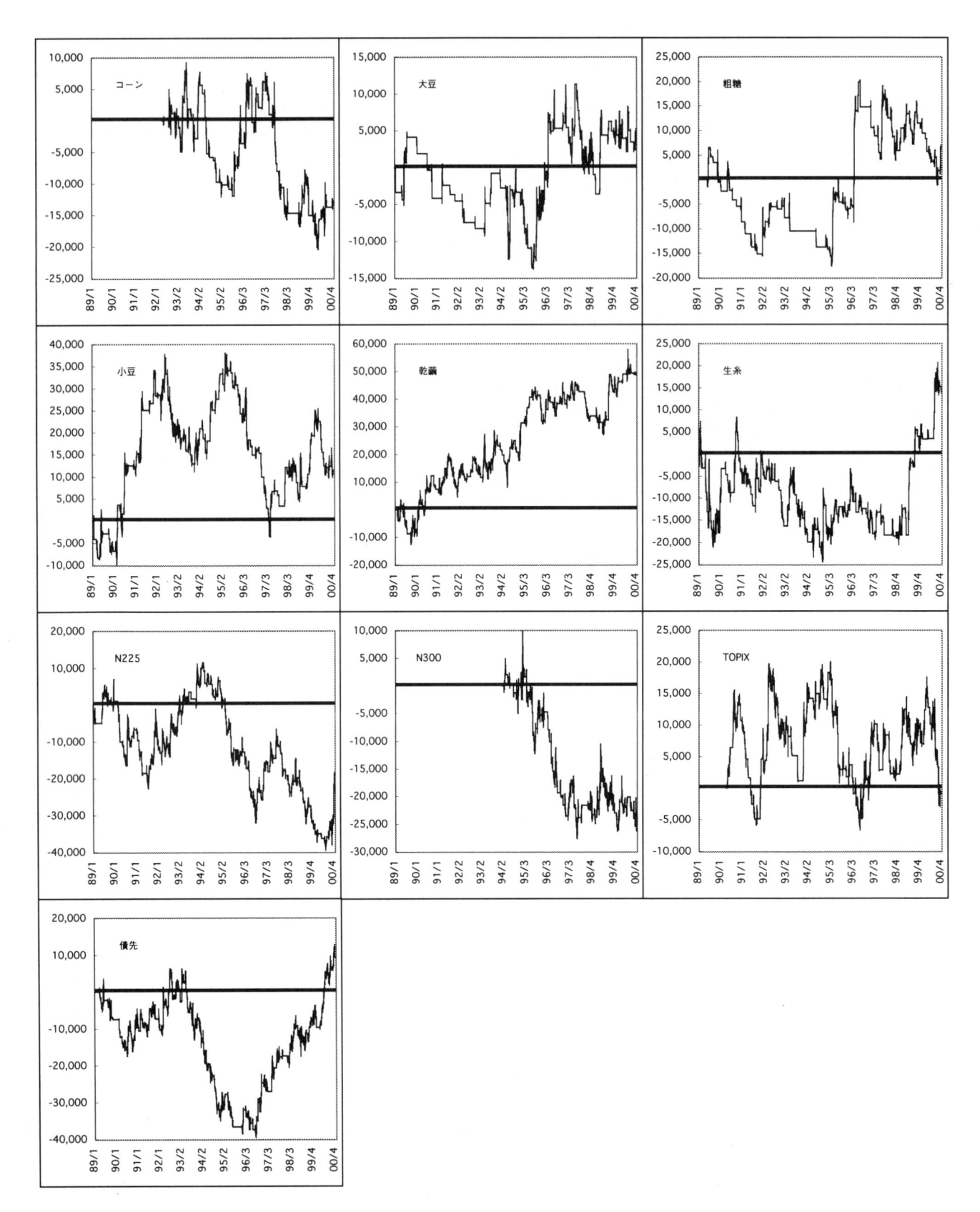

損益曲線: とうもろこし-債券先物 (単位千円)
システム名: ジョーズ・ジェシー・リバモア
建玉枚数: 可変
Copyright (c) 2000 Pan Rolling, Inc.

## 付録2　日本市場における検証結果

**年次成績分析**

|  | 純益 | Kレシオ | シャープレシオ |
|---|---|---|---|
| 1989 | -28,078,450 | -1.61 | -0.35 |
| 1990 | 48,295,800 | 1.12 | 0.32 |
| 1991 | 22,115,000 | 0.66 | 0.16 |
| 1992 | 2,165,300 | 0.19 | 0.01 |
| 1993 | 24,752,150 | -0.01 | 0.16 |
| 1994 | 19,709,700 | 0.35 | 0.18 |
| 1995 | -10,817,400 | -0.25 | -0.04 |
| 1996 | 19,492,750 | 0.12 | 0.12 |
| 1997 | 441,750 | 0.69 | 0.00 |
| 1998 | 12,839,900 | 1.37 | 0.07 |
| 1999 | 101,568,850 | 1.83 | 0.63 |
| 2000 | 12,664,450 | -0.06 | 0.22 |

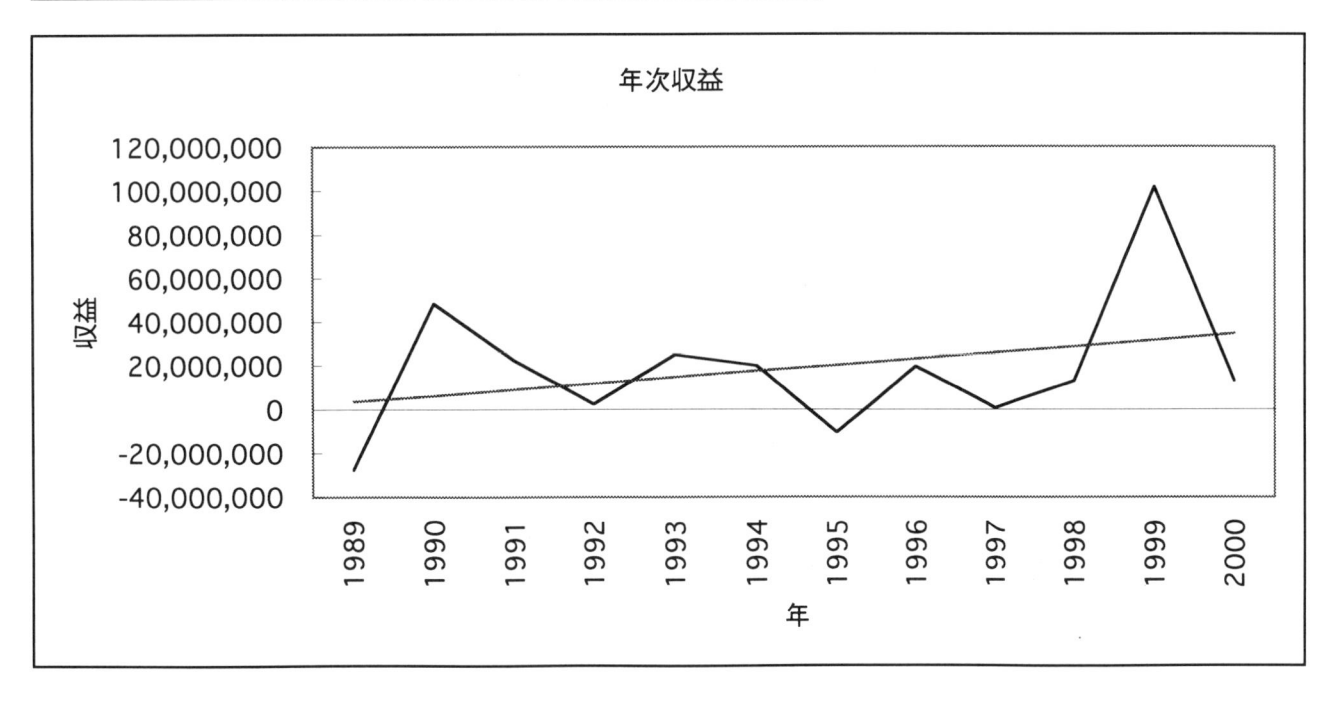

**収益性ウインドウ**

| 期間(月) | ウインドウ数 | 利益ウインドウ数 | 利益ウインドウ率 |
|---|---|---|---|
| 1 | 136 | 65 | 0.48 |
| 3 | 134 | 81 | 0.60 |
| 6 | 131 | 76 | 0.58 |
| 12 | 125 | 92 | 0.74 |
| 18 | 119 | 99 | 0.83 |
| 24 | 113 | 97 | 0.86 |

# APPENDIX 2

トレーディング・システム評価
システム名: ボラティリティ・システム
検証期間: 1989/1/4 - 2000/4/28

| 市場 | 純益 | Kレシオ | シャープレシオ | 最大ドローダウン | トレード数 | 勝率 | 平均建玉数 | 平均利益 | 勝トレードの平均利益 | 敗トレードの平均損失 | 勝トレードの平均日数 | 敗トレードの平均日数 |
|---|---|---|---|---|---|---|---|---|---|---|---|---|
| 金 | 50,646,000 | 1.07 | 0.08 | -57,393,000 | 134 | 40% | 90 | 377,955 | 4,820,055 | -2,653,632 | 32 | 13 |
| 銀 | -2,985,600 | -0.04 | 0.00 | -67,593,600 | 122 | 40% | 65 | -24,472 | 3,478,579 | -2,408,833 | 32 | 17 |
| 白金 | 117,183,500 | 4.04 | 0.18 | -25,965,500 | 111 | 42% | 141 | 1,055,707 | 4,836,851 | -1,748,388 | 36 | 17 |
| パラ | 100,900,500 | 0.95 | 0.13 | -49,534,500 | 72 | 36% | 119 | 1,401,395 | 8,965,903 | -2,938,066 | 44 | 16 |
| アルミ | 34,908,000 | 1.39 | 0.15 | -22,374,000 | 25 | 44% | 55 | 1,396,320 | 6,194,272 | -2,373,500 | 39 | 21 |
| ゴム | 113,724,000 | 2.72 | 0.17 | -30,398,000 | 120 | 43% | 130 | 947,700 | 5,426,598 | -2,433,320 | 37 | 13 |
| ゴム指 | 26,691,400 | 1.25 | 0.09 | -28,269,200 | 62 | 42% | 36 | 430,506 | 5,074,023 | -2,923,144 | 33 | 11 |
| ガス | 2,101,000 | -0.46 | 0.07 | -12,717,000 | 9 | 44% | 30 | 233,444 | 3,058,750 | -2,026,800 | 28 | 15 |
| 灯油 | -3,096,000 | -0.42 | -0.07 | -16,001,000 | 6 | 50% | 34 | -516,000 | 3,918,000 | -4,950,000 | 55 | 8 |
| コーン | 27,029,000 | 0.56 | 0.06 | -47,965,000 | 100 | 45% | 61 | 270,290 | 3,773,577 | -2,596,036 | 29 | 12 |
| 大豆 | 34,360,200 | 1.54 | 0.06 | -45,725,400 | 151 | 36% | 87 | 227,550 | 4,506,834 | -2,295,867 | 28 | 13 |
| 粗糖 | 39,351,000 | 0.57 | 0.06 | -44,945,000 | 142 | 39% | 62 | 277,119 | 4,885,651 | -2,755,829 | 29 | 13 |
| ロブス | -7,516,000 | -0.01 | -0.08 | -18,575,000 | 22 | 41% | 60 | -341,636 | 2,585,000 | -2,367,769 | 28 | 15 |
| アラビ | 10,407,500 | 0.18 | 0.08 | -20,088,500 | 21 | 48% | 51 | 495,595 | 4,126,650 | -2,805,363 | 32 | 10 |
| 小豆 | 60,882,400 | 0.86 | 0.08 | -27,638,400 | 125 | 42% | 82 | 487,059 | 5,079,637 | -2,893,588 | 35 | 13 |
| 乾繭 | 62,633,700 | 0.36 | 0.07 | -80,177,100 | 148 | 37% | 69 | 423,200 | 6,414,998 | -3,120,335 | 31 | 11 |
| 生糸 | 63,562,950 | 2.17 | 0.08 | -54,725,250 | 159 | 42% | 81 | 399,766 | 4,910,704 | -2,917,079 | 28 | 10 |
| 日経225 | 30,700,000 | 0.50 | 0.04 | -71,180,000 | 100 | 39% | 4 | 307,000 | 5,620,256 | -3,141,500 | 44 | 17 |
| 日経300 | -91,804,000 | -2.98 | -0.28 | -92,700,000 | 72 | 24% | 32 | -1,275,055 | 4,611,058 | -3,094,400 | 36 | 16 |
| TOPIX | -11,065,000 | 0.15 | -0.02 | -46,055,000 | 90 | 33% | 5 | -122,944 | 6,050,666 | -3,264,152 | 44 | 18 |
| 債券先 | 177,250,000 | 4.66 | 0.20 | -36,610,000 | 88 | 45% | 3 | 2,014,204 | 8,287,250 | -3,213,333 | 51 | 16 |
| 平均 | 39,803,074 | 0.91 | 0.06 | -42,696,688 | 89 | 41% | 62 | 403,081 | 5,077,396 | -2,805,759 | 36 | 14 |

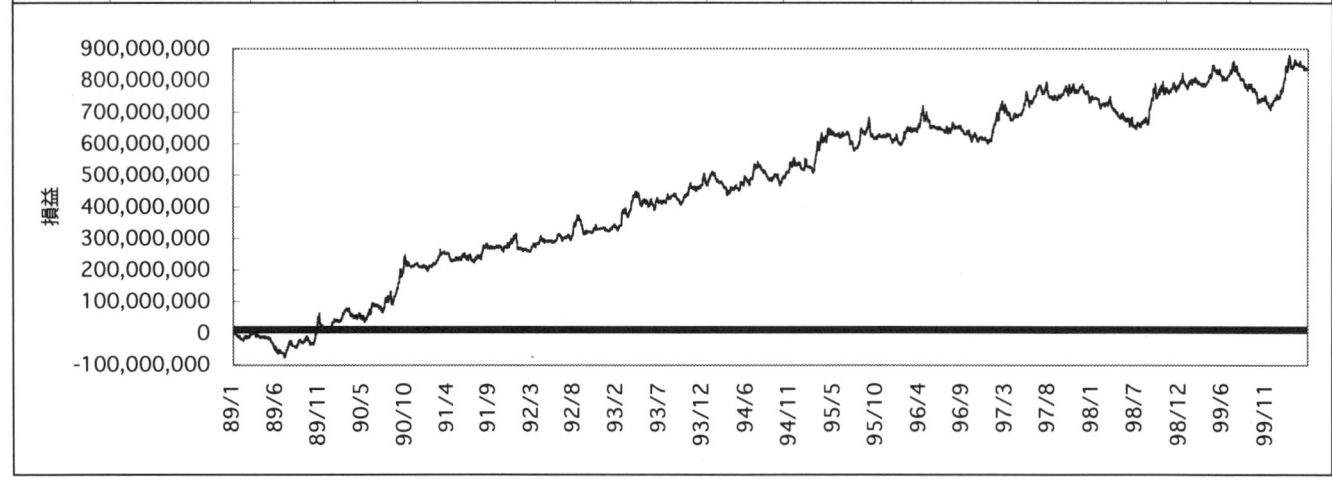

**ポートフォリオ統計**

| | |
|---|---|
| 純益: | 835,864,550 |
| ドローダウン: | -151,673,950 |
| Kレシオ: | 4.38 |
| シャープ・レシオ: | 0.23 |
| ブレイクアウトとの相関係数: | 0.62 |
| 移動平均との相関係数: | 0.54 |

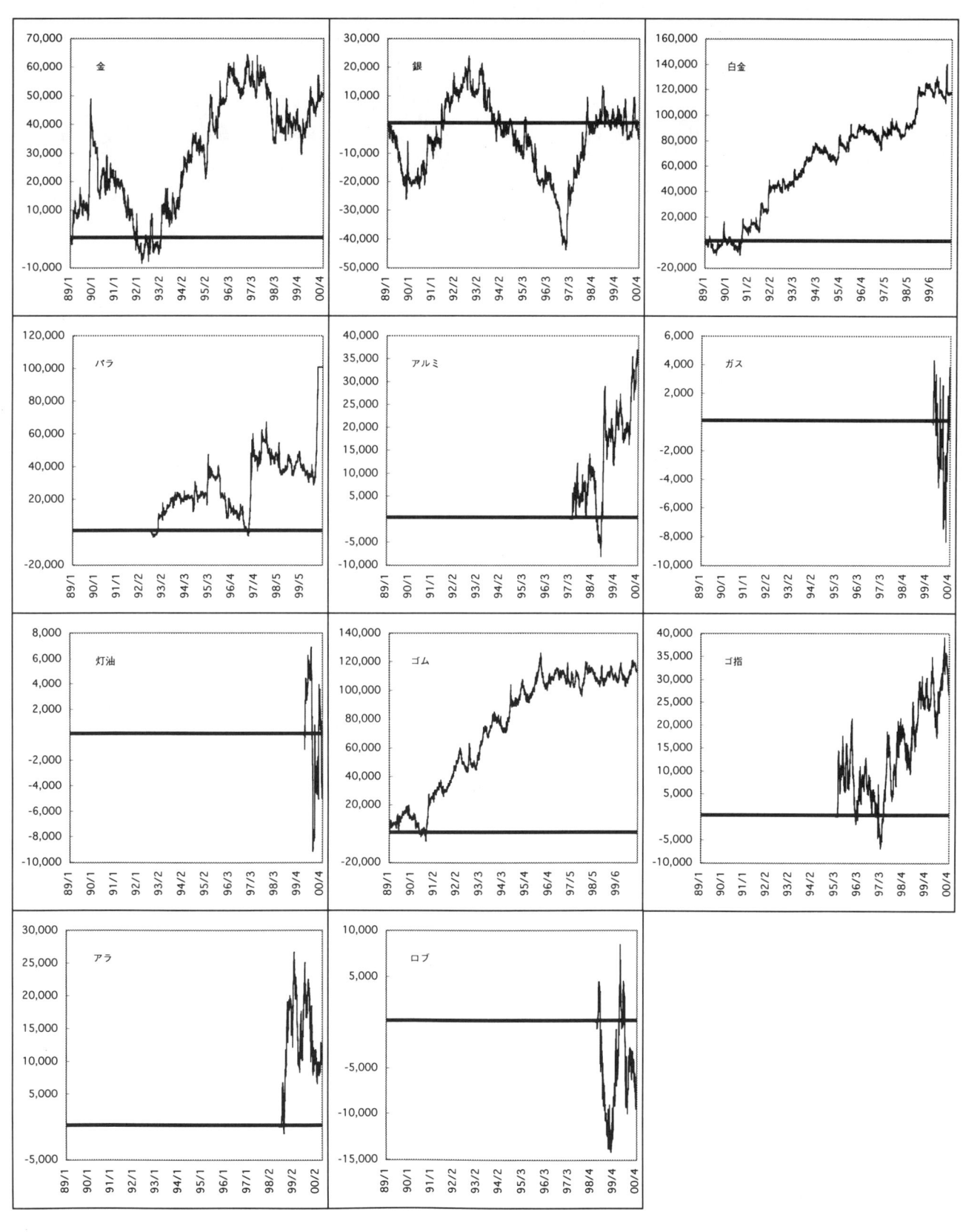

## 付録2　日本市場における検証結果

損益曲線: 金-ロブスタコーヒー(千円単位)
システム名: ボラティリティ・システム
建玉枚数: 可変
Copyright (c) 2000 Pan Rolling, Inc.

APPENDIX 2

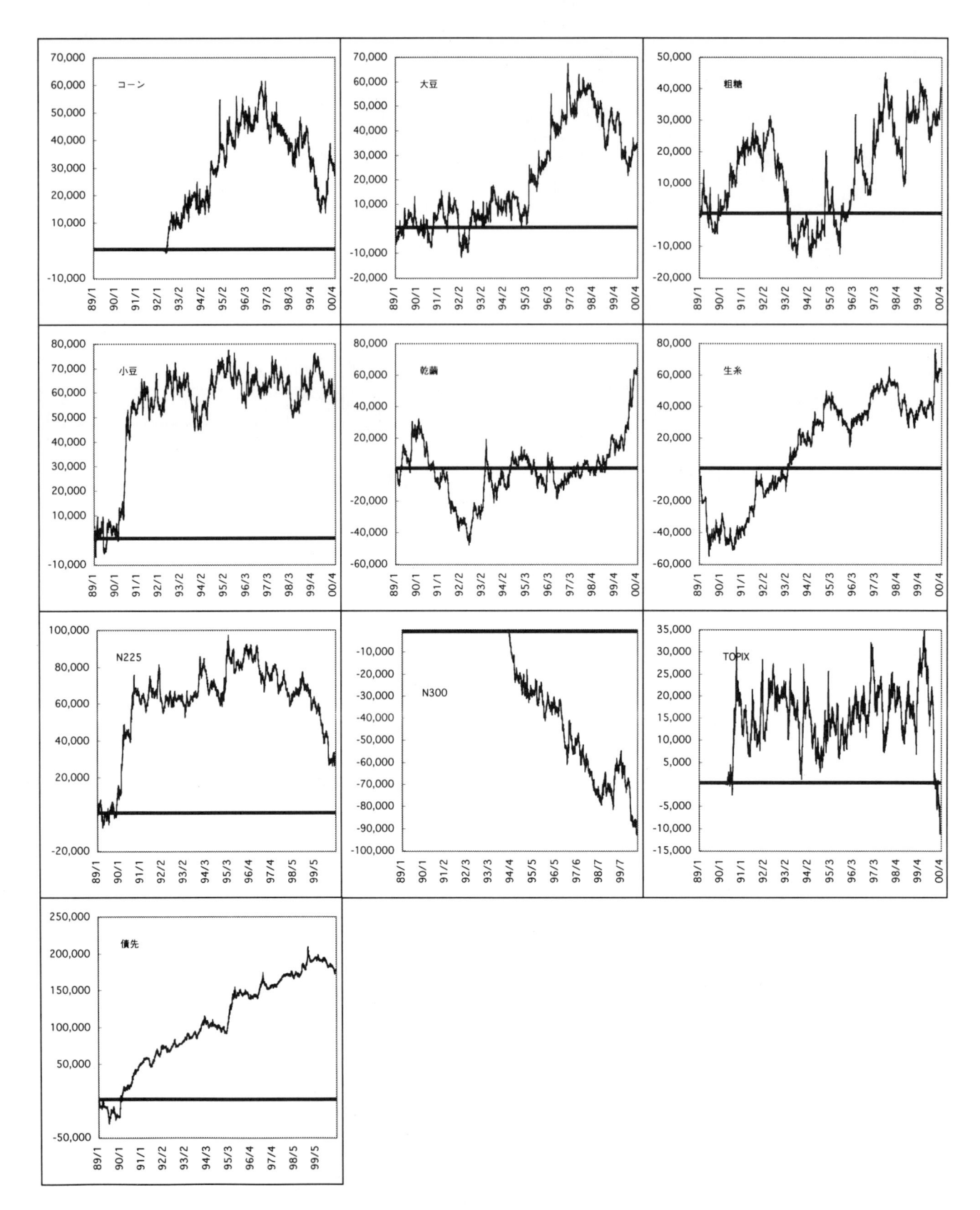

損益曲線: とうもろこし-債券先物 (単位千円)
システム名: ボラティリティ・システム
建玉枚数: 可変
Copyright (c) 2000 Pan Rolling, Inc.

## 付録2　日本市場における検証結果

**年次成績分析**

|      | 純益 | Kレシオ | シャープレシオ |
|------|---:|---:|---:|
| 1989 | 16,825,200 | 0.07 | 0.07 |
| 1990 | 197,403,550 | 2.24 | 0.48 |
| 1991 | 91,414,250 | 1.60 | 0.54 |
| 1992 | 16,002,750 | 1.51 | 0.04 |
| 1993 | 173,714,450 | 1.55 | 0.72 |
| 1994 | 42,883,850 | 0.72 | 0.13 |
| 1995 | 73,620,000 | 0.79 | 0.21 |
| 1996 | 1,528,450 | -0.33 | 0.01 |
| 1997 | 142,920,800 | 1.54 | 0.35 |
| 1998 | 41,424,250 | 0.33 | 0.13 |
| 1999 | -57,075,450 | -0.73 | -0.15 |
| 2000 | 95,202,450 | 1.06 | 0.77 |

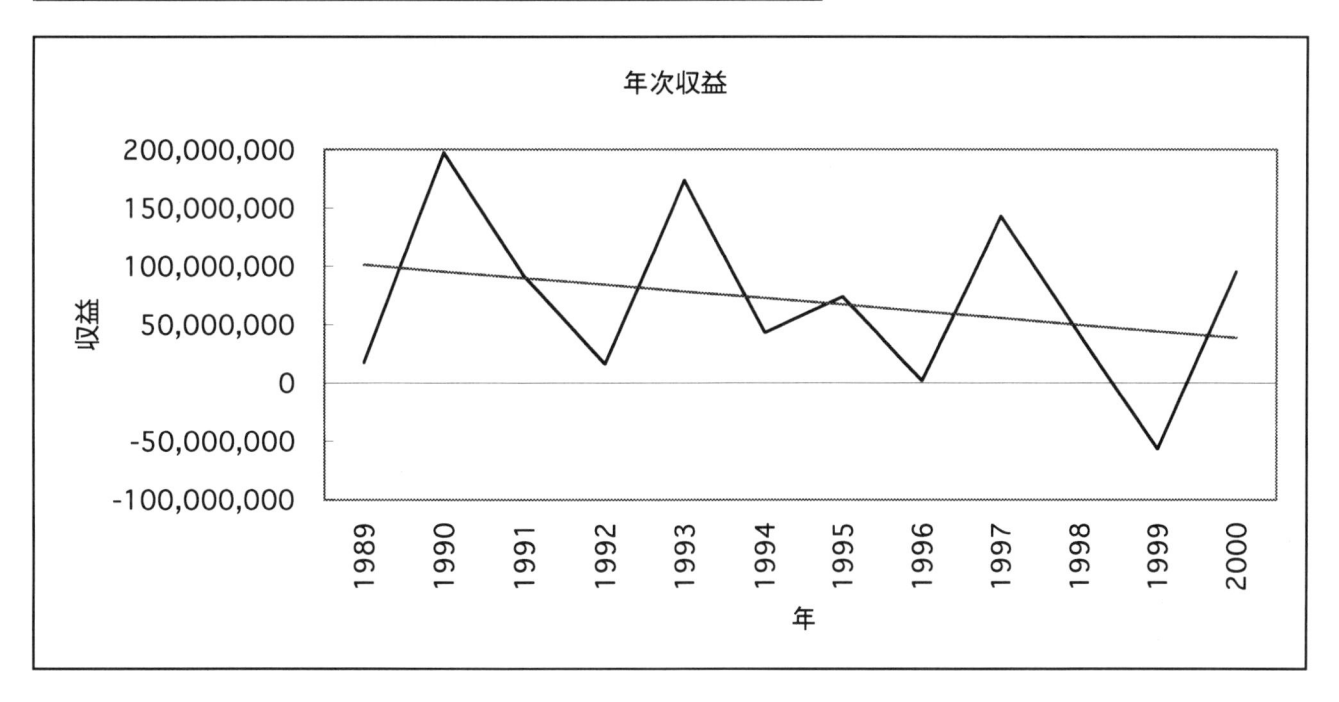

年次収益

**収益性ウインドウ**

| 期間(月) | ウインドウ数 | 利益ウインドウ数 | 利益ウインドウ率 |
|---:|---:|---:|---:|
| 1 | 136 | 84 | 0.62 |
| 3 | 134 | 87 | 0.65 |
| 6 | 131 | 101 | 0.77 |
| 12 | 125 | 112 | 0.90 |
| 18 | 119 | 114 | 0.96 |
| 24 | 113 | 109 | 0.96 |

## APPENDIX 2

トレーディング・システム評価
システム名: 方向性指標
検証期間: 1989/1/4 - 2000/4/28

| 市場 | 純益 | Kレシオ | シャープレシオ | 最大ドローダウン | トレード数 | 勝率 | 平均建玉数 | 平均利益 | 勝トレードの平均利益 | 敗トレードの平均損失 | 勝トレードの平均日数 | 敗トレードの平均日数 |
|---|---|---|---|---|---|---|---|---|---|---|---|---|
| 金 | -30,508,000 | -3.03 | -0.12 | -41,921,000 | 68 | 26% | 82 | -448,647 | 1,842,944 | -1,299,612 | 21 | 6 |
| 銀 | -2,656,800 | -0.26 | -0.01 | -26,547,000 | 50 | 34% | 55 | -53,136 | 2,464,552 | -1,350,127 | 18 | 7 |
| 白金 | -15,576,000 | -1.79 | -0.07 | -27,347,500 | 52 | 23% | 94 | -299,538 | 2,018,666 | -1,020,512 | 26 | 4 |
| パラ | 18,213,000 | 0.27 | 0.07 | -23,658,000 | 46 | 37% | 128 | 395,934 | 3,597,705 | -1,480,965 | 29 | 5 |
| アルミ | 35,496,000 | 2.06 | 0.18 | -11,317,000 | 20 | 50% | 52 | 1,774,800 | 5,078,400 | -1,528,800 | 22 | 8 |
| ゴム | -19,281,500 | -0.64 | -0.06 | -38,195,500 | 71 | 30% | 114 | -271,570 | 3,115,238 | -1,802,159 | 27 | 6 |
| ゴム指 | 11,683,800 | 0.07 | 0.07 | -32,897,000 | 37 | 32% | 32 | 315,778 | 4,117,500 | -1,509,048 | 27 | 5 |
| ガス | -60,000 | -0.17 | -0.32 | -2,160,000 | 1 | 0% | 30 | -60,000 | 0 | -60,000 | 0 | 6 |
| 灯油 | 0 | 0.00 | 0.00 | 0 | 0 | 0% | 0 | 0 | 0 | 0 | 0 | 0 |
| コーン | -20,279,000 | -4.21 | -0.25 | -22,774,000 | 26 | 19% | 46 | -779,961 | 1,240,200 | -1,260,952 | 11 | 7 |
| 大豆 | -33,740,100 | -3.30 | -0.20 | -37,010,400 | 49 | 18% | 61 | -688,573 | 1,501,033 | -1,277,010 | 15 | 5 |
| 粗糖 | -20,006,000 | -0.51 | -0.09 | -31,238,000 | 44 | 23% | 54 | -454,681 | 2,950,500 | -1,500,333 | 28 | 5 |
| ロブス | -9,655,000 | -1.05 | -0.19 | -14,145,500 | 5 | 20% | 65 | -1,931,000 | 1,653,000 | -2,827,000 | 36 | 5 |
| アラビ | -8,150,000 | -2.10 | -0.32 | -9,734,000 | 8 | 25% | 51 | -1,018,750 | 595,000 | -1,556,666 | 1 | 8 |
| 小豆 | -21,604,800 | -1.02 | -0.06 | -42,549,600 | 82 | 27% | 75 | -263,473 | 2,844,181 | -1,451,324 | 20 | 5 |
| 乾繭 | 14,394,000 | 0.27 | 0.03 | -39,561,000 | 91 | 26% | 72 | 158,175 | 5,053,412 | -1,595,341 | 24 | 5 |
| 生糸 | -25,150,200 | -1.19 | -0.08 | -34,951,950 | 75 | 27% | 74 | -335,336 | 2,809,470 | -1,506,288 | 23 | 5 |
| 日経225 | 22,980,000 | 0.67 | 0.06 | -20,080,000 | 59 | 36% | 4 | 389,491 | 3,574,285 | -1,370,526 | 23 | 7 |
| 日経300 | -12,014,000 | -1.15 | -0.09 | -19,226,000 | 30 | 27% | 31 | -400,466 | 2,415,875 | -1,424,590 | 21 | 6 |
| TOPIX | 12,175,000 | 0.69 | 0.05 | -13,670,000 | 50 | 36% | 5 | 243,500 | 2,968,055 | -1,289,062 | 27 | 7 |
| 債券先 | 42,560,000 | 2.00 | 0.10 | -23,490,000 | 75 | 36% | 3 | 567,466 | 4,487,777 | -1,672,553 | 31 | 5 |
| 平均 | -2,913,314 | -0.68 | -0.06 | -24,403,498 | 45 | 26% | 54 | -150,476 | 2,587,038 | -1,370,613 | 20 | 6 |

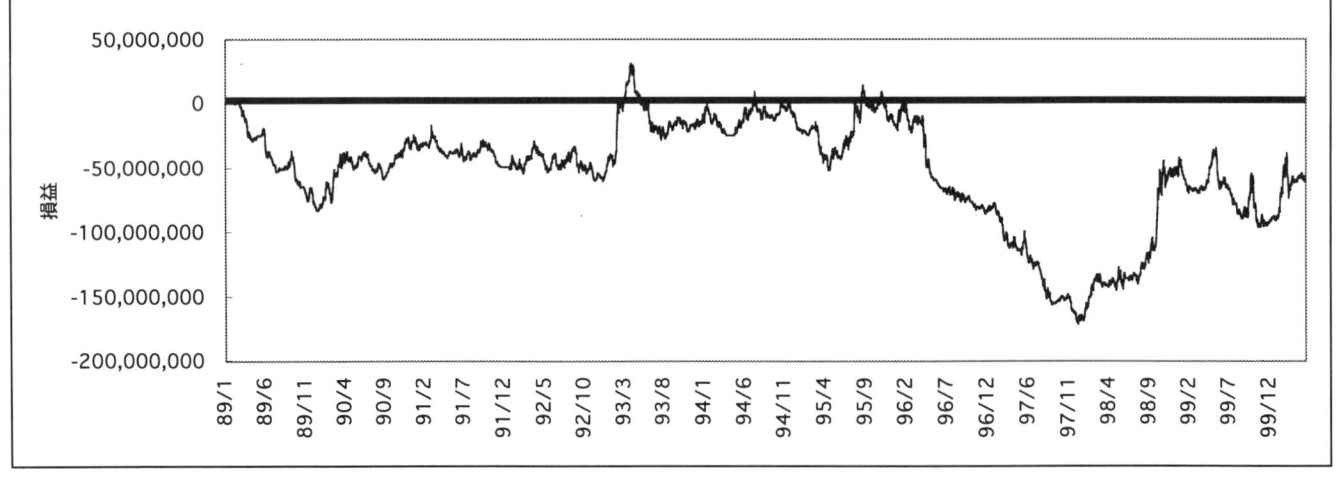

**ポートフォリオ統計**

| | |
|---|---|
| 純益: | -61,179,600 |
| ドローダウン: | -202,266,000 |
| Kレシオ: | -0.56 |
| シャープ・レシオ: | -0.04 |
| ブレイクアウトとの相関係数: | 0.27 |
| 移動平均との相関係数: | 0.21 |

# 付録2　日本市場における検証結果

損益曲線: 金-ロブスタコーヒー(千円単位)
システム名: 方向性指標
建玉枚数: 可変
Copyright (c) 2000 Pan Rolling, Inc.

APPENDIX 2

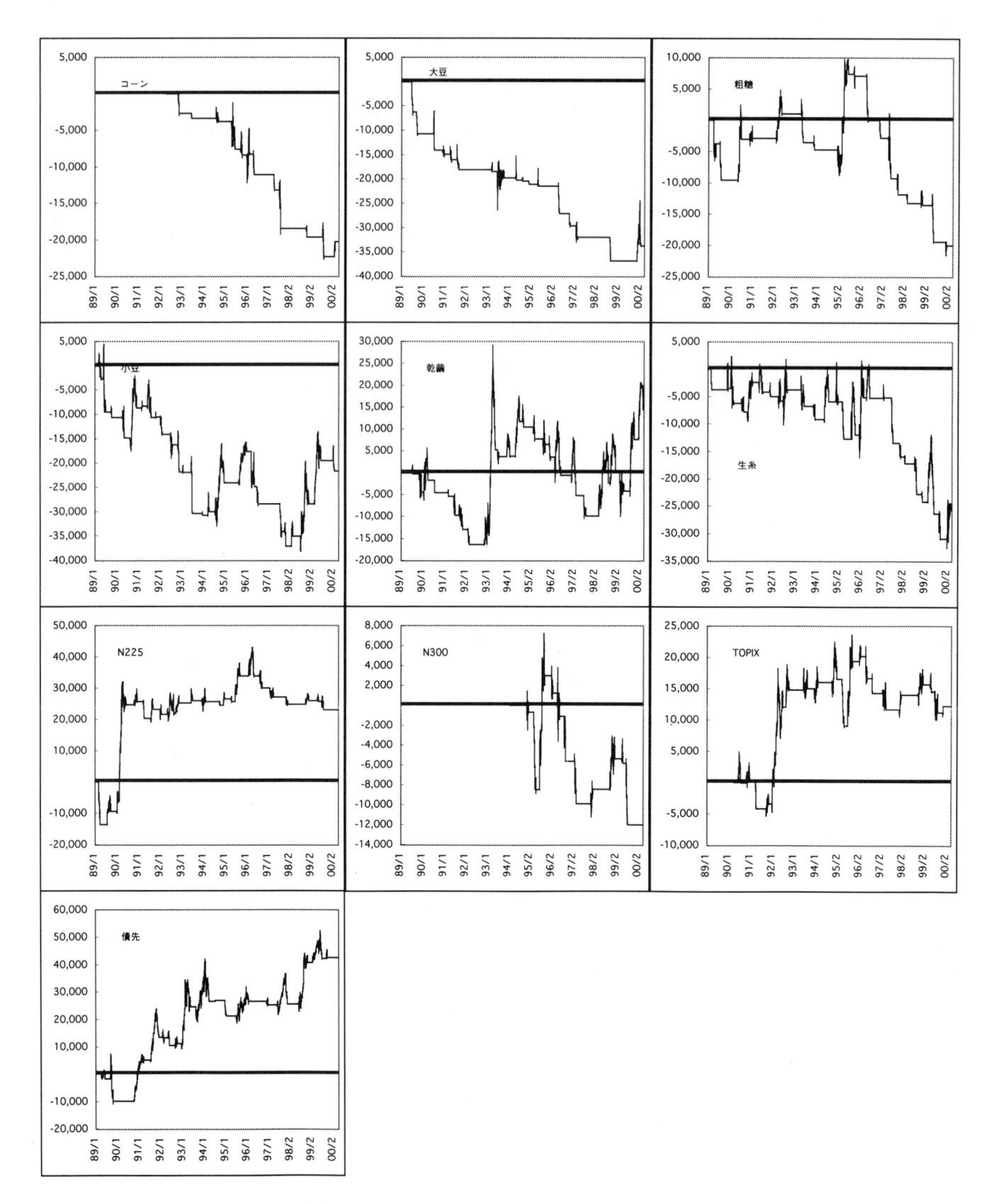

損益曲線: とうもろこし-債券先物 (単位千円)
システム名: 方向性指標
建玉枚数: 可変
Copyright (c) 2000 Pan Rolling, Inc.

## 付録2　日本市場における検証結果

**年次成績分析**

| | 純益 | Kレシオ | シャープレシオ |
|---|---|---|---|
| 1989 | -78,786,600 | -4.33 | -0.63 |
| 1990 | 52,766,650 | 0.93 | 0.51 |
| 1991 | -23,151,850 | -0.88 | -0.35 |
| 1992 | -8,180,850 | -0.45 | -0.06 |
| 1993 | 43,598,850 | 0.00 | 0.25 |
| 1994 | 5,060,000 | 0.57 | 0.06 |
| 1995 | -1,867,900 | 0.65 | -0.01 |
| 1996 | -71,345,650 | -2.57 | -0.45 |
| 1997 | -87,098,350 | -4.38 | -0.94 |
| 1998 | 113,215,250 | 1.77 | 0.51 |
| 1999 | -33,211,000 | -1.08 | -0.23 |
| 2000 | 27,821,850 | 0.86 | 0.64 |

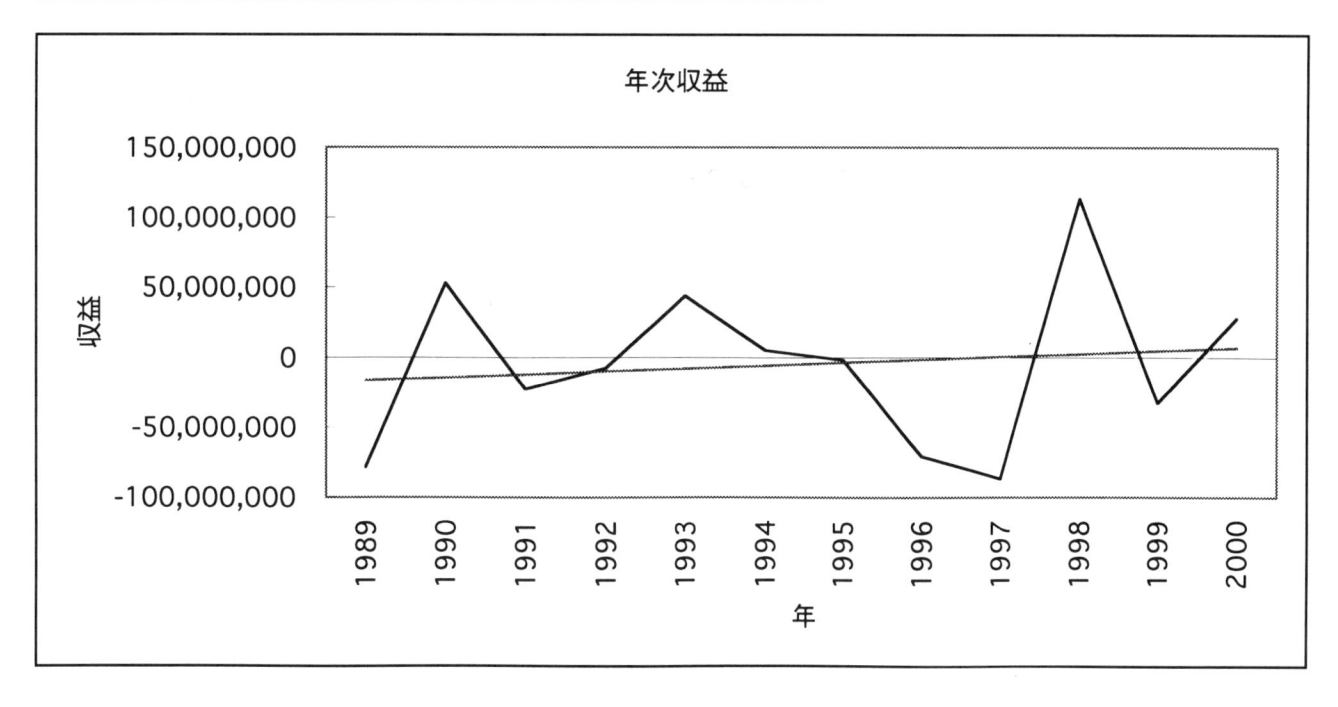

年次収益

……

| 期間(月) | ウインドウ数 | 利益ウインドウ数 | 利益ウインドウ率 |
|---|---|---|---|
| 1 | 136 | 57 | 0.42 |
| 3 | 134 | 57 | 0.43 |
| 6 | 131 | 58 | 0.44 |
| 12 | 125 | 60 | 0.48 |
| 18 | 119 | 58 | 0.49 |
| 24 | 113 | 64 | 0.57 |

## APPENDIX 2

### 複数枚数取引システムによる純益の順位表（売買コスト0）

| システム | 考案者 | 純益 |
|---|---|---|
| 20日モメンタム | 対照標準 | 1,284,607,500 |
| 0.2と0.1のVIDYAの交差：動的平均の可変指標 | シャンデ | 1,164,157,700 |
| 40／20ドンチャン・チャネル・ブレイクアウト | ドンチャン | 1,159,184,300 |
| 10／40移動平均交差 | ドンチャン | 1,117,316,250 |
| ボラティリティ・システム | ワイルダー | 835,864,550 |
| DEMA：2つの指数移動平均 | バーンスタイン | 647,172,450 |
| ADXフィルターを併用したオシレーター法 | バーンズ | 634,388,750 |
| オシレーター法 | バーンズ | 571,359,100 |
| 1日（週）の重要な時間（ラーズ・ケストナーによる修正版） | バーンスタイン | 517,086,450 |
| ワンナイト・スタンド | クルトシンガー | 467,998,500 |
| ジョーズ・クオーター・パウンダー | クルトシンガー | 352,220,650 |
| 強さ1のTDライン抜き | デマーク | 299,444,600 |
| ストキャスティックの破裂（ラーズ・ケストナーによる修正版） | バーンスタイン | 272,864,900 |
| 移動平均交差を併用したシャンデのモメンタム・オシレーター | シャンデ | 251,993,200 |
| ジョーズ・ジェシー・リバモア | クルトシンガー | 225,149,800 |
| ストキャスティックの破裂 | バーンスタイン | 118,394,900 |
| 強さ3のTDライン抜き | デマーク | 86,096,550 |
| ジョーズ・テキサス2ステップ（10日移動平均） | クルトシンガー | 78,038,750 |
| フィブ・キャッチャー | クルトシンガー | 25,474,250 |
| ジョーズ・ギャップ | クルトシンガー | 12,640,800 |
| 移動平均フィルターを併用したREIによる穏やかな買われ過ぎ／売られ過ぎ | デマーク | 10,010,100 |
| アルファ＝0.03による尖度 | イェンセン | -7,877,100 |
| 移動平均フィルターを併用したデマーカーによる穏やかな買われ過ぎ／売られ過ぎ | デマーク | -26,116,400 |
| 方向性指標 | ワイルダー | -61,179,600 |
| FSRS | イェンセン | -217,169,950 |
| RSIによる穏やかな買われ過ぎ／売られ過ぎ | デマーク | -240,013,550 |
| アルファ＝0.10による尖度 | イェンセン | -248,314,900 |
| 14日％Kスロー・ストキャスティック | 対照標準 | -542,789,600 |
| 20日Qスティックと20日移動平均との交差 | シャンデ | -559,379,200 |
| 20日％Fと10日移動平均との交差 | シャンデ | -659,286,650 |
| 1－2－3反転システム | イェンセン | -667,230,950 |
| 買われ過ぎ／売られ過ぎ移動平均システム | デマーク | -731,137,150 |
| 8日Qスティックと8日移動平均との交差 | シャンデ | -812,325,450 |
| 5日％Fと3日移動平均との交差 | シャンデ | -914,888,350 |
| ジョーズ・テキサス2ステップ（3日移動平均） | クルトシンガー | -917,133,650 |
| ボックスのブレイクアウト逆張り法（40日） | バーンズ | -970,157,250 |
| ボックスのブレイクアウト逆張り法（10日） | バーンズ | -987,952,350 |
| 14日相対力指数 | 対照標準 | -1,096,337,700 |
| DRV利食い法 | バーンズ | -1,100,415,700 |

# 付録2　日本市場における検証結果

**純益の度数分布**

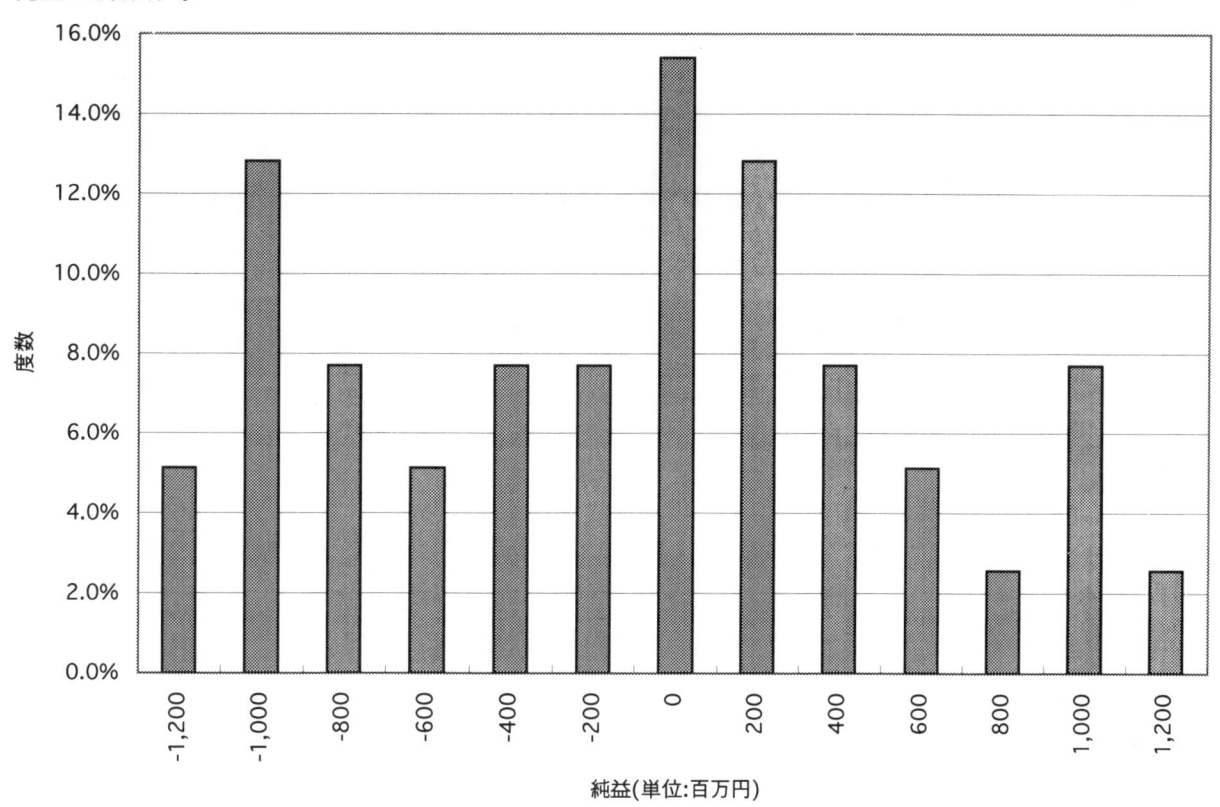

純益(単位:百万円)

## 複数枚数取引システムによるKレシオの順位表（売買コスト0）

| システム | 考案者 | Kレシオ |
| --- | --- | --- |
| 20.2と0.1のVIDYAの交差：動的平均の可変指標 | シャンデ | 8.96 |
| 40／20ドンチャン・チャネル・ブレイクアウト | ドンチャン | 7.44 |
| ワンナイト・スタンド | クルトシンガー | 7.03 |
| 10／40移動平均交差 | ドンチャン | 6.65 |
| 20日モメンタム | 対照標準 | 5.27 |
| ボラティリティ・システム | ワイルダー | 4.38 |
| ADXフィルターを併用したオシレーター法 | バーンズ | 4.16 |
| 1日（週）の重要な時間（ラーズ・ケストナーによる修正版） | バーンスタイン | 3.91 |
| DEMA：2つの指数移動平均 | バーンスタイン | 3.73 |
| 強さ1のTDライン抜き | デマーク | 3.12 |
| ジョーズ・ジェシー・リバモア | クルトシンガー | 2.27 |
| ジョーズ・クオーター・パウンダー | クルトシンガー | 2.18 |
| オシレーター法 | バーンズ | 2.12 |
| ストキャスティックの破裂（ラーズ・ケストナーによる修正版） | バーンスタイン | 1.98 |
| 強さ3のTDライン抜き | デマーク | 1.25 |
| フィブ・キャッチャー | クルトシンガー | 1.17 |
| 移動平均交差を併用したシャンデのモメンタム・オシレーター | シャンデ | 1.07 |
| ストキャスティックの破裂 | バーンスタイン | 0.93 |
| ジョーズ・ギャップ | クルトシンガー | 0.46 |
| ジョーズ・テキサス2ステップ（10日移動平均） | クルトシンガー | 0.09 |
| 移動平均フィルターを併用したデマーカーによる穏やかな買われ過ぎ／売られ過ぎ | デマーク | -0.06 |
| 移動平均フィルターを併用したREIによる穏やかな買われ過ぎ／売られ過ぎ | デマーク | -0.18 |
| 方向性指標 | ワイルダー | -0.56 |
| アルファ＝0.03による尖度 | イェンセン | -0.81 |
| アルファ＝0.10による尖度 | イェンセン | -1.52 |
| 20日Qスティックと20日移動平均との交差 | シャンデ | -1.61 |
| FSRS | イェンセン | -2.27 |
| 8日Qスティックと8日移動平均との交差 | シャンデ | -2.41 |
| 5日％Fと3日移動平均との交差 | シャンデ | -2.88 |
| 20日％Fと10日移動平均との交差 | シャンデ | -3.13 |
| RSIによる穏やかな買われ過ぎ／売られ過ぎ | デマーク | -3.18 |
| ジョーズ・テキサス2ステップ（3日移動平均） | クルトシンガー | -3.28 |
| 買われ過ぎ／売られ過ぎ移動平均システム | デマーク | -3.85 |
| 14日％Kスロー・ストキャスティック | 対照標準 | -4.29 |
| 1－2－3反転システム | イェンセン | -4.30 |
| DRV利食い法 | バーンズ | -4.58 |
| ボックスのブレイクアウト逆張り法（10日） | バーンズ | -5.40 |
| ボックスのブレイクアウト逆張り法（40日） | バーンズ | -6.38 |
| 14日相対力指数 | 対照標準 | -6.46 |

## 付録2　日本市場における検証結果

**Kレシオの度数分布**

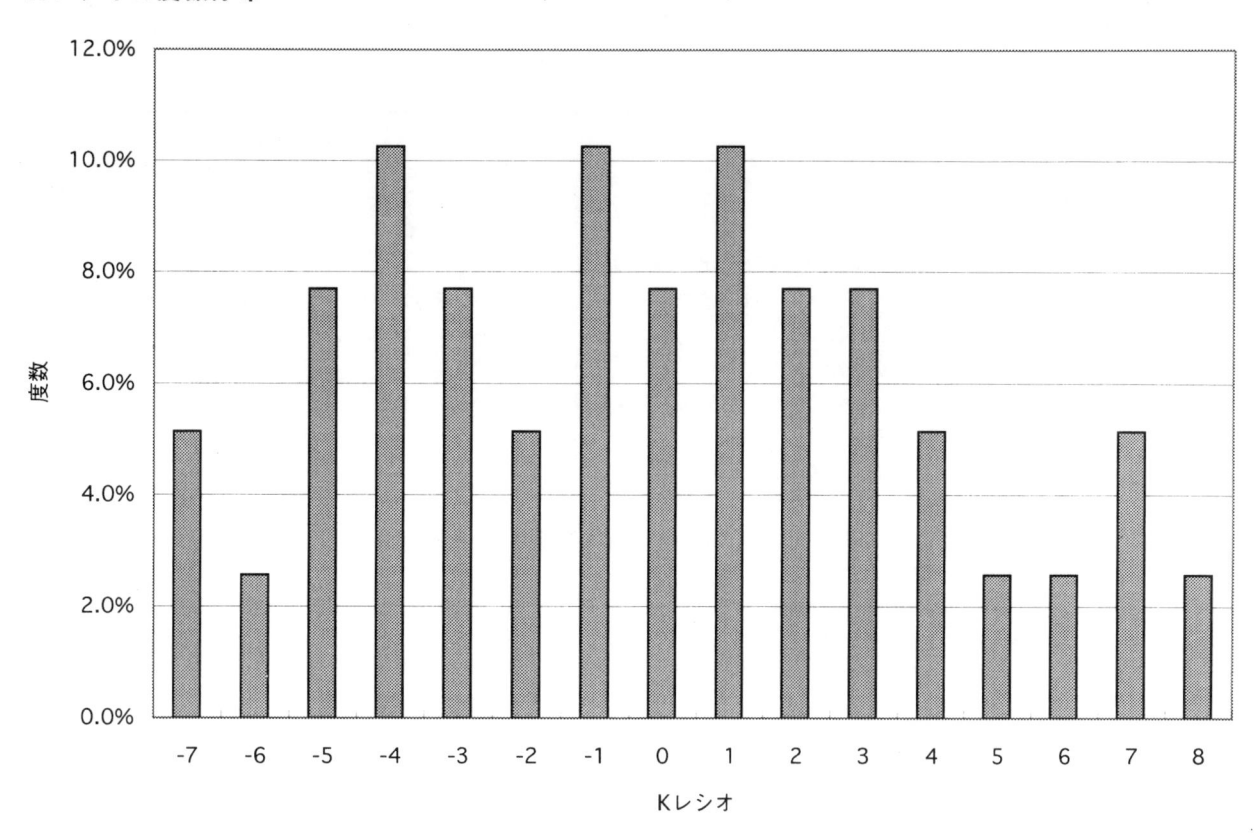

## APPENDIX 2

### 複数枚数取引システムによるシャープ・レシオの順位表（売買コスト0）

| システム | 考案者 | シャープレシオ |
|---|---|---|
| ワンナイト・スタンド | クルトシンガー | 0.51 |
| 20日モメンタム | 対照標準 | 0.33 |
| 0.2と0.1のVIDYAの交差：動的平均の可変指標 | シャンデ | 0.33 |
| 40／20ドンチャン・チャネル・ブレイクアウト | ドンチャン | 0.31 |
| 10／40移動平均交差 | ドンチャン | 0.27 |
| ボラティリティ・システム | ワイルダー | 0.23 |
| 1日（週）の重要な時間（ラーズ・ケストナーによる修正版） | バーンスタイン | 0.22 |
| 強さ1のTDライン抜き | デマーク | 0.21 |
| ADXフィルターを併用したオシレーター法 | バーンズ | 0.20 |
| DEMA：2つの指数移動平均 | バーンスタイン | 0.19 |
| ストキャスティックの破裂（ラーズ・ケストナーによる修正版） | バーンスタイン | 0.17 |
| オシレーター法 | バーンズ | 0.15 |
| ジョーズ・クオーター・パウンダー | クルトシンガー | 0.14 |
| ジョーズ・ジェシー・リバモア | クルトシンガー | 0.12 |
| 移動平均交差を併用したシャンデのモメンタム・オシレーター | シャンデ | 0.07 |
| ストキャスティックの破裂 | バーンスタイン | 0.06 |
| 強さ3のTDライン抜き | デマーク | 0.05 |
| フィブ・キャッチャー | クルトシンガー | 0.04 |
| ジョーズ・テキサス2ステップ（10日移動平均） | クルトシンガー | 0.02 |
| 移動平均フィルターを併用したREIによる穏やかな買われ過ぎ／売られ過ぎ | デマーク | 0.01 |
| ジョーズ・ギャップ | クルトシンガー | 0.00 |
| アルファ＝0.03による尖度 | イェンセン | 0.00 |
| 方向性指標 | ワイルダー | -0.04 |
| 移動平均フィルターを併用したデマーカーによる穏やかな買われ過ぎ／売られ過ぎ | デマーク | -0.05 |
| FSRS | イェンセン | -0.06 |
| アルファ＝0.10による尖度 | イェンセン | -0.07 |
| RSIによる穏やかな買われ過ぎ／売られ過ぎ | デマーク | -0.15 |
| 20日Qスティックと20日移動平均との交差 | シャンデ | -0.16 |
| 14日％Kスロー・ストキャスティック | 対照標準 | -0.16 |
| 20日％Fと10日移動平均との交差 | シャンデ | -0.18 |
| 8日Qスティックと8日移動平均との交差 | シャンデ | -0.23 |
| 5日％Fと3日移動平均との交差 | シャンデ | -0.25 |
| ジョーズ・テキサス2ステップ（3日移動平均） | クルトシンガー | -0.27 |
| 14日相対力指数 | 対照標準 | -0.28 |
| DRV利食い法 | バーンズ | -0.28 |
| 買われ過ぎ／売られ過ぎ移動平均システム | デマーク | -0.30 |
| ボックスのブレイクアウト逆張り法（40日） | バーンズ | -0.30 |
| 1－2－3反転システム | イェンセン | -0.32 |
| ボックスのブレイクアウト逆張り法（10日） | バーンズ | -0.33 |

## 付録2　日本市場における検証結果

シャープ・レシオの度数分布

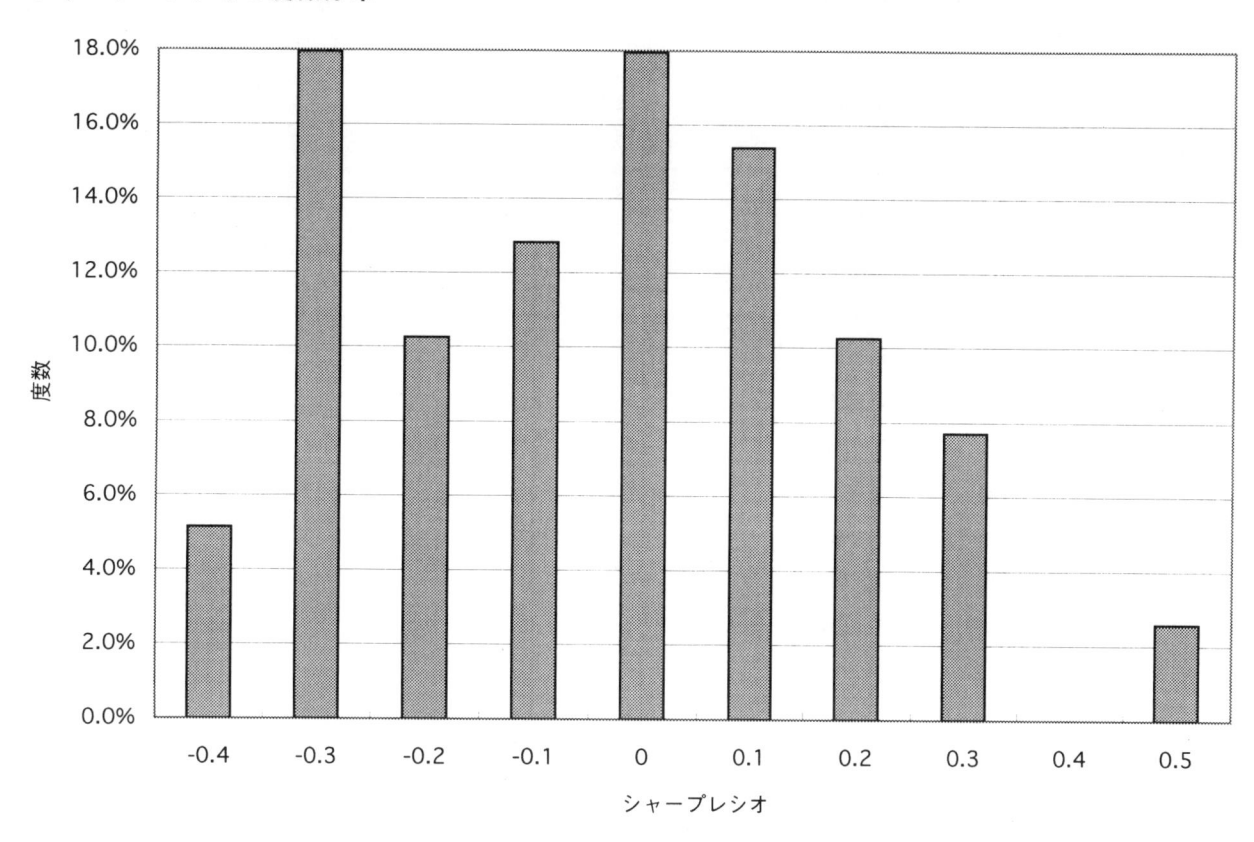

## APPENDIX 2

**Kレシオを計算するためのエクセル・マクロ**

| 日番号 | 累積損益 |
|---|---|
| 1 | 0.000 |
| 2 | -0.152 |
| 3 | 0.724 |
| 4 | 1.231 |
| 5 | 2.498 |
| 6 | 2.325 |
| 7 | 2.535 |
| 8 | 3.634 |
| 9 | 4.914 |
| 10 | 6.253 |
| 11 | 6.320 |
| 12 | 6.600 |
| 13 | 6.746 |
| 14 | 7.924 |
| 15 | 8.302 |
| 16 | 9.000 |
| 17 | 9.221 |
| 18 | 9.357 |
| 19 | 9.373 |
| 20 | 10.169 |

**Kレシオ**=SLOPE(b1:b20,a1:a20)*SQRT(DEVSQ(a1:a20))/STEYX(b1:b20,a1:a20)/SQRT(20)
**Kレシオ**　　5.900

マイクロソフト・エクセルを用いると一発で簡単にKレシオを計算できる。上記の例では"A"列に日番号を、"B"列にシステムの累積損益を入れている。すると、上記の計算式により、与えられたデータからKレシオを計算できる。

## 訳者あとがき

　私は本書に出合えて大変幸運だったと思っています。当時、システム検証といえば興味深くて仕方がない日計りシステムに没頭していました。中長期システムにはほとんど興味が持てない状態でした。「日足でRSI、そんなもの、いじるだけ時間の無駄だ」という具合です。それが、本書の翻訳と日本市場の検証を手掛けることになり、いままで興味の持てなかった市場、システムに対して検証、翻訳を余儀なくされることになりました。こんなきっかけでもなければ一生縁がなかったかもしれません。

　フタを開けたら結果はどうだったでしょう。それはもう、新しい発見の連続でした。十数年にもわたり一貫して儲かってるシステムがある、そのシステムといえども市場によってまるっきり振る舞いが違う、ベストに近いシステムでポートフォリオを組んでも1年半も儲からない期間がある、米国で通用するシステムは日本でも通用することが多い……等々。正直言って、まだ結果を消化しきれていません。恥ずかしながら、目先の収益向上しか頭にないまま日計りシステムの検証だけを続けていたなら決して得られなかった情報だったのは事実です。

　それほどまでにこの本に秘められた情報量は多いと思います。また、システムの全貌をこれほどまで的確に表現した本を探すことは極めて困難だと思います。私自身、得たものは計り知れないものがありますし、今後発見できることもまだ残されているはずです。著者も強調していることですが、結果の評価には十分に時間をかけていただきたいと思います。読者にも私と同様に様々な発見をしていただけたなら、訳者として、そして、日本市場での検証者としてそれ以上の喜びはありません。

　本書の翻訳、検証の機会を与えてくれた後藤康徳氏、長澤正樹氏には最大の感謝を表します。また、検証作業において、野村光紀氏には貴重なアドバイスをいただきました。編集校正の阿部達郎氏、組版の細田聖一氏、表紙デザインの江畑雅子氏にはいつもながらお世話になりました。陰ながら、ここ数年相場未亡人の妻、真由美には感謝の意でいっぱいです。妻の理解と支えなくしては決して本書の登場はあり得なかったはずですから。

　最後に本書を手にした読者の方のトレード活動が今後一層有利に展開することを祈って止みません。

2000年6月　パンローリング・アナリスト　柳谷 雅之

**著者紹介**

**Lars N. Kestner（ラーズ・N・ケストナー）**
システムトレーディングの分野に8年間以上君臨し、『フューチャーズ』や『ストック・アンド・コモディティーズ』といった業界誌によく寄稿している。ケストナー氏は主観的な部分を厳密な数学的分析で置き換えることにより、トレードの過程の多くをできる限り定量化することを試みてきた。また、性能評価にも興味を持ち、今日では多くの分析ソフトウエアパッケージで採用されているKレシオを考案した。また、大手銀行のデリバティブのトレーダーでもある。

**訳者紹介**

**柳谷 雅之（やなぎや・まさゆき）**
1990年、電気通信大学電子情報学専攻博士課程前期卒。
遺伝的アルゴリズム、確率応用論の研究に従事の後、1997年10月よりパンローリング株式会社にてマーケット・アナリストを務める。

---

2000年7月19日 初版第1刷発行
2006年3月5日　　第2刷発行
2009年6月5日　　第3刷発行

---

ウィザード・ブック・シリーズ⑧

## トレーディングシステム徹底比較　第2版

| | |
|---|---|
| 著　者 | ラーズ・N・ケストナー |
| 訳　者 | 柳谷雅之 |
| 発行者 | 後藤康徳 |
| 発行所 | パンローリング株式会社 |
| | 〒160-0023　東京都新宿区西新宿 7-9-18-6F |
| | TEL 03-5386-7391　　FAX 03-5386-7393 |
| | http://www.panrolling.com/ |
| | E-mail　info@panrolling.com |
| 編　集 | エフ・ジー・アイ (Factory of Gnomic Three Monkeys Investment) 合資会社 |
| 装丁・デザイン | Cue graphic studio TEL 03-5300-1755 |
| 組版 | マイルストーンズ合資会社 |
| 印刷・製本 | 株式会社シナノ |

ISBN978-4-939103-27-8 C2033
落丁・乱丁本はお取り替えします。
また、本書の全部、または一部を複写・複製・転訳載、および磁気・光記録媒体に入力することなどは、著作権法上の例外を除き禁じられています。

©Masayuki Yanagiya 2000 Printed in Japan

# 洗練されたシステムトレーダーを目指して

## ウィザードブックシリーズ 11
### 売買システム入門
著者：トゥーシャー・シャンデ

定価 本体 7,800円＋税　ISBN:9784939103315

【システム構築の基本的流れが分かる】
世界的に高名なシステム開発者であるトゥーシャー・シャンデ博士が「現実的」な売買システムを構築するための有効なアプローチを的確に指南。システムの検証方法、資金管理、陥りやすい問題点と対処法を具体的に解説する。基本概念から実際の運用まで網羅したシステム売買の教科書。

## ウィザードブックシリーズ 54
### 究極のトレーディングガイド
著者：ジョン・R・ヒル／ジョージ・プルート／ランディ・ヒル

定価 本体 4,800円＋税　ISBN:9784775970157

【売買システム分析の大家が一刀両断】
売買システムの成績判定で世界的に有名なフューチャーズトゥルース社のアナリストたちが、エリオット波動、値動きの各種パターン、資金管理といった、曖昧になりがちな理論を目からウロコの適切かつ具体的なルールで表現。安定した売買システム作りのノウハウを大公開する！

---

### ウィザードブックシリーズ 42
### トレーディングシステム入門
**仕掛ける前が勝負の分かれ目**
著者：トーマス・ストリズマン
定価 本体 5,800円＋税　ISBN:9784775970034

売買タイミングと資金管理の融合を売買システムで実現。システムを発展させるために有効な運用成績の評価ポイントと工夫のコツが惜しみなく著された画期的な書！

### ウィザードブックシリーズ 63
### マーケットのテクニカル秘録
**独自システム構築のために**
著者：チャールズ・ルボー＆デビッド・ルーカス
定価 本体 5,800円＋税　ISBN:9784775970256

ADX、RSI、ストキャスティックス、モメンタム、パラボリック・ストップ・ポイント、MACDなどのテクニカル指標をいかにしてシステムトレードに役立てられるかを解説。

### ウィザードブックシリーズ 99
### トレーディングシステムの開発と検証と最適化
著者：ロバート・パルド
定価 本体 5,800円＋税　ISBN:9784775970638

システムトレーダーの永遠の課題のひとつである「最適化」。オーバーフィッティング（過剰にこじつけた最適化）に陥ることなくシステムを適切に改良するための指針を提供する。

### ウィザードブックシリーズ 8
### トレーディングシステム徹底比較
**日本市場の全銘柄の検証結果付き**
著者：ラーズ・ケストナー
定価 本体 19,800円＋税　ISBN:9784939103278

トレード界の重鎮たちが考案した39の戦略を15年の日足データで詳細かつ明確に検証。ソースコードも公開されているため、どのようにプログラムを組んだかの参考にもなる。

# 売買プログラムで広がるシステムトレードの可能性

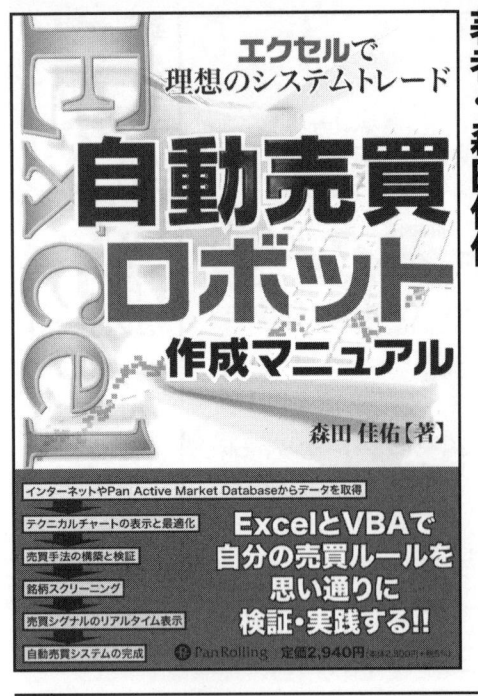

## 自動売買ロボット作成マニュアル
エクセルで理想のシステムトレード
著者：森田佳佑
定価 本体2,800円＋税　ISBN:9784775990391

【パソコンのエクセルでシステムトレード】
エクセルには「VBA」というプログラミング言語が搭載されている。さまざまな作業を自動化したり、ソフトウェア自体に機能を追加したりできる強力なツールだ。このVBAを活用してデータ取得やチャート描画、戦略設計、検証、売買シグナルを自動化してしまおう、というのが本書の方針である。

## コンピュータトレーディング入門
著者：高橋謙吾
定価 本体2,800円＋税　ISBN:9784775990568

【自作システム完成までの筋道】
コンピュータを使ったシステムトレードにどのような優位性があるのか？ 売買アイデアをどのようにルール化し、プログラム化したらよいのか？ 作った売買システムをどのように検証したらよいのか？ 売買プログラムの論理的な組み立て方、システムの優劣の見分け方をやさしく解説する。

---

### ウィザードブックシリーズ 30
**魔術師たちの心理学**
トレードで生計を立てる秘訣と心構え
著者：バン・K・タープ
定価 本体2,800円＋税　ISBN:9784939103544

あまりの内容の充実に「秘密を公開しすぎる」との声があがったほど。システムトレードに必要な情報がこの一冊に！ 個性と目標利益に見合った売買システム構築のコツを伝授。

### 現代の錬金術師シリーズ
**自動売買ロボット作成マニュアル初級編**
エクセルでシステムトレードの第一歩
著者：森田佳佑
定価 本体2,000円＋税　ISBN:9784775990513

操作手順と確認問題を収録したCD-ROM付き。エクセル超初心者の投資家でも、売買システムの構築に有効なエクセルの操作方法と自動処理の方法がよく分かる!!

### 現代の錬金術師シリーズ
**トレードステーション入門**
やさしい売買プログラミング
著者：西村貴郁
定価 本体2,800円＋税　ISBN:9784775990452

売買ソフトの定番「トレードステーション」。そのプログラミング言語の基本と可能性を紹介。チャート分析も、売買戦略のデータ検証・最適化も売買シグナル表示もこれひとつで可能だ。

### ウィザードブックシリーズ 113
**勝利の売買システム**
トレードステーションから学ぶ実践的売買プログラミング
著者：ジョージ・プルート、ジョン・R・ヒル
定価 本体7,800円＋税　ISBN:9784775970799

世界ナンバーワン売買ソフト「トレードステーション」徹底活用術。このソフトの威力を十二分に活用し、運用成績の向上を計ろうとするトレーダーたちへのまさに「福音書」だ。

## トレード業界に旋風を巻き起こしたウィザードブックシリーズ!!

### ウィザードブックシリーズ1
### 魔術師リンダ・ラリーの短期売買入門
著者：リンダ・ブラッドフォード・ラシュキ

定価 本体 28,000円+税　ISBN:9784939103032

【米国で短期売買のバイブルと絶賛】
日本初の実践的短期売買書として大きな話題を呼んだプロ必携の書。順バリ（トレンドフォロー）派の多くが悩まされる仕掛け時の「ダマシ」を逆手に取った手法（タートル・スープ戦略）をはじめ、システム化の困難な多くのパターンが、具体的な売買タイミングと併せて詳細に解説されている。

### ウィザードブックシリーズ2
### ラリー・ウィリアムズの短期売買法
著者：ラリー・ウィリアムズ

定価 本体 9,800円+税　ISBN:9784939103063

【トレードの大先達に学ぶ】
短期売買で安定的な収益を維持するために有効な普遍的な基礎が満載された画期的な書。著者のラリー・ウィリアムズは30年を超えるトレード経験を持ち、多くの個人トレーダーを自立へと導いてきたカリスマ。事実、本書に散りばめられたヒントを糧に成長したと語るトレーダーは多い。

---

### ウィザードブックシリーズ 51・52
### バーンスタインのデイトレード【入門・実践】
著者：ジェイク・バーンスタイン　定価(各)本体 7,800円+税
ISBN:(各)9784775970126　9784775970133

「デイトレードでの成功に必要な資質が自分に備わっているのか？」「デイトレーダーとして人生を切り開くため、どうすべきか？」──本書はそうした疑問に答えてくれるだろう。

### ウィザードブックシリーズ 130
### バーンスタインのトレーダー入門
著者：ジェイク・バーンスタイン
定価 本体 5,800円+税
ISBN:9784775970966

ヘッジファンドマネジャー、プロのトレーダー、マネーマネジャーが公表してほしくなかった秘訣が満載！　30日間で経済的に自立したトレーダーになる！

### ウィザードブックシリーズ 25
### 相場心理を読み解く出来高分析入門
著者：リチャード・W・アームズ・ジュニア
定価 本体 4,800円+税
ISBN:9784775970683

簡潔な分析手法とユニークなアプローチによって発明された、洗練された投資戦略は、相場の素人が読んでも理解できるものだ。投資を経験した方になら……。その効果は言わずともわかるだろう。

### ウィザードブックシリーズ 137
### 株価指数先物必勝システム
著者：アート・コリンズ
定価 本体 5,800円+税
ISBN:9784775971048

ノイズとチャンスを見極め、優位性のあるバイアスを取り込め！　株価指数先物をやっつけろ！メカニカルなトレーディングシステムの開発法を伝授。メカニカルトレーダー必携書。

# 参考文献

## ウィザードブックシリーズ103
### アペル流テクニカル売買のコツ
著者：ジェラルド・アペル

定価 本体 5,800円+税　ISBN:9784775970690

テクニカル分析に革命をもたらした最新かつ高度な画期的テクニックも網羅！
テクニカル分析の世界的な権威であり、マックディーの開発者であるジェラルド・アペル氏がサイクルやトレンド、モメンタム、出来高シグナルなどを用いて将来の相場動向を予測する手法を明らかにした。本書は、既存の多くのテクニカル分析本とは異なり、ステップ・バイ・ステップの構成によって、初心者からプロの投資家まで今日の高いボラティリティのマーケットで大きな成功を収めることが可能になっている！

## ウィザードブックシリーズ29
### ボリンジャーバンド入門
著者：ジョン・A・ボリンジャー

定価 本体 5,800円+税　ISBN:9784939103537

【トレンドと内部構造が一目で判る！絶好の売買タイミングを選択する、便利な強力ツールを開発者本人が指南】
本書はジョン・ボリンジャー自身によるボリンジャーバンドの解説書である"BOLLINGER ON BOLLINGER BANDS"の邦訳である。ボリンジャーバンドそのものは、あまりにも有名であり、ここで改めて解説するまでもないと思うが、移動平均線とボラティリティを基にした極めて統計学的に合理性のあるテクニカル分析ツールとして、知らぬものはないと言っていいと思う。

## ウィザードブックシリーズ141
### テイラーの場帳トレーダー入門
著者：ジョージ・D・テイラー
定価 本体 2,800円+税
ISBN:9784775971086

"マーケットの魔術師"リンダ・ラシュキ激賞！ウィザードたちが競って読み漁った短期売買手法の奥義書。3日サイクルの全貌がついに明らかになる！

## ウィザードブックシリーズ76・77
### マーケットのテクニカル百科 入門・実践編
著者：ロバート・D・エドワーズ、ジョン・マギー　W・H・C・バセッティ
定価 本体 5,800円+税

アメリカで50年支持され続けているテクニカル分析の最高峰が大幅刷新！
チャート分析家必携の名著が読みやすくなって完全復刊！

## ウィザードブックシリーズ63
### マーケットのテクニカル秘録
著者：チャールズ・ルボー＆デビッド・ルーカス
定価 本体 5,800円+税
ISBN:9784775970256

本書には、これまでのシステムマニュアルが扱ってこなかった内容が取り上げられ、トレーダーとして成功したい者に必要なインフォメーションが、明解でターゲット絞った形で提供されている！

# 資産を最大限に増やすオプティマルf

## DVD マネーマネジメントセミナー 資産を最大限に増やすラルフ・ビンスの
著者：ラルフ・ビンス

定価 本体 100,000 円＋税　ISBN:9784775962442

【中長期トレンドフォローシステムの公開】
スペース・レバレッジモデル（資金管理モデル）の公開→オリジナルソフト提供
オプティマルfで定期性リスク率を一般に公表したラルフが次に開発した資金管理モデル。セミナー参加者だけに公表される数学やプログラムの知識がなくても活用できる資金管理プログラム。

## ラルフ・ビンスの資金管理大全
著者：ラルフ・ビンス

定価 本体 12,800円＋税　ISBN:9784775971185

【最適なポジションサイズとリスクでリターンを最大化する方法】
本書はトレーディングについてのみ書かれたものではない。基本的な数学法則とコントロール不可能なリスクを伴う一連の結果を扱うときに、これらの数学法則がわれわれにどのような影響を及ぼすのかが本書のメインテーマである。

## 投資家のためのマネーマネジメント 資産を最大限に増やすオプティマルf
著者：ラルフ・ビンス

定価 本体 5,800 円＋税　ISBN:9784775970560

読者から要望が一番多かった書籍、ついに刊行へ！
ギャンブルと投資の絶妙な融合！資金管理のバイブル！確率と現代ポートフォリオ理論を使ってトレーディングシステムの改良を伝授！トレーディング戦略のリスクやリワードはもとより、今はあらゆるものが数学的に測定可能な時代だ。本書は、先物、オプション、株式市場での「成功を測るためのモノサシ」を、分かりやすい言葉で解説してくれるほかに例を見ない書籍である。本書では、確率と現代ポートフォリオ理論を使って手持ちのトレーディングシステムを改良する方法を、ステップ・バイ・ステップで示してくれる。

# FXトレーディング関連書

## FXトレーディング
著者：キャシー・リーエン

定価 本体 3,800円+税　ISBN:9784775970843

外為市場特有の「おいしい」最強の戦略が満載！
テクニカルが一番よく効くFX市場！　今、もっともホットなFX市場を征服には……
本書は、初心者にもベテランにも参考になる内容が盛られている。すべてのトレーダー──とりわけデイトレーダー──が知っておくべき主要市場や各通貨に関する基本知識や特徴、さらには実際の取引戦略の基礎として使える実践的な情報が含まれている。

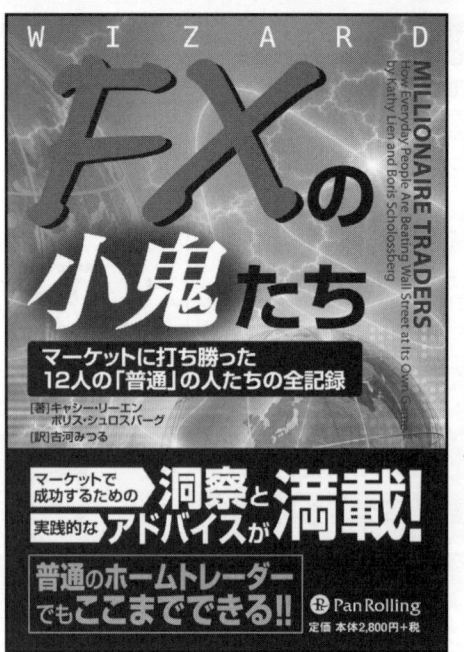

## FXの小鬼たち
著者：キャシー・リーエン
ボリス・シュロスバーグ

定価 本体 2,800円+税　ISBN:9784775971154

本書を参考にすれば、成功したトレーダーたちの経験から、普通の人が現在の金融市場で成功し、初期資金を6桁や7桁のひと財産にするためのさまざまな戦略や心構えを学ぶことができるだろう。並外れたトレーダーになった12人の普通の人たちとのインタビューで、「普通のあなた」ができるウォール街のプロたちを打ち負かす方法が今、明らかになる！

---

### FX メタトレーダー入門
著者：豊嶋久道
定価 本体 2,800円+税
ISBN:9784775990636

無料なのにリアルタイムのテクニカル分析からデモ売買、指標作成、売買検証、自動売買、口座管理までできる！　高性能FXソフトを徹底紹介！

---

### 魔術師に学ぶ FX トレード
著者：中原駿
定価 本体 2,800円+税
ISBN:9784775990704

本書では、ベテランFXトレーダーである著者が、トレンドフォローや短期ブレイクアウトなどの売買戦術で大きな成功を遂げている「魔術師」たちの運用手法をどのように解釈し、研究したか紹介している。

---

### DVD はやぶさ流 FX スワップ金利運用術
講師：空隼人
定価 本体 3,800円+税　ISBN:9784775962152

為替のスワップ金利をねらった運用のカリスマ、はやぶさ氏が贈る驚きのポートフォリオ術！　研究を積み重たからこそ得た、通貨の分散法、時間の分散法は必見です！

---

### DVD 超わかりやすい。田嶋智太郎のFX(外貨証拠金取引)入門
講師：田嶋智太郎
定価 本体 2,800円+税　ISBN:9784775961520

本DVDではFXとは～から始まり、チャートの見方と具体的なトレードのコツまでを伝授している。

# Pan Rolling オーディオブックシリーズ

## 売り上げ1位
### 相場で負けたときに読む本 真理編・実践編
山口祐介　パンローリング
[真] 約160分 [実] 約200分
各 1,575円（税込）

負けたトレーダー破滅するのではない。負けたときの対応の悪いトレーダーが破滅するのだ。敗者は何故負けてしまうのか。勝者はどうして勝てるのか。10年以上勝ち続けてきた現役トレーダーが相場の"真理"を詩的に紹介。

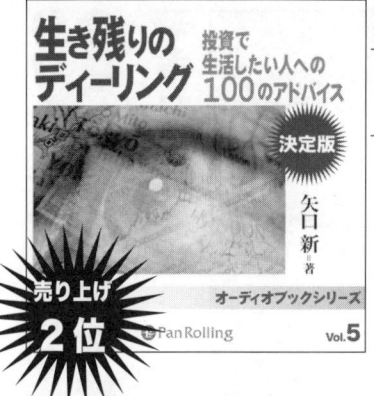

## 売り上げ2位
### 生き残りのディーリング
矢口新　パンローリング
約510分　2,940円（税込）

――投資で生活したい人への100のアドバイス――
現役ディーラーの座右の書として、多くのディーリングルームに置かれている名著を全面的に見直しし、個人投資家にもわかりやすい工夫をほどこして、新版として登場！現役ディーラーの座右の書。

# その他の売れ筋

### マーケットの魔術師
ジャック・D・シュワッガー
パンローリング　約1075分
各章 2,800円（税込）

――米トップトレーダーが語る成功の秘訣――
世界中から絶賛されたあの名著がオーディオブックで登場！

### マーケットの魔術師 大損失編
アート・コリンズ，鈴木敏昭
パンローリング　約610分
DL版 5,040円（税込）
CD-R版 6,090円（税込）

「一体、どうしたらいいんだ」と、夜眠れぬ経験や神頼みをしたことのあるすべての人にとって必読書である！

### 規律とトレーダー
マーク・ダグラス，関本博英
パンローリング　約440分
DL版 3,990円（税込）
CD-R版 5,040円（税込）

常識を捨てろ！
手法や戦略よりも規律と心を磨け！
ロングセラー『ゾーン』の著者の名著がついにオーディオ化!!

### NLPトレーディング
エイドリアン・ラリス・トグライ
パンローリング約590分
DL版 3,990円（税込）
CD-R版 5,040円（税込）

トレーダーとして成功を極めるため必要なもの……それは「自己管理能力」である。

### バビロンの大富豪
「繁栄と富と幸福」はいかにして築かれるのか
ジョージ・S・クレイソン
パンローリング　約400分
DL版 2,200円（税込）
CD版 2,940円（税込）

不滅の名著！　人生の指針と勇気を与えてくれる「黄金の知恵」と感動のストーリー！　読了後のあなたは、すでに資産家への第一歩を踏み出し、幸福を共有するための知恵を確実にみにつけていることだろう。

### マーケットの魔術師 ～日出る国の勝者たち～ Vo.01
塩坂洋一，清水昭男
パンローリング　約100分
DL版 840円（税込）
CD-R版 1,260円（税込）

勝ち組のディーリング
トレード選手権で優勝し、国内外の相場師たちとの交流を経て、プロの投機家として活躍している塩坂氏。「商品市場の勝ちパターン、個人投資家の強味、必要な分だけ勝つ」こととは！？

### マーケットの魔術師～日出る国の勝者たち～

- Vo.02 FX戦略：キャリートレード次に来るもの／松田哲，清水昭男
- Vo.03 理論の具体化と執行の完璧さで、最高のパフォーマンスを築け!!!!／西村貴郁，清水昭男
- Vo.04 新興国市場――残された投資の王道／石田和靖，清水昭男
- Vo.05 投資の多様化で安定収益／銀座ロジックの投資術／浅川夏樹，清水昭男
- Vo.06 ヘッジファンドの奥の手拝見／その実態と戦略／青木俊郎，清水昭男
- Vo.07 FX取引の確実性を摘み取れ／スワップ収益のインテリジェンス／空隼人，清水昭男
- Vo.08 裁量からシステムへ、ニュアンスから数値化へ／山口祐介，清水昭男
- Vo.09 ポジション・ニュートラルから紡ぎだす日々の確実収益術／徳山秀樹，清水昭男
- Vo.10 拡大路線と政権の安定　タイ投資の絶妙タイミング／阿部俊之，清水昭男
- Vo.11 成熟市場の投資戦略　シクリカルで稼ぐ日本株の極意／鈴木一之，清水昭男
- Vo.12 バリュー株の収束相場をモノにする！／角山智，清水昭男
- Vo.13 大富豪への王道の第一歩：でっかく儲ける資産形成＝新興市場＋資源株／上中康司，清水昭男
- Vo.14 シンプルシステムの成功ロジック：検証実績とトレードの一貫性で可能になる安定収益／斉藤正章，清水昭男
- Vo.15 自立した投資家（相場）の未来を読む／福永博之，清水昭男
- Vo.16 IT時代だから占星術／山中康司，清水昭男
- Vo.17 投資に特別な才能はいらない！／内藤忍，清水昭男
- Vo.18 相場とは、勝ち負けではない！／成田博之，清水昭男
- Vo.19 平成のカリスマ相場師 真剣勝負！／髙田智也，清水昭男
- Vo.20 意外とすごい サラリーマン投資家／Bart，清水昭男
- Vo.21 複利と時間を味方に付けろ：ハイブリッド社員が資産1億円を築く／中桐啓貴，清水昭男

# チャートギャラリーでシステム売買

## DVD チャートギャラリーで今日から動く日本株売買システム
著者：徃住啓一

定価 本体 10,000 円＋税　ISBN:9784775962527

個別株4000銘柄で30年間通用するシンプルな短期売買ルールとは!?　東証、大証、名証、新興市場など合計すると、現在日本には約4000〜4500銘柄くらいの個別株式が上場されています。その中から短期売買可能な銘柄の選び方、コンピュータでのスクリーニング方法、誰でもわかる単純なルールに基づく仕掛けと手仕舞いについて解説します。

## 株はチャートでわかる！[増補改訂版]
著者：パンローリング編

定価 本体 2,800円＋税　ISBN:9784775990605

1999年に邦訳版が発行され、今もなお日本のトレーダーたちに大きな影響を与え続けている『魔術師リンダ・ラリーの短期売買入門』『ラリー・ウィリアムズの短期売買法』（いずれもパンローリング）。こうした世界的名著に掲載されている売買法のいくつかを解説し、日本株や先物市場で検証する方法を具体的に紹介するのが本書『株はチャートでわかる！』である。

## 魔術師リンダ・ラリーの短期売買入門
著者：リンダ・ブラッドフォード・ラシュキ, L・A・コナーズ
定価 本体 28,000円＋税　ISBN:9784939103032

国内初の実践的な短期売買の入門書。具体的な例と豊富なチャートパターンでわかりやすく解説してあります。著者の1人は新マーケットの魔術師でインタビューされたリンダ・ラシュキ。古典的な指標ですら有効なことを証明しています。

## ラリー・ウィリアムズの短期売買法
著者：ラリー・ウィリアムズ
定価 本体 9,800円＋税　ISBN:9784939103063

マーケットを動かすファンダメンタルズとは、3つの主要なサイクルとは、いつトレードを仕切るのか、勝ちトレードを抱えるコツは、……ウイリアムズが答えを出してくれている。

## フルタイムトレーダー完全マニュアル
著者：ジョン・F・カーター
定価 本体 5,800円＋税　ISBN:9784775970850

トレードで経済的自立をするための「虎の巻」！ステップ・バイ・ステップで分かりやすく書かれた本書は、これからトレーダーとして経済的自立を目指す人の必携の書である。

## 自動売買ロボット作成マニュアル
著者：森田佳佑
定価 本体 2,800円＋税　ISBN:9784775990391

本書は「マイクロソフト社の表計算ソフト、エクセルを利用して、テクニカル分析に関する各工程を自動化させること」を目的にした指南書である。

# Chart Gallery 4.0 for Windows
### パンローリング相場アプリケーション チャートギャラリー
### Established Methods for Every Speculation

**最強の投資環境**

**成績検証機能が加わって新発売!**

## 検索条件の成績検証機能 [New] [Expert]

指定した検索条件で売買した場合にどれくらいの利益が上がるか、全銘柄に対して成績を検証します。検索条件をそのまま検証できるので、よい売買法を思い付いたらその場でテスト、機能するものはそのまま毎日検索、というように作業にむだがありません。

表計算ソフトや面倒なプログラミングは不要です。マウスと数字キーだけであなただけの売買システムを作れます。利益額や合計だけでなく、最大引かされ幅や損益曲線なども表示するので、アイデアが長い間安定して使えそうかを見積もれます。

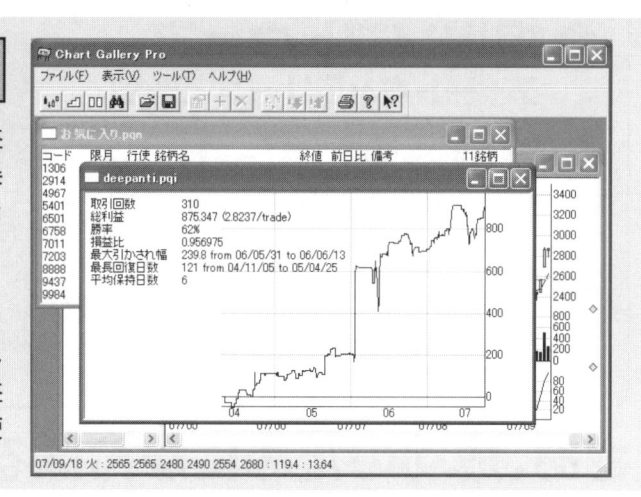

チャートギャラリープロに成績検証機能が加わって、無敵の投資環境がついに誕生!!
投資専門書の出版社として8年、数多くの売買法に触れてきた成果が凝縮されました。
いつ仕掛け、いつ手仕舞うべきかを客観的に評価し、きれいで速いチャート表示があなたのアイデアを形にします。

- **●価格 (税込)**
  **チャートギャラリー 4.0**
  エキスパート **147,000 円** ／ プロ **84,000 円** ／ スタンダード **29,400 円**

- **●アップグレード価格 (税込)**
  以前のチャートギャラリーをお持ちのお客様は、ご優待価格で最新版へ切り替えられます。
  お持ちの製品がご不明なお客様はご遠慮なくお問い合わせください。

| | |
|---|---|
| プロ 2、プロ 3、プロ 4 からエキスパート 4 へ | 105,000 円 |
| 2、3 からエキスパート 4 へ | 126,000 円 |
| プロ 2、プロ 3 からプロ 4 へ | 42,000 円 |
| 2、3 からプロ 4 へ | 63,000 円 |
| 2、3 からスタンダード 4 へ | 10,500 円 |

# Traders Shop

## がんばる投資家の強い味方

## http://www.tradersshop.com/

## 24時間オープンの投資家専門店です。

パンローリングの通信販売サイト「トレーダーズショップ」は、個人投資家のためのお役立ちサイト。書籍やビデオ、道具、セミナーなど、投資に役立つものがなんでも揃うコンビニエンスストアです。

**他店では、入手困難な商品が手に入ります!!**

- ●投資セミナー
- ●一目均衡表 原書
- ●相場ソフトウェア チャートギャラリーなど多数
- ●相場予測レポート フォーキャストなど多数
- ●セミナーDVD
- ●オーディオブック

ここでしか入手できないモノがある。

さあ、成功のためにがんばる投資家は **いますぐアクセスしよう!**

### トレーダーズショップ 無料 メールマガジン

●無料メールマガジン登録画面

トレーダーズショップをご利用いただいた皆様に、**お得なプレゼント**、今後の**新刊情報**、著者の方々が書かれた**コラム**、**人気ランキング**、ソフトウェアのバージョンアップ情報、そのほか投資に関するちょっとした情報などを定期的にお届けしています。

まずはこちらの「**無料メールマガジン**」からご登録ください！
または info@tradersshop.com まで。

---

**パンローリング株式会社**

お問い合わせは

〒160-0023 東京都新宿区西新宿7-9-18-6F
Tel：03-5386-7391 Fax：03-5386-7393
http://www.panrolling.com/
E-Mail info@panrolling.com

携帯版